ENCICLOPEDIA DE MÉXICO

ENCICLOPEDIA DE MÉXICO

DIRECTOR
JOSÉ ROGELIO ÁLVAREZ

TOMO VIII

ENCICLOPEDIA DE MÉXICO

CIUDAD DE MÉXICO

2003

© 1993, 1994, 1996, 1998, 2000, 2001, 2003 Sabeca International Investment Corporation
Mariano Escobedo 752
11590 México, D.F.

ISBN 1-56409-063-9

Esta edición se terminó de imprimir en mayo del 2003 en los talleres de la empresa Quebecor World
Book Services en Tauton, Mass, Estados Unidos. Se elaboraron 3 500 ejemplares.

El dibujo de la serpiente que aparece en el lomo es copia de un sello prehispánico plano encontrado en
Veracruz. Los bordes superior e inferior están sacados de un antiguo sello cilíndrico proveniente de la
ciudad de México y son una variante de la greca xicalcoliuhqui.

Escribieron notas o artículos para el Tomo VIII las siguientes personas: Manuel Acuña (*M.A.*), Alfonso de Alba (*A. de A.*), Javier Alcocer Durand (*J.A.D.*), José Rogelio Álvarez (*J.R.A.*), Mercedes Álvarez Béjar, Raúl Arreola Cortés, Beatriz Barba Ahunetzin de Piña Chan, Antonio Cantú Díaz-Barriga, Emmanuel Carballo, Salvador Cárdenas Luna, Gloria Carmona, Agnes Célia, José Corona Núñez, José Chanes Nieto, Jorge Denegre-Vaught, Beatriz Espejo, Tomás Espinoza, Óscar Alberto Flores Villela, Juan Pablo Gallo Reynoso, Graciela de Garay (*G.de G.*), Juan S. Garrido, Lourdes Gómez, Leopoldo González Aguayo, Enrique González Soriano (*E.G.S.*), Raúl Guerrero Guerrero, Omar Guerrero Orozco, Luis Gutiérrez y González, Gastón Guzmán (*G.G.*), Nora Guzmán, Ignacio Guzmán B. (*I.G.B.*), Ángel J. Hermida Ruiz, Francisco Javier Hernández, José Antonio Hernández Gómez, Teófilo Herrera (*T.H.*), Miguel Huerta Maldonado (*M.H.M.*), María Esther Ibáñez A., José N. Iturriaga de la Fuente, Wigberto Jiménez Moreno, (*W.J.M.*), Jaime Jiménez Ramírez, Rafael Lamothe Argumedo, César Lara González, Salvador de Lara Rangel, María Guadalupe Lazo Carrera, Tomás León Pacheco, Pedro López González, Diego G. López Rosado, Leonardo Manrique (*L.M.*), Juan Carlos Mates Rodríguez, René Mendoza Ortiz, Rolando Mendoza Trejo (*R.M.T.*), José María Muriá, (*J.M.M.*), Antonio Nacayama Arce (*A.N.A.*), Adolfo Navarro, Daniel Olmedo (*D.O.*), Jaime Olveda (*J.O.*), Jorge Luis Rodríguez Ibarra, Aurora Marya Saavedra, Óscar Sánchez Herrera, Miguel A. Sánchez Lamego (*M.A.S.L.*), José Santos Valdés (*J.S.V.*), Luz María Silva de Mejía, Juan Pablo Solórzano Foppa, Xavier Tavera Alfaro, Roberto Torres-Orozco, Ernesto de la Torre Villar, Ricardo Uvalle, María del Carmen del Valle (*M. del C. del V.*), Perla Valle (*P.V.*), Elisa Vargas Lugo (*E.V.L.*), Ignacio Vázquez, Gloria Velázquez, José Manuel Venegas Martínez, José Luis Villalobos Hiriart, Lourdes Villanueva Ramírez y Yolanda Villenave.

Realizaron tareas de investigación, compilación, procesamiento y revisión de materiales para este tomo las siguientes personas: Luis Javier Álvarez Noguera, Miguel Barragán Vargas, David Cano Pérez, Luis Alonso Cazarín Ruiz, Maricela Cuéllar González, Manuel Frausto Herrera, María Petra García Victoria, Alfonso Grajeda Hernández, Carmen Gutiérrez Santamaría, Alejandro Juárez Villarón, Patricia López Zepeda, Francisco Mata Larre, Carlos Miranda Ayala, Orlando Ortiz López, Antonino Ortiz Vargas, Rodolfo Piña García, María Eugenia Pulido Flores, Margarita Ramírez Colín, Patricia Robles Olivares, Hero Rodríguez Toro, Aurora Sánchez de la Rosa y María del Carmen Solano del Moral; y desempeñaron labores de apoyo: Alejandro Alemán G., José Rogelio Álvarez Noguera, Cayetano Cantú, Ana Teresa Capdevielle, Marcos V. Cárdenas, Silvia Elena Frenk Mora, Magdalena Guillén L., Jaime Hernández Gaspar, Gastón López Vázquez, Francisca Martín Íñiguez, José Guadalupe Martínez, Armando Murillo Barrera, Mario Ortiz Vargas, Martha Peimberth M., Blanca Estela P. Íñiguez, Ana Elizabeth Pineda Espinosa, Javier del Real Oñate, Esther Rodríguez F., Ramón Rosas C., Claudio P. Salinas y Juan Velázquez Serrano.

La actualización para la impresión revisada del 2003
fue realizada por:

Ángeles Lafuente
Editora

Sergio Negrete
Coordinación editorial

Patricia Mora
Asistencia editorial

Armando Guzmán
Producción

Wendoline Ortiz
Asistente de producción

Pietro Cavallazzi
Adriana Cavallazzi
Composición y diagramación

INSTITUTO DE SEGURIDAD Y SERVICIOS SOCIALES DE LOS TRABAJADORES DEL ESTADO (ISSSTE). (Continúa).

A partir de su constitución, el 1o. de enero de 1960, la población amparada por el Instituto, al 31 de diciembre de cada uno de los años que citan, ha sido la siguiente:

1960	487 472	1978	4 994 742
1963	599 629	1979	4 879 226
1966	955 536	1980	4 985 108
1968	1 255 148	1984	6 080 500
1969	1 329 314	1985	6 447 900
1970	1 347 470	1986	6 957 300
1971	1 584 792	1987	7 356 600
1972	1 845 040	1988	7 415 100
1973	2 395 220	1989	7 844 500
1974	2 905 486	1990	8 302 400
1975	3 448 568	1991	8 506 700
1976	3 918 514	1992	8 582 700
1977	4 367 166	1993	8 756 000

El patrimonio del Instituto está constituido por: I. Las propiedades, posesiones, derechos y obligaciones que al entrar en vigor la Ley (1° de enero de 1960) integraban el patrimonio de la Dirección de Pensiones Civiles. II. Las aportaciones de los trabajadores y pensionistas. III. Las aportaciones de las entidades y organismos públicos. IV. El importe de los créditos e intereses a su favor y a cargo de los trabajadores y de las entidades y organismos públicos. V. Los intereses, rentas, plusvalías y demás utilidades que obtenga de sus inversiones. VI. El importe de las indemnizaciones, pensiones caídas e intereses que prescriban a su favor. VII. El producto de las sanciones pecuniarias derivadas de la aplicación de la ley. VIII. Las donaciones, herencias y legados que se le hicieren. IX. Los muebles e inmuebles que las entidades y organismos públicos le destinen y entreguen. Y X. Cualquiera otra percepción de la cual resultare beneficiario. Si llegare a ocurrir que los recursos del Instituto no bastaren para cumplir con las obligaciones a su cargo, la Ley prevé que el déficit sea cubierto por las entidades y organismos públicos en la proporción que a cada uno de ellos corresponda.

Las reservas del Instituto se invierten en las mejores condiciones de seguridad, rendimiento y liquidez, prefiriéndose en igualdad de circunstancias las que garanticen mayor utilidad social: hasta un 10% en bonos o títulos emitidos por el Gobierno Federal, estados o Distrito Federal, municipios, instituciones nacionales de crédito o

ISSSTE. FINANCIAMIENTO			
Seguros, prestaciones y servicios	I	II	Total
I. Medicina preventiva; II. Seguro de enfermedades y maternidad; III Servicios de rehabilitación física y mental	2.50	6.50	9.00
IV. Seguro de riesgos del trabajo	—	0.75	0.75
XIV. Préstamos hipotecarios y financiamiento en general para vivienda en sus diversas modalidades	0.50	0.50	1.00
XV. Préstamos a mediano plazo; XVI. Préstamos a corto plazo	0.50	0.50	1.00
XVII Servicios que contribuyan a mejorar la calidad de vida del servidor público y familiares derechohabientes	0.50	0.50	1.00
50% de la prima para el pago de jubilaciones, pensiones e indemnizaciones globales y para constituir las reservas actuariales correspondientes	4.00	9.00	13.00
Total	8.00	17.75	25.75

Las cantidades se anotan como porcentaje del salario. I: Cuota obligatoria del trabajador. II: Aportaciones de las entidades y organismos. Las entidades son la Federación, el Departamento del Distrito Federal y los organismos públicos que por ley o por acuerdo del Ejecutivo Federal se incorporen al Instituto. Para los servicios (XI) de atención al bienestar y desarrollo infantil, las dependencias y entidades cubrirán el 50% del costo por cada uno de los hijos de sus trabajadores que haga uso de las estancias de bienestar infantil del Instituto. Este costo es determinado anualmente por la Junta Directiva.

entidades encargadas de prestar servicios públicos; hasta un 40% en la adquisición, construcción o financiamiento de hospitales, sanatorios, maternidades, dispensarios, almacenes, farmacias, laboratorios, casas de reposo, habitaciones para trabajadores y demás muebles e inmuebles propios para sus fines; un 25% en préstamos hipotecarios y otro tanto en créditos a corto plazo.

Organización de los beneficios. La actividad del Instituto comprende los servicios médicos, las obligaciones económicas y las prestaciones sociales.

Los servicios médicos garantizan a los derechohabientes la protección en los seguros de enfermedades no profesionales, de maternidad y de accidentes de trabajo y enfermedades profesionales, incluyendo los servicios de reducación de inválidos, las campañas de medicina preventiva y el fomento de la investigación médica y de la función docente para elevar el nivel profesional, técnico y administrativo del Instituto en este campo. El personal de los servicios médicos al 31 de diciembre de 1984 estaba constituido por 36 232 personas: 10 349 médicos (2 997 generales, 3 098

INSTITUTO

INSTITUTO DE SEGURIDAD Y SERVICIOS SOCIALES DE LOS TRABAJADORES DEL ESTADO

	1980	1982	1984	1986	1988	1990	1991
Unidades médicas hospitalarias en servicio	55	59	68	72	76	84	85
Camas censables	5 315	5 477	6 133	6 140	6 152	6 394	6 253
Personal médico	7 738	9 279	10 488	11 559	12 555	12 975	13 646
Consultas externas odontología (miles)	903	967	1 100	1 115	1 182	1 136	1 159
Consultas externas de planificación familiar (miles)	156	313	215	414	541	606	522
Consultas de urgencias otorgadas (miles)	961	1 116	1 291	1 488	1 607	694	–
Consultas externas (miles)	13 692	14 302	16 351	17 302	19 028	18 038	17 413

especialistas, 2 892 residentes, 2 265 internos y 477 odontólogos), 10 894 del cuerpo de enfermería (4 109 generales, 427 especializados y 6 358 auxiliares), 2 208 paramédicos (902 ayudantes de laboratorio, 474 de rayos X, 441 de farmacia y 431 de otro carácter) y 13 681 de los servicios administrativo y de intendencia (7 509 y 6 172, respectivamente). El Instituto dispone de 1 126 unidades médicas: 116 clínicas, seis hospitales, 60 clínicas hospital, 787 consultorios de medicina general, 83 consultorios auxiliares y 74 hospitales subrogados. Los recursos materiales para el servicio médico están constituidos por 2 135 cubículos, 89 laboratorios de análisis clínicos, 107 gabinetes de radiología, 182 farmacias, 87 salas de expulsión, 149 quirófanos, 11 bancos de sangre, 83 salas de urgencias, 92 gabinetes dentales y 33 laboratorios de patología. Las instalaciones hospitalarias cuentan con 6 133 camas, 1 886 cunas, 316 incubadoras y 1 195 camas de tránsito. En 1984 se concedieron 14 884 137 consultas, 10 738 066 exámenes de laboratorio y 1 134 441 estudios radiológicos, y se practicaron 151 552 electrocardiogramas, 22 349 electroencefalogramas y 373 189 estudios histopatológicos. Destacan, en el área metropolitana, las unidades hospitalarias 20 de Noviembre, Adolfo López Mateos, Dr. Darío Fernández, Dr. González Castañeda, Dr. Fernando Quiroz y el hospital de Tecamachalco. El hospital 20 de Noviembre entró en servicio el 16 de mayo de 1961, ocupa un área de 14 053 m^2, tiene nueve plantas con una superficie total construida de 40 mil metros cuadrados y cuenta con 112 camas para servicios de obstetricia, 130 para pediatría, 140 para medicina general y 116 para servicios quirúrgicos; 114 cunas para recién nacidos; 12 salas de operaciones; una bomba de cobalto y dos de cesio, para combatir el cáncer; cinco grupos de especialidades médicas –quirúrgica, pediátrica, gineco-obstétrica, ramas auxiliares y hemodinámica– y departamentos de ortopedia, traumatología y cirugía reconstructiva. Las unidades hospitalarias foráneas del Instituto se localizan en las ciudades de Tijuana, Saltillo, Torreón, Tuxtla Gutiérrez, Chihuahua, Ciudad Juárez, Durango, Irapuato, Acapulco, Pachuca, Guadalajara, Morelia, Cuernavaca, Tepic, Monterrey, Oaxaca, Teziutlán, Ciudad Valles, San Luis Potosí, Culiacán, Hermosillo, Villahermosa, Reynosa, Tampico, Veracruz y Mérida.

Entre los beneficios de carácter económico que el Instituto está obligado a proporcionar a los derechohabientes, destacan las pensiones y los préstamos hipotecarios a corto plazo, independientemente de los subsidios por incapacidad temporal, las ayudas para gastos de funeral y las indemnizaciones globales. En 1983 se autorizaron 570 635 préstamos a corto plazo con importe de $53 431 692 980 (promedio de $93 535 por operación) y se concedieron 3 271 créditos hipotecarios con monto de $2 594 206 140 (promedio de $793 092 por documento). Al 31 de diciembre de 1984 eran 78 467 pensionistas a cargo del Instituto, quienes en el año recibieron $12 648 270 525 (promedio de $161 192 anuales por pensión, o sea $13 432 mensuales). Sin embargo, a partir de enero de 1986 la cuantía mínima de las pensiones se elevó al nivel del salario mínimo general.

Las prestaciones sociales que representan una relevante manifestación de las actividades tutelares del Instituto, por cuanto que fundamentalmente tienen como propósito la elevación de los niveles de vida de los trabajadores y de sus familias, se han venido otorgando mediante el establecimiento de tiendas, guarderías, unidades de habitación y velatorios. A partir de 1971 se conceden también préstamos para la adquisición de automóviles económicos. Al 31 de diciembre de 1984 el Instituto operaba 185 tiendas (152 directas y 33 incorporadas), que tuvieron ventas en el año por $23 344 774 229 y brindaron atención a 20 769 655 clientes. Ese mismo año hubo una inscripción de 5 910 niños en las 25 estancias infantiles. Las 26 unidades de habitación –13 en el Distrito Federal y 13 en igual número de estados-

comprendían 6 916 departamentos y 584 locales comerciales. En los hoteles del Instituto en Guerrero y Veracruz, se hospedaron 51 615 personas, y se brindó información turística o se hicieron reservaciones a 85 906 derechohabientes. En los tres velatorios del Instituto (dos en el Distrito Federal y uno en Guadalajara) se realizaron 6 149 inhumaciones. En competencias, ligas permanentes y eventos deportivos, el Instituto auspició a 19 mil participantes, y a otros 125 mil les proporcinó recreación física.

El número de empleados del Instituto, al 31 de diciembre de 1984, ascendía a 59 636 personas (44 051 de base, 4 649 de confianza, 5 303 eventuales, 3 777 por honorarios y 1 858 becarios). El presupuesto del Instituto en 1983 ascendió a $145 046 145 millones, pero se ejercieron $47 779 985 millones.

Relaciones internacionales. El Instituto ha participado en las reuniones de las comisiones regionales americanas que organizan la Conferencia Interamericana de Seguridad Social y la Asociación Internacional de Seguridad Social. (*M.H.M.*).

INSTITUTO FEDERAL ELECTORAL (IFE). El Instituto Federal Electoral (IFE) comenzó a funcionar el 11 de octubre de 1990, después de que fueron aprobadas ciertas reformas a la Constitución en 1989 y a la expedición del Código Federal de Instituciones y Procedimientos electorales (COFIPE) en agosto de 1990.

En la integración del IFE participan el Poder Legislativo de la Unión, los partidos políticos nacionales y los ciudadanos. Este instituto está dotado de personalidad jurídica y patrimonio propios y sus decisiones son independientes.

A diferencia de los organismos electorales anteriores, que sólo funcionaban durante los procesos electorales, el IFE se constituye como una institución de carácter permanente. La sede central del IFE está en el Distrito Federal y se organiza en un esquema que le permite ejercer sus funciones en toda la nación.

La organización y funcionamiento del IFE apunta al cumplimiento de los siguientes fines: 1) contribuir al desarrollo de la vida democrática; 2) preservar el funcionamiento del régimen de partidos políticos; 3) integrar el Registro Federal de Electores; 4) asegurar a los ciudadanos el ejercicio de sus derechos políticos electorales y vigilar el cumplimiento de sus obligaciones; 5) garantizar la celebración periódica y pacífica de las elecciones para renovar a los integrantes de los poderes Legislativo y Ejecutivo de la Unión; 6) velar por la autenticidad y efectividad del sufragio; 7) llevar a cabo la promoción del voto y contribuir a la difusión de la cultura democrática.

El IFE se encarga de todas las actividades relacionadas con la preparación, organización y conducción de los procesos electorales, incluyendo el cómputo de los resultados y el otorgamiento de constancias de elección a diputados y senadores, entre otras cosas.

En lo que se refiere a la estructura, se distinguen claramente tres tipos de órganos:

1) Los directivos, que se integran bajo la forma de consejos. El órgano superior de dirección del IFE es el consejo general y como órganos desconcentrados existen los 32 consejos locales (uno en cada estado) y los 300 consejos distritales (uno en cada distrito electoral uninominal). El consejo general es una instancia permanente, en tanto que los otros consejos sólo se instalan en períodos electorales. El consejo general está integrado por un consejero presidente y ocho consejeros electorales. Estos ocho miembros tienen derecho a voz y voto. Además, existen los integrantes con voz pero sin voto que son: los consejeros del Poder Legislativo, los representantes de partidos políticos y el secretario ejecutivo del IFE. El consejo general tiene entre sus atribuciones: designar a los directores ejecutivos del instituto, conforme a las propuestas que presente el consejero presidente; designar a los funcionarios que durante los procesos electorales actuarán como presidentes de los consejos locales y distritales, y que en todo tiempo serán los vocales ejecutivos de la juntas correspondientes; resolver sobre los convenios que celebren los partidos (fusión, frente, coalición, etc); resolver el otorgamiento y pérdida de registro a los partidos políticos; determinar los topes de gastos máximos para las distintas campañas electorales; llevar a cabo el cómputo total de las elecciones de senadores y diputados por el principio de representación proporcional; hacer la declaración de validez correspondiente; determinar la asignación de diputados y senadores para cada partido y otorgarles las constancias correspondientes; aprobar anualmente el anteproyecto de presupuesto para el IFE que proponga el presidente del consejo y remitirlo al Ejecutivo Federal para

que sea incluido en el presupuesto de egresos de la federación; fijar las políticas y los programas generales del IFE a propuesta de la junta general ejecutiva. El consejo general está facultado para integrar las comisiones que considere necesarias. Además, la ley dispone del funcionamiento permanente de cinco comisiones, integradas por consejeros electorales, encargadas de los siguientes asuntos: fiscalización de los recursos de los partidos y agrupaciones políticas, prerrogativas, partidos políticos y radiodifusión, organización electoral, servicio profesional electoral, capacitación electoral y educación cívica.

Los consejos locales se integran con siete miembros con derecho a voz y voto que son un consejero presidente y seis consejeros electorales. Estos consejos locales también tienen miembros con voz, pero sin voto: los representantes de los partidos políticos, los vocales de organización electoral, del registro federal de electores y de capacitación electoral y educación cívica de la junta local correspondiente, y el vocal secretario de la junta local.

Los consejos distritales se integran por siete miembros con derecho a voz y voto: un consejero presidente y seis consejeros electorales, más los integrantes con voz, pero sin voto, que son: los representantes de partidos políticos, los vocales de organización electoral del Registro Federal de Electores y de capacitación electoral y educación cívica de la junta distrital correspondiente y el vocal secretario de la junta distrital.

Las mesas directivas de las casillas son órganos electorales formados por ciudadanos facultados para recibir la votación y realizar el escrutinio y cómputo en cada una de las secciones electorales en que se dividen los 300 distritos uninominales. Cada distrito se divide en secciones electorales, cada una de las cuales debe comprender un mínimo de 50 y un máximo de 1,500 electores. Por cada 750 electores o fracción se debe instalar una casilla. Cada mesa directiva está integrada por un presidente, un secretario y dos escrutadores, así como por tres suplentes generales, es decir siete ciudadanos por casilla, todos seleccionados mediante un doble sorteo. Además, cada partido puede designar hasta dos representantes y un suplente por casilla.

2) Órganos ejecutivos y técnicos. Son los órganos permanentes que ejecutan las tareas técnicas y administrativas para preparar todo lo relacionado

con los procesos electorales. Cuentan con personal permanente y remunerado. El órgano central de este tipo es la junta general ejecutiva, que preside el consejero presidente del IFE y su estructura desconcentrada, que comprende 32 juntas locales ejecutivas (una por estado), más 300 juntas distritales ejecutivas que pueden tener oficinas municipales en los lugares que el consejo general determine.

La junta general ejecutiva está integrada por el presidente del consejo general, el secretario ejecutivo y los directores ejecutivos del Registro Federal de Electores, prerrogativas y partidos políticos, organización electoral, servicio profesional electoral, capacitación electoral y educación cívica, y administración. La junta general debe reunirse por lo menos una vez al mes.

Las juntas locales ejecutivas y las juntas distritales ejecutivas son los órganos permanentes de ejecución y soporte técnico de las actividades del IFE. Las dos se integran con cinco miembros: el vocal ejecutivo (que la preside), el vocal secretario, el vocal de organización electoral, el vocal del Registro Federal de Electores, y el de capacitación electoral y educación cívica. También sesionan una vez al mes.

Los órganos de vigilancia, conocidos como comisiones de vigilancia, son órganos colegiados que existen específicamente en el Registro Federal de Electores para supervisar y contribuir a la integración, depuración y actualización del padrón electoral. La instancia superior de éstas es la comisión nacional de vigilancia, con representación nacional. No constituye un órgano central del IFE porque cumple con funciones de carácter auxiliar. En cada entidad del país existe una comisión local de vigilancia y una comisión distrital en cada uno de los 300 distritos uninominales.

La comisión nacional de vigilancia está integrada por: el director del Registro Federal de Electores y un representante del Instituto Nacional de Estadística, Geografía e Informática.

Las comisiones locales y distritales se forman con los vocales del Registro Federal de Electores de las respectivas juntas ejecutivas, un representante propietario y uno suplente de los partidos políticos, y un secretario designado por el presidente de la comisión.

INSTITUTO LATINOAMERICANO DE LA COMUNICACIÓN EDUCATIVA

(ILCE). En 1956, mediante un convenio celebrado entre la Organización de las Naciones Unidas para la Educación, la Ciencia y la Cultura (UNESCO) y el gobierno de México, fue creado el Instituto Latinoamericano de la Cinematografía Educativa, en cumplimiento de una resolución de la 8a. Conferencia General de aquel organismo (Uruguay, 1954). Su finalidad fue elaborar material audiovisual en apoyo de la enseñanza, facilitar el intercambio cultural e incrementar la capacitación en América Latina y el Caribe. Considerando las necesidades de la región, la evolución de los medios audiovisuales y la demanda de adiestramiento de recursos humanos, en 1969 se reorientaron y extendieron sus objetivos, y se cambió su denominación por la de Instituto Latinoamericano de la Comunicación Educativa. En 1979 se consideró indispensable establecer formas de cooperación regional en la investigación, experimentación, producción, difusión de materiales, y formación y capacitación de personal en las áreas de tecnología educativa y documentación audiovisual, para lo cual se firmó en la ciudad de México un convenio de cooperación al que se adhirieron 13 países: Bolivia, Colombia, Costa Rica, Ecuador, El Salvador, Guatemala, Haití, Honduras, México, Nicaragua, Panamá, Paraguay y Venezuela. En 1982 se firmó el acuerdo entre el gobierno de México y el ILCE relativo a la sede del Instituto y a las misiones que se acrediten. El Consejo Directivo, formado por los representantes de los países miembros, tiene un presidente, un vicepresidente y un secretario que es a la vez el director general. Han desempeñado este puesto: José D. Kimball (1956-1959), Luciano Hernández Cabrera (1959-1962), Miguel Leal Apastillado (1962-1968), Emmanuel Palacios R. (1968-1969), Álvaro Gálvez y Fuentes (1969-1975), Raymundo López Ortiz (1975-1977), Santiago Sánchez Herrero (1977-1978), Juan Antonio Mateos (1978), Carlos Reta Martínez (1978-1979), José Manuel Álvarez Manilla (1979-1985) y Jorge Sota García (desde 1985). De 1964 a 1970 el ILCE llevó a cabo las investigaciones y los programas que concluyeron en la instrumentación de las telesecundarias y otros programas de alfabetización por radio y televisión. Además, ha colaborado en diversos proyectos educativos con la UNESCO y la Organización de Estados Americanos, entre ellos el Multinacional de Tecnología

Educativa, orientado a la capacitación de recursos humanos en talleres de radio y televisión, guionismo y actualización del magisterio; y con los ministerios de Educación de los Estados miembros ha desarrollado programas específicos integrales, como el de Introducción de la Computación Electrónica en la Educación Básica. El ILCE imparte cursos sobre diversas materias de comunicación y una maestría en tecnología educativa. Sus oficinas se encuentran en Juan Luis Vives núm. 200, colonia Chapultepec Morales, en la ciudad de México.

INSTITUTO LINGÜÍSTICO DE VERANO (ILV). Organismo internacional no lucrativo dedicado al estudio de las lenguas indígenas, con el objeto de traducir a ellas la Biblia. También cumple una función alfabetizadora en los grupos que somete a investigación. Forma parte de una serie de organismos similares que en 1987 funcionaban en más de 40 países. Aunque no existe ninguna oficina matriz, los centros de capacitación de nuevos miembros trabajan en cooperación con universidades estadounidenses y en instituciones docentes de Alemania, Australia, Brasil, Francia, Inglaterra y Japón. El adiestramiento suele darse en cursos de verano, de cuya circunstancia deriva su nombre. El ILV fue fundado oficialmente en 1936, pero sus actividades las había iniciado en 1934, en Tetelcingo, Mor., a iniciativa del norteamericano William Cameron Townsend y del mexicano Moisés Sáenz, apoyados por el presidente Lázaro Cárdenas, para reunir y formar misioneros lingüistas, generalmente parejas matrimoniales. En 1976 se creó en Sudán el Instituto de Lenguas Regionales (ILR), cuyo director y fundador es Job Malou, cuyas tareas consisten en la preparación de materiales de alfabetización en las lenguas vernáculas del continente africano y su traducción al árabe e inglés. La acción del ILV se ha extendido a la investigación de 800 de los 5 mil idiomas que existen en el mundo, 3 mil de los cuales son ágrafos. El ILV es una agrupación internacional de voluntarios cuyo personal procede fundamentalmente de Alemania Federal, Australia, Austria, Bélgica, Brunei, Camerún, Canadá Corea, Dinamarca, Estados Unidos, Filipinas, Finlandia, Francia, Guatemala, Holanda, Indonesia, Inglaterra, Italia, Japón, México, Nueva Zelanda, Noruega, Perú, Singapur, Sudáfrica, Sue-

cia y Suiza. Se sostiene con donativos provenientes del país de origen y aportaciones de parientes, amigos e instituciones filantrópicas y religiosas. En 1987 contaba con 668 profesionistas con maestría y 130 con doctorado en lingüística o en ciencias afines. En México tiene 37 miembros con aquel grado y 19 con éste, y entre sus logros más recientes destacan la formación de alfabetos en 42 lenguas o sus variantes, en su mayoría mixtecas y zapotecas; el análisis gramatical de 36; los estudios léxicos correspondientes a 24 idiomas, y la publicación de diversos textos folclóricos regionales. Se han hecho también estudios comparativos de las diversas hablas indígenas, sobre todo de los troncos otomangue (chinanteco, otomí, pame, popoloca, chocho, ixcateco, mazateco, zapoteco, mangue, huave y tlapaneco), mixe-zoque, proto pima-tepehuano y proto maya-chipaya, en los que se ha descubierto una relación con las lenguas mayences de México y Guatemala y el chipaya de Bolivia. Uno de los miembros del ILV, Joseph Grimes, ha elaborado programas en la Universidad Nacional Autónoma de México que incorporan la computación al estudio e investigación de las lenguas indígenas. Hasta 1987, el ILV había realizado traducciones de la Biblia (Nuevo Testamento) y elaborado cartillas de alfabetización en amuzgo, chatino, chichimeco jonás, chinanteco, ch'ol, chontal, chocho-popoloca, chuj, cohimí, cora, cucapá, cuicateco, guarijío, huasteco, huave, huichol, ixcateco, jacalteco, kikapú, diliwa, kumiai, lacandón, maya, mayo, mazahua, mazateco, mixe, mixteco, náhuatl, otomí, popoloca, purépecha, seri, tarahumara, tepehua, tepehuán, tlapaneco, tojolobal, totonaco, trique, tzeltal, tzoltzil, yaqui y zapoteco. El Instituto publica los resultados parciales (bibliografía) y ocasionalmente un informe anual; edita cartillas monolingües y bilingües, diccionarios, gramáticas y estudios antropológicos. Durante muchos años cooperó con la Secretaría de Educación Pública, bajo la dirección de educadores nacionales, en la preparación de las cartillas de enseñanza. Actualmente esa tarea la acometen los propios miembros del Instituto y los maestros bilingües. En 1970 el ILV ideó la organización de talleres para animar la producción literaria autóctona y desde entonces se ha logrado en promedio un taller por año con duración de seis semanas cada uno y un máximo de 14 participantes. En estos talleres no se imponen reglas, simplemente se ponen por escrito relatos ancestrales y composiciones originales. De entonces a 1987 se han publicado 560 libros y folletos redactados por hablantes nativos de 89 variantes de distintas lenguas indígenas del país. Tareas similares acomete la institución en Bolivia, Brasil, Canadá, Colombia, Estados Unidos, Guatemala, Honduras y Surinam; en Burkina Fasso, Camerún, Costa de Marfil, Benín, Chad, Kenia y Sudán; Australia, Filipinas, Indonesia, islas Salomón, Malasia y Nueva Guinea. En 1979, la Organización de las Naciones Unidas para la Educación, la Ciencia y la Cultura otorgó al ILV el Galardón de Alfabetización y el premio Nadeszha/K. Krupskaya Internacional de Lectura. El recipiendario fue Townsend, quien en 1977 creó el Museo México-Cárdenas en Carolina del Norte y recibió, el mismo día de 1978, la condecoración de El Águila Azteca. Las nuevas instalaciones del ILV están en San Fernando núm. 1, en Tlalpan, D.F.

INSTITUTO MEXICANO DE CULTURA.
Fue fundado el 27 de septiembre de 1940, a iniciativa de la Asociación Nacional de Abogados, aunque como un organismo independiente de ella. Sus finalidades son: fomentar el desarrollo de las diversas manifestaciones culturales; estimular la investigación científica, estética y filosófica; exaltar la labor intelectual y social de quienes realicen alguna obra importante en este orden de actividades, y rendir homenaje público a personas e instituciones que hayan realizado una labor ejemplar, o hayan destacado por su esfuerzo intelectual. Han presidido el Instituto: Luis Rubio Siliceo, José Vasconcelos, Antonio Caso, Luis Chico Goerne, Luis Garrido, Agustín García López, Miguel Alemán Valdés y, a la muerte de éste (14 de mayo de 1983), Juan González A. Alpuche, en su carácter de secretario general. El 20 de febrero de 1964, al asumir el cargo de presidente el licenciado Alemán Valdés, se añadieron a las funciones del Instituto los estudios de carácter jurídico y sociológico, y se reorganizaron las academias y colegios de que consta, cuyos presidentes en 1987 se indican entre paréntesis: de Pedagogía (Lilia Berthely), de Ingeniería (Luis Enrique Bracamontes), de la Conducta (Gastón Castellanos), de Economía (Julio Faesler), de Diseño (Alejandro Lazo Margáin), Ciencias Médicas (Pedro Ramos), de Sociología (Lucio Mendieta y Núñez), de

Periodismo (Alfonso Sordo Noriega), de Contaduría y Administración (Heriberto Solís Torres), de las Nuevas Energías, (Francisco Vizcaíno Murray), de Música Popular (Consuelo Velázquez), de Arquitectura (Hilario Galguera), de Literatura (Eduardo Luis Feher), de Filosofía (Juan José Bremer Barrera), y de Estudios Turísticos (Rafael González A. Alpuche).

INSTITUTO MEXICANO DE LA MODA (IMM).
Fue creado en 1967 a iniciativa de la Cámara Nacional de la Industria del Vestido, mediante la fusión de la Asociación de la Elegancia Masculina y el Comité Mexicano de la Moda Femenina. Lo sostienen las cámaras de la Industria Textil, del Calzado y del Vestido. Tiene las siguientes finalidades principales: impulsar el desarrollo de la moda y la alta costura; estar al tanto de los adelantos y novedades en otros países para darlos a conocer a sus asociados; proyectar la moda mexicana hacia el mundo; promover ferias, exposiciones, cursos y seminarios; fomentar escuelas de diseño, corte y confección, bibliotecas especializadas y salas de exhibición permanente. El IMM tiene un departamento de moda y una comisión de desfiles: el primero se propone lograr una moda con personalidad mexicana, y la segunda presenta las nuevas creaciones que habrán de usarse en cada temporada, primero a los compradores, en privado, y luego al público en general.

INSTITUTO MEXICANO DEL CAFÉ (Inmecafé).
Organismo público descentralizado, con personalidad jurídica y patrimonio propios, creado por ley publicada en el *Diario Oficial* el 31 de diciembre de 1958. Su antecedente fue la Comisión Nacional del Café. Tiene como finalidad el coadyuvar al desarrollo integral de la caficultura nacional, preservando, mejorando y defendiendo el cultivo, beneficio, comercio y consumo del café mexicano, tanto en el país como en el extranjero. Depende de la Secretaría de Agricultura y Recursos Hidráulicos, cuyo titular preside el Consejo Directivo, que está integrado, además, por representantes de las secretarías de Comercio y Fomento Industrial, Hacienda y Crédito Público, Programación y Presupuesto, y Contraloría de la Federación, del Banco Nacional de Comercio Exterior y de los productores, los torre-

factores y los exportadores. El Instituto tenía su sede en Jalapa, Veracruz. El Inmecafé amplió un papel como instrumento de respaldo a la industria mexicana del café y también como instancia reguladora de la producción nacional. El Inmecafé servía como representante ante la Organización Internacional del Café (OIC), con sede en Londres, la cual, por medio de un acuerdo entre países productores y consumidores, mantenía un equilibrio en el mercado al establecer cuotas de producción y precios negociados para el grano.

En 1990 se inició un proceso de reestructuración de Inmecafé que puso fin a su participación directa en las actividades de crédito, acopio y comercialización. Sus 35 comercializadoras de ese entonces fueron trasladadas al llamado sector social, esto es, a las agrupaciones de productores. A partir de ese momento, el organismo centró sus actividades en la representación ante la OIC, así como en la investigación, la asistencia técnica y el impulso a las organizaciones de productores en los comités directivos de comercialización y técnico del Fideicomiso del Café.

Con el desplome del Acuerdo Internacional del Café promovido por la OIC, sin embargo, las posibilidades de acción internacional por parte del Inmecafé se vieron cada vez más limitadas. En 1993, de hecho, se tomó la decisión de poner fin a las actividades del Instituto Mexicano del Café. La idea detrás de esta decisión era que las instituciones de la banca de desarrollo, los centros académicos y el propio mercado podían cumplir mejor con las responsabilidades que habían sido ejercidas por esta institución.

INSTITUTO MEXICANO DEL PETRÓLEO (IMP). Organismo descentralizado del Gobierno Federal, creado por decreto presidencial del 23 de agosto de 1965, realiza funciones técnicas, de investigación y de desarrollo profesional. Tiene personalidad jurídica y patrimonio propios. Sus atribuciones básicas están comprendidas en tres grandes grupos: a) suministro de servicios técnicos y de ingeniería a la industria petrolera, petroquímica y química en general; b) investigación y desarrollo de nuevas tecnologías, incluyendo el estudio, la adaptación y el mejoramiento de las existentes, y c) adiestramiento de personal a todos los niveles para Petróleos Mexicanos (Pemex), el propio Instituto y las empresas que lo

soliciten. El primer director general del Instituto fue el ingeniero Javier Barros Sierra, quien durante su gestión, de febrero a mayo de 1966, logró reunir al personal y fijar las bases orgánicas. A partir de agosto de 1966, el ingeniero Antonio Dovalí Jaime impulsó la investigación, la explotación y los proyectos de construcción. En diciembre de 1970 asumió la dirección el ingeniero Bruno Mascanzoni, quien propició el desarrollo científico y tecnológico en diversas áreas de la industria. Bajo la administración del ingeniero Agustín Straffon Arteaga, de septiembre de 1978 a diciembre de 1982, se inició el desarrollo de importantes proyectos de ingeniería en exploración y explotación. El actual director, ingeniero José Luis García-Luna Hernández mantiene el propósito de alcanzar la autosuficiencia en materia científica y la consolidación del Instituto como brazo tecnológico de la industria petrolera.

El Centro de Procesamiento Geofísico, instalado en 1972, realizó trabajos equivalentes a 66 700 km de líneas sismológicas. Se desarrollaron 42 proyectos de ingeniería, principalmente los de las plantas de Tula, Salina Cruz y Cadereyta, las ampliaciones de las refinerías existentes y los complejos industriales de Cactus y La Cangrejera. Y en materia internacional se suscribieron convenios de colaboración y contratos específicos con Jamaica, Ecuador, Colombia, Venezuela, Rumania y Vietnam. De 1977 a 1982 se hicieron 52 estudios de tecnología de exploración, entre ellos los procesos para determinar arrecifes fósiles en la sonda de Campeche; 115 investigaciones de explotación, sobre todo la prueba de supervisión automática de perforación simultánea de dos pozos distantes 20 km; el diseño de un simulador matemático para optimizar la localización de pozos de desarrollo en campos de gas y la determinación de sus gastos, y la experimentación de los sistemas de lodos de emulsión inversa para evitar derrumbes. En materia de refinación se obtuvieron catalizadores mejorados para los procesos de gasolinas de alto octanaje y de otros derivados de petróleo y gas. Además, se proporcionó asistencia técnica a la industria refinadora cubana. Se continuó trabajando en 35 proyectos de investigación básica, y entre los 96 proyectos de ingeniería realizados se incluyeron tres plantas refinadoras para Petróleos del Norte (Petronor) de Bilbao, España, y dos para la Compañía Refinadora Costarricense del Petróleo; se iniciaron los de almacenamiento de gas LP para Puerto Limón y El Alto, en Costa Rica, y continuaron los de ampliación de la refinería de Nico López en Cuba. Aparte sus actividades académicas de alto nivel, el IMP impartió cursos en 51 centros de trabajo de Pemex, para formar capitanes, jefes de máquinas y oficiales de los buques de la flota, y perforadores con destino a las plataformas marinas del área de Ciudad del Carmen. De enero a agosto de 1984, el Instituto realizó 80 estudios económicos, 46 de exploración y evaluación de recursos naturales y 124 de explotación de energéticos; 67 proyectos de explotación y 52 de investigación fundamental; 72 servicios de diseño, 75 de ingeniería de detalle, 35 de normalización, metrología y control de calidad, y 186 de divulgación científica y técnica; e impartió 2 383 cursos sobre productividad, capacitación y adiestramiento de personal.

INSTITUTO MEXICANO DEL SEGURO SOCIAL (IMSS).

Organismo descentralizado, con personalidad jurídica propia, creado en virtud del Artículo 5° de la Ley del Seguro Social publicada en el *Diario Oficial* el 19 de enero de 1943. Esta Ley tiene su antecedente y su base jurídica en la fracción XXIX del Artículo 123 de la Constitución del 5 de febrero de 1917, cuyo texto original establecía: "Se considera de utilidad social el establecimiento de cajas de seguros populares de invalidez, de vida, de cesación involuntaria del trabajo y de otras con fines análogos, por lo cual el Gobierno Federal, como el de cada estado, deberán fomentar la organización de instituciones de esta índole, para difundir e inculcar la previsión popular". De 1920 a 1928, durante los gobiernos de los presidentes Álvaro Obregón y Plutarco Elías Calles, se formularon varios anteproyectos de iniciativa de ley para crear el seguro social, pero la redacción misma del texto constitucional no permitía la elaboración de una ley eficaz y práctica. A fin de superar esa limitación y a iniciativa del presidente Emilio Portes Gil, el Congreso de la Unión aprobó la reforma de la fracción XXIX, cuyo nuevo texto fue publicado en el *Diario Oficial* el 6 de septiembre de 1929: "Se considera de utilidad pública la expedición de la Ley del Seguro Social, y ella comprenderá seguros de invalidez, de vida, de cesación involuntaria del trabajo, de enfermedades y accidentes y otros con fines análogos". Esta reforma, a más de cancelar viejas ideas mutualistas, que sólo hacían posible pequeñas cajas de previsión formadas por agrupaciones de trabajadores, federalizó la legislación sobre el seguro social. Circunstancias técnicas y económicas de varias índoles impidieron que ésta se expidiera durante el gobierno del presidente Cárdenas. La Ley del Seguro Social, iniciada por el presidente Manuel Ávila Camacho el 10 de diciembre de 1942, fue aprobada con dispensa de trámite el día 23 por la Cámara de Diputados y el 29 por la de Senadores, y promulgada y publicada en el *Diario Oficial* el 19 de enero de 1943. Ese año se dedicó a la organización administrativa y técnica del Instituto Mexicano del Seguro Social y a la inscripción de patrones y trabajadores en el Distrito Federal, de acuerdo al decreto del 15 de mayo. Los servicios del IMSS se iniciaron a partir del 1° de enero de 1944.

Las principales funciones del Instituto están definidas en el texto del Artículo 251 de la Ley en vigor a partir del 1° de julio de 1997: I. Administrar los seguros de riesgos de trabajo, enfermedades y maternidad, invalidez y vida, guarderías y prestaciones sociales, salud para la familia y adicionales, que integran al Seguro Social y prestar los servicios de beneficio colectivo que señala esta Ley. II. Satisfacer las prestaciones que se establecen en esta Ley. III. Invertir sus fondos de acuerdo con las disposiciones de esta Ley. IV. Realizar toda clase de actos jurídicos necesarios para cumplir con sus fines, así como aquellos que fueren necesarios para la administración de las finanzas institucionales. V. Adquirir bienes muebles e inmuebles, para los fines que le son propios. VI. Establecer clínicas, hospitales, guarderías infantiles, farmacias, centros de convalecencia y vacaciones, velatorios, así como centros de capacitación, deportivos, de seguridad social para el bienestar familiar y demás establecimientos para el cumplimiento de los fines que le son propios, sin sujetarse a las condiciones salvo las sanitarias, que fijen las leyes y reglamentos respectivos para empresas privadas, con actividades similares. VII. Establecer y organizar sus dependencias. VIII. Expedir sus reglamentos interiores. IX. Difundir conocimientos y prácticas de previsión y seguridad social. X. Registrar a los patrones y demás sujetos obligados, inscribir a los trabajadores asalariados e independientes y precisar su base de cotización aun sin previa gestión de los interesados, sin que ello libere a los obligados de las responsabilidades y sanciones por infracciones en que hubiesen incurrido. XII. Recaudar y cobrar las cuotas de los seguros de riesgos de trabajo, enfermedades y maternidad, invalidez y vida, guarderías y prestaciones sociales, salud para la familia y adicionales, los capitales constitutivos, así como sus accesorios y percibir los demás recursos del Instituto; así como la recaudación y el cobro de las cuotas del seguro de retiro, cesantía en edad avanzada y vejez. XXII. Realizar inversiones en sociedades o empresas que tengan objeto social complementario o afín al del propio Instituto; y XXIII. Las demás que le otorguen esta Ley, sus reglamentos y cualesquiera otra disposición aplicable.

El 1º de julio de 1997 entró en vigor una nueva ley que modificó sustancialmente el sistema pensionario, pago de cuotas, protección de los derechos adquiridos y expectativas, así como el reglamento de afiliación y los riesgos de trabajo, por una parte, y el reglamento del recurso de inconformidad, entre los principales temas. Uno de los problemas cruciales en la elaboración de una nueva ley era encontrar el mecanismo adecuado para hacer más productivas las reservas actuariales y financieras de los seguros de riesgos de trabajo, invalidez y vida. Al mismo tiempo, se trataba de no romper la cadena de solidaridad social que distinguió al IMSS del México posrevolucionario, y es la que surge de la transferencia de recursos de los jóvenes y sanos hacia los enfermos, viudas, huérfanos y ascendientes.

Otro dilema era conciliar la tendencia privatizadora en la economía de los años de 1990 y los intereses legítimos conquistados por la clase trabajadora. La nueva Ley modificó procedimientos administrativos e informáticos del Instituto y de las empresas. Ello obligó a revisar el marco reglamentario e introdujo nuevos términos que el trabajador debía aprender: seguro de vida de renta vitalicia, seguro de sobrevivencia, consecuencias de la propiedad del trabajador sobre la cuenta individual, monto constitutivo, complementariedad de las pensiones, retiro anticipado, derecho del trabajador a elegir administradora de su fondo de retiro (AFORE) y, en su caso, aseguradora.

La nueva Ley también requirió de una legislación complementaria, que estableciera las reglas de operación para las entidades financieras que participarán en el manejo de las reservas que se integrarán mediante el sistema de capitalización individual, para financiar las pensiones al momento en que un trabajador se vea en la necesidad de retirarse de la fuerza laboral, en razón de su edad y la consecuente disminución de sus capacidades. Uno de los objetivos de la reforma a la seguridad social era trasladar parte de la responsabilidad del control del sistema pensionario al propio asegurado, quien, al otorgársele por ley la propiedad de los recursos provisionales, se convierte en copartícipe de la vigilancia y del cumplimiento de las disposiciones de seguridad social, especialmente en materia de aportaciones al sistema.

En 54 años de existencia, todas las actividades relacionadas con la recaudación de cuotas, administración de las reservas y pago de beneficios fueron de orden institucional, ya que dos terceras partes de los recursos se destinaban a la construcción de hospitales, sanatorios, clínicas, guarderías infantiles, farmacias y otro tipo de infraestructura. Al cabo de los años la población creció en forma notable debido al avance de la ciencia médica, el número de pensionados aumentó hasta en un 7% anual y se agregaron otros beneficios pero no hubo un incremento real de las cotizaciones. Si bien el panorama de la seguridad social cambió debido a la presión financiera, la nueva Ley dispuso que el IMSS conservara sus objetivos primordiales y que otros entes, cuyo objeto fuera la actividad financiera, los que inviertan las reservas para aprovechar que, mediante la competencia, se generaran mayores rendimientos en beneficio del sistema de pensiones y, por ende, de los trabajadores. El 23 de mayo de 1996 se publicó en el *Diario Oficial de la Federación* el "Decreto de la Ley de los Sistemas de Ahorro para el Retiro y de reformas y adiciones a las leyes General de Instituciones y Sociedades Mutualistas de Seguros, para regular las Agrupaciones Financieras, de Instituciones de Crédito, del Mercado de Valores y Federal de Protección al Consumidor". El 3 de enero de 1997 se publicó el decreto que reforma la ley de sociedades mutualistas de seguros. Ambos decretos complementaron lo dispuesto por la nueva Ley del Seguro Social, en lo que respecta a los seguros de riesgos de trabajo, invalidez y vida, así como de retiro, cesantía en edad avanzada y vejez.

La Ley de los Sistemas de Ahorro para el Retiro (SAR), en varios de sus artículos, remite a un reglamento que fue publicado el 10 de octubre de 1996. A su vez, este reglamento hace referencia a reglas generales que emitió la Comisión Nacional del Sistema del Ahorro para el Retiro para la constitución de administradoras de fondos, comisiones que pueden cobrar, régimen de inversión de los recursos y otras. Por otra parte, la nueva Ley otorgó facultades a dos organismos desconcentrados de la SHCP, a saber, las Comisiones Nacionales del SAR y de Seguros y Fianzas, cuya finalidad era la supervisión y vigilancia de las AFORES y de las aseguradoras autorizadas para operar seguros derivados de la seguridad social, el manejo de las cuentas individuales y el cálculo de los montos constitutivos, así como respecto de la unidad de renta vitalicia, por mencionar sólo algunas atribuciones. Las reglas de operación para los seguros de pensiones, derivados de la seguridad social fueron publicadas el 26 de febrero de 1997 en el *Diario Oficial de la Federación*.

En relación con los seguros de renta vitalicios y sobrevivencia, puede destacarse lo siguiente: Las aseguradoras serán las administradoras de las reservas de las pensiones que se otorguen conforme a la nueva Ley, salvo el caso de los retiros programados. La responsabilidad del pago de las pensiones recae en una aseguradora. El responsable de la recaudación de las cuotas sigue siendo el IMSS. Los seguros de riesgo de trabajo e invalidez y vida continúan siendo colectivos, mientras no se presente la eventualidad que protegen. La autoridad responsable de definir la procedencia de la pensión y el monto de la misma es el Instituto. La autoridad responsable de controlar y vigilar a las aseguradoras es la CNSF, en coordinación con el IMSS, cuando se afecte algún derecho de los pensionados, conforme al artículo 18 de la nueva Ley del Seguro Social.

En el *nuevo sistema pensionario* existen varios aspectos normativos que conviene resaltar. I. El aseguramiento, que puede ser obligatorio o voluntario; II. La determinación y cobro de las aportaciones de seguridad social; III. La administración de los recursos recaudados; IV. La determinación de la procedencia de una prestación de seguridad social; V. El pago de la prestación de seguridad social.

I. *Aseguramiento*. El artículo 6 de la nueva Ley distingue dos regímenes: Uno obligatorio, para todos aquellos supuestos en que, de manera ineludible, el patrón o sujeto obligado debe inscribir a los trabajadores a su servicio al Instituto; el otro voluntario, que puede o no contratarse, tanto para las personas como para el IMSS. Al régimen obligatorio se ingresa por ley, por decreto del Ejecutivo Federal o por convenio.

II. *Determinación y cobro de las aportaciones de seguridad social*. Gracias a su autonomía, el Instituto tiene la posibilidad de proceder al cobro coactivo de las cuotas del seguro social mediante el procedimiento administrativo de ejecución, es decir, sin que intervenga la autoridad judicial. Los trabajadores pueden denunciar el incumplimiento del pago de las cuotas del seguro del retiro, cesantía en edad avanzada y vejez, así como la procedencia del fincamiento de capitales constitutivos.

III. *La administración de los recursos recaudados*. La cuotas se dividen en dos: las que administra el Instituto, según la fracción primera del Artículo 251 de la nueva Ley, integran las reservas de cada seguro y se invierten en los términos fijados por dicha ley, y las cuotas que administran las AFORES, que se contabilizan e invierten conforme a los dispuesto por la Ley de los Sistemas de Ahorro para el Retiro. La administración de las reservas de los seguros de enfermedades y maternidad, así como guarderías y prestaciones sociales no sufren cambio alguno con la nueva Ley. En cambio las reservas de los seguros de riesgos de trabajo e invalidez y vida, las cuales son invertidas por el Instituto hasta que ocurre el siniestro que protegen. La administración de las reservas del seguro de retiro, cesantía en edad avanzada y vejez la realizan las AFORES que hayan obtenido la autorización de la CONSAR para constituirse y funcionar, y las invierten mediante sociedades de inversión especializadas de fondos para el retiro que aquéllas operan. El procedimiento de inversión está regulado por cinco organismos normativos: Además de la Nueva Ley del Seguro Social, la Ley de los Sistemas del Ahorro para el Retiro, Ley del INFONAVIT, reglamento de la Ley de los SAR, reglas generales expedidas por la CONSAR y la CNSF, y cierta legislación en materia de seguros.

IV. *La determinación de la procedencia de una prestación de seguridad social*. Este aspecto mantiene, como en las leyes anteriores, la facultad del

Instituto de dictaminar una solicitud de pensión. Esto se conserva en todos los ramos de aseguramiento, inclusive en el de retiro, cesantía en edad avanzada y vejez, y ningún asegurado o sus beneficiarios podrán acudir a contratar un seguro de renta vitalicia o de sobrevivencia con una aseguradora o convenir un retiro programado con una AFORE, sin que medie resolución del IMSS.

V. *El pago de la prestación de seguridad social.* El nuevo sistema de pensiones distribuye la responsabilidad entre varios entes del sector público y del privado. Unos beneficios quedan cubiertos por el Instituto y otros por las AFORES y aseguradoras. Las prestaciones que quedan a cargo del IMSS son las siguientes: Subsidios de los seguros de riesgos de trabajo y enfermedades y maternidad (Artículos 58, 96 y 101), pensiones con carácter provisional (Artículo 61), pensiones por incapacidad permanente parcial, cuyo grado sea igual o menor al 50% y superior al 25% (Artículo 58, fr. III), indemnización global equivalente a 5 anualidades de la pensión, cuando la incapacidad sea igual o menor al 25% o cuando el asegurado acreedor a la pensión mencionada en antes prefiera la indemnización (Artículos 171 y 172). Las prestaciones a cargo de las aseguradoras son: Pensiones derivadas de una incapacidad permanente total (Artículo 58, fr. II), pensiones derivadas de una incapacidad permanente parcial superior al 50% (Artículo 58, fr. III), pensiones derivadas de la muerte de un asegurado a consecuencia de un riesgo de trabajo (Artículos 64 y 66), pensiones derivadas del ramo de invalidez (Artículo 120), pensiones derivadas del ramo de vida (Artículo 127), pensiones mínimas garantizadas, derivadas de los seguros de riesgos de trabajo e invalidez y vida (Artículo 141), pensiones derivadas del seguro de retiro, cesantía en edad avanzada y vejez, cuando el asegurado opte por contratar una renta vitalicia (Artículos 157 fr. I y 164 fr. I) y pensiones derivadas de la contratación del seguro de sobrevivencia a que está obligado quien se retira en forma anticipada (Artículo 158) y el que se debe contratar en favor de los beneficiarios por el AFORE al momento en que se otorgue una pensión por retiro programado (Artículo 189). Quedan a cargo de las AFORES las pensiones derivadas del seguro de retiro, cesantía en edad avanzada y vejez, cuando el asegurado opte por mantener el saldo de la cuenta individual en la AFORE y efectúe retiros programados a cargo de éste (Artículos 157 fr. II y 164 fr. II). También quedan a su cargo las pensiones mínimas garantizadas en el seguro de retiro, cesantía en edad avanzada y vejez, hasta que se agoten los recursos de la cuenta individual (Artículos 171 y 172).

Motivos y expectativas de la reforma. Uno de los principales argumentos para reformar la seguridad social del país fue que estimularía el ahorro interno, sin olvidar que la provisión de un ingreso digno para los trabajadores al concluir su vida laboral activa es uno de los pilares que sustentan a las sociedades. Como se ha dicho, la reforma de pensiones constituyó uno de los firmes soportes de la nueva estrategia de desarrollo nacional. Esta reforma preseguía tres objetivos centrales: Mejorar la equidad en el otorgamiento de pensiones para los trabajadores inscritos en el sistema, hacer más transparente su funcionamiento y otorgar certeza respecto de los beneficios.

En cuanto a la equidad del sistema, el elemento esencial de la reforma consistió en transformar un esquema de reparto por uno de capitalización. Así, en el futuro, los beneficios que reciba el trabajador pensionado corresponderán al esfuerzo de aportación durante el periodo laboral activo. En el nuevo sistema, la propiedad de las aportaciones se transfiere desde un inicio al trabajador, quien podrá recuperarlas en el caso de no haber alcanzado una pensión.

Otro elemento que habría de apoyar la equidad del sistema fue el establecimiento de cuentas individuales para cada trabajador, en donde se depositarán las aportaciones tripartitas al Seguro de Retiro, Vejez y Cesantía en Edad Avanzada. Los recursos serán administrados por entidades financieras especializadas, como se dijo antes, las llamadas Administradoras de Fondos para el Retiro (AFORES), que invertirán los recursos en instrumentos que devenguen los mejores rendimientos del mercado, atendiendo siempre a la seguridad de los recursos. En relación al objetivo de otorgar mayor transparencia, el nuevo sistema parte de la premisa de que es el trabajador quien decide sobre la forma en que se invertirán los recursos y la entidad que habrá de administrarlos. Además, se establece por ley el derecho de los trabajadores a estar informados regularmente sobre el monto y el rendimiento de sus aportaciones.

Finalmente, la mayor certidumbre se apoya en dos instrumentos. Por un lado, el trabajador que cubra el periodo mínimo de aportación y alcance la edad de retiro tendrá una pensión garantizada, cuyo valor estará indizado a la evolución del Índice Nacional de Precios al Consumidor. De este modo, el poder adquisitivo de la pensión mínima garantizada no será afectado por episodios de inflación inesperados. Por otro lado, se refuerzan las facultades de la entidad encargada de la supervisión y vigilancia, la Comisión Nacional de los Sistemas de Ahorro para el Retiro. Se buscaba que el carácter tripartita del sistema se viera fortalecido con esta reforma. Las aportaciones gubernamentales se incrementaron sensiblemente; en particular se estableció una cuota social a cargo del Estado, cuyo monto será igual a 5.5% del salario mínimo general en el Distrito Federal vigente al momento de entrar en vigor la reforma, esto es, el 1º de julio de 1997, ajustado por inflación. Dicha cuota reviste un carácter redistributivo, toda vez que el monto representa un apoyo proporcionalmente mayor para los trabajadores de menores ingresos. Con ello el Estado esperaba estimular el esfuerzo de ahorro de cada uno de los trabajadores y que, conforme fuera consolidándose la reforma, el monto de recursos acumulados en las cuentas individuales abriera nuevas oportunidades para el desarrollo del mercado financiero. La naturaleza de largo plazo de estos recursos permitiría canalizarlos a proyectos de larga maduración, como ocurre con los de infraestructura. Se esperaba que hacia el año 2010, el saldo acumulado en este sistema alcanzara un valor equivalente al 20% del PIB.

El Artículo 27 de la nueva Ley del Seguro Social se expresa en los siguientes términos: "Para los efectos de esta Ley, el salario base de cotización se integra con los pagos hechos en efectivo por cuota diaria y las gratificaciones, percepciones, alimentación, habitación, primas, comisiones, prestaciones en especie y cualquier otra cantidad o prestación que se entregue al trabajador por sus servicios. Se excluyen como integrantes del salario base de cotización, dada su naturaleza, los siguientes conceptos:

"1. Los instrumentos de trabajo tales como herramientas, ropa y otros similares; 2. El ahorro, cuando se integre por un depósito de cantidad semanaria, quincenal o mensual igual del trabajador y de la empresa; si se constituye en forma diversa o puede el trabajador retirarlo más de dos veces al año, integrará salario; tampoco se tomarán en cuenta las cantidades otorgadas por el patrón para fines sociales de carácter sindical; 3. Las aportaciones adicionales que el patrón convenga otorgar a favor de sus trabajadores por concepto de cuotas del seguro de retiro, cesantía en edad avanzada y vejez; 4. Las aportaciones al Instituto del Fondo Nacional de la Vivienda para los Trabajadores y las participaciones en las utilidades de la empresa; 5. La alimentación y la habitación cuando se entreguen en forma onerosa a trabajadores; se entiende que son onerosas estas prestaciones cuando representen cada una de ellas, como mínimo, el veinte por ciento del salario mínimo general diario, que rija en el Distrito Federal; 6. Las despensas en especie o en dinero, siempre y cuando su importe no rebase el cuarenta por ciento del salario mínimo general diario vigente en el Distrito Federal; 7. Los premios por asistencia y puntualidad, siempre que el importe de cada uno de estos conceptos no rebase el diez por ciento del salario base de cotización; 8. Las cantidades aportadas para fines sociales, considerándose como tales las entregadas para constituir fondos de algún plan de pensiones establecido por el patrón o derivado de contratación colectiva. Los planes de pensiones serán sólo los que reúnan los requisitos que establezca la Comisión Nacional del Sistema de Ahorro para el Retiro.

"Para que los conceptos mencionados en este precepto se excluyan como integrantes del salario base de cotización, deberán estar debidamente registrados en la contabilidad del patrón."

En cuanto al *nuevo sistema de pago de cuotas*, el Artículo 27 regula lo que debe de entenderse como salario para efectos de cotización, el cual se integra con los pagos hechos en efectivo por cuota diaria y las gratificaciones, percepciones, alimentación, habitación, premios, comisiones, prestaciones en especie y cualquier otra cantidad o prestación que se entregue al trabajador por sus servicios. Por otra parte, el Artículo 9 señala que las disposiciones fiscales que establecen cargas a los particulares y las que señalan excepciones a las mismas, así como las que fijan las infracciones y sanciones son de aplicación estricta, pues se considera que las normas que se refieran a sujeto, objeto, base de cotización y tasa establecen cargas.

Ahora bien, las excepciones que establece el Artículo citado pueden prestarse a diversas confusiones que los juristas han señalado en su oportunidad. La primera excepción, instrumentos de trabajo tales como herramientas y ropa, tendría que ser más explícita si estos elementos, sobre todo las herramientas, son necesarios o no para la prestación del servicio.

El ahorro se integra por un depósito semanal, quincenal o mensual, cantidad repartida por iguales entre el trabajador y la empresa o patrón. Tampoco se tomarán en cuenta las cantidades otorgadas por el patrón para fines sociales de carácter sindical. Según expertos juristas, este Artículo es semejante al de la ley anterior y ha causado confusión por lo obscuro de su texto y porque no concuerda con las disposiciones de la Ley del Impuesto Sobre la Renta (véase) y su Reglamento básicamente en lo que se refiere a préstamos. El IMSS equipara los retiros a los préstamos y, por ende, cuando exceden de dos en el ejercicio de que se trata, el tercero y subsecuente integraría salario. Otros expertos en la materia han sostenido que, mientras exista fondo, no importa el número de préstamos que se otorguen a los trabajadores, siempre y cuando sean cubiertos, por lo menos, al final del ejercicio. En esta misma fracción se excluye del salario las cantidades otorgadas por el patrón para fines sociales de carácter sindical, debiéndose entender por ellas las que están consignadas en los contratos colectivos de trabajo, por lo que quedarían excluidos los empleados de confianza de este beneficio y, en principio, tenderían a mejorar el nivel de vida de las familias de los trabajadores.

La nueva Ley se refiere a las aportaciones adicionales que el patrón convenga otorgar a favor de sus trabajadores por concepto de cuotas del Seguro del Retiro parecería tener un contrasentido. Podría pensarse que las aportaciones normales que cada mes entera el patrón por el Seguro del Retiro sí deberían integrar parte del salario. Sin embargo, por tratarse de una cuota correspondiente a una rama del Seguro Social, no deberán afectar el pago de las cuotas.

Hasta octubre de 1997 no se habían emitido nuevos acuerdos de esta índole y todos se refieren al antiguo Artículo 32 de la ley derogada.

Continúa conservándose la disposición referente a que si la habitación o la alimentación se entreguen al trabajador en forma gratuita, por la primera se aumentará su salario en un 25%, y si recibe las dos, en un 50%, en el entendido de que por cada alimento se adicionará el salario en un 8.33%. Las despensas pueden entregarse a través de vales canjeables en tiendas de autoservicio u otras similares. Si se rebasa el límite que marca la ley (40% del salario mínimo general diario vigente en el Distrito Federal) el excedente integraría el salario.

Otro aspecto que destaca en la nueva Ley son las cantidades aportadas para fines sociales, considerándose como tales las entregadas para constituir fondos de algún plan de pensión establecido por el patrón o derivado de contratación colectiva. Los planes de pensiones serán sólo los que reúnan los requisitos que establezca la SHCP para su aprobación. Desde el momento en que estas cantidades no son entregadas al trabajador, no deberían de constituir salario. Además, en los contratos colectivos deben de incluirse este tipo de planes y registrarse ante la SHCP para su aprobación.

En cuanto al tiempo extra, la nueva Ley de Seguro Social remite a lo señalado en la Ley Federal del Trabajo. No obstante, en ésta, en sus Artículos 66 a 68, contiene diversos márgenes. Por otra parte, la Constitución, en su Artículo 123 fr. XII, prevé que, en ningún caso, el trabajo extraordinario podrá exceder de tres horas diarias ni de tres veces consecutivas. Así, las percepciones por tiempo extra que devengara un trabajador más allá de tres horas diarias y más de tres veces a la semana constituirían salario y afectarían el pago de cuotas. Ahora bien, al igual que en el caso del fondo de ahorro y de las despensas, el Seguro Social emitió acuerdos "aclaratorios" sobre tiempo extra, estimando que se sería conveniente la emisión de nuevos referentes en forma directa al Artículo 27 de la nueva Ley del Seguro Social, pues el sentir de los sectores obrero y empresarial era el de integrar al salario las horas extras que exceden a las nueve semanales y que se retribuyan en forma triple, no las demás. Para que todos estos elementos se excluyan como integrantes del salario deberán estar debidamente registrados en la contabilidad del patrón o empresa.

Algunas empresas, con el fin de evitar la obligación de registrar a determinados trabajadores ante el Instituto, los remuneran por honorarios. Sin embargo, el elemento esencial para determinar la existencia de una relación laboral es la prestación de un servicio y la subordinación, que no es otra cosa que la facultad de mano del patrón y el correlativo deber de obediencia del trabajador. En estas condiciones, no importa el puesto que ocupe el trabajador ni el nombre que se le dé a la remuneración, pues si se dan las condiciones expresadas, surge en forma automática la obligación de inscribir al trabajador en el Seguro Social y el pago de cuotas.

A partir de la entrada en vigor de la nueva ley, las cuotas deberán enterarse por mensualidades, vencidas a más tarde los días 17 del mes inmediato siguiente. El mes natural será el periodo de pago de cuotas y para fijar el salario diario, en caso de que se pague por semana, quincena o mes, la remuneración se dividirá entre 7, 15 o 30, respectivamente. Cuando se modifiquen los elementos fijos del salario del trabajador deberá presentarse aviso de modificación dentro de los siguientes cinco días, debiendo surtir efectos dicha modificación a partir de la fecha en que ocurrió el cambio. Tratándose de trabajadores remunerados a base de elementos fijos y variables, si se modifican estos últimos, el aviso deberá presentarse dentro de los primeros quince días del mes siguiente.

Tratándose de revisiones de contrato colectivo, la comunicación al Instituto deberá darse dentro de los 30 días naturales siguientes a su otorgamiento. No hay que olvidar, sin embargo, que cuando los avisos de alta o modificación de salario se presentan después de ocurrido un riesgo de trabajo, aun cuando se hiciere dentro de los plazos concedidos por la Ley, no eximen al patrón de la obligación de pagar el capital constitutivo correspondiente. En caso de ausencias de trabajadores, si subsiste la relación láboral y dichas ausencias son por periodos menores de quince días consecutivos o ininterrumpidos se deberá cotizar únicamente por dichos periodos en el Seguro de Enfermedades y Maternidad. Se considera que esta disposición contradice el principio en que se basa el sistema de seguridad social, pues si no hay prestación del servicio y pago de salario, no debería cotizarse en ninguna rama del Seguro.

Si las ausencias son por periodos de quince días consecutivos o mayores, el patrón quedará liberado del pago de cuotas, siempre y cuando dé de baja al trabajador. En caso de ausencias amparadas por incapacidades médicas expedidas por el IMSS, no se deberá cubrir cuota alguna, excepto lo referente al Seguro del Retiro. Esta otra disposición también afecta los derechos del patrón y el mismo principio de seguridad social, pues, como se dijo antes, si no hay prestación de servicio ni pago de salario no se debería cubrir cuota alguna.

Reglamento para el pago de cuotas. A la nueva Ley del Seguro Social debió agregarse un Reglamento que establece las normas para determinar el monto y pago de las cuotas, capitales constitutivos, actualización y recargos a cargo de patrones, trabajadores y demás sujetos obligados de conformidad con lo dispuesto por la propia Ley, sus reglamentos y demás disposiciones aplicables. Los artículos más importantes de dicho Reglamento son los siguientes:

Artículo 4, fr. VII. Se exige a los patrones que en las listas de raya o nóminas se incluya la firma o huella digital de los trabajadores. Artículo 6. Los patrones que tengan de uno a cuatro trabajadores determinarán las cuotas utilizando los formularios que autorice el Instituto, y aquellos que tengan cinco o más trabajadores las podrán determinar utilizando programas de cómputo que también autorice el Instituto, el cual les será proporcionado en disquete (SUA). Artículo 9. Cuando el patrón tenga varios registros patronales determinará y presentará por cada uno de ellos las cuotas correspondientes, por separado, salvo autorización en contrario, por escrito, por parte del Instituto. Artículo 13. En el que se establecen los porcentajes a cargo del patrón, del trabajador y del gobierno por lo que hace a las cuotas del Seguro de Enfermedades y Maternidad. Artículo 14. En éste se establecen las cuotas del Seguro de Invalidez y Vida, también a cargo de los patrones, trabajadores y gobierno. Artículo 15. En esta disposición se establecen las coutas a pagarse por el Seguro de Guarderías y prestaciones sociales, íntegramente a cargo del patrón. Artículo 16. En el que se establecen las cuotas del Seguro de Retiro, Casantía en Edad Avanzada y Vejez, así como los porcentajes a cargo de los patrones, trabajadores y gobierno. Asimismo, se establece el tope en cuanto a salarios mínimos vigentes en el Distrito Federal, empezando por quince y aumentándose uno cada año hasta llegar a veinticinco. Artículo 18. reglamenta los casos de trabajadores que presten sus servicios a varios patrones laborando jornada o semana reducida, lo que confirma que no se podrá cotizar con base en salarios inferiores al mínimo. Artículo 20. Trata sobre los sujetos de aseguramiento incorporados en forma voluntaria al Régimen Obligatorio del Seguro Social y personal doméstico. Artículo 24. establece la obligación de pagar actualización y recargos a los patrones que no entreguen a tiempo las cuotas; dichos recargos se calculan conforme al Código Fiscal de la Federación. Artículos 36 al 38. Los asegurados que se incorporen en forma voluntaria al Régimen Obligatorio y del Seguro de Salud para la Familia deberán pagar sus cuotas por anualidades adelantadas y en lo referente a los Seguros de Invalidez y Vida y de Retiro, Cesantía en Edad Avanzada y Vejez, se pagarán por mensualidades adelantadas, a más tardar el 17 del mes de que se trate. Artículo 43. Se aceptan como medios de pago de cuotas dinero en efectivo, cheques certificados o de caja, transferencia de fondos regulados por el Banco de México y notas de crédito expedidas por el propio Instituto. Artículos 54 a 73. Se regula todo lo referente a la opción para dictaminarse por contador público autorizado, en el caso de los patrones que no se incluyen dentro de los supuestos contenidos en el Artículo 16 de la nueva Ley del Seguro Social y 32 del Código federal de la Federación. Se señalan, además, los requisitos que debe reunir el contador y los impedimentos que puede tener para la elaboración del dictamen, así como el procedimiento para realizarse.

Seguros de Enfermedad y Maternidad. Los sujetos amparados en este rubro, cuyo esquema jurídico siguió siendo el tradicional, son el asegurado, el pensionado, la esposa o concubina, el esposo dependiente económico, la esposa del pensionado, hijos menores de 16 años, hijos incapacitados, padre y madre dependientes. Las prestaciones en especie por enfermedad son: asistencia médico-quirúrgica, farmacéuticas y hospitalarias, por 52 semanas y con prórroga de 52 semanas. Las prestaciones en especie por maternidad son: asistencia obstétrica, ayuda de lactancia por seis meses, canastilla del bebé.

Las prestaciones en dinero por enfermedad son, para el asegurado, el pago de subsidio del 60% del salario de cotización. Periodos vencidos a partir del cuarto día y hasta por 52 semanas, con prórro-ga de 26 semanas. Se requieren de cuatro semanas de cotización inmediatas anteriores a la enfermedad. Se suspende el subsidio si se suspende el tratamiento sin autorización. Las prestaciones en dinero por maternidad son, para la asegurada, embarazo y el puerperio igual a 100% del salario de cotización 42 días anteriores y 42 días después del parto. Las aseguradas tienen derecho al subsidio si han acreditado 30 semanas de cotización en el periodo de doce meses anteriores de la fecha de inicio del subsidio, si han mostrado certificado de embarazo y fecha probable de parto e incompatibilidad con el trabajo remunerado en el periodo del subsidio.

En el nuevo sistema de financiamiento del Seguro de Enfermedad y Maternidad también se distinguen las prestaciones en especie y en dinero. Las prestaciones en dinero se distribuyen de la siguiente manera (los porcentajes tienen como referencia el Salario Base de Cotización): Patrones (70%), trabajadores (25%) y estado (5%). Por las prestaciones en especie los patrones pagarán mensualmente por cada asegurado el equivalente al 13.9% del salario mínimo general del Distrito Federal. Este porcentaje se incrementaría desde 1998 hasta el año 2007 en 65 centésimas de punto porcentual por año (Artículo 19 transitorio). Los trabajadores que perciban más de tres veces el salario mínimo general del Distrito Federal pagarán una cuota del 2% de la cantidad que resulte de la diferencia entre su salario base de cotización y tres veces el salario mínimo. Menos está exento. La cuota de los trabajadores se reducirá en 16 centésimas de punto porcentual del primero de julio de 1998 al primero de julio de 2007. El gobierno, por su parte, cubrirá mensualmente una cuota por el 13.9% del salario mínimo general del Distrito Federal. La cantidad inicial se actualizará en forma trimestral de acuerdo al Índice Nacional de Precios al Consumidor.

El *Seguro de Riesgos de Trabajo* también sufrió una importante modificación en su estructura de financiamiento. En él se pretende premiar las medidas preventivas que lleven a cabo los patrones contra accidentes de trabajo, ya que pagan las cuotas con base en la siniestralidad que generen, lo que, de hecho, ya existía en la ley anterior. Lo novedoso es que desaparecen, en principio, las cinco clases de riesgo de dicho seguro y, en consecuencia, las empresas que venían cubriendo sus cuotas. Por ejemplo, con grado de riesgo de la clase V, des-

INSTITUTO

pués de la reforma podrían llegar a pagar cuotas correspondientes a grados de riesgo inferiores a dicha clase V. Solamente aquellas empresas de nueva creación, así como las que cambien de actividad, cubrirán la prima media correspondiente, de acuerdo con la tabla que se precisa en el Artículo 73 de la nueva Ley:

Prima media	(%)
Clase I	0.54355
Clase II	1.13065
Clase III	2.59840
Clase IV	4.65325
Clase V	7.58875

Al dejar de existir las clases y los grados de riesgo, los patrones pueden cotizar como mínimo, con prima del 0.25% del salario base de cotización, y como máximo, con prima del 15%. A pesar de que se anunció que las cuotas no aumentarían, con la reforma crecieron del 10.03500% al 15% la cuota máxima patronal del seguro de riesgos de trabajo para aquellos patrones con alta siniestralidad. Por otro lado, disminuye el monto de la prima mínima que en la ley anterior era de 0.34785, al 0.25% del salario base de cotización.

El IMSS podrá también verificar el establecimiento de programas preventivos de riesgos de trabajo, en aquellas empresas que por su índice de siniestralidad puedan disminuir el monto de la prima del seguro de riesgo de trabajo (Artículos 80 y 82).

Las pensiones, las rentas vitalicias, el seguro de sobrevivencia y demás prestaciones económicas por incapacidad permanente, ya sea parcial o total, no serán cubiertas en forma directa por el IMSS, sino por la institución de seguridad privada que elija el trabajador. Algunos juristas opinaron que el hecho de que las pensiones, rentas vitalicias y el seguro de sobrevivencia se pagara con cargo a la cuenta individual del Seguro de Retiro, Cesantía y Vejez, financiado por las tres partes, trabajadores, patrones y el Estado, implicaría que es el propio trabajador quien deberá pagar las pensiones, incluyendo las de sus beneficiarios, por los riesgos de trabajo a los que estuvo necesariamente expuesto (Artículo 50).

Fuente: Reformas al Sistema de Seguridad Social, Sergio Valls Hernández *et al.* Barra Mexicana de Abogados. Ed. Themis, 1997.

Esbozo histórico de las reformas anteriores a la nueva Ley del Seguro Social. Vigente a partir del 19 de enero de 1943, había sido modificada, de manera directa, en 11 ocasiones: siete, según decretos sancionados por el Congreso de la Unión; una por la expedición de una ley complementaria, y tres por decretos presidenciales en uso de facultades extraordinarias.

La primera reforma que le confirió al IMSS el carácter de organismo fiscal autónomo y le asignó atributos de autoridad, modificó el Artículo 135 de la Ley, según decreto del presidente Ávila Camacho del 4 de noviembre de 1944 (*Diario Oficial* del 24 de noviembre de 1944), expedido en uso de las facultades extraordinarias concedidas al Ejecutivo Federal por decreto del Congreso del 1° de junio de 1942. Con igual base, el propio mandatario reformó en 1945 en dos ocasiones el Artículo 112: el 13 de marzo (*Diario Oficial* del 11 de abril) para aumentar a siete, en lugar de seis, el número de miembros del Consejo Técnico, debiendo ser tres los representantes del Ejecutivo Federal y dos por cada uno de los sectores obrero y patronal; y el 2 de junio (*Diario Oficial* del 4 de agosto) para aumentar a nueve el número de miembros del propio Consejo: tres por cada sector, más el director general, que sería su presidente. De acuerdo con el Artículo 1° transitorio de este decreto, el tercer miembro obrero –propietario y suplentes– debería pertenecer al Sindicato Nacional de Trabajadores Mineros, Metalúrgicos y Similares.

Las reformas a la Ley del Seguro Social sancionadas por el Congreso de la Unión, corresponden a los decretos de las siguientes fechas: 30 de diciembre de 1947 (*Diario Oficial* del día 31), 3 de febrero de 1949 (*Diario Oficial* del día 28), 29 de diciembre de 1956 (*Diario Oficial* del día 31), 30 de diciembre de 1959 (*Diario Oficial* del día 31), 30 de diciembre de 1965 (*Diario Oficial* del día 31), 30 de diciembre de 1970 (*Diario Oficial* del día 31), 26 de febrero de 1973 (*Diario Oficial* del 12 de marzo), 27 de diciembre de 1974 (*Diario Oficial* del día 31), 14 de noviembre de 1980 (*Diario Oficial* del 19 de diciembre), 29 de diciembre de 1981 (*Diario Oficial* del 11 de enero de 1982), 21 de diciembre de 1984 (*Diario Oficial* del 28 de diciembre), 25 de abril de 1986 (*Diario Oficial* del 2 de mayo). También se consignan reformas en el *Diario Oficial* del 23 de diciembre de 1974, 31 de diciembre de 1976, 26 de noviembre de 1979, 31 de diciembre de 1981, 1° de junio de 1982, 30 de diciembre de 1982 y 31 de enero de 1987.

INSTITUTO

La Ley expedida por el Congreso de la Unión el 6 de diciembre de 1963 (*Diario Oficial* del día 7) incorporó al régimen del seguro social obligatorio a los productores de caña de azúcar y a sus trabajadores.

La estructura jurídica del régimen de seguridad social se ha modificado de manera indirecta, además por la expedición de las siguientes normas: decreto del 31 de diciembre de 1956, que reformó diversos artículos de la Ley Federal del Trabajo; decreto del 31 de diciembre de 1959, que aprobó el Convenio núm. 102 de la Organización Internacional del Trabajo, relativo a la Norma Mínima de la Seguridad Social; decreto del 31 de diciembre de 1959, que adicionó el Artículo 110-C de la Ley Federal del Trabajo, cuyo Reglamento fue promulgado el 1° de agosto de 1961; ley del 31 de diciembre de 1959, que creó el Instituto de Seguridad y Servicios Sociales de los Trabajadores del Estado; Ley de la Seguridad y los Servicios Sociales de las Fuerzas Armadas, del 30 de diciembre de 1961; decreto del 6 de marzo de 1965, que aprobó el Convenio núm. 118 de la Organización Internacional del Trabajo, relativo a la Igualdad de Trato de Nacionales y Extranjeros en Materia de Seguridad Social; Ley de Ingresos de la Federación, del 31 de diciembre de 1965; Ley para el Control, por parte del Gobierno Federal de los Organismos Descentralizados y Empresas de Participación Estatal, del 4 de enero de 1966; Nueva Ley Federal del Trabajo (*Diario Oficial* del 1° de abril de 1970) y Acuerdo para el establecimiento de unidades de programación en cada una de las secretarías y departamentos de Estado, organismos descentralizados y empresas de participación estatal (*Diario Oficial* del día 11 de marzo de 1971.)

En resumen, gracias a estas reformas, en 1944 se confirió al Instituto el carácter de autoridad; en 1945 se consolidó la estructura tripartita del Consejo Técnico; en 1947 se inició el ajuste de los grupos de cotización respecto de las condiciones del desarrollo económico del país; en 1949 se incluyó la prima del seguro familiar en el ramo de enfermedades no profesionales y maternidad, se mejoraron las prestaciones en especie y en dinero, y se dictaron normas para facilitar la reorganización técnico-administrativa del Instituto; en 1956 se ajustaron por segunda vez los grupos de cotización, se ampliaron las prestaciones en especie y en dinero y se consolidaron las sociales, y se

fortaleció la estructura del Instituto; en 1959 se establecieron las bases para extender el régimen del seguro social a los trabajadores del campo, se mejoraron las prestaciones, se ampliaron por tercera vez los grupos de cotización y se alivió el desequilibrio financiero del ramo de enfermedades no profesionales y maternidad, con una mínima elevación de la prima correspondiente. En 1963 se incorporó al IMSS a los productores de caña de azúcar y a sus trabajadores; en 1965 se transfirió al sector patronal la mitad de la contribución del Estado, con el propósito de permitir a éste una mayor aportación en el caso de los campesinos sin patrón; en 1970 volvieron a ajustarse –por cuarta vez– los grupos de cotización, se aumentó la cuantía mínima de las pensiones, se hizo la concordancia con las disposiciones de la nueva legislación laboral y se precisó el carácter del seguro social como garantía del derecho humano a la salud, a la asistencia médica, a la protección de los medios de subsistencia y a los servicios sociales necesarios para el bienestar individual y colectivo; y en 1973 se promulgó una ley con una nueva estructura que abrogaba la de 1943 y en la que, por quinta vez se ajustaron los grupos de cotización; se mejoraron las prestaciones en especie y en dinero; se incorporó el ramo de guarderías infantiles para hijos de aseguradas; se establecía la revisión periódica de las pensiones; se preveían normas para la incorporación voluntaria; se colocaba al Instituto en la posibilidad de incorporar al Seguro Social a otros núcleos de la población; se precisaba el alcance de las prestaciones sociales; contenía disposiciones para la prevención de riesgos de trabajo y para la medicina preventiva; resolvía con un claro sentido de justicia la correlación en las distintas ramas del seguro y propendía la expansión acelerada del sistema.

Distribución de las aportaciones. Las cuotas obrero-patronales y la contribución del Estado, expresadas en porcentajes del salario, estuvieron vigentes hasta julio de 1997 a partir de la reforma a la ley, publicada en el *Diario Oficial* el 29 de junio de 1986.

La aportación para el seguro de guarderías correspondía a todos los patrones, aun cuando no tuvieran trabajadoras a su servicio. Su entero se inició escalonadamente, con un tercio a partir del sexto bimestre de 1973, dos tercios en 1974 y el total en 1975.

INSTITUTO

DISTRIBUCIÓN DE LAS APORTACIONES				
Concepto	Patronal	Obrera	Contribución del Estado	Total
Riesgos de trabajo	2.00*	–	–	2.00
Enfermedades y maternidad	6.30	2.25	0.45	9.00
Invalidez, vejez, cesantía en edad avanzada y muerte	4.20	1.50	0.30	6.00
Guarderías para hijos de asegurada	1.00	–	–	1.00
Total	13.50	3.75	0.75	18.00

*Promedio de las cinco clases de riesgo en que se clasifican las empresas.

La prima total original para el Seguro de Enfermedades no Profesionales y Maternidad era del 6% del salario, correspondiéndole 3% al patrón, 1.5 al trabajador y 1.5 al Estado. Al fijarse, a partir del 28 de febrero de 1949, la prima del seguro familiar, ésta se elevó al 8% del salario: 4% al patrón, 2 al trabajador y 2 al Estado. El 31 de diciembre de 1959 la prima se elevó al 9% del salario, manteniéndose la misma proporción en la distribución de los aportes: 4.5% al patrón, 2.25 al trabajador y 2.25 al Estado. Pero al reformarse la Ley el 31 de diciembre de 1965, se modificó la distribución de la prima en los ramos de enfermedades no profesionales y maternidad e invalidez, vejez, cesantía y muerte, transfiriendo a los patrones la mitad de la contribución del Estado. En esta virtud, correspondió a los patrones cinco octavas partes de la prima, dos octavas partes a los trabajadores y una octava parte al Estado. La reforma legal de mayo de 1986, vigente a partir del 29 de junio de ese año, modificó nuevamente la distribución, de manera que a los patrones les tocaba cubrir el 70% de la prima, a los trabajadores el 25 y al Estado 5.

Para el ramo de riesgos de trabajo (llamado en la ley original "de trabajo y enfermedades profesionales") la prima se fijaba en proporción al monto de los salarios y a los riesgos inherentes a la actividad de la negociación de que se tratare. Por medio del Reglamento de Clasificación de Empresas en Clases y Grados de Riesgo, que debía revisarse cada tres años, se determinaba la clase y el grado de riesgo de cada empresa y las cuotas se determinaban de acuerdo con un porcentaje de las cuotas obrero-patronales del seguro de invalidez, vejez, cesantía y muerte. Las empresas colocadas en la clase primera —riesgo mínimo— cubrían el 5%; las de la segunda —riesgo bajo—, el 15; las de la tercera —riesgo medio—, 40; las de la cuarta —riesgo alto—, el 75; y las de la quinta —riesgo máximo—, el 125, existiendo la posibilidad de disminuir o aumentar el grado de riesgo, den-

	Salario diario			Cuotas semanales			
				Del seguro de enfermedades y maternidad		Del seguro de invalidez, vejez, cesantía y muerte	
Grupo	Más de	Promedio	Hasta	Del patrón	Del trabajador	Del patrón	Del trabajador
M	–	45.00	50.00	19.85	7.09	13.23	4.72
N	50.00	60.00	70.00	26.46	9.45	17.64	6.30
O	70.00	75.00	80.00	33.08	11.81	22.05	7.87
P	80.00	90.00	100.00	36.69	13.95	26.46	9.45
R	100.00	115.00	130.00	50.72	18.11	33.81	12.07
S	130.00	150.00	170.00	66.15	23.62	44.10	15.75
T	170.00	195.00	220.00	86.00	30.71	57.33	20.47
U	220.00	250.00	280.00	110.25	39.37	73.50	26.25
W	280.00	–	–	6.30*	2.25*	4.20*	1.50*

IMSS. CUOTAS OBRERO-PATRONALES (pesos)

*Porcentaje sobre el salario de cotización.
Se establece como límite inferior el salario mínimo regional que corresponda y como límite superior el equivalente a 10 veces el salario mínimo general que rija en el Distrito Federal.

tro de cada clase, según una escala centesimal, en cuyo caso el porcentaje se reducía o se incrementaba de acuerdo con las fluctuaciones de los accidentes de trabajo o de las enfermedades profesionales en cada negociación.

Monto de las cotizaciones. Las cuotas obrero-patronales semanales que se contemplaban en la Ley de 1973 se expresan en el cuadro correspondiente a este rubro.

El salario diario más alto era $380, pero en la Ley original apenas alcanzaba $12; en 1948 se elevó a más de $22 y en febrero de 1949 el promedio más alto se fijó en $26.40. En 1956 el máximo salario asegurable se elevó a más de $50 diarios, sin que se estableciera expresamente un salario promedio máximo, aunque tácitamente, éste se fijó en $60. En 1959 se ajustaron nuevamente los grupos de cotización y aquél subió a más de $80 y éstas también de manera tácita a $90. En 1970, en otro nuevo ajuste el salario más alto se fijó con un promedio de $250. La tabla de salarios se reformó y se publicó el 12 de marzo de 1973, en vigor a partir del 1º de abril, con excepción del grupo W que entró en vigor el 3 de noviembre.

Para financiar las prestaciones a los productores de caña de azúcar y a sus trabajadores, las cuotas obrero-patronales y la contribución del Estado se fijaban en centavos por kilogramo de azúcar producido, de manera que su monto equivalía a los siguientes porcentajes:

	A cargos de los productores		A cargo del Estado
	de azúcar	de caña	
	(cantidades porcentuales)		
Para el aseguramiento de los productores de caña de azúcar			
Accidentes de trabajo y enfermedades profesionales	100		
Enfermedades no profesionales y maternidad	50	25	25
Invalidez, vejez, cesantía y muerte	50	25	25
Para el aseguramiento de los trabajadores estacionales	50	25	25

Desde el 7 de diciembre de 1963, y a pesar de que la Ley facultaba al Ejecutivo a determinarla cada dos años, se mantuvo inalterable la cantidad de seis centavos por kilogramo de azúcar para el financiamiento de las prestaciones y para los gastos de administración correspondiente: cinco estaban destinados a cubrir el aseguramiento, con todas las prestaciones que establecía la Ley del Seguro Social, de los productores de caña de azúcar (dos centavos y medio a cargo de los productores de azúcar, un centavo y cuarto a cargo de los productores de caña y un centavo y cuarto a cargo de del Gobierno Federal) y uno al aseguramiento de los trabajadores estacionales, con una tabla reducida por prestaciones (medio centavo correspondiente a los productores de azúcar, un cuarto de centavo a los productores de caña y un cuarto de centavo al Gobierno Federal). De esta suerte, los productores de azúcar aportaban tres centavos por kilogramo de azúcar, los productores de caña un centavo y medio y otro tanto para el Gobierno Federal. Para determinar la cuantía de las prestaciones en dinero que correspondía a los productores de caña de azúcar, se les clasificaba de la manera siguiente:

Hectáreas cultivadas de caña por productor		
Más de	Hasta	Grupo de ingreso
	4	E
4	5	F
5	6	G
6	7.5	H
7.5	9	I
9	11	J
11	15	K
15	26	L
26	33	M
33	70	N
70	80	O
80		P

A causa de que en las dos últimas reformas anteriores a la nueva Ley se suprimieron los grupos E, F, G, H, I y J, los productores de caña de azúcar que cultivaban hasta 11 ha se les consideraba, para los efectos de prestaciones en dinero, en el grupo K. Por otra parte, no existía una equivalencia para los grupos R, S, T, U y W de esa Ley reformada.

Gobierno del IMSS. Los órganos del Instituto son la Asamblea General, el Consejo Técnico, la Comisión de Vigilancia y el director general.

La Asamblea General es la autoridad suprema del Instituto y está integrada por 30 miembros designados –10 por cada una de las partes– por el Ejecutivo Federal, los organismos patronales y las organizaciones de trabajadores, todos los cuales duran en su cargo seis años y pueden ser relectos.

INSTITUTO

El Consejo Técnico es el representante legal y el administrador del Instituto y está formado por 12 miembros, cuatro por cada uno de los sectores, pudiendo el Gobierno reducir a la mitad el número de sus representantes. El secretario de Salud y el director general son siempre consejeros del Estado, y el segundo de ellos preside el Consejo Técnico. El primer Consejo Técnico del Instituto, en funciones del 20 de enero de 1943 al 12 de febrero de 1945, designado por el presidente de la República, estuvo integrado por las siguientes personas: director general, licenciado Vicente Santos Guajardo; representantes del Estado, licenciado Antonio Carrillo Flores y doctor Alfonso Díaz Infante; representantes patronales: licenciado Agustín García López y Emilio Azcárraga; representantes de los obreros: Francisco J. Macín y Reynaldo Cervantes Torres; y secretario general: ingeniero Miguel García Cruz.

La Comisión de Vigilancia está compuesta por seis miembros, dos representantes de cada sector, pudiendo el Gobierno disminuir a la mitad su representación.

Las primeras oficinas del Instituto estuvieron instaladas, del 19 de enero al 28 de febrero de 1943, en la casa núm. 10 de la avenida 16 de Septiembre. El 1° de marzo de ese año se trasladaron a la esquina de Rosales y Mariscal, y el 13 de septiembre de 1950 se instalaron en el edificio construido especialmente en el Paseo de la Reforma núm. 476.

Han desempeñado la Dirección General del Instituto las siguientes personas: licenciado Vicente Santos Guajardo, del 19 de enero al 31 de diciembre de 1943, licenciado Ignacio García Téllez, del 1° de enero de 1944 al 30 de noviembre de 1946; Antonio Díaz Lombardo, del 1° de diciembre de 1946 al 30 de noviembre de 1952; licenciado Antonio Ortiz Mena, del 1° de diciembre de 1952 al 30 de noviembre de 1958; licenciado Benito Coquet Lagunes, del 1° de diciembre de 1958 al 30 de noviembre de 1964; licenciado Sealtiel Alatriste, del 1° de diciembre de 1964 al 26 de enero de 1966; doctor Ignacio Morones Prieto, del 27 de enero de 1966 al 30 de noviembre de 1970; licenciado Carlos Gálvez Betancourt del 1° de diciembre de 1970 al 30 de septiembre de 1975; Jesús Reyes Heroles del 1° de octubre de 1975 al 30 de noviembre de 1976; Arsenio Farell Cubillas, del 1° de diciembre de 1976 al 30 de noviembre de 1982, Ricardo García Sainz, del 1° de diciembre de 1982 al 2 de enero de 1991, Emilio Gamboa Patrón, del 3 de enero de 1991 al 30 de marzo de 1993 y Genaro Borrego Estrada, desde el 31 de marzo de 1993.

Las disposiciones reglamentarias vigentes que rigen al Instituto son las siguientes: Reglamento de la Asamblea General, Bases para la designación de los miembros obreros y patronales de la Asamblea General, Reglamento de la Ley del Seguro Social en lo relativo a la inscripción de patrones y trabajadores, funcionamiento de la Dirección General del Instituto y sesiones del Consejo Técnico, Reglamento de organización interna, Reglamento para la imposición de multas por infracciones a las disposiciones de la Ley del Seguro Social y sus reglamentos, Reglamentos del Artículo 133 de la Ley del Seguro Social, Reglamento de la Ley del Seguro Social en lo relativo a la afiliación de patrones y trabajadores, Reglamento para el pago de cuotas y contribuciones del régimen del Seguro Social, Acuerdo que norma las relaciones entre la Secretaría de Hacienda y Crédito Público y el Instituto Mexicano del Seguro Social para el cobro de los créditos a que se refiere el Artículo 135 de la Ley del Seguro Social, Reglamento de las ramas de riesgos profesionales y enfermedades no profesionales y maternidad, Reglamento de la Comisión Permanente del Cuadro Básico de Medicamentos, Reglamento de la Comisión del Cuadro Básico de Equipo Médico y Materiales de Curación, Reglamento de traslado de enfermos, Reglamento de los servicios de habitación, previsión social y prevención de invalidez, Reglamento para la expedición de incapacidades a los asegurados, Reglamento del Artículo 4° transitorio del decreto de 3 de febrero de 1949, Reglamento del primer párrafo del Artículo 72 de la Ley del Seguro Social, Reglamento del seguro obligatorio a los trabajadores temporales y eventuales urbanos, Reglamento para el seguro social obligatorio de los trabajadores del campo, Reglamento interior de trabajo, Reglamento de viáticos y pasajes, Reglamento de escalafón, Reglamento para el suministro de alimentación al personal de las unidades médico hospitalarias, Reglamento de becas y licencias para capacitación del personal y, finalmente, el Reglamento de las delegaciones regionales y estatales.

Extensión del régimen. De conformidad con los artículos 6° y 8° de la Ley, que postulan el principio de la extensión paulatina, progresiva y gradual del régimen del seguro social, el

Instituto mantuvo una política permanente de ampliaciones territoriales, demográficas y de mejoramiento de las prestaciones. De acuerdo con el Artículo 6° de la Ley de 1973, que en el texto de la Ley original figuraba como 2° transitorio, correspondía al Ejecutivo Federal la facultad de determinar, a propuesta del Instituto Mexicano del Seguro Social, las fechas de implantación de los diversos ramos del seguro social y las circunscripciones territoriales en que se aplicaría, tomando en consideración diversos aspectos: El desarrollo industrial o agrícola, la situación geográfica, la densidad de población asegurable y la de establecer los servicios correspondientes.

El proceso de ampliación territorial se expresa en seguida, anotando entre paréntesis en la primera parte la fecha del decreto presidencial correspondiente: 1° de enero de 1944, Distrito Federal (15 de mayo de 1943); 1° de marzo de 1945, municipio de Puebla, Pue. (21 de febrero de 1945); 1° de noviembre de 1945, municipio de Monterrey, N.L., en el ramo de accidentes de trabajo y enfermedades profesionales, y 1° de enero de 1946, para los restantes (27 de julio de 1945); 1° de abril de 1946, municipios de Guadalajara, Tlaquepaque, Zapopan y El Salto, **Jal. (25 de marzo de 1946); 17 de marzo de 1947, municipios de Orizaba, Camerino Z. Mendoza, Nogales y Río Blanco, Ver. (16 de** enero de 1947); 21 de marzo de 1947, estados de Puebla y Tlaxcala, dejando al Consejo Técnico la facultad de determinar las fechas de iniciación del servicio en los diversos municipios; 26 de abril de 1947, estado de Nuevo León, en las mismas condiciones del decreto anterior; 1° de mayo de 1948, municipios de Cuautitlán, Nicolás Romero, San Bartolo Naucalpan y Tlalnepantla, estado de México (26 de abril de 1948), y 1° de marzo de 1951, estado de México. A partir de este decreto, en todos los posteriores se dejó al Consejo Técnico el señalamiento de las fechas para implantar los servicios en los municipios. Las disposiciones presidenciales siguientes se refieren a los estados: 1° de agosto de 1951, Oaxaca, territorio norte de Baja California y Yucatán, y adicionalmente las ciudades de Nuevo Laredo, Tamps., y Acapulco, Gro.; 29 de abril de 1954, Jalisco y Veracruz; 27 de agosto de 1954, Baja California, Sonora y Sinaloa, incluyendo por vez primera a los trabajadores del campo; 17 de agosto de 1955, Hidalgo, y 21 de febrero de 1956,

Chihuahua. Tanto en esta entidad, cuanto en las siguientes, se extendió el régimen del seguro social a los campesinos: 21 de mayo de 1956, Chiapas; 2 de agosto de 1956, Morelos y Nuevo León; 6 de marzo de 1957, Campeche, Durango, Guerrero y Tabasco; 29 de marzo de 1957, Aguascalientes y Querétaro; 19 de junio de 1957, Coahuila, Colima, Michoacán y Yucatán; 14 de agosto de 1957, Guanajuato; 29 de julio de 1958, Nayarit, San Luis Potosí y Zacatecas y los territorios de Baja California y Quintana Roo; y 29 de julio de 1958, Tamaulipas. En esta forma, el Ejecutivo Federal ha decretado la implantación del seguro social en todas las entidades federativas, incluyendo en 24 de ellas a la población campesina. Quedan aún al margen de los servicios del IMSS los trabajadores del campo del Distrito Federal y de los estados de Hidalgo, Jalisco, Oaxaca, México, Puebla, Tlaxcala y Veracruz.

En seguida se anotan las fechas de los decretos y acuerdos que han incorporado al seguro social a importantes sectores específicos de la población: el 27 de agosto de 1954, a los trabajadores del campo en los estados de Baja California, Sonora y Sinaloa; el 18 de marzo de 1955, a los empleados de las instituciones de crédito y de las organizaciones auxiliares de seguros y fianzas; el 28 de junio de 1960, a los trabajadores temporales y eventuales urbanos; el 18 de agosto de 1960, a los trabajadores del campo; el 14 de junio de 1961, a los ejidatarios y pequeños propietarios no pertenecientes a sociedades de crédito ejidal o agrícola en los municipios de Mexicali, Tecate, Tijuana y Ensenada, B.C., y San Luis Río Colorado, Son.; el 20 de julio de 1964, a los trabajadores al servicio del estado de Zacatecas; el 21 de noviembre de 1969 a los mineros, metalurgistas y similares, cuya afiliación estaba diferida en virtud de lo dispuesto por el Artículo 10° transitorio de la Ley original; al 25 de febrero de 1972, a los ejidatarios de la zona henequenera de Yucatán; y el 23 de enero de 1973, con modalidades especiales, a los productores de tabaco y a sus trabajadores estacionales en 9 municipios del Estado de Nayarit.

La población amparada por el Instituto a septiembre de 1996 (últimas cifras disponibles) era de 36 031 000 derechohabientes. De este total, **19 626 000 eran familiares de asegurados permanentes, 2 007 000 eran familiares de asegurados**

eventuales y había pensionados 1 572 000 por el sistema. Entre 1994 y 1996 se habían aplicado más de 15 millones de dosis para el control de enfermedades prevenibles mediante vacunación y las consultas por planificación familiar se elevaron casi en un 12% anual. Se dieron casi dos millones de consultas para vigilar el crecimiento y desarrollo de menores de cinco años.

INFRAESTRUCTURA MÉDICA
(cifras a diciembre)

	1988	1991	1992	1993	1994	1995	1996	Ene. 1997
Unidades médicas								
1er. nivel	1 324	1 417	1 457	1 481	1 482	1 482	1 496	1 496
2o. nivel	217	223	221	222	224	225	215	215
3er. nivel	36	39	39	39	41	41	41	41
Totales	1 577	1 679	1 717	1 742	1 747	1 748	1 752	1752
Consultorios Medicina familiar (incluye UAMF)*	5 795	6 183	6 494	6 484	6 544	6 511	6 504	6 505
Especialidades	2 869	3 192	3 349	3 476	3 539	3 573	3 581	3 582
Urgencias	800	866	886	878	889	900	918	920
Dental	687	714	767	766	783	789	804	805
Otros	1 043	1 209	1 333	1 336	1 401	1 431	1 426	1 428
Total de consultorios	11 194	12 164	12 829	12 940	13 156	13 204	13 233	13 241
Camas censables	26 177	27 426	27 603	28 142	28 491	28 294	28 230	28 226
Peines de laboratorio	1 688	1 856	1 917	1 945	2 002	2 006	2 235	2 245
Gabinetes radiológicos	664	730	754	780	800	813	825	827
Quirófanos	771	861	891	923	935	943	939	939

*UAMF: Unidades Auxiliares de Medicina Familiar.

Las reservas del Instituto, para el pago de pensiones futuras, deben invertirse en las mejores condiciones de seguridad, rendimiento y liquidez. De acuerdo con la reforma del Artículo 128 de la Ley, vigente a partir del 1º de marzo de 1957, la inversión de las reservas debe hacerse conforme a la siguiente distribución: hasta un 80%, en la adquisición, construcción o financiamiento de hospitales, sanatorios, maternidades, dispensarios, almacenes, farmacias, laboratorios, casas de reposo, habitaciones para trabajadores y demás muebles e inmuebles propios para los fines del Instituto; hasta un 15%, en bonos o títulos emitidos por el poder público, las institu-

ciones nacionales de crédito o las entidades encargadas del manejo de servicios públicos; y el 5% restante, en préstamos hipotecarios y en acciones, bonos o títulos de instituciones nacionales de crédito o de sociedades mexicanas.

Inconformidades. En caso de inconformidad de los patrones, los asegurados o sus familiares, sobre cualquier acto del Instituto que lesione sus derechos, los afectados pueden ocurrir ante el Consejo Técnico.

Servicios médicos. Una vez hecha la selección del personal médico en virtud de su preparación social, técnica y científica, se le congrega en sociedades científicas, se le hace asistir a sesiones anatomo-clínicas, conferencias y cursos, se le dan instrucciones impresas, se le pone en contacto con boletines, revistas y bibliotecas especializadas y se le otorgan becas, todo con el propósito de actualizar constantemente sus conocimientos y mantener en ascenso su calidad profesional. Esta se estimula mediante sistemas de evaluación del trabajo. Simultáneamente comisiones especiales mantienen al día el cuadro Básico de Medicamentos, en el que figuran los productos farmacéuticos fundamentales de probada eficacia, pero que no supone limitaciones al arsenal terapéutico, pues el médico puede prescribir otros, con sólo justificar técnicamente su indicación. Catálogo semejante se lleva de instrumental y equipo.

A causa de que el primer contacto entre los derechohabientes y estos servicios corre a cargo de los médicos generales, se ha dado a éstos el carácter de

PRESTACIONES ECONÓMICAS. COBERTURA POBLACIONAL
(cifras acumuladas a diciembre en miles)

	1988	1991	1992	1993	1994	1995	1996
Niños inscritos en guarderías	38	49	52	56	61	64	65
Asistentes a centros de prestaciones sociales*	447	567	511	453	407	402	399
Inscritos en cursos de deporte y cultura física	403	434	363	248	229	224	230
Usuarios de los centros vacacionaels	2 548	2 516	2 323	2 325	1 738	1 382	1 264
Clientes atendidos en tiendas	10 822	16 699	16 567	15 506	15 268	20 150	21 115
Servicios otorgados en velatorios	21	23	23	24	26	29	29

*Se refiere a la población inscrita a los cursos de prestaciones sociales, de los programas "bienestar social" y "desarrollo cultural.".
Fuente: Dirección de Finanzas y Sistemas/Coordinación de Presupuesto, Contabilidad y Evaluación Financiera. "Memoria Estadística 1995" y "Sistema Único de Información".

INSTITUTO

INSTITUTO MEXICANO DEL SEGURO SOCIAL: POBLACIÓN AMPARADA
1993-1996
(cifras en miles)

	Dic. 1993	Dic. 1994	Dic. 1995	Sep. 1996
Asegurados permanentes	10 048	10 293	10 112	10 571
Familiares de asegurados permanentes	19 947	19 384	18 638	19 626
Asegurados eventuales	1 269	1 268	820	875
Familiares de asegurados eventuales	2 937	2 915	1 895	2 007
Pensionados	1 352	1 433	1 522	1 572
Familiares de pensionados	1 184	1 261	1 337	1 380
Total de derechohabientes	36 738	36 554	34 324	36 031
Total derechohabientes usuarios	24 177	24 315	24 232	24 014

Fuente: IMSS. Dirección de Finanzas/Coordinación de Presupuesto, Contabilidad y Evaluación Financiera.

médicos familiares, asignando a cada uno de ellos la atención de un número fijo de familias, gracias a lo cual conoce mejor los antecedentes y las características personales, domésticas y ambientales de los casos a su cuidado y está en condiciones de aplicar medidas preventivas y de influir sobre los hábitos higiénicos, la alimentación y las costumbres de las familias a él vinculadas por relaciones de confianza y afecto. El médico de tiempo exclusivo –ocho horas diarias– facilita por la continuidad de su trabajo la organizacion de los servicios familiares de las clínicas y hospitales; no pueden desempeñar otro empleo en instituciones oficiales o privadas, pero sí atender su propio consultorio y obligaciones docentes de tipo superior. Los médicos internos y los residentes en los hospitales están sujetos a programas de adiestramiento, en coordinación con la División del Doctorado de la Facultad de Medicina de la Universidad Nacional Autónoma de México.

El médico general tiene a su cargo el manejo general del enfermo: formula la historia clínica, prescribe los exámenes de laboratorio y de gabinete, instituye los tratamientos y, si es necesario, solicita la intervención del especialista. Este precisa el diagnóstico y sugiere una terapéutica que es administrada por el médico general, salvo los casos en que se requieran cuidados específicos. Los servicios de especialidad que el Instituto tiene establecidos son los siguientes: alergología, aparato cardiovascular, cirugía general, cirugía

reconstructiva, dermatología, endocrinología, fisiatría, gastroenterología, ginecología, hematología, infectología, nefrología, neumología, neurología, neurocirugía, odontología, oftalmología, oncología, otorrinolaringología, pediatría, proctología, siquiatría, radioterapia, rehabilitación, reumatología, traumatología, ortopedia, urología y venereología, todos dotados de los más modernos equipos, aparatos e instrumentos.

La atención médica se presta a los derechohabientes en las clínicas de su adscripción, mediante el servicio de consulta externa, cuando el enfermo no requiere hospitalización. Cuando ésta se ordena en vista de la complejidad técnica del diagnóstico o del tratamiento, se busca disponer de enfermeras especializadas, laboratorios inmediatos, quirófanos, instalaciones apropiadas para eventualidades de urgencia, farmacia anexa y personal médico que trabaja en equipo. Las intervenciones quirúrgicas y los partos, por ejemplo, son casos que demandan el campo hospitalario.

Para exámenes y pruebas, los médicos del IMSS tienen a disposición de los derechohabientes los laboratorios clínicos, los servicios radiológicos y los gabinetes de electrocardiografía, electroencefalografía, electromiografía, electrodiagnóstico y radioisótopos. Además, todas las unidades médicas están preparadas para proporcionar servicios de urgencia. Y en materia de medicina preventiva, el Instituto cuenta, también en cada unidad, con un servicio de higiene materno-infantil, de combate a las enfermedades trasmisibles, la fiebre reumática y la tuberculosis, de mejoramiento del ambiente familiar y social, de diagnóstico oportuno del cáncer.

Debido a que el IMSS cubre los seguros de riesgos profesionales e invalidez, tiene organizadas comisiones técnicas y cuerpos consultivos de expertos que vigilan las empresas y las campañas de protección y seguridad de los trabajadores, llevando estadísticas que permiten evaluar las medidas que se adoptan para prevenir los accidentes del trabajo y las enfermedades profesionales, y calificar el grado de riesgo de las industrias, para la correcta aplicación de las cuotas a cargo de los patrones. Las calificaciones de invalidez, que son la base para el cálculo de las pensiones, se practican por médicos, consejeros vocacionales y trabajadores sociales, y en dictámenes relativos se contienen las recomendaciones para la rehabilitación y la readaptación al trabajo.

Las instalaciones del Instituto para los servicios médicos son los puestos de enfermería, los puestos de fábrica, las clínicas, las clínicas-hospital, los hospitales y los centros médicos. Los puestos de enfermería se localizan en pequeños poblados y se destinan a prestar servicio cuando la distancia a las clínicas de adscripción es considerable. Los puestos de fábricas son unidades de primeros auxilios, en los centros de trabajo, para atender casos de urgencia durante el tiempo en que los asegurados desempeñan sus labores. Las clínicas proporcionan a la población adscrita dentro de una zona que incluye los puestos, consulta externa y atención domiciliaria en los campos de la medicina general y sus especialidades; cuentan con servicio de farmacia para la entrega inmediata de medicamentos, una sección para casos de urgencia y servicio de medicina preventiva. Las clínicas-hospital, aunque de igual rango que las anteriores, añaden a sus servicios quirófanos para cirugía menor y una sección para encamar enfermos operados. Los hospitales son unidades de concentración que reciben a los pacientes enviados por las clínicas, cuando la atención de éstos requiere procedimientos médicos o quirúrgicos altamente especializados; a su función básica de curar enfermos, agregan el fomento de la medicina preventiva, la rehabilitación de los pacientes, la consulta externa en todas las especialidades, los servicios de urgencia las

IMSS: SERVICIOS MEDICOS PROPORCIONADOS					
	1992	1993	1994	1995	1996*
Consultas	80 989	86 157	90 746	97 150	74 724
Estudios de laboratorio clínico	76 107	78 312	83 504	85 059	64 794
Estudios de radiodiagnóstico	8 414	8 910	9 257	9 353	7 165
Intervenciones quirúrgicas	1 198	1 192	1 240	1 293	996

*Hasta septiembre.
Fuente: Dirección de Finanzas y Sistemas/Coordinación de Presupuesto, Contabilidad y Evaluación Financiera, "Memoria Estadística 1994" y "Sistema Único de Información".

24 horas del día, el adiestramiento del personal médico, técnico y administrativo, la enseñanza de la medicina y la investigación científica. Y los centros médicos son conjuntos de unidades de alta especialización, que incluyen servicios hospitalarios, docentes, de adiestramiento e investigación. Aparte los del occidente, en Guadalajara; del noroeste, en Mexicali, y del noreste, en Monterrey, destacan el Centro Médico La Raza y el Centro Médico Nacional en el Distrito Federal. Este último estaba formado (antes de 1985) por siete hospitales: General, de Pediatría, de Traumatología y Rehabilitación, de Gineco-Obstetricia, de Neumología y Cirugía de Tórax, de Oncología y de Convalecencia y, además, por otras ocho unidades: banco de sangre, farmacia, habitaciones, Central de Anatomía Patológica, Central de Medicina Experimental, biblioteca, Escuela de Enfermería y Unidad de Congresos.

Las prestaciones en dinero a cargo del IMSS pueden clasificarse: A. Según el riesgo: a. de tipo profesional y b. de tipo no profesional; B. Según su estructura: a. inmediatas y b. con tiempo de espera; y C. Según sus características: a. subsidios –de incapacidad temporal, de enfermedad general, de maternidad–, b. pensiones –de incapacidad parcial permanente, de incapacidad total permanente, de invalidez, de vejez, de viudez, de orfandad, de ascendientes–, c. indemnizaciones globales, d. dotes a viudas, e. finiquitos –por pensiones de orfandad, por cambios de residencia–, f. anticipo de pensiones y g. ayudas –para gastos de funerales, para matrimonio–.

Las prestaciones sociales se otorgan por conducto de los centros de seguridad social para el bienestar familiar, las unidades sociales de habitación, los clubes juveniles, los talleres de capacitación y las brigadas culturales y médico-sociales. En todos los casos se trata de contribuir al bienestar familiar por la elevación del nivel de vida. El IMSS está facultado para proporcionar servicios médicos, educativos y sociales a los asegurados, con objeto de prevenir un estado de invalidez, cuando las prestaciones del seguro de enfermedades no profesionales y maternidad sean insuficientes para lograrlo; y para prestar servicios especiales de curación, reeducación y readaptación al trabajo a los pensionados por invalidez, en forma individual o mediante procedimientos de alcance general. Puede para ello usar de los medios adecuados de difusión de conocimientos y de prácticas de prevención y previsión, y organizar a los asegurados, pensionados y familiares derechohabientes en agrupaciones, así como establecer centros de reeducación y readaptación para el trabajo y de descanso para vacaciones. El reglamento de los servicios de habitación, previsión social y prevención de invalidez, del 27 de julio de 1956, parte del principio de que los padecimientos que originan incapacidades pueden evitarse enseñando a los asegurados y a sus familiares la forma de aprovechar mejor sus recursos para establecer dietas sanas y prácticas generales de vida higiénica, corporal y mental, "con objeto de instaurar en sus hogares ese estado de satisfacción y de salud plena que es requisito indispensable y primario para dificultar la aparición y desarrollo de graves padecimientos". Asimismo "una habitación cómoda e higiénica puesta al alcance de los recursos económicos del trabajador constituye uno de los factores más importantes para obtener los mismos fines de salud y prevención de incapacidades". Con base en estas consideraciones, se reglamentó la inversión en unidades de vivienda para trabajadores y se facultó al Instituto para establecer, con carácter de prestaciones a cargo del seguro de invalidez, vejez y muerte, cursos de enseñanza en cualquier forma, prácticas, eventos y agrupaciones deportivas, representaciones teatrales, conciertos, recitales y publicaciones de diversa índole.

Los centros de seguridad social para el bienestar familiar, cuya función consiste en contribuir a elevar los niveles de vida de la población, tuvieron su origen en las casas De la Asegurada, establecidas en 1957 y 1958 como una consecuencia de las reformas de 1956 a la Ley. Los centros sociales y culturales, los centros juveniles y los talleres de capacitación están destinados a los trabajadores y a sus hijos. En ellos se pretende utilizar el tiempo libre en actividades sociales, cívico-deportivas y culturales, y en enseñanzas técnicas y artesanales que les permitan mejorar sus ingresos o iniciarse en el trabajo en condiciones de mano de obra calificada.

El disfrute y el correcto aprovechamiento de los periodos de vacaciones mejoran la productividad y elevan las condiciones de la vida social del trabajador. En virtud de estas ideas, el Instituto construyó y tiene en servicio el Centro Vacacional de Oaxtepec, en el estado de Morelos, con una superficie de 80 ha. Sus instalaciones se dividen en tres zonas: de recreación, con 10 albercas –cuatro de natación y seis de aguas termales, salas de juegos a cubierto y comedores, que han llegado a recibir 20 mil personas en un día; de recuperación, con 118 habitaciones –dos y tres recámaras, estancia, comedor, cocina y terraza–, clínica para revisión y atenciones de emergencia, hotel de 44 cuartos y comedor para 200 personas; y de vacaciones, con cinco edificios para 150 camas cada una en grupos de 15, plaza para actos cívicos, cine para 750 espectadores, comedor para 700 personas, talleres con seis aulas, campo de futbol –graderías para 4 mil espectadores–, campo de beisbol y alberca olímpica. La unidad dispone de un teleférico que une las distintas zonas y de un manantial de aguas termales protegido por una cúpula geodésica de aluminio y plástico de 63 m de diámetro. El personal administrativo, de servicio y de vigilancia tiene sus propias habitaciones.

Personal. De conformidad con el Artículo 138 de la Ley, el 6 de abril de 1943 se constituyó al Sindicato Nacional de Trabajadores del Seguro Social, habiéndose firmado el primer contrato colectivo de trabajo el 1° de septiembre de 1943. A partir de entonces y durante el mes de diciembre de los años impares, se han concertado otros 20 documentos de esa índole. Han sido secretarios generales del Sindicato Ismael Rodríguez Aragón, Miguel Flores Aparició, Alfonso González Padilla, Antonio González Cárdenas, Efren Beltrán, Manuel Moreno Islas, Rufino Azcárraga, Fidel Ruiz Moreno, Gastón Novelo, Reynaldo Guzmán Orozco, Antonio Martínez Manatou, Ignacio Guzmán Garduño, Óscar Hammeken, Ricardo Castañeda Gutiérrez, Fernando Leyva Medina, Miguel Ángel Sáenz Garza y Antonio Rosado García.

INSTITUTO

El día 7 de octubre de 1996 entró en vigor el convenio que establece el régimen de jubilaciones y pensiones para los trabajadores del Instituto.

Unidades de habitación. Al 31 de diciembre de 1971, el Instituto había construido y puesto en operación 13 unidades de habitación con 10 853 viviendas, de las cuales 5 081 eran casas y 5 772 departamentos. Hay sendas unidades en Colima, Durango e Hidalgo, dos en el estado de México, tres en Sonora y cinco en el Distrito Federal. Las 10 853 viviendas tienen 19 407 recámaras: 4 433 de una, 4 332 de dos, 2 042 de tres y 46 de cuatro. Destaca entre ellas la Unidad Independencia, en el Distrito Federal, inaugurada el 20 de septiembre de 1960, que tiene 2 500 viviendas, plaza cívica, teatro, clínica, centro de seguridad social para el bienestar familiar, escuelas, zona deportiva y gimnasio.

Equipo médico-social. En 1986 el seguro social había sido implantado en el Distrito Federal y en 1 487 municipios de los 31 estados de la Federación. A fines de ese año, el Instituto disponía de 1 477 unidades médicas con 26 861 camas, 10 413 consultorios, 723 quirófanos, 469 salas de expulsión, 350 laboratorios clínicos, 612 gabinetes radiológicos y 1 080 farmacias. En 12 meses se atendieron 58 938 897 consultas (49 019 678 de medicina familiar y 9 939 219 de especialidades), 9 528 349 urgencias y 3 013 328 intervenciones dentales; se aplicaron 23 446 577 vacunas y se realizaron 25 532 561 exámenes para la detección de enfermedades, 45 844 523 análisis de laboratorio, 6 113 382 estudios de radiodiagnóstico, 928 193 intervenciones quirúrgicas y 637 345 partos. La capacidad instalada para servicios y prestaciones sociales estaba integrada por 114 centros de seguridad social para el bienestar familiar, 10 centros de capacitación técnica y artesanal, 559 centros de extensión de conocimientos, 10 unidades deportivas, 73 teatros, tres centros vacacionales y albergues, 14 velatorios y 133 guarderías. Para la operación y el funcionamiento del Programa IMSS-COPLAMAR, se disponía de 2 454 unidades rurales, de las cuales 50 eran hospitales y 2 404 unidades médicas. A partir del mes de junio de 1987, según decreto del Ejecutivo Federal, quedaron incorporados al IMSS en el seguro facultativo de enfermedades, todos los estudiantes de los niveles medio superior y superior de los planteles educativos públicos, extendiéndose así el seguro a más de 400 mil nuevos derechohabientes.

Los sismos del 19 y 20 de septiembre de 1985 produjeron graves daños a las instalaciones médicas, administrativas y sociales del IMSS en el Distrito Federal, Ciudad Guzmán, Lázaro Cárdenas, Colima y Zihuatanejo. Los trabajadores del Instituto participaron con oportunidad y eficacia en las labores de salvamento y de reconstrucción. Entre 1994 y 1998, la consulta general externa atendió a más de 30 millones de personas al año. La consulta externa especializada alcanzó los 15 millones de derechohabientes atendidos, mientras que la atención a casos de urgencias, emergencias y desastres sumó poco más de 14 millones de consultas.

El gasto que realizaba el Instituto por concepto de pensiones era el segundo más importante después de los servicios de personal. Su peso dentro del gasto fue incrementándose como resultado del propio crecimiento de la población pensionada, así como del aumento paulatino, que comenzó a darse al monto mínimo de las pensiones a partir de 1989, cuando el 5 de enero se decretó un aumento del 35.2% al 70% del salario mínimo del Distrito Federal y su crecimiento quedó indicado al de dicho salario mínimo. Además, se aumentó la pensión de viudez del 50% al 90% que correspondía al pensionado. El 1° de enero de 1991 aumentó del 70% al 80% y, así sucesivamente, cada año subió un 5% adicional hasta que el 1° de enero de 1995 alcanzó el 100% del salario mínimo del Distrito Federal.

Por lo que respecta a las prestaciones sociales, en agosto de 1996 había 485 guarderías infantiles, guarderías para madres trabajadoras del Instituto, participativas y vecinales comunitarias, 143 centros de prestaciones sociales, 4 centros vacacionales, 76 teatros, 148 tiendas, 24 instalaciones deportivas y 16 velatorios.

Relaciones internacionales. El IMSS tiene vínculos con la Organización Internacional del Trabajo y la Organización de los Estados Americanos y forma parte, como miembro activo, de la Conferencia Interamericana de Seguridad Social, cuya sede es México desde 1952. Las instalaciones para el Comité Permanente de la Conferencia fueron construidas en San Jerónimo en 1963. Es también miembro de la Asociación Internacional de la Seguridad Social, de cuya mesa directiva forma parte el director general del IMSS. En cumplimiento de la resolución núm. 59 de la Sexta Reunión de la Conferencia Interamericana de Seguridad Social celebrada en México en 1960, el Instituto construyó –y contribuye a su sostenimiento– el Centro Interamericano de Estudios de Seguridad Social. Mantiene, asimismo, relaciones con la Organización Iberoamericana de Seguridad Social. El 22 de septiembre de 1982 se conmemoró el XL aniversario de la fundación de la Conferencia Interamericana de Seguridad Social, cuyo Comité Permanente preside el director general del Instituto. (*M.H.M.*)

INSTITUTO MEXICANO DE RECURSOS NATURALES RENOVABLES (IMERNAR). Fue constituido como asociación civil el 12 de septiembre de 1952 por el doctor Enrique Beltrán (véase) gracias a un donativo de Dls. 100 mil de la *Charles Lathrop Pack Forestry Foundation* y a las aportaciones de un patronato constituido por Eduardo Villaseñor (presidente), Edmundo J. Phalen y Carlos Trouyet (vicepresidentes), Lucio Lagos, Alfredo Medina, Gonzalo Robles y Gustavo P. Serrano (vocales) y el propio Beltrán (director ejecutivo). Tiene como propósitos: 1. investigar las condiciones de los recursos naturales renovables de México; 2. aconsejar las medidas más adecuadas para su conservación, fomento y utilización en beneficio colectivo; y 3. llevar a cabo una intensa labor de educación y propaganda sobre la importancia que la ecología y la conservación tienen para el presente y el futuro del país. Cuenta con biblioteca, hemeroteca y auditorio. Entre sus actividades destaca la celebración de mesas redondas anuales para examinar los temas "Problemas de las zonas áridas de México" y "Las universidades en la conservación de los recursos naturales de México". Hasta 1987, el IMERNAR había publicado 53 volúmenes, 55 folletos seriados y 34 informes y misceláneas, entre ellos *Los recursos naturales de la cuenca del Papaloapan* y *Los recursos naturales del Sureste y su aprovechamiento*, ambos en tres volúmenes. Desde su fundación el Instituto está afiliado a la *Union Internationale pour la Conservation de la Nature*, de la que fue vicepresidente.

INSTITUTO MEXICANO DE REHABILITACIÓN. Fue fundado para beneficio de los inválidos de México y América Latina, a iniciativa de Rómulo O'Farrill, quien contó con aportaciones del gobierno de México, la Fundación Mary Street Jenkins, varias empresas privadas y el gobierno de Estados Unidos. Se inauguró el 7 de julio de 1960 y se clausuró en 1983, dos años después de la muerte de su fundador. Su finalidad consistía en procurar la rehabilitación de los inválidos del aparato locomotor, al punto de que recuperaran su integridad física y desempeñaran actividades útiles en la sociedad. Dispuso de servicios médicos y sociolaborales integrados por las secciones de Ortopedia, Medicina Especializada, Hospitalización y Cirugía, Terapias Física y Ocupacional, Prótesis, Aparatos Ortopédicos, Trabajo Social, Sicología y Adiestramiento Laboral. Esta última incluyó talleres para los rehabilitados. La atención a pacientes se prestaba sin distinción de individuos y sin más limitaciones que el cupo de que se disponía; quienes declaraban no estar en condiciones de cubrir el costo de sus tratamientos, eran investigados para determinar si se les eximía del pago o en qué proporción se les reducía. El Instituto sólo alojaba pacientes cuando requerían atención quirúrgica, pero diariamente los transportaban en autobuses que recorrían diversas rutas fijas de la ciudad de México. Para casos severos contó con ambulancias y vehículos especiales. En el Departamento de Enseñanza Técnica se impartían cursos de terapia física y ocupacional, de consejero en rehabilitación y técnico en la fabricación de prótesis y aparatos ortopédicos. La Sección Industrial, que se manejaba en forma casi independiente de los servicios de rehabilitación, cumplía dos funciones principales: dar trabajo estable y remunerado a un grupo numeroso de rehabilitados y aportar utilidades que se dedicaban íntegramente al sostenimiento de la institución. Las actividades productivas principales consistían en la fabricación de radios para automóviles, bocinas, adaptadores de frecuencia modulada y otros aparatos electrónicos; partes para prótesis y aparatos ortopédicos, que además de usarse en el propio Instituto, se suministraban a precio de costo a los centros de rehabilitación de la República y de América Latina. Producían también sillas de ruedas suficientes para satisfacer la demanda del país. Contó con talleres mecánico, de troquelado, soldadura, herrería, electricidad y carpintería, en los que se hacían piezas para su propio consumo y se daba mantenimiento a todas sus instalaciones. Estas industrias y talleres ocupaban empleados y obreros rehabilitados que se manejaban y retribuían exactamente igual que los trabajadores de las industrias privadas. En las instalaciones que fueron del Instituto están establecidas desde 1983 las oficinas del Instituto de Seguridad y Servicios Sociales de los Trabajadores del Estado (San Fernando núm. 15, en Tlalpan, D.F.).

INSTITUTO MEXICANO DE TECNOLOGÍA DEL AGUA (IMTA). V. FÍSICA.

INSTITUTO MEXICANO NORTEAMERICANO DE RELACIONES CULTURALES.

Fundado por un grupo de prominentes mexicanos y norteamericanos, a invitación del embajador George S. Messersmith, es una asociación civil gobernada por una asamblea que integran, a partes iguales, socios de ambas nacionalidades. Empezó a funcionar en la Biblioteca Benjamín Franklin, situada entonces en Paseo de la Reforma núm. 34, y en 1944 fue registrado ante el gobierno de la República. Durante la Segunda Guerra Mundial su principal actividad consistió en supervisar las becas otorgadas por el Instituto de Educación Internacional a estudiantes mexicanos con ayuda de Estados Unidos. Las clases de inglés, destinadas a jóvenes y adultos, se iniciaron en 1943 gracias a que la Universidad de Michigan proporcionó un fondo para establecer el Instituto de la Lengua Inglesa, que también se alojó en la Biblioteca. El número de alumnos ese primer año fue de 300; y en 1985 de 44 779 en las clases de inglés y de 1 114 en las de español. El año escolar se inicia en enero y termina en diciembre. El número de profesores es de 67. Al dar por terminada su ayuda la Universidad de Michigan, el Instituto asumió la responsabilidad de administrar el Instituto de la Lengua Inglesa; y en 1947, cuando la Biblioteca Benjamín Franklin pasó a formar parte del programa cultural del gobierno de Estados Unidos, el Instituto tomó a su cargo totalmente la responsabilidad de la enseñanza del inglés bajo su propio nombre. Sin embargo, continuó administrando las becas a estudiantes mexicanos que otorgaba el Instituto de Educación Internacional, así como otras actividades auspiciadas anteriormente por la Biblioteca, tales como conferencias, conciertos, exposiciones de arte, funciones de cine y actos sociales encaminados a proporcionar tanto a mexicanos como a norteamericanos la oportunidad de tratarse y conocerse. En 1953, el Instituto, que había te-

nido su residencia en Yucatán núm. 67, se mudó a su actual domicilio de Hamburgo núm. 115. Ahí cuenta con las galerías de arte Norte y Sur, donde se exhiben obras de artistas de renombre, así como de jóvenes que inician sus actividades. Dispone, además, de un aula para 500 personas que lleva el nombre del embajador Messersmith, y de un departamento que publica y distribuye los textos y grabaciones que se utilizan en las clases. En 1993 surgió un serio problema laboral con los maestros. El conflicto desembocó en la desaparición del Instituto Mexicano Norteamericano de Relaciones Culturales ese año.

INSTITUTO NACIONAL DE ADMINISTRACIÓN PÚBLICA (INAP).

Fue fundado en febrero de 1955 por Antonio Carrillo Flores, Gilberto Loyo, Rafael Mancera Ortiz, Ricardo Torres Gaytán, Raúl Salinas Lozano, Enrique Caamaño, Daniel Escalante, Raúl Ortiz Mena, Rafael Urrutia Millán, José Attolini, Alfredo Navarrete, Francisco Apodaca, Mario Cordera Pastor, Gabino Fraga, Jorge Gaxiola, José E. Iturriaga, Antonio Martínez Báez, Lorenzo Mayoral Pardo, Alfonso Noriega (hijo), Manuel Palavicini, Jesús Rodríguez y Rodríguez, Andrés Serra Rojas, Catalina Sierra Casasús, Gustavo R. Velasco y Alvaro Rodríguez Reyes. Han sido presidentes del Consejo Directivo: Gabino Fraga (1955-1961), Gustavo Martínez Cabañas (1961-1968), Andrés Caso (1968-1977), Luis García Cárdenas (1977-1983), Ignacio Pichardo Pagaza (desde 1983). En 1957 el Instituto se constituyó como Sección Mexicana del Instituto Internacional de Ciencias Administrativas, organismo fundado en 1930. A partir de 1972 forma parte de la Asociación Latinoamericana de Administración Pública, con la cual coedita la revista *Empresa Pública*. Además, representa a México y a la región latinoamericana en el Centro Internacional para Empresas Públicas de Países en Desarrollo. Sus principales objetivos son: 1. agrupar los esfuerzos de las personas interesadas en el estudio, la investigación o la práctica de la administración pública; 2. promover el intercambio de información; 3. sugerir el mejoramiento de las actividades administrativas y recomendar técnicas cuando para ello sea consultado; 4. proporcionar información a los gobiernos Federal, estatales y municipales en aspectos concretos; y 5. constituirse en centro compilador y de divulgación de las experiencias recogidas en las oficinas de gobierno. Para cumplir con estas finalidades, el INAP cuenta con nueve programas: 1. Investigación, 2. Docencia, 3. Asesoría externa, 4. Documentación, 5. Promoción estatal, 6. Relaciones internacionales, 7. Difusion, 8. Instalaciones y 9. Administración interna. En el primer programa destaca la creación en 1976 del Premio Nacional de Administración Pública; un estímulo permanente a la elaboración de trabajos que contribuyan al mejoramiento de la teoría y práctica administrativa; en el segundo, el establecimiento de la maestría en administración pública, que funciona desde 1979; en el cuarto, la formación de un acervo bibliográfico, documental y de publicaciones periódicas especializadas; en el quinto, la constitución, a partir de 1973, de los institutos de Administración Pública en los estados; en el séptimo, la publicación de *Revista de Administración Pública*, *Gaceta Mexicana de Administración Pública Estatal y Municipal*, *Cuadernos Práxis*, *Memorias INAP*, las obras merecedoras del Premio Nacional de Administración Pública y *Cronología en Números de Acción INAP*; y en el octavo, la inauguración, en noviembre de 1982, del edificio e instalaciones propios en el km 14.5 de la carretera México-Toluca.

INSTITUTO NACIONAL DE ANTROPOLOGÍA E HISTORIA (INAH). Fue creado el 31 de diciembre de 1938 por decreto del presidente Lázaro Cárdenas. Pasaron a su jurisdicción el Museo Nacional de Arqueología, Historia y Etnografía y las direcciones de Monumentos Prehispánicos y de Monumentos Coloniales; se le otorgaron personalidad jurídica y capacidad para adquirir y administrar bienes, y se le asignaron como patrimonio: un presupuesto anual; los edificios del Museo Nacional, del exconvento de La Merced y parte del Castillo de Chapultepec; los monumentos artísticos, arqueológicos e históricos que dependían de la Secretaría de Educación Pública y los que en el futuro se declarasen como tales; las colecciones, muebles y accesorios procedentes de esos edificios y los objetos que se descubrieran en las exploraciones; las herencias, legados y donaciones que reciba, y el producto de las cuotas que cobre por visitas a los monumentos y museos, y por la venta de publicaciones y reproducciones. Sus funciones son las siguientes: 1. explorar las zonas arqueológicas del país; 2. vigilar, conservar y restaurar los monumentos arqueológicos, históricos y artísticos, así como los objetos que en ellos se encuentren; 3. realizar investigaciones científicas y artísticas en materias de arqueología, historia, antropología y etnografía, y 4. hacer publicaciones sobre estas materias. La ley orgánica del Instituto señala que "los objetos que se encuentren en los monumentos y los que pertenezcan a las colecciones de los museos, no podrán enajenarse, hipotecarse, dar en prenda, prestarse o canjearse", sin sujetarse a las disposiciones que rigen para toda clase de bienes nacionales.

En 1987, el INAH estaba constituido por una dirección general, su consejo y sus órganos administrativos; las direcciones de Monumentos Prehispánicos, Monumentos Históricos, de Estudios Históricos, de Museos y Exposiciones y de Restauración del Patrimonio Cultural; las escuelas nacionales de Conservación, Restauración y Museografía y de Antropología e Historia; los departamentos de Antropología Física, de Etnología y Antropología Social, de Etnohistoria, de Lingüística, de Archivos Históricos y Bibliotecas, de Estudios de la Música, de Literatura Oral y de Publicaciones; los museos nacionales de Antropología, de Historia, de las Culturas, del Virreinato y de las Intervenciones; los museos regionales de Campeche y de Historia de Tabasco; el Museo del Templo Mayor (inaugurado el 12 de octubre de 1987); 12 centros regionales, cuatro delegaciones y la Biblioteca Nacional de Antropología Eusebio Dávalos Hurtado. El INAH publica una colección científica, los *Anales de Antropología*, boletines y guías. Han sido directores: Alfonso Caso (1938-1944), Ignacio Marquina (1944-1956), Eusebio Dávalos Hurtado (1956-1967), Ignacio Bernal y García Pimentel (1968-1972), Guillermo Bonfil Batalla (1972-1976), Gastón García Cantú (1976-1981) y Enrique Florescano (1982-).

En años recientes se creó el Consejo Nacional de Museos, el cual ha elaborado un programa nacional, un reglamento general y un catálogo de normas de seguridad. En ejecución de ese programa y con la participación de los gobiernos de los estados y el apoyo de la Secretaría de Programación y Presupuesto, entre 1983 y 1987 el INAH creó siete nuevos museos regionales en Hidalgo, Chiapas, Sonora, Tabasco, Campeche y Guerrero (Acapulco y Chilpancingo) y remodeló dos (Tlaxcala y Michoacán). En estos casos el gobierno del estado se encarga de la conservación, el mantenimiento y la seguridad, y el INAH aporta la dirección, el personal técnico y los servicios de apoyo. En 1987 se trabajaba en la renovación de instalaciones en los museos regionales de Oaxaca, Jalisco, Morelos, Yucatán y Querétaro, y se estaban organizando los de Toluca, Colima y Ciudad Juárez. En las zonas arqueológicas se ampliaron los museos de Comalcalco y Cancún, en 1984, y se crearon los de Monte Albán, Dzibilchaltún, Uxmal y Chichén-Itzá. Y se colaboró en la remodelación del Museo de la Resistencia Indígena, en Ixcateopan, Gro., y en el Histórico de San Cristóbal de las Casas, Chis. Adicionalmente, en 1987 se tenían en operación 18 museos escolares y 16 comunitarios, y en proceso cinco de aquéllos y 26 de éstos. V. MUSEOS.

INSTITUTO NACIONAL DE ASTRONOMÍA, ÓPTICA Y ELECTRÓNICA (INAOE). V. FÍSICA.

INSTITUTO NACIONAL DE BELLAS ARTES (INBA).

Fue creado el 31 de diciembre de 1946 por decreto del presidente Miguel Alemán. Su finalidad es fomentar, propiciar, vigilar y fortalecer todas las formas artísticas en que se expresa la cultura de México. Depende de la Secretaría de Educación Pública y cuenta con departamentos de Arquitectura, Artes Plásticas, Música, Teatro, Danza, Literatura, Coordinación, Programación y Administración. Su sede estuvo en el Palacio de Bellas Artes (véase) hasta el 15 de abril de 1984, en que se trasladó al nuevo edificio anexo al Auditorio Nacional, en las inmediaciones del Bosque de Chapultepec. Aparte las actividades que realiza en la capital de la República, sostiene escuelas de bellas artes en Saltillo, Tuxtla Gutiérrez, Chilpancingo, Cuernavaca, San Luis Potosí, Ciudad Victoria, Veracruz y Mérida; y participa, en apoyo de los gobiernos de los estados, en la operación de los organismos que se enumeran en seguida. *Aguascalientes:* Consejo Regional de Bellas Artes, radiodifusora XENM, Televisión Cultural, Centro Regional de Artes Visuales, Centro de Estudios Musicales Manuel M. Ponce, Centro de Diseño Artesanal, Centro de Artes y Oficios, Unidad de Iniciación Artística, Biblioteca Fray Servando Teresa de Mier, Museo José Guadalupe Posada, Museo de

Aguascalientes y Teatro Morelos, en la capital; y casas de cultura en Calvillo, Jesús María, Pabellón de Arteaga, San Francisco de los Romo y Rincón de Romos. *Baja California:* casas de cultura en Ensenada, Mexicali, Tecate y Tijuana. *Baja California Sur:* dos casas de cultura, una escuela de música y una unidad de iniciación artística. *Campeche:* el Centro de Investigaciones de Cultura Regional y radiodifusora XECUC. *Coahuila:* una casa de cultura, un centro de investigación y documentación de artes, y los teatros Mayran e Isauro Martínez, en Torreón; y casas de cultura en Francisco I. Madero, La Flor de Jimulco, Matamoros, San Pedro de las Colonias, Monclova, Piedras Negras y Saltillo, donde también funciona el Centro de Artes Visuales e Investigaciones Estéticas. *Colima:* una casa de cultura, un centro de educación artística y el Instituto Universitario de Bellas Artes, en la capital. *Chiapas:* Dirección de Educación, Promoción, Investigación y Divulgación de la Cultura, en Tuxtla Gutiérrez; Centro Cultural Ataulfo Nandayapa, en Chiapa de Corzo; y casas de cultura en Las Margaritas, Motozintla, Ocozingo, Palenque, San Cristóbal de las Casas, Tapachula, Tecpatán, Tonalá, Tuxtla Chico, Venustiano Carranza, Villaflores y Yajalón. *Chihuahua:* el Centro Cultural y de Iniciación Artística, en la capital; y el Museo de Arte e Historia y una sala de espectáculos, en Ciudad Juárez. *Durango:* Teatro Victoria, Casa de la Cultura y Centro Cultural José Revueltas, en la capital; Teatro Alvarado en Gómez Palacio; y casas de cultura en ésta, Ciudad Lerdo y Santiago Papasquiaro. *México:* Escuela de Artes Plásticas de Bellas Artes, en Toluca; y casas de cultura en Nezahualcóyotl, Naucalpan, San Cristóbal Ecatepec, Tecamac y Tlalnepantla. *Guanajuato:* Teatro Ángela Peralta, en San Miguel de Allende; y casas de cultura en ésta, Irapuato, León y Salamanca. *Guerrero:* Instituto Guerrerense de la Cultura en Chilpancingo; una extensión de éste y la Unidad de Iniciación Artística, en Acapulco; y una galería en Tasco. *Hidalgo:* Instituto Hidalguense de Bellas Artes, en Pachuca; y una casa de cultura en Ixmiquilpan. *Jalisco:* Instituto Cultural Cabañas y Centro de Educación Artística, en Guadalajara; y casas de cultura en Cocula, Ciudad Guzmán y Teocaltiche. *Michoacán:* Centro de Educación Artística e Instituto Michoacano de la Cultura, en Morelia; y una casa de cultura en Lázaro Cárdenas,

La Piedad, Sahuayo y Uruapan. *Morelos:* Instituto Regional de Bellas Artes, en Cuernavaca; Auditorio Ilhuicalli, en Tepoztlán; y una casa de cultura en Cuautla. *Nuevo León:* Centro de Educación Artística, Teatro de la Ciudad, Centro Cultural Alfa, Arte, Acción Cívica y Recreación, y Escuela Superior de Música y Danza, en Monterrey; y Auditorio San Pedro, Museo del Centenario y una casa de cultura en San Pedro de Garza García. *Oaxaca:* Taller de Artes Plásticas Rufino Tamayo, Centro de Educación Artística y Teatro Macedonio Alcalá, en la capital; y casas de cultura en Coixtlahuaca, Cuicatlán, Ejutla, Huajuapan, Huitzo, Ixtepec, Ixtlán, Juchitán, Juxtlahuaca, Matías Romero, Nochistlán, Pochutla, Puerto Escondido, Putla, Salina Cruz, Silacayoapan, Sola de Vega, Tehuantepec, Teotitlán, Tlaxiaco, Tuxtepec y Zacatepec Mixes. *Puebla:* Escuela de Arte Teatral y Departamento de Música, en la capital; Grupo Cultural Atlixco 79, y casas de cultura en ésta, Cholula, Huauchinango, Huejotzingo, Izúcar de Matamoros y Xicotepec de Juárez. *Querétaro:* Centro de Educación Artística, en la capital, y casa de cultura en San Juan del Río. *San Luis Potosí:* Instituto Potosino de Bellas Artes Julián Carrillo, Centro de Difusión Cultural y casa de cultura, en la capital. *Sinaloa:* Dirección de Investigación y Fomento de la Cultura Regional, en Culiacán; casa de cultura en Escuinapa; y Centro Regional de Iniciación Artística Ángela Peralta, en Mazatlán. *Sonora:* Centro de Iniciación Artística y Dirección General de Cultura, en Hermosillo. *Tabasco:* Centro de Estudios e Investigaciones de Bellas Artes e Instituto de Cultura, en Villahermosa; y una casa de cultura en Cárdenas. *Tamaulipas:* Instituto Tamaulipeco de Bellas Artes y Casa de Artes, en Ciudad Victoria; Instituto Regional de Bellas Artes, en Matamoros; y una casa de cultura en Ciudad Mante. *Veracruz:* Instituto Regional de Bellas Artes, en Orizaba; Escuela de Música, Escuela de Artes Plásticas y Realizadores de Artes y Cultura, en Veracruz; y casas de cultura en Alvarado, Ciudad Cardel, Córdoba, Cosamaloapan, Lerdo de Tejada, Tlacotalpan y Jalapa. *Tlaxcala:* Instituto Tlaxcalteca de Cultura, en la capital. *Yucatán:* Escuela de Bellas Artes y Centro de Educación Artística, en Mérida. *Zacatecas:* Instituto Zacatecano de Bellas Artes y museos Francisco Goitia, Pedro Coronel y Guadalupe, en la capital. Han sido directores Carlos Chávez (1947-1952), Andrés Iduarte (1952-1953), Miguel Álvarez Acosta (1954-1958), Celestino Gorostiza (1958-1964), José Luis Martínez (1964-1970), José Antonio Malo (1970-1971), Miguel Bueno (1971), Luis Ortiz Macedo (1972-1974), Sergio Galindo (1974-1976), Juan José Bremer (1977-1981), Javier Barros Valero (1982-1986) y Manuel de la Cera Alonso (1987-). Mientras fue la Dirección Extraescolar de la Secretaría de Educación Pública (1934-1946), la dirigieron Antonio Castro Leal, Santiago R. de la Vega, Celestino Gorostiza, Xavier Icaza, Benito Coquet y Carlos Pellicer.

INSTITUTO NACIONAL DE CANCEROLOGÍA (INCAN). Fue creado por la ley publicada en el *Diario Oficial* el 30 de diciembre de 1950, que autorizó también la organización y funcionamiento de los institutos nacionales de Oftalmología, Gastroenterología y Urología, que no llegaron a constituirse. Esta disposición quedó abrogada por el decreto presidencial del 3 de diciembre de 1987. El Incan tiene el carácter de organismo descentralizado, con personalidad jurídica y patrimonio propios. Su patrimonio se integra con los bienes muebles e inmuebles y los derechos que por cualquier título legal haya adquirido o le transfiera el Gobierno Federal; los recursos que le sean asignados de acuerdo al presupuesto de la Secretaría de Salud; los subsidios, participaciones, donaciones, herencias y legados que reciba de personas físicas o morales, nacionales o extranjeras, y por las cuotas que recaude por sus servicios. Su principal objetivo es otorgar asistencia médica en el ámbito de su especialidad, de tipo preventivo, diagnóstico, curativo y de rehabilitación, con criterios fundados en las condiciones socioeconómicas de los usuarios. Además, realiza estudios e investigaciones clínicas y experimentales en el campo de las neoplasias; difunde información técnica y científica sobre esa materia; forma recursos humanos especializados para la atención de los enfermos oncológicos, y coadyuva a la consolidación y funcionamiento del Sistema Nacional de Salud. El Incan está regido por una Junta de Gobierno y una Dirección General. El Patronato y el Consejo Técnico Consultivo son órganos de apoyo. La Junta de Gobierno está integrada por el secretario de Salud, quien la preside; sendos representantes de las secretarías de Hacienda y Crédito Público y de Programación y Presupuesto, y del Patronato, y cuatro vocales que designa el secretario de Salud. Cuenta con áreas de cirugía, radioterapia y oncología médica; servicios auxiliares de diagnóstico, consulta externa y hospitalización (117 camas censables); un edificio dedicado a la investigación; tres aulas, bibliohemeroteca y residencia para médicos; unidades de telecobalto 60, aceleradores lineales, simulador, computadoras, ultrasonido, tomógrafo axial computarizado, mastógrafo, microscopio electrónico, equipo automático para exámenes de laboratorio clínico y los aparatos más modernos en sus áreas de investigación. En promedio, el Incan atiende a 12 mil personas al año. En 1986 se registraron 4 500 egresos hospitalarios; 89 mil consultas; 190 mil estudios de laboratorio, 7 200 histopatológicos, 1 500 de medicina nuclear, 16 mil de radiodiagnóstico y 3 400 de tomografía axial computarizada; 30 mil sesiones de radioterapia y 2 500 intervenciones quirúrgicas. De 1949 a 1963, el Incan ocupó los edificios 129 y 131 de la calle Dr. Enrique González Martínez (antes Chopo); de 1964 a 1980, el de avenida Niños Héroes núm. 151; y a partir de entonces, el bien equipado de la avenida San Fernando núm. 22 en la zona de hospitales de Tlalpan, D.F. Han sido sus directores: Conrado Zukerman (1950-1964), Enrique Barajas Vallejo (1964-1972), José Noriega Limón (1972-1982) y Arturo Beltrán Ortega (1982-).

INSTITUTO NACIONAL DE CARDIO-LOGÍA IGNACIO CHÁVEZ. Fue creado por la ley publicada en el *Diario Oficial* el día 23 de junio de 1943. Es el primero en su género en el país y en el mundo. Tiene personalidad jurídica propia y un patrimonio integrado con: a) los inmuebles, el equipo y el mobiliario que le destine y el subsidio que le conceda anualmente el Gobierno Federal; b) las aportaciones que reciba de instituciones públicas o privadas; c) las aportaciones de particulares; d) los derechos y cuotas que recaude por sus servicios; y e) los demás productos y aprovechamientos que obtenga por cualquier título. Son sus atribuciones: I. la atención médica de los enfermos cardiacos y vasculares indigentes o económicamente débiles, aun cuando puede atender un número restringido de personas pudientes, mediante el pago de las cuotas reglamentarias; II. el estudio y aplicación de medidas preventivas; III. la orientación vocacional y la reeducación profesional de los enfermos cardio-

vasculares; IV. la enseñanza de conocimientos de su especialidad, tanto a los estudiantes de medicina, en cooperación con la Universidad Nacional Autónoma de México (UNAM), y a los médicos generales, mediante cursos para graduados, como a quienes deseen especializarse, para satisfacer la demanda nacional de cardiólogos, y a un número limitado de profesionistas extranjeros; V. la investigación científica, pura y aplicada, y VI. la ayuda social en beneficio de los cardiacos indigentes. El manejo administrativo y técnico está a cargo de una Junta de Gobierno constituida por seis miembros: el secretario o el coordinador de los institutos nacionales de salud, que actúan como presidente y vocales, designados entre personas de relevantes cualidades, que no ocupen cargos de elección popular. La Secretaría de Salud hace las designaciones. Los vocales duran en funciones seis años, pudiendo ser relectos. El gobierno interior, además del director, está a cargo de cuatro subdirectores: médico, administrativo, de investigación y de enseñanza, y de un Cuerpo Consultivo Técnico. Los directores del Instituto han sido los doctores Ignacio Chávez Sánchez (fundador, 1943-1961, y a partir de ese año director honorario), Salvador Aceves Parra (1961-1965), Manuel Vaquero Sánchez (1965-1972), Jorge Espino Vela (1972-1973), Ignacio Chávez Sánchez (1974-1979) y Jorge Soni (desde 1979).

Los servicios asistenciales del Instituto se realizan por medio de la sección de urgencias, en la que se atienden más de 14 mil casos al año; la consulta externa, con un promedio de 80 mil consultas anuales (en 1985 se impartieron 86 503); la sección de hospital, con 262 camas; y cuatro salas de cirugía equipadas con sistema de registro continuo, lo cual permite la ejecución de todas las técnicas de la cirugía cardiovascular. En íntima relación con los servicios de cardiología, funcionan los de reumatología, de enfermedades cardiovasculares periféricas, y de nefrología (con el equipo y el laboratorio necesario para hacer hemodiálisis) y los gabinetes especializados de medicina nuclear, estomatología, oftalmología y otorrinolaringología; un departamento de hemodinámica para sondeo y registro intracardiaco de presiones y gases, con una sección de estudios de fisiología pulmonar; un gabinete de radiología especialmente dispuesto para estudios angiocardiográficos, incluso de índole cinematográfica; y un departamento de fonocardiografía y ecocardiografía, electrocardiografía y vectocardiografía.

Se realiza investigación clínica continua, facilitada por un archivo de más de 190 mil expedientes, que están codificados para su utilización, por medio de computadoras e investigación específica en: anatomía patológica (con microscopía electrónica), cultivo de tejidos, bioquímica, embriología, farmacología, fisiología, endocrinología, inmunología, hematología, electrocardiografía y cirugía experimental, en laboratorios construidos y equipados especialmente. La enseñanza permanente en las salas de hospital, en los laboratorios y en los gabinetes, se completa en 12 aulas y un auditorio para 396 personas, dotados de medios audiovisuales para la docencia. El Instituto dispone anualmente de 12 plazas para médicos residentes en cardiología general, tres para residentes en cirugía cardiovascular, cuatro para anestesiología, uno para nefrólogos, uno para anatomía patológica, 50 para ayudantes de tiempo completo, 24 para asistentes de tiempo parcial y un cierto número para investigadores ayudantes. Al mes de agosto de 1986, los médicos que por más de un año habían estudiado en el Instituto eran más de 2 mil de los cuales el 65% eran extranjeros, la gran mayoría de los países latinoamericanos y 200 de Europa, Asia y Oceanía.

En estrecha coordinación con la UNAM se dictan anualmente cursos de cardiología a los estudiantes de medicina, los correspondientes a especialización, maestría y doctorado en cardiología, cirugía cardiovascular y nefrología, y cursos monográficos breves para la profesión médica en general. En la Escuela de Enfermería del Instituto se gradúan anualmente un promedio de 15 enfermeras. Se imparte un curso de especialización para graduadas. Los miembros del Instituto han publicado casi un centenar de libros científicos y sus trabajos aparecen principalmente en la revista bimestral *Archivos del Instituto de Cardiología de México*, órgano oficial que se ha publicado ininterrumpidamente desde su fundación en 1930, siendo la tercera revista cardiológica internacional en orden de antigüedad.

En 1985 el Instituto impartió los servicios siguientes: 101 471 consultas (15 157 de primera vez y 86 314 subsecuentes); 4 068 hospitalizaciones, con un promedio de 15 días de estancia por enfermo; y 1 026 intervenciones quirúrgicas (258 en corazón cerrado, 561 en corazón abierto, 95 en arterias y venas, 12 trasplantes renales y 100 de otro tipo). Del total de los servicios, el 72% se concedió a personas sin recursos o que sólo cubrieron tarifas simbólicas; el 27% a quienes pagaron de acuerdo con sus posibilidades, y menos del 1% a enfermos con amplia capacidad económica.

El antiguo Instituto fue inaugurado el 18 de abril de 1944 por el presidente Manuel Ávila Camacho, en la avenida Cuauhtémoc núm. 300 de la ciudad de México. En julio de 1972, el presidente Luis Echeverría autorizó la construcción de las nuevas instalaciones en calzada de Tlalpan y Periférico Sur. Estos 10 edificios están dedicados básicamente a: administración, consulta externa, preconsulta, laboratorios y gabinetes, hospitalización, enseñanza, auditorio, escuela de enfermería, investigación y residencia.

A partir de octubre de 1987, según decreto del Congreso de la Unión, el Instituto quedó sujeto a la Ley de Entidades Paraestatales a fin de consolidar el Sistema Nacional de Salud y contribuir a satisfacer el derecho a la protección de la salud, elevado a rango constitucional.

INSTITUTO NACIONAL DE ENFERMEDADES RESPIRATORIAS (INER). Creado por decreto presidencial en 1982, quedó instalado en la calzada de Tlalpan núm. 4510. Su antecedente fue el Hospital de Enfermedades Respiratorias, fundado en 1936. Cuenta con 330 camas censables; a él ingresan 3 391 pacientes al año en promedio, atiende 48 666 consultas, 2 967 servicios de cirugía y 14 905 actividades de fisiología respiratoria. Su director es el doctor Horacio Rubio Monteverde (1982-).

INSTITUTO NACIONAL DE ESTADÍSTICA, GEOGRAFÍA E INFORMÁTICA (INEGI). Órgano desconcentrado de la Secretaría de Programación y Presupuesto, fue creado por ley del 25 de febrero de 1983. Sus objetivos generales consisten en normar y desarrollar las actividades que se realizan para producir información estadística y geográfica, en condiciones homogéneas, y en definir la política informática gubernamental y procurar el avance tecnológico en esta materia. Para estos fines, el INEGI regula y coordina los servicios y los sistemas nacionales estadísticos y geográficos: los primeros son el conjunto de actividades que desempeñan en esos campos los poderes federales; y los segundos, los datos que generan esas instituciones y las entidades federativas. El Instituto está integrado por una presidencia, cuatro direcciones generales y una coordinación ejecutiva. Las direcciones son las siguientes: de Estadística, cuya creación data de 1882; de Geografía, llamada en el pasado Comisión y luego Dirección de Estudios del Territorio Nacional; de Política Informática, antigua Dirección de Sistemas y Procesos Electrónicos; y de Integración y Análisis de la Información. Las oficinas centrales del Instituto están en la ciudad de Aguascalientes, y las direcciones regionales en Durango, Guadalajara, Hermosillo, Mérida, Monterrey, Oaxaca, Puebla, San Luis Potosí, Toluca y el Distrito Federal. Para el efecto de opinar sobre los procedimientos de recolección de datos y las formas de coordinación destinadas a formular los programas nacional, sectoriales, regionales y especiales, funcionan sendos comités técnicos. A la Dirección General de Estadística le corresponde levantar los censos nacionales, formar las estadísticas de corto plazo, organizar el sistema de cuentas nacionales, e integrar la información estadística; a la de Geografía, la toma de fotografías aéreas, la restitución de éstas a planos y la elaboración de cartas topográficas, geológicas, edafológicas y de uso del suelo a varias escalas; a la de Política Informática, establecer y vigilar la aplicación de las normas en esa materia; y a la de Integración y Análisis de la Información, divulgar los productos y servicios del Instituto, para lo cual dispone de 550 bibliotecas, mapotecas y centros de documentación en todo el país. El INEGI genera publicaciones, cartas geográficas, fotografías aéreas, imágenes desde satélite, información geodésica y de campo y análisis de laboratorio. Las principales publicaciones son las siguientes: *Cuaderno de Información Oportuna, Boletín Mensual de Información Económica, Comercio Exterior de México, Cuaderno de Información Oportuna Regional, Sistema de Cuentas Nacionales de México, Agenda Estadística, Anuario Estadístico de los Estados Unidos Mexicanos, Censos de Población y Vivienda* y *Datos Básicos sobre la Población de México.* La cartografía topográfica comprende desde la totalidad del territorio nacional hasta pequeñas áreas, fondos marinos, niveles de altitud y guías para la aeronavegación; y la temática incluye climas,

aguas superficiales y subterráneas, tipo y estructura de las rocas, características físicas y químicas del suelo, vegetación, agricultura y formas del paisaje. Las imágenes tomadas por el satélite Landsat permiten actualizar la cartografía en un corto plazo, y la información geodésica sirve para elaborar con precisión cualquier tipo de mapa. Todos estos materiales y servicios se ofrecen en venta al público.

INSTITUTO NACIONAL DE ESTUDIOS HISTÓRICOS DE LA REVOLUCIÓN MEXICANA (INEHRM). Fue creado por decreto presidencial el 29 de agosto de 1953 como órgano consultivo de la Secretaría de Gobernación, con el fin de realizar y publicar estudios sobre la Revolución y concentrar documentos y materiales relativos a ese movimiento. Por decreto presidencial del 26 de marzo de 1987, el Instituto amplió sus facultades para operar como órgano de difusión de la historia, ideología y principios revolucionarios, en particular por conducto de los medios de comunicación electrónicos, y para coordinar, concertar o convenir con las dependencias y entidades públicas, y las instituciones de educación e investigación nacional y extranjeras, todas las actividades que contribuyan al cumplimiento de sus objetivos, en particular el de fortalecer la identidad nacional. Han sido vocales ejecutivos de su patronato el licenciado Salvador Azuela (29 de agosto de 1953 a 7 de septiembre de 1983) y el doctor Juan Rebolledo Gout (a partir de septiembre de 1984). En 1985 el Instituto desempeñó la secretaría técnica de la Comisión Nacional para las Celebraciones del 175 Aniversario de la Independencia Nacional y del 75 Aniversario de la Revolución Méxicana. Hasta noviembre de 1987 había difundido 200 horas de programas de televisión y casi mil de emisiones radiofónicas; organizado y auspiciado reuniones cívicas y actos culturales, y realizado un vasto programa editorial que comprende las secciones: Biblioteca de Obras Fundamentales (Independencia y Revolución), Obras Conmemorativas, Cuadernos Conmemorativos, Biblioteca del INEHRM, Biografías para Niños, Ediciones Especiales y Diálogos sobre la Revolución. Entre las obras sobre la Independencia destacan: *Memorias para la historia de México Independiente 1822-1846* de José María Bocanegra (2 ts., 1985), *Cuadro histórico de la Revolución Mexicana comenzada* *el 15 de septiembre de 1810* de Carlos María de Bustamante (8 ts.), *Hidalgo, la vida del héroe* de Luis Castillo Ledón (2 ts.), *Historia de México* de Luis Chávez Orozco, *Documentos históricos mexicanos* de Genaro García (8 ts.), *Colección de documentos para la historia de la guerra de Independencia de México de 1808 a 1821* de Juan E. Hernández y Dávalos (6 ts.), *Adiciones y rectificaciones a la historia de México* de José María de Liceaga, *Escritos inéditos* de fray Servando Teresa de Mier, *Efemérides históricas y biográficas* de Francisco Sosa (2 ts.) y *Breve reseña histórica de los acontecimientos más notables de la nación mexicana desde el año de 1821 hasta nuestros días* de José María Tornel y Mendívil, todas reditadas en 1985; y entre las relativas a la Revolución: *Memoria de la Secretaría de Gobernación correspondiente al periodo revolucionario comprendido entre el 19 de febrero de 1913 y el 30 de noviembre de 1916* (compilada por Jesús Acuña), *Mis memorias de campaña. Apuntes para la historia* de Amado Aguirre (1985), *Revolución y Reforma. Libro primero. Génesis legal de la Revolución constitucionalista* de Manuel Aguirre Berlanga, *Historia política de la Revolución* de Miguel Alessio Robles, *La construcción de México. Un mensaje a los pueblos de América* de Salvador Alvarado (3 ts.), *Historia del Ejército y de la Revolución constitucionalista* de Juan Barragán Rodríguez, *México revolucionario* de Alfredo Breceda, *Diario de los debates del Congreso Constituyente 1916-1917* (2 ts.), *La revolución agraria del sur y Emiliano Zapata su caudillo* de Antonio Díaz Soto y Gama, *Historia del Congreso Constituyente de 1916-1917* de Gabriel Ferrer Mendiolea, todas reditadas o reimpresas en aquel año. La Biblioteca del INEHRM, iniciada en 1953, comprendía 102 títulos en 1987.

INSTITUTO NACIONAL DE INVESTIGACIONES FORESTALES Y AGROPECUARIAS (INIFAP).

Los institutos Nacional de Investigación Forestal y el Agrícola y Pecuario, que operaban en forma independiente, se fusionaron en el INIFAP, conforme al decreto publicado en el *Diario Oficial* el 23 de agosto de 1985. Dependiente de la Secretaría de Agricultura y Recursos Hidráulicos (SAHR), el nuevo organismo se propone: 1. generar innovaciones tecnológicas que contribuyan al incremento de la productividad y producción rural; 2. conservar y utilizar racionalmente los recursos del suelo, el agua, la flora y la fauna; 3. adiestrar investigadores, y 4. conceder becas para estudios de especialización y posgrado. La investigación forestal y agropecuaria se organizó institucionalmente en México hacia 1907 y desde entonces se ha propuesto resolver los problemas de orden científico y tecnológico que intervienen en la producción del campo, especialmente de madera, celulosa, resina, carne, leche, huevo, frutas, hortalizas y granos, procurando reducir los costos, sobre todo de los productos básicos. El INIFAP pretende conocer con amplitud la realidad física, biótica y social del país; modernizar y hacer más competitivo el aparato productivo; tener dominio sobre la tecnología importada, y orientar la investigación hacia la solución de problemas concretos. Integran el Instituto una vocalía ejecutiva, tres vocalías operativas (forestal, agrícola y pecuaria), cinco direcciones de zona (Noroeste, Noreste, Centro, Golfo y Pacífico) y otras tantas administrativas, 20 centros de investigación y 85 campos de experimentación. Las oficinas centrales están en la ciudad de México. En 1985 se capacitó a 330 investigadores, ocho jefes de operación y 101 técnicos, y en 1986 se iniciaron la maestría y el doctorado. Los recursos de que dispone proceden de la SARH y de los patronatos y asociaciones civiles que promueve; de las regalías por patentes y de la venta de bienes y servicios.

Entre los programas de investigación agrícola del INIFAP destacan los siguientes: sobre alimenticios básicos (maíz, frijol, arroz y trigo), cereales (sorgo, cebada, triticale y avena), leguminosas comestibles (soya, garbanzo, haba y lenteja), oleaginosas (ajonjolí, girasol, cártamo, cacahuate y cocotero), frutales caducifolios (durazno, manzano, nogal y vid), frutales tropicales (cítricos, mango, aguacate y plátano), hortalizas (ajo, cebolla, chile, melón, sandía y tomate), forrajes (pastos y leguminosas), fibras (algodón y henequén), raíces y tubérculos (camote, papa y yuca) y especies industriales (cacao, café, caña de azúcar y hule). En el ramo de ingeniería, destaca la creación, diseño, desarrollo, adaptación y evaluación de maquinaria, implementos y herramientas agrícolas para diferentes regiones; en el sector pecuario, la salud animal, el mejoramiento genético y la reproducción, nutrición, investigación y producción de nuevos forrajes; y en el área forestal, la predicción y combate de incendios, la prevención y cura de enfermedades, y el rescate de especies amenazadas. Los logros en materia agrícola han sido considerables; de 1960 a 1985, por ejemplo, el rendimiento medio nacional del maíz se elevó de 975 a 1 594 kg por hectárea; el de frijol, de 398 a 605; el de trigo, de 1 644 a 3 909; y el de arroz, de 2 145 a 3 249. En el sector pecuario se logró el control de la rabia paralítica bovina mediante tres diferentes métodos y productos generados en el Instituto; se elaboran las vacunas contra esa enfermedad, la encefalitis equina venezolana (erradicada desde 1972) y otras enfermedades de bovinos, ovicaprinos, aves y cerdos; se han sustituido los granos por elementos energéticos y proteicos no tradicionales (yuca, pulidura de arroz, maleza de caña y diferentes rastrojos); se han hecho experimentos con harina de plátano, pastas de cártamo y de calabaza, harina de pescado, estiércol de gallina, penca de maguey, pulpa de henequén y lirio acuático; se ha incrementado la inseminación artificial y el trasplante de embriones, y se ha hecho la selección de animales mediante computación electrónica. Y en el área forestal, desde 1983 se utiliza madera mexicana de pino, cedro blanco, enebro y ceiba en la fabricación de lápices. Han sido vocales ejecutivos del INIFAP los doctores Jesús Moncada de la Fuente (septiembre de 1985-julio de 1986) y Antonio Turrent Fernández (julio de 1986-).

INSTITUTO NACIONAL DE INVESTIGACIONES NUCLEARES (ININ). V. FÍSICA.

INSTITUTO NACIONAL DE LA NUTRICIÓN (INN). Inició sus funciones con el nombre de Hospital de Enfermedades de la Nutrición de acuerdo con el decreto presidencial publicado en el *Diario Oficial* el 1° de diciembre de 1944, y con autorización del Ejecutivo Federal adoptó su actual denominación el 1° de enero de 1958. Tiene personalidad jurídica propia y cuenta con un patrimonio que se integra con: a) los inmuebles, equipo y mobiliario que le destine y el subsidio que anualmente le conceda el Gobierno Federal; b) las aportaciones que reciba de instituciones públicas o privadas; c) las liberalidades que procedan de particulares; e) los derechos y cuotas que recaude por sus servicios; y f) los demás productos y aprovechamientos que adquiera por cualquier título. Son sus atribuciones: I. Impartir atención médica a los enfermos de la especialidad, de preferencia a los indigentes o económicamente débiles, aun cuando puede atender un número restringido de personas pudientes, mediante el pago de cuotas cuyo monto es proporcional a la capacidad del solicitante; II. Aplicar medidas de ayuda social en beneficio de los enfermos, incluyendo su reeducación y su rehabilitación; III. Estudiar e investigar las enfermedades que corresponden a su especialidad; y IV. Impartir enseñanza, tanto a estudiantes de medicina, en colaboración con los planteles educativos del país, como a médicos y enfermeras, mediante cursos para graduados.

El Instituto está regido por un patronato constituido por seis miembros: el secretario de Salud o la persona que él designe como su representante, que actúa como presidente; el director del Instituto y cuatro vocales designados entre personas de relevantes cualidades que no desempeñen puestos de elección popular. La Secretaría de Salud hace las designaciones a propuesta, en forma de terna, formulada por el patronato. Duran en sus funciones cuatro años, pudiendo ser relectos. El gobierno interior del Instituto, además del director, está a cargo de un Cuerpo Consultivo Técnico –formado por tres jefes de servicio, laboratorio o gabinete– y de un superintendente. El Instituto tuvo su domicilio, como hospital de Enfermedades de la Nutrición, en la calle de Doctor Jiménez núm. 261, y se trasladó a sus actuales instalaciones, en la calle Vasco de Quiroga núm. 15, en Tlalpan, D.F., el 16 de noviembre de 1970.

A partir de octubre de 1987, por decreto del Congreso de la Unión, el INN quedó sujeto a la Ley de Entidades Paraestatales, a fin de consolidar el Sistema Nacional de Salud y de contribuir a la protección de la salud, derecho elevado a rango constitucional. Ese año contaba con 32 departamentos: Medicina interna, Gastroenterología, Hematología, Nefrología y metabolismo mineral, Diabetología y metabolismo de lípidos, Genética, Biología de la reproducción, Infectología y microbiología, Trasplante de órganos, Cirugía general, Inmunología y reumatología, Endoscopía, Endocrinología, Medicina crítica y anestesia, Radiología, Urología, Medicina psicológica, Cardiología, Nutrición clínica, Patología, Cirugía experimental, Enfermería, Medicina nuclear y tiroides, Control de calidad, Educación médica y actividades académicas, Vigilancia epidemiológica de la nutrición, Estudios experimentales rurales, Educación nutricional, Ciencia y tecnología de alimentos, Fisiología de la nutrición, Nutrición animal y Bioquímica. Los 13 primeros corresponden a las especialidades básicas. El de Nutrición clínica es de reciente creación. En diciembre de 1987, el INN contaba con 166 camas censables y los siguientes servicios: consulta de medicina interna (seis cubículos), consulta de especialidades (24 cubículos), urgencias (seis consultorios y seis cubículos), terapia intensiva (ocho camas), estancia corta (seis camas) y unidades metabólicas (10 camas). Todos los servicios se mantienen entre el 85 y el 96% de ocupación; el 42% de los pacientes proceden del interior de la República, y el resto de la ciudad de México. El INN ha editado, entre obras obras: *El consumo de alimentos de la región centro-norte del estado de Veracruz, Una dieta prudente* (folleto); *Diagnóstico sobre la deficiencia de nutrimentos en Yucatán, Manual de alimentación materno-infantil, Tablas: valor nutritivo de los alimentos mexicanos, Guías para la educación nutricional, Situación nutricional de barrios marginados de Teziutlán, Manual de técnicas de laboratorio para el análisis de alimentos, Nuevos conceptos para comer mejor, Nutrición y desarrollo infantil, La alimentación de empleados de la ciudad de Veracruz, Dietas de transición y riesgo nutricional en población migratoria, Subproductos fibrosos de la molienda de la caña de azúcar, La alimentación y los problemas nutricionales, La crisis de alimentos en México, Perspectivas de la nutrición en México, Recomendaciones de nutrimentos para la población mexicana, Manual de manejo de datos en investigación de campo, La modernización de la atención médica primaria, Desnutrición, Hambre y riqueza alimentaria en la historia contemporánea de México, Contribución al estudio del hambre en la sociedad novohispana, Cronología de hambrunas en México y Consideraciones biosociales de la lactancia materna.* Tiene también centros de estudio en la exhacienda de Solís y en Malinalco, Méx., Cuetzalan del Progreso y Tezonteopan, Pue.; San Cristóbal de las Casas y Santa Martha, Chis.; Díaz Ordaz, Oax.; y Tenosique, Tab.; y difunde programas por radio y televisión, entre ellos *La semilla de la vida, Ventana a la salud* y *Los universitarios y la salud.* Han dirigido el Instituto los doctores Salvador Zubirán (1958-1980, y desde entonces director emérito), Carlos Gual

Castro (1980-1981) y Manuel Campuzano (desde 1982).

INSTITUTO NACIONAL DEL CONSUMIDOR (INCO). Organismo público descentralizado, con personalidad jurídica y patrimonio propios, creado en virtud de la Ley Federal de Protección al Consumidor publicada en el *Diario Oficial* del 22 de diciembre de 1975, para entrar en vigor el 5 de febrero de 1976. Tiene como finalidades informar y capacitar al consumidor en el conocimiento y ejercicio de sus derechos; orientar al público para que utilice racionalmente su capacidad de compra y esté advertido de las prácticas comerciales publicitarias lesivas a sus intereses, y auspiciar hábitos de consumo que protejan el patrimonio familiar. Para el logro de estos objetivos, se le atribuyeron, entre otras, las siguientes funciones: recopilar, elaborar, procesar y divulgar información objetiva respecto de los bienes y servicios que se ofrecen en el mercado; formular y realizar programas de difusión sobre los derechos del consumidor; orientar a la industria y al comercio respecto a las necesidades y problemas de los consumidores, y realizar y apoyar investigaciones en el área de consumo.

El INCO y la Procuraduría Federal del Consumidor (surgida de la misma Ley) se crearon en respuesta a la demanda de programas y acciones de protección al salario formulada por el sector obrero organizado del país. El INCO se constituyó dentro de la estructura de la administración pública federal, como una de las instancias para que, en atención a lo dispuesto por el Artículo 28 constitucional, los problemas de los consumidores empezaran a resolverse efectivamente. Las oficinas centrales del INCO se ubican en la ciudad de México, pero tiene la facultad de establecer delegaciones y oficinas en otros lugares de la República. Hasta 1987 existían 14 delegaciones instaladas en los estados de Chihuahua, Coahuila, Guanajuato, Guerrero, Hidalgo, Jalisco, México, Morelos, Nuevo León, Puebla, Sonora, Tamaulipas, Tlaxcala y Veracruz, y siete oficinas de orientación en diferentes partes de la ciudad de México. El Consejo Directivo del INCO está integrado por los titulares de las secretarías de Comercio y Fomento Industrial, Hacienda y Crédito Público, Salud, Trabajo y Previsión Social, Educación Pública, Agricultura y Recursos

Hidráulicos, Comunicaciones y Transportes, y Turismo; por el director general de la Compañía Nacional de Subsistencias Populares, el presidente del Comité Nacional Mixto de Protección al Salario y 10 vocales. Éstos eran designados: uno por la Federación de Sindicatos de Trabajadores al Servicio del Estado, tres por las organizaciones obreras, dos por las organizaciones de campesinos y ejidatarios, uno por la Confederación Nacional de la Pequeña Propiedad Agrícola, Ganadera y Forestal, uno por la Confederación de Cámaras Nacionales de Comercio, uno por la Confederación de Cámaras Industriales y uno por el propio Consejo Directivo del Instituto, quien debe provenir del seno de una organización de carácter privado que se haya distinguido por su labor de protección a los consumidores. Las políticas y pautas fijadas por el Consejo las ejecutaba el director general, quien era nombrado por el presidente de la República.

Los directores fueron: Santiago Sánchez Herrero (del 5 de febrero al 31 de diciembre de 1976), Adolfo Lugo Verduzco (del 1° de enero de 1977 al 30 de mayo de 1979), Enrique Rubio Lara (del 1° de junio de 1979 al 31 de diciembre de 1982), Daniel Castaño Asmitia (del 1° de enero de 1983 a octubre de 1984), Clara Jusidman de Bialostozky (de octubre de 1984 a diciembre de 1988), José Merino Mañón (de enero a agosto de 1989) y Margarita Ortega Villa de Romo (del 1° de septiembre de 1989 al 31 de diciembre de 1992). A partir del 1° de enero de 1993 se fusionó con la Profeco y quedó a cargo de Alfredo Baranda García. En el Instituto trabajaban alrededor de 600 personas de las más diversas especialidades. Además, el INCO contaba con el Centro de Pruebas y Análisis del Consumo (Cepac).

La labor de información y orientación la realizaba el Instituto Nacional del Consumidor directamente con los consumidores (servicios de atención personal o por vía telefónica) y trasmitiendo mensajes al público por los medios de comunicación masiva (prensa, radio y televisión). Además, investigaba los efectos que sobre la población tenían los nuevos fenómenos del consumo (aparición de nuevos productos, promociones y mecanismos de comercialización, disposiciones oficiales) y formulaba alternativas para enfrentarlos. Estas áreas de estudios se agruparon en cinco temas básicos: 1) derechos de los consumidores, 2) defensa ante la publicidad, 3) alimentación y nutrición, 4) prevención para la salud, y 5) tecnología doméstica.

Las investigaciones se centraron en campos específicos del consumo, agrupados en los siguientes temas básicos: A) pruebas sobre la calidad de los productos (comparaciones entre artículos de una misma línea, revisión de los niveles de adulteración o de contaminación, y riesgos que implicaban los productos para la seguridad de los consumidores); B) investigaciones socioeconómicas (hábitos de consumo y gasto de la población, cambios de estos fenómenos en el tiempo, evolución de la producción y disponibilidad de bienes, estratos de ingreso e impacto de la crisis sobre cada grupo en particular); C) transparencia de precios o "Quién es Quién en los Precios" (información suficiente y oportuna sobre los precios al menudeo de productos y servicios básicos y de uso generalizado), y D) alimentación y nutrición (sugerencias para lograr una dieta equilibrada, variada y de bajo costo, a partir de las propiedades nutricionales de los alimentos básicos).

De estas investigaciones surgían las orientaciones que se trasmitían por los medios de comunicación masiva a través de campañas en épocas específicas, (por ejemplo, regreso a clases, fin de año, día de las madres etc.), al mismo tiempo que se difundían a través de publicaciones propias como la Revista del Consumidor (mensual), Periódico del Consumidor (catorcenal), Cuadernos del Consumidor, ¿Qué hay de Nuevo?, guías de orientación para reducir desperdicios y evitar el deterioro del medio ambiente.

El 24 de diciembre de 1992 el Presidente Carlos Salinas de Gortari dispuso que el Instituto quedara integrado a la Procuraduría del Consumidor. Los términos en que se reorganizaría la estructura del Instituto quedaron establecidos en las reformas a la Ley Federal del Consumidor, en los artículos transitorios 3° y 4°, que respectivamente dicen así: "Las funciones que cualquier ordenamiento encomiende al Instituto Nacional del Consumidor, se entenderán atribuidas a la Procuraduría Federal del Consumidor". Y: "El patrimonio del Instituto Nacional del Consumidor, así como la totalidad de los recursos financieros, humanos y materiales asignados al mismo, se transfieren a la Procuraduría Federal del Consumidor".

INSTITUTO

INSTITUTO NACIONAL DE NEURO-LOGÍA Y NEUROCIRUGÍA (INNyN). Fue creado por decreto presidencial publicado en el *Diario Oficial* el 27 de febrero de 1952. Inició sus funciones el 28 de febrero de 1964. Sus finalidades son: 1. ofrecer los medios para la superación del trabajo neurológico, neuroquirúrgico y siquiátrico, favoreciendo en el más alto nivel las actividades de prevención, asistencia y rehabilitación de las enfermedades agudas nerviosas y mentales; 2. el estudio, promoción y aplicación de las medidas preventivas para la protección de la salud en el campo de los padecimientos nerviosos; 3. la atención médico-quirúrgica, en especial a los enfermos económicamente débiles, pudiendo atender un número restringido mediante el pago de cuotas; 4. la enseñanza de los conocimientos médicos, quirúrgicos y sicológicos de la especialidad, tanto a los estudiantes de medicina, en cooperación con la Universidad Nacional Autónoma de México (UNAM) y el Instituto Politécnico Nacional (IPN), como a los médicos generales, mediante cursos para graduados, y a los profesionales que deseen especializarse, por medio de cursos superiores y actividades hospitalarias controladas; 5. la investigación científica; 6. la constitución de un centro de coordinación técnica y humanística para la aplicación de métodos científicos y profesionales de ayuda social en beneficio de los enfermos neurológicos y mentales; 7. la organización de servicios abiertos de socioterapia y hospital de día; y 8. la difusión de los avances científicos y de las conquistas médico-sociales en la atención de los pacientes, mediante seminarios, *simposia*, congresos y publicaciones periódicas.

El Instituto ocupó sus actuales instalaciones (Insurgentes Sur núm. 3877, en la ciudad de México) el 28 de febrero de 1964. A partir de entonces funcionó como dependencia de la Secretaría de Salubridad y Asistencia (hoy de Salud); el 1° de enero de 1976 se le otorgó el régimen de organismo público descentralizado, y a partir de enero de 1983 pasó a formar parte del subsector de institutos nacionales de salud. Su estructura, en 1987, era la siguiente: Dirección General, que comprende una unidad de planeación, la contraloría interna, los departamentos de asuntos jurídicos y de comunicación social, y el consejo técnico consultivo, constituido por los subdirectores y jefes de división, comisiones y comités transi-

torios; Subdirección General Médica, constituida por las divisiones de neurología (piso de hospitalización, clínicas neurológicas –epilepsia, cefaleas, disquinesias, enfermedad vascular cerebral, medicina física y rehabilitación–, unidad universitaria de neurosicología y departamento de terapia intensiva), de neurocirugía (cirugía, terapia intermedia, quirófanos, anestesiología y terapia intensiva posoperatoria, departamento de especialidades quirúrgicas, otoneurología y neurooftalmología), de siquiatría (hospitalización y departamentos de especialidades siquiátricas –clínicas de depresión, esquizofrenia y sicoterapia– y de sicología clínica), de servicios auxiliares de diagnóstico y tratamiento (departamento de electrofisiología, laboratorio de análisis clínicos, radiología, patología, banco de sangre y medicina nuclear), y de servicios paramédicos (departamento de enfermería, trabajo social, dietología, archivo clínico y farmacia); Consulta Externa, que empezó a funcionar en 1967, atiende en promedio 4 441 casos mensuales; Subdirección General de Investigación, creada en 1983 (unidades de investigación del sistema nervioso y del cerebro, departamento de neuroinmunología, neuropatología y cirugía experimentales, neuroquímica, genética, epidemiología y varios laboratorios); y Subdirección General de Enseñanza (administración, desarrollo de personal y contabilidad). En 1986, el INNyN atendió 50 613 consultas (2 368 de ellas de primera vez); 2 618 pacientes hospitalizados y 8 207 urgencias; realizó 78 648 estudios de laboratorio, 6 789 radiológicos, 512 de medicina nuclear y 4 203 de electrofisiología; y practicó 979 neurocirugías. El 18 de septiembre de 1987, el presidente Miguel de la Madrid inauguró el equipo de resonancia magnética. En 1987 trabajaban en el INNyN 886 personas; sus directores han sido los doctores Manuel M. Velasco Suárez (1964-1968), Francisco Escobedo Ríos (1968-1983) y Francisco Rubio Donnadieu (1983-).

INSTITUTO NACIONAL DE PEDIATRÍA (INP). Organismo público descentralizado, con personalidad jurídica y patrimonio propios, creado por decreto presidencial el 19 de abril de 1983. Sus objetivos son: 1. proporcionar atención médica infantil especializada; 2. efectuar investigaciones clínicas, epidemiológicas y básicas en las distintas disciplinas que componen la pediatría; 3. impartir enseñanza en esas materias; 4. actuar como órgano de consulta; 5. asesorar a la Secretaría de Salud, y 6. apoyar los programas de salud pública en general. Las autoridades del INP son la junta de gobierno y el director general (el doctor Héctor Fernández Varela, desde su creación). Su capacidad médica instalada en 1987 era de 325 camas censables, 38 no censables, 11 quirófanos, un departamento de terapia intensiva y otro de urgencias, una sala de rehidratación y 87 consultorios. En noviembre de ese año contaba con 1 860 plazas.

El INP tuvo como antecedentes la Asociación Nacional de Protección a la Infancia, fundada el 24 de enero de 1929; el Instituto Nacional de Protección a la Infancia (INPI), erigido el 1° de febrero de 1961 "bajo el imperativo de carácter moral y social de proteger a la niñez por todos los medios", especialmente la distribución gratuita de desayunos, la promoción de la salud y de la nutrición en núcleos familiares, la protección al menor abandonado, la rehabilitación física y la atención pedagógica a niños con secuelas poliomielíticas; y el Instituto Mexicano de Asistencia a la Niñez (IMAN), creado por decreto del 19 de agosto de 1968 para operar la Casa de Cuna, la Casa Hogar y el hospital Infantil, el cual proporciona atención médico-pediátrica, investiga las enfermedades de la niñez e imparte cursos de especialización a médicos generales, estudiantes, enfermeras y niñeras. Por decreto del 13 de enero de 1977, el IMAN y el INPI se fusionaron en el organismo Sistema Nacional para el Desarrollo Integral de la Familia, más conocido por las siglas DIF; y para evitar confusiones con el hospital Infantil fundado en 1943 (v. GÓMEZ SANTOS, FEDERICO), al de esta institución se le cambió el nombre por el de hospital del Niño IMAN. Este fue el nosocomio que en 1979 se convirtió en el Instituto Nacional de Pediatría DIF, con el propósito de conservar el nivel de excelencia en la atención médica y en la formación de profesionales en ese campo. Finalmente, el 19 de abril de 1983 el INP dejó de pertenecer al DIF y adquirió el régimen de organismo descentralizado, adscrito al subsector de institutos nacionales de salud. Aunque su cobertura es nacional, la mayor demanda procede de los estados de México, Guerrero, Morelos, Michoacán y Puebla. El área de servicios auxiliares de diagnóstico y tratamiento cuenta con cuatro laboratorios de investigación, siete de análisis clínicos especializados y uno de urgencias, un banco de sangre, una unidad de anatomía patológica, 10 gabinetes de rayos X, uno de ecocardiografía, una unidad de hemodinamia y sendos gabinetes de electrocardiografía, neurofisiología, fisiología respiratoria, radioterapia, hemodiálisis y trasplantes, terapia física, inhalatoria, audiología y foniatría. El número de consultas sobrepasa las 200 mil al año.

INSTITUTO NACIONAL DE TIFLOLOGÍA. Creado en 1950, fue una institución de la iniciativa privada para el estudio de los problemas de los ciegos desde un punto de vista sociológico. Su principal propósito consistió en brindar la máxima ayuda posible a los estudiantes sin vista de las escuelas secundarias, preparatorias y profesionales. Las dos escuelas primarias para invidentes que funcionan en México dependen de la Secretaría de Salud. Una vez concluido este ciclo, el adolescente puede entrenarse en una actividad manual, iniciarse en el comercio en pequeña escala o realizar estudios posprimarios. A quienes eligen esta última alternativa, el Instituto les brindó ayuda económica, orientación sicopedagógica, tramitación documental, inscripción, titulación, lectura de textos y apuntes, e investigación y suministro de material didáctico apropiado. El Instituto patrocinó los estudios de más de un centenar de ciegos, algunos de los cuales han logrado terminar una carrera y desenvolverse con éxito en la vida profesional. Su director y fundador fue el profesor Maurilio Alfaro P. y el subdirector Luis Fernández de Castro. El Instituto desapareció en 1985 y sus funciones fueron asumidas por la Escuela Nacional para Ciegos de Santa María la Ribera, en la ciudad de México.

INSTITUTO NACIONAL INDIGENISTA (INI). En abril de 1940, siendo presidente de la República el general Lázaro Cárdenas, se reunió en la ciudad de Pátzcuaro el Primer Congreso Indigenista Interamericano, cuya celebración había sido recomendada por las VII y VIII conferencias panamericanas (Montevideo, 1933 y Lima, 1938), el Séptimo Congreso Científico Americano (México, 1935) y la Primera Conferencia Panamericana de Educación (México, 1937). El principal acuerdo de esta reunión consistió en crear el Instituto Indigenista Interamericano (III), mediante la firma de una convención en cuyo Artículo X se previó el establecimiento de un Instituto Nacional Indigenista en cada uno de los países participantes. El instrumento fue suscrito el 29 de noviembre de 1940 por los representantes de Costa Rica, Cuba, Ecuador, El Salvador, Estados Unidos, Honduras, México y Perú; y fue ratificado por el presidente Manuel Ávila Camacho, previa autorización del Senado de la República, según decreto publicado en el *Diario Oficial* el 29 de abril de 1941. Siete y medio años más tarde, el 4 de diciembre de 1948, el gobierno de México, ya en la época del presidente Miguel Alemán, creó el Instituto Nacional Indigenista, filial del III, dándole carácter de organismo descentralizado, con personalidad jurídica propia y las siguientes funciones: 1. investigar los problemas relativos a los núcleos indígenas, estudiar las medidas de mejoramiento y promover su aprobación ante el Ejecutivo Federal; 2. dirigir la realización de esas medidas y coordinar, en su caso, la acción de los órganos gubernamentales competentes; 3. actuar como órgano consultivo de las instituciones oficiales y privadas; y 4. emprender las obras que le encomiende el Ejecutivo. De esta manera, el INI quedó capacitado para adquirir bienes y formar su patrimonio con el subsidio que anualmente le otorgue el Gobierno Federal, los productos que reciba por las obras y proyectos que realice, las publicaciones que venda, y los bienes que adquiera por donación, herencia o cualquier otro título. El director del Instituto es nombrado directamente por el presidente de la República quien también autoriza la formación de los centros coordinadores indigenistas, que constituyen el vehículo para la ejecución de los programas. Cada uno de los centros, a semejanza de su matriz, está formado por un consejo que preside el director y por secciones de trabajo en las ramas de educación, salud pública, comunicaciones, agricultura, ganadería, biología, antropología, ciencias jurídicas y economía.

Para implementar la investigación y la acción indigenistas, el INI contó con la experiencia de los planes de desarrollo de comunidades iniciados en 1922 en el valle de Teotihuacan, con los resultados de la actividad de las misiones culturales, las casas del pueblo del régimen callista, las brigadas de mejoramiento y los centros de capacitación de la Secretaría de Educación Pública (SEP), del Departa-

mento de Asuntos Indígenas y de la Dirección que sucedió a esta última agencia. No se trató de definir al indio, lo cual equivalía a aislarlo y confinarlo, sino que se advirtieron los mecanismos de interacción entre las comunidades indígenas y mestizas, urbanas y rurales, en un mismo territorio, lo cual situó el campo de trabajo del Instituto en una región intercultural. El planteamiento del problema bajo el nuevo concepto de integración regional, en oposición al de indio o de comunidad aislada, es una de las principales aportaciones de la antropología mexicana. Así, la región intercultural se convirtió en el área de operación de los centros coordinadores donde se disponía de personal de grado académico, que desarrollaba funciones de investigación, aplicación, enseñanza y asesoría; y de nivel técnico —maestros rurales, trabajadores sociales, enfermeros, practicantes agrícolas, oficiales artesanos— y básico, es decir los promotores, en su mayoría bilingües, que mantenían los enlaces con las comunidades.

En 1963, los promotores indígenas formados por el INI pasaron a depender de la SEP. Si bien esto permitió que los promotores mejoraran sus ingresos, por otra parte obligó a los técnicos a ocuparse directamente del trabajo, actuando como vínculo y canal de comunicación con las comunidades. De 1970 a 1982 el INI expandió sus actividades bajo la dirección del doctor Gonzalo Aguirre Beltrán (véase). Entre 1970 y 1976 surgieron 58 nuevos centros, a razón de 10 por año. Durante el periodo 1976-1982 se concibió la situación de los indígenas como un problema de marginación. Bajo este principio se creó la Coordinación General del Plan Nacional de Zonas Deprimidas y Grupos Marginados (Coplamar) y el INI fue absorbido por ella. El licenciado Ignacio Ovalle fue quien dirigió ambos proyectos. Durante esta etapa continuó la tendencia a reforzar las obras de infraestructura en detrimento de otros aspectos de la problemática étnica. La derrama económica posibilitó la construcción de puentes, caminos, clínicas, almacenes y tiendas rurales Conasupo. En 1982 dirigió el Instituto el antropólogo Salomón Nahmad, quien fue sustituido en 1983 por el licenciado Miguel Limón Rojas.

En 1987 el INI tenía 109 unidades operativas: 11 coordinadoras estatales, 85 centros coordinadores, cuatro residencias, un campamento (Nuevo X'can), un hospital de campo (Cuetzalan)

CENTROS COORDINADORES INDIGENISTAS

Localización	Grupos indígenas	Año de apertura
Baja California		
Ensenada	Cucapá, kiliwa	1974
Campeche		
Calkiní	Maya	1974
Hopelchén	Maya	1974
Chiapas		
Bochil	Tzeltal-tzotzil	1971
Las Margaritas	Tojolobal-tzeltal	1974
Ocosingo	Tzeltal-tzotzil	1971
Ixtacomitán	Chontal-zoque	1973
Tila	Ch'ol	1973
San Cristóbal de las Casas	Tzeltal-tzotzil	1951
Coapilla	Zoque	1975
Venustiano Carranza	Tzotzil	1976
Ocozocuautla	Zoque	1977
Mazapa de Madero	Mame-mocho-cockchiquel	1977
Santo Domingo	Ch'ol-lacandón-tzeltal	1975
Chihuahua		
Guachochi	Tarahumara	1952
San Rafael	Tarahumara-guarijío	1974
Carichí	Tarahumara-pima	1975
Turuachi	Tarahumara-tepehuano	1981
Durango		
Santa María Ocotán	Tepehuano	1974
Guanajuato		
San Luis de la Paz	Chichimeca-otomí	1969
Guerrero		
Chilapa	Nahua	1973
Olinalá	Nahua	1973
Ometepec	Nahua-amuzgo	1974
Tlapa	Mixteco-tlapaneco	1963
Tlacoapa	Tlapaneco	1976
Hidalgo		
Huejutla	Nahua-huasteco	1972
Tenango de Doria	Otomí	1973
Jalisco		
Tuxpan de Bolaños	Huichol	1976
Sonora		
Etchojoa	Mayo	1973
Bahía Kino	Seri	1974
Vicam	Yaqui	1973
Caborca	Pápago	1975
San Bernardo	Guarojio	1977
Tabasco		
Nacajuca	Chontal	1973
Veracruz		
Acayucan	Nahua-popoluca	1974
Chicontepec	Nahua-tepehua otomí	1973
Papantla	Nahua-totonaco	1972
Zongolica	Nahua	1972
Huayacocotla	Nahua-otomí	1975
Ixhuatlancillo	Nahua	1977
Xochiapa	Nahua	1977
Yucatán		
Peto	Maya	1959
Valladolid	Maya	1971
Sotuta	Maya	1976
Maxcanú	Maya	1977

y siete radiodifusoras (Guachochi, Tlapa, Cherán, Tlaxiaco, Nacajuca, Peto y Las Margaritas). Los programas del INI se dividen en cuatro áreas: 1. promoción y fomento a la producción; 2. bienestar social; 3. capacitación y asesoría jurídica, y 4. fomento del patrimonio cultural y organización social. En general, los proyectos en ejecución se refieren a las siguientes materias: a. asistencia técnica agrícola, frutícola y hortícola, b. conservación de suelos y aguas, c. reforestación, d. asistencia técnica pecuaria, e. medicina preventiva asistencial, f. medicina tradicional, g. educación para la salud, h. asesoría jurídica, i. elaboración, producción y trasmisión de programas de radio, y j. fomento y preservación del patrimonio cultural.

Los trabajos del INI se desarrollan en una superficie de 603 mil kilómetros cuadrados poblada por 13 millones de habitantes, de los cuales 3.5 millones son indígenas. Esa porción del territorio comprende 22 estados, 951 municipios y 27 749 localidades, entre ellas las 9 500 atendidas por el Instituto. En 1987 había 1 251 albergues escolares, con 63 900 becarios, y 30 mil jóvenes más que cursaban la enseñanza media, también asistidos económicamente.

INSTITUTO NACIONAL PARA EL DESARROLLO DE LA COMUNIDAD RURAL Y DE LA VIVIENDA POPULAR (INDECO). Organismo público descentralizado, de carácter técnico, consultivo y promocional con personalidad jurídica y patrimonio propios, creado por ley publicada en el *Diario Oficial* el 20 de febrero de 1971, en sustitución del Instituto Nacional de la Vivienda que había venido operando desde el 31 de diciembre de 1954. El INDECO, a su vez, fue liquidado conforme a los decretos de 31 de diciembre de 1981 y 7 de enero de 1982. Mientras duró en actividad, realizó las siguientes acciones: constituyó un "banco de tierra" de 79 millones de metros cuadrados disponibles para los fondos de vivienda de los gobiernos estatales y municipales, y para la creación del patrimonio de las universidades del país; formuló 40 planes reguladores de ciudades, entre ellas Reforma (Chiapas), Nogales (Sonora), Lázaro Cárdenas (Michoacán), y Tula (Hidalgo); participó en la constitución de la Comisión para la Regularización de la Tenencia de la Tierra (Corett) y de los fideicomisos para el Desarrollo Urbano de la ciudad de México (Fideurbe) y de Monterrey (Fomerrey) y la remodelación urbana de las ciudades de México y Veracruz; construyó 62 695 viviendas, adquirió 2 022 ha de reservas territoriales, regularizó la propiedad en 13 394 ha, demarcó 15 138 lotes con destino a programas de vivienda progresiva y financió 779 pies de casa.

INSTITUTO PANAMERICANO DE GEOGRAFÍA E HISTORIA (IPGH). Fue creado el 7 de febrero de 1928 en La Habana, Cuba, por una resolución de la VI Conferencia de Ministros de los Estados Americanos. El 3 de mayo de 1930, la sede se estableció en Exarzobispado núm. 29, en la ciudad de México, en un edificio cedido por el gobierno de este país. En 1949 el IPGH se convirtió en uno de los organismos especializados de la Organización de los Estados Americanos. Está formado por 21 países; Cuba fue excluida en 1962. Tiene como finalidades fomentar, coordinar y difundir los estudios cartográficos, geofísicos, geográficos e históricos de interés para América. Su órgano supremo es la Asamblea General, que se reúne cada cuatro años. En los intermedios se rige por el Consejo Directivo. La Secretaría General coordina los trabajos científicos y técnicos que ejecutan las comisiones de Cartografía, Geografía, Geofísica e Historia. Dentro de las comisiones funcionan comités especializados: a la primera pertenecen los de cartas aeronáuticas, espaciales y topográficas, aerofotogrametría, geodesia, gravimetría y mareas terrestres, hidrografía, levantamientos urbanos y mapas a gran escala; a la segunda, los de geografía regional, recursos naturales básicos, geomorfología, geografía urbana, enseñanza y textos, y geografía aplicada a programas de desarrollo; a la tercera, los de tierra sólida, océanos, atmósfera y física solar-terrestre; y a la cuarta, los de enseñanza y textos de historia, archivos, antropología, historia de las ideas, folclore, bibliografía y orígenes del movimiento emancipador. Los países miembros del IPGH son: Argentina, Bolivia, Brasil, Canadá, Colombia, Costa Rica, Chile, Ecuador, El Salvador, Estados Unidos, Guatemala, Haití, Honduras, México, Nicaragua, Panamá, Paraguay, Perú, República Dominicana, Uruguay y Venezuela. La biblioteca, la hemeroteca y la mapoteca, con más de 180 mil volúmenes y piezas, se encuentran en la sede, igual que la Comisión de Cartografía, creada en 1941. La Comisión de Geografía, establecida en 1946, radica en Quebec, Canadá; la de Historia, instituida ese mismo año, en Caracas, Venezuela; y la de Geofísica, establecida en 1969, en Lima, Perú. En 1974, el IPGH inició un programa de proyectos especiales de carácter multinacional, de los cuales ya se han realizado los siguientes: elaboración del *Atlas hidroclimatológico del istmo Centroamericano* (1976) y de las guías de material cartográfico para investigadores, impartición de cursos de paleomagnetismo y geología isotópica, y preparación de la obra *Historia general de América*. Para 1987, el IPGH había hecho más de 422 publicaciones y seguía editando las revistas bimestrales que dan cuenta del trabajo de las comisiones, y los boletines *Aéreo* y de *Antropología Americana*. Entre las publicaciones sobresalen: en cartografía, *Cálculo numérico con ángulos relativamente pequeños* (1971), *Cálculo y compensación de sistemas poligonales* (3 ts., 1973), *Glosario de términos geodésicos* (1977), *Cartografía y levantamientos urbanos* (1980), *Guía y especificaciones para levantamientos por satélite Doppler* (1981), *Geodesia* (1983), *The purpose and use of national and regional atlases* (1979), *Especificaciones cartográficas de la O.H.I.* (1983), *Manual de especificaciones para mapas topográficos* (1983) y *Glosario de términos cartográficos y fotogramétricos* (1986); en geografía, *Bibliografía geológica paleontológica de la América Central* (1956), *Los recursos naturales en la integración latinoamericana* (1974), *P.A.I.G.H. meeting of the Geography Commission* (1977), *Cuadernos panamericanos de información geográfica* (1978) y *Manual para la enseñanza de la geografía a nivel primario* (1986); en historia, la serie *Guía para investigadores, La evangelización puritana en Norteamérica* (1976), *Filosofía de la historia americana* (1978), *Proyecto y realización del filosofar latinoamericano* (1981), *Teoría y crítica del pensamiento latinoamericano* (1981), *Autognosis. El pensamiento mexicano en el siglo* XX (1985), *Los orígenes ideológicos de Colombia contemporánea* (1986), *El pensamiento latinoamericano en el siglo* XIX (1986) y *La República de las Floridas* (1986); y en geofísica, *Geofísica de la Tierra sólida. Panorama actual y perspectivas* (1963), *Temblores de tierra* (1977), *Atlas volcanológico* (1976), *Catálogo de instituciones dedicadas al estudio de los océanos y atmósfera en América* (1977) y *Geophysics in the Americas*

(1976); y, además, los *Directorios de instituciones geográficas, históricas, antropológicas y geofísicas de América Latina* (1986).

Las autoridades del IPGH, electas para el periodo 1986-1990, fueron: presidentes, profesor Speridiao Faissol (Brasil); presidente honorario, general Rafael Ortiz Navarro (Chile); vicepresidente, doctor Chester Zelaya Goodman (Costa Rica); vicepresidente alterno, ingeniero Alberto Giesecke (Perú); secretario general, ingeniero Leopoldo F. Rodríguez (Argentina); y los presidentes y vicepresidentes de las comisiones de Cartografía, ingeniero Álvaro González Fletcher y doctor Orlando Niño Fluck (Colombia); de Geografía, doctor C.W. Minkel y Robert N. Thomas (Estados Unidos); de Historia, los doctores Jorge Salvador Lara y Galo Martínez (Ecuador); y de Geofísica, J.G. Tanner y Tomas Feininger (Canadá).

INSTITUTO POLITÉCNICO NACIONALES. V. SISTEMA NACIONAL DE EDUCACIÓN TECNOLÓGICA.

INSTITUTOS TECNOLÓGICOS REGIONALES. V. SISTEMA NACIONAL DE EDUCACIÓN TECNOLÓGICA.

INSTITUTO SUPERIOR DE ESTUDIOS COMERCIALES.

Incorporado a la Secretaría de Educación Pública, imparte el bachillerato de ciencias sociales, con cursos simultáneos para las carreras de técnico medio en contabilidad industrial, impuestos y administración de empresas. En el nivel profesional tiene establecidas las carreras de contador público y licenciado en administración de empresas, con opciones en mercadotecnia, relaciones industriales y personal, finanzas y administración general. Está ubicado en la calle Mier y Pesado núm. 227, con anexos en Londres núm. 37 y Hamburgo núm. 31.

INSTITUTO TECNOLÓGICO AUTÓNOMO DE MÉXICO (ITAM).

Es una institución de enseñanza superior fundada en 1946, a iniciativa de un grupo encabezado por Raúl Bailleres, para contribuir al desarrollo integral del país, mediante la formación humana y profesional, la docencia y la investigación científica. Sus estudios, títulos y grados tienen pleno reconocimiento de validez oficial. Se le otorgó el carácter de escuela libre universitaria por decreto del presidente Adolfo López Mateos, publicado en el *Diario Oficial* el 19 de enero de 1963. El ITAM es autónomo en su vida académica y en su organización, y particular por su origen y por su manera de financiarse. Reconoce tres principios básicos: la libertad de cátedra, la autonomía universitaria y el sentido comunitario. En el ciclo escolar 1985-1986 tuvo una matrícula de 3 mil alumnos. Se imparten nueve programas de licenciatura: actuaría, administración, ciencias sociales, computación, contaduría, derecho, economía, matemáticas aplicadas y estadística; dos maestrías: en administración y en economía; y 15 diplomados de actualización y especialización. Cuenta con 85 profesores de tiempo completo y 200 de asignatura. Su Biblioteca Raúl Bailleres Jr. tiene 65 mil volúmenes y recibe 600 publicaciones periódicas; está conectada al servicio de consulta a bancos de datos de Consejo Nacional de Ciencia y Tecnología, y guarda colecciones especializadas, entre ellas la Biblioteca Jurídica Palacios Macedo, el acervo de libros raros y el Archivo Ortiz Monasterio y la Biblioteca Manuel Gómez Morín. El ITAM edita, entre otras publicaciones periódicas, el *Informe Mensual sobre la Actividad Económica*, elaborado por su Centro de Análisis e Investigación Económica, y la revista *Estudios*, órgano de su Departamento de Estudios Generales. Cuenta, además, con un Centro de Cómputo que da servicio a profesores y alumnos y proporciona apoyo académico y administrativo, el cual dispone de equipo altamente especializado, el principal una VAX 11-780. El ITAM está ubicado en Río Hondo núm. 1, San Ángel, en la ciudad de México.

INSTITUTO TECNOLÓGICO Y DE ESTUDIOS SUPERIORES DE MONTERREY (ITESM).

Inició sus actividades en 1943, bajo el patrocinio de la asociación civil Enseñanza e Investigación Superior. Forma parte del sistema educativo nacional bajo estatuto de escuela libre universitaria, según decreto presidencial del 24 de julio de 1952, publicado en el *Diario Oficial* el 12 de septiembre del mismo año, que fue ampliado por el acuerdo 3438 expedido por la Secretaría de Educación Pública el 28 de febrero de 1974 (*Diario Oficial* del 5 de marzo siguiente), por el cual los estudios que imparte en cualquier ciudad del país tienen validez en toda la República. Sus finalidades son exclusivamente académicas y tiene como misión fundamental formar profesionales y posgraduados con niveles de excelencia. En 1987, el Sistema ITESM ofrecía servicios educativos en 26 *campus* situados en 25 ciudades: Atizapán de Zaragoza, Ciudad Juárez, Ciudad Obregón, Colima, Cuernavaca, Culiacán, Chihuahua, Guadalajara, Guaymas, Hermosillo, Irapuato, Laguna, León, Mazatlán, Monterrey, Pachuca, Querétaro, Saltillo, San Luis Potosí, Tampico, Toluca, Tuxtla Gutiérrez, Veracruz y Zacatecas. En casi todos imparte bachillerato, licenciatura y posgrado en las carreras de contaduría pública, administración de empresas, economía, administración de recursos humanos, mercadotecnia, derecho, administración financiera, sicología organizacional, agronomía (varias especialidades), bioquímica (administración de procesado de alimentos, de recursos acuáticos y de servicios alimentarios), ingeniería de sistemas computacionales, física industrial, ciencias químicas, lengua inglesa, letras españolas, ciencias de la comunicación, sistemas de computación administrativa, ciencias de la comunidad, sistemas electrónicos, arquitectura, ingenierías civil, mecánica, eléctrica, química y de sistemas, electrónica y de comunicaciones e industrial. En 1987, el número de alumnos por *campus* era en promedio de 3 mil, aunque en el de Atizapán de Zaragoza, fundado el 9 de septiembre de 1976, llegaba a 5 722, de los cuales 146 cursaban un posgrado. En noviembre de ese año fue inaugurado ahí mismo el Centro de Competitividad Internacional, con los objetivos de fortalecer los programas de maestría y doctorado, difundir conocimientos altamente especializados y promover la transferencia de tecnología avanzada hacia todos los sectores productivos del país en las áreas de asuntos internacionales, estudios bursátiles, desarrollo empresarial, alta dirección, desarrollo industrial, sistemas de manufactura, robótica, inteligencia artificial e informática.

INSTITUTO TECNOLÓGICO Y DE ESTUDIOS SUPERIORES DE OCCIDENTE (ITESO). Lo fundaron 112 personas en Guadalajara, Jal., el 31 de julio de 1957. El 23 de septiembre de 1958 empezaron a funcionar las escuelas de Ingeniería, Ciencias Químicas, Economía, Derecho y Filosofía. Suprimidas estas tres últimas, en los años siguientes se crearon las de

Psicología (1960), Arquitectura (1963), Administración de Personal (1966) y Ciencias de la Comunicación y Relaciones Industriales (1967), los centros de Coordinación y Promoción Agropecuaria (1972), de Planeación (1975) y de Computación (1977), y la Comisión de Fomento Editorial (1980). En 1968 el ITESO se incorporó a la Universidad Nacional Autónoma de México, en 1974 confió la dirección académica al Centro de Cultura Superior de la Compañía de Jesús, y en 1976 la Secretaría de Educación Pública le otorgó personalidad jurídica con el carácter de universidad, y plena validez a los estudios que imparta en toda la República. Las instalaciones del ITESO se construyeron en el fraccionamiento Las Fuentes, en terrenos donados por José Aguilar Figueroa. En la actualidad, las carreras afines se agrupan en divisiones con un tronco común de tres semestres y con cursos terminales de cinco semestres. La División de Ciencias Económicas-Administrativas ofrece las siguientes terminales: administración de empresas, relaciones industriales, contaduría pública y administración en las áreas agropecuaria, computacional y de mercadotecnia; y la División de Ingeniería, las ramas civil, electrónica, industrial, de sistemas computacionales, química administrativa y química de procesos. Funcionan el Departamento de Ciencias Físico-Matemáticas Ingeniero José Tapia Clement y las maestrías en desarrollo humano, comunicación y educación. Los presidentes del Consejo Directivo del ITESO han sido: José Fernández del Valle (1957-1964, en funciones de rector), Roberto de la Torre (1964-1966), Raúl Urrea Avilés (1966-1976), José de Jesús Levu García (1976-1979), Francisco Martínez Martínez (1979-1986) y Francisco Mayorga Castañeda (1986-); y los rectores: Jorge Villalobos Padilla (1966-1970), Raúl H. Mora Lomelí (1970-1972), Xavier Sheifler Amézaga (1972-1979), Carlos Vigil Ávalos (1979-1983) y Luis Morfín López (1983-).

INSTRUCTIVO. Es el instrumento por medio del cual se formaliza un proceso o expediente conforme a las reglas de derecho y prácticas administrativas propias de una actividad. Se le concibe también como el instrumento que fija las normas para el desempeño de un cargo público y señala los procedimientos, métodos y sistemas con el fin de que lo ejecutado corresponda a lo que se ha planeado, programado y presupuestado. Las ordenanzas reales en la época de la Colonia son ejemplos de instructivos muy minuciosos. En 1572, por ejemplo, Felipe II dispuso que en cada lugar donde hubiera cajas reales, deberían construirse éstas de madera gruesa, pesada, barreteadas de hierro por los cantos, esquinas y fondos, echándoles tres cerraduras con guardas y llaves diferentes, las cuales deberían repartirse al contador, factor y tesorero, y lo mismo las de las puertas de la piezas donde estuviera custodiado el tesoro. Los miles de instructivos actuales son igualmente casuísticos.

INTENDENCIAS. La real cédula de 11 de octubre de 1786 del rey Carlos III de España, dividió el virreinato de Nueva España en 12 intendencias para su gobierno, manejo hacendario y administración interior. Las intendencias eran México, Puebla, Guadalajara, Guanajuato, Oaxaca, San Luis Potosí, Veracruz, Valladolid, Mérida (con Tabasco), Zacatecas, Durango y Arizpe (Sonora-Sinaloa). Cada una quedaba encomendada a un gobernador intendente que ejercía las funciones administrativas y de hacienda, y si el titular tenía grado militar le correspondía también ejercer el mando militar. La provincia de Nuevo México, que siguió siendo administrada por un gobernador y capitán general, estaba sometida al intendente de la Nueva Vizcaya en todos los asuntos hacendarios. Cada gobernador intendente era sustituido en sus faltas e impedimentos por el funcionario de Hacienda de mayor categoría, hasta que la real cédula de 23 de junio de 1799, encomendó dicha sustitución al teniente letrado asesor, que precisamente debía ser abogado. Este sistema duró hasta 1812 en que la Constitución de Cádiz encomendó la administración de cada intendencia a un jefe superior político y militar. Dos años más tarde, fueron restituidos los gobernadores intendentes al restablecerse el absolutismo, con motivo de la libertad de Fernando VII, después de su cautiverio en Bayona, y en 1820, al restablecerse la Constitución mencionada, volvieron a funcionar los jefes políticos superiores y militares. Esta situación prevaleció hasta 1824, año en el que fueron establecidos los estados y el régimen de Gobierno Federal.

Bibliografía: Herbert Ingram Priestley: *Jose de Galvez visitor general of New Spain (1765-1771)* (Berkeley, California, 1916); y *Ordenanzas de Intendentes... para la Nueva España* (Madrid, 1786).

INTERVENCIÓN FRANCESA E IMPERIO. El 11 de enero de 1861 el presidente Benito Juárez entró a la ciudad de México, después de haber estado ausente todo el periodo de la Guerra de Tres Años (v. REFORMA). Una vez establecido en la capital, el gobierno fue reconocido por Prusia (2 de febrero), Inglaterra (día 26), Francia (7 de marzo), Bélgica y Ecuador. Los representantes de las potencias europeas, interesados en que se les pagara lo que se les debía, dudaron que eso fuera posible cuando supieron que el gobierno tenía un déficit de 400 mil pesos mensuales y que los bienes de la Iglesia, con cuyo valor podía redimirse la deuda, se enajenaban a precios irrisorios. Así, se multiplicaron los informes diplomáticos que indicaban la conveniencia de una intervención en México: Mathew, ministro británico, decía a su gobierno: "Son inevitables la desmembración y la bancarrota nacional, si no hay alguna intervención extranjera" (12 de mayo); su sucesor Wyke (día 27): "Hay poca esperanza de obtener justicia de semejante pueblo, excepto empleando la fuerza", y el ministro de Francia, Dubois de Saligny, que en un principio había mostrado simpatía por la administración liberal, sostuvo la misma tesis cuando se quiso llevar al Congreso, para su reprobación, el convenio que admitía todas las exigencias francesas. En esas circunstancias, el 17 de julio el Congreso suspendió por dos años todos los pagos, incluyendo las asignaciones destinadas a la deuda contraida en Londres y a las convenciones extranjeras. Los ministros de Inglaterra y Francia exigieron la derogación del decreto en lo relativo a las convenciones extranjeras, advirtiendo que si para el 25 de julio, a las 4 de la tarde, no se cumplían sus deseos, romperían relaciones con el gobierno, cosa que en efecto hicieron al vencerse el plazo.

La deuda exterior de México ascendía en ese momento a 82 256 290.86 pesos, de los cuales se debían 69 994 542.54 a los ingleses; 2 800 762.03 (1.6 millones de capital, 384 mil de intereses y otras partidas), a los franceses; y 9 460 986.29 a los españoles.

Varias veces en el pasado se había proyectado una monarquía mexicana con un emperador europeo: por Iturbide en 1821, por Chateubriand en 1823, por Villele en 1827, por los monarquis-

INTERVENCIÓN

tas mexicanos en 1846, 1853 y 1856, y por Napoleón III y los lores Clarendon y Palmerston en 1858, con el duque de Aumale como monarca, como respuesta al protectorado económico propuesto por Zuloaga y Miramón. En 1860 España trató también, aunque sin mencionar expresamente la monarquía, de "alentar a la gente honrada de México para el establecimiento de un gobierno fuerte y respetable". En septiembre de 1861 y a causa de la suspensión del pago de la deuda pública, el ministro Thouvenel, de Francia, indicó al representante mexicano, De la Fuente, que aprobaba la conducta de Saligny y que, de acuerdo con Inglaterra, se enviaría una escuadra de buques de ambas naciones para exigir al gobierno de Juárez la debida satisfacción. España, a su vez, decidió (6 de ese mes) obrar por su cuenta, pero luego propuso a las otras potencias actuar de manera conjunta. Pronto mediaron los Estados Unidos: le ofrecieron a México pagar en su nombre los intereses de la deuda , "con las debidas hipotecas de territorio", le indicaron a España que no se opondría a su guerra con México mientras no tratara de adquirir territorios o de subvertir la forma de gobierno republicano; y le manifestaron a Inglaterra que "les causaría una sensación profunda una intervención directa que tuviera por objeto organizar un nuevo gobierno en México". En atención a estas advertencias, se trató de armonizar todos los intereses en la Convención de Londres, firmada el 31 de octubre de 1861 por lord Russell, Javier Istúriz y el conde de Flahaut, según la cual "S.M. la Reina (Victoria) del Reino Unido de la Gran Bretaña e Irlanda, S.M. la Reina (Isabel) de España y S.M. el Emperador (Napoleón III) de los franceses, considerándose obligados por la conducta arbitraria y vejatoria de las autoridades de la República de México, a exigirle una protección más eficaz para las personas y propiedades de sus súbditos, así como el cumplimiento de las obligaciones que la misma República tiene contraídas para con ellos", convinieron: (Artículo 1°) enviar fuerzas de mar y tierra capaces de ocupar las diferentes fortalezas y posiciones militares del litoral de México y llevar a cabo las demás operaciones que después les parecieren propias y (Artículo 2°) "... no buscar por sí mismas en el empleo de las medidas coercitivas, ninguna adquisición de territorio ni ninguna ventaja particular, y no ejercer en los negocios interiores de México influencia al-

guna capaz de menoscabar el derecho que tiene la nación mexicana para escoger y constituir libremente la forma de su gobierno".

Apenas se tuvieron noticias en Europa del rompimiento de Francia e Inglaterra con el gobierno de Juárez y de que iban a enviar sus fuerzas contra México, José Manuel Hidalgo, un monarquista mexicano que había combatido a los norteamericanos en Churubusco (1847) y desempeñado algunos cargos diplomáticos en el extranjero, se apresuró a proponer a Napoleón III y a la emperatriz Eugenia, de quienes era huésped en Biarritz (septiembre de 1861), la idea de aprovechar la intervención para instaurar una monarquía en México. Su candidato era Fernando Maximiliano de Habsburgo, tanto porque hubiera sido impolítico elegir un príncipe de alguna de las naciones interventoras, cuanto porque el archiduque había adquirido cierta popularidad, a causa de sus tendencias liberales, cuando gobernó Lombardía y Venecia (v. MAXIMILIANO DE HABSBURGO). La proposición tuvo una magnífica acogida porque le representaba al emperador de los franceses cuatro ventajas: podía restablecer el equilibrio en América, contrarrestando el predominio de Estados Unidos; resolver la cuestión franco-austro-italiana, dándole un trono a un príncipe austriaco; facilitar lucrativos negocios y aun adquirir Sonora. El más viejo y tenaz monarquista mexicano, José María Gutiérrez de Estrada, fue comisionado para hacerle a Maximiliano la primera oferta del trono; pero no pudiendo ir desde luego a Miramar, consiguió que lo hiciese el conde de Rechberg, ministro austriaco de Negocios Extranjeros, ante quien aceptó el habsburgo, el 18 de septiembre, con las siguientes condiciones: que fuese llamado por la mayoría de los mexicanos, que estuviesen de acuerdo su hermano (el emperador Francisco José) y su suegro (Leopoldo I de Bélgica), y que Francia ayudase con su ejército y su marina hasta la consolidación del trono.

Isabel II de España había pensado, para fundar la monarquía en México, en la condesa de Girgenti o en la duquesa de Montpensier. Acaso por ello se dieron instrucciones a la división expedicionaria española para que se adelantase a las otras fuerzas aliadas. El 2 de diciembre salieron de La Habana, al mando del general Manuel Gasset y Mercader, 6 mil hombres de tropa y 4 mil de tripulación, a bordo de 13 barcos de guerra, cinco mercantes y cinco fragatas para el transporte de la caballería. El día 10 ya estaban todos anclados en Veracruz y se intimó la rendición de la plaza. El gobernador mexicano, que tenía instrucciones del presidente Juárez de no oponer resistencia, abandonó sus posiciones, y el 17 los españoles ocuparon la ciudad y la fortaleza de San Juan de Ulúa.

Mientras estos hechos ocurrían, el general Juan Prim fue nombrado jefe de las fuerzas expedicionarias de las tres potencias. Reunidas en La Habana las escuadras inglesa y francesa, salieron el 3 de enero de 1862 y llegaron a Veracruz el día 7. La fuerza naval de Inglaterra se componía de dos navíos, dos fragatas y dos cañoneras, al mando del comodoro Hugh Dunlop y de sir Charles Lennox Wyke; y la de Francia de un navío y tres fragatas, conduciendo a 2 mil hombres de las tropas de desembarco, al mando del almirante Jurien de la Graviére, cuya autoridad compartía Dubois de Saligny.

En un principio, los plenipotenciarios de las tres naciones acordaron dirigirse separadamente al gobierno de Juárez, pero fueron tan excesivas las exigencias de los comisionados franceses, queriendo incluir en sus reclamaciones adeudos tan injustificados, que el ministro inglés se vio en el caso de recordar que el gobierno de Miramón había recibido, cuando ya era inminente su caída 750 mil pesos en metálico de la casa *Jecker*, a cambio de bonos del tesoro nacional por 14 millones de pesos (v. JECKER, JUAN B.) "Este contrato leonino y escandaloso —dijo Wyke— produjo un descontento general en México; y ni el actual gobierno, ni ningún otro que entre a regir los destinos del país, podrán autorizar nunca semejante escándalo, aceptando, antes que la ignominia de acceder a tan injusta e inicua pretensión, todas las consecuencias de una guerra desigual y desastrosa". No deseando pues los ingleses y los españoles avalar las pretensiones de Francia, se acordó enviar un ultimátum colectivo (14 de enero), en el que declaraban que no sólo venían a exigir una reparación de los agravios, sino a tenderle a México una mano amiga para levantarlo, sin humillarlo, de la postración en que se encontraba; ellos señalarían "el camino de la felicidad y México por sí solo, con toda libertad, juzgaría cuáles instituciones le convenían y elegiría las que mejores le pareciesen". El día 23 contestó Manuel Doblado, ministro entonces de Relaciones, manifestando la satisfacción del gobierno por lo favorable de las intenciones de los aliados y lo innecesario de la intervención, pues por una parte el gobierno estaba dispuesto a satisfacer sus justas exigencias y, por otra, todos los pueblos de la confederación obedecían sin coacción al régimen constitucional. Dos días después (25 de enero) el gobierno expidió un decreto poniendo fuera de la ley a los aliados, como piratas, y condenando a muerte a quienes colaboraron con ellos para subvertir las instituciones. En esos momentos, partidas armadas de monarquistas y conservadores hacían incursiones en las poblaciones del Distrito Federal y los estados de México, Tlaxcala, Puebla, Querétaro, Michoacán, San Luis Potosí, Jalisco y Zacatecas, dando albazos, sorprendiendo a las guarniciones, asaltando a las diligencias, talando los campos, secuestrando a quienes podían para someterlos a rescate, robando y asesinando.

El invierno fue nefasto para las tropas de la Triple Alianza: había 300 soldados franceses hospitalizados y Prim había enviado ya a La Habana 800 enfermos. El 2 de febrero el jefe de la expedición envió una nota al gobierno anunciándole que, con o sin su permiso, las tropas irían a acampar a las tierras altas. Doblado aprovechó la ocasión para entrar en negociaciones y convocó a Prim a una entrevista en el pueblo de La Soledad. Ahí se firmaron el día 19, los Preliminares de ese nombre, según los cuales (1) los aliados entraban al terreno de los tratados, (2) cuyas negociaciones se abrirían en Orizaba y (3) durante las cuales las fuerzas interventoras ocuparían esa ciudad, Córdoba y Tehuacán, (6) debiéndose izar el pabellón mexicano en Ulúa y en Veracruz; pero en caso de romperse las hostilidades, (4) retrocederían a Paso Ancho en el camino a Córdoba y a Paso de Ovejas en el de Jalapa, (5) quedando sus hospitales bajo la salvaguardia de la nación mexicana. Pero el día 25 los franceses emprendieron la marcha hacia el interior del país, sin esperar la ratificación de los Preliminares de La Soledad.

El 27 de enero anterior había llegado a Veracruz el padre Francisco Javier Miranda, ideólogo de los monarquistas, quien por medio de una activa correspondencia empezó a preparar la adhesión de los cabecillas conservadores a la idea del Imperio, instándolos a que reconocieran como jefe, mientras tanto, a Juan Nepomuceno Almonte. Éste arribó a Veracruz el 1° de marzo, junto con los refuerzos franceses que venían al mando del general Lorencez. Las instrucciones que traían uno y otro eran ya abiertas en el sentido de implantar la monarquía. Por eso Almonte, Miranda y otros mexicanos que volvieron de Europa con ese propósito, fueron escoltados por un batallón de cazadores franceses hasta Córdoba. Lo notorio de estos hechos provocó una nota de Doblado pidiendo a los intervencionistas que rembarcasen al grupo que venía "a promover una nueva revolución". Los comisionados se reunieron en Orizaba el 9 de abril para formular la respuesta: Prim y los ingleses querían cumplimentar la solicitud del gobierno de Juárez, mientras los franceses estaban resueltos a contrariarla. Al cabo de una prolija discusión, se resolvió que cada potencia seguiría en adelante una conducta independiente. Los comisionados informaron ese mismo día el rompimiento de la Triple Alianza. Los españoles e ingleses decidieron abandonar el país y los franceses anunciaron la iniciación de las hostilidades. Prim no llegó a firmar ningún acuerdo bilateral; pero sí los ingleses, quienes el 28 de abril consiguieron que se reconociera el tratado Wyke-Zamacona, que el año anterior había sido rechazado por el Congreso. V. HONOR NACIONAL.

La campaña militar de Lorencez fue muy breve: después de una escaramuza en El Fortín (19 de abril) y de arrollar a las tropas mexicanas en Acultzingo (día 28), fue derrotado por las fuerzas de Ignacio Zaragoza en Puebla (5 de mayo) y quiso volverse a Veracruz; pero convencido por Almonte y Miranda, se detuvo en Orizaba, sorprendió a la división de González Ortega en el cerro del Borrego (14 de junio), logró frustrar el sitio que Zaragoza intentó ponerle y allí esperó las instrucciones de su gobierno.

El 19 de abril se pronunció en Córdoba el general Taboada, cuyo propósito era levantar "una bandera nacional a cuyo alrededor se pudieran reunir las tropas conservadoras, sin temor de incurrir en la nota de traición a la patria". Se reconocía a Almonte como jefe supremo para que buscara un avenimiento con las fuerzas aliadas, y se le facultaba para convocar una asamblea nacional que declarase la forma de gobierno más conveniente. En seguida se fueron manifestando las adhesiones a la Intervención: Márquez, Mejía y Vicario se incorporaron al ejército de Lorencez,

y se pusieron a las órdenes de éste, en otros sitios del país, Buitrón, Lamadrid, Gutiérrez, Ordóñez, López Herrán, Tovar y Lozada, que en conjunto representaban unos 8 mil hombres sobre las armas. Zuloaga y Cobos –2 mil infantes y 400 caballos– no pudieron avenirse con Almonte, pero sus fuerzas se unieron a los intervencionistas y ellos emigraron a las Antillas.

Las tropas francesas de refuerzo llegaron a Veracruz a fines de septiembre. El general Elías Federico Forey, que comandaba la expedición, desembarcó el día 22 y el 23 se disolvió el gobierno presidido por Almonte. Traía como segundo al general Achille Bazaine, quien no conseguía desembarcar sus tropas, rechazado una y otra vez por la furia de los elementos. Las guerrillas acosaban el puerto, congestionado de soldados franceses, buena parte de ellos enfermos. Bazaine pudo al fin alojar a sus hombres en los arrabales, para eludir la epidemia. El hospital, en el centro de la ciudad, despedía un hedor perceptible a seis leguas de distancia. Hileras de ataúdes se dirigían sin cesar al "jardín de aclimatación", según llamaron al cementerio. Aunque ya había pasado la estación de lluvias, todavía a fines de octubre hacía estragos el vómito y los caminos estaban intransitables. Al fin, un cuerpo del ejército francés se situó en Jalapa y otro en Orizaba, tras un solo encuentro en el cerro del Borrego. A fines de enero de 1863 empezaron a llegar los transportes que fue preciso pedir a Nueva York, Nueva Orleans y Venezuela; pero la inacción se prolongó hasta el 10 de marzo, en que Forey abandonó Orizaba, llegó hasta Acultzingo y convocó a un consejo de guerra, previo el ataque de Puebla.

Durante la campaña de Forey (21 de septiembre de 1862 al 1° de octubre de 1863) fueron ocupadas por las tropas franco-mexicanas más de 66 ciudades, villas o aldeas: Tampico (provisionalmente, del 23 de noviembre de 1862 al 19 de enero de 1863, para proveerse de mulas, caballos y reses), Puebla (17 de mayo de 1863), México (10 de junio), Pachuca (fines de junio), Toluca (4 de julio), Tulancingo (julio), Cuernavaca (29 de julio), Tampico (definitivamente en agosto), Perote (9 de septiembre) y Zacapoaxtla (12 de septiembre), entre las más importantes. Las fuerzas juaristas, al mando de González Ortega, sostuvieron en Puebla (del 16 de marzo, cumpleaños de Napoleón III, al

INTERVENCIÓN

17 de mayo) un sitio de 61 días, hasta que derrotado en la hacienda de San Lorenzo el ejército auxiliar de Comonfort (8 de mayo) se les fueron consumiendo los víveres y municiones. A la postre, rompieron sus armas y se entregaron como prisioneros de guerra, negándose a capitular. Sitiaron y asaltaron la ciudad 23 500 franceses y conservadores; la defendieron 23 090 republicanos. Entre los prisioneros que se entregaron había 20 generales, 303 oficiales de alta graduación, 1 179 subalternos y más de 11 mil soldados. Saligny propuso que se les deportase al presidio de Cayena; Almonte aconsejó que se les fusilara en el acto. Forey dijo: "No existen convenciones al respecto; pero existen las leyes del honor. Hay tradiciones de fraternidad militar a las que no faltaré. Por la tenacidad de su defensa y el valor de sus jefes, este ejército puede haber despertado la ira de los políticos; pero a nosotros, soldados, sólo nos ha inspirado estimación y jamás consentiré que se les trate como malechores". Cinco mil hombres de tropa se incorporaron a las fuerzas de Márquez. El 21 se fugaron en Puebla, Porfirio Díaz, Berriozábal, Caamaño y Antillón; y más tarde, en Orizaba, 868 jefes y

oficiales, entre ellos González Ortega, De la Llave, Alejandro García, Hinojosa, Alatorre, Escobedo, Patoni, Auza, Naranjo, Pedro Martínez y Sánchez Román. Alrededor de 500 fueron deportados a Francia, de los cuales sólo 180 se comprometieron a no combatir a la Intervención.

Aun cuando tenían un ejército de 12 mil hombres en la ciudad de México, Juárez reconoció que la defensa de la capital sería inútil y salió de ella el 31 de mayo de 1863, llevando consigo los caudales del erario, los archivos oficiales y el material de guerra acumulado. Ese día el Congreso le otorgó un voto de confianza, ante cuyos diputados dijo: "La adversidad sólo desalienta a los pueblos despreciables; el nuestro se ha ennoblecido con grandes hazañas y nos percatamos de los inmensos obstáculos, materiales y morales, que el país opondrá a los injustos invasores". Y acto seguido, a las 3 de la tarde, una salva de artillería anunció la disolución de la Asamblea y una inmensa muchedumbre se congregó frente a Palacio. Al atardecer, Juárez, los miembros del gobierno y el Congreso, el ejército y muchos civiles salieron de la ciudad sin premura. Se dirigieron a Querétaro, donde sólo estuvieron un día, y de allí a San Luis Potosí, a donde llegaron el 9 de junio. El presidente organizó su ministerio con Juan Antonio de la Fuente en Relaciones, Sebastián Lerdo de Tejada en Justicia, José María Iglesias en Hacienda e Ignacio Comonfort en Guerra. El Ejército de Oriente había quedado disuelto en Puebla y reducido a 7 mil hombres el del Centro, después de la derrota de San Lorenzo. Merced, sin embargo, a grandes esfuerzos, en agosto de ese año el gobierno tenía ya 38 mil soldados en pie de guerra, diseminados desde Sonora hasta Veracruz, de los cuales 12 mil formaban el Segundo Ejército del Centro, que mandó primero Porfirio Díaz y después López Uraga; 4 mil, el Primero de Reserva, jafaturado por Manuel Doblado; 2 500, el Primero del Norte, bajo las órdenes de Negrete; 3 mil, la División de Jalisco, al mando de Ogazón, y otros tantos las fuerzas de Zacatecas, dirigidas por González Ortega. Tanto los cuerpos formales cuanto los cientos de grupos de guerrilleros, que en su conjunto sumarían unos 15 mil hombres, y muy a menudo la población civil, siguieron la única táctica posible en aquellas circunstancias: fatigar al enemigo, dividir sus fuerzas, extraviarlo en sus planes, sorprenderlo cuantas veces se pudiera (v. GUERRILLA), siempre ocultándose en los bosques y las montañas, sin embarazarse con carros y pertrechos, y atentos a economizar municiones, pues desde el 2 de noviembre de 1862 el presidente Lincoln había prohibido toda exportación de armas y parque, ordenando el embargo de los contrabandos. Estas restricciones se mantuvieron durante toda la Guerra de Secesión (abril de 1861 a mayo de 1865): el 29 de octubre de 1862, por ejemplo, el gobierno estadounidense impidió el reclutamiento de 20 mil voluntarios que iban a combatir al servicio de Juárez; pero, en cambio, permitió al ejército francés que se abasteciera de mulas en su territorio para la campaña de México.

El 10 de junio de 1863 Forey hizo su entrada a la ciudad de México, llevando a Almonte a su derecha y a Saligny a su izquierda. El telegrama en que anunció este hecho a Napoleón III costó 80 mil pesos. Dos días después afirmó en una proclama: "La cuestión militar está arreglada. Falta resolver la cuestión política". Y el 16 expidió un decreto para la formación de una Junta Superior de Gobierno, compuesta por 35 personas (v. lista completa), designadas por Saligny, la cual había de nombrar a tres ciudadanos mexicanos para que ejercieran el Poder Ejecutivo, con dos suplentes, y elegir a 215 individuos que, unidos a la Junta, formarían la Asamblea de Notables (v. lista completa). Ésta, a su vez, votaría la forma definitiva de gobierno. El 18 se instaló la Junta y el 21 eligió para que ejercieran el Poder Ejecutivo a los generales Almonte y José Mariano Salas y al arzobispo de México, Pelagio Antonio de Labastida y Dávalos, y como suplentes a Juan Bautista de Ormaechea y Ernaiz, obispo de Tulancingo, y José Ignacio Pavón. Ese mismo día entraron en funciones, ocupando Ormaechea el lugar del arzobispo, quien se encontraba en Europa. Nombraron subsecretarios de Negocios Extranjeros, Gobernación, Justicia y Negocios Eclesiásticos, Fomento, Guerra y Hacienda, respectivamente, a José Miguel Arroyo, José Ignacio Anievas, Felipe Raygosa, José Salazar Ilarregui, Juan de Dios Peza y Martín de Castillo y Cos, y declararon que el arreglo de negocios de la Iglesia se haría de común acuerdo entre Su Santidad y el jefe supremo de México, lo cual rectificaba lo dicho por Forey, en su proclama del

INTERVENCIÓN

día 11 anterior, en el sentido de que propietarios de bienes eclesiásticos, adquiridos conforme a la ley, no serían molestados y que el emperador vería con placer "que le fuera posible al gobierno proclamar la libertad de cultos".

La Asamblea de Notables se instaló el 8 de julio, bajo la presidencia de Teodosio Lares, y el día 10 presentó su dictamen la comisión formada por Ignacio Aguilar, Joaquín Velázquez de León, Santiago Blanco –que fueron ministros de Santa Anna en su última dictadura–, Teófilo Marín –exministro de Miramón– y Cayetano Orozco: "1. La nación mexicana adopta por forma de gobierno la monarquía moderada, hereditaria, con un príncipe católico. 2. El soberano tomará el título de Emperador de México. 3. La corona imperial de México se ofrece a S.A.I. y R. el príncipe Fernando Maximiliano, archiduque de Austria, para sí y su descendientes. 4. En el caso de que por circunstancias imposibles de prever, el archiduque Fernando Maximiliano no llegase a tomar posesión del trono que se le ofrece, la nación mexicana se remite a la benevolencia de S.M. Napoleón III, emperador de los franceses, para que le indique otro príncipe católico". La Asamblea aprobó estas proposiciones con aplausos; se acordó dar votos de gracias a quienes habían trabajado por la monarquía y se dispuso enviar copia del acta al papa Pío IX, rogándole que la bendijera. Así, el 11 de julio la Asamblea dio el título de Regencia al Poder Ejecutivo.

Con el propósito de intimidar a los republicanos, Forey decretó el embargo de los bienes de todos cuantos defendieron con las armas al gobierno de Juárez y aun de aquéllos que se ausentaran de los lugares ocupados por los franceses, impuso el castigo de azotes y estableció las cortes marciales. El 18 de julio la administración liberal, en respuesta, ordenó el secuestro de las propiedades de los traidores, fundándose en el delito de infidencia. A su vez, varios cebecillas liberales y conservadores se adhirieron al Imperio: los exjuaristas Ignacio Buitrón, J. Antonio Rodríguez, Anastasio Roldán, J. de Jesús Castillo, Manuel Prieto y Cristóbal Batalla; el comandante Juan Ortega, en San Cristóbal de las Casas, cuyo pronunciamiento fue secundado en Pichucalco; 400 oficiales que no pudiendo reclutar tropas organizaron la Legión de Honor en Orizaba, y el general Miguel Miramón, que se declaró imperialista el 30 de julio.

Nombrado Forey mariscal de Francia, lo sucedió en el mando del cuerpo expedicionario y en el ejercicio de los poderes políticos, a partir del 1° de octubre de 1863, el general Bazaine. La primera parte de la campaña de éste extendió la ocupación a 18 de los 25 departamentos y territorios: fueron ocupadas las ciudades de Jalapa (23 de octubre), Querétaro (17 de noviembre), Morelia (día 30), San Miguel de Allende, Celaya y Guanajuato (9 de diciembre), San Luis Potosí (día 25), Guadalajara (6 de enero de 1864), Campeche (día 26), Aguascalientes (2 de febrero) y Zacatecas (día 7). Mejía, a su vez, derrotó a las fuerzas de Herrera y Cairo en Actopan (10 de octubre de 1863); Márquez desbandó a los hombres de Uraga en Morelia (17 al 18 de diciembre); Mejía rechazó a Negrete en San Luis Potosí (día 27) y diezmó al ejército de Doblado en Matehuala (17 de mayo de 1864), con el apoyo del coronel Aymard. En otros sitios las milicias urbanas actuaban contra las guerrillas liberales (Cuautitlán, Tlalpan, Tasco) y algunos republicanos reconocieron al Imperio: los guerrilleros Catarino Fragoso y Matías Eslava; los jefes Manuel Díaz Mirón, Manuel M. Luyando y Rosalío Elizondo; los generales Prieto, Miranda, Parrodi, Aramberri y Ampudia; el gobernador de Yucatán, Felipe Navarrete, con todas las guarniciones de la Península; el exministro José Higinio Núñez y el exgobernador del estado de Aguascalientes Esteban Ávila.

El gobierno de Juárez estuvo en San Luis Potosí hasta el 22 de diciembre de 1863, en que salió para Saltillo (9 de enero al 3 de abril de 1864), ante la proximidad de Mejía, para pasar después a Monterrey, de donde desplazó al gobernador del estado de Coahuila y Nuevo León, Santiago Vidaurri (29 de marzo), ya inclinado por los imperialistas, previa la separación de las dos entidades, decretada el 26 de febrero anterior.

Mientras en todas las ciudades y villas ocupadas estaban formulándose las listas de partidarios de la Intervención y el Imperio, para persuadir a Maximiliano de que era "llamado por la mayoría de los mexicanos", el general Bazaine entraba en conflicto con los militares conservadores y con la Iglesia. Lejos de propiciar la creación de un ejército mexicano, para que reemplazara lo más pronto posible al francés, según las instrucciones que tenía, mandó a Miramón y a Taboada (diciembre de 1863) que hicieran volver a sus casas a los 3 400 voluntarios que se les habían incorporado en Guanajuato, y más tarde les ordenó que se pusieran a las órdenes del coronel francés que tenía el mando en Guadalajara (marzo de 1864), lo cual provocó la renuncia de ambos. De otra parte, quiso imponer el programa liberal napoleónico sobre bienes de la Iglesia, lo cual suscitó la inconformidad del arzobispo Labastida y luego su destitución de la Regencia (17 de noviembre de 1863). La misma suerte corrieron todos los miembros de la Suprema Corte de Justicia –Ignacio Pavón, Boneta, Arriola, Domínguez, Casasola, Rodríguez de San Miguel, Fernández Mojardín, Larrainzar, Marín, García Aguirre, Sepúlveda y Muñoz– porque se negaron a conocer los negocios judiciales de los adjudicatarios de bienes del clero (2 de enero de 1864).

La comisión nombrada por la Regencia para ofrecer el trono a Maximiliano estuvo integrada por José María Gutiérrez de Estrada, como presidente, Joaquín Velázquez de León, Ignacio Aguilar, Francisco Javier Miranda, José Manuel Hidalgo, Adrián Woll, Antonio Suárez Peredo, Antonio Escandón, José María de Landa y Ángel Iglesias y Domínquez, quienes llegaron a Trieste el 2 de octubre de 1863, siendo recibidos al día siguiente por el archiduque. Se le ofreció entonces oficialmente la corona y él contestó lo mismo que en septiembre de 1861 al conde de Rechberg: que aceptaría el trono si toda la nación manifestaba libremente su voluntad en ese sentido. Cuatro meses más tarde, el 10 de abril de 1864, una vez que renunció a sus eventuales derechos al trono de Austria (día anterior) y recibió el resultado favorable del plebiscito, aceptó la corona entre las aclamaciones de los comisionados. Ese mismo día expidió los primeros decretos: disolvió la Regencia, nombró su lugarteniente al general Almonte, ministro de Estado a Velázquez de León y plenipotenciarios para Austria, Francia y Bélgica, y firmó el tratado con Napoleón III que se había negociado, desde marzo anterior, en las Tullerías. Conforme a este documento, la fuerza de 38 mil hombres del cuerpo expedicionario francés se reduciría a 28 mil en 1865, a 25 mil en 1866 y a 20 mil en 1867 (Artículo 2° de las adiciones secretas), o manteniendo a sueldo del gobierno de México por lo menos seis años a los 8 mil miembros de la legión extranjera

(Artículo 3°) y debiendo confiar el mando a los oficiales franceses en todas las guarniciones que no fuesen exclusivamente mexicanas (Artículo 5°). Maximiliano se obligaba a pagar el costo de un convoy de ida y vuelta a Francia cada dos meses (Artículo 7°), los gastos de la expedición, que sumarían 270 millones de francos hasta el 1° de julio de 1864, pues en adelante correrían por su cuenta (Artículo 9°), las indemnizaciones por sueldos y alimentos de los expedicionarios, a razón de mil francos cada uno (Artículo 10), y las reclamaciones de los súbditos franceses (Artículo 14). En tal virtud, entregó a la firma del tratado 66 millones de pesos en títulos de empréstito contratado con el conde de Zichy (Artículo 11) y asumió el compromiso de dar cada año otros 25 millones en efectivo para cubrir las obligaciones señaladas en los puntos 7 y 10 y los intereses del 9. Y por el Artículo 1° de las adiciones secretas prometió hacerle saber al pueblo que aprobaba la política de Forey respecto a los bienes de la Iglesia.

El 14 de abril partieron Maximiliano y Carlota a bordo de la *Novara*, deteniéndose del 18 al 20 en Roma para visitar al Papa. El 28 de mayo llegaron a Veracruz, cuya población los recibió con frialdad. El viaje a la ciudad de México tardó 14 días: en tren del puerto a Loma Alta, después en carruajes hasta Guadalupe y finalmente en ferrocarril. Estuvieron en Córdoba (29 y 30 de mayo), Orizaba (31 de mayo al 3 de junio), Puebla (5 a 8), Cholula (día 8) y Guadalupe (día 11). Lo que más impresionó a los emperadores fueron los 770 arcos de ramas y flores que se levantaron entre Puebla y Cholula, uno cada 3 m; la recepción que les tributó la sociedad metropolitana en Guadalupe y la manifestación popular en la plaza de Armas de la capital, el día 12.

Las primeras acciones de Maximiliano consistieron en asignarse (día 28) un sueldo de millón y medio de pesos al año, aparte los 200 mil pesos de gastos para Carlota, y en desplazar de los cargos ejecutivos, inclusive de las gubernaturas de muchos departamentos, a los más fervientes partidarios del Imperio a quienes no recataba llamar "mochos" en público. Simultáneamente quiso atraerse a los liberales moderados, nombrando ministro de Negocios Extranjeros a José Fernando Ramírez, y de Justicia y Negocios Eclesiásticos a Pedro Escudero y Echánove. El ministerio, sin embargo, tenía funciones sólo aparentes, pues las responsa-

INTERVENCIÓN

bilidades prácticas las asumía el Gabinete particular, presidido por Félix Eloin, ingeniero de minas belga a quien el rey Leopoldo I había puesto al lado de Maximiliano como persona de toda su confianza (v. GOBERNANTES). En su deseo de volverse popular, y en cierto modo de desairar a la alta sociedad capitalina, dio en usar el traje de las gentes del campo –chaqueta corta y calzonera, o sea pantalón abierto de la rodillas hacia abajo con botones en una de las orillas de la abertura–, que había llegado a ser característico de los guerrilleros juaristas, *chinacos* o *plateados*. Pero al mismo tiempo prodigaba cruces de Guadalupe a los aristócratas y a personajes del extranjero (v. GUADALUPE, ORDEN DE). Otros hechos molestaron igualmente a los conservadores: nombró ministro plenipotenciario para Turín, cerca de un soberano que estaba en abierta disidencia con el Papa; concedió el 6 de julio una amnistía general; a principios de agosto, en ocasión de su primer viaje al interior, hizo que le tocaran, mientras almorzaba, la canción "Los Cangrejos", que satirizaba a los conservadores; y en Dolores rindió homenaje a Hidalgo y vitoreó a los primeros héroes de la Independencia. Impresionados acaso por estas actitudes, los generales José Uraga, Tomás O'Horan y Juan B. Caamaño se pasaron al bando del Imperio, mientras Doblado y José Rincón Gallardo abandonaban las armas, por desavenencias con Juárez, y se retiraban a Estados Unidos. El emperador regresó a México el 27 de octubre y el 28 nombró ministro de Fomento a Luis Robles, que había sido republicano moderado, y de Guerra al subsecretario Peza.

El 7 de diciembre de 1864 llegó a la capital monseñor Meglía, nuncio de Su Santidad, a quien Maximiliano, por conducto del ministro de Justicia, propuso un concordato con la Santa Sede, formado por nueve puntos, entre los cuales se establecía la tolerancia de todos los cultos, aunque concediendo protección especial a la religión católica, y el derecho del emperador Maximiliano y sus sucesores a gozar a perpetuidad, respecto de la Iglesia mexicana, de los mismos privilegios concedidos a los reyes de España para sus iglesias de América (v. IGLESIA CATÓLICA). El nuncio se inconformó con estas bases y los arzobispos de México y de Michoacán y los obispos de Oaxaca, Querétaro y Tulancingo pidieron al emperador que aplazara cualquier resolución hasta la llegada de nuevas instrucciones pontificias. Pero Maximiliano puso en vigor varias disposiciones de carácter liberal: el 7 de enero de 1865, que los breves, bulas, rescriptos y despachos de la corte de Roma le deberían ser presentados por el ministro de Justicia y Negocios Eclesiásticos, para obtener el pase respectivo; el día 26, que la religión católica fuera protegida, "con amplia y franca tolerancia a todos los cultos"; el día 27, que el Consejo de Estado revisara las operaciones de desamortización y nacionalización de bienes eclesiásticos ejecutadas conforme a las Leyes de Reforma, creando, además, una administración de bienes nacionales; y el 12 de marzo, que los cementerios quedaran sometidos a la autoridad civil, pudiéndose enterrar en ellos a los protestantes. El día 17 varios prelados solicitaron la derogación de estos decretos, pero no obtuvieron respuesta. Todo esto ocurría mientras se enviaba a Roma una comisión a negociar con la Santa Sede.

A fines de 1864 Maximiliano nombró a Márquez ministro plenipotenciario en Turquía y a Miramón lo envió a Europa, con una misión insignificante, con lo cual los alejó del ejército y de la política mexicana. Al general Taboada, a su vez, se le tomó prisionero el 6 de enero de 1865, acusado de tramar una conspiración contra el Imperio de acuerdo con el general Vicario, quien, advertido a tiempo, se fugó de la capital y logró ocultarse.

El 3 de marzo se decretó la división del territorio en 50 departamentos, que a continuación se indican, seguidos por sus capitales: Acapulco, Acapulco; Aguascalientes, Aguascalientes; Álamos, Álamos; Arizona, El Altar; Autlán, Autlán; Batopilas, Hidalgo; California, Puerto de La Paz; Campeche, Campeche; Chiapas, San Cristóbal; Chihuahua, Chihuahua; Coahuila, Saltillo; Coalcomán, Coalcomán; Colima, Colima; Durango, Durango; Ejutla, Ejutla; Fresnillo, Fresnillo; Guanajuato, Guanajuato; Guerrero, Chilpancingo; Huejutla, Jiménez; Iturbide, Tasco; Jalisco, Guadalajara; La Laguna, Villa del Carmen; Mapimí, Rosas; Matamoros, Matamoros; Matehuala, Matehuala; Mazatlán, Mazatlán; Michoacán, Morelia; Nayarit, Acaponeta; Nazas, Indée; Nuevo León, Monterrey; Oaxaca, Oaxaca; Potosí, San Luis Potosí; Puebla, Puebla; Querétaro, Querétaro; Sinaloa, Sinaloa; Sonora, Ures; Tabasco, San Juan Bautista; Tamaulipas,

INTERVENCIÓN

Ciudad Victoria; Tancítaro, Tancítaro; Tehuantepec, el Súchil; Tepozcolula, Tepozcolula; Tlaxcala, Tlaxcala; Toluca, Toluca; Tula, Tula; Tulancingo, Tulancingo; Tuxpan, Tuxpan; Valle de México, México; Veracruz, Veracruz; Yucatán, Mérida, y Zacatecas, Zacatecas. El 10 de abril, aniversario de su aceptación del trono, se publicó el Estatuto Provisional del Imperio; se crearon la Academia Imperial de Ciencias y Literatura; el Consejo de Beneficencia, presidido por la emperatriz; la Casa de Caridad, confiada a las hijas de San Vicente de Paul, y la Junta Protectora de las Clases Menesterosas; y se dio el decreto sobre libertad de imprenta.

El 12 de abril se conoció en México la nota del cardenal Antonelli (Roma, 9 de marzo de 1865) en que Su Santidad negaba a Maximiliano los derechos de patronato. A principios de ese mes había llegado al Vaticano la comisión mexicana; el proyecto de concordato pasó a una junta de 10 cardenales y éstos contestaron con una memoria que establecía los principios para tratar con las naciones católicas, pero que no entraba en los detalles del proyecto. El 1° de junio se embarcó en Veracruz el nuncio pontificio, de regreso a Roma, y a principios de septiembre recibió Maximiliano la Exposición de los Sentimientos de la Santa Sede en la que se rechazaban todas sus proposiciones y, en consecuencia, el concordato.

El 14 de abril se negoció en Londres, por los comisionados del Imperio, un segundo empréstito por 250 millones de francos, incluyendo la consolidación del primer adeudo; pero aún así, en mayo se impuso un derecho del 6% sobre el precio mayor que tuvieran en el mercado el papel, los hilados y los tejidos de algodón, lino y lana de las fábricas mexicanas, más una contribución de tres reales por cada huso y de $133 por cada molinete. Los bonos Jecker, cuyo cobro se había comprometido a negociar el duque de Morny, mediante el 30% de las utilidades, fueron reconocidos en 1863; pero en cuanto murió el hermano de Napoleón III los agentes franceses en México se opusieron a que se entregaran al acreedor las letras por 10 millones de francos que eran el saldo de la transacción (carta de Jecker a M. Conti, secretario de Napoleón, París, 8 de diciembre de 1869).

El 26 de junio, con motivo del matrimonio del mariscal Bazaine con Josefa Peña y Azcárate, nieta del precursor de la Independencia, el emperador le obsequió a la mariscala el palacio de Buenavista, comprendiendo el jardín y los muebles; pero tres días después, en comunicación a uno de los miembros de su gabinete, Maximiliano hacía responsable a Bazaine del mal estado general del Imperio: "Es preciso decirlo abiertamente: nuestra situación militar es de las peores: Guanajuato y Guadalajara están amenazadas; Morelia cercada por los enemigos; perdido Acapulco que por su excelente posición da un camino abierto siempre para alimentar la guerra y proveer al enemigo de hombres y de armas; Oaxaca está casi desguarnecida; San Luis Potosí en peligro; del norte no hay noticias; de modo que la situación militar es, y lo repito, bien mala, peor que en el otoño anterior. Se ha perdido un tiempo precioso; se ha arruinado el tesoro, la confianza pública disminuye, y todo esto porque se ha hecho creer en París que la guerra está terminada gloriosamente".

El 5 de septiembre de 1865, considerando la escasa población mexicana y deseando dar todas las seguridades posibles a los inmigrantes, Maximiliano decretó que México quedaba abierto a la emigración de todas las naciones y autorizados quienes "desearan traer consigo o hacer venir operarios en número considerable, de cualquier raza que sean". El reglamento del Artículo 6° de este decreto restablecía, de hecho, la esclavitud, pues el operario se obliga con su patrón a ejecutar los trabajos a que fuera destinado "por el término de 5 años al menos y 10 años a lo más" (Artículo 2°), quedando los hijos del trabajador, en caso de muerte de éste, al servicio del amo hasta su mayoría de edad (Artículo 3°). La policía y el ejército se ocuparían de los casos de deserción, destinando a los operarios aprehendidos a trabajos públicos sin sueldo, hasta que el patrón se presentase a reclamarlos. En mayo anterior, Abdón Morales había solicitado al Imperio el permiso para la introducción de 100 mil negros, indoasiáticos y chinos, pero el 10 de diciembre siguiente se concedió el privilegio exclusivo para la importación de trabajadores de Asia, por 10 años, al portugués Manuel Da Cunha.

La actividad guerrillera, cada vez más intensa, movió a Maximiliano a decretar el 2 de octubre la pena de muerte para "todos los que pertenecieren a bandas o reuniones armadas..., proclamen o no algún pretexto político", la cual debería ejecutarse dentro de las primeras 24 horas después de pronunciada la sentencia por las cortes marciales. En la misma disposición se imponían penas a las autoridades locales, a los vecinos de los pueblos y a los propietarios o administradores de fincas rústicas que pudiendo defenderse no impidieren la acción de los guerrilleros, o no dieran aviso oportuno a las autoridades de su presencia o de su tránsito; y a todos cuantos auxiliasen a los grupos beligerantes de republicanos. Aparte una larga lista de sucesos, el decreto era la respuesta a varios hechos recientes: el 18 de junio Arteaga tomó Uruapan y fusiló al comandante Lemus, al subprefecto Isidro Paz y a uno de los notables de la población; el 7 de julio Antonio Pérez dio muerte al capitán Kurzroch después de la acción de Ahuacatlán; el 1° de septiembre, Ugalde asaltó a la guardia de San Felipe del Obraje y mandó ejecutar a todos los oficiales; y el 7 de octubre, un grupo atacó el ferrocarril en Olla de la Piedad, Ver., y mató al teniente Friquet, al oficial Louvet y a siete soldados. El 11 de octubre el general Bazaine dirigió a sus subordinados la circular que decía: "Todo individuo, cualquiera que sea, cogido con las armas en la mano, será fusilado. No se hará canje de prisioneros en lo sucesivo... Esta es una guerra a muerte; una lucha sin cuartel que se empeña entre la barbarie y la civilización; es menester, por ambas partes, matar o hacerse matar".

En diciembre se fijó en 40 millones de francos la suma que debía pagar México por reclamaciones francesas; pero como ya se tenían abonados 16.4 millones con arreglo a la Convención de Miramar, quedaban por entregar 23.560 millones. El 18 de ese mes se publicó la Ley Sobre el Registro del Estado Civil en el Imperio.

El 22 de enero de 1866 Napoleón anunció a las Cámaras que, consolidado el gobierno en México, "vencidos y dispersos los disidentes" y habiendo subido el comercio con Francia de 21 a 77 millones, tocaba a su término la Intervención. Y envió al barón de Saillard para convenir con Maximiliano el modo de garantizar los intereses franceses y las fechas de la evacuación. El 3 de marzo renunciaron cuatro ministros del gabinete por diferencias con Bazaine. El 4 de marzo los guerrilleros asaltaron en Río Frío a la misión belga que había venido a participar el ascenso al trono de Leopoldo II, muriendo en la refriega el general Forey y el capitán D'Huart. En abril marchó Almonte a París con la misión de negociar un tratado que sustituyera al de Miramar, de modo que el ejército francés continuase en el país otros tres años. La hacienda pública estaba exhausta, según informó el nuevo presidente del Consejo de Ministros, José María de Lacunza (abril), antes de fijar el presupuesto en 23 627 311.70 pesos de mayo a diciembre de 1866. A fines de junio conoció el emperador tres noticias desalentadoras: el despacho de M. Drouyn de Lhoys (31 de mayo) en el sentido de que Francia había "cumplido lealmente los compromisos que se impuso por el tratado de Miramar... y no había recibido, sino muy incompletamente de México las compensaciones equivalentes que fueron ofrecidas"; el rechazo de Napoleón respecto al nuevo tratado, y la ratificación de la orden a Bazaine para que procediera al rembarco de las tropas. En esos días Mejía fue derrotado en Matamoros y toda la frontera con Estados Unidos quedó en manos de la República. El 6 de julio, cumpleaños del emperador, se publicó el Código Civil del Imperio, que no exigía a los católicos el matrimonio religioso antes del civil; y en la segunda quincena de ese mes los franceses evacuaron Monterrey y los republicanos se apoderaron de Tampico, mientras los Estados Unidos protestaban por los nombramientos del general D'Osmont, jefe del cuerpo expedicionario, como ministro de Guerra; y de M. Friant, intendente general, como ministro de Hacienda, "actos que pueden alterar las buenas relaciones existentes entre los Estados Unidos y Francia" (Seward al marqués de Montholon, el 16 de agosto).

La emperatriz había decidio viajar a Europa para procurar que Napoleón cumpliera el Tratado de Miramar. Salió de México el 8 de julio y el 11 de agosto se entrevistó con Napoleón, que se resistía a recibirla, y le presentó una exposición, redactada por el propio Maximiliano, que contenía todas las querellas del Imperio contra Francia: conforme al Tratado de Miramar, el jefe del ejército mexicano lo sería quien lo fuere del cuerpo expedicionario, correspondiéndole la tarea de pacificar el país; pero causa de la inacción de éste durante año y medio, acabó por dejar en manos de los disidentes la mitad del territorio, de suerte que los dos empréstitos se consumieron en su mayor parte en la guerra civil; de las aduanas marítimas, las de Matamoros, Minatitlán, Tabasco, La Paz y Huatulco estaban en manos de los republicanos; bloqueadas las de Tampico, Tuxpan, Guaymas, Mazatlán y Acapulco, y sólo en poder del Imperio la de Veracruz. Se comprometió, en efecto, Maximiliano, a pagar los gastos de guerra y ocupación, pero no creyó que la ocupación se limitara a la mitad o a la tercera parte del país; ni pudo prever que sólo los transportes de las fuerzas que ocuparon y evacuaron 14 veces Michoacán, cinco Monterrey y dos ocasiones Chihuahua, costaran 16 millones de francos; ni pensó que los 50 mil hombres a la disposición del general en jefe no bastaran para someter Tabasco, Guerrero, Chiapas y Baja California, "donde no se ha visto un solo soldado francés". "El general en jefe –añadía la exposición– ha privado a este gobierno de sus naturales recursos, no terminando pronta y felizmente la guerra", e imputaba también a Bazaine, finalmente, no haber organizado el ejército mexicano. La discusión con Napoleón III fue tan larga y violenta que desde aquel día la emperatriz dio muestras de haber perdido la razón.

Al sentirse abandonado por Napoleón III, Maximiliano decidió gobernar con los conservadores que habían demostrado ser decididos monárquicos. Formó nuevo gabinete –Lares, García Aguirre, Marín, y Mier y Terán– y nombró a 27 nuevos gobernadores; se revocaron algunas leyes anti-católicas, como la de los cementerios; Lares formuló un plan para consolidar el Imperio, en el que inclusive se proponía concederles terrenos a las clases menesterosas y el 17 de octubre se aumentó a 36 el número de consejeros de Estado, que había sido de 20, para que los monarquistas tuvieran mayoría. El 18 se dio la primera noticia oficial sobre el estado de Carlota, cuando ya Maximiliano, desde el 16 había decidido abandonar el país. Mientras el emperador marchaba con rumbo a Orizaba (21 de octubre), hacía el viaje de Veracruz a México el general Castelnau, enviado por Napoleón, en misión secreta, a persuadir a Maximiliano de que abdicara; y ese mismo día Estados Unidos otorgaba pleno reconocimiento al gobierno republicano, nombrando ministro a Campbell. El emperador llegó a proponer a Bazaine, Castelnau y Danó, ministro éste de Francia, las condiciones para su retiro (12 al 17 de noviembre), pero la intervención de Márquez y Miramón, primero, y

más tarde la de varios ministros y consejeros de Estado, que se reunieron con él en Orizaba (días 20 al 24), lo resolvió a continuar en el trono. Según él mismo lo dijo, hubo un momento en el que quiso abdicar movido por tres razones: la persistencia de la guerra civil, la hostilidad de Estados Unidos y la declaración de Francia en el sentido de no poder seguir apoyándolo. Los tres plazos en que los franceses debían evacuar México eran noviembre de 1866 y marzo y noviembre de 1867, pero Napoleón varió de idea y resolvió que todo el ejército saliera en la primavera de 1867.

El 1° de diciembre Maximiliano lanzó una proclama anunciando que continuaba en el poder y que convocaría a un Congreso de todos los partidos para que decidiera si habría de continuar el Imperio. Los representantes franceses hicieron pública su convicción de "que el gobierno imperial sería impotente para sostenerse con sus solos recursos". El 13 se decretó formar tres cuerpos de ejército, al mando de Miguel Miramón, Leonardo Márquez y Tomás Mejía. El 10 de enero de 1867 Castelnau recibió órdenes de embarcar las legiones extranjera, austriaca y belga. El 13 se celebró Consejo de Estado, durante el cual Alejandro Arango y Escandón reprodujo, dirigiéndose a Bazaine, las memorables palabras de Paulo IV (cuando en el siglo XVI declaró y perdió la guerra a Felipe II, con apoyo de los franceses): "Idos: nada importa. Habéis hecho muy poco por vuestro soberano; menos aún por la Iglesia; nada, absolutamente nada, por vuestra honra". En febrero todas las tropas francesas se retiraron hacia el litoral del Golfo. Las guerrillas juaristas seguían a tan corta distancia al ejército expedicionario, que acampaban a 200 m de su retaguardia e iban ocupando, horas o minutos después, todas las plazas que éste dejaba.

El 13 de febrero el emperador se puso al frente de un cuerpo de 4 mil hombres organizado por Márquez. Salió de México, tuvo encuentros con los republicanos en Lechería y Calpulalpan, fue hostilizado todo el camino por las guerrillas de Fragoso y el 13 llegó a San Juan del Río, donde dijo en una proclama: "Tomo el mando de nuestro ejército..., libre de compromisos y de toda presión extranjera". Llegó a Querétaro el 19; Miramón y Mejía salieron a recibirlo, y el 22 se le unió, procedente de Morelia, la división del general Ramón Méndez. Eran en total 12 mil hombres.

INTERVENCIÓN

El presidente Juárez, decidido a no dar nueva ocasión al enemigo para fortalecerse, dispuso atacar a los imperiales con todas las fuerzas disponibles. En el curso de los cinco años que iban ya corridos de la guerra, las operaciones militares habían ido cambiando de signo. Porfirio Díaz, que fue el primer general que se presentó a Juárez en la ciudad de México después de la caída de Puebla, organizó en Querétaro una división mixta; hizo retroceder en Tejupilco a Valdés, tomó por asalto Tasco, Iguala, Tepecoacuilco (octubre de 1863) y Chilapa, pasando a establecerse en Oaxaca; pero Bazaine lanzó contra él 10 mil hombres, tomó la plaza e hizo prisionero a Díaz, remitiéndolo a Puebla (9 de febrero de 1865), de cuya prisión se fugó éste (20 de septiembre), para reanudar la lucha. Con sólo 14 compañeros sorprendió a la guarnición de Tehuitzinco (día 21), se apoderó de armas y caballos en Piaxtla, reunió a varios dispersos, derrotó a Visoso en Tulcingo (10 de octubre), asumió el mando de dos batallones en Tixtla, recuperó Tlapa y así fue engrosando el Ejército de Oriente con el que venció en las batallas de Miahuatlán (3 de octubre de 1866), La Carbonera (día 18) y Oaxaca (día 31), preparatorias de la toma de Puebla (2 de abril de 1867) y del sitio a la ciudad de México (a partir del 12). Mariano Escobedo, a su vez, se separó de Díaz en Oaxaca (1863), viajó por Tehuantepec, Chiapas y Tabasco, embarcó para Nueva York y luego para Nueva Orleans, pasó a Brazos y a Brownsville y finalmente a Laredo, donde se puso de acuerdo con cuatro oficiales que andaban huyendo para iniciar con ellos la formación del Ejército del Norte. El 7 de marzo de 1864 cruzó el Bravo con 11 hombres y luego se le unieron Francisco Naranjo, Gorostieta, Treviño, Viezca, Pedro Martínez y otros jefes. Cada vez más numeroso, este cuerpo ganó las batallas de Santa Isabel (1° de marzo de 1866) y Santa Gertrudis (15 de junio), ocupó Matamoros (1° de diciembre) y avanzó sobre San Luis Potosí, en persecución de los franceses e imperiales, hasta tomar esa plaza (enero de 1867), de donde se desplazó, siempre en combate (San Jacinto, La Quemada), hacia Querétaro. En el occidente del país Ramón Corona había ido aumentando sus fuerzas con las de Antonio Rosales, García Rubí, Sánchez Román, Eulogio Parra, García Granados y Martínez: derrotaron a los franceses en los llanos de San Pedro (22 de diciembre de 1863), Veranos (10 de enero de 1864), Palos Prietos (12 de septiembre de 1866), Mazatlán (ocupado el 13 de noviembre, tras un estrecho sitio) y La Coronilla (18 de diciembre), para tomar Guadalajara (día 21) y avanzar desde ahí sobre Querétaro. En Sonora los invasores fueron batidos en Guadalupe y Ures, y los republicanos ocuparon Guaymas (12 de septiembre de 1866); y en Guerrero, Michoacán y el estado de México obtuvieron otras victorias Régules, Altamirano y Riva Palacio.

Los cuerpos del Ejército del Norte, al mando de Mariano Escobedo, nombrado general en jefe, y de Occidente, bajo las órdenes de Ramón Corona, avanzaron de modo simultáneo hacia Querétaro y el 6 de marzo se concentraron a la vista de la ciudad. Márquez quiso librar una batalla a campo abierto, pero los republicanos la eludieron, persuadidos de que el sitio de la plaza pondría a Maximiliano a la defensiva, consumiendo cada vez más sus fuerzas. El 14 de ese mes abrieron el fuego los sitiadores sobre el convento de la Cruz y las líneas del norte, pero fueron rechazados en el asalto, al igual que el día 17. El 22, mientras Miramón, al frente de 1 300 jinetes distraía con un audaz movimiento al enemigo, Márquez, acompañado por Vidaurri y una pequeña escolta, lograba salir hacia la capital llevando la abdicación de Maximiliano para el caso de que cayera prisionero, e instrucciones de reorganizar el ministerio y regresar con refuerzos a Querétaro. El 23 se unieron a los sitiadores 9 o 10 mil hombres mandados por Riva Palacio, Jiménez y Vélez, con lo cual eran ya 25 mil los republicanos, quienes el 25 emprendieron un nuevo ataque. Los imperiales, a su vez, hicieron otras salidas los días 1°, 21 y 27 de abril y 1° y 3 de mayo, con el fin de abastecerse de alimentos en las haciendas próximas, más que de librar combates, que siempre fueron sangrientos. El 14 de mayo, después de 70 días de sitio y 50 de esperar inútilmente el regreso de Márquez con los refuerzos, cuando el hambre cobraba sus primeras víctimas en el pueblo y el ejército, los generales Miramón (infantería), Mejía (caballería), Severo Castillo (jefe del Estado Mayor) y Manuel Ramírez de Arellano (artillería) dirigieron al emperador una dramática instancia: "Ha llegado el momento –le decían– de poner

INTERVENCIÓN

INSTRUCCIONES DEL MINISTERIO DE GUERRA A MARIANO ESCOBEDO, GENERAL EN JEFE DEL EJÉRCITO DE OPERACIONES, PARA FORMAR PROCESO A FERNANDO MAXIMILIANO DE HABSBURGO, MIGUEL MIRAMÓN Y TOMÁS MEJÍA

Secretaría de Estado y del Despacho de Guerra y Marina. –Sección 1a.– Ocupada por un hecho de armas la ciudad de Querétaro, ha comunicado V. que han sido allí aprehendidos ocho mil soldados y más de cuatrocientos jefes y oficiales del enemigo, entre ellos Fernando Maximiliano de Habsburgo, que se ha titulado Emperador de México. Antes de dictar ninguna resolución acerca de los presos, el gobierno ha querido deliberar con la calma y detenimiento que corresponden a la gravedad de las circunstancias. Ha puesto a un lado los sentimientos que pudiera inspirar una guerra prolongada, deseando sólo escuchar la voz de sus altos deberes para con el pueblo mexicano. Ha pensado, no sólo en la justicia con que se pudieran aplicar las leyes, sino en la necesidad que haya de aplicarlas. Ha meditado hasta qué grado pueden llegar la clemencia y la magnanimidad, y qué límite no permitan traspasar la justicia y la estrecha necesidad de asegurar la paz, resguardar los intereses legítimos y afianzar los derechos y todo el porvenir de la República.

Después que México había sufrido todas las desgracias de una guerra civil de cincuenta años; cuando el pueblo había conseguido al fin hacer respetar las leyes y la Constitución del país; cuando había reprimido y vencido a unas clases corrompidas, que por satisfacer sus intereses particulares sacrificaban todos los intereses y todos los derechos nacionales; cuando ya renacían la paz y la tranquilidad ante la voluntad general del pueblo y la impotencia de los que habían querido sojuzgarlo; entonces los restos más espurios de las clases vencidas apelaron al extranjero, esperando con su ayuda saciar su codicia y su venganza. Fueron a explotar la ambición y la torpeza de un monarca extranjero; y se presentaron en la República inicuamente asociados la intervención extranjera y la traición.

El archiduque Fernando Maximiliano de Habsburgo se prestó a ser el principal instrumento de esa obra de iniquidad que ha afligido a la República por cinco años, con toda clase de crímenes y con todo género de calamidades.

Vino para oprimir a un pueblo, pretendiendo destruir su Constitución y sus leyes, sin más títulos que algunos votos destituidos de todo valor, como arrancados por la presencia y la fuerza de las bayonetas extranjeras.

Vino a contraer voluntariamente gravísimas responsabilidades, que son condenadas por las leyes de todas las naciones y que estaban previstas en varias leyes preexistentes de la República, siendo la última la de 25 de enero de 1862, sancionada para definir los delitos contra la independencia y la seguridad de la nación, contra el derecho de gentes, contra las garantías individuales y contra el orden y la paz pública.

Los hechos notorios de la conducta de Maximiliano comprenden el mayor número de las responsabilidades especificadas en esa ley.

No sólo se prestó a servir como instrumento de una intervención extranjera, sino que para hacer también por sí una guerra de filibusteros, trajo otros extranjeros, austriacos y belgas, súbditos de naciones que no estaban en guerra con la República.

Trató de subvertir para siempre las instituciones políticas y el gobierno que libremente se había dado la nación, pretendiendo abrogarse el poder supremo, sin más título que los votos de algunas personas nombradas y delegadas por el invasor extranjero, o apremiadas por la presencia y las amenazas de la fuerza extranjera.

Dispuso por sólo la violencia de la fuerza, sin ningún título legítimo, de las vidas, los derechos y los intereses de los mexicanos.

Promulgó un decreto con prescripciones de barbarie para asesinar a los mexicanos que defendían, o que siquiera no denunciaban, a los que defendían la independencia y las instituciones de su patria.

Hizo que se perpetrasen numerosísimas ejecuciones sangrientas conforme a ese bárbaro decreto, y que comenzara su aplicación en distinguidos patriotas mexicanos, aún antes de poderse presumir que supieran que se había promulgado.

Ordenó que sus propios soldados, o consintió con el falso título de Jefe de la Nación, que los soldados del invasor extranjero incendiasen o destruyesen muchas poblaciones enteras en todo el territorio mexicano, especialmente en los estados de Michoacán, Sinaloa, Chihuahua, Coahuila y Nuevo León.

Ordenó que sus propios agentes, o consintió que los agentes del extranjero asesinasen muchos millares de mexicanos, a quienes se imputaba como crimen la defensa de su patria.

Y cuando se retiraron los ejércitos de la potencia extranjera y vio levantada en su contra toda la República, quiso todavía rodearse de algunos de los hombres más culpables en la guerra civil, empleando todos los medios de violencias y depredaciones, de muerte y desolación, para sostener hasta el último momento su falso título, de que no ha pretendido despojarse sino cuando ya no por la voluntad sino por la fuerza se ha visto obligado a dejarlo.

Entre esos hombres que han querido sostenerlo hasta el último instante, pretendiendo consumar todas las consecuencias de la traición a la patria, figuran como unos de los principales cabecillas, los llamados Generales D. Miguel Miramón y D. Tomás Mejía, que han estado con un carácter prominente en Querétaro, como Generales en Jefe de cuerpos de ejército de Maximiliano.

Los dos tenían desde antes una grave responsabilidad por haber sostenido durante muchos años la guerra civil, sin detenerse ante los actos más culpables, y siendo siempre un obstáculo y una constante amenaza contra la paz y la consolidación de la República.

Previene el artículo 28 de la ley citada, que las penas impuestas en ella se apliquen a los reos cogidos infraganti delito o en cualquiera acción de guerra, con sólo la identificación de las personas.

Concurriendo en el presente caso ambas circunstancias, bastaría la notoriedad de los hechos para que se debiera proceder con arreglo a ese artículo de la ley.

Sin embargo, queriendo el Gobierno usar de sus amplias facultades, con objeto de que haya la más plena justificación del procedimiento en este caso, ha resuelto que en él se proceda al juicio que dispone la misma ley en otros casos, para que de ese modo se oigan en éste las defensas que quieran hacer los acusados, y se pronuncie la sentencia que corresponda en justicia.

En tal virtud, ha determinado el C. Presidente de la República que disponga V. se proceda a juzgar a Fernando Maximiliano de Habsburgo y a sus llamados Generales D. Miguel Miramón y D. Tomás Mejía, procediéndose en el juicio, con entero arreglo a los artículos del sexto al undécimo inclusive, de la ley de 25 de enero de 1862, que son los relativos a la forma de procedimiento judicial.

Respecto a los demás jefes, oficiales y funcionarios aprehendidos en Querétaro, se servirá V. enviar al Gobierno lista de ellos, con especificación de las clases o cargos que tenían entre el enemigo, para que se pueda resolver lo que corresponda, según las circunstancias de los casos.

Independencia y Libertad. San Luis Potosí, Mayo 21 de 1867.–Mejía.–C. General de División Mariano Escobedo, en Jefe del Cuerpo de Ejército del Norte.–Querétaro.–M. Escobedo.–Una rúbrica.

INTERVENCIÓN

MANIFIESTO DEL PRESIDENTE BENITO JUÁREZ AL VOLVER A ESTABLECER LA RESIDENCIA DE LOS PODERES EN LA CIUDAD DE MÉXICO EL 15 DE JULIO DE 1867

Mexicanos: El Gobierno nacional vuelve hoy a establecer su residencia en la Ciudad de México, de la que salió hace cuatro años.

Llevó entonces la resolución de no abandonar jamás el cumplimiento de sus deberes, tanto más sagrados cuanto mayor era el conflicto de la Nación. Fue con la segura confianza de que el pueblo mexicano lucharía sin cesar contra la inicua invasión extranjera, en defensa de sus derechos y de su libertad. Salió el Gobierno para seguir sosteniendo la bandera de la Patria, por todo el tiempo que fuera necesario, hasta obtener el triunfo de la causa santa de la independencia y de las instituciones de la República.

Lo han alcanzado los buenos hijos de México, combatiendo solos, sin auxilio de nadie, sin recursos ni los elementos necesarios para la guerra. Han derramado su sangre con sublime patriotismo, arrastrando todos los sacrificios, antes que consentir en la pérdida de la República y de la Libertad.

En nombre de la Patria agradecida, tributo el más alto reconocimiento a los buenos mexicanos que la han defendido, y a sus dignos caudillos. El triunfo de la Patria, que ha sido objeto de sus nobles aspiraciones, será siempre su mayor título de gloria y el mejor premio de sus heroicos esfuerzos.

Lleno de confianza en ellos, procuró el Gobierno cumplir sus deberes, sin concebir jamás un solo pensamiento, de que le fuera lícito menoscabar ninguno de los derechos de la Nación. Ha cumplido el Gobierno el primero de sus deberes, no contrayendo ningún compromiso en el exterior ni en el interior, que pudiera perjudicar en nada la independencia y soberanía de la República, la integridad de su territorio, o el respeto debido a la Constitución y a las leyes. Sus enemigos pretendieron establecer otro Gobierno y otras leyes, sin haber podido consumar su intento criminal. Después de cuatro años vuelve el Gobierno a la Ciudad de México, con la bandera de la Constitución y con las mismas leyes, sin haber dejado de existir un solo instante dentro del territorio nacional.

¡No ha querido, ni ha debido antes el Gobierno, y menos debiera en la hora del triunfo completo de la República, dejarse inspirar por ningún sentimiento de pasión contra los que lo han combatido! Su deber ha sido, y es, pesar las exigencias de la justicia con todas las consideraciones de la benignidad. La templanza de su conducta en todos los lugares donde ha residido, ha demostrado su deseo de moderar en lo posible el rigor de la justicia, conciliando la indulgencia con el estrecho deber de que se apliquen las leyes, en lo que sea indispensable para afianzar la paz y el porvenir de la Nación.

Mexicanos: Encaminemos ahora todos nuestros esfuerzos a obtener y a consolidar los beneficios de la paz. Bajo sus auspicios, será eficaz la protección de las leyes y de las autoridades para los derechos de todos los habitantes de la República.

Que el pueblo y el Gobierno respeten los derechos de todos. Entre los individuos, como entre las naciones, el respeto al derecho ajeno es la paz.

Confiemos en que todos los mexicanos, aleccionados por la prolongada y dolorosa experiencia de las calamidades de la guerra, cooperaremos en lo de adelante al bienestar y a la prosperidad de la Nación, que sólo pueden conseguirse con un inviolable respeto a las leyes y con la obediencia a las autoridades elegidas por el pueblo.

En nuestras libres instituciones, el pueblo mexicano es árbitro de su suerte. Con el único fin de sostener la causa del pueblo durante la guerra, mientras no podía elegir sus mandatarios, he debido, conforme al espíritu de la Constitución, conservar el poder que me había conferido. Terminada ya la lucha, mi deber es convocar desde luego al pueblo, para que sin ninguna presión de la fuerza y sin ninguna influencia ilegítima elija con absoluta libertad a quien quiera confiar sus destinos.

Mexicanos: Hemos alcanzado el mayor bien que podíamos desear, viendo consumada por segunda vez la independencia de nuestra patria. Cooperemos todos para poder legarles a nuestros hijos un camino de prosperidad, amando y sosteniendo siempre nuestra independencia y nuestra libertad.

México, Julio 15 de 1867. Benito Juárez.

---

término a una defensa que es ya materialmente imposible", por lo cual se convino romper el sitio, a todo trance, la madrugada del 15.

Pero Maximiliano, la noche del 14, confió al coronel Miguel López la misión secreta de pasar a entrevistarse con Escobedo, para negociar que se le permitiera salir de la plaza y viajar hasta un punto de la costa del Golfo donde poder embarcarse, comprometiéndose a no volver jamás a la República. El general en jefe negó toda concesión, pues eran esas las instrucciones que tenía de Juárez, y se previno, conociendo ya el decaimiento moral del enemigo, a apoderarse esa misma noche del convento de la Cruz y emprender el asalto final apenas amaneciera. La toma del convento la realizó, con extremado sigilo, el general Francisco A. Vélez, utilizando fuerzas de los batallones Supremos Poderes y

Nuevo León. Maximiliano, que ahí tenía sus habitaciones, logró huir hasta el cerro de las Campanas, donde al fin enarboló la bandera blanca cuando los republicanos, dueños ya de San Francisco, echaron las campanas a vuelo y acometieron por todas las calles, estrechando cada vez a los desconcertados imperiales. Maximiliano entregó su espada al general Escobedo, quien volvió a negarle toda concesión, y quedó prisionero junto con Castillo y Mejía; Miramón, herido en la cara durante los últimos encuentros, fue también detenido; Arellano, vestido de criado, escapó hacia la capital, y Méndez, reacio a presentarse a las autoridades después de la derrota, fue encontrado y pasado por las armas.

El 25 de marzo habían llegado Márquez y Vidaurri a México. El 30 salió aquél hacia Puebla, pero se detuvo en San Lorenzo, fue atacado, arrojó a una barranca la artillería y regresó casi solo a la capital, donde organizó la defensa cuando Díaz le puso sitio.

El 21 de mayo el Ministerio de la Guerra dispuso que Maximiliano, Miramón y Mejía fuesen juzgados con arreglo a la ley del 25 de enero de 1862 (v. texto completo). El día 24 el general Escobedo nombró fiscal al licenciado y teniente coronel de infantería Manuel Azpiroz, quien el 13 de junio pidió que fueran pasados por las armas "por delitos contra la independencia y seguridad de la nación, el orden y la paz pública, el derecho de gentes y las garantías individuales". Ese mismo día se reunió en el Teatro Iturbide, de la ciudad de Querétaro, el consejo de guerra presidido por el teniente coronel Rafael Platón Sánchez, y el 14 se condenó a los reos a la pena capital, prevista para aquellos delitos. Una vez negado el indulto por el presidente Juárez, se ejecutó la sentencia a las 7:05 horas del 19 de junio en el cerro de las Campanas. v. MAXIMILIANO DE HABSBURGO.

El general Porfirio Díaz entró a la ciudad de México el 21 de junio, cuya guarnición capituló, y el 27 se rindió la plaza de Veracruz, habiendo cesado ese día todo vestigio de la Intervención y el Imperio. Hasta entonces se habían librado 1 020 acciones de guerra, con un saldo de 50 mil hombres puestos fuera de combate, sin contar los prisioneros. El presidente Juárez regresó a la capital de la República el 15 de julio, en cuya ocasión lanzó un manifiesto a los mexicanos (v. texto completo). Sus profundas convicciones democráticas quedaron expuestas en una frase "Entre los individuos, como entre las naciones, el respeto al derecho ajeno es la paz".

Bibliografía: Juan de Dios Arias: *Reseña histórica de la formación y operaciones del cuerpo del Ejército del Norte durante la Intervención Francesa, sitio de Querétaro y noticias oficiales sobre la captura de Maximiliano, su proceso íntegro y su muerte* (1867); Francisco de Paula Arrangoiz: *México desde 1808 hasta 1867* (Madrid, 1871-1872); José Bravo Ugarte: *Historia de México* (t. III, 1962); Cámara de Diputados: *Los presidentes de México ante la nación* (t. V, 1966); Salvador Echavarría: estudio inédito (1973); Rafel de Zayas Enríquez: *Benito Juárez. Su vida. Su obra* (1906).

INUPEPE. *Maba veraecrucis* Stand. Arbolito de la familia de las ebenáceas que alcanza los 9 m de altura, de hojas alternas, estipuladas, de peciolo corto, elípticas u obovadas, agudas o acuminadas, de 6 a 9 cm de largo y de 2 a 4 de ancho. Las flores son blancas, pequeñas, unisexuales, axilares, trímeras, con el cáliz de 6 mm de longitud, trilobulado, densamente pubescente y persistente en la base del fruto, cuando éste madura; la corola es tubular o acampanulada. El fruto es globoso, comestible, verdoso, con seis semillas y de 1.5 a 2 cm de diámetro. Frecuente en las selvas bajas caducifolias de Veracruz, Oaxaca y Chiapas.

INVERSIÓN EXTRANJERA. El periodo 1950-1970 se caracterizó por una política de industrialización altamente protegida, basada en el apoyo de grupos de empresarios nacionales y de extensos sectores de la opinión pública. Paralelamente se fue eliminando la inversión privada extranjera de los sectores tradicionales, diferentes a los ya nacionalizados del petróleo, los servicios públicos, las comunicaciones y los transportes. Este proceso, llamado de mexicanización, consistió en la adquisición total, por parte del Estado, de empresas que estaban en manos de extranjeros, o en la entrada parcial a ellas de capital privado nacional. En 1960 el Estado adquirió dos grandes compañías eléctricas que se negaban a invertir en instalaciones de generación y que operaban como simples distribuidoras de la energía producida por la Comisión Federal de Electricidad. Poco más tarde, una nueva legislación obligó a las empresas mineras a vender el 51% de su capital a inversionistas mexicanos y el Estado anunció que sólo otorgaría nuevas concesiones a las empresas de ese ramo que tuvieran un 66% de capital nacional. Estos hechos evidenciaron la creciente y pacífica apropiación de la inversión extranjera en el sector tradicional, principalmente por parte del Estado, en nombre de la independencia nacional. Sin embargo, el capital norteamericano invertido en la industria manufacturera, creció de Dls. 274 millones en 1955, a 1 290 en 1968; y en el ramo del comercio, de 50 a Dls. 240 millones en el mismo periodo. Esto se debió, entre otros incentivos, al rápido crecimiento del mercado, a la estabilidad política y monetaria, a los altos niveles de protección y a un sistema impositivo sumamente liberal. Ocurrió así que la inversión extranjera directa dejó de ser la simple colocación de capital en un país con escasos recursos financieros y pasó a ser la transferencia global de capital, tecnología y

INVERSIÓN

INVERSIÓN EXTRANJERA DIRECTA Y SU PARTICIPACIÓN POR SECTORES ECONÓMICOS
(millones de dólares)

Sector	1987	1988	1989	1990	1991	1992[1]
Industria de la Transformación	15 698.50	16 718.50	17 700.80	18 893.80	20 220.10	21 085.50
porcentaje	75.00	69.41	66.58	62.34	54.17	50.50
Servicios	3 599.20	5 476.60	6 578.90	8 781.90	13 958.50	16 953.00
porcentaje	17.20	22.74	24.74	28.97	37.40	40.61
Comercio	1 255.40	1 502.20	1 888.50	2 059.80	2 496.10	3 047.10
porcentaje	6.00	6.24	7.10	6.80	6.69	7.30
Industria extractiva	355.60	380.50	390.00	484.00	515.00	521.40
porcentaje	1.70	1.58	1.47	1.60	1.38	1.25
Agropecuario	21.60	9.60	28.9	90.00	135	143.10
porcentaje	0.10	0.04	0.11	0.30	0.36	0.34
Total[2]	*20 930.30*	*24 087.40*	*26 587.1*	*30 309.50*	*37 324.70*	*41 750.10*
Porcentaje	*100.00*	*100.00*	*100.00*	*100.00*	*100.00*	*100.00*

[1]Cifras enero-julio. [2] Sólo incluye datos de registro y autorizaciones de la Comisión Nacional de Inversiones Extranjeras (CNIE) y del Registro Nacional de Inversiones Extranjeras (RNIE). No se incluye la inversión en el mercado de valores ya que no se dispone de su distribución por sectores económicos, aunque en 1991 y 1992 sí se incluyen 3450.2 y 5452.2 millones de dólares, respectivamente, por la reclasificación de inversión en el mercado de valores derivada de autorizaciones de la CNIE.
Fuente: Secretaría de Comercio y Fomento Industrial.

prácticas administrativas y de comercio. Ya no se dirigía a los sectores básicos o tradicionales (plantaciones, minería, energéticos, servicios públicos), sino que se orientaba a las ramas económicas más dinámicas, como las manufacturas y los servicios.

La Ley para Promover la Inversión Mexicana y Regular la Extranjera, publicada en el *Diario Oficial* el 9 de marzo de 1973, reservó a la competencia exclusiva del Estado seis sectores de la actividad productiva: explotación petrolera, petroquímica básica, electricidad, ferrocarriles, comunicaciones telegráficas y radiotelegráficas y explotación de minerales radiactivos; nueve sectores quedaron reservados para empresas con

FLUJO DE DIVISAS DE LA INVERSIÓN EXTRANJERA DIRECTA
(millones de dólares)

	Ingresos	Egresos	Saldo neto
1987	2 316	1 727	589
1988	1 296	1 644	-348
1989	3 226	1 446	1 780
1990	6 946	2 003	4 943
1991[1]	12 241	2 732	9 509
1992[2]	7 380	1 743	5 637

[1] Cifras preliminares. [2] Cifras al mes de julio.

Fuente: Banco de México.

capital íntegramente nacional: instituciones de crédito y organizaciones auxiliares, instituciones de seguros, instituciones de fianzas, sociedades de inversión, empresas de radio y televisión, transporte automotriz urbano y federal, distribución de gas, explotación forestal y transporte aéreo y marítimo. Finalmente, diecisiete ramos quedaron asignados a empresas con capital nacional mayoritario (51% como mínimo): piscicultura y pesca, plantas empacadoras de productos marinos, minería, petroquímica secundaria, química básica, industria hulera, siderurgia, cemento, vidrio, fertilizantes, celulosa, aluminio, conservación y empaque de productos alimenticios, edición de libros y revistas, producción y distribución de bebidas gaseosas, producción y exhibición de películas cinematográficas y publicidad y propaganda.

De 1970 a 1983, la inversión extranjera directa acumulada pasó de Dls. 3 714 a 11 470 millones, a una tasa media de crecimiento anual de 9%. En años de estancamiento o débil actividad nacional (1976-1977 y 1982-1983) la entrada de capital foráneo se elevó apenas en 6%, pero en las etapas expansivas (1980) alcanzó la marca del 23.7% anual, la mayor en varias décadas. La nueva inversión extranjera directa siguió en el periodo una tendencia ascendente, pero en el lapso 1979-1980 se incrementó en proporción superior al 100%. Este periodo coincidió con el auge de la actividad nacional previo a la crisis: en 1981 descendió a Dls. 1 701 millones y en 1982

INVERSIÓN

a 626 millones, para aumentar ligeramente a 683 millones en 1983. A partir de 1984, sin embargo, el crecimiento ha sido constante, y en 1985 y 1986 superior a la mayor cifra anterior, registrada en 1981. Durante la década 1974-1983, los empresarios foráneos más activos en México, el aumento porcentual de cuyas inversiones se indica entre paréntesis, fueron los españoles (2 000%), los japoneses (1 000%), los alemanes federales (500%) y los franceses (250%). Los italianos disminuyeron sus inversiones en casi un 50%.

A partir de 1988 el gobierno mexicano determinó que la inversión extranjera debía tener un papel más activo en economía del país, al introducir capitales frescos, nueva tecnología, nuevos mercados y empleos. En mayo de 1989 el gobierno eliminó barreras a la inversión, simplificó el proceso burocrático y amplió las oportunidades para los inversionistas del exterior. La antigua Ley para Fomentar la Inversión Mexicana y Regular la Inversión Extranjera, de 1973, dividía la actividad económica en cuatro categorías diferentes que sólo permitían que los inversionistas extranjeros poseyeran un máximo del 49% de una compañía. Las nuevas reglamentaciones incluyen directrices para la autorización automática hasta del 100% de propiedad extranjera en los sectores que no están específicamente limitados por la Ley.

Los nuevos proyectos con inversión extranjera mayoritaria ya no requieren autorización previa de la Comisión, cuando cumplen las siguientes condiciones: 1) un máximo de 100 millones de dólares invertidos en activos fijos; 2) que el financiamiento externo directo sea generado mediante suscripciones de capital, crédito exterior o fondos extranjeros, canalizados mediante instituciones financieras mexicanas; 3) que la inversión se efectúa en industrias ubicadas fuera de las tres zonas metropolitanas del país; 4) que la inversión cree empleos y capacitación y 5) que se proteja el medio ambiente.

Las nuevas reglamentaciones pretenden fomentar la inversión extranjera directa en compañías relacionadas con el comercio internacional. El único procedimiento necesario para autorizar la propiedad extranjera mayoritaria en las maquiladoras y en otras compañías orientadas a la exportación, es estar inscrito en el Registro Nacional de la Inversión Extranjera. Las nuevas reglamentaciones fomentan también la inversión extranjera en la Bolsa de Valores, mediante el establecimiento de fondos fiduciarios que la Comisión Nacional de Valores ha aprobado para que los inversionistas extranjeros obtengan beneficios de las empresas mexicanas. Por otro lado, el presidente Salinas de Gortari propuso al Congreso, en noviembre de 1989, modificaciones legislativas que permitan vincular diferentes mercados mediante la colocación de bonos mexicanos en el extranjero. Por lo tanto, los inversionistas extranjeros pueden tener acceso temporal a algunos sectores que estaban reservados a los mexicanos. Estos fideicomisos, que pueden tener una duración máxima de 20 años, permiten la inversión extranjera en compañías mexicanas que tienen un alto potencial de exportación o que tienen dificultades financieras. Los fondos fiduciarios pueden ser extendidos por periodos equivalentes. Uno de los primeros resultados de estas nuevas reglamentaciones es que México y España firmaron un acuerdo con el propósito de aumentar la inversión española en 4 000 millones de dólares, tanto en el sector del turismo como en el de las maquiladoras. Otros ejemplos importan-

INVERSIÓN EXTRANJERA DIRECTA ACUMULADA (millones de dólares)				
Año	Nueva	Variación (%)	Acumulada	Variación (%)
1970	200.7	—	3 714.4	—
1971	168.0	-16.3	3 882.4	4.5
1972	189.8	12.9	4 072.2	4.9
1973	287.3	51.3	4 359.5	7.1
1974	362.2	26.1	1 721.7	8.3
1975	295.0	18.6	5 016.7	6.2
1976	299.1	1.4	5 315.8	6.0
1977	327.1	9.4	5 642.9	6.2
1978	383.3	17.2	6 026.2	6.8
1979	810.0	111.3	6 836.2	13.4
1980	1 622.6	100.3	8 458.8	23.7
1981	1 701.1	4.8	10 159.9	20.1
1982	626.5	63.2	10 786.4	6.2
1983	683.7	9.1	11 470.1	6.3
1984	1 442.2	110.9	12 889.9	12.5
1985	1 871.0	29.7	14 628.9	13.4
1986	2 424.2	29.6	17 053.1	16.6
1987	3 877.2	59.9	20 930.3	22.7
1988	3 157.1	-18.6	24 087.4	15.1
1989	2 499.7	-21.4	26 587.1	10.4
1990	3 722.4	48.9	30 309.5	14.0
1991	7 015.2	88.4	37 324.7	23.1
1992 [1]	4 425.4	—	41 750.1	—

[1] Cifras enero-julio.
Fuente: Secretaría de Comercio y Fomento Industrial. Dirección General de Inversiones Extranjeras.

País	1996	1997 Ene.-ago.		Acum. 1994-1997 [2]	
		Valor	Part. %	Valor	Part. %
Estados Unidos	3 255.1	1 164.8	33.9	12 216.6	49.7
Reino Unido	55.9	1 717.2	50.0	2 552.5	10.4
Holanda	373.7	49.5	1.4	1 845.0	7.5
India	285.7	28.6	0.8	1 583.5	6.4
Canadá	474.5	40.1	1.2	1 403.2	5.7
Alemania	163.0	83.9	2.4	1 090.2	4.4
Japón	66.7	2.4	0.1	784.5	3.2
Antillas Holandesas	62.2	0.3	0.0	598.1	2.4
Islas Caimán	39.8	298.3	8.7	451.9	1.8
Suiza	72.8	3.5	0.1	330.2	1.3
Francia	67.0	3.7	0.1	271.8	1.1
España	43.7	-5.8	-0.2	223.8	0.9

INVERSIÓN EXTRANJERA DIRECTA POR PAÍS DE ORIGEN [1] (millones de dólares)

[1] Cifras notificadas al 31 de agosto de 1997.
[2] Del 1 de enero de 1994 al 31 de agosto de 1997.
Fuente: SECOFI. Dirección General de Inversión Extranjera.

tes de empresas conjuntas con extranjeros son la reestructuración de Mexicana de Aviación, en la que el Chase Manhattan Bank, entre otros inversionistas extranjeros, adquirió una participación importante en la Compañía; la apertura del sector petroquímico secundario a la inversión privada nacional y extranjera y un proyecto de conjunto de dos inversionistas extranjeros, Ericsson y General Electric, en el sector de telecomunicaciones. La entrada promedio anual de inversión extranjera es, ente 2 500 y 3 000 millones de dólares. La meta era atraer 5 000 millones de dólares al año para que en 1994 se hubiesen captado 25 000 millones de dólares, es decir, el doble de lo captado en el periodo 1982-1988 y más que la inversión extranjera total registrada en México durante los últimos 40 años. De alcanzarse esta meta, la inversión extranjera representaría entre el 20 y el 25% de la inversión total, en comparación con el 10% de principios de los años ochentas.

Durante 1989 se autorizaron proyectos por 2 500 millones de dólares. De dicho monto, 49% fue autorizado por la Comisión de Inversiones Extranjeras y 51% se incorporaron mediante autorización automática. En junio de 1990, el presidente Salinas visitó Japón y pactó proyectos que abarcan ramas de la industria manufacturera, de la construcción, la fabricación de transportes, la pesca y el procesamiento de alimentos. La inversión japonesa, a partir de estos proyectos, llegará a 3 200 millones de dólares.

Gracias a las modificaciones en las leyes sobre inversión extranjera, las asociaciones de empresarios mexicanos con estadunidenses resultarán negocios atractivos. En 1992 la Secretaría de Comercio y Fomento Industrial (Secofi) autorizó el registro de 30 986 marcas, lo cual significó un importante incremento de la presencia de las firmas de Estados Unidos en el país, que en su mayoría trabajan bajo el concepto de franquicia. Para finales de 1992 existían aproximadamente 4 100 establecimientos franquiciados, un incremento del 37% respecto a 1991. Los países a los que pertenecen las franquicias que operan en México son: Estados Unidos con el 49%, México con el 46%; Francia con el 2% y España con el 1%.

INVERTEBRADOS. Esta clasificación del reino animal fue empleada por Aristóteles, quien dividió la fauna en dos grandes grupos: los *enaima* (animales con sangre), que equivale al concepto moderno de vertebrados; y los *anaima* (animales sin sangre), que se refiere a los invertebrados. Este error de clasificación prevaleció por más de 2 mil años. A principios del siglo XIX Lamarck usó esos vocablos, y secundado Cuvier hizo la correcta distinción entre ambos, basándose en las diferencias fundamentales de las estructuras del cuerpo. Los invertebrados no tienen una forma especial o una estructura específica; sólo carecen de columna vertebral y aunque no representan en sí un grupo natural, sino más bien una división artificial, se les puede definir como el conjunto de individuos que agrupa a los 28 *phyla* diferentes (acaso más) que, presentando muchas variantes básicas, tienen una sola estructura general. Comprenden poco más del 97% del reino animal, o sea más de 1 millón de especies de las cuales 685 mil han sido agrupadas en la clase de los insectos. Muchos son radialmente simétricos, no tienen cabeza y su sistema nervioso se halla representado por un anillo de tejido nervioso que los rodea. Más numerosos son los que tienen simetría bilateral y un sistema de nervios representado por una serie de ganglios y cordones que recorren el cuerpo a lo largo de la línea media ventral. En los que tienen cabeza, ella aloja al cerebro o ganglio cerebroide, donde se concentran los órganos de los sentidos, que en algunos sólo consta de unas cuantas células que coordinan los movimientos musculares y rigen el instinto que domina la conducta. Son de sangre fría, o sea que carecen de mecanismo regulador de la temperatura interna del cuerpo; se adaptan a la del medio externo; viven activamente y se reproducen cuando ésta es moderadamente alta, pero cuando es baja entran en vida latente o se enquistan. En las regiones tropicales, donde los cambios de estación no son tan notables y prevalece un clima casi constante, su actividad se acrecienta, al igual que en los océanos, donde las grandes masas de agua actúan como reguladores térmicos.

De vertebrados existen 55 mil especies. Son tan similares las cinco clases en que se dividen (peces, anfibios, reptiles, aves y mamíferos) que muchos zoólogos las reúnen en un grupo más grande, el *phylum* Chordata, que también incluye otros tres pequeños *phyla* de protocordados constituidos según el mismo plan estructural, pero carentes de vértebras y de otros huesos internos. Por el contrario, en los invertebrados se incluyen grupos tan diferentes unos de otros, que los científicos difieren respecto de su número: para unos son 21 y para otros 26, 28 y aún más. En virtud de esta diversidad, se acostumbra ordenarlos siguiendo los varios tipos fundamentales de cuerpos, pues la mayoría de los grupos actuales ya aparecen como fósiles desde el precámbrico, hace aproximadamente 2 mil millones de años, y aunque han ido cambiando al correr del tiempo, por adaptación a las condiciones ambientales que han prevalecido en las eras geológicas, persisten sus características básicas.

El primer tipo es el de aquellos organismos que tienen una sola célula, ejemplificados por los protozoarios (Protozoa, del griego *protos*, primero, y *zoon*, animal). Son los primigenios, los que se supone aparecieron primero en los mares originales. Presentan la distribución y orden que tienen las células de los animales multicelulares, así como una serie de estructuras citoplásmicas especializadas que corresponden a los órganos y sistemas que se hallan en los seres superiores. Entre los multicelulares, llamados metazoarios (Metazoa, del griego *meta*, después, y *zoon*, animal), hay una gran variedad de tipos, desde los más sencillos –los formados por simples agregados de células– hasta los más complejos, de modo que han sido divididos en tres grandes grupos: los Mesozoa (mesozoarios),

los Parazoa (esponjas) y los Eumetazoa (eumetazoarios). Los primeros, todos parásitos, constan de una sola capa de células somáticas ciliadas que rodea una o más células reproductoras; los segundos están constituidos por dos capas de células, aparentemente sin orden, que no forman verdaderos tejidos y que rodean una cámara central (esponjocelo) de circulación de agua; y los terceros tienen dos o tres capas de células ordenadas que empiezan a formar tejidos y que envuelven una cavidad digestiva central. Entre las capas de células se encuentra la sustancia llamada mesoglea. Los mesozoarios, los parazoarios y los dos primeros grupos o *phyla* de eumetazoarios (celenterados y ctenóforos) se consideran formados por dos capas de células y se conocen como diploblásticos. Al resto de los eumetazoarios, constituidos por tres capas de células, se les llama triploblásticos. A las esponjas, los celenterados y los ctenóforos se les conoce también como radiados (Radiata) porque presentan una simetría radial típica.

El tercer tipo fundamental, según la organización del cuerpo, corresponde a los triploblásticos de tres capas celulares y simetría bilateral típica. Se distinguen tres categorías: los acelomados (platelmintos y nemertinos), que tienen las tres capas, pero carecen de una cavidad en la de en medio; los pseudocelomados (acantocéfalos, rotíferos, nemátodos, nematomorfos, gastrotricos, kinorincos y entoproctos), que tienen las tres capas celulares y presentan una cavidad entre la media y la interna (pseudoceloma), y los celomados, que presentan una cavidad (celoma) en la capa media, divididos en dos subtipos: protostomados (priapúlidos, sipuncúlidos, equiúridos, ectoproctos, foronídeos, braquiópodos, moluscos, anélidos, pogonóforos y artrópodos), si la boca se origina a partir del blastoporo; y deuterostomados (quetognatos, equinodermos, hemicordados y cordados), si del blastoporo se origina el ano. A partir de estos tipos de organización del cuerpo, en 1961 Ralph Buchsbaum enlistó 28 *phyla*.

INVIERNO. *Dahlia excelsa* Benth. igual que *D. arborea* Hort. Planta arbustiva o arborescente, de la familia de las compuestas, hasta de 7 m de altura, con tallo poco ramificado, leñoso y glauco; de hojas opuestas bipinnadas, hasta de 75 cm de largo y anchura semejante, con pinnuelas más numerosas hacia la parte terminal, cortas, ovales, acuminadas, dentadas, casi lisas y más o menos contraídas en la base. Las flores son vistosas, cabizbajas, agrupadas en cabezuelas de 10 a 12 cm de diámetro, con ocho rayos extendidos y aplanados, purpúreos rosados o lilas y caedizos cuando marchitos. En la base de las cabezuelas se presenta un involucro anchamente acampanado con las brácteas exteriores cortas y foliáceas, en tanto que las interiores son biseriadas, más largas y membranosas en el margen; el receptáculo es plano, con pajitas también planas o cóncavas, sobre el cual se alojan las flores, tubulosas en el centro de la cabezuela y liguladas o en forma de lengüeta en la periferia. Los frutos son aquenios oblongos comprimidos dorsalmente, sin vilano –penacho de pelos o cerdas– o con sólo dos pequeños dientes. Se propaga mediante sus raíces tuberosas. Para lograr nuevos ejemplares es necesario el uso de semillas. Se le halla silvestre en algunas regiones del país, principalmente en Chiapas, según Maximino Martínez y Faustino Miranda; generalmente puede verse cultivada de ornato, en cercados y jardines del valle de México y en Michoacán. Se le conoce también como *dalia* y *Santa Catarina*.

IÑAME. *Dioscorea alata* L. Bejuco de la familia de las dioscoreáceas, con camote o tallos subterráneos de configuración variable, según la forma de cultivo, pero con frecuencia divididos como si fueran dedos, de superficie parda y peso que alcanza los 10 kg. Los camotes producen bulbillos axilares que facilitan la propagación vegetativa. Los tallos son aéreos, alados y volubles; las hojas, generalmente orbiculares-cordadas, en ocasiones muy grandes, acuminadas y lisas; las flores, verdosas, pequeñas, unisexuales y agrupadas en racimos o espigas; y el fruto, una cápsula trialada con tres valvas. La planta, probablemente nativa de Asia, se ha naturalizado en el país; se le cultiva en tierras calientes y húmedas del sureste, por sus camotes comestibles y la harina que de ellos se obtiene. Se le conoce también como *ñame* o *yame* –Chiapas–, e *igname* y *nangate* –Oaxaca–.

ÍÑIGO, ALEJANDRO. Nació en México, D.F., en 1937. Dedicado al periodismo a partir de 1954, fue jefe de redacción del diario *Excélsior*. Ha publicado las novelas: *La revolución invisible*, *Villa Cariño*, *Emiliano* y *Los precaristas*.

ÍÑIGO RUIZ, MANUEL. Nació y murió en el estado de Sonora (fines del siglo XVIII-1855). En 1830, radicado en Guaymas, fundó la empresa Manuel Íñigo y Cía., y en 1839, en el poblado de Los Ángeles, la primera fábrica de hilados y tejidos de Sonora, que perduró hasta entrada la década de los cuarentas, cuando la maquinaria fue trasladada a Guadalajara, Jal. De 1842 a 1844 participó en el movimiento armado en contra del gobierno estatal del general José Urrea.

ÍÑIGUEZ, DALIA. Nació en La Habana, Cuba, en 1911. Se radicó en México en 1944. Actriz, ha participado en las películas: *La vorágine*, *Escuela para casadas*, *Quinto patio*, *El ropavejero*, *El ángel caído* y *Cita con la muerte*. Es autora de *Ofrenda al hijo soñado* e *Itinerario de Ausencia*. Murió en 1995.

ÍÑIGUEZ, XAVIER. Nació en Vista Hermosa, Mich., en 1933; murió en México, D.F., en 1979. Estudió en la Escuela Nacional de Artes Plásticas, y en 1955 ingresó al Taller de Gráfica Popular (TGP). Pintor y grabador, ilustró periódicos, folletos y libros e hizo carteles; realizó la contraportada del álbum *450 años de lucha. Homenaje al pueblo mexicano* editado por el TGP; enseñó materias de su especialidad en las escuelas de Pintura y Escultura La Esmeralda y en la de Artes Plásticas del Instituto Nacional de Bellas Artes (INBA) de Cuernavaca, dirigió la del INBA en San Luis Potosí y el Centro Infantil de Actividades Creadoras en la ciudad de México. Se apoyó en el realismo para comunicar ideas; por ello perteneció a la escuela mexicana de pintura.

IPALNEMOHUANI. (Al que todos deben su vida.) Dios creador, supremo, en la mitología nahua. La denominación se aplicaba en general y en sentido abstracto al Sol, al agua, al aire y a los elementos vitales del universo.

IPECACUANA. En el país se da este nombre principalmente a la *Hybanthus polygalaefolius* Vent. (igual que *Ionidium polygalaefolium* Vent.) –ipecacuana del país–, pero también se aplica a las rubiáceas *Psychotria mexicana* Willd. y *P. excelsa* H.B.K., en Veracruz –ipecacuana de Jalapa–, y a la *Richardsonia pilosa* H.B.K. en Oaxaca –ipecacuana blanca–, además de *Cephaelis ipecacuanha* (Stores)

Baill., –*ipecacuana del Brasil*–, cultivada en muchas regiones calientes y húmedas del mundo porque de ella se extrae la emetina, alcaloide que se utiliza como medicamento específico en el tratamiento de la disentería amibiana. *H. polygalaefolius* es una planta herbácea de tallos delgados y lisos; hojas opuestas, enteras, sésiles o subsésiles, oblongas o espatuladas y de 2 a 3 cm de longitud por 5 mm de ancho; flores solitarias, axilares, de simetría bilateral, pequeñas y cabizbajas con cinco sépalos, sin apéndices basales y otros tantos pétalos, uno de ellos de mayor tamaño; y fruto capsular, globoso y pedicelado. Se desarrolla en el valle de México y aún no ha sido cultivado, no obstante que las raíces contienen emetina y según experiencias químicas y farmacodinámicas puede suplir muy bien a la *ipecacuana del Brasil.*

IPIÑA, OCTAVIANO C. Nació en San Luis Potosí, S.L.P., en 1908. Escritor e historiador, es autor de varias obras de tema regional: *Historia de los bledos, Monografía del estado de San Luis Potosí, 200 haciendas potosinas, El Real de Catorce, La fantástica cuenca del río Verde, El capitán Fuenmayor y los chichimecas, Guía arqueológica del tunal grande* y varias otras que no se han publicado. Descendiente de una familia que llegó a poseer 17 haciendas, su biblioteca y sus archivos privados son probablemente los más completos e importantes para reconstruir la vida en las haciendas potosinas del siglo XIX.

IPIÑA, TOMÁS. Nació en el castillo de Elejabeitia y murió en Bilbao, ambos de España (1844-1918). En 1863 ingresó a la Compañía de Jesús; de 1871 a 1875 realizó estudios superiores en Francia, Cuba y Estados Unidos; de 1886 a 1887 sirvió como rector del Colegio de Belem, en La Habana, y hasta 1890, fue catedrático y rector del Colegio de Deusto. De 1901 a 1907, fue superior de su Orden en la provincia de México y de este último año hasta 1913, provincial de la misma. Durante su gestión aumentó el número de miembros de la Orden de 27 a 361, fundó colegios en Guadalajara y en Tepotzotlán, y residencias en aquella ciudad, en León, en Mérida y en los estados de Durango, Chiapas y Chihuahua, así como el de la Sagrada Familia en la capital de la República. Dejó inconclusa la construcción del noviciado de Pátzcuaro y del Colegio Jesuita

en la capital de Guanajuato. En el año de 1913 regresó a España.

IRAGORRI, JUAN FRANCISCO. Nació en Sierra de Pinos, Nueva Galicia, en 1728; murió en Castel Madama, cerca de Roma, en 1783. Vistió la sotana en 1751. Enseñó gramática latina en el colegio de la Compañía en Zacatecas, y filosofía en Puebla, donde fue rector del Colegio de San Gerónimo por corto tiempo. Asimismo, por algunos meses, maestro de los hijos del virrey marqués de Cruillas. Era ministro de la Casa Profesa al tiempo del decreto de expulsión de los jesuitas (1767), y quedó en la capital algunos meses para dar cuenta a los comisarios reales. Fue procurador de los jesuitas mexicanos exiliados en Italia y radicados en Bolonia. Escribió *Vocabulario y diálogos mexicanos*, que permanece inédito.

IRÁN, REPÚBLICA ISLÁMICA DE. País situado en el sureste de Asia, tiene una superficie de 1 648 000 km^2 y limita al norte con la Unión Soviética y el mar Caspio, al este con Afganistán y Pakistán, al sur con el golfo de Omán y el golfo Pérsico, y al oeste con Iraq y Turquía. La capital, Teherán, tiene unos 5 millones de habitantes y todo el país más de 40. El idioma oficial es el farsi, aunque un tercio de la población pertenece a etnias que hablan sus propias lenguas. La mayoría de la población es musulmana chiita. La moneda del país es el rial. El país tiene una historia muy antigua y fue de las primeras regiones donde se expandió el Islam. Por su posición estratégica y luego por su riqueza petrolera, las potencias se interesaron en esa zona desde el siglo XIX. El movimiento constitucionalista iniciado a principios del siglo XX, desembocó a mediados de la década de los veintes en el ascenso de una familia de militares que fundó la dinastía Pahlevi, que gobernó al país hasta 1978 en forma autocrática y desarrollista, financiada por la renta petrolera. La nacionalización del petróleo, realizada por el grupo nacionalista encabezado por Mossadegh en 1951, recibió un entusiasta apoyo del gobierno y el pueblo mexicanos. A partir de 1979, expulsada la dinastía Pahlevi, se formó en Irán un gobierno revolucionario, fundamentalista islámico chiita, que gobierna hasta la fecha. El país mantiene desde 1980 una guerra con su vecino Iraq, en cuyos orígenes se mezclan disputas

IMSS. En estas imágenes se pueden apreciar diversas instalaciones hospitalarias del Instituto Mexicano del Seguro Social. Arriba a la izquierda, el Hospital de Gineco-Obstetricia en Monterrey, Nuevo León; arriba a la derecha, el Centro Médico La Raza, en México, D.F. Al centro, a la izquierda, el Centro Médico Nacional, luego Centro Médico Siglo XXI. Al centro, a la derecha, Escuela de Enfermería. Abajo, dos vistas del Hospital General, ubicado en la Ciudad de México.

INTERVENCIÓN. La imagen muestra una escena del sitio de Puebla, por el ejército francés en 1863. Tras la derrota del conde de Lorencez, en 1862, ante Ignacio Zaragoza, el ejército de intervención organizó un sitio en toda regla. Después de 61 días de asedio, el general González Ortega y su tropa, inutilizaron sus armas y se rindieron a los invasores.

INTERVENCIÓN. Aquí aparece la comisión que ofrece el trono de México a Maximiliano de Habsburgo. Para persuadir a Maximiliano de que estaba siendo llamado a ocupar el trono por la mayoría de los mexicanos, el general Bazaine entró en conflicto con los militares conservadores y con la Iglesia: con los primeros, al ordenarles que se pusieran bajo las órdenes de los oficiales franceses, y con la segunda, queriendo imponer el programa liberal napoleónico sobre los bienes de la Iglesia.

IRAPUATO. En la ilustración aparece una vista panorámica de la ciudad de Irapuato, en el estado de Guanajuato. Entre sus atractivos turísticos se encuentran la parroquia y el hospital, que datan del siglo XVIII; la zona arqueológica Los Edificios, y el Balneario de Abasolo.

IRRIGACIÓN. En la aparece la Presa Nezahualcóyotl, localizada en el estado de Chiapas, sobre el río Grijalva. Esta presa es para irrigación agrícola. El aprovechamiento del agua para fines de riego constituye una labor vital para el desarrollo de la agricultura nacional. En 1944, la Comisión Nacional de Irrigación dividió al país en cuatro zonas, a fin de conocer las necesidades de agua en cada una de ellas y proponer soluciones.

ISABEL LA CATÓLICA. También conocida como Isabel de Castilla, proporcionó apoyo a Cristóbal Colón para la expedición que llevó al marinero genovés a descubrir América.

JOSÉ DE ITURRIGARAY Y ARIÓSTEGUI. Fue el 56º virrey de la Nueva España. Durante su administración se dio el primer intento por formar un gobierno independiente de España.

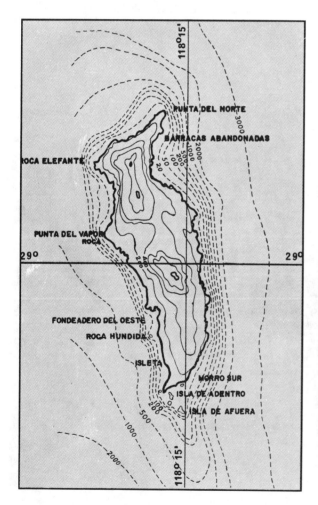

ISLAS. En la gráfica se muestra la Isla de Guadalupe, que forma parte del territorio nacional. México tiene propiedad de las islas que se ubiquen en las 200 millas de mar patrimonial, de acuerdo con el Artículo 42 Constitucional.

AGUSTÍN DE ITURBIDE. Durante la Independencia, luchó contra Morelos y derrotó a Rayón. Se unió a Guerrero y ambos firmaron el Plan de Iguala para independizar al país. Se hizo emperador de México, durante un periodo de 10 meses.

ITZAMNÁ. En la ilustración aparece, en el *Códice Dresde*, el dios Itzamná. Era una divinidad benévola, señor de los cielos, del día y de la noche.

ITZCÓATL. ("Serpiente armada de pedernales"). Cuarto señor de los aztecas, sucedió a Chimalpopoca en 1427. Acabó con el dominio de Azcapotzalco y formó la Triple Alianza.

ITZCUINTLI. Este es el nombre con el cual los antiguos mexicanos llamaban a una raza del *Canis familiaris* (en la foto). El perro fue animal doméstico, alimento y ser vinculado a lo religioso en las culturas prehispánicas.

ITZPAPÁLOTL. En la fotografía se aprecia a Itzpapálotl ("mariposa de obsidiana"), según el *Códice Borbónico*. Itzpapalotl es la diosa de la antigua ciudad chichimeca de Cuauhtitlán, y es la deidad de las mujeres muertas al dar a luz.

IXTÉPETE. En las fotografías aparecen dos representaciones de este centro ceremonial, ubicado en el municipio de Zapopan, cerca de la ciudad de Guadalajara, Jalisco. El Ixtépete comenzó a ser explorado en 1954. Constituye un valioso ejemplo de la cultura teotihuacana, en virtud de sus taludes y tableros enmarcados por cornisas y escaleras superpuestas, una de ellas de 12 metros de ancho.

IXTLÁN. En las fotografías se puede observar la zona arqueológica de Ixtlán, localizada en el estado de Nayarit. Es un centro ceremonial que pertenece al horizonte tolteca o posclásico. Sin embargo, también tiene ciertos detalles que pertenecen al periodo clásico o teotihuacano. Posee un altar ceremonial en el centro, con cuatro escalerillas de acceso que, según los expertos, pudieron sostener las estatuillas de los chac-mools.

MARÍA IZQUIERDO. En la ilustración se aprecia un autorretrato de María Izquierdo, la primera pintora mexicana que expuso en Estados Unidos, en 1930.

IZTACCÍHUATL. Volcán que se encuentra en el oriente del valle de México y cuyo nombre significa, en náhuatl, "Mujer Blanca". Se formó en la época terciaria.

JACAL. En las fotografías se puede apreciar tanto el exterior como el interior de la estructura de un jacal. Se trata de una choza primitiva que se sigue construyendo de la misma forma en nuestros días que en la época prehispánica. Puede decirse que, aún hoy, es la casa campesina por definición en muchos lugares de la República.

JAINA. En las fotografías se pueden observar tres figurillas de Jaina, que es una isla situada frente a la costa oriental del estado de Campeche. Era utilizada como cementerio y adoratorio de los antiguos mayas. Su historia se remonta al año de 652. Por su calidad plástica y su estado de conservación, las figurillas son célebres dentro de la arqueología mesoamericana.

JALAPA. La fotografía muestra la ciudad de Jalapa (o Xalapa), capital de Veracruz, a principios del siglo XIX. Fue asentamiento prehispánico desde el siglo XII de nuestra era y, en la época colonial, sede comercial de los españoles.

JACOBINO. En la foto se aprecian unos jacobinos de cuello blanco. Pertenecen a la familia *Trochilidae* y se trata de la única especie del colibríes que presentan la cola totalmente blanca. Viven en los bosques húmedos de Oaxaca, Chiapas y Veracruz.

fronterizas, problemas étnicos, competencias de poder regional y diferencias ideológico-religiosas.

Los primeros contactos diplomáticos entre Irán y México se produjeron en 1936 cuando la legación iraní en Argentina propuso a la de México la celebración de un tratado de amistad entre ambos países, el cual fue firmado en Buenos Aires el 24 de marzo de 1937; el Senado mexicano lo aprobó el 22 de septiembre siguiente. Sin embargo, el instrumento de certificación nunca fue canjeado, no obstante que el Artículo 2° señalaba la obligación para ambos países de establecer las relaciones diplomáticas. El 15 de octubre de 1964, nuevamente por iniciativa iraní, ambos gobiernos decidieron formalizar sus relaciones diplomáticas. El 21 de julio de 1975 se firmaron en Teherán dos convenios de cooperación entre ambos gobiernos, uno en materia científica y tecnológica, y otro de carácter cultural; y el 26 de junio de 1976, un acuerdo de cooperación entre la compañía petrolera de Irán, Pemex y el Instituto Mexicano del Petróleo, sobre adiestramiento de personal, proyectos de investigación, ingeniería de procesos y proyectos, empresas conjuntas y petroquímica. El 27 de junio de 1977, el secretario de Hacienda mexicano inauguró la II Reunión de la Comisión Económica Conjunta México-Irán, con la presencia de altos funcionarios de ambos países. El 29 de junio del mismo año México e Irán firmaron un protocolo en el que se establecía

el compromiso de ambos países para realizar inversiones por más de mil millones de dólares en proyectos de minería, petroquímica, pesca, agricultura y ganadería. Para esas fechas existía un pequeño flujo comercial entre ambos países. La inestabilidad en Irán, producto de la Revolución y de la guerra con Iraq, quebrantó las relaciones con México, quien decidió cerrar temporalmente su embajada en Teherán por motivos de seguridad.

IRAPUATO, GTO. (Del tarasco *Xiriquitzio*, *Xiriquato* o *Iraquato*: lugar en el pantano, o lugar de casas bajas o sumidas.) Efectivamente, la población colonial –que se asentó sobre una aldea tarasca u otomí– se encuentra en una depresión del terreno, rodeada de ríos. Los españoles interpretaron las voces indígenas como *Jiricuicho* o *Iricuato*; prevaleció esta última y con el paso del tiempo se convirtió en Irapuato. La fundación colonial se debe a Nicolás de San Luis Montañez, indio cacique ya españolizado que participó también en la conquista y fundación de Querétaro, Apaseo y Acámbaro. Autorizado por Carlos V, el 15 de febrero de 1547, dio posesión de la tierra a Francisco Hernández, Francisco Sixtos, Andrés y Antonio López y Esteban Gamiño, y puso a la localidad el nombre de Congregación San Marcos Iriquato, la cual quedó comprendida en el extenso obispado de Michoacán, regido entonces por Vasco de Quiroga. Al parecer, no hubo acontecimientos de resonancia durante la época novohispana. Sin embargo, son testimonio de la creciente prosperidad económica y social del lugar, los monumentos eclesiásticos que se conservan. Gracias a la fertilidad del suelo y a su localización geográfica, Irapuato se convirtió en proveedor de las ciudades mineras cercanas y tuvo así un intenso tráfico comercial. En el siglo XVIII se reconstruyeron varios de sus edificios y se erigieron otros. En 1826 era villa y el título de ciudad se le otorgó en 1893. En los primeros tiempos de la Guerra de Independencia, fue cuartel general de las fuerzas al mando de Miguel Hidalgo. Ahí se unieron a la causa insurgente numerosos voluntarios. Después fue ocupada por los jefes realistas García Conde, Iturbide y Orrantia, pero una vez consumada la Independencia continuó su desarrollo. Estimularon su progreso, a fines del siglo XIX, el paso de la vía del ferrocarril México-Ciudad Juárez, y la

construcción del ramal Irapuato-Guadalajara, más tarde prolongado a Colima y Manzanillo. Sus tierras son de riego, gracias a las obras del alto Lerma. Se cultivan maíz, trigo, frijol, garbanzo y fresa. Ésta alcanza su mayor producción en los meses de marzo a junio, antes de las lluvias. Un mismo plantío, sin necesidad de resembrar, puede conservarse tres o cuatro años, y aun es posible cambiar las matas a otro terreno. Muchas industrias han florecido en mayor o menor grado en esta ciudad: la fabricación de carros y coches, que se acabó con la aparición del automóvil; el curtido de pieles, de vieja tradición; y la elaboración de jabones, calzado, cerillos, cigarros y artefactos de hierro. En los alrededores prospera también la crianza del ganado porcino y vacuno. La irregular traza colonial de la ciudad –de "plato roto"– fue producto de un crecimiento espontáneo. Este urbanismo pintoresco, de recia arquitectura barroca, se ha perdido en buena parte. Se conservan los siguientes monumentos:

La parroquia. Sobre un amplio imafronte encalado destaca la portada de cantera gris tallada. La obra, de mediados del siglo XVIII, consta de dos cuerpos y un remate, el cual no sobresale del paño de la fachada. Altos pedestales dan apoyo a las columnas tritóstilas y estriadas que sostienen el primer registro, donde se abre el arco de medio punto que da entrada al templo. Del entablamento medianero, moldurado y con friso, parten los zócalos y las columnas tritóstilas entorchadas del segundo cuerpo, o sea cubiertas con grandes hojas parecidas a las del acanto, que se enredan sobre el fuste, en ritmo helicoidal, como si fueran guías trepadoras. En este nivel se abre la ventana rectangular que ilumina el coro. El remate, del ancho de la calle central, tiene apoyos del mismo género que los anteriores, a uno y otro lado de la imagen de la Purísima Concepción. En los nichos del primer cuerpo se colocaron santos apóstoles; en los del segundo nivel, arcángeles; y sobre la cornisa, otra imagen mariana flanqueada por dos ángeles. Todas las superficies de la portada están ricamente cubiertas por relieves de fino diseño. Hay algunos con ritmos y formas geométricas, pero los más notables son los de formas vegetales, de suaves movimientos ondulantes, tallados con un excelente oficio. La torre es muy esbelta; consta de dos cuerpos y un cupulín de media naranja. El primer cuerpo, de cantera gris, está ornamentado con predominio de guardamalletas; se identifican dos campanarios con arcos de medio punto en cada una de las cuatro caras y remata con movido cornisamiento. El segundo cuerpo es de mampostería y continúa los lineamientos generales del primero. El templo presenta una cúpula peraltada dividida en gajos. Al pie de la torre se abre una ventana que luce un marco ricamente ornamentado con relieves tallados.

Colegio de la Enseñaza e iglesia de la Soledad. Gracias a las donaciones del clérigo Ramón Barreto de Tábora, en 1804 empezó a funcionar el Colegio de la Enseñanza, cuyo magisterio se confió a las religiosas de la Compañía de María, especializadas en la enseñanza de jóvenes y niñas. El edificio fue diseñado por el arquitecto Esteban González, egresado de la Academia de San Carlos, quien tuvo que ajustarse a las dimensiones de un terreno anexo a la iglesia barroca de La Soledad, la cual serviría de capilla al Colegio. El patio o claustro original es actualmente el Palacio Municipal y constituye un magnífico ejemplo del estilo neoclásico. Altos y sencillos pilares de sección cuadrangular sostienen arcos de medio punto. Frente a la entrada principal se encuentra una escalera que pone de manifiesto la intención de construir un segundo nivel. La portada del templo de La Soledad quedó semioculta y sólo pueden verse de ella algunos elementos: el óculo mixtilíneo del coro; el nicho del remate, con pilastras estípite, que alberga una imagen de Nuestra Señora de la Soledad, y el cornisamiento con cinco figuras de arcángeles. La torre de la iglesia es la más barroca y bella de la población; tiene dos cuerpos de sección ochavada, campanarios con arcos mixtilíneos, cornisamientos sumamente moldurados y salientes, y pilastras cajeadas en el primer nivel y muy singulares en el segundo, que producen un intenso claroscuro. La completan un tercer cuerpo y un capitel con remates piramidales.

Templo de San José. La portada luce cuatro recias pilastras estípite, entre las cuales hay nichos con grandes doseles y cortinajes colgantes. La puerta principal es de medio punto y la ventana coral rectangular y poco ornamentada. El remate se eleva a modo de pináculo, enmarcado por un cornisamiento ondulante. Ahí destaca, como motivo central, un Jesús crucificado, bajo un dosel, acompañado de dos figuras que parecen ser la Virgen y San Juan Evangelista.

El Hospital. Este templo está dedicado a Nuestra Señora de la Misericordia. Lleva la siguiente inscripción: "lo entalló Crispiín Lorenzo A D 1733". La portada, resuelta en dos cuerpos y un remate, y tres calles en sentido vertical, presenta basamentos y columnas salomónicas revestidos de follajería y racimos de vid. Los nichos, ahora vacíos, están enmarcados por pilastrillas recubiertas totalmente por un enjambre de guías. El medio punto del remate, limitado por una moldura ondulante, tiene en el centro la imagen de la Virgen, bajo un lujoso dosel y sobre una rica peana bulbosa. Rodean al nicho nubes y a uno y otro lado aparecen el Sol y la Luna de gran tamaño. La composición culmina en una graciosa figura de San Miguel Arcángel, de pie sobre el demonio. La torre es sobria y elegante; consta de dos campanarios y remata con un cupulín semiesférico, recubierto de azulejos.

San Francisco y la Tercera Orden. En la fachada del templo de San Francisco, obra del siglo XVIII, se abandonó el modelo de cuadrícula y se adoptó una composición más dinámica. La calle central no está dividida por ningún entablamento, sino que se prolonga a lo largo de los dos cuerpos, sin que los ejes verticales correspondan a los dos niveles. A partir del segundo cuerpo se dibuja sobre el imafronte un perfil mixtilíneo que se va angostando a medida que se eleva, para terminar en un medio punto de perfil muy quebrado. La puerta va flanqueada por pares de sencillas pilastras estriadas, con capiteles compuestos por varias molduraciones. Entre las pilastras hay nichos con imágenes. De la parte inferior de cada nicho bajan guardamalletas dobles. Al centro del segundo cuerpo se abre la ventana del coro, de cuyo alféizar parece colgar una gran guardamalleta que llega a tocar la clave del arco de acceso. En la superficie de este elemento resalta la representación esquemática de las cinco llagas de San Francisco. El remate está formado por sencillas pilastrillas, en medio de las cuales hay un medallón con las armas de Cristo, otro de los emblemas distintivos de la comunidad franciscana. De la cúspide de esta sección desciende otra gruesa guardamalleta. El interés que ofrece esta portada estriba en su carácter geometricista, la pureza de sus líneas y el volumen de sus formas. Se trata de una modalidad del barroco que floreció hacia fines del siglo XVIII.

La capilla del Tercer Orden tiene una portada que tampoco sigue el modelo tradicional. Consta de un solo cuerpo muy ornamentado y vigoroso, y de un sencillo remate geometricista. El vano de acceso, de medio punto, va flanqueado por pares de pilastras que combinan libremente elementos geométricos y vegetales en sus tres secciones. Los capiteles son también creaciones muy particulares. El remate está limitado por sencillas pilastras cajeadas y tiene una cornisa mixtilínea. Preside el conjunto, sobre la ventana del coro, una cruz de Jerusalén. En la torre, muy sencilla, lucen las líneas y los volúmenes del diseño; la remata un alto cupulín con tambor ochavado, nervaduras y linternilla muy esbelta. (*E.V.L.*).

IRAQ. República del suroeste de Asia. Tiene una superficie de 434 924 km^2 y una población de 15 millones de habitantes, de los cuales una cuarta parte vive en Bagdad, la capital. Limita al norte con Turquía, al este con Irán, al sureste con Kuwait, al sur con Arabia Saudita y al oeste con Jordania y Siria. El idioma oficial es el árabe. Las minorías kurdas, turcas e iranias hablan sus propias lenguas. La mayoría de la población es musulmana, un poco más del 50% de ellos son sunnitas y el resto chiitas. La moneda del país es el dinar. Después del florecimiento de las antiguas culturas en Mesopotamia, la corriente cultural más importante que recibió el país fue la de los árabes, a partir del siglo VII. Posteriormente Iraq fue dominado por el imperio otomano hasta principios del siglo XX, cuando el país fue sometido a la influencia inglesa. La Independencia fue proclamada en 1932, y el 14 de julio de 1958 se estableció la República. Desde 1968 el país ha sido gobernado por el Partido Baath, panárabe y socialista. Iraq ha jugado un importante papel en la Organización de Países Exportadores de Petróleo (OPEP). El problema más grave que enfrenta es el de la guerra con su vecino Irán, desde 1980. Una pequeñísima porción de costa sobre el golfo Pérsico le permite mantener contacto con el mundo externo a través del puerto de Bassora, sobre el curso ya unido de los históricos ríos Tigris y Éufrates. Iraq obtiene el 50% de sus ingresos fiscales y el 80% de sus divisas de la exportación de petróleo, el cual envía a Japón y a los países de Europa Occidental. Cuentan también en su comercio exterior algunos productos agrícolas de clima desértico: dátiles, pasas, higos secos, nueces y aceitunas.

El 29 de noviembre de 1949 la legación de Líbano en México comunicó a la Secretaría de Relaciones Exteriores que se hacía cargo de los asuntos de Iraq. En respuesta, el gobierno mexicano declaró que tal resolución no tenía validez jurídica porque hasta ese momento no existían contactos oficiales con Iraq. El 26 de septiembre de 1950 se dio a conocer el acuerdo para establecer relaciones diplomáticas con el Reino de Iraq. Un año más tarde, México designó enviado extraordinario y ministro plenipotenciario a Antonio Méndez Fernández, con residencia en Beirut. Sin embargo, Iraq no acreditó representante en México, muy a pesar de que diplomáticos mexicanos viajaron en tres ocasiones a Bagdad. A raíz del golpe de Estado de julio de 1958, que derrocó la monarquía, México aplicó la Doctrina Estrada, sin pronunciarse sobre la situación interna ni la calidad del nuevo régimen; pero el 23 de octubre de 1959 México notificó oficialmente a Iraq que se abstenía de acreditar nuevos representantes en virtud de no haber recibido respuesta a sus instancias ni la correspondiente reciprocidad de los enviados iraquíes. En noviembre de 1977, Arturo Ruiz Ledo fue nombrado primer embajador mexicano en Bagdad. También ha sido embajador de México

en ese país Víctor Manuel Rodríguez G. (mayo de 1981-marzo de 1983), a quien han sucedido los encargados de negocios Pedro A. García Valles (1983-1984) y Víctor M. Delgado (1984-). Ambos países han intercambiado delegaciones políticas y han sostenido un pequeño flujo comercial.

IRIARTE, FRANCISCO. Nació en Cosalá, Sin., en el segundo tercio del siglo XVIII; murió en la ciudad de México en 1832. Dedicado a la minería en El Rosario, Sin., hizo fortuna y fue popular. Fue vocal de la diputación provincial de Sinaloa y su presidente (1823-1824); vicegobernador del estado de Occidente, del 7 de octubre de 1824 al 27 de abril de 1825, y gobernador a partir del 25 de noviembre de 1826. Se contó entre los fundadores de las logias del rito escocés y luchó contra el grupo yorquino que encabezaba Juan Miguel Riesgo. Fue depuesto por la legislatura local el 29 de noviembre de 1827, pero volvió al poder el 19 de octubre de 1829, una vez que el Congreso General declaró anticonstitucional su desconocimiento, y permaneció en él hasta el 1° de abril de 1830. Al siguiente año fue electo gobernador del estado de Sinaloa (28 de mayo de 1831 al 17 de septiembre de 1832). En 1825 se negó a vender las minas de Guadalupe de los Reyes, que eran de su propiedad, a una compañía angloamericana que le ofreció 1 millón de pesos.

IRIARTE, HESIQUIO. Nació y murió en la ciudad de México (1820-1897). En 1847 comenzó a grabar en el taller de Murguía. En 1855 firmó, como Litografía de Iriarte y Compañía, las ilustraciones de *El libro rojo* (1869-1870). Trabajó para las revistas *El Renacimiento* (1869) y *El Artista* (1874). Tuvo a su cargo la ilustración de la *Memoria de los trabajos ejecutados por la Comisión Científica de Pachuca en el año de 1864*, que dirigió el ingeniero Ramón Almaraz (v. HIDALGO, ESTADO DE). En sociedad con Santiago Hernández, tipógrafo distinguido, realizó trabajos en *La Llorona*, de José María Marroqui, y en *Los ceros*, de Vicente Riva Palacio.

IRIARTE, RAFAEL. Nació en San Luis Potosí, S.L.P., en 1772; murió en Saltillo, Coah., en 1811. Se decía comisionado por Hidalgo para promover la insurrección. En León y en Lagos reunió una tropa numerosa, pero turbulenta y sin disciplina; en Aguascalientes se le unió el Regimiento de Dragones de la Nueva Galicia; tomó Zacatecas sin que el intendente conde de Santiago de la Laguna opusiera resistencia, y al llegar a San Luis Potosí hizo prisionera a la esposa de Félix María Calleja, a la que dispensó toda clase de consideraciones. En vez de apoyar la toma de Guanajuato, donde lo requería Allende, y de ir a Puente de Calderón, donde lo llamó Hidalgo, Rafael Iriarte permaneció en su zona de influencia. Fue el único jefe militar que no cayó prisionero en Acatita de Baján. Con el grueso del ejército insurgente llegó a Saltillo para reunirse con el licenciado Ignacio López Rayón, que había quedado como jefe máximo del movimiento. Fue fusilado al encontrársele culpable de malversación de fondos y de indisciplina.

IRIGOYEN, JOSÉ MARÍA. Nació y murió en Chihuahua, Chih. (1795-1846). De 1821 a 1822 fue regidor de su ciudad; en 1825, miembro de la comisión que redactó la Constitución del Estado de Chihuahua; de 1834 a 1835 redactor del periódico *Fanal de Chihuahua*; en 1836, vocal de la primera junta departamental en el régimen centralista, y en 1846, diputado al Congreso de la Unión, primero y luego gobernador del departamento de Chihuahua, por designación del presidente Mariano Paredes y Arrillaga.

IRIGOYEN, ULISES. Nació en Salevó, Chih., en 1894; murió en la ciudad de México en 1944. Fue gerente de Ferrocarriles Nacionales de México y oficial mayor de la Secretaría de Hacienda y Crédito Público. Gestionó la continuación de la línea del Ferrocarril Chihuahua-Pacífico. Autor de *Los números y las tarifas diferenciales* y *El éxito de los perímetros libres*. Escribió varios artículos para la revista de la Escuela Nacional de Economía de la Universidad Nacional Autónoma de México, destacando "El problema económico de las fronteras mexicanas". También es autor de tres monografías: *Zona libre, Puertos libres* y *Perímetros libres*, publicadas en dos volúmenes en 1935.

IRIGOYEN DE LA O, ANTONIO CI- PRIANO. Nació en Santa Fe, Nuevo México; murió en la ciudad de Chihuahua en 1837. Es-

tudió en el Seminario Conciliar de Durango. En 1824 fundó varias escuelas primarias y en 1827 el Instituto Científico y Literario de Chihuahua, que dirigió hasta 1835. De 1828 a 1829, fue vocal del Consejo de Gobierno del estado, y en 1836 vicario de la mitra.

IRIGOYEN DE LA O, JOSÉ MARÍA. Nació y murió en Chihuahua. (1807-1840). Fue maestro y juez de letras de la capital de su estado, abogado de pobres, asesor de la comandancia y general y miembro de la junta departamental. En 1839 fue electo gobernador constitucional: durante su administración mejoró el servicio de alumbrado público, fundó una escuela de música, restableció la publicación del periódico oficial *El Antenor*, aumentó la policía y por medio de una contribución extraordinaria reunió fondos para intensificar la campaña en contra de los apaches. Esta acción la confió a un grupo de voluntarios, al mando del irlandés, naturalizado mexicano, Santiago Kroker.

IRIGOYEN ESCONTRÍAS, MARIANO. Nació en Chihuahua, Chih., en 1857; murió en la ciudad de México en 1939. Fue empleado de comercio y administró una tienda en Cusihuirachi, donde fue tesorero municipal y redactor de *El Eco de las Montañas*, en cuyas columnas defendía a los indios tarahumares. En 1876 pasó a Ciudad Guerrero para dirigir la escuela primaria: implantó la disciplina militar y dedicó especial atención a los niños indígenas. Se jubiló en 1911. Fueron alumnos suyos entre otros, Pascual Orozco, Marcelo Casaveo y Rodolfo Fierro, que habrían de distinguirse en la Revolución. En la ciudad de Chihuahua fue director de la oficina del Registro Civil (1912-1913) y medió inútilmente entre Pascual Orozco y el gobernador Abraham González, para contener la lucha armada. Fue diputado al Congreso Constituyente local de 1917, luchó por la construcción de la presa sobre el río Papigochi, en beneficio de Ciudad Guerrero, y se opuso al contrato "MacQuatters" por ser lesivo a los intereses de los tarahumares. Siendo diputado federal a la XXXI Legislatura, renunció a la curul para volver al magisterio. En Chihuahua estuvo al frente de la Escuela núm. 139 y del Liceo (escuela particular), pero rechazó varios cargos oficiales por no creerse merecedor a ellos.

Sirvió, en cambio, en varias escuelas primarias del Distrito Federal. El 25 de abril de 1928, el Primer Congreso Estudiantil de Chihuahua lo declaró Maestro de la Juventud. Fue profesor durante 63 años y murió en la mayor pobreza.

IRIGOYEN LARA, MANUEL. Nació en Mérida, Yuc., en la segunda mitad del siglo XIX; murió en Estados Unidos hacia la tercera década del siglo XX. Orador, periodista, político y dramaturgo, fundó y dirigió el periódico *Los Intereses Sociales*, de filiación liberal. En 1907 fue secretario general de gobierno de su estado natal. Es autor de varios dramas: *El puñal de la honra*, en verso, escenificado el 11 de marzo de 1890; *Eva*, también en verso; y *Con el cuerpo del delito*, que estrenó en Mérida el Circo Teatro Yucateco el 1° de febrero de 1906.

IRIGOYEN ROSADO, RENÁN. Nació en Mérida, Yuc., el 30 de diciembre de 1914. Estudió en la Universidad Nacional del Sureste. Ha sido jefe de información y propaganda del gobierno del estado, jefe de publicidad de Henequeneros de Yucatán, director de información y publicaciones de la Dirección General de Bellas Artes, tesorero de la Universidad de Yucatán y jefe del Departamento de Extensión Cultural de esta casa de estudios. Es miembro del Seminario de Cultura Mexicana y cronista vitalicio de la ciudad de Mérida. Ha publicado 42 libros, entre ellos: *Reseña histórica del comercio en Yucatán*, *Esencia del folclore de Yucatán*, *Biografías de Salvador Alvarado y Felipe Carrillo Puerto*, *Osvaldo Baqueiro Anduze*, *Los antiguos carnavales de Mérida*, *Hamaca, media luna del sueño*, *Calendario de fiestas tradicionales de Yucatán*, *Bajo el signo de Chaac*. *Monografía del agua en Yucatán*, *Edificios, monumentos y rincones de Mérida*, *Leyendas de Mérida* y los *Anuarios*, donde condensa su labor de cronista. Promovió la I Reunión Nacional de Cronistas de Ciudades Mexicanas.

IRIGOYEN Y CÁRDENAS, LIBORIO. Nació y murió en Mérida, Yuc. (1821-1890). Combatió en la Guerra de Castas como miembro del 18° batallón de la Guardia Nacional. En 1858 fue gobernador de su entidad, cargo que volvió a ocupar en 1861, hasta 1863, cuando fue derrocado por los conservadores. Durante su tercer periodo

al frente de los poderes estatales, en 1872, destacó por su incansable labor para hacer efectivas las Leyes de Reforma.

IRIGOYEN Y MUÑOZ CANO, MARIANO. Nació y murió en Oaxaca, Oax. (1771-1843). Hizo la carrera eclesiástica en el Seminario Conciliar de Oaxaca, ordenándose sacerdote en 1794. Fue cura de las parroquias de Tecomatlán, Teotepec, Yalalag, Juquila y Tlacolula, en las que pasó 32 años. Fue canónigo, tesorero, chantre y vicario capitular, tomando posesión de la mitra oaxaqueña el 2 de enero de 1842. El 22 de julio fue promovido obispo de Abdera por el papa Gregorio XVI. Al fallecer el obispo Ángel Mariano Morales, el 21 de marzo de 1843, Irigoyen fue preconizado obispo de Oaxaca, pero no llegó a ocupar el puesto por haber muerto en ese mismo año.

IRIS, ESPERANZA (María Esperanza Bonfil). Nació en Villahermosa, Tab., en 1888; murió en la ciudad de México en 1962. En 1897 debutó en el Teatro Arbeu con la Compañía Infantil de José Austri. Por varios años estuvo en el Arbeu y luego pasó al Principal, donde se consagró con la obra *La cuarta plana*, confirmando sus dotes de actriz, ya advertidos en *El papelerito*. Sus éxitos continuaron con *La pesadilla de Cantolla*, *Chin-Chun-Chan*, *La viuda alegre* y *El conde de Luxemburgo*. En 1913 inauguró el Teatro Ideal y en 1918 terminó el suyo propio, el Teatro Iris. Actuó en las películas *Mater nostra* y *Noches de gloria* y coadyuvó con su esposo Francisco Sierra en la formación de un coro de reclusos en la Penitenciaría de la ciudad de México, varios de cuyos programas fueron trasmitidos por la BBC de Londres.

IRLANDA, REPÚBLICA DE. Situada en una de las islas británicas, tiene una superficie de 70 283 km^2. Limita al noreste con Irlanda del Norte, al este con el mar de Irlanda y el canal de San Jorge, y al sur y al oeste con el océano Atlántico. Su población, en 1984, era de 3.535 millones de habitantes. Su capital es Dublín. Tiene cuatro provincias, 27 condados y cuatro distritos urbanos. Los idiomas oficiales son el irlandés y el inglés; y la moneda, la libra irlandesa. Conforme a la

IRRIGACIÓN

Constitución de 1937, el Poder Ejecutivo lo ejerce un presidente, elegido para un periodo de siete años, y un Consejo de Ministros, responsable ante el Parlamento. Éste está compuesto por dos cámaras: la de Diputados (166 miembros elegidos cada cinco años) y la de Senadores (60 miembros, 11 de ellos nombrados por el primer ministro, seis por las universidades y el resto por otras agrupaciones). México y la República de Irlanda establecieron relaciones diplomáticas el 21 de agosto de 1975. Posteriormente, México decidió cerrar la embajada y dejó la concurrencia en el Reino Unido de la Gran Bretaña e Irlanda del Norte.

IRRIGACIÓN. El aprovechamiento del agua para fines de riego ha sido en México una labor vital para el desarrollo de la agricultura. En 1944 la Comisión Nacional de Irrigación clasificó el territorio nacional en cuatro zonas: 1. árida (52.2%), o sea aquella en que la irrigación es indispensable para cualquier cultivo; 2. semiárida (31.9%), que permite cultivos de temporal, aunque siempre expuestos a perderse por falta de lluvias; 3. semihúmeda (13.3%), donde existen probabilidades de levantar cosechas la mayor parte del año, y 4. húmeda (2.6%), donde siempre se obtienen frutos de la tierra sin necesidad de irrigación. En 1957 estas estimaciones fueron perfeccionadas por la Secretaría de Recursos Hidráulicos, llegando a los siguientes porcentajes con relación al riego y a la superficie total del país: indispensable, 62.8%; necesario, 31.2%; conveniente, 4.5% e innecesario, 1.5%.

El total anual de agua que escurre por los ríos de México es de 357 257 millones de metros cúbicos, de los cuales 50% corresponde a la región hidrográfica del Golfo Sur (13% del área de la República), que incluye los ríos Papaloapan,

Coatzacoalcos, Tonalá, Grijalva y Usumacinta. El volumen de lluvia que se infiltra al subsuelo, a su vez, es de 250 mil millones de metros cúbicos. A partir de estas disponibilidades, varios investigadores han supuesto las superficies máximas cultivables con aguas aseguradas (v. cuadro 1): el cálculo menor señala 10 millones de hectáreas; el mayor, 17 694 146.

Historia. Antes de la llegada de los españoles, la práctica de irrigar la tierra era común en muchas tribus. Algunos casos son conocidos por las crónicas; de otros existen vestigios materiales. Los aztecas, por ejemplo, utilizaron diques, canales, acequias, acueductos, presas derivadoras y lagos artificiales (v. INGENIERÍA). Durante el virreinato sobresale la creación de la laguna artificial de Yuriria, obra de fray Diego de Chávez en el siglo XVI; los intentos de los frailes Francisco Nicolás de San Pablo y Nicolás de Witte por regularizar las aguas del río de Metztitlán; los aprovechamientos en el Bajío, el valle de Oaxaca y las márgenes del río Tehuantepec; la presa de Los Santos, en Marfil, ornada con esculturas y terminada en noviembre de 1776 por el alarife José Alejandro Durán y Villaseñor; y la presa de la Olla Grande, a inmediaciones de la ciudad de Guanajuato, para surtir de agua a la población (1741-1749).

En 1908 el presidente Díaz creó la Caja de Préstamos para Obras de Irrigación y Fomento a la Agricultura, con cuyo apoyo económico se realizó el sistema de riego de las haciendas michoacanas de Lombardía y Nueva Italia, obra de Dante Cusi; los canales del río Nazas, en la región de La Laguna, los del valle de Mexicali y la desecación de la ciénega de Chapala. Se estima que en 1910 la superficie bajo riego era de 1 millón de hectáreas, pero se computan 700 mil en promedio a causa de que muchos de los

					Cuadro 1
SUPERFICIES MÁXIMAS CULTIVABLES CON AGUAS ASEGURADAS (ha)					
Investigadores	Año del estudio	Regable con aguas superficiales	Regable con aguas del subsuelo	Riego de auxilio	Aguas de retorno	Total
Adolfo Orive Alva	1940	6 709 500	1 000 000	2 291 500	–	10 000 000
Antonio Rodríguez L.	1957	10 000 000	2 700 000	2 000 000	–	14 700 000
Jorge L. Tamayo	1958	5 934 456	3 090 000	2 000 000	–	11 024 456
Andrés García Quintero	1959	7 754 860	5 467 300	3 696 500	775 486	17 694 146

canales sólo funcionaban en ocasión de las grandes avenidas.

El 9 de enero de 1926, el presidente Plutarco Elías Calles expidió la Ley sobre Irrigación con Aguas Federales, cuyo Artículo 3° creó la Comisión Nacional de Irrigación (CNI), encargada de estudiar y ejecutar los trabajos de esta índole. Se declaró de utilidad pública el riego de las propiedades agrícolas privadas; se dispuso la operación de un fondo revolvente, pues se pensaba que los beneficiados podían pagar el costo de las obras en un plazo breve, y se quiso estimular la formación de una clase media campesina. Por razones de interés y soberanía nacionales, algunos de los primeros aprovechamientos se localizaron en los ríos de la frontera norte, en vista de la activa utilización que de ellos estaba haciendo Estados Unidos en su territorio. Así, se iniciaron, en afluentes del Bravo, la presa de Don Martín (río Salado) y las obras de San Diego y de Delicias (río Conchos), aparte las de la presa Calles, en Pabellón, Aguascalientes; Tula y Metztitlán, Hidalgo; y Mante, Tamaulipas. Los gobiernos de Portes Gil, Ortiz Rubio y Rodríguez (1928-1934) las continuaron y emprendieron otras: la presa Rodríguez, Baja California (río Tijuana); los aprovechamientos de El Nogal, Coahuila (río Sabinas), y valle de Juárez, Chihuahua (río Bravo), y las obras de mejoramiento en el alto Lerma y en Culiacán, Sinaloa.

El presidente Cárdenas tomó en cuenta el número y la pobreza de los campesinos para discernir los beneficios de la irrigación; vinculó ésta con la reforma agraria, sin descuidar las conveniencias económicas generales, y rechazó la idea del campesino medio. Se terminaron en ese periodo la mayor parte de las obras iniciadas con anterioridad y se empezaron a construir las presas de El Palmito, Durango (río Nazas); Solís, Guanajuato (río Lerma); Sanalona, Sinaloa (río Tamazula); La Angostura, Sonora (río Bavispe); El Azúcar, Tamaulipas (río San Juan); Cointzio, Michoacán (río Grande de Morelia), y San Ildefonso, Querétaro (río Prieto).

Durante el régimen del presidente Ávila Camacho se hizo la primera estimación de los recursos hidráulicos del país; se firmó un tratado de aguas fronterizas con Estados Unidos, que haría posible el beneficio de grandes extensiones mediante las presas Falcón (1953), La Amistad (1969) y

otras; se terminaron 14 grandes presas de almacenamiento y seis de derivación, y se iniciaron 16 más, entre otras la presa Abelardo L. Rodríguez, sobre el río Sonora. Después de la Segunda Guerra Mundial (1946), el presupuesto para irrigación alcanzó el 15.7% del total de egresos de la Federación. En 20 años de trabajos (1926-1946) la CNI benefició 827 425 ha.

El 21 de diciembre de 1946, en sustitución de la CNI, se creó la Secretaría de Recursos Hidráulicos, que empezó a funcionar el 1° de enero siguiente. Se le encomendaron no sólo las obras de riego, sino también las de abastecimiento de agua potable, alcantarillado, defensa contra inundaciones, aprovechamientos para generación de energía eléctrica, y creación y mejoramiento de vías fluviales para la navegación. En el periodo 1946-1952 se terminaron 27 grandes presas de almacenamiento y 22 derivadoras, y se iniciaron otras 12. Se crearon las comisiones de las cuencas de los ríos Papaloapan y Tepalcatepec, que debían promover el desarrollo integral de esas regiones. La primera construyó la presa Miguel Alemán (1955), de propósito múltiple; y la segunda, a cargo del general Lázaro Cárdenas, las de Valle de Juárez, San Juanico, Jicatlán, El Cóbano, Coróndaro, Piedras Blancas y Punta de Agua.

En el periodo 1952-1958 se perfeccionaron los estudios sobre los recursos hidráulicos del país, se terminaron 16 presas de almacenamiento y 20 derivadoras, y se creó la Comisión del Grijalva, cuyas funciones comprendieron la planeación de obras de riego, el control de inundaciones y la construcción de drenajes y caminos. La obra del presidente Ruiz Cortines en materia de irrigación ha sido la más importante en la historia del país, pues

					Cuadro 2
SUPERFICIE IRRIGADA POR EL SECTOR PÚBLICO, SEGÚN PERIODOS GUBERNAMENTALES, 1926-1970 (ha)					
	I	II	III	IV	V
1926-1946	827 425	419 867	407 558	785 350	42 075
1946-1952	625 512	386 668	238 844	479 070	146 442
1952-1958	758 100	565 567	192 533	610 037	148 063
1958-1964	244 858	168 535	76 323	134 560	110 298
1964-1970	393 205	300 193	93 012	296 058	97 147
Total:	2 849 100	1 840 830	1 008 270	2 305 075	544 025

I: Beneficiadas. II: Nuevas. III: Mejoradas. IV: Grande irrigación. V: Pequeña irrigación.

IRRIGACIÓN

logró poner bajo riego, en seis años, 758 100 ha, entre nuevas (565 567) y mejoradas (192 533). Su sucesor, el presidente López Mateos (1958-1964), terminó 26 presas de almacenamiento y ocho derivadoras, con una superficie beneficiada de 244 858 ha. La administración del presidente Díaz Ordaz añadió 393 205 ha al área irrigada, mediante 36 nuevas presas de almacenamiento y 10 derivadoras (v. cuadro 2). Durante el periodo del presidente Luis Echeverría (1970-1976) se be-

SUPERFICIE BENEFICIADA CON INFRAESTRUCTURA HIDRÁULICA PARA RIEGO, 1980-1992
(Hectáreas)

Año	Total			Grande irrigación			Pequeña irrigación		
	Incorpo-porada	Mejorada	Rehabi-litada	Incorpo-rada	Mejorada	Rehabi-litada	Incorpo-rada	Mejorada	Rehabi-litada
1980	88 994	16 512	97 224	45 161	12 890	97 224	43 833	3 622	n.d.
1981	146 050	64 957	77 142	70 241	62 059	77 142	75 809	2 898	n.d.
1982	109 659	19 200	40 671	48 893	13 324	40 671	60 766	5 876	n.d.
1983	97 130	11 319	34 341	39 297	9 222	34 341	57 833	2 097	n.d.
1984	98 421	17 099	41 553	57 399	10 115	41 553	41 022	6 984	n.d.
1985	66 737	10 688	52 458	27 091	3 672	52 458	39 646	7 016	n.d.
1986	46 300	8 173	23 700	26 600	8 173	23 700	19 700	0	n.d.
1987	77 473	1 124	13 621	16 441	27	7 328	61 032	1 097	6 293
1988	27 752	689	2 149	4 085	659	1 150	23 667	30	999
1989	21 032	21 548	13 478	6 070	1 451	9 591	14 962	20 097	3 887
1990	38 000	5 086	38 687	20 188	2 025	37 145	17 812	3 061	1 542
1991P/	38 997	23 547	140 724	33 192	3 123	137 965	5 805	20 424	2 759
1992e/	49 553	25 577	170 504	37 200	2 798	167 746	12 353	22 779	2 758

e/: Estimado
n.d.: No disponible
p/: Preliminar

FUENTE: Elaborado por la División de Estudios Económicos y Sociales, Banamex, con datos de: CSG, *IV Informe de Gobierno. 1992*, México, 1992.

PRESAS CONSTRUIDAS Y ZONAS DE RIEGO ATENDIDAS EN 1993

Presas de almacenamiento	Presas derivadoras	Zonas de riego
- El Salto en Jalisco - Trojes en Colima	- Zocoteaca en Oaxaca	- Coyutla en Colima - Hecelchakán en Campeche

FUENTE: SARH

IRRIGACIÓN

CAPACIDAD ÚTIL DE ALMACENAMIENTO Y DISPONIBILIDAD DE AGUA EN LOS VASOS SEGÚN REGIONES Y DISTRITOS DE RIEGO 1988-1990
(millones de m³)

Regiones, distritos de riego y vasos		Capacidad útil total	Disponibilidad 1988	1989	1990
Total		*46 047.7*	*29 161.5*	*22 156.2*	*32 304.4*
Noroeste		*21 332.1*	*11 501.3*	*9 739.7*	*16 931.8*
Tijuana, Baja California	Abelardo Rodríguez	135.8	2.8	1.8	0.9
Estado de Colima	Amela	26	25.9	26	21.1
	Basilio Vadillo	120	109.1	34.1	97.6
Culiacán, Sinaloa	Adolfo López Mateos	3 103	1 434.7	1 470.5	2 428.1
	El Comedero	3 250	1 435.7	939.6	1 780.1
	Eustaquio Buelna	302	62.6	108	274
	Sanalona	803	578.4	478.7	662.6
Guasave, Sinaloa	Bacurato	2 710	1 143.1	1 108.3	1 775.3
Río Fuerte, Sinaloa	Josefa Ortíz de Domínguez	570	411	486	563
	Miguel Hidalgo	2 930	21 222.6	2 281.1	2 930
Río Altar, Sonora	Cuauhtémoc	43	15.6	20.7	30.5
Río Mayo, Sonora	Adolfo Ruíz Cortínes	1 069.3	569.4	403.6	1 069.3
Río Sonora, Sonora	Abelardo Rodríguez	235.5	132.9	108.4	178
Río Yaqui, Sonora	Álvaro Obregón	2 727	1 073.5	652.2	2 239.2
	Angostura	890.5	555.5	375.6	704
	Plutarco	1 417	2 828.5	1 245.1	178.1
Central Norte		*9 255.5*	*1 752.8*	*5 045.2*	*6 993.8*
Bajo Río Conchos, Chihuahua	Luis L. León	760	256.7	305.2	382.9
Ciudad Delicias, Chihuahua	La Boquilla	2 903.4	1 903.6	1 408.2	1 958.3
	Francisco I. Madero	398.8	218.6	152.4	321.7
El Carmen, Chihuahua	Las Lajas	84	74.8	47.4	83.2
Río Florido, Chihuahua	San Gabriel	230	227.2	134.5	230
Río Papigochic, Chihuahua	Abraham González	63	53.1	52.6	63
San Buenaventura, Chihuahua	El Tintero	122	122	95.8	122
Región Lagunera, Coahuila y Durango	Francisco Zarco	368	44	70	222.7
	Lázaro Cárdenas	732.9	2 732.9	1 902.4	2 732.9
Don Martín, Coahuila y Nuevo León	Salinillas	16	13.2	10.5	13.2
	Venustiano Carranza	1 368	1 362	784.9	676.4
Estado de Durango	Francisco Villa	78	37.3	15.5	56.6
	Guadalupe Victoria	77	57.5	36.7	76.7
	Peña del Águila	29.8	28.2	5.7	29.6
Noroeste		*8 956.7*	*6 941.9*	*4 013.3*	*4 257.9*
Bajo Río Bravo, Tamaulipas	Falcón-México	1 291	1 291	547.5	955.1
	La Amistad-México	1 806	1 534.5	1 182.2	1 397.6
	Vasos Reguladores	121.1	0	0	0
Bajo Río San Juan, Tamaulipas	Marte R. Gómez	1 088	1 051.2	455.4	331.9
Río Pánuco, Las Ánimas Pujalcoy y Chicayán, Tamaulipas	Chicayán (Paso de Puebla)	340	129.4	205.7	185.6
	Estudiante Ramiro Caballero Dorantes	510.6	411.4	453.3	461.4
Río Soto La Marina, Tamaulipas	Vicente Guerrero	3 800	2 074.4	1 169.2	926.3
Centro		*5 289.9*	*2 872.5*	*2 255.3*	*3 499.7*
Pabellón, Aguascalientes	Calles	339.2	75.3	34.5	100.6
Alto Río Lerma, Guanajuato	Solís	661.9	291.8	219.2	598
	Tepuxtepec	512.5	236.2	153.1	360.5
	Yuriria	168.8	72.2	18.7	42.7
La Begoña, Guanajuato	Ignacio Allende	224.8	99.6	69.1	132.5
Peñuelitas, Guanajuato	Peñuelitas	23.1	18	11.2	21.5
Alfajayucan, Hidalgo	La Peña (R.Gómez)	45.5	23.9	24.6	42.3
	Vicente Aguirre	20.6	2.4	4.3	9.4
Tula, Hidalgo	Endo	137.6	96.8	126.8	125.7
	Requena	52.5	24.9	26.4	52.7
	Taxhimay	42.8	26	26.3	42.8
Tomatlán, Jalisco	Cajón Peña	652	421.7	486.4	425.1
Estado de Jalisco Norte	Cajititlán	44.9	44.9	29.7	25.6
	Cuarenta	29.6	24.8	10.8	28.4
	Laguna Colorada	19.8	9.3	10.4	11.6
	Lic. S. Camarena	44	37.4	32.3	44
	Tenasco	10	2.4	0.7	10
	Volantín	13.4	7.7	0.6	3.3
Estado de Jalisco Sur	Hurtado	21.4	18.1	6.4	10.7
	Tacotán	144.9	105.6	65.7	114.9
Estado de México	Huapango	119.3	15.5	9.5	30.6
	Nadó	13.1	12.9	8.1	13.1
	Tepetitlán	67.3	31.6	36.6	67.3
Jilotepec, Edo. de México	Danxh	30.5	11.9	11.4	30.4
La Concepción, Edo. de México	La Concepción	11.8	7.2	8.9	11.8

IRRIGACIÓN

Regiones, distritos de riego y vasos		Capacidad útil total	Disponibilidad		
			1988	1989	1990
Ciénaga de Chapala, Michoacán	Barraje	21.6	9.3	4	12.6
	Guaracha	37.2	8.4	4.6	15
General Lázaro Cárdenas, Michoacán	Los Olivos	19.9	18.2	19.9	9.9
	Zicuirn	40	33.9	36.9	37
	José María Morelos y Pavón	380	176	134.4	155.4
Morelia y Queréndaro, Michoacán	Cointzio	81.3	69.3	45.3	69.9
	Laguna del Fresno	13.9	10.9	7	12.8
	Malpaís	23.7	20.3	20.6	22
	Tercer Mundo	16.5	16.5	15.8	16.5
Quitupn-La Magadalena, Michoacán	San Juanico	40.2	22.5	13.2	19.6
	V.C. Villaseñor	14.4	11.9	4.2	11.7
Rosario-Mezquite, Michoacán	Gonzalo	9.2	8	3.8	5
	Melchor Ocampo	185	185	134	159.8
Tuxpan, Michoacán	Agostitlán	15.5	15.5	15.5	15.5
	Pucuató	10.8	10.8	8.2	10.8
Zamora, Michoacán	Urepetiro	11	10.4	10.4	10.5
Estado de Morelos	El Rodeo	27.5	10.1	9.3	11.9
Valsequillo, Puebla	Manuel Ávila Camacho	375	155.5	144.8	135.9
San Juan del Río, Querétaro	Constitución de 1917	62.2	31	10	45.4
	San Idelfonso	46.9	17.3	6.5	37.5
	Vasos Auxiliares	11.8	11.8	1.7	11.8
Atoyac-Zahuapan, Tlaxcala	Atlanga	47.5	25.1	23.2	28.8
Estado de Zacatecas	El Cazadero	22.9	22.4	5.5	22.9
	El Chique	54.3	47.3	13	53.1
	Leobardo Reynoso	118	93.8	31.9	0.8
	Miguel Alemán	61	47.1	49.5	0.6
Sur		*1 213.5*	*1 143*	*1 102.7*	*621.2*
Laguna de Tuxpan, Guerrero	Laguna de Tuxpan	20.9	2.1	10.1	8.4
Ríos Amuco y Cutzamala, Guerrero	La Calera	23.9	21.7	18.5	18.5
	Vicente Guerrero	200	189	198	198
Tepecoacuilco, Guerrero	Valerio Trujano	34.5	21.5	33.1	31.7
Tehuantepec, Oaxaca	Benito Juárez	927.4	904.5	840.9	362.5
Datos Complementarios					
Amistad Internacional	Almacenamiento	4 132	3 745.6	4 132	3 415
Falcón Internacional	Almacenamiento	3 120	3 120	3 120	2 307
Laguna de Chapala	Almacenamiento	6 250	1 275.3	6 250	0.1
Presidente Alemán (Papaloapan)	Almacenamiento	7 995	5 956	7 995	5 091
	Cota	66.5	61.7	66.5	59.5

Fuente: Secretaría de Agricultura y Recursos Hidráulicos: Dirección General de Economía Agrícola, 1992.

neficiaron 1 111 438 ha, entre nuevas, mejoradas y rehabilitadas; de ellas, 665 064 fueron incorporadas por primera vez a la explotación agrícola de riego. Las 149 presas construidas permitieron aumentar la capacidad de almacenamiento en 10 millones de metros cúbicos. El gobierno del presidente José López Portillo (1976-1982) construyó o amplió 103 presas de almacenamiento, con capacidad útil para riego de 6 965 millones de metros cúbicos. Quedaron en proceso 70 más, con capacidad de 6 mil millones de metros cúbicos, y 16 derivadoras, que al concluirse aumentarían la superficie de riego en 400 mil hectáreas. Al 1° de septiembre de 1985, tres años después de haberse iniciado la administración del presidente Miguel de la Madrid, estaban en ejecución obras en diversos estados del país. El presidente advirtió que «todos los distritos tienen un número considerable de problemas derivados del uso y desgaste natural de las obras, y existencia de áreas improductivas,

por lo que el objetivo principal de la rehabilitación es restituir las características originales del diseño a las obras, mejorar las condiciones de operación y el rescate de superficies actualmente improductivas». La rehabilitación consiste principalmente en la limpia, deshierbe, desazolve y revestimiento de canales, la reparación de estructuras y el mantenimiento o la reposición de los equipos de bombeo. En el ciclo agrícola 1984-1985 había en total 5 031 357 ha bajo riego: 3 315 851 correspondían a 80 distritos (v. cuadro 4) y 1 715 506 a unas 17 mil pequeñas unidades, y en ellas se utilizaron 46 mil millones de metros cúbicos, de los cuales el 72% correspondió a las aguas superficiales. En aquéllos, 1 792 759 ha estaban en poder de 354 244 ejidatarios, y 1 523 092 eran propiedad de 145 949 pequeños agricultores; y en éstas, 976 362 ha pertenecían a los primeros y 739 144 a los segundos, ignorándose, por su magnitud, el número de usuarios. V. AGRICULTURA.

IRWIN-WILLIAMS, CYNTHIA CORA.
Nació en Denver, Colorado, E.U.A., en 1936. Es
maestra en artes (1958) y doctora en filosofía y letras por la Universidad de Harvard (1963) y profesora de antropología. Ha escrito: *Pre-ceramic
and early ceramic culture of Hidalgo and Queretaro*
(1964), *Picosa: The elementary southwestern calt-
core* (1967), *Hueyatlaco: Associations of man with
horse, camel and mastodon, near Valsequillo, México* (1968) y *Summary of archaeological evidence
from the Valsequillo region, Puebla, Mexico* (1969).

ISAAC, ALBERTO. Nació en Coyoacán, D.F., en
1928; falleció en la ciudad de México el 9 de enero
de 1998. Estudió en Colima hasta recibirse de profesor normalista, ejerciendo dos años el magisterio.
La práctica de la natación lo hizo abandonar
la provincia. De 1941 a 1953 fue campeón
nacional en las pruebas de 100, 200 y 400 m
libres. Concurrió a los juegos de las XIV Y
XV olimpiadas en Londres y Helsinki (1948 y
1952). Siendo atleta empezó a dibujar y escribir
para los periódicos *El Universal* y *El Universal
Gráfico*. Desde entonces ha colaborado en varias
publicaciones nacionales y extranjeras. En 1972
hacía cartones para *El Sol de México*. En
ocasión del I Concurso de Cine Experimental,
en 1965, hizo la película *En este pueblo no hay
ladrones*, que obtuvo siete premios nacionales y
la Vela de Plata del Festival de Locarno, Suiza.
Ya profesionalmente, ha realizado, dentro de
la industria cinematográfica, *Las visitaciones del
diablo* (1967), *Olimpiada en México* (nominada
para el Oscar 1969), *Futbol. México 70, Los
días del amor* (1971), *El rincón de las vírgenes*
(basada en un relato de Juan Rulfo), *Tívoli* (1974),
Cuartelazo (1976), *Está lloviendo en China* (1981)
y *Tiempo de lobos* (1981). Es también pintor y
ceramista, y fue director del Instituto Mexicano
de Cinematografía, desde la creación de éste, el
26 de marzo de 1983, hasta el 19 de febrero de
1986. En 1987 radicaba en Colima.

**ISABEL DE CASTILLA o ISABEL LA
CATÓLICA.** Reina de Castilla, hija de Juan II
y de Isabel de Portugal, y hermana de Enrique IV,
llamado el Impotente, nació en Madrid el 22 de
abril de 1451. Pasó sus primeros años al lado de
su madre en la villa de Arévalo. Rehusó el trono
cuando se lo ofrecieron en Ávila los parciales del
príncipe Alfonso, porque no quería privar de sus
derechos a su hermano Enrique. Sin embargo,
fue jurada en 1468 heredera de los reinos de
Castila. Los señores principales intentaron casarla
con Alfonso, rey de Portugal; pero ella había ya
decidido dar su mano a Fernando, príncipe de
Aragón y rey de Sicilia. Ayudada por el arzobispo
de Toledo hizo ir a Fernando a Valladolid, sin que
el rey lo supiera, y contrajo nupcias con él el 19 de
octubre de 1469. Despechado por ese matrimonio
clandestino, Enrique IV renovó la herencia a
Juana, su hija, y anuló la que había declarado
en favor de Isabel, dando lugar a la discordia
que se suscitó en Valladolid entre cristianos
nuevos y viejos. A pesar de las instancias
a que acudió Isabel para reconciliarse con su
hermano, éste llevó su enojo hasta el punto de
querer expulsar del reino a la pareja de príncipes.
Isabel se mantuvo en Segovia hasta que, muerto
Enrique en 1474, fue proclamada solemnemente
por los segovianos, el 13 de diciembre de ese
año. Fernando se hallaba en Aragón y apenas
supo la proclamación de su esposa, fue a reunirse
con ella, estableciendo las bases para el gobierno
del reino. El primer cuidado de los Reyes
Católicos, al ceñirse la corona, fue corregir los
muchos abusos que las discordias civiles habían
introducido en sus estados: se cometían crímenes
a la sombra de la impunidad; la seguridad
individual se hallaba a merced de los bandoleros
que infestaban los caminos; la industria yacía en
el mayor abandono; la guerra había talado los
campos; los príncipes habían perdido sus Estados
por su mucha prodigalidad, y los pueblos estaban
agobiados bajo el peso de los tributos. Apenas
coronada, rompió las hostilidades con Portugal:
marchó Isabel a Segovia, echó mano del tesoro
de su hermano y mandó acuñar moneda, que
envió luego a su esposo para financiar la guerra;
recogió cuantos soldados había en Valladolid y
se fue con ellos a Valencia; enseguida puso en
defensa el castillo de Burgos, en cuyo intermedio
supo que el rey de Portugal venía con un grueso
ejército a reunirse con su padre en Toro, de suerte
que marchó apresuradamente hacia Tordesillas y
allí conoció la victoria de Fernando contra los
portugueses, ganada cerca de Zamora en 1476, con
lo cual concluyó la guerra.

Las siguientes acciones de Isabel estuvieron
dirigidas a liquidar el poder político del rey de

ISABEL

Portugal: rescató la ciudad de Toledo de manos del duque de Marialva, se apoderó de Valladolid, rindió a Trujillo y se presentó en Sevilla para restablecer el orden y la tranquilidad. Allí se reunió con Fernando para celebrar la victoria. El rey volvió a Madrid para arreglar las diferencias con el arzobispo de Toledo, e Isabel dio a luz en Sevilla, el 30 de junio de 1478, al príncipe Juan. Ese mismo año firmó una paz ventajosa y duradera con Portugal. A principios de 1479 se unieron a Castilla los reinos de Aragón, cuyos Estados juraron como heredero a Juan, al igual que las cortes de Barcelona y Valencia.

En 1481 se estableció en Sevilla el Tribunal del Santo Oficio, a instancias de fray Tomás Torquemada, confesor de Isabel (v. INQUISICIÓN). Fray Hernando de Talavera, a su vez, le había aconsejado reiteradas veces emprender la conquista de Granada, lo cual determinaron al fin los Reyes Católicos poniendo en pie de guerra un ejército poderoso, en cuyo poder fueron cayendo, una tras otra, las plazas de Illora, Alhama, Málaga, Baeza, Almería, Guadix y otras, de suerte que en siete campañas llegaron a tocar los muros de la capital mora. El sitio a ésta empezó el 26 de abril de 1491, y acabó el 4 del siguiente enero, terminando así el poder mahometano que durante 776 años había esclavizado a España. Otra acción eminente de la reina Isabel consistió en proteger la arriesgada empresa de Cristóbal Colón, al cual proporcionó embarcaciones, gente, dinero y todo lo necesario para que realizara su expedición. A su regreso lo declaró Almirante del Nuevo Mundo.

Isabel y Fernando perdieron a su hijo Juan, príncipe de Asturias y a su hija María, reina de Portugal, y asistieron a la locura de Juana, su otra hija, archiduquesa de Austria. Isabel murió en 1504 en Medina del Campo, después de haber declarado a Juana la Loca heredera de sus Estados en Castilla, juntamente con su esposo el archiduque Felipe.

ISABEL LA CATÓLICA, FONDO CULTURAL.

Está constituido por $15 millones y destinado a: otorgar becas para estudios de especialización en España; al intercambio de artistas, profesores y conferencistas; a editar libros y, en general, a fomentar el intercambio de toda expresión cultural entre México y España. Fue una promoción del industrial español Pablo Díez

Fernández y de su esposa Rosario Guerrero de Díez, quienes hicieron un legado de $5 millones (fideicomiso del 14 de diciembre de 1972). A esta suma se añadieron las de $2.5 millones correspondientes a Antonio López Silanes, fundador del Instituto Cultural Hispano Mexicano; Ángel Losada, presidente de la Sociedad Española de Beneficencia; Victoriano Olazábal, presidente de la Cámara Española de Industria y Comercio; y Fomento Cultural Banamex. El primer comité técnico del Fondo quedó integrado el 26 de marzo de 1973, por los señores Patricio Beltrán Goñi, presidente; Victoriano Olazábal, vicepresidente; Francisco Monterde, Ángel Matute Vidal, Rodolfo Halffter, Antonio López Silanes, Armando Chávez Camacho, Luis Recasens Siches, Antonio Ariza, Ángel Losada y Guillermo Flores Verdad, como vocales.

ISABEL LA CATÓLICA, REAL ORDEN DE.

Fue instituida por Fernando VII el 24 de marzo de 1815 para premiar a los españoles que hubiesen prestado servicios eminentes en los dominios americanos. Se dio a la condecoración ese nombre en memoria de la ilustre promotora del descubrimiento del Nuevo Mundo. Se confirió indistintamente a civiles y a militares. Su distintivo es una cinta blanca con dos fajas de oro poco distantes de los cantos. Los caballeros llevaban la cruz en el ojal de la casaca; los comendadores, pendientes del cuello, y las grandes cruces, la placa de la orden. La cruz es de oro y de cuatro brazos iguales con puntas de esmalte rojo, orlas de oro y ráfagas del mismo metal en los ángulos; pende de una corona olímpica y en el centro tiene un medallón o escudo de esmalte blanco; en el anverso, las columnas de Hércules, con el mote *Plus ultra* y los dos mundos entrelazados con una cinta, cubiertos con la corona imperial, y despidiendo rayos de luz en todas direcciones; alrededor del escudo, el lema "A la lealtad acrisolada" y en el reverso la frase "Por Isabel la Católica", puesta alrededor de la cifra de Fernando VII en campo azul. La placa tiene las mismas inscripciones y es también en forma de cruz; pero los brazos son de escamas de oro y en los ángulos lleva ráfagas de ese metal; el medallón del centro reproduce al del anverso de la cruz, aunque rodeado de laurel, así como una faja de esmalte blanco; y en la parte superior está la cifra del fundador.

ISLA, CARLOS. Nació en San Andrés Tuxtla, Ver., el 18 de noviembre de 1945. Fundó y editó la revista *Latitudes*, participó en la dirección de las editoriales La Máquina Eléctrica y Fantasma, y ha colaborado en publicaciones periódicas del país y del extranjero. Poeta, ha publicado *Gramática del fuego* (1972), *Maquinaciones* (1975), *Copias al carbón* (1978), *Trabalengua y Tiro al blanco*. Es coautor con los poetas norteamericanos Robert Bonazzi y C.W. Truesdale, de "Domingo" (poema bilingüe, 1974). Preparó la *Antología de la joven poesía norteamericana* (en colaboración con Ernesto Trejo, 1979). Como narrador, sobresale su novela *Salto mortal* (1976).

ISLANDIA, REPÚBLICA DE. Su territorio es una gran isla, rodeada de un número considerable de otras muy pequeñas. Se localiza al norte del océano Atlántico, cerca del Círculo Polar Ártico. La isla principal se encuentra a unos 300 km al sureste de Groenlandia, separada de ésta por el canal de Dinamarca, y aproximadamente a mil kilómetros al oeste de Noruega. Tiene una superficie de 103 mil kilómetros cuadrados y una población de 239 mil habitantes (1984), 87 106 de los cuales viven en Reikiavik, la capital. Orográficamente, está constituida por una meseta (600 m de altura media) de materiales eruptivos, recubierta en parte por el hielo (glaciales), que presenta numerosos conos volcánicos y géiseres. Las costas son altas y acantiladas, recortadas por fiordos y bahías. A pesar de su latitud, el clima es benigno en las costas, debido a la corriente del Golfo, y más riguroso en el interior, con temperaturas que van de 10 °C en verano a 1 °C en invierno. El idioma oficial es el islandés. De acuerdo a la Constitución del 17 de junio de 1944, el Poder Ejecutivo corresponde al presidente (elegido para cuatro años por voto universal) y al gabinete, encabezado por un primer ministro. Sin embargo, en la práctica el presidente sólo realiza funciones de representación, y es el gabinete el que ejerce el poder. El Parlamento (*Althing*) se compone de dos cámaras (20 miembros en la Alta y 40 en la Baja, elegidos para cuatro años mediante un sistema mixto de representación proporcional). El presidente puede convocar y disolver el Parlamento. Los principales partidos políticos son el de la Independencia, el Progresista, la Alianza Popular, el Social Demócrata, la Alianza Social Demócrata y

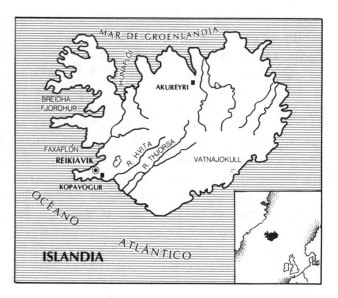

la Alianza de Mujeres. El 25 de abril de 1987 se celebraron elecciones generales, resultando triunfante una coalición formada por los partidos Social Demócrata y Progresista, de modo que asumió el cargo de primer ministro el señor Thorsteinn Palsson. Islandia es miembro de la Organización del Tratado del Atlántico Norte desde la constitución de ésta en 1949, así como del Consejo de Europa. En 1953 se integró al Consejo Nórdico. En Reikiavik se halla una base militar de Estados Unidos, cuyo número de soldados se limitó en 1974. Islandia es también miembro fundador de la Organización de las Naciones Unidas y de la Asociación Europea del Libre Comercio. En octubre de 1986, el presidente de los Estados Unidos y el secretario general del Comité Central del Partido Comunista de la Unión Soviética celebraron una junta cumbre en Reikiavik.

Relaciones bilaterales. En 1964, México e Islandia decidieron establecer relaciones diplomáticas, y en 1965 suscribieron un convenio sobre supresión de visas. En 1986, México tuvo un superávit de Dls. 340 mil en su balanza comercial con aquel país, al que vendió hormonas naturales o reproducidas por síntesis, y tequila. Ninguno de los dos Estados tiene embajada en el territorio del otro; el representante de México es el embajador en Oslo, Noruega, y el de Islandia es el acreditado también en Washington. Los representantes de México ante Islandia han sido los embajadores Antonio Armendáriz (1964-1973), Antonio Sordo Sordi (1973-1977), Juan Pellicer López (1977-1981), Francisco García Sancho (1981-1984) y Tomás Ortega Bertrand (desde 1984); y los de Islandia ante México, Thor Thors (1964-1965), Petur Thorspeinsson (1965-1969), Magnus Pivignir Magnus (1969-1974), Heraldur Kroyer (1974-1976), Hans G. Andersen (1976-1986) e Ingvi Ingvarsson (designado en octubre de 1987).

ISLAS. El Artículo 42 de la Constitución Política de los Estados Unidos Mexicanos establece que el territorio nacional comprende "el de las islas, incluyendo los arrecifes y cayos en los mares adyacentes" (fracción II) y "el de las islas de Guadalupe y de Revillagigedo situadas en el Océano Pacífico" (fracción III). Según el Instituto Nacional de Estadística, Geografía e Informática, la superficie insular es de 5 073 km^2 (*Agenda Estadística 1983*). Durante muchos años se manejaron dos datos discrepantes: 5 363 km^2, por la Dirección General de Estadística; y 6 496 km^2, por la Dirección General de Geografía y Meteorología. Aun antes, habían hecho trabajos sobre esta materia Antonio García Cubas (*Boletín de la Secretaría de Relaciones Exteriores*, noviembre de 1899 a abril de 1900, y 15 de julio de 1905), Manuel Muñoz Lumbier (*Anales del Instituto Geológico*, 1919) la Dirección de Marina, Puertos y Faros de la Secretaría de Comunicaciones y Obras Públicas (*Derrotero de las costas de la República Mexicana, litoral del océano Pacífico*, 1939) y Ricardo Toscano ("Islas de la República Mexicana", en *Boletín de la Sociedad Mexicana de Geografía y Estadística*, t. 54).

Archipiélago del Norte. Inscrito entre los 34° 05' y 32° 48' de latitud y los 120° 28' y 118° 18' de longitud oeste, frente a la costa de la Alta California, comprende las islas de San Miguel, Santa Rosa, Santa Cruz, Anacapa, Santa Bárbara, San Nicolás, Santa Catalina y San Clemente. Fueron descubiertas por Juan Rodríguez Cabrillo en 1542, quien tomó posesión de ellas en nombre de España. Ésta renunció a cualquier derecho sobre ellas –al igual que respecto de los territorios de Nueva España, la capitanía general de Yucatán y las provincias internas de Oriente y Occidente– por el Tratado de Madrid, del 28 de diciembre de 1836, en cuyo texto reconoció la soberanía e independencia de la República Mexicana. En 1838, el presidente Antonio López de Santa Anna dispuso que estas islas fueran concesionables a mexicanos, aunque dos años después revocó ese decreto. En 1841, sin embargo, Juan Bautista Alvarado, gobernador de California, que desconocía esa rectificación, otorgó la exclusiva para la explotación de Santa Rosa a Carlos Antonio y José Antonio Carrillo. Estos hechos evidencian que México ejerció actos de soberanía sobre el Archipiélago. El 2 de febrero de 1848, al firmarse el Tratado de Amistad, Paz y Límites con Estados Unidos, que puso término a la guerra, se fijó con toda precisión la frontera, no se hizo cesión de territorio insular alguno y se previno que la línea divisoria sería "religiosamente respetada", sin que pudiera hacerse variación de ella sin el expreso consentimiento de ambos gobiernos. Al ocurrir la venta de La Mesilla a Estados Unidos (30 de diciembre de 1853) tampoco se mencionaron las islas. El 15 de enero de 1894, Esteban Chassay presentó en la Sociedad Mexicana de Geografía y Estadística un trabajo que demostraba la propiedad mexicana del Archipiélago, tesis que sostuvieron los dictaminadores el 7 de junio siguiente. En 1905, sin embargo, el general Amado Aguirre, comisionado para ese efecto por el presidente Porfirio Díaz, visitó las islas y encontró que algunas porciones de ellas ya estaban anotadas en el registro de la propiedad de California. En 1920 Aguirre terminó un estudio sobre la ocupación ilegal, por parte de los norteamericanos, de esos territorios y al año siguiente elevó una instancia ante el presidente Álvaro Obregón para iniciar su procedimiento reivindicatorio, pero parece ser que éste calló el asunto a cambio –entre otras cosas– de conseguir el reconocimiento de su gobierno. Hacia 1921 Santa Catalina estaba ya ocupada por William Wrigley, magnate chiclero, cuyo sucesor, Philip K. Wrigley no pudo venderla, en 1933, porque carecía de títulos originales. En 1944, a iniciativa de Adolfo Manero y Raymundo Azueta, se formó un comité para la reintegración de las islas a la soberanía de México, gracias a cuya presión pública el presidente Ávila Camacho formó la Comisión Jurídica Geográfica e Histórica, presidida por el ingeniero Lorenzo Hernández, encargada de estudiar el problema, la cual fue reorganizada en 1947 por el presidente Miguel Alemán. Ese mismo año el general Aguirre, deseoso de sensibilizar a la opinión pública, puso en manos del periodista José Paniagua Arredondo la documentación que había acumulado y éste emprendió una activa campaña de prensa. El dictamen de la Comisión fue entregado al presidente de la República en 1948, pero no llegó a divulgar su contenido por considerarlo confidencial. Durante los 13 años siguientes Manero y Paniagua realizaron múltiples gestiones infructuosas ante las autoridades, incluyendo una instancia, el 9 de marzo de 1957, ante la Suprema Corte de Justicia, y el 3 de junio de 1963 crearon la Coalición Nacional Defensora de la Soberanía Territorial, cuyas presiones no han suscitado ninguna acción del poder público. El 2 de abril de 1970 el licenciado Antonio Carrillo Flores entonces secretario de Relaciones Exteriores, declaró que las islas del Archipiélago del Norte son mexicanas, porque no han sido cedidas en ningún tratado, que no hay hechos nuevos que motiven que se promueva su devolución, pero que tampoco hay razón para renunciar a ellas sin que nadie las pida, y que esta política está basada en el estudio de 1948. Finalmente, el 8 de agosto de 1972, un grupo de chicanos izó la bandera mexicana en la isla Catalina.

En la actualidad, San Miguel, Anacapa, San Nicolás y San Clemente están bajo el control del 11° Distrito Naval norteamericano, pues forman parte del sistema de defensa costera; Santa Rosa, totalmente cultivada, está en poder de la compañía *Vail and Vickers* de Los Ángeles; Santa Cruz, con valles, arroyos y serranías montuosas y una apreciable riqueza pecuaria, es usufructuada por la *Stanton Oil Co.* de Long Beach; Santa Bárbara es administrada por el servicio de Parques Nacionales de San Francisco, y Santa Catalina es un centro turístico de primer orden, cuya posesión detenta Philip Wrigley. La isla Farallón, mucho más al norte, frente a la bahía de San Francisco, fue ocupada por Estados Unidos en 1851. También depende del distrito naval de San Diego.

Archipiélago Revillagigedo. Se compone de cuatro islas: Socorro (antes Santo Tomás), San Benedicto (en un principio La Anublada), Clarión (originalmente Santa Rosa) y Roca Partida. La isla Socorro (18° 53' de latitud norte y 111° 49' de longitud oeste), tiene una superficie aproximada de 150 km^2; es irregularmente rómbica; por el norte termina en el cabo Middleton y por el sur en un ángulo formado por el cabo Rule y las bahías de Braithwait y Binner's Cove, entre las cuales hay una pequeña ensenada, que es el punto de más fácil desembarco. Este lugar fue bautizado con el nombre de bahía Vargas Lozano por los expedicionarios de la Universidad de Guadalajara, en honor del comandante de la fragata *Papaloapan*, a bordo de la cual hicieron un viaje en 1954. El punto más elevado de la isla es el monte Evermann (1 051 m), desde el cual puede distinguirse hacia el norte, en días sin bruma, la isla San Benedicto (19° 19' de latitud norte y 110° 49' de longitud oeste), distante de allí 32 millas náuticas. Se trata de una plataforma angosta, en forma de S irregular, rodeada de acantilados. La isla Clarión (18° 20' de latitud norte y 114° 45' de longitud oeste), más pequeña que la Socorro, dista de ésta 214 millas náuticas. Figura un cuadrilátero, cortado a pico en su perímetro. Sobre esta plataforma se elevan tres picachos de 335, 292 y 284 m de altura; el principal es monte Gallegos. Roca Partida (19° de latitud norte y 112° 07' de longitud oeste) tiene apenas 90 m de largo por 45 de ancho. En noviembre de 1533, azotado por los vientos y perdido su curso, recaló en el peñasco de San Benedicto el navío *San Lázaro*, al mando del capitán Ruy López de Villalobos. Esta embarcación formaba parte de la flota de Hernando de Grijalva, que había salido en busca de *La Concepción*, perdida en el Pacífico cuando navegaba rumbo a California. A la isla donde arribaron, los españoles le pusieron por nombre La Anublada. Reparada la nave, arrumbaron hacia el volcán que se miraba hacia el sur suroeste y de ese modo llegaron, el 21 de diciembre de 1533, a la isla que bautizaron Santo Tomás por ser ese día el consagrado a la memoria del teólogo dominico. Esta fecha se asocia al descubrimiento del Archipiélago. Varias veces estas tierras emergidas debieron ser refugio de piratas, pues en 1606 el aventurero Martín Yáñez de Armida desembarcó en la Santo Tomás en busca de los tesoros que suponía habían ocultado aquéllos. Nada encontró de valor, pero sí la ocasión de pasar unos días de recreación con su esposa Socorro, cuyo nombre puso a la isla. Hasta allá viajó también, en 1793, el capitán Colnett, a bordo de la corbeta *Ratler*, interesado en estudios geológicos y en temas de la evolución de las especies. Sin embargo, fue emboscado por los tripulantes de un barco español y llevado preso al puerto de San Blas. A instancias del científico noruego Radit, el virrey de Nueva España ordenó reintegrar a Colnett la libertad y el navío, y darle una indemnización en oro. A su regreso a Europa, Colnett publicó *Islas y monstruos*, un libro ya desaparecido, en el que menciona las islas con el nombre de Archipiélago Revillagigedo, en gratitud a Juan Vicente de Güemes Pacheco y Padilla. En 1823, la República Mexicana se constituyó con el territorio que había sido de la Nueva España y sus islas adyacentes, pero nunca se tomó posesión formal de éstas. Por decreto del presidente Benito Juárez, del 25 de julio de 1861, se concedieron al estado de Colima las islas Revillagigedo para que establecieran en ellas las colonias presidiales que solicitó la Legislatura local el 29 de abril anterior, pero como no llegó a hacerlo, volvieron al dominio del Gobierno Federal. La Constitución de 1917 menciona expresamente las islas Revillagigedo como parte del territorio nacional, y otras disposiciones señalan que las islas de ambos mares son de jurisdicción federal. Con base en esto, en 1956 se instaló el sector naval de isla Socorro, al mando inicialmente del capitán de navío Donaciano Hernández Carbajal. Desde entonces, la Secretaría de Marina ejerce la vigilancia del Archipiélago. El 22 de marzo de 1978, en ocasión de inaugurarse la primera base aeronaval de ultramar, visitó la isla Socorro el presidente López Portillo, interesado en consagrar de ese modo la posesión del archipiélago, pues a partir de sus bordes se mide la zona económica exclusiva de 200 millas, que se añaden a otras tantas contadas desde las costas continentales. Si se suman las 200 millas a partir de Clarión, las 32 de ésta a Socorro, y las 373 de ésta al litoral de Colima, resultan 605 millas náuticas de zona económica exclusiva, o sea unos 1 300 km en el océano Pacífico, inestimable fuente de recursos.

Baja California. En el océano Pacífico: islas Coronado (32° 26' de latitud media), a 15 km de la costa, pequeñas, estériles, de contorno acantilado; islas de Todos Santos (31° 47' 15" y 116° 41' 20" la mayor y 31° 48' 40" y 116° 48' 40" la menor), a 12 km de la punta Banda, rodeada de algas y rocas aisladas; Roca de la Soledad (31° 31' 30" y 116° 43' 30"), a 1.8 km de la punta de Santo Tomás, inscrita en un campo de sargazo; isla de San Martín (30° 29' 05" y 116° 06' 50"), a 6 km de la Península, con un volcán extinguido, nopaleras, pequeños arbustos, aves, focas y dos fondeaderos, el mejor de ellos la caleta de Haller, al lado oriente; Roca Ben o Benjamín (30° 25' y 116° 07'), a 400 m al sur de la anterior, sólo visible durante las bajas mareas; San Jerónimo

(29° 47' 30" y 115° 47' 45" en la punta norte) a 8 km de la bahía del Rosario, con tres pequeñas elevaciones, sin vegetación, visitada por focas y aves; arrecife Sacramento (28° 44' y 115° 44'), de 1 800 m de longitud; Élide (28° 40' 30" y 114° 16' 55"), islote unido a la costa por una barra de 900 m; Guadalupe (264 km^2 entre los 28° 51' y 29° 10' 50" de latitud y los 118° 13' y 118° 22' 30" de longitud), de 33 km de largo y una anchura máxima de 12, recorrida desde su extremo sur –donde es árida– hasta el norte –donde es fértil– por una cadena de montañas –pobladas de cabras salvajes–, cuya máxima elevación es de 1 500 m, visible a 60 km, por lo cual ha sido, desde la época colonial, punto de referencia para los navegantes; islas de San Benito –Oeste (28° 18' 35" y 115° 35' 25"), de Enmedio (28° 19' y 115° 32' 45") y Este (28° 18' y 115° 32' 15")–; y Cedros (28° 22' y 115° 13' en la punta norte y 28° 03' y 115° 11' en el morro Redondo, o sea en el extremo sur), frente a la bahía de Sebastián Vizcaíno, a 20 km de punta Eugenia, de 347 km^2 de superficie, tiene una serie de montañas en el sentido de los meridianos –pico Gil, de 1 200 m y monte Cedros, de 1 300, entre otras–, en cuyas partes altas crecen cedros y encinas enanas, y habitan venados, cabras y conejos, mientras en el litoral, acantilado, abundan las nutrias, las focas y los lobos marinos, y se ha establecido un centro de población que prospera gracias a la pesca y a la actividad de una empacadora. En el golfo de California: Montague (31° 47' y 114° 48' 30" de longitud media), de 47 km^2 de superficie, frente a la desembocadura del río Colorado; Gore (33° 43' y 114° 43'), al sureste de la anterior, formada por los arrastres del río; Consag (31° 07' y 114° 27'), promontorio rocoso a 32 km de la costa; grupo de Salvatierra, Mirama, Lobo y Encantada, del que solamente se sabe que está a los 30° 03' de latitud; San Luis (29° 58' y 114° 26'), al parecer de origen volcánico, a 5 km de la Península, con superficie de 6.5 km^2 y una eminencia de 340 m; Ángel de la Guarda (comprendida entre los 28° 58' y 29° 33' y los 9 y 38' del meridiano de 113°), de 77.5 km de largo por 10 de ancho como promedio y una superficie de 855 km^2, tiene una serranía longitudinal con cimas de 100 a 1 300 m, litorales escarpados y el puerto del Refugio en el extremo septentrional, y se halla separada de la costa por el canal de Ballenas;

ISLAS

grupo de Mejía, Granitos y Roca del Navío, frente al puerto del Refugio, pequeñas y áridas; Roca Blanca, al noroeste de Ángel de la Guarda; Smith (29° 11' y 113° 33'), de 6 km de longitud, paralela al litoral, frente a la bahía de Los Ángeles; Punta Partida (28° 53' y 113° 04'), roca al sureste de Ángel de la Guarda Rasa, próxima a la anterior, de 620 mil metros cuadrados, cubierta de guanos mucho tiempo explotados; y grupo Salsipuedes, Ánima y San Lorenzo, de las cuales ésta, la mayor (28° 40' y 112° 53' en su punta norte), tiene 16 km de largo por tres de ancho y una eminencia de 533 m.

Baja California Sur. En el océano Pacífico: Natividad (27° 54' 30" y 115° 13' en su punta norte) de 8.6 km^2, estéril y quebrada, distante 7 km de la punta Eugenia; San Roque (27° 09' 07" y 114° 22' 30" en su punta este) es un islote a 3 km de la punta del mismo nombre; Asunción (27° 06' 45" y 114° 17' 40" en la punta norte) es otro islote árido de 460 mil metros cuadrados; grupo de islotes paralelos a la costa entre bahía de Ballenas y la desembocadura del arroyo de San José de Gracia, y entre el arroyo de San Benecio y bahía Magdalena; isla Margarita (24° 31' y 112° 00' 40" en el extremo noroeste), con área de 220 km^2, cierra las bahías Magdalena y de Almejas, aloja yacimientos de magnesita y en ella se fundó, el 1933, la base naval de Puerto Cortés; Santa Magdalena (24° 31' y 111° 46' en la punta oriental) está al norte de la anterior –canal de la Gaviota de por medio–, tiene una superficie de 10.8 km^2 y está unida por bajos de arena con el litoral de la Península; y Creciente (24° 21' y 111° 41' en la punta Mariana), lengüeta arenosa de 21 km de longitud que corre más o menos paralela a la costa firme. En el golfo de California: isla Tortuga (27° 26' y 111° 54' 10" en el centro), de 7 km^2, con un cono volcánico de 350 m de altura; San Marcos (32 km^2 entre los 10 y los 17' del paralelo de 27° y los 3 y 7' del meridiano 112°), montañosa y árida, cuenta con depósitos de yeso, alabastro, piedra pómez y talco, y se halla al sureste del puerto de Santa Rosalía y a 10 km de la costa; grupo de Santa Inés, formado por tres pequeñas islas (27° 03' y 111° 55' 30" la del centro), con una extensión conjunta de 4.8 km^2; grupo de las islas Coyote, Blanca, Bargo y Guapa (entre los 26° 42' 30" y 26° 44' 30" y los 111° 52' 15" y 110° 53' 30"), frente a la

bahía Concepción; San Ildefonso (26° 37' 50" y 111° 27' en el centro), de 1.6 km de largo por 800 m de ancho, en la bahía de San Nicolás; Coronados (27° 07' y 111° 18' en el centro), de 3 km de largo por dos de ancho, se halla a 35 km de la costa y en ella sobresale una eminencia de 310 m; Carmen (entre los 25° 48' y 26° 04' y los 111° 04' 30" y 111° 15'), tiene 153 km^2, está recorrida por montañas de 180 a 330 m de altura, en cuyo margen oriental se hallan extensas salinas; Danzantes (25° 47' y 111° 15' 30" en su parte central), tiene 5 km^2 y está entre la isla anterior y la península; Montserrat, de 20 km^2 de extensión y a 15 km de la costa; Santa Catalina (entre los 25° 35' y 25° 44' y los 110° 45' y 110° 47'), al oriente de la anterior, de 40 km^2 de superficie, tiene contorno acantilado, salvo en el sur, y un pico de 515 m de altura; San Cosme, Roca del Azufre y San Marcial, muy pequeñas, situadas entre Santa Catalina y Santa Cruz; esta última (25° 17' y 110° 43' en su parte media), rocosa y estéril, tiene 16.23 km^2 y una eminencia de 450 m; San José (entre los 24° 52' y 25° 06' 15" y los 110° 44' y 110° 32'), de 26 km de largo por 7.5 de ancho, tiene montañas hasta de 700 m de altura, está cubierta de vegetación, hay en ella animales de caza, especialmente venados, y depósitos de sal; grupo de las islas de Cayo y San Francisco y de los arrecifes del Coyote y de Lobos, todas muy pequeñas; Espíritu Santo (24° 28' 30" y 110° 17' en punta Lobos, al oriente; y 24° 28' 30" y 110° 23' en punta Ballena, al poniente), de 112 km^2, está al norte de la península de Trincheras –canal de San Lorenzo de por medio– que forma la bahía de La Paz, en cuyas proximidades se hallan los islotes Ballena, Gallo, Gallina, Cardenal y Lobos; San Juan Nepomuceno (25° 15' 30" y 110° 19' en su punta sur), de 1.25 km^2, muy próxima a la costa, abriga por el oriente al puerto de Pichilingue; Roca de los Lobos (24° 17' 30" y 110° 19' 30"), pequeña y árida; Cerralvo (entre los 24° 09' y 24° 22' y los 109° 47' 15" y 109° 56'), con un área de 155 km^2, tiene dos picos de 690 y 760 m de altura y forma el canal de su mismo nombre con la península de Trincheras; islote Reyna, al noroeste de la anterior, y Roca Montaña, al sureste.

Sonora: Jorge, de 1 100 m de largo por 600 de ancho, cubierta de guano, frente a la bahía de San Jorge; Patos, islote frente al cabo Tepopa; Pelícano (28° 48' 30" y 111° 57'), de 1.44 km^2

de superficie, frente a bahía Kino; Tiburón (entre los 28° 45' y 29° 14' y los 13 y 36 minutos del meridiano 112), con superficie de 1 208 km^2, aloja al oriente la sierra Kunkaak y al poniente la sierra Menor, con elevaciones hasta de 1 215 m, tiene vegetación precaria –mezquite, palo blanco, torote, dipua, copal, cactus y gramas– y cierta variedad de animales –venados, coyotes, ardillas, conejos, ratas, serpientes, tortugas y aves– y es territorio de los indios seris durante la estación lluviosa, cuando cruzan el canal del Infiernillo que la separa del continente; Lobos, roca al sur de la punta Monumento; Turners, pequeña isla árida de 1 200 m de longitud; San Esteban (28° 42' y 112° 36' en el centro), de 45 km^2; roca de San Pedro Mártir (28° 23' y 112° 20'); San Pedro Nolasco (27° 58' y 111° 25'), con área de 7 km^2, a 8 de la costa; y las muy pequeñas, de menos de un kilómetro cuadrado de extensión: Venado, San Luis y Doble, al norte; San Nicolás, frente a la bahía de San Francisco; Chapetona, Medio, Candeleros, Blanca, Lobos, San Vicente, Pitahaya y Pájaros, esta última a la entrada de la bahía de Guaymas; y dentro de ésta, Almagre Grande, Almagre Chico, Melissos, Ardilla, Tío Ramón, Picuilay, Ciari y Arboleda.

Sinaloa: Islote de las Piedras, de 9 km de largo por uno de ancho, frente a la desembocadura del río Fuerte; Lechuguilla, de 20 km de longitud por dos de anchura, que forma con la costa el estero de su nombre; Santa María, igualmente estrecha, de 25 km de longitud, que limita, junto con el litoral continental, la bahía de San Esteban; farallón San Ignacio e islote Lobos, a la entrada de la bahía de Topolobampo; San Ignacio, también angosta, de 23 km de largo, que cierra hacia el poniente la bahía del mismo nombre; grupo de Vinorama, San Felipe y Pájaro, pequeñas islas en la boca de la bahía de Navachiste; Macapule, de 19 km de largo y 1.5 de ancho, que limita el seno anterior; islotes Ceboars, Cebuisega y Metates, en el interior de la bahía de Navachiste; San Juan, frente a la desembocadura del río Sinaloa; Saliaca (25° 108' y 108° 20' en su punta oeste), de 21 km^2 de superficie, entre la península de Perihuete y la isla de Altamura; Curvina, al oeste de la anterior, dentro de la bahía de Playa Colorada; Garrapata, con área de 15 km^2, entre la isla Siliaca y la tierra firme; Altamura (entre los 24° 47' y 25° 08' y los 6 y 19 minutos del meridiano 108),

muy larga –45 km– y angosta –3 km–, baja y arenosa; Mero, de 17 km de longitud y uno de ancho, al noreste de la anterior; Pachichiltic, con superficie de 125 km^2, limita por el sureste el estero de Altamura; Baredito (24° 25' y 108° en su parte media), de 21 km^2, se halla entre la bahía de Altata y el estero de Tule; Lucenilla o Redo (entre los minutos 31 y 37 del paralelo 24 y los 17 y 58 del meridiano 107), de formación reciente –sólo citada por Jorge L. Tamayo–, frente al puerto de Altata; Pájaros, Venado, Lobos y Estrella, pequeñas islas y rocas situadas entre la punta Camarón y la bahía de Mazatlán; Crestón, unida artificialmente al límite occidental de esta bahía, al igual que la isla Azada; Hermano del Norte, Hermano del Sur y Tortuga, pequeñas, al noroeste de las anteriores; Chivos, de 79 m de altura, ligada al monte Silla por un rompeolas, al este de la propia bahía; Arpones, de 48.8 m de elevación, a 820 m al oriente de la precedente; Piedra Negra y Roca Blossom, apenas aparentes; e isla de Piedra, Palmito de la Virgen y Palmito del Verde, que propiamente son los cordones litorales de las extensas albuferas que van desde Mazatlán hasta la boca de Teacapán, cerca del límite con Nayarit, alojando en su curso las desembocaduras de los ríos Presidio y Baluarte.

Nayarit: Isabela (21° 52' 30" y 105° 50' en su parte media), a 32 km de la costa, con 2 km^2 de superficie y 85 m de altura máxima, árida y rodeada de peñascos; Piedra Blanca del Mar, de 42 m de elevación, frente a la desembocadura del río Santiago; Piedra Blanca de Tierra, también pequeña, de 18 m de altura, frente al puerto de San Blas; archipiélago de las islas Marías, formado por San Juanito, María Madre –donde se halla la colonia penal–, María Magdalena y María Cleofas; y Tres Marietas (20° 41' y 105° 37' en el centro del grupo), todas de contorno acantilado, la mayor de las cuales tiene 800 m de largo, 400 de ancho y 40 de altura.

Jalisco: Roca Cucharitas (20° 03' y 105° 50' 20"), arrecife de 400 m de longitud y sólo uno de altura, visible por las rompientes que provoca, frente al lado sur de cabo Corrientes; islas de la bahía de Chamela –Pasavera, Novilla y Colorado–, todas menores de medio kilómetro cuadrado, una de ellas poblada por aves; y la Frailes Hermanos (19° 19' 40" y 104° 58' 30" en su parte media), agujas de piedra de 23 y 37 m de altura, a 1.6 km de la costa, en el extremo occidental de la bahía de Tecanacatita.

Colima: Piedra Blanca, próxima a Manzanillo, con diámetro de 400 m y 80 de altura; Frailes o Rocas Hermanas (19° 04' y 104° 37' en su parte media), gupo de siete rocas pequeñas, 800 m al sur de la punta Juluapan; y Roca Vela, muy próxima a la punta Campos.

Guerrero: Isla Grande o Ixtapan (17° 40' y 101° 40' al centro), muy próxima a la punta del mismo nombre, de apenas 340 mil metros cuadrados de superficie; Apies, aún más pequeña, al sureste de la anterior; islas Blancas (17° 38' 48" y 100° 38' 40" en su parte media), islotes de 6 y 43 m de altura; Roca Negra o Solitaria, baja y muy pequeña, a la entrada de la bahía de Zihuatanejo; Frailes Blancos grupo de 12 islotes, frente a la bahía de Petatlán; Roqueta o isla Grifo, de 710 mil metros cuadrados, a la entrada de la bahía de Acapulco; Morro, islote situado 400 m al noroeste de la anterior; farallón del Obispo, islote al norte de la propia bahía, muy cerca de la playa, y Rocas de San Lorenzo, 800 m al oeste.

Oaxaca: Piedra Blanca, islote a 400 m de la costa y a 10 km de la desembocadura del río Manialtepec; Roca Blanca, islote muy cercano a la playa, a 3.5 km al oeste de Puerto Ángel; Roca Negra, muy pequeña, de 12 m de altura, 400 m al oeste de la anterior; Sacrificios, de 400 m de longitud, en la bahía del mismo hombre; Roca Blanca, próxima a la anterior, hacia el sur; Cacaluta, 6 km al noreste de la propia bahía, tiene 550 m de diámetro y 61 de altura; Piedra Blanca, conjunto de peñas a 720 m de la punta Rosas, al extremo de la Península que divide el puerto de Huatulco de la bahía de Santa Cruz; Tangola-Tangola, de 60 mil metros cuadrados, a la entrada de la bahía del mismo hombre, y Estrete, peña a 19 km del morro de Ayutla.

Tamaulipas: La constante transformación de las islas e islotes que forman el cordón litoral de las albuferas de esta entidad ha impedido que se las catalogue. En el interior de la Laguna Madre se hallan Carrizal, La Pita, Viborero, Cenicero, Loma Alta, Hermanas, Quiote, Potranca, Flores, Sal, Chapurradas, Labor, Fusiles, Jara, Padre, Larga, Garzas, Venados, Bayas, Florida, Mulas, Té, Potros, Potrero, Prieta, Cascajal, Tío Nicolás, Nopal, Machete, Manzanas y Mezquital; y en la laguna de San Andrés, Huesos, Poza Rica y Mata Grande.

Veracruz: Cabo Rojo, estrecha formación arenosa de 125 km de longitud que se convirtió en isla al abrirse el canal de Chijol, que comunica el río Pánuco con la laguna de Tamiahua, en cuyo interior se encuentran los islotes Juana Ramírez, del Toro, Frijoles, Ídolo, Dolores de Cabeza, Burros, Cenicero, San Jerónimo y Pájaros; arrecife Blanquilla (21° 32' y 97° 15'), a 9 km de la punta cabo Rojo; bajo del Medio (21° 27' 30" y 97° 15'); isla de Lobos (21° 28' y 97° 13' en su parte media), de 35 km de longitud; arrecife Tanguijo, frente a la boca meridional de la laguna de Tamiahua; Bernal Chico (19° 39' y 96° 29'), e islas, islotes y arrecifes vecinos al puerto de Veracruz y a la punta de Antón Lizardo:

	Latitud N	Longitud O
Arrecife Galleguita	19° 14'	96° 08'
Arrecife Gallega (San J. de Ulúa)	19° 12' 26"	96° 07' 46"
Arrecife Blanquilla	19° 13' 37"	96° 05' 58"
Anegada de Adentro	19° 13' 44"	96° 03' 43"
Isla Verde (faro)	19° 11' 50"	96° 04'
Arrecife Pájaros	19° 11' 36"	96° 05' 39"
Isla Sacrificios (faro)	19° 10' 26"	96° 05' 27"
Arrecife Lavandera	19° 12'	96° 07'
Banco Mercey	19° 11'	96° 06'
Islote Tierra Nueva	19° 10' 30"	96° 06' 15"
Isla Blanca (faro)	19° 05' 06"	95° 59' 51"
Bajo Chopas	19° 05' 40"	95° 59' 30"
Salmedina	19° 04' 36"	95° 57' 08"
Isla del Medio	19° 06'	95° 57'
Arrecife Rizo	19° 03' 17"	95° 55' 08"
Arrecife Polo	19° 06' 30"	95° 58' 30"
Arrecife Aviso	19° 06' 15"	95° 56' 30"
Santiaguillo	19° 05' 50"	95° 56'
Arrecife Cabeza	19° 03'	95° 49' 50"
Anegada de Afuera	19° 10'	95° 52' 30"
Anegadilla	19° 08' 20"	95° 47' 50"
Santiaguilla	19° 08' 29"	95° 48' 23"
Topatillo	19° 08' 30"	95° 50'

Tabasco: Frontera, en el río Grijalva, formada por depósitos aluviales, y Buey Grande y Buey Chico en la desembocadura de la propia corriente, también sedimentarias.

Campeche: Isla del Carmen (entre los 18° 38' y 18° 16' y los 91° 30' y 91° 51'), de 37.5 km de longitud y una anchura media de tres, que cierra la laguna de Términos, tiene playas al norte y costa accidental al sur, se halla cubierta de vegetación y aloja a Ciudad del Carmen, en el extremo suroeste, y Puerto Real, en el opuesto; isla Aguada, al eje de la anterior, hacia el noreste, angosta de 11 km de largo; bancos de Sabancuy, a 7.5 km de la costa, de origen coralino, entre los 3 y 12 minutos del paralelo de 19 y los 10 y 20 minutos

ISLAS

del meridiano 91°; y bancos de Champotón (entre los 19° 20' y 19° 25' y los 90° 50' y 91°), de naturaleza semejante.

Yucatán: Al norte y noroeste de la Península se encuentran, alejados de la costa, los siguientes bancos e islas principales, cuya posición media se indica:

	Latitud N	Longitud O
Bancos Ingleses	22° 46' 30"	90°
Cayo Arenas	22° 08' 30"	91° 24' 20"
Islote Bermeja	22° 33'	91° 22'
Banco Inglés	21° 47'	92°
Bajo Nuevo	21° 50'	92° 12'
Los Triángulos	20° 55'	92° 13'
Banco Perlas	20° 42'	91° 55'
Banco Nuevo	20° 32'	92° 05'
Bancos del Obispo	20° 29'	92° 14'
Cayos Arcas	20° 12' 30"	91° 58' 40"
Cabeza de Piedra	20° 01'	92° 15'
Banco Pera	20° 45'	92°
Banco Arias	24° 05'	89° 40'
Islas de los Alacranes	22° 23' 36"	89° 41' 45"
Arrecife de la Serpiente	21° 25'	90° 30'
Bajo Madagascar	21° 26'	90° 18'
Banco Sisal	21° 20'	90° 10'

El 1° de abril de 1895, el presidente Porfirio Díaz informó al Congreso de la Unión que habían terminado satisfactoriamente las negociaciones entre México y Estados Unidos, iniciadas en 1886, para el reintegro a la República de las islas Arenas, Pérez, Chica, Pájaros, Cayo Arenas y Triángulo del Oeste que habían estado en poder de ciudadanos norteamericanos y que el gobierno de Washington tenía sujetas a su dominio. El acuerdo mediante el cual se declaró que en lo sucesivo no serían consideradas como propiedad de los Estados Unidos fue expedido por el Departamento del Tesoro el 21 de noviembre de 1894.

Quintana Roo: Holbox, de 64 km de longitud, al este de cabo Catoche; Hombon (21° 35' y 87° 10' en su parte media), la más oriental de las islas del golfo de México; Contoy (21° 32' y 86° 49' en el centro), de 5 km de largo por 800 m de ancho, a 12 km de la costa; isla Blanca (21° 33' y 86° 49') y Arrowsmith (21° y 86° 15'), bajos coralinos al noreste de la Península; isla Mujeres (21° 12' y 86° 43' 39" en la punta sur), de 8 km de longitud y una anchura de 800 m, a 5 km de tierra firme; Cancún (21° 29' y 86° 46') de 13 km de largo por 500 m de ancho, donde en 1972 se iniciaron importantes obras para suscitar su poblamiento y desarrollo; Cozumel (20° 31' 20"

y 86° 57' 16" en la plaza de San Miguel), con una superficie de 489.81 km², centro turístico a 17 km del continente; y los siguientes bajos e islas al sureste de la entidad, cuya posición media se indica:

	Latitud N	Longitud O
Cayos Ascensión	19° 40' 20"	87° 27'
Cayos Crook	19° 37'	87° 31'
Cayos de Mangle	19° 33'	87° 40'
Isla Owen	19° 20'	87° 29'
Cayos Chinchorro	18° 35'	87° 20'
Bancos Chelén	18° 12'	88° 06' 45"

Fuente: Jorge L. Tamayo: *Geografía general de México* (t. II, 1962).

ISLAS, ANDRÉS. Se ignora en dónde y cuándo nació y murió. Estuvo activo en la ciudad de México entre 1753 y 1775. Se especializó en retratos; de su gran producción, se conservan el del papa Clemente XIV (1769), en el Museo Nacional de Historia; el del obispo Juan de Palafox y Mendoza (1768), en el Museo Nacional del Virreinato; los de Carlos III, el virrey Bucareli y Pedro Romero de Terreros, primer conde de Regla, en la dirección del Nacional Monte de Piedad; el de José Escandón, en la capilla de Guadalupe del seminario de Querétaro; la de la Marquesa del Jaral del Berrio (1753), en el Banco Nacional de México, y *Jesús camino al Calvario* (1762), en la galería de pinturas anexa al templo de La Profesa. En la desaparecida capilla de Nuestra Señora de Aranzazú (hoy iglesia de San Felipe, en la avenida Madero de la ciudad de México), pintó de 1773 a 1774, por encargo de la cofradía, ocho lienzos con santos para los colaterales de Aranzazú, Begoña y Guadalupe; además realizó la *Vida de Nuestro Señor y Nuestra Señora*, un *Juan Evangelista*, el *Templo de San Juan de Letrán y los santos Domingo y Francisco*, una *Virgen de Guadalupe, Santo Domingo de Siles, San Bernardo, La Coronación de la Virgen, La Concepción Guadalupana, Aparición de Nuestra Señora del Pilar a Santiago Apóstol y Santa Rosa de Lima con la Virgen*. Bernardo Couto conoció esta capilla y habla de ella en su *Diálogo sobre la pintura en México* (1872; 2a. ed., 1947). En el Museo Provincial de Toledo, España, se exhibe un retrato de Sor Juana Inés de la Cruz pintado por él en el año de 1772. Todos sus retratos son figuras ampulosas, apoyadas sobre muebles de época. Se trata de valiosos documentos iconográficos.

Bibliografía: Abelardo Carrillo y Gariel: *Autógrafos de pintores coloniales* (1972); Manuel Toussaint: "Un documento acerca de Andrés de Islas", en *Anales del Instituto de Investigaciones Estéticas* (1942) y *Arte colonial en México* (2a. ed., 1962).

ISLAS, RUBÉN. Nació en Pachuca, Hgo., en 1924. Se inició en la música al lado de su padre. Estudió flauta en el Conservatorio Nacional, con Agustín Oropeza; en el Marlboro College of Music de Vermont, con Marcel Moyse, y en Inglaterra, con James Gallway. Su formación orquestal la realizó en la Filarmónica de la Ciudad de México, bajo la dirección de Sergiu Celibidache. De 1955 a 1970 fue primer flautista asociado de la Sinfónica Nacional, de la cual es nuevamente miembro desde 1973. Fundó el Quinteto de Alientos del Instituto Nacional de Bellas Artes. Enseña flauta en la Escuela Nacional de Música y en el Conservatorio Nacional. Dos veces ha recibido el premio de la Unión de Cronistas de Teatro y Música (1956 y 1965).

ISLAS, SATURNINO. Nació y murió en la ciudad de México (1842-después de 1906). En 1858 ingresó al Colegio Militar. Concurrió, como miembro del ejército liberal, a los combates de Silao, Guadalajara y Calpulalpan, al final de la Guerra de Tres Años y a la batalla del 5 de mayo en Puebla contra los franceses. Prisionero de éstos, fue deportado, dedicándose en París al aprendizaje de la telegrafía eléctrica. A su regreso, trabajó en la empresa del Ferrocarril de México en Veracruz, donde llegó a ser superintendente. Entre otras innovaciones, en 1882 puso en servicio el aparato *Duplax de Stearn*, que permitió la trasmisión simultánea de dos telegramas en sentido opuesto por el mismo conductor. Pionero de la telegrafía moderna mexicana, a él se debe, con la ayuda de ingenieros ingleses, el tendido del primer cable submarino que unió los puertos nacionales del Golfo con Galveston, tirado por el vapor *Decia* en 1881.

ISLAS ESCÁRCEGA, LEOVIGILDO. Nació en Pachuca, Hgo., en 1895; murió en la ciudad de México en 1972. Publicó, entre otras obras, el *Diccionario rural de México* (1961) y *Diccionario y refranero charro* (1969), en colaboración con Rodolfo García-Bravo y Olivera.

ISLAS FIJI. Archipiélago formado por nueve pequeñas islas y unos 300 islotes en el Pacífico del Sur, al noreste de Australia. Tiene una extensión de 18 736 km^2 y una población de 700 mil habitantes (1983). La capital es Suva. Aunque con gobierno independiente desde el 10 de octubre de 1970, es un dominio del Reino Unido. Tiene un régimen de monarquía constitucional y reconoce por soberano al rey de Inglaterra, representado por un gobernador general, quien designa al primer ministro, que es el jefe de gobierno. El Poder Legislativo está depositado en un Parlamento bicameral y el Poder Judicial recae en la Suprema Corte de Justicia. La moneda es el dólar fijiano. El país produce caña, coco y arroz; aves de corral, bovinos y porcinos; azúcar, cemento, cerveza, cigarros, barcos, carne de res, copra, jabón, pintura, fósforos y aceites; oro, cal y magnesio. La agricultura aporta el 45.2% del producto interno bruto, y la industria el 24.4%. El turismo también es importante. La mayor parte del comercio exterior se realiza con Australia, el Reino Unido, Nueva Zelanda y Estados Unidos. De los habitantes de las Islas, 43% son melanesios, 50% indios y el resto chinos y europeos. Esta variedad de etnias se refleja en las pugnas políticas, sobre todo entre los dos grupos mayoritarios. Hay tres partidos políticos: el Alianza, de marcada tendencia derechista y multirracial; el de la Federación Nacional, que agrupa a sectores obreros y campesinos, favorable a los indios; y el Nacionalista Fijiano, antiindio, que tiene por lema "Fiji para los fijianos".

En la política exterior, Fiji se ha adherido al tratado de desnuclearización del Pacífico del Sur. Sin embargo, desde 1983 ha permitido el acceso de barcos nucleares a sus puertos. Como país insular, Fiji fue de los primeros en ratificar la Convención de las Naciones Unidas sobre el Derecho del Mar. Fiji y México establecieron relaciones diplomáticas el 31 de agosto de 1975, con embajadas concurrentes, la de México desde Canberra, y la de Fiji desde Washington. Hasta 1986 prácticamente no existían contactos, aunque se habían planteado ya perspectivas de colaboración en materia de exploración y explotación de hidrocarburos, y un convenio de cooperación científica y tecnológica en las áreas de agroindustria, pesquerías y petroquímica. El canciller de Fiji, Jonati Mavoa, ha manifestado al embajador concurrente de México, Jesús Cabrera, el interés de su país en que México incremente su presencia en el Pacífico del Sur. Existe un consulado honorario mexicano en Suva, pero está acéfalo desde 1981.

ISLAS GARCÍA, LUIS. Nació y murió en la ciudad de México (1909-1970). Impartió cátedra en el Centro Cultural Universitario, actual Universidad Iberoamericana, y colaboró en *Excélsior* y en otros diarios y revistas del país. De su producción destacan: *Apuntes para la historia del caciquismo en México* (1962), *Velasco, pintor cristiano* (1932), *Hierros forjados* (1948), *Las pinturas guadalupanas de Fernando Leal en el Tepeyac* (1950), *De la contemplación plástica* (1959), *El escultor Luis Ortiz Monasterio* (1964) y *Los murales de la catedral de Cuernavaca* (1967).

ISLAS MAGALLANES, OLGA. Nació en México, D.F., el 8 de febrero de 1933. Licenciada (1960) y doctora (1971) en derecho por la Universidad Nacional Autónoma de México, ha sido profesora en esta casa de estudios (desde 1964) y en el Instituto Nacional de Ciencias Penales (1978-1981), y directora de la *Revista mexicana del derecho penal* (1963-1964), del Centro de Investigaciones Jurídicas (1974-1976) y de la Dirección Técnica de la Procuraduría General de la República (1982-). Es autora de: *Delito de revelación de secretos* (1962), *Lógica del tipo en el derecho penal* (1979), *El sistema procesal penal en la Constitución* (1979) y *Análisis lógico de los delitos contra la vida* (1981).

ISLAS VÍRGENES DE ESTADOS UNIDOS. Situadas en el mar de las Antillas, al este de Puerto Rico, tienen una población de 51 mil habitantes. Su territorio, de 344 km^2, se compone de numerosas islas, entre las que destacan Santo Tomás —donde estuvo desterrado Santa Anna desde 1867 hasta que lo amnistió el presidente Lerdo de Tejada en 1874–, Santa Cruz y San Juan. Su capital, Charlotte Amalie, cuenta con 15 mil pobladores. Su economía se basa en el cultivo de la caña de azúcar y en la producción de ron. Las islas Vírgenes fueron compradas por Estados Unidos a Dinamarca en 1916. Esta ad-quisición estuvo vinculada a la política norteamericana de control en el mar Caribe y el istmo centroamericano.

ISOTE. Este nombre corresponde a varias especies de liliáceas (agaráceas) del género *Yucca*. Las plantas de este género son exclusivas de México, Centroamérica y el sur de Estados Unidos, distribuidas en las zonas áridas donde a menudo constituyen el elemento dominante de la vegetación. Los isotes o yucas son individuos con el tronco simple o ramificado, escamoso o áspero, delgado o grueso y presentan, en su mayoría, un porte arborescente con aspecto de palma, debido a que las hojas forman un penacho al término del tronco o de las ramas. Las hojas son alargadas, linear-lanceoladas o en forma de espada, rígidas y agudas; las flores, fragantes y atractivas, agrupadas en densos y grandes racimos o panículas terminales de color blanco, blanco verdoso o amarillento, erectos, cabizbajos o pedunculados, de perigonio campaniforme constituido por seis segmentos libres o casi libres —a veces soldados en base–, carnosos, brillantes, frágiles y vistosos, con seis estambres unidos a la parte basal de los sépalos; y el fruto, una cápsula dehiscente erecta, o bien una baya indehiscente y colgante, según las especies, con numerosas semillas aplanadas y de color negro.

Los isotes son de importancia económica, sobre todo por la fibra que se obtiene de sus hojas; a pesar de que aquélla es corta, tosca y dura, además de su acentuado color gris, se emplea para elaborar cordeles y sacos, y para fabricar esteras —petates–, ropa y otros objetos. Los troncos de las especies arborescentes se emplean para cercas y paredes de viviendas rústicas, y las hojas para techos. Las raíces, debido a las saponinas que contienen, son ampliamente utilizadas para lavar la ropa, el pelo y los trastos de cocina, en sustitución de los jabones. Las hojas se aprovechan como forraje y las flores son muy estimadas para la alimentación de los humanos, vendiéndose con frecuencia en los mercados; suelen comerse crudas, como ensaladas, en conserva o cocinadas en divesas formas. Los frutos de las especies con bayas carnosas, llamadas comúnmente dátiles, son buscados por su contenido de azúcar y para fermentarlos y producir bebidas alcohólicas.

Varias especies de isotes se emplean como individuos ornamentales en parques y jardines.

ISRAEL

Las más frecuentes para este fin son: *Yucca elephantipes* Regel (igual que *Y. guatemalensis* Baker), que tiene el tronco muy ensanchado en la base, conocida como *palmita, palma, palma de dátiles, ocozote y espadín*; *Y. aloifolia* L., con tronco delgado y corto, generalmente simple, con las hojas distribuidas a lo largo del tallo; *Y. aloifolia* var. *yucatana* Engelm., de Yucatán y Oaxaca, que produce una excelente fibra que puede rivalizar con el henequén; *Y. gigantea* Lem., de tronco alto, cilíndrico, de grosor homogéneo en toda su longitud y con un penacho de hojas en la parte superior.

Entre las especies productoras de fibra destaca *Y. carnerosa* Trel. (igual que *Samuela carnerosana* Trel.), también llamada *palma samandoca o barreta*, con amplia distribución en Coahuila, Nuevo León, San Luis Potosí y Zacatecas; tiene tronco hasta de 6 m, simple y poco ramificado. La *Y. filifera* Chab. (igual que *Y. australis* Engelm. Trel.), conocida como *palma china*, forma densas agrupaciones en San Luis Potosí, en el centro y sur de Nuevo León y Coahuila y en el este de Zacatecas. También se extiende, con poblaciones menos densas, de Zacatecas hasta el valle de México donde la conocen como *palma* y *palma corriente*. Se caracteriza por ser arborescente, con el tronco muy ramificado –de 10 a 12 m de altura– y por sus hojas –30 cm de largo por 2.5 de ancho–, rígidas y filíferas en los bordes. Mezclada con las asociaciones de esta última especie, en San Luis Potosí y sureste de Nuevo León, crece *Y. potosina* Rzedow., también arborescente, pero con el tronco de 2 a 7 m de altura y las hojas –de 30 cm de largo y de 3 a 6 de ancho– concavo-convexas, rígidas y con el margen oscuro.

Otras especies del mismo género, con frecuencia denominadas isotes, son: *Y. treculeana* Car., de Tamaulipas, Nuevo León, Coahuila y noroeste de Durango, conocida como *palma pita, palma loca* y *palma de dátiles*; *Y. thompsoniana* Trel., común entre Saltillo y Monterrey, y *Y. reverchonii* Trel., entre esta última ciudad y Sabinas Hidalgo, N.L.; *Y. rigida* (Engelm.) Trel., habitual en los alrededores de la ciudad de Durango, y *Y. endlichiana* Trel., abundante entre Saltillo y Torreón, Coah. Estas últimas cinco especies tienen un tronco menor a los 5 m de altura, a excepción de *Y. endlichiana*, que es acaule, esto es, carente de tronco, de manera que las hojas, erectas, carnosas y delgadas, parten directamente, a manera de penacho, desde el suelo y logran un altura de 50 cm.

ISRAEL. Estado proclamado por los dirigentes judíos el 14 de mayo de 1948. Tiene una superficie de 21 946 km^2 y una población de 4 023 100 habitantes (1982). Situado en Asia occidental, ocupa una pequeña franja de tierra de la costa oriental del mar Mediterráneo y cuenta con una salida al mar Rojo, en la punta norte del golfo de Aqaba. Todas sus fronteras terrestres lo separan de países árabes: Líbano al norte, Siria al noreste, Jordania al este y Egipto al oeste. La capital es la ciudad de Jerusalén (que en una de sus partes corresponde al territorio jordano anexado por Israel en 1967), pero no es reconocida por la Organización de las Naciones Unidas ni por muchos gobiernos extranjeros, entre ellos, México, que mantienen sus embajadas en Tel-Aviv. El clima es mediterráneo; el verano es caliente y seco, el invierno suave y lluvioso, y las temperaturas extremas de 5°C y 30°C en Jerusalén, aunque en el desierto del Neguev puede exceder los 50°C. Las dos terceras partes de la población, incluyendo a casi todos los judíos, hablan hebreo, que es la lengua oficial; el 15% de los residentes, incluyendo los musulmanes, hablan árabe, igual que los habitantes de los territorios ocupados; y el resto, otros idiomas europeos. Noventa de cada 100 israelíes profesan el judaísmo, la religión oficial, y los demás son musulmanes. La bandera nacional es blanca con una estrella azul de seis picos (el escudo de David) entre dos franjas horizontales azules, próximas a los extremos superior e inferior.

Gobierno. La autoridad suprema es la Knesset (Asamblea), formada por 120 miembros elegidos por sufragio universal para un periodo de cuatro años conforme al sistema de representación proporcional. El presidente (jefe de Estado) es elegido por la Knesset cada cinco años. El Poder Ejecutivo radica en el gabinete, dirigido por el primer ministro. El gabinete inicia sus funciones después de recibir un voto de confianza en la Knesset, ante la cual es responsable. Los ministros pueden o no ser miembros de la Knesset. El país se divide en seis distritos administrativos. Las autoridades locales se eligen cada cuatro años. Hay 31 municipalidades (dos de ellas árabes), 115 concejos locales (46 árabes y drusos) y 49 concejos regionales (uno árabe) que comprenden representantes de 700 aldeas.

Relaciones bilaterales. El 11 de junio de 1949, poco antes del ingreso de Israel a la ONU, el gobierno mexicano autorizó la acreditación de representantes israelíes en territorio nacional, encargados de despachar los asuntos de posibles emigrantes a aquel país. El primer jefe de esta oficina fue el doctor Adolfo Fastlich. Sin embargo, la relación formal de esta índole se estableció hasta 1951, cuando Israel abrió un consulado general en la capital mexicana. Después de un año de negociaciones, el 1° de julio de 1952 la cancillería mexicana comunicó la decisión de ambos gobiernos de iniciar relaciones diplomáticas y abrir sendas oficinas con el rango de legación. El 3 de noviembre de 1953, el ministro Joseph Kessary presentó sus cartas credenciales ante el presidente Adolfo Ruiz Cortines, y en 1956 Gustavo Ortiz Hernán hizo lo mismo ante el jefe de Estado en Israel. En junio de 1959 ambas representaciones se convirtieron en embajadas. En 1987 se acreditaron los embajadores Rogelio Martínez Aguilar en Israel y Dov Schmorak en México.

Desde que México reconoció la creación del Estado de Israel ha mantenido relaciones estrechas con esta nación. Sin embargo, ello no significa que soslaye la responsabilidad que corresponde a ese país en la persistencia del conflicto con los pueblos árabes, ni el papel que debe desempeñar en la solución del mismo. A raíz del conflicto árabe-israelí de junio de 1967, el presidente Gustavo Díaz Ordaz declaró que México había cumplido con un deber histórico y político al condenar el uso de la fuerza para la solución de conflictos internacionales, que la guerra no es generadora de derechos, y que apoyar el uso amoral de la violencia física sería destruir las bases mismas de lo que la humanidad ha tenido siempre por derecho (Informe de Gobierno, 1° de septiembre de 1967). Confirmó así la explicación que el delegado mexicano Francisco Cuevas Cancino había dado en la sesión especial de la Asamblea General de la ONU el 2 de julio anterior: "Ligado por estrecha y tradicional amistad a todos los países de la región, ahora en conflicto, el gobierno de México hubo de apoyarse en los grandes principios que norman su política para encauzar el problema de Palestina a su solución... Había que

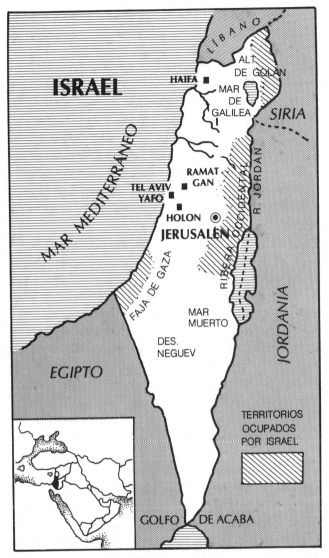

procurar mediar... con la prudencia que proviene de nuestro ya secular rechazo al uso de la fuerza en el ámbito internacional, y a la absoluta negación a reconocer eficacia jurídica a sus efectos. Como miembros de las Naciones Unidas nos rehusamos a reconocer los frutos de las llamadas victorias en el campo de batalla". De esta manera, México desconoció las conquistas militares de Israel y reprobó el uso de la fuerza. Sin embargo, a pesar de las presiones y severas críticas de los árabes, México se abstuvo de acusar a Israel como agresor por "no tener datos suficientes para condenarlo o absolverlo". El 22 de noviembre de 1967, el Consejo de Seguridad de la ONU aprobó la Resolución 242 que pedía el retiro de las fuerzas israelíes de los territorios ocupados, la terminación del estado de beligerancia y el reconocimiento de la soberanía, integridad

ISRAEL

territorial e independencia política de los Estados en la región. México apoyó esta resolución y desde entonces no ha cesado de considerarla un paso indispensable para la solución del conflicto del Medio Oriente. El 3 de noviembre de 1970, durante el XXV Periodo de Sesiones de la Asamblea General de la ONU, y con referencia al tema "La situación en el Oriente Medio" el embajador Alfonso García Robles, presidente de la delegación mexicana, expresó la convicción de que ese organismo se esforzaría por cumplir la Resolución 242, que hasta ese momento había sido letra muerta.

Invitado por el gobierno de Israel, el presidente Luis Echeverría Álvarez visitó ese país del 7 al 10 de agosto de 1975; reafirmó ante las autoridades israelíes la posición de México, hizo incapié en la necesidad de que Israel se retirase de los territorios árabes ocupados y respetara la integridad territorial de todos los Estados de la región y los legítimos derechos nacionales del pueblo palestino; y subrayó el rechazo de México a la expulsión de Israel de las Naciones Unidas y su apoyo al derecho del propio Israel a existir como Estado independiente. Por su parte, el gobierno israelí manifestó su disposición de seguir haciendo todos los esfuerzos necesarios para encontrar una vía para el entendimiento y la convivencia pacífica en el Medio Oriente. El presidente mexicano insistió, asimismo, en que se estableciera, con la participación de todos los países, una zona libre de armas nucleares en el Medio Oriente.

Con motivo de la visita a México del viceprimer ministro y ministro de Relaciones de Israel, Yigal Allon, el 1º de marzo de 1976, el secretario de Relaciones, Alfonso García Robles, comunicó a su homólogo que para México debe prevalecer en el Cercano Oriente el principio que no concede a la conquista armada derechos ni títulos para la anexión de territorios. Además, señaló que el principio de la libre determinación es también aplicable al pueblo palestino, el cual aspira, como antaño el pueblo judío, a formar un hogar nacional mediante la constitución de un Estado. Pero del mismo modo, subrayó García Robles, una paz estable en el Cercano Oriente exige asegurar el derecho de cada uno de los Estados de la región, incluyendo a Israel, a vivir en paz y seguridad. La garantía de este derecho, apuntó el mexicano, requiere a su vez que cada Estado

reconozca el derecho de los demás a su existencia independiente, pacífica y segura. Como respuesta, el ministro Allon comentó: "Al igual que la invitación oficial a mi persona a visitar México no implica aprobación de antemano de parte de vuestro gobierno hacia todos los componentes de nuestra política, asimismo no debe verse en mi decisión de visitar a su país consentimiento *a priori* a toda posición que adopte México en las cuestiones del conflicto del Medio Oriente. Esto sólo comprueba que es posible establecer un diálogo y aun discusiones entre nuestros gobiernos en formas diversas sin que se afecte la firme base de nuestra amistad y cooperación fructífera".

Las relaciones han continuado sin que las diferencias de criterio de ambos gobiernos en cuanto al conflicto del Medio Oriente se interpongan. En noviembre de 1977, el presidente del Estado de Israel, profesor Efraim Katzir, visitó México invitado por el presidente José López Portillo. Ambos mandatarios ratificaron la amistad que existe entre los dos países y el deseo de continuar incrementando el intercambio en todos los órdenes. Del 1º al 5 de marzo de 1981 viajó a México el ministro de Asuntos Exteriores de Israel, Ytzhak Shamir, para entrevistarse con el secretario de Relaciones Jorge Castañeda. Ambos cancilleres coincidieron en que la diferencia de opiniones puede ser benéfica en las relaciones internacionales cuando refleja respeto a las normas de convivencia y, sobre todo, cuando se expresa con la franqueza necesaria para acercar puntos de vista disímbolos. Así, las relaciones bilaterales entre México e Israel son tan sólidas y cordiales que no podrían ser obstruidas por el hecho de no tener, en ocasiones, perspectivas similares frente a la realidad internacional.

Los tratados y convenciones vigentes entre México e Israel, cuya fecha de publicación en el *Diario Oficial* se indica entre paréntesis, son los siguientes: de comercio (provisional desde el 25 de julio de 1952), cultural (9 de julio de 1960, actualizado el 21 de enero de 1976), de cooperación técnica (25 de octubre de 1968) y supresión de visas (9 de noviembre de 1979). Durante la visita del presidente Echeverría a Israel, en agosto de 1975, se acordó establecer una Comisión Mixta México-Israel para asegurar el cumplimiento del programa de acción suscrito en el marco del convenio comercial de 1952, e incrementar la cooperación científica y técnica y el intercambio cultural, y se inauguró una biblioteca en la Universidad Hebrea de Jerusalén en homenaje a la extinta embajadora Rosario Castellanos. En 1976 se formaron las comisiones mixtas para asuntos culturales y de cooperación económica y técnica, y se ampliaron los programas de promoción comercial, complementación industrial, coinversión, transferencia de tecnología y transporte de mercancías. La cooperación entre los dos países se remonta a los primeros años de la década de los sesentas, cuando expertos y asesores israelíes en extensión agrícola y riego trabajaron en Yucatán y otras partes de México, e impartieron cursos de cooperativismo agrícola en los que participaron líderes de la Confederación Nacional Campesina. A excepción de las adquisiciones petroleras de Israel a México, el comercio bilateral es muy limitado, pues inclusive la compra del crudo muestra una tendencia declinante. Las exportaciones mexicanas a Israel tuvieron un valor de Dls. 486 millones en 1984 y de Dls. 431 en 1985; y las importaciones, de Dls. 6.7 millones en aquel año y Dls. 8.1 millones en éste.

Han sido embajadores de Israel en México: Moshé Tov (1950-1956), David Saltiel (1956-1960), Mordechai Schneerson (1960-1963), Simcha Prat (1963-1964), Shimshon Arad (1964-1968), Abraham Darom (1968-1971), Shlomo Argov (1971-1974), Hanan Einop (1974-1977), Shaul Rosolio (1977-1980), Israel Gur-Arieh (1980-1983), Moshé Arad (1983-1987) y Dov Schmorak (1987-); y de México en Israel: Gustavo Ortiz Hernán (1956-1960), Jorge Daessle Segura (1960-1964), Rafael Nieto (1964-1967), Luis Weckmann Muñoz (1967-1970), Joaquín Bernal (1970-1971), Rosario Castellanos (1971-1974), Benito Berlín (1974-1977), Roberto Casellas (1977-1979), Alfonso L. de Garay (1979-1983), Raúl Valdez Aguilar (1983-1987) y Rogelio Martínez Aguilar (1987-). (*G. de G.*).

ISSASI GONZÁLEZ, JOSÉ DOMINGO. Nació y murió en Córdoba, Ver. (1797-1842). Estudió en el Colegio Palafoxiano de Puebla, ordenándose sacerdote. Fue cura de las parroquias de Amitlán, Tuxpan y Córdoba. Fue electo diputado al Congreso de su estado natal en 1828. Es autor de numerosos artículos relacionados con cuestiones religiosas e históricas en los periódicos de la época, así como de *Apuntes acerca de la Guerra de Independencia en Córdoba* (1835), hoy muy raros.

ISTAPIL. *Geonoma binervia* Oert. Planta de la familia de las palmas, de 5 a 6 m de altura y de porte vistoso y elegante. Tiene hojas muy grandes, pinnadas, con 25 pares de pinnas de anchura variable y divergentes las terminales; peciolo de 30 a 60 cm de largo, que en conjunto forma una corona aplanada a manera de sombrilla en el ápice del tallo; inflorescencias de 60 a 57 cm, erectas o colgantes, ramificadas, cilíndricas y angostas, densamente pilosas, de color amarillo parduzco y con raquis carnoso, en las cuales están hundidas las flores. Éstas son unisexuales, pequeñas, de color morado y trímeras, como la mayor parte de las palmas, es decir, que el perigonio, los verticilos –incluyendo los estambres– y los carpellos del pistilo se dan en número de tres o sus múltiplos; el ovario está constituido por carpelos unidos, con un solo lóculo fértil, el cual contiene también un solo óvulo que se transforma en una semilla lisa. Sobre el ovario se presenta un estilo lateral. El fruto es una baya globosa, ovoide u oblonga, con tonalidad de negro a morado o verde oscuro y de 4 a 6 mm. Según Faustino Miranda, esta planta es frecuente en las selvas altas siempre verdes del estado de Chiapas.

ISTÉ. *Aechmea magdalenae* André. Planta herbácea acaule –sin tronco–, parecida a la piña, de aproximadamente 1.5 m de altura, de la familia de las bromeliáceas. Las hojas se hallan dispuestas en rosetas, miden de 5 a 10 cm de ancho y de 2 a 2.5 de largo, y tienen el borde provisto de espinas ganchudas de color oscuro. La inflorescencia es conspicua, hundida en el centro de la roseta de las hojas y con las brácteas florales aserradas; las flores, polipétalas, tienen ovario ínfero, el estilo más corto que los estambres y los estigmas retorcidos en espiral. El fruto es seco y con pequeñas semillas oscuras. De las hojas se extrae un fibra resistente y de muy buena calidad, algo semejante a la de la piña, de color blanco amarillento y lustrosa, fina y flexible debido a su alto contenido de celulosa, parcialmente industrializada en la región de Chinautla, Oax. apropiada pra la manufactura de cuerdas, tejidos de grado medio, lonas, redes, líneas para pescar y otros artículos similares. Es frecuente en Chiapas y Oaxaca donde se le conoce también como *pita* y *pita floja*.

ITALIA. República del sur de Europa. Tiene 301 224 km^2 y una población de 57 millones de habitantes (1985). Limita al norte con Suiza y Austria, al noreste con Yugoslavia, al este con el mar Adriático, al sur con el Jónico, al oeste con el Tirreno y al noroeste con Francia. Forman parte de su territorio las islas de Sicilia y Cerdeña. La capital es Roma; el idioma oficial, el italiano, aunque también se hablan alemán y albanés; y la moneda, la lira. El presidente de la República es elegido por el Parlamento y por 58 representantes regionales para un periodo de siete años; él, a su vez, nombra a un primer ministro. El Poder Legislativo se compone de dos cámaras: la de Diputados (650 miembros) y la de Senadores (315), renovables por sufragio universal cada cinco años. Los expresidentes y otros ciudadanos nombrados por el Ejecutivo, son senadores vitalicios. El Poder Judicial está constituido por la Corte Suprema de Casación, la de Apelación, los Tribunales Distritales y los juzgados de paz. Una Corte Constitucional formada por 15 magistrados dictamina sobre la constitucionalidad de las leyes y los conflictos entre el gobierno nacional y los regionales.

Relaciones bilaterales. Cristóbal Colón y Américo Vespucci, aparte otros muchos navegantes, inician la lista de los contactos de Italia con América: uno descubrió sus costas occidentales y el otro le dio su nombre porque sostuvo que era un continente separado y que no pertenecía a Asia, como creía el almirante genovés. Durante toda la época colonial las influencias italianas llegaron a México por la vía de España, metrópoli, a su vez, del reino de Nápoles. En el siglo XVI, el estilo románico se mezcló con el gótico y el renacentista en los conjuntos de Calpan, Tlahuelilpa, Huejotzingo, entre otros; y de las tres versiones transferidas del renacentista –plateresco, purista y herreriano–, en el segundo es más fácil reconocer modelos italianos: en la portada del convento de Actopan el claroscuro de los casetones se vuelve el tema decorativo dominante, al igual que en Coixtlahuaca, donde la multiplicación de hornacinas ofrece ocasión a la luz para poner el énfasis en la arquitectura. A fines del siglo XVIII las corrientes neoclásicas, extendidas a todo el mundo después de las excavaciones

de Herculano y Pompeya, fueron introducidas a Nueva España por los primeros profesores de la Academia de San Carlos.

Cierto número de soldados de Cortés procedían de Sicilia, Cerdeña, Lombardía, Liguria y Campagna. Casaron con indígenas, pero quedaron pobres, según las cartas que enviaron a Felipe II dándole cuenta de sus hijos mestizos. Entre 1542 y 1556 estuvo en México Jerónimo Benzoni, viajero milanés que publicó en Venecia, en 1565, la *Historia del Nuevo Mundo.* Entre los ingenieros coloniales destacó Juan Bautista Antonelli, a quien se debe el traslado de la ciudad de Veracruz al sitio donde hoy se halla (v. INGENIERÍA). Fueron también italianos: Claudio Linati, contratado por el gobierno para instalar en México (1826) el primer taller de litografía; Eugenio Landesio, profesor de pintura de paisaje en la Academia, a partir de 1855 y maestro de Coto, Jiménez, Álvarez, Dumaine, Murillo y José María Velasco; Javier Cavallari, director desde 1856 de las clases de ingeniería civil y arquitectura en el propio plantel, proyectista del edificio de la Academia en las calles de Moneda; Enrique Alciati, autor de las esculturas de la Columna de la Independencia; Silvio Contri, arquitecto del palacio de la Secretaría de Comunicaciones y Obras Públicas (calle de Tacuba); y Adamo Boari, arquitecto del edificio de Correos y del Teatro Nacional (actual Palacio de Bellas Artes), donde Leonardo Bistolfi hizo las figuras de la fachada, Boni las laterales, Gianetti Giorenzo las guirnaldas, florones y máscaras, y Geza Maroti el grupo que remata la cúpula y el mosaico del arco del proscenio.

El *Himno Nacional Mexicano* fue cantado por primera vez la noche del 15 de septiembre de 1854: Juan Bottesini dirigió la orquesta y las voces estuvieron a cargo de la soprano Claudia Florentini y del tenor Lorenzo Salvi, los tres de una compañía de ópera italiana (v. HIMNO NACIONAL). Francisco Zarco publicó en *El Siglo* XIX, diario de la época, una nota crítica en la que aseguraba que ese himno, por sus dificultades de interpretación, nunca sería cantado por voces mexicanas. Durante el Porfiriato la ópera fue el espectáculo favorito de la aristocracia y la nueva burguesía. En 1883 el empresario Napoleón Sieni presentó las primeras compañías italianas, en las que tanto brillaron Adelina Patti y la Tetrazzini, favoritas del público mexicano. En esa época los salones de las residencias se decoraban con esculturas, pinturas y espejos venecianos y florentinos que vendía la casa de Claudio Pelandini. A fines del siglo XIX, éste instaló sus propios talleres en la calle de Comonfort núm. 50, donde se hicieron las vidrieras de la Tesorería General, del Salón de Embajadores del Palacio Nacional, del Palacio Municipal de México, del Castillo de Chapultepec, de la casa de gobierno de Guanajuato, de la Escuela Normal de Jalapa y del casino de Mérida.

En septiembre de 1921 se conmemoró en México el sexto centenario de la muerte de Dante Alighieri, fundador de la nacionalidad italiana. La presencia del presidente Álvaro Obregón en ese acto y el discurso que pronunció José Vasconcelos le dieron carácter de solemnidad nacional. El 19 de mayo de 1965, séptimo centenario del nacimiento del mismo poeta, asistieron a la ceremonia el presidente Gustavo Díaz Ordaz y el ministro de Relaciones de Italia, Amíntore Fanfani. Dijo a éste el licenciado Agustín Yáñez, secretario de Educación Pública: "El patrimonio cultural de México es deudor de vuestra patria esclarecida". Y recordó cómo, en el siglo XVIII, los jesuitas mexicanos, desterrados por el despotismo, hallaron asilo en Italia; cómo los patriotas italianos, acaudillados por Garibaldi, demostraron activo reconocimiento a la causa de la República en la época

de Juárez; y cómo otro Garibaldi, descendiente directo de aquél, militó en las filas del maderismo al estallar la Revolución de 1910. Se recuerda, asimismo, el discurso que el 15 de abril de 1952 pronunció en Vinci el doctor Jaime Torres Bodet, entonces director general de la Organización de las Naciones Unidas para la Educación, la Ciencia y la Cultura, al celebrarse el quinto centenario del nacimiento de Leonardo.

En febrero de 1827 se intentó establecer contactos oficiales con algunos reinos de Italia, pero la inestabilidad de ambos países impidió que esos sondeos fructificaran. Conforme al tratado del 1° de agosto de 1855, se establecieron relaciones con el reino de Cerdeña, cuyo enviado extraordinario y ministro plenipotenciario presentó sus cartas credenciales el 28 de diciembre de 1864, ejerciendo sus funciones hasta el 31 de octubre de 1869. En 1870, consumada la unidad política de la Península, Italia sucedió a Cerdeña y el 15 de diciembre de 1874 el Senado ratificó el nombramiento de Jesús Castañeda como primer representante de México ante el nuevo reino.

Movidos por la hispanofobia, muchos gobiernos posteriores a la Independencia intentaron colonizar el despoblado país con europeos no españoles, especialmente italianos y franceses, pero la guerra civil recurrente lo impidió durante mucho tiempo. Del régimen de Porfirio Díaz data el establecimiento de familias italianas en regiones de Michoacán y de Puebla, y la adquisición por italianos de extensos latifundios agrícolas y ganaderos en el norte del país. En Chipilo, Pue., sobrevive la colonia italiana, que hoy tiene 3 mil habitantes. En Lombardía y Nueva Italia introdujo nuevas técnicas agrícolas Dante Cusi (v. IRRIGACIÓN). La afectación de estas propiedades dio motivo a que Italia presentara, conjuntamente con Estados Unidos, Inglaterra, España, Alemania y Francia, una serie de reclamaciones que el gobierno mexicano aceptó estudiar en comisiones mixtas *ad hoc*; la italo-mexicana fue creada por la convención firmada en 1927. Durante la época cardenista, debido al bloqueo que le fue impuesto a México por Estados Unidos, Inglaterra y Francia a raíz de la expropiación petrolera, el gobierno se inclinó a comerciar con la Italia fascista y la Alemania nazi, logrando cambiar petróleo y otras materias primas por buques, maquinaria y equipo. Pemex contrató tres barcos en los astilleros Ansaldo, de

Génova, que a la postre fueron incautados por Italia al sobrevenir la Segunda Guerra (3 de septiembre de 1939), pero que fueron entregados a México una vez terminada la contienda. El 8 de abril de 1941 el presidente Ávila Camacho incautó nueve barcos-tanque italianos que se hallaban inmovilizados en Veracruz; y el 30 de mayo de 1942 declaró el estado de guerra con las potencias del Eje [v. GUERRA MUNDIAL, SEGUNDA (1939-1945)]. El 10 de febrero de 1947 se firmó el Tratado de paz entre Italia y México, el cual fue publicado en el *Diario Oficial* el 23 de junio de 1948. En la década de los cincuentas Italia abrió créditos a México para la adquisición de bienes de capital, y empresarios de aquel país hicieron fuertes inversiones en las industrias química, químico-farmacéutica y automotriz, principalmente.

Del 12 al 14 de febrero de 1973, el viceministro de Relaciones Exteriores de Italia, diputado Mario Pendini, inició en México conversaciones sobre posibles formas de cooperación técnica y científica. El presidente Luis Echeverría visitó Italia del 8 al 10 de febrero de 1974, ocasión en que el presidente Giovanni Leone manifestó su apoyo a la Carta de Derechos y Deberes Económicos de los Estados. Ambos señalaron la posibilidad de establecer nuevas empresas mixtas en condiciones de mutuo beneficio, y una comunicación aérea directa operada por compañías de ambos países; aprobaron la fundación en México de un Centro Italo-Mexicano de Estudios Tecnológicos, y decidieron impulsar la enseñanza y difusión de la lengua italiana mediante la fundación de un colegio. El mandatario mexicano participó en una reunión de la Organización de las Naciones Unidas para la Agricultura y la Alimentación (FAO) y estuvo en el Vaticano para agradecer a Paulo VI las expresiones del pontífice con relación a la propuesta para regular la vida económica internacional. Del 2 al 4 de octubre de 1977 visitó México el ministro de Relaciones Exteriores de Italia, Arnaldo Forlani, quien convino con el canciller mexicano en estrechar las relaciones entre los dos países. El presidente Sandro Pertini visitó México del 26 al 30 de marzo de 1981; él y el presidente López Portillo suscribieron un convenio básico de cooperación técnica, y un acuerdo para establecer en Coatzacoalcos, Ver., el Centro Mexicano Italiano del Colegio Nacional de Educación Profesional Técnica. A su vez, el subsecretario de Hacienda de México y el ministro de Asuntos Exteriores de Italia rubricaron un acuerdo financiero, que incluyó una línea de crédito por Dls. 500 millones para adquirir instalaciones, maquinaria, equipo y otros bienes de capital de producción italiana. También visitaron México: del 27 al 29 de octubre de 1981, el ministro de Cultura, Vicenzo Scotti, con el objeto de inaugurar la exposición El Arte de Pompeya y la Muestra Biblioiconográfica de América Latina en Italia; del 28 de abril al 2 de mayo de 1982, el subsecretario de Asuntos Extranjeros, diputado Roberto Palleschi, para intercambiar ideas sobre la crisis en América Central; y del 2 al 6 de octubre siguiente, por segunda vez este funcionario, para revisar las iniciativas de cooperación técnica bilateral. Del 8 al 20 de noviembre de 1985 se reunió en Roma la Comisión Mixta y se suscribió el programa de intercambio cultural y educativo para el periodo 1985-1988.

Los acuerdos, convenios y tratados vigentes entre los dos países, cuyas fechas se indican entre paréntesis, tratan sobre las siguientes materias: extradición de criminales (22 de mayo de 1899), arbitraje obligatorio (16 de octubre de 1907), contratos de matrimonio ante los agentes diplomáticos o consulares de un país en otro (6 de septiembre de 1910), paz (10 de febrero de 1947), comunicaciones radioeléctricas (8 de abril de 1949), comercio (15 de septiembre de 1949), exportación de animales vivos y carnes congeladas de México hacia Italia (30 de marzo de 1965), supresión de visas (7 de junio de 1965), intercambio cultural (8 de octubre de 1965), transportes aéreos (23 de diciembre de 1965), coproducción cinematográfica (19 de noviembre de 1971), intercambio de jóvenes técnicos (13 de febrero de 1973) y cooperación técnica (28 de marzo de 1981). En los años más recientes, han sido embajadores de México en Italia: Norberto Treviño Zapata (1973-1977), Augusto Gómez Villanueva (1977-1981), Luis Weckmann Muñoz (1981-1986) y Octavio Rivero Serrano (1986-). México vendió a Italia mercancías por valor de Dls. 304.9 millones en 1984 y Dls. 30 millones en 1985, y le compró bienes por Dls. 224.3 millones en aquel año y por Dls. 209.6 millones en éste.

ITAMO. Reciben este nombre la *Pellaea cordata* J. Sm., de la familia de las polipodiáceas; la liliácea *Smilax moranensis* Mart. y Gal.; la turnerácea *Turnera diffusa* Willd. (v. DAMIANA); la pasiflorácea *Passiflora mexicana* Juss. (v. DICTAMO); y las efedráceas *Ephedra aspera* Engelm., *E. compacta* Rose, *E. pedunculata* Engelm. y *E. trifurca* Torr. *P. cordata* es un helecho herbáceo con tallo subterráneo –rizoma– y hojas bipinnadas, con pínnulas cordiformes u ovadas en cuyo margen inferior se hallan soros alargados, oscuros que contienen los esporangios que a su vez guardan las esporas que funcionan como semilla. El cocimiento de esta planta se usa en medicina popular contra la pulmonía y los cólicos. Su distribución abarca toda la República y se le ha registrado –al abrigo de la luz intensa– en zonas templadas, semisecas o algo húmedas de Chiapas, Hidalgo, Nuevo León, San Luis Potosí, Oaxaca y Veracruz.

2. *S. moranensis* (igual que *S. invenusta* Kunth.) es una enredadera espinosa en la base, con ramas subangulares lisas, provista de zarcillos y con hojas alternas, pecioladas, lisas, ovadas, anchamente elípticas o lanceoladas y de 10 a 13 cm de largo por 6 a 7 de ancho. Las flores son unisexuales, con pedúnculos lisos, y se dan agrupadas en umbelas axilares. Se le conoce también como *zarzaparrilla* y se encuentra distribuida en el valle de México, Hidalgo, Colima, Guerrero, Michoacán, Morelos, Oaxaca, Puebla y Veracruz.

3. *E. aspera* es una planta subarbustiva de 1 m de altura, con tallos escabrosos o ásperos, ramas cilíndricas, muy delgadas y articuladas y hojas reducidas a escamas opuestas; de flores unisexuales agrupadas en amentos cortos, las masculinas, y en inflorescencias del tipo de los conos, las femeninas. Se distribuye en las zonas áridas de Baja California, Coahuila, Chihuahua, Zacatecas y San Luis Potosí.

4. *E. compacta*, semejate a la anterior, alcanza de 30 a 50 cm de altura, es más ramificada y tiene los tallos lisos. Se ha registrado en lugares secos de Coahuila, Oaxaca y Puebla.

5. *E. pedunculata* es un arbusto o subarbusto con los tallos largos, postrados, delgados y flexluosos, común en Chihuahua, Durango, San Luis Potosí y Zacatecas.

6. *E. trifurca* es una planta arbustiva de 1 m de altura, con numerosas ramas erectas, cilíndricas y articuladas, y hojas reducidas a escamas ternadas, esto es, dispuestas en vaertisilios de tres escamas cada uno, de 8 a 10 mm de largo y con el ápice aristado; las flores son unisexuales: las masculinas, agrupadas en amentos, y las femeninas, en inflorescencias coniformes. Se distribuye en Baja California, Sonora, Chihuahua y Coahuila.

Las especies del género *Ephedra* tienen tallos de gusto astringente, no obstante lo cual son apetecidas por el ganado; la cocción de sus tallos se usa como remedio contra las enfermedades venéreas y renales, y del aparato respiratorio por la efedrina que contienen. Se le conoce también como *retama real* –Durango– y *sanguinaria* –San Luis Potosí–.

ITUARTE, JULIO. Nació y murió en la ciudad de México (1845-1905). Hizo estudios de música con José María Oviedo y Agustín Balderas y posteriormente ingresó a las academias de piano de Tomás León y de Melesio Morales, en la capital del país. Junto con Aniceto Ortega se le considera uno de los predecesores románticos del nacionalismo musical. Escribió para el teatro las zarzuelas *Sustos y gustos*, en dos actos, y *Gato por liebre*, en tres. Fue muy conocido en su época por su mosaico de aires nacionales *Ecos de México*, para piano.

ITUARTE ESTEVA, MANUEL. Nació y murió en la ciudad de México (1877-1937). Estudió arquitectura en la Escuela de Bellas Artes y en Europa. Por muchos años trabajó con su hermano Carlos Ituarte. Ambos hicieron el proyecto del Museo de Historia Natural, que incluía el arreglo del Zócalo y la apertura de la avenida 20 de Noviembre. En lo individual, diseñó la estación ferroviaria de Buenavista, ya desaparecida. Su obra pictórica comprende: *Gitana* (España, 1909); *Suresnes* (París, 1910); *Fuente de Versalles*, *Bocetos femeninos*, *Villa Borghese* y *Bahía de La Habana*, en 1910; *La dama del perro* (1911); *Amapolas* (1912); *Atardecer en Guanajuato* (1921); *El Ajusco desde Tacubaya* (1918); *El Convento del Carmen en San Ángel*, *La Iztaccíhuatl* y *El Popocatépetl* (1913).

ITURBE, RAMÓN F. Nació en Mazatlán, Sin., en 1889; murió en la ciudad de México en 1970. Afiliado al maderismo, consumó notables hazañas militares en 1911: el 17 de febrero tomó la plaza de Topia, en Durango; el 9 de abril, Las Milpas, y el 23 de mayo, Culiacán, ambas en Sinaloa. A los 23 años de edad ascendió a general de brigada. Muerto Madero, se incorporó a las fuerzas constitucionalistas, en el cuerpo del Ejército del Noroeste. Se destacó en los asaltos a Culiacán (1913) y Mazatlán (1914), quedando en esta última como comandante de la guarnición. Más tarde fue jefe de operaciones en Jalisco y en Colima, gobernador provisional de Sinaloa (1917-1920), y director de Fomento Cooperativo, dependiente de la Secretaría de Economía (1922-1926). Tomó parte en el movimiento revolucionario encabezado por el general Escobar (1929) y se refugió por algún tiempo en Estados Unidos. Volvió al país y se reintegró al Ejército en la época del presidente Cárdenas. Fue diputado por Sinaloa a la XXXVII Legislatura del Congreso de la Unión, la cual llegó a presidir. Agregado militar a la embajada mexicana en Japón (1941), estuvo temporalmente preso en Tokio, por haber entrado México a la guerra en contra de las potencias del Eje. Fue presidente de la Confederación de Instituciones Liberales de México y de la Junta Continental Pro Federación de las Repúblicas Americanas. El Senado de la República le otorgó la medalla Belisario Domínguez (1966). En sus últimos años fue jefe de la Legión de Honor, estableció la Sociedad Familiar Amor y creó varios organismos de defensa de la mujer y en pro de la paz mundial.

ITURBE Y ANCIOLA, FRANCISCO. Nació en Pátzcuaro, Mich., en 1809; murió en la ciudad de México en 1861. Fue gobernador del estado de México y dos veces secretario de Hacienda: del 2 al 26 de mayo de 1846, en el gobierno de Mariano Paredes y Arrillaga, y del 31 de octubre al 8 de noviembre de 1849, con José Joaquín de Herrera.

ITURBIDE, AGUSTÍN DE. Nació en Valladolid (hoy Morelia) en 1783; murió en Padilla, Tamps., en 1824. Su padre era un acaudalado español; su madre, michoacana. A los 17 años ingresó al regimiento de infantería provincial de su ciudad y a los 22 casó con Ana María de Huarte. Estuvo en el acantonamiento de Jalapa. Al estallar la revolución de 1810, Hidalgo le ofreció el grado de teniente general, que no aceptó. Tomó las armas contra "los que infestaban y desolaban el país", pues consideró siempre criminal "al indolente cobarde que en tiempos de convulsiones políticas se conserva apático espectador de los males que afligen a la sociedad". Fue ganando grados por su propio esfuerzo, en acciones brillantes. La captura de Albino García le valió el de teniente coronel y la victoria sobre Rayón, el de coronel. Comandante general en Guanajuato, fusiló sin escrúpulos, según era costumbre en ambos bandos. Sostuvo frecuentemente a su tropa con sus propios recursos; logró despertar la iniciativa privada para la defensa de las localidades, en campañas locales y foráneas; se preocupó por la educación y valorización de las hazañas de sus soldados.

En 1816 fue acusado y procesado por operaciones ilícitas; absuelto, hubiera podido regresar al mando del ejército con provisiones para el norte, pero resentido lo rechazó. Al trasladarse a la capital, se entregó a una vida disipada que mermó en forma considerable su fortuna. El triunfo de la revolución liberal en la Península hizo revivir los partidos políticos en la Nueva España, donde se plantearon nuevos movimientos, entre otros el Plan de la Profesa de los absolutistas: la Nueva España se mantendría temporalmente independiente, mientras rigiera en la metrópoli la Constitución que se había impuesto al rey. Los conspiradores confiaron a Iturbide la ejecución militar del Plan, pero éste se propuso desviarlo hacia la realización de la independencia definitiva y el establecimiento de la monarquía constitucional. Iturbide volvió al ejército y aceptó el nombramiento de comandante del sur, hacia donde salió el 16 de noviembre de 1820, pero al llegar a Teloloapan convino con Vicente Guerrero el Plan de Iguala (Religión, Independencia y Unión), del 24 de febrero de 1821. El virrey rechazó el Plan y puso a Iturbide fuera de la ley, pero la mayoría de las guarniciones y de las ciudades manifestaron su adhesión. El victorioso Ejército Trigarante avanzó sobre la capital con mayor número de adeptos cada día; el virrey O'Donojú celebró con Iturbide el Tratado de Córdoba, el 24 de agosto, mediante el cual legalizó el Plan de Iguala, puso fin a la guerra y consumó la Independencia. Iturbide entró triunfalmente en la capital el 27 de septiembre de 1821.

Iturbide presidió la Junta Provisional Gubernativa, que tenía que cumplir con el Tratado y el Plan, base del gobierno del naciente Estado mexicano. El partido iturbidista era el más numeroso, pero carecía de organización; los partidos opositores (borbonistas, progresistas y republicanos) contaban, en cambio con la fuerza de las logias masónicas. Al desconocer España el Tratado de Córdoba, Iturbide fue coronado emperador, pero entró en conflicto con el Congreso. Su reinado duró 10 meses. Derrotado por la Revolución de Casa Mata, encabezada por Santa Anna, y las logias masónicas, abdicó el 19 de marzo de 1823 y abandonó el país después de reinstalar el Congreso. Volvió del destierro, ignorando el decreto que lo declaraba "traidor y fuera de la ley". Fue aprehendido, llevado a Padilla, Tamps., y fusilado allí conforme a la sentencia del Congreso de Tamaulipas. V. IMPERIO MEXICANO, INDEPENDENCIA y MARCHA, PÍO.

ITURBIDE, ALFREDO. Nació y murió en Morelia, Mich. (1881-1906). Fundó el periódico *La Actualidad* y su monólogo *Nieves tempranas* le dio fama como literato.

ITURBIDE, EDUARDO. Nació en Morelia, Mich., en 1878; murió en la ciudad de México en 1952. Siendo gobernador del Distrito Federal, durante el efímero mandato del presidente Carvajal, pactó con las fuerzas constitucionalistas la ocupación por éstas de la ciudad de México y el licenciamiento del Ejército Federal, mediante los tratados de Teoloyucan, el 13 de agosto de 1914. Fue autor de *Mi paso por la vida*.

ITURBIDE PRECIAT, ANÍBAL DE. Nació en Veracruz, Ver., en 1904. En 1920 ingresó al Banco Francés de México, y de 1922 a 1932 sirvió diversos puestos en el Nacional. Junto con Salvador Ugarte, participó en la organización del Banco de Comercio, donde tras ocupar la contaduría, alcanzó la gerencia general en 1945. En 1960 fue designado director general del Banco Comercial Mexicano, y consejero delegado ejecutivo en 1963. Fue presidente, en dos periodos, de la Asociación de Banqueros de México, y durante varios años sirvió como consejero de la Confederación de Cámaras Nacionales de Comercio, puesto que también desempeñó en empresas financieras, metalúrgicas, cerveceras, de seguros y de teléfonos. Es autor de *La banca. Breve ojeada histórica* (1966).

ITURBIDE REYGONDAUD, EDMUNDO. Nació en Morelia, Mich., el 20 de diciembre de 1900; murió en la ciudad de México el 23 de diciembre de 1974. Estudió en los colegios de las madres teresianas y de los hermanos de las escuelas cristianas, en su ciudad natal. A los 17 años de edad conoció al padre Félix de Jesús Rougier e ingresó al recién fundado Instituto de los Misioneros del Espíritu Santo. Colaboró en las Obras de la Cruz. Hizo la primera profesión el 6 de mayo de 1920 y fue ordenado sacerdote el 19 de abril de 1924. Más tarde obtuvo el doctorado en derecho canónico en la Universidad Gregoriana de Roma. Colaboró con el padre Rougier en el país y en el extranjero y lo sucedió en el cargo de superior general (1938-1950). Director espiritual de la profesora Dolores Echeverría Esparza y de su grupo desde 1932, fundó con ellas la congregación de misioneras de Jesús Sacerdote (14 de enero de 1938). Desempeñó también los cargos de vicario general (1950-1956), consejero (1956-1962) y superior local (varias veces) de los misioneros del Espíritu Santo. Publicó: *La deuda del mutuo amor, La dirección de las almas y la renovación conciliar, El que ahora se salva, Perfección cristiana y vida religiosa* y *Avisos sobre la dirección espiritual*.

ITURRIAGA, JOSÉ E. Nació en la ciudad de México en 1914. Estudió jurisprudencia en la Escuela Libre de Derecho y filosofía e historia en la Facultad de Filosofía y Letras de la Universidad Nacional Autónoma de México. Becario de El Colegio de México en 1944, impartió allí el curso de historia de la Revolución en 1949. Ha sustentado conferencias sobre sociología mexicana, historia y problemas del país en diferentes universidades de la República y del extranjero. A lo largo de tres lustros, ha escrito numerosos artículos y ensayos para las revistas *Letras de México, Cuadernos Americanos, Revista de Jurisprudencia, Revista Mexicana de Ciencias Políticas* y *Pensamiento Político*. Durante varios años fue editorialista del diario *Novedades* y del semanario *Mañana*. Ha publicado: *El tirano en América Latina* (1944), *Posibilidades de una revolución mundial en la post-guerra* (1945), *Estructura social y cultural de México* (1951; 2a. ed., 1987), el estudio introductorio sobre León Tolstoi que aparece en el tomo XXXVIII de la Colección Clásicos Universales (Jackson, Buenos Aires, 1952) y *El pensa-*

miento político y administrativo de Juárez (1957). Dirigió la serie *México: 50 Años de Revolución*, editada en cuatro tomos en 1960; y escribió los argumentos cinematográficos para el corto *Despierta ciudad dormida*, exhibido en 1964, y para la película *Aquellos años*, estrenada en diciembre de 1972 en la ciudad de Oaxaca. En 1985, la editorial de *El Día* publicó su ensayo lingüístico sobre paremiología católica *Lo religioso en el refranero mexicano*. En 1987 tenía en prensa *Joel R. Poinsett* y *De Díaz a Carranza en el Congreso norteamericano*. Este año y el siguiente aparecerían *En torno a Santa Anna*, *Semblazas* (de mexicanos y extranjeros ilustres conocidos por él) y *México y Estados Unidos en contrapunto*.

En 1963 dio a conocer su proyecto para la remodelación urbana de una parte de la Traza de Cortés, deseoso de reintegrar al centro de la ciudad de México su viejo esplendor, promoción que 10 años después estaba siendo reconsiderada por las autoridades del Distrito Federal. Por su interés en la arquitectura del periodo virreinal, fue designado arquitecto *Honoris Causa* del Colegio de Arquitectos de México, y miembro –junto con el arzobispo primado de México– de la Sociedad Interamericana de Preservación del Arte Colonial, con sede en Santa Fe, Nuevo México, Estados Unidos. El presidente De la Madrid lo nombró miembro del Consejo de la Crónica de la Ciudad de México en 1987.

Comisionado por Nacional Financiera, institución de la que fue empleado fundador, investigó en el Archivo Histórico de la Secretaría de Hacienda de octubre de 1943 a noviembre de 1946; fue jefe del Departamento de Inspección en Dependencias e Instituciones Federales de la Secretaría de Bienes Nacionales, de enero de 1947 a agosto de 1948; actuó como consejero del secretario de Gobernación, Héctor Pérez Martínez, de diciembre de 1946 a febrero de 1948; y desempeñó el cargo de asesor de la Presidencia de la República durante las administraciones de Adolfo Ruiz Cortines y Adolfo López Mateos.

En compatibilidad con otras comisiones y cargos públicos, prestó sus servicios en Nacional Financiera desde 1934 hasta el 30 de noviembre de 1964, en que se jubiló siendo ya subdirector. Con este carácter –ahora director adjunto–, fue presidente del consejo de administración de seis empresas de participación estatal –Refrigeradora del Noroeste, en Mazatlán; Maderas Industrializadas de Quintana Roo, en Chetumal; Chapas y Triplay, en Guerrero; Ingenio Azucarero Sanalona, en Culiacán; Operadora Textil, en San Luis Potosí y los ingenios Independencia y Libertad, en Veracruz– y consejero de otras cuatro –Diesel Nacional, Siderúrgica Nacional, en Ciudad Sahagún, y Ayotla Textil, y Guanos y Fertilizantes, en el estado de México–.

En 1945, Iturriaga fue delegado al Congreso de Institutos de Relaciones Culturales acreditados en la República. Posteriormente ha formado parte de las siguientes delegaciones mexicanas: en 1950, en La Habana, al Congreso Interamericano Pro Democracia y Libertad, junto con Daniel Cosío Villegas y José Rogelio Álvarez; en 1951, en Ginebra, al Consejo Económico y Social de las Naciones Unidas (ECOSOE), bajo la presidencia del entonces senador Adolfo López Mateos; en 1957, 1958 y 1959, también en Ginebra, a las reuniones del propio ECOSOE; en 1960, a la República Federal de Alemania, para intensificar las relaciones económicas, al lado del licenciado Raúl Salinas Lozano, secretario de Industria y Comercio; en 1961, a Egipto, Libia, Túnez, Marruecos, Senegal, Malí, Ghana, Guinea, Sudán y la República Malgache, dentro de la misión de buena voluntad presidida por el licenciado Alejandro Carrillo, que llevó además un saludo especial al emperador de Etiopía; en 1961, a la XVI Asamblea General de las Naciones Unidas; en julio de 1962, en Viena, al 12o. Congreso de Administración Pública Mundial junto con Gustavo Martínez Cabañas; y en octubre de ese año, a Japón, India, Filipinas e Indonesia, dentro de la Misión de Paz y Amistad a los Países de Oriente, jefaturada por el presidente López Mateos. En agosto de 1960 había llevado la representación de éste a la toma de posesión de Víctor Paz Estensoro como presidente de Bolivia. De 1965 a 1966 fue embajador de México ante la Unión de Repúblicas Socialistas Soviéticas. En 1971, en su calidad de asesor del presidente Luis Echeverría, acompañó a éste a Nueva York, donde el jefe del Estado mexicano, en el foro de la ONU, defendió el ingreso de China a la comunidad internacional y la indivisibilidad de su soberanía territorial. De 1981 a 1983 fue embajador de México en la República de Portugal. En 1987 fue nombrado presidente del Consejo del Instituto de

Investigaciones Históricas Doctor José María Luis Mora.

ITURRIAGA, MANUEL.

Nació y murió en Querétaro, Qro., en el siglo XVIII. Fue colegial de San Ildefonso, en la ciudad de México, graduándose de doctor en cánones en la Universidad, y rector del Seminario de San Javier de Querétaro, cuyos estudios restableció; promotor fiscal del obispado de Michoacán, cura de la villa del Rincón, canónigo doctoral, y vicario general de la diócesis. Renunció a la canongía y se retiró al Oratorio de San Felipe Neri. En un acto público literario, defendió la *Instituta* de Justiniano en todas sus partes, con la interpretación del doctor Pichardo. Dejó impresos *El alma en soledad*, traducción de la obra de Bugnati (Madrid, 1796), *Disertaciones o academias filosóficas* (1798), y varios manuscritos: *Apuntes y reflexiones curiosas sobre la secta de los iluminados, Tratado de álgebra, Tratado de aritmética y álgebra para principiantes, Constituciones para gobierno del Beaterio de las Carmelitas de Querétaro, Instrucciones formadas de orden del Ayuntamiento de Querétaro para su diputado en Cortes, sobre tributos, agricultura e industria, Instrucción sobre la cría de gusanos de seda y manufactura de ésta.* Los dos últimos se hallan en el Archivo General de la Nación. En febrero de 1810 el cura Miguel Hidalgo y Costilla y el capitán Ignacio Allende entraron en contacto con él, en Querétaro, para conocer y adoptar sus planes revolucionarios. V. HIDALGO Y COSTILLA, MIGUEL e INDEPENDENCIA.

ITURRIAGA, MANUEL MARIANO.

Nació en Puebla, Pue., murió en Fano, Italia. Recibió en Tepotzotlán la sotana de la Compañía de Jesús en 1744. Enseñó retórica y filosofía en Guatemala, y teología en el Colegio de San Ildefonso de Puebla. A la expulsión de los jesuitas (1767), pasó a residir en Bolonia y después en Fano, nombrado por el papa Pío VI como consultor teólogo del obispo. Escribió *El dolor rey; Pompa fúnebre con que la ciudad de Guatemala honró la memoria de la señora doña María Bárbara de Portugal, reina de España, esposa del Sr. D. Fernando VI* (Guatemala, 1759), y numerosas obras teológicas, entre ellas: *Jurisdictionis eclesiaticae, seu fundamentorum juris canonici brevis expositio* (1782) y *L'Avvocato Pistojese citato al tribunale della autorità della buona critica e della regione sulla podestá della chiesa intorno a matrimoni* (Ferrara, 1787).

ITURRIAGA, PEDRO.

Nació en Puebla, Pue., en 1722; murió en Mérida, Yuc. Entró a la Compañía de Jesús en 1739. Enseñó teología en la Universidad de Mérida y fue examinador del obispado de Yucatán. Escribió: *Profesía de raras e inauditas felicidades del reino mexicano por el patronato universal de la Smma. Virgen María en su portentosa imagen de Guadalupe* (1757).

ITURRIGARAY Y ARÓSTEGUI, JOSÉ DE.

Nació en Cádiz y murió en Madrid, España (1742-1815). Quincuagésimo sexto virrey de la Nueva España, gobernó del 4 de enero de 1803 al 16 de septiembre de 1808. En 1762 tomó parte en la guerra contra Portugal y en la de Gibraltar, en el periodo de Carlos III; en 1793, ya bajo Carlos IV, cobró fama militar en las contiendas contra Francia, y en 1801, contra Portugal, con el cargo de comandante en jefe del ejército de Andalucía y bajo las órdenes del generalísimo Manuel de Godoy y Álvarez de Faria, quien lo llevó al virreinato. En 1803 llegó al país y pronto ganó popularidad por su carácter divertido y jovial, que contrastaba con el austero de su antecesor Félix Berenguer de Marquina. En junio de ese año visitó al actual estado de Guanajuato, inspeccionó las minas de La Valenciana y Rayas, ofreciendo pedir a España mayor cantidad de azogue para cubrir las necesidades de la industria minera; al pasar por Celaya concedió permiso para que el Ayuntamiento celebrara corridas de toros, para construir con su producto el puente sobre el río de La Laja, levantado bajo la dirección del arquitecto Francisco Eduardo Tresguerras. El 9 de diciembre siguiente inauguró con gran solemnidad la estatua de bronce de Carlos IV, en el actual Zócalo, cuya primera piedra colocó Miguel de la Grúa Talamanca y Branciforte el 18 de julio de 1796. En 1803 llegaron al país Alejandro de Humboldt y la expedición para la propagación de la vacuna, dirigida por el doctor Francisco Javier de Balmis; ambos recibieron del virrey entusiasta acogida.

En marzo de 1805 se tuvo noticia de la declaración de guerra de España a Inglaterra. Iturrigaray recibió instrucciones de poner al país en estado de defensa y enviar mayores apoyos monetarios a la metrópoli, para lo cual hubo de aplicar la Cédula de la Caja de Consolidación, que equivalía a una desamortización eclesiástica, pues ordenaba enajenar las fincas y las fundaciones pías, capitalizarlas y entregar las recuperaciones al gobierno, que abonaría intereses. Esta medida, principalmente, motivó el fortalecimiento de los grupos españoles de oposición, los cuales elevaron protestas, inclusive la de Manuel Abad y Queipo. Para aplacar posibles levantamientos y rechazar un eventual ataque inglés, se creó entonces un ejército criollo, de 14 mil hombres, acantonado en Jalapa y Perote. El descontento popular creció por el exceso de impuestos y, entre los peninsulares, por la preferencia del virrey hacia los criollos, quienes empezaron a crear un espíritu de independencia alentados por la noticia del motín de Aranjuez y el derrumbamiento político de Godoy. El virrey se vio en la necesidad de apoyarse en el partido criollo para mantener el poder. El 19 de julio de 1808 los regidores Juan Francisco de Azcárate y Francisco Primo Verdad y Ramos presentaron el proyecto de formar un gobierno provisional, al frente del cual estaría Iturrigaray; aquél fue aceptado por éste y por el Cabildo, pero no por la Audiencia. El partido criollo continuó el debate y solicitó la formación de una junta, como en España, y la reunión de una especie de Cortes; nuevamente se opuso la Audiencia argumentando que México era una colonia que no podía tomar esa clase de decisiones. El 9 de agosto, en la reunión de notables, el licenciado Primo Verdad y Ramos defendió la soberanía popular; hubo rechazos de parte de los oidores y del inquisidor Prado, pero se logró, en cambio, una solución intermedia en el sentido de no reconocer más autoridad que la del rey de España, negándose así la de la Junta de Sevilla. El fraile peruano Melchor de Talamantes, cabeza intelectual del partido criollo, dirigió al municipio dos escritos en defensa de la separación y en favor de la convocatoria para un congreso mexicano. El 1° de septiembre la crisis se agudizó y los criollos cobraron mayor fuerza por la llegada de Juan Jabat, representante de la Junta de Sevilla, y por un mensaje de la Junta de Asturias, que evidenciaba la inexistencia, en España, de un gobierno legítimo. Iturrigaray se inclinó decididamente por el partido criollo, dio cauce a las peticiones de un congreso y desconoció toda junta peninsular, y ante la crisis estuvo a punto de dimitir en los primeros días de septiembre. La noche del día 15 del mismo mes, el partido españolista, encabezado por el vizcaíno Gabriel J. de Yermo, aprehendió al virrey, la Audiencia lo depuso y en uso de la costumbre de nombrar en casos imprevistos al jefe militar más antiguo y de mayor graduación, designó para sustituirlo al mariscal Pedro de Garibay, octogenario que actuó bajo la influencia de los oidores. Se encarceló al licenciado Primo Verdad y Ramos y a Melchor de Talamantes, que murieron en el cautiverio; al licenciado Cristo, a Juan Francisco de Azcárate y al general francés D'Alvímar. Iturrigaray fue trasladado a España, estuvo preso en Cádiz, sujeto a proceso de infidencia. No comprobados los cargos, se acogió a la amnistía dada por las Cortes en 1810 y continuó bajo otro largo juicio de residencia, terminado después de su muerte.

ITZÁ. El linaje de los itzaes se asentó en Chichén entre 975 y 1200. Introdujeron el arte y la arquitectura de la altiplanicie mexicana, la adoración de nuevos dioses y las guerras para ofrecer al Sol víctimas y sangre. Quetzalcóatl se volvió Kukulcán. La llegada en el siglo X de este grupo, tan influenciado por la cultura de Tula, produjo muchos cambios en la vida de los mayas; según éstos, a los itzaes les faltaba sabiduría y justicia. En el curso de los siglos los itzaes se incorporaron a la cultura maya: de sus últimos dioses, que se conocen por una relación de 1697, tres son de claro origen maya y tres son divinidades guerreras propias. En cuanto a los ídolos encontrados, pertenecen todos al rico panteón maya. Dos o tres idolitos se encontraban siempre en los altares domésticos, pero tenían también figuras de mayor tamaño, que eran "las que hablaban". Como otros grupos mayances, adoraban al tapir, dios de la lluvia y del rayo. Ellos fueron quienes divinizaron el caballo de Cortés. Los itzaes sobrevivieron hasta fines del siglo XVII, a orillas del lago Tayasal. Desde la Conquista, en Yucatán se creyó que Kukulcán regresaría con ellos.

ITZAMNÁ. Deidad maya, representada como un monstruo celeste, especie de cocodrilo o serpiente bicéfala (*itzam*), en los grandes mascarones que enmarcan la puerta central de los edificios de los estilos Río Bec y Chenes. Originalmente dios del firmamento o del cielo, regía al día y a la noche, a la vez que mantenía relaciones con la Luna y el Sol, la lluvia, la agricultura, el maíz, la medicina, la adivinación, las pléyades y Venus. Con el tiempo llegó a ser dios de la sabiduría, pues se le atribuye haber inventado la escritura jeroglífica y la hechura de libros o códices. Era la segunda divinidad en importancia, pues se le creía hijo de Hunab Ku, el dios único e invisible, creador de todo. En los códices, Itzamná aparece en figura de viejo arrugado, con un solo diente, nariz roma o aguileña, y a veces con barba. Se le llamaba de varios modos: como dios del cielo, Itzamná o Zamná; como dios de las nubes, o "el que recibe y posee la gracia o rocío del cielo", Itzamná T'ul Chaak o Itsimt'ul Chak (Itsamat Ul, según Lizana), y también Itzamná Kauil (el señor Itzamná). Uno de sus principales santuarios estaba en Izamal, y a éste, dice Cogolludo, "hacían romerías de todas partes y para ello estaban hechas cuatro calzadas al oriente, poniente, norte y mediodía, que corrían por toda esta tierra". Su fiesta principal se hacía en el mes Mac.

ITZAMPÍ. *Licania platypus* (Hemsl.) Fritsch. Árbol de la familia de las rosáceas, hasta de 50 m de altura, con tronco esbelto en la mayoría de los casos y corteza lisa y grisácea; de hojas alternas, grandes, oblongas o lanceoladas, coriáceas, lisas o casi lisas, a veces acuminadas, y con peciolo corto; flores blancas, pequeñas, estrelladas, pilosas y agrupadas en grandes inflorescencias panniculadas. El fruto es una drupa grande de 13 a 15 cm, pesada, áspera, subglobosa, con pulpa amarilla y algo fibrosa. Se le conoce también como *zapote amarillo, zapote borracho, zapote cabello y caca de niño* –Oaxaca–, *mesonzapote, zonzapote, sunzapote, zapote de mico* y *cabeza de mico* –Chiapas–.

ITZCÓATL. (Serpiente armada de pedernales.) Nació y murió en México-Tenochtitlan (1381-1440). Cuarto señor de los mexicanos, sucesor de Chimalpopoca, hijo bastardo de Acamapichtli y de una esclava de Azcapotzalco. Había desempeñado el cargo de *tlacochcalcatl*, jefe supremo del ejército, durante más de 20 años. Fue proclamado el 3 de abril de 1427, pero Maxtla, señor de los tecpanecas de Azcapotzalco, a quien los mexicas pagaban tributo, se negó a reconocerlo. Itzcóalt buscó entonces la alianza con Neza-hualcóyotl, señor de Texcoco, a quien Tezozómoc, padre de Maxtla, había usurpado su señorío. Atacados los mexicanos por la calzada de Tlacopan (Tacuba), lograron rechazar a los tecpanecas y vencerlos, tomándoles la ciudad de Azcapotzalco. Oculto Maxtla en un *temascalli* (baño de vapor usado por los indígenas), fue descubierto por Nezahualcóyotl, quien le dio muerte y ofreció su corazón a la memoria de su padre Ixtlilxóchitl, mandado matar por Tezozómoc. La ciudad fue saqueada y quemada, destinándose a mercado de esclavos (1428). Se restableció la legítima sucesión de Ixtlilxóchitl, representada por Nezahualcóyotl, en el trono de Acolhuacan, volviendo a ser Texcoco su capital, y tanto Tlatelolco como México-Tenochtitlan dejaron de ser tributarios de Azcapotzalco, covirtiéndose en ciudades libres. Sometió Itzcóatl a los de Mixcoac, Atlacohuayan (Tacubaya), Huitzilopochco (Churubusco), Coyohuacan (Coyoacán), Chimalhuacán, Xochimilco, Cuitláhuac, Mizquic y Chalco, y más allá del valle de México, a los de Cuauhnáhuac (Cuernavaca). Se erigió a Tlacopan (Tacuba) en señorío independiente y se firmó la Triple Alianza, ofensiva y defensiva, entre los señoríos de México, Texcoco y Tacuba, reservándose la dirección militar el monarca de México (1431), situación que perduró hasta la Conquista (1519-1521). No sólo fue Itzcóatl hábil y valiente guerrero, sino que embelleció y mejoró la vida en la ciudad de México, haciendo construir la calzada de Tepeyacac (Tepeyac), que la unió a tierra firme por el norte (1529), y los templos de Cihuacóatl y Huitzilopochtli. Puede decirse que fue le primer rey de México, ya que sus antecesores habían sido caciques tributarios del señor de Azcapotzalco. Mandó destruir todos los anales y códices que existían, para que desde su reinado empezara a contar la historia de los mexicas. Conocedor de la importancia de las tradiciones, en las que hasta entonces ocupaban los aztecas un lugar secundario, decidió borrar el pasado y echar las bases de un nuevo sentimiento de grupo. Creó de este modo una nueva tradición enaltecedora del pueblo mexica, que había obtenido un gran triunfo al someter a los tecpanecas de Azcapotzalco. Duró 13 años en su gobierno (1427-1440), durante el cual, según el *Códice mendocino*, aumentó su territorio y su riqueza con los tributos de 24 pueblos vencidos y sometidos.

ITZCUINCUANI–ITZCUINTLI

Bibliografía: Fernando Alvarado Tezozómoc: *Crónica mexicayotl* (1949) y *Crónica mexicana* (1891).

ITZCUINCUANI. (Come perros, en náhuatl.) Nombre que los antiguos mexicanos daban probablemente a varias especies de carnívoros nocturnos. Algunos autores piensan que se trata del tejón –*Nasua narica*–, atribución improbable porque éste tiene régimen alimenticio más bien omnívoro que carnívoro; porque son más activos al amanecer y al atardecer, horas en que buscan sus alimentos, y porque el tejón fue llamado *pezotli* por los indígenas, nombre que aún se conserva como *pizote*. Sahagún sospecha que se trata de una especie de lobo. Clavijero apunta que a éste lo llamaban *cuetlachtli* y en algunos lugares, donde no se hablaba bien el náhuatl, *tecuani*, nombre genérico con el que se designaba a las fieras. Martín del Campo señala que cualquier carnívoro puede cometer las fechorías atribuidas al itzcuincuani y piensa que bien pudo ser también el *cacomiztle* –*Bassaricus astutus astutus*–, en virtud de que tiene hábitos nocturnos, vive cerca de los poblados y se alimenta principalmente de aves y mamíferos pequeños.

ITZCUINTLI. Nombre genérico que los antiguos mexicanos daban al *Canis familiaris*. Originalmente se le clasificó como *Canis mexicanus*, pero en la actualidad este nombre ha caído en sinonimia y es una raza más del perro doméstico. En el México precortesiano, según indica Sahagún, los perros tenían varios nombres: *chichi*, *itzcuintli*, *xochiocoyotl* y *tetlamin* y además *teuitzotl*; "son de diversos colores, hay unos negros, otros blancos, otros cenicientos, otros buros, otros castaño oscuros, otros morenos, otros pardos y otros manchados. Hay algunos de ellos grandes, otros medianos, algunos hay de pelo lezne y otros de pelo largo; tienen largos hocicos, los dientes agudos y grandes, las orejas cóncavas y pelosas, cabeza grande, son corpulentos, tienen uñas agudas, son mansos y domésticos, acompañan y siguen a su amo o dueño, son regocijados, menean la cola en señal de paz, gruñen y ladran, bajan las orejas hacia el pescuezo en señal de amor, comen pan y mazorcas de maíz verdes y carne cruda y cocida, comen cuerpos muertos y comen carnes corruptas". Entre ellos existía un perro especial que llamaban *xoloitzcuintli* y criaban y cuidaban con sumo esmero, al igual que otros –*tlalchichi*– que cebaban y servían como alimento. Robelo cita al *perro de piedra* (*techichi*), así llamado por ser mudo y tener un aspecto melancólico. También era animal de engorda y los conquistadores lo usaron para abastecerse de carne, principalmente en las travesías marítimas. A la llegada de los españoles se observó que no eran distintos a los perros europeos, salvo el hecho de que algunos no ladraban. Este fenómeno se presenta también entre los *Canis* de algunos pueblos primitivos, como los de los esquimales o los basenqui del Congo que aúllan como los lobos y aprenden a ladrar hasta que se relacionan con las razas europeas. El ladrido, según varios autores, entre ellos Ángel Cabrera, es una adquisición de la vida doméstica: "el ladrido es el lenguaje civilizado del perro".

La ausencia de pelo –atricosis– depende de un gene que se manifiesta en forma recesiva o dominante. A este tipo pertenece el itzcuintli, que se supone acompañó a los primeros pobladores de América en su paso de Asia al Nuevo Mundo. Es de pequeña alzada, no más grande que un pastor y carece completamente de pelo, salvo algunos mechones entre los dedos de las patas y en la cabeza; nace con la piel arrugada y las orejas relativamente largas y semicaídas, que se yerguen más tarde. Entre los antiguos mexicanos ocupó una situación privilegiada y los aztecas lo consideraban como compañero de los muertos. En el *Códice borbónico* se contiene un lámina que muestra al dios Xólotl como un perro muerto, con una flecha en el hocico que desaparece junto con el Sol entre las fauces de la Tierra; en seguida, en la misma lámina, reaparece como un perro vivo. Entre los zapotecas y mayas el perro representaba al dios del rayo.

Toda una gama de objetos prehispánicos atestigua la importancia del perro, como animal doméstico y como alimento, pero principalmente vinculado a lo religioso. En tumbas teotihuacanas se han encontrado objetos de barro en forma de perros; en una tumba del siglo XIII en Cholula, Nogueda halló dos esqueletos –mujer y hombre– y, entre las numerosas ofrendas, los restos de un perro; y en las culturas del occidente, especialmente en Colima, el perro dio ocasión a las más depuradas representaciones cerámicas. Servía también para designar parte del tiempo en el calendario. Cada uno de los 20 días de un *tonalpohuali* –lapso de 260 días–, que se consideraba la unidad básica de medición, tenía un nombre propio que con algunas variantes designaba un animal, una planta, algún objeto o un fenómeno natural. El número 10 representaba al perro (códices *Borgia* y *Magliabecchi*). Sahagún, en cambio, en su libro IV, donde se ocupa de la astrología y los presagios, apunta que el undécimo día se llamaba *itzcuintli* y el décimo cuarto *ce itzcuintli*.

ITZPAPÁLOTL. (Del náhuatl *itztli*, obsidiana, y *papálotl*, mariposa: mariposa de obsidiana.) Con este nombre, Torquemada menciona dos personajes: un guerrero mexicano que murió en el año 15 del reinado de Moctezuma, peleando contra los tlaxcaltecas, y un capitán de Nezahualcóyotl; los *Anales* de Chimalpain, un guerrero valiente que murió en el año 12 casa (1517) combatiendo contra los tlaxcaltecas; la *Crónica mexicáyotl*, un hijo de Huehue Tlacaeleltzin; y Sahagún, un capitán mexicano que luchó contra los españoles. El nombre Itzpapálotl hace referencia a las vidas sacrificadas por medio del cuchillo de obsidiana (*iztli*), y la mariposa (*papálotl*) alude a la forma en que las almas regresaban del cielo solar, después de acompañar cuatro años al astro en su camino diario.

En la arqueología son frecuentes las representaciones de navajas de obsidiana deificadas, entre otras el bajorrelieve de la Estrella núm. 5 de Izapa, fechado del año 100 al 200; y el palacio teotihuacano de la plaza de la Luna, con abundantes relieves en forma de mariposas con incrustaciones de obsidiana. El navajón de los sacrificios es un motivo constante en el arte del Posclásico.

En la vigésima trecena del tonalámatl del *Códice borbónico* aparece el cuchillo de obsidiana asociado a Xiuhtecuhtli. Quien nacía bajo ese signo (Ce-Tochtli), tendría la mejor de las suertes, según informa Sahagún. En la mitología tardía, la diosa Cihuacóatl, cuando necesitaba que se le sacrificaran corazones humanos, abandonaba en el mercado una cuna, en la cual aparecía, al destaparla, un cuchillo de obsidiana. Itzpapálotl, cuya antigüedad en Mesoamérica parte probablemente desde la época Preclásica, era la deidad que proporcionaba el alimento para los dioses creadores: la sangre del sacrificio. Sin embargo, cada cultura le atribuyó una personalidad y valor diferente al cuchillo de obsidiana: dios creador, nahual del

Sol, patrón de las Cihuateteo, quien liberaba a las almas para que se fueran al cielo solar, el alma misma de la Tierra, y gemelo del ciervo. Todo esto tuvo diferentes sincretismos que perduraron en mitos y poesías, como la que registra Garibay:

¡La diosa sobre los cactos redondos:
Nuestra madre, mariposa de obsidiana!
Mirémosla: en las Nueve Llanuras
con corazones de ciervo se nutre.
Es nuestra Madre, la reina de la Tierra:
con greda nueva, con pluma nueva se halla
emplumada.
¡Por los cuatro rumbos se rompieron dardos!
¡En Cierva está convertida!
¡Sobre la tierra pedregosa vienen a verte
Xiuhnénel y Mimich!

ITZQUAHTLI. *Aquila chrysaetus.* Nombre que los antiguos mexicanos daban al águila real. Sahagún señala que así era llamada por el color dorado del cuello, la espalda y el pecho. Las plumas de la cola y las alas son de color pardo o negro, con brillos metálicos, y las patas y pico, amarillos. Bernal Díaz del Castillo refiere que Moctezuma tenía una casa especial para aves, donde abundaban las itzquauhtlis. Alcanza un metro de la cabeza a la cola y un metro y medio al extender las alas; la cabeza es estrecha; el pico, recio, grande y largo; los ojos, también grandes y hundidos; y los tarsos, relativamente cortos y fuertes. Se cubre de plumas hasta el comienzo de los dedos y presenta garras robustas. Actualmente se localiza en las zonas montañosas del norte del país, incluyendo Baja California y el sur de Durango, en Hidalgo y Nuevo León. Se alimenta con venados, conejos, ratones, serpientes y pequeñas aves. Su vuelo es rasante y planeado, de manera que no ataca como otras rapaces que se dejan caer a plomo sobre sus víctimas. Construyen sus nidos en lo alto de las montañas, sobre salientes de rocas o en cavidades, utilizando ramas y paja que amontona en el centro. Pone uno o dos huevos de cáscara blanca y manchas rojizas, y la incubación dura hasta cinco semanas.

ITZTLACOLIUHQUI. (Del náhuatl *itztli*, obsidiana, y *tlacoliuhqui*, cosa u obsidiana retorcida.) Los autores del siglo XIX pensaban que era la deidad del hielo y la nieve, y algunos modernos creen que se trata de la diosa del algodón, por el vestido con el que está representada en la lámina decimosegunda del *tonalámatl* del *Códice borbónico*, presidiendo la trecena Ce Cuetzpallin. Reinaba durante seis veintenas (120 días), del mes Ochpaniztli del calendario solar de 365 días, al Títitl, es decir, de agosto a diciembre. En las festividades de Ochpaniztli, la víctima propiciatoria era una mujer a la que desollaban, de modo que caía retorcida, por lo que tomaba también el nombre de Itztlacoliuhqui.

IXBALANQUÉ. (Del quiché *ix*, pequeño, y *balam*, tigre o brujo: brujito o tigrillo.) En muchas lenguas indígenas mesoamericanas, brujo y tigre son la misma palabra, quizás porque el jaguar pinto era el nahual de los magos. En el *Popol Vuh*, Ixbalanqué aparece como gemelo de Hunahpú, el superhéroe del libro sagrado de los quichés, lo cual significa que era en realidad un gran brujo que se desplazaba siempre con su *alte ego* o nahual, y no que eran hermanos. En toda la obra se les presenta como jóvenes valerosos que combaten el mal y juegan a la pelota (guerra simbólica) con los dioses del inframundo, ante quienes caen primero, pero a la larga resultan victoriosos, convirtiéndose en el Sol y la Luna, acompañados de los innumerables muchachos asesinados por Zipacná (numen del agua-tierra, llamado Cipactli en el Altiplano), que se convierten en las incontables estrellas. La personalidad de Ixbalanqué no se identifica con nada en especial, aunque en ella pueden encontrarse las características fundamentales de los cazadores, los guerreros-jugadores de pelota, el maíz y los semidioses justicieros. Sus aventuras tampoco son de interpretación nítida, pues pueden entenderse como la trayectoria del alma hasta llegar al cielo solar, o bien como la serie de pasos iniciáticos prescritos para los guerreros y los sacerdotes del Clásico temprano maya, o también como las vicisitudes de un grano de maíz hasta convertirse en carne humana, ser sacrificado, servir de alimento de los dioses e integrarse a ellos. Ixbalanqué, como nahual del héroe guerrero-jugador-sacerdote, tiene el papel de mayor valor esotérico en la relevante obra.

El mito de Hunahpú e Ixbalanqué coincide, en la mitología del Altiplano, con el momento de la construcción del quinto Sol, cuando Nanahuatzin y Tecuciztécatl se arrojan a la hoguera para convertirse en el Sol y la Luna, seguidos de las órdenes guerreras del tigre y el águila (innumerables soldados que al morir se transforman en cuerpos estelares y acompañan al Sol en su carrera).

IXCAPUL SERRANO. *Mahonia ilicina* Schl. Arbusto de la familia de las berberidáceas, de 0.5 a 3 m de altura, con la madera del tallo y de las ramas de intenso color amarillo. Tiene hojas pinnadas, con las pinnas coriáceas, ovadas u ovales, de borde notoriamente espinoso-dentado, de unos 4 cm de largo, agudas o subagudas y en número de 11 a 15; y flores amarillas, agrupadas en inflorescencias racimosas laterales y axilares. El fruto es una baya negruzca con pocas semillas. La madera se utiliza para teñir pieles y telas, y la raíz en medicina popular por sus propiedades tónicas y depurativas. Se encuentra en el valle de México –Desierto de los Leones y cañada de Contreras–, Hidalgo, Puebla y Veracruz. Se le conoce también como *palo amarillo* y *agracejo*.

IXCHEL. Diosa maya lunar, compañera del Sol y, por lo tanto, deidad creadora. Su influencia se manifestaba en las mareas, las lluvias que producían inundaciones y afectaban sembradíos y cosechas de maíz, en la menstruación y en ciertas enfermedades. Por ello era patrona de la fecundidad, la procreación, el nacimiento de los niños, la medicina, la adivinación y el tejido. Landa dice: "específicamente es la diosa de hacer niños". Las parturientas acostumbraban colocar bajo su lecho una imagen de ella, y por lo regular las mujeres iban a sus santuarios para pedirle que las hiciera concebir. Sus santuarios principales estaban en isla Mujeres, Cozumel y Tixchel. Al parecer, con el nombre de Ix Asal Uo se relacionaba con el agua y la flor *nicté* (plumeria), que a su vez se asociaba con "el vicio carnal de las mujeres".

IXCOZAUHQUI. (Del náhuatl *iztli*, rostro, y *cozauhqui*, amarillo: cara amarilla.) Uno de los nombres que daban los antiguos mexicanos al fuego joven; el otro era Xiuhtecuhtli. El fuego viejo era Huehuetéotl, deidad creadora tradicional en toda Mesoamérica, con mayor influencia en la familia y en la unidad social, reminiscente de los más tempranos panteones de esta superárea. En cambio, el fuego joven se relacionaba con el ciclo de 52 años, lo presidía, y entraba en muchas fórmulas mágicas, sobre todo de curandería, según lo registra Sahagún.

IXCUINA o IXCUINAME. Nombre de etimología incierta, Robledo se inclina a interpretarlo como "cuatro perras". En los *Anales de Cuauhtitlan* se les cita como las "diablesas" que introdujeron a Tula el sacrificio por flechamiento, de origen huaxteco, en el año 1059. La mitología nahua incluye a la diosa Ixcuina en un conjunto de deidades que presiden las edades de la mujer relacionadas con el nacimiento, la reproducción (Tlazoltéotl) y la confesión ritual (Tlaelcuani). Tlazoltéotl presidía las relaciones sexuales y el parto, y Tlaelcuani era la diosa del pecado que en las confesiones públicas se tragaba los más vergonzosos relatos, modo de sugerir el perdón. Tlazoltéotl aparece en el *tonalámatl*, calendario ritual de 260 días, como deidad principal de la decimotercera trecena (Çe Ollin), de porvenir incierto; y en el mes undécimo del calendario solar (Ochpaniztli, del 21 de agosto al 9 de septiembre cristiano), como deidad complementaria en el panteón de la fertilidad y la reproducción. Por su parte, Ixcuina es la agrupación de cuatro númenes que representan las etapas sexuales de la mujer: Xocotzin, la niñez; Tlaco, la pubertad; Teicu, la madurez fértil; y Tlacapan, la madurez infecunda. Este conjunto tan confuso de deidades sexuales es un sincretismo de las que ya había en el Altiplano, las importadas por la cultura huaxteca, y las que aportaron las últimas migraciones chichimecas.

IXMIQUILPAN DE ALDAMA, HGO. (Del náhuatl *itzmílitl*, cuchillo de pedernal, *quílitl*, quelite, y *pan*, locativo: lugar de los quelites como cuchillos de pedernal.) En lengua otomí su nombre es Zutcani, "lugar de verdolagas". Fue declarada ciudad por Decreto núm. 390 de la VII Legislatura, el 21 de agosto de 1881. Se encuentra a 20° 29' 04" de latitud norte, 99° 13' 05" de longitud oeste, y a una altitud de 1 745 m sobre el nivel del mar, en la región del valle del Mezquital. Su economía es principalmente agrícola y comercial. El tianguis se efectúa los lunes y en él se adquieren semillas, carne, cal, forrajes y artesanías (bordados, tejidos, cestería, alfarería, huaraches, sombreros y prendas de vestir). A un lado de la plaza principal se halla el templo y el convento agustinos, edificados en 1550 por fray Andrés de Mata, bajo la advocación del Arcángel San Miguel. En los muros interiores del templo se descubrieron pinturas de un especial interés (v. HIDALGO, ESTADO DE. Monumentos coloniales). Sobre el río Tula, que atraviesa la población, hay un puente construido en 1665 por el capitán Miguel Cuevas y Dávalos.

IXPENGUA. *Dioscorea galeottiana* Kunth. (igual que *D. convolvulacea* Cham.). Planta trepadora de la familia de las dioscoreáceas, hasta de 10 m de altura, con tallos prismáticos, pilosos y provistos de un gran tubérculo; de hojas alternas, con peciolo largo, cordado-orbiloculares u ovadas, enteras en la parte superior, irregularmente onduladas u obtusamente lobuladas en la base, por lo común puberulentas, con nervaduras peludas, palmeadas y en número de 9 a 13; flores unisexuales –dioicas–, pequeñas, purpúreas, con pedicelo largo, trímeras y de seis pétalos: las masculinas con tres estambres cortos y las femeninas con el ovario ínfero, trilocular, con dos óvulos colgantes en cada lóculo; estilo alargado y tripartido; inflorescencias masculinas simples, axilares y rara vez ramificadas, e inflorescencias femeninas semejando espigas sencillas. El fruto es una cápsula oblonga, hirsuta y membranosa, formada por tres valvas con una arista alada cada una. Se distribuye en el valle de México, Jalisco, Michoacán y Oaxaca.

IXTAB. Diosa maya de los ahorcados y suicidas. En el *Códice Dresde* se le representa colgada por el cuello de una cuerda que pende de una franja con símbolos celestes. Muestra los ojos cerrados, ya inerte, y lleva una mancha negra en la mejilla, signo de descomposición de la materia. Algunos cronistas refieren que los mayas tenían la creencia de que los suicidas iban a morar directamente en un paraíso especial, situado debajo de una gran ceiba; y tal vez de allí vino la transculturación de Ixtab en Ixtabay, guapa mestiza que se aparecía en los caminos, a la sombra de un árbol de esa especie, atrayendo a los hombres a la muerte o a la demencia. Según Thompson, X'Tabay puede significar "virgen engañadora que le hace perder a uno".

IXTÉPETE, EL. Centro ceremonial cercano a la ciudad de Guadalajara, Jal., situado en el municipio de Zapopan. Comenzó a ser explorado el 29 de diciembre de 1954 por el Instituto Nacional de Antropología, con la ayuda económica del gobierno del estado. Consta de basamentos superpuestos procedentes de cinco épocas de construcción. Se trata de valiosos ejemplares de la arquitectura teotihuacana, compuestos de altos taludes y tableros enmarcados por cornisas, y escaleras también superpuestas, siendo la última de 12 m de ancho. El basamento mayor mide 54 por 47.85 m y 6 de altura. Tiene adosado al lado sur un pequeño patio ceremonial cerrado por muros o pretiles que abarcan una pequeña pirámide en cada extremo; curiosamente, este patio asume la forma de una cancha de juego de pelota, tan difundido posteriormente en el Posclásico mesoamericano. Tiene otras plataformas adyacentes, con restos de habitaciones destruidas por incendio, como debió acontecer con todas las estructuras de este centro ceremonial. El material empleado en ellas fue la piedra pegada con lodo en los muros de talud, y grandes adobes (llamados *céspedes* por los españoles) en los tableros y escaleras, recubiertos por barro alisado, estucado y pintado de blanco en las primeras épocas. La gran importancia de estas ruinas estriba, sin embargo, en que ellas confirman la relación de Francisco Océlotl, "indio principal, y de mucha reputación y autoridad", recogida por el cronista fray Antonio Tello, en la cual relata la llegada de los gigantes o *quinametzin* (los teotihuacanos) al valle de Atemajac, presentándolos como terribles guerreros que dominaron la región y sólo fueron derrotados cuando se volvieron débiles, y los cuerpos de sus jefes fueron sepultados en grandes túmulos, que, sin duda, son las pirámides del Ixtépete y otras aún inexploradas del todo en el mismo valle de Atemajac, como las del rancho Del Grillo junto a Zapopan. Con ello se confirmó que los teotihuacanos fueron guerreros y extendieron su imperio por todo el occidente de Mesoamérica hasta La Quemada y Chalchihuites, en Zacatecas, confines con los nómadas del norte.

IXTLÁN. Centro ceremonial perteneciente al Horizonte Tolteca o Posclásico; sin embargo, está edificado sobre estructuras más antiguas pertenecientes al Horizonte Clásico o Teotihuacano. Se encuentra en las cercanías de la ciudad de Ixtlán, Nay., junto a la carretera México-Nogales, en el potrero de Los Toriles. Consta de un monumento redondo coronado por un pretil perforado por mirillas en forma de cruces en todo su contorno, característica única hasta ahora en los monumentos arqueológicos descubiertos en Mesoamérica. Tiene 24 m de diámetro por 4 de altura, con cuatro escaleras de acceso a la cumbre, donde hay dos basamentos con escalera que sostuvieron adoratorios. El piso del recinto que los contiene conserva otro de losas colocadas en forma radial, pero sobre él tuvo varios otros pisos de barro alisado y policromado, según se descubrió al ser reconstruido. Este monumento estuvo cubierto por otro mayor, semejante en todo, y tiene debajo otro igual, pero de muros verticales, sin el talud que aparece en las estructuras superiores. De la escalera que mira al noreste parte un pasillo ceremonial formado por pretiles perforados también por cruces, como se ve en la parte que se conserva. Da acceso a un patio cuadrangular con edificios en los cuatro lados que han comenzado a ser reconstruidos. Tiene un altar ceremonial en el centro con cuatro escalerillas de acceso que quizá haya sostenido una de las estatuas llamadas "chacmooles". Los dados de piedra que rematan las alfardas de las escaleras muestran una herencia cultural teotihuacana. La exploración y reconstrucción fue hecha por José Corona Núñez.

IXTLE. Cualquiera de las fibras duras procedentes de plantas del género *Agave*, en especial de las familias de las amarilidáceas —zapupes, guapilla, estoquillo, lechuguilla, magueyes— y de las liliáceas —yucas y palmas—.

IXTLICUECHAHUAC. Segundo monarca de los toltecas (719-771). Estableció la monarquía hereditaria. Durante su reinado se coleccionaron pinturas jeroglíficas que relataban hechos históricos.

IXTLILXÓCHITL, CÓDICE. El original se encuentra en la Biblioteca Nacional de París. Muestra ocho figuras de procedencia mexica y texcocana: las dos primeras, genuinamente indígenas, representan deidades, y las siguientes, una escena mortuoria, el templo mayor de Tenochtitlan, al indio principal Tecueptzin, a Nezahualcóyotl, a Queuhtlazacuilotzin y a Nezahualpilli. La página mortuoria procede del *Códice Magliabecchiano*; y las cuatro últimas, de dibujo europeizado, son

IXTLILXÓCHITL

las ilustraciones perdidas de la *Relación de Tezcoco* de Juan de Pomar. Han sido reproducidas por Juan Giovanni Francesco Gemelli Carreri: *Giro del Mondo* (Nápoles, 1699-1799); Lord Edward King Kingsborough: "*Plates copied from Giro del Mondo of Giovanni Francesco Gemilli Carreri, a printing formaly in the possesion of Boturini*", en *Antiquities of Mexico* (8 vols.; Londres, 1830-1831); y Eugene Boban: *Documents pour servir a l'histoire du Mexique. Catalogue raisonné de la Collection de M. Eugene Goupil* (Ancienne collection de J.M.A. Aubin, 2 vols. y atlas; París, 1891).

IXTLILXÓCHITL, HERNANDO. Nació y murió en Texcoco (1500-1531). Gobernó Texcoco de 8 "conejo" (1526) a 13 "caña" (1531). Fue hijo de Nezahualpilli y de Xocotzincatzin. Asistió al calmécac de Texcoco y se adiestró después en el arte de la guerra al igual que sus numerosos hermanos –legítimos y bastardos– y otros jóvenes miembros de la nobleza. Muerto su padre en 10 "caña" (1515), fue elegido sucesor su medio hermano Cacama, con la manifiesta intervención de Moctezuma, su tío. Disgustó la elección a Ixtlilxóchitl, "mancebo belicosísimo", que la tuvo por injusta y por fruto de la tiranía del señor de México, por lo cual abandonó Texcoco, retirándose al norte, a la sierra de Metztitlán, donde ganó el apoyo de varios de los 79 señoríos tributarios. Reunió un numeroso ejército para atacar con él a Cacama, pero éste, debido a la rápida intervención de Moctezuma, pudo rechazarlo. El reino de Texcoco quedó lamentablemente dividido. Cacama retuvo la capital y las provincias del sur, e Ixtlilxóchitl, que siguió considerándose como soberano legítimo, los territorios del norte, haciéndose imposible cualquier forma pacífica de entendimiento.

En 1519, a la llegada de los españoles, Ixtlilxóchitl, con gente de Otumba, Tulancingo y Tepepulco, se alió a los de Tlaxcala y Cholula, y se presentó a los conquistadores en Calpulalpa. Enemigo acérrimo de Moctezuma, se convirtió en el mejor aliado indígena de Cortés, peleando a su lado y prestándole gran ayuda con miles de indios y bastimentos en su marcha hacia México-Tenochtitlan. Ya en el valle de México, Cortés estableció su cuartel general en Texcoco, siguiendo el consejo de Ixtlilxóchitl. Ambos entraron juntos a la capital azteca. Ixtlilxóchitl interceptó los auxilios que Cacama quizo hacer llegar a Moctezuma, prisionero de Cortés. Acompañó a éste en su expedición contra Pánfilo de Narváez y peleó duramente en la Noche Triste y en Otumba, contra las fuerzas de Cuitláhuac, su tío. Repuesta la hueste española de los descalabros sufridos, y de nuevo en el valle de México, ayudó a tomar la ciudad de Texcoco, donde sus súbditos abrieron la gran zanja para botar los 13 bergantines que allí se acabaron de armar bajo la dirección de Martín López. Durante el sitio de México-Tenochtitlan, peleó siempre al lado de Cortés, a quien salvó la vida en un trance peligroso. En uno de los combates en la plaza Mayor, apresó a su hermano Coanacoch, y más tarde a Tlacahuepantzin, hijo y heredero de Moctezuma; a Tetlepanquetzatzin, señor de Tlacopan (Tacuba), y a la reina Papantzin Oxomoa, esposa del señor de Culhuacán, llevándolos ante Cortés, quien los mandó a Texcoco. Conociendo el rumbo por donde se encontraba Cuauhtémoc, se fue con Sandoval en unos de los bergantines con el propósito de aprehenderlo, cosa que no logró. Ganada la ciudad, ayudó eficazmente a su reconstrucción con miles de indios a sus órdenes. Hospedó a los primeros franciscanos en Texcoco, y él personalmente cargó un huacal con piedras, para dar el ejemplo a sus súbditos, al estar construyendo el templo grande de San Francisco de México. Recibió el bautizo de manos de fray Pedro de Gante, quien le puso el nombre de Hernando, por haber sido su padrino Cortés. Acompañó a éste a las Hibueras y a Pánuco, ayudándolo siempre. Su gran personalidad y actuación a favor de la hueste conquistadora no ha sido estudiada de modo suficiente. Tanto Cortés, en sus *Cartas de relación*, como Bernal Díaz del Casillo, en su *Historia verdadera de la Conquista de la Nueva España*, callan estos hechos y apenas lo mencionan.

Bibliografía: Fernando de Alva Ixtlilxóchitl: *Obras históricas (relaciones e historia chichimeca)* (1891-1892); Fray Juan de Torquemada: *Los veintiún libros rituales y monarquía indiana* (3 vols.; Madrid, 1723).

IXTLILXÓCHITL, OMETOCHTLI. (Flor de cara negra, dos conejo.) Nació en Texcoco en 1383; murió en la barranca de Quetztláchac en 1418. Sexto señor de los acolhuas o chichimecas.

Hijo de Techotlala y Toquetzin, casó a los 19 años con Matlahuatzin (1402), hermana de Huizilíhuitl, señor de México-Tenochtitlan, a quien hizo la guerra, al igaul que a Tezozómoc, señor de Azcapotzalco, y otros caciques que eran tributarios de éste. Los pueblos de las riberas occidentales del lago de Texcoco tomaron el partido de Tezozómoc y los de las orientales siguieron a Ixtlilxóchitl. Este redujo algunos pueblos del norte del valle y combatió contra Azcapotzalco y México por tierra y agua, logrando sitiar a Tezozómoc. El señor tecpaneca rompió el cerco y avanzó sobre Texcoco, que cayó al cabo de 50 días a causa de una traición. Huyó Ixtlilxóchitl con su hijo Nezahualcóyotl y un corto séquito, refugiándose en la barranca de Queztláhuac, donde alcanzado días después por los tecpanecas, murió peleando a la vista de su hijo escondido en un tupido árbol de capulín. De 1411 a 1418 gobernó los 77 cacicazgos en que su padre Techotlala había dividido el señorío de Texcoco.

Bibliografía: Fernando de Alva Ixtlilxóchitl: *Obras históricas* (1891-1892).

IZÁBAL, RAFAEL.

Nació en Culiacán, Sin., en 1854; murió en 1910 cuando viajaba por mar hacia Europa. Inició su carrera política en 1879, siendo cinco veces diputado local en su entidad y dos veces federal por Álamos y Hermosillo. Fue vicegobernador de Sonora de 1891 a 1895; gobernador interino, de 1900 a 1903; y constitucional, de 1903 a 1907. Durante sus regímenes combatió a los indígenas mayos; en 1904 estuvo al frente de las expediciones contra los yaquis y los seris; y en 1906, con ayuda de los *rangers* norteamericanos, rompió la huelga de Cananea. Por este motivo se le siguió proceso acusado de traición a la patria, pero fue absuelto. En 1907 fue designado senador por el estado de Guerrero. V. HUELGAS.

IZAGUIRRE, LEANDRO.

Nació y murió en la ciudad de México (1867-1941). De 1884 a 1893 hizo estudios en la Academia de San Carlos y fue discípulo de Velasco, Rebull y Parra. En 1891 ganó un premio con su obra *Colón en la Rábida* y ese mismo año realizó un cuadro de tema indigenista, *La fundación de México*. Dentro de esta misma tendencia, hizo en 1892 su mejor obra,

El suplicio de Cuauhtémoc, que mereció medalla de oro en la exposición universal de Chicago. En gran formato, la escena está muy bien concebida y llevada a cabo con sincero realismo. En ella se muestra como un pintor vigoroso, dueño de una técnica suelta y expresiva. De 1902 a 1906 estuvo en Europa, comisionado para hacer copias de las obras maestras de la pintura. Se dedicó después a la enseñanza en la Academia de San Carlos. Excelente retratista y pintor de desnudos femeninos, son obras suyas: *El mosquetero, Niño jugando, Florista italiana, El pulquero, Arboleda* y *La mala consejera*. Colaboró como dibujante costumbrista en *El Mundo Ilustrado* y otras revistas.

IZAGUIRRE TOLSÁ, ENRIQUE.

Nació en Guadalajara, Jal., en 1880. Se ignoran lugar y fecha de su muerte. Tuvo a su cargo parte de las obras de la plaza de toros El Toreo, en la ciudad de México. Escribió: *Impresiones de un viaje corto, Fernando e Isabel* y *Descendencia y actividades del escultor y arquitecto don Manuel Tolsá*.

IZAMAL.

Centro ceremonial de los mayas prehispánicos de Yucatán, cuyas principales estructuras fueron semidestruidas para construir edificios religiosos coloniales. Su nombre se deriva de Itzamná, dios principal venerado en el lugar. Fray Diego de Landa dice haber visto en Izamal hasta 12 edificios prehispánicos, el más grande de ellos singular por su hermosura y altura, desde cuya cima se veía el mar; y el padre Lizana afirma que de allí salían sendas calzadas hacia los cuatro puntos cardinales. Las exploraciones arqueológicas han comprobado que de Izamal partía un camino (*sacbé*) que conducía al poblado de Aké (32 km de largo, 13 m de ancho y uno de altura) y que hubo otro con dirección a Kantunil. En Izamal existieron cuatro grandes construcciones a los lados de una plaza central. Al oriente estaba el templo de Itzamatul o de Itzamná, compuesto por una amplia plataforma y un largo edificio de 21 m de altura; al poniente, el templo de Kabul ("mano obradora o providente", donde Itzamná recibía ofrendas), formado por un basamento y dos estructuras, en especial la decorada con un friso que tuvo pinturas y mascarones estucados, uno de los cuales fue reproducido en dibujo por Catherwood a mediados del siglo XIX; al norte, el santuario de Kinich-Kakmó ("sol con rostro-guacamaya de fuego", al que bajaba esta deidad en forma de pájaro para consumir las ofrendas), cuyo conjunto incluía una plataforma de 200 m por lado y 18 de altura, una escalinata de piedras monolíticas, una plazuela para peregrinos y un basamento piramidal de varios cuerpos, de 50 por 30 m de base y 17 de altura; y al sur, el Pa P'ol Chak (casa de los jefes y rayos, residencia de los sacerdotes). Sobre la gran plataforma y cimientos de este edificio se construyó el convento franciscano del lugar. En las afueras del centro ceremonial había otras construcciones, entre ellas el Humpiktok ("8 mil pedernales"), tal vez relacionado con la guerra.

IZAPA. Sitio arqueológico localizado en la costa sur del Pacífico mexicano, en el distrito del Soconusco, en Chiapas, a unos 40 km en línea recta del litoral del golfo de Tehuantepec. Sus ruinas se extienden a lo largo de 3 km por las riberas del río Izapa. Tiene singular importancia por varias razones. Su larga ocupación va desde la etapa aldeana hasta el Posclásico temprano o militarista (1500 a.C. a 1200 d.C.). Su época de florecimiento ocurrió en el Clásico temprano (400 a.C. a 400 d.C.). Fue un sitio estratégico para el comercio costanero. Se conservan abundantes estelas con bajorrelieves muy descriptivos, en especial algunos con temas inspirados en los mitos del *Popol Vuh*, y otros alusivos al juego de pelota. Hay grandes esferas de piedra basáltica sobre columnas cortas, detalle único en Mesoamérica. Las construcciones están dispuestas conforme a las normas del culto solar. También perduran altares, tronos y esculturas. En los bajorrelieves están representados los dioses del fuego y la fertilidad, númenes calendáricos nocturnos, árboles de origen, grandes hechiceros-adivinos-sabios, cuchillos de obsidiana y otros elementos del panteón maya-quiché que persistieron por siglos. El estudio de la zona de Izapa puede despejar muchos problemas mesoamericanos de carácter astronómico, calendárico, religioso, lingüístico e histórico.

IZAZAGA, JOSÉ MARÍA. Nació en la hacienda de Rosario, municipalidad de Coahuayutla, Gro., en 1790; murió en el país sin saberse lugar ni fecha. En 1809 formó parte, junto con Luis Correa y José María Tapia, de la Junta de Zitácuaro, que estaba vinculada con la de Valladolid, que para entonces encabezaba José María Michelena. Iniciado el movimiento de Independencia, formó el regimiento Purísima Concepción de Nuestra Señora la Virgen María, del que fue coronel y con el cual luchó al lado de Miguel Hidalgo. En 1815 fue diputado al Congreso; en 1816, miembro de la Junta Gubernativa de Uruapan, y em 1823, del Congreso Constituyente que expidió en 1824 la primera Constitución federal aceptando la abdicación de Iturbide. Fue primer secretario de la mesa directiva de la Comisión de Constitución, presidida por Miguel Ramos Arizpe.

IZCALLI. (Resurrección.) Era el nombre del decimoctavo mes (8 a 22 de enero) del calendario nahua de 365 días. El orden en que empezaba la cuenta de los días ha sido motivo de controversia: mientras en el *Códice borbónico* el primero es *Izcalli*, algunos autores dan ese lugar a *Atlacahualco* (dejar las aguas) y otros, como el padre Juan de Tovar, a *Tlacaxipehualiztli* (desollamiento de hombres), colocando a *Izcalli* en el decimoséptimo o decimoctavo lugares, es decir, el penúltimo y último meses de 20 días. El mes *Izcalli* estaba dedicado al dios del fuego o Xiuhtecuhtli. Durante su fiesta se le representaba echando fuego. En su honor se daba muerte a esclavos y cautivos, y se agujeraban las orejas de los niños pequeños. El día décimo del mes se prendía el *fuego nuevo* a la media noche, ante la imagen del dios, arrojando a una hoguera los animales que los jóvenes habían cazado durante el día. Luego se repartían tamales de bledos muy calientes, que allí mismo se comían. El término fue adoptado por la administración del gobernador Carlos Hank González, en el estado de México, para significar la construcción y remodelamiento de ciudades; por ejemplo: Cuautitlán Izcalli o Toluca Izcalli.

IZQUIERDO, JOSÉ JOAQUÍN. Nació en Puebla, Pue., el 8 de mayo de 1893; murió en la ciudad de México el 16 de enero de 1974. Hizo los estudios preparatorios en el Colegio de San Pedro y San Pablo, y los de medicina en el antiguo de Puebla –hoy Universidad– y en el Hospital de San Pedro, hasta obtener su título profesional en 1917. Se avecindó en la capital del país y en 1922 contribuyó al estudio fisiológico de los indígenas del valle de Teotihuacan y produjo dos memorias sobre la poliglobulia de las altitudes; en 1925 el Instituto de Higiene lo becó a Estados Unidos, donde trabajó en los departamentos de fisiología de las universidades de Harvard, Cornell, Columbia, John Hopkins y Pensilvania; en 1927 abandonó el ejercicio de la medicina y se dedicó íntegramente a la investigación y enseñanza de la fisiología; marchó de nuevo al extranjero y trabajó con Joseph Barcroft, de la Universidad de Cambridge, Inglaterra, y con E. Koch, en la de Colonia, Alemania. Fue el primer latinoamericano aceptado como miembro de la *American Physiological Society* (1928). En 1956 ocupó la jefatura del Departamento de Fisiología de la Facultad de Medicina de la Universidad Nacional Autónoma de México, y en diciembre de 1964 se le designó profesor emérito de fisiología. Presidió las academias nacionales de Medicina (1946-1947) y de Ciencias (1949). Fue profesor en la Escuela Médico Militar (1918-1951), de la que se retiró con el grado de general brigadier médico cirujano, y en las escuelas Nacional de Medicina (hasta su muerte) y de Ciencias Biológicas del Instituto Politécnico Nacional (1936-1958); jefe de la sección de biología del Instituto de Higiene (1921-1925), presidente de la Sociedad Mexicana de Historia Natural (1950-1951) y vicepresidente de la Sociedad Mexicana de Historia de la Ciencia y de la Tecnología (1965-1974). Su producción comprende 70 estudios monográficos y varios libros: *Curso de fisiología de laboratorio* (1929), *Balance cuatricentenario de la fisiología en México* (1934), *Harvey, iniciador del método experimental* (1939), *Análisis experimental de los fenómenos fisiológicos fundamentales* (1939), *Claudio Bernard, creador de la medicina científica* (1942), *Raudón, cirujano poblano de 1810* (1949), *Montaña y los orígenes del movimiento social y científico de México* (1955), *El brownismo en México* (1956), *El hipocratismo en México* (1958), *La primera casa de las ciencias en México* (1958), *Desde un alto en el camino* (1966) y *En la marcha universitaria de avance, extensión y ascenso* (1972). Escribió también *La matemática y la fisiología*, donde recomienda para la formulación y resolución de los problemas de la fisiología, el lenguaje neutro y la precisión de la lógica matemática; así como 317 trabajos, 108 de los cuales tratan temas históricos, médicos y biográficos.

IZQUIERDO, JOSÉ MANUEL. Nació en Sultepec, Méx.; murió allí mismo hacia 1833. Era sacerdote cuando se inició la guerra de Independencia en 1810. Es probable que se haya unido a Hidalgo al paso de éste por Toluca, junto con los eclesiásticos Francisco Lino Ortiz, Ventura Segura y Nicolás Martínez. Militó como segundo del brigadier Mariano Ortiz, sobrino de Hidalgo, combatiendo en Tenango del Valle y en los sitios de Toluca y Sultepec (1811). En este último lugar fue rechazado por el realista Santiago Mora. Estuvo bajo las órdenes de Leonardo Bravo y de Morelos en 1813. Fue nombrado comandante interino del cantón o distrito de Sultepec. El 9 de abril de 1817, en Coatepec de las Harinas, Ver., cayó prisionero su padre Nicolás Izquierdo. El teniente Manuel de la Concha propuso a José Manuel que salvaría la vida de don Nicolás a cambio de que depusiera las armas. Izquierdo rehusó el ofrecimiento y su padre fue fusilado cinco días después. Sufrió derrotas en Coatepec de las Harinas y en Cutzamala. La Junta de Jaujilla, instalada en la laguna de Zacapu (1818), le encomendó la comandancia general del distrito de Sultepec; perseguido incansablemente, abandó la provincia e incursionó en Michoacán, logrando derrotar varias veces a los realistas. Regresó a Sultepec, después de algunos éxitos, a mediados de 1819. Era de los pocos insurgentes que quedaban entonces en pie de lucha. Estableció su cuartel general en el cerro fortificado de La Goleta, donde también se hallaban Pedro Ascensio y los Ortiz. Bajo las órdenes de Guerrero combatió en Zacualpan, pero inexplicablemente defeccionó en Tejupilco, con dos brigadieres, ocho coroneles y 120 soldados, jurando ante el comandante Juan Madrazo plena obediencia a la Constitución española de 1812. El virrey lo premió nombrándolo teniente coronel de la milicia urbana de Temascaltepec (1821). Se adhirió al Plan de Iguala, ayudando al general Vicente Filisola en la Hacienda de la Huerta, cerca de Toluca, en cuya acción fue derrotado al realista Ángel Díaz del Castillo. Entró a la ciudad de México con el Ejército Trigarante el 27 de septiembre de 1821. Gozó de mucha influencia en el distrito de Sultepec, donde se retiró a vivir.

Bibliografía: Carlos María de Bustamante: *Cuadro histórico de las revoluciones de México* (1926).

IZQUIERDO, JUAN. Nació en Sevilla, España; murió en Mérida Yuc. Muy joven pasó a Perú y en Lima tomó el hábito de San Francisco, hacia 1555. Hizo en su Orden muy distinguida carrera literaria y fue guardián de varios conventos, trasladándose después a Guatemala, en donde tuvo fama de buen predicador. Allí se encontraba cuando el rey Felipe II lo presentó para la mitra de Yucatán, el 30 de julio de 1587. Once años vivió en la Península, hizo algunas fundaciones piadosas, entre ellas las casas episcopales, pero se dedicó principalmente a concluir la catedral. Dice la inscripción grabada en la parte inferior de la cornisa del cimborrio: "Reinando en las Españas e Indias Orientales y Occidentales la majestad del rey Felipe II, y siendo gobernador y capitán general su lugarteniente en estas provincias D. Diego Fernández de Velasco se acabó esta obra. Fue maestro mayor de ella Juan Miguel de Agüero. Año de 1598". Al morir Juan Izquierdo, su cadáver fue sepultado en la catedral y algunos años más tarde fue exhumado y se trasladaron sus restos a una bóveda ubicada abajo del altar mayor.

IZQUIERDO, MARÍA. Nació en San Juan de los Lagos, Jal., en 1902; murió en la Ciudad de México en 1955. Casada en 1917, radicó en la capital de la República desde 1923. En 1927 ingresó a la Academia de San Carlos, donde estudió un año. Tuvo por maestros a Germán Gedovius y a Manuel Toussaint, pero la influencia más profunda la recibió de Rufino Tamayo. Realizó su primera exposición individual en 1929, apoyada por Diego Rivera, quien hizo los comentarios escritos para presentarla. Al año siguiente llevó al *Art Center* de Nueva York una muestra que comprendía retratos, paisajes y estudios, siendo la primera mujer mexicana que expuso en Estados Unidos. Sus pinturas, inspiradas en el folclor y en los tipos nacionales, derivan a veces al surrealismo; tienen un carácter popular y un estilo primitivo logrados a base de sencillez, vigorosas líneas y colorido vibrante.

La abundante producción de María Izquierdo está compuesta por óleos, acuarelas, dibujos, xilografías y aguafuertes. Expuso en los más importantes museos y galerías de México y en museos y galerías de Nueva York, Buffalo, Hollywood, San Francisco, Santiago de Chile, Guatemala, Panamá, Brasil, Lima, La Paz, Río de Janeiro, Bombay, París y Tokio. Existen cuadros suyos en museos y colecciones privadas de gran importancia tanto en México como en el extranjero. En 1964, Año de las Artes Plásticas de Jalisco, fue la única mujer cuyo nombre quedó inscrito junto al de otros 17 artistas en el muro del monumento a José Clemente Orozco en la ciudad de Guadalajara. Tamayo le enseñó el uso de la acuarela y el aguazo. Son notables sus retratos y escenas de circo de provincia. Desde 1931 enseñó en la Escuela de Artes Plásticas de la Secretaría de Educación Pública y formó parte de la Liga de Escritores y Artistas Revolucionarios. Fundó la Casa de Artistas de América.

IZQUIERDO ALBIÑANA, ASUNCIÓN. Nació en la ciudad de San Luis Potosí en 1913; murió en México, D.F., el 7 de octubre de 1978. Escritora, usó los seudónimos Alba Sánchez, Pablo María Fonsalba y Ana Mairena, el más conocido. Entre sus novelas sobresalen: *La selva encantada* (1945), *La ciudad sobre el lago* (1949), *Los extraordinarios* (1961) y *Cena de cenizas* (1975). Publicó dos libros de poemas, *El cántaro a la puerta* (1952) y *Coplas de mi provincia* (1955), y en 1958 dio a conocer *El apóstol regresa*, una farsa en tres actos, versificada.

IZQUIERDO PIÑA, JUAN. Nació en Buendía, Castilla la Vieja, España; murió en la ciudad de Puebla, ignorándose la fecha. Fue notario apostólico y escribano real. Se preciaba de ser amigo de Lope de Vega y de poseer varios papeles suyos. Dejó escrito: *Novelas morales* (Madrid, 1624), *Primera parte de varias fortunas* (Madrid, 1625), *Primera y segunda parte de casos prodigiosos* (Madrid, 1627), *Explicación de las fábulas* (Madrid, 1635) y *Elegancias de escribanos* (s.f.).

IZTACALCO, D.F. Delegación situada al oriente del Distrito Federal, linda al norte con las delegaciones Venustiano Carranza y Cuauhtémoc, al poniente con la Benito Juárez, al sur con Iztapalapa y al oriente con el municipio de Nezahualcóyotl del estado de México. Tiene una superficie de 23 Km^2 (1.5% del total de la entidad), y en 1990 registró una población de 448 mil habitantes, con una densidad demográfica promedio de 19 492 personas por kilómetro cuadrado. La población de la entidad, que en 1950 era de sólo 37 mil habitantes, subió a 200 mil en 1960 y llegó a 477 331 en 1970. Este crecimiento obedeció al creciente flujo de inmigrantes de ese periodo. No obstante, en los veinte años que van de 1970 a 1990 se verificó un descenso absoluto en el total de habitantes, pues en esta última fecha la población sólo totalizó 448 322 personas, que equivale a una tasa de crecimiento de -0.31%.

Según el perfil sociodemográfico del D.F. para 1990, la población económicamente activa (PEA) comprende un 47% de la población total. A su vez, la PEA se divide en un 61.6% de personas que se dedican al comercio y los servicios, un 26.9% a la industria, el 0.6% al sector primario, el 7.4% a administración pública y defensa y el 1.1% en actividades no especificadas. Las dos terceras partes trabajan a menos de 5 km de su lugar de residencia.

La delegación cuenta con el 5.24% del total de viviendas particulares del Distrito Federal, de las cuales 98.70% disponen de agua entubada, 98.15% de drenaje, 99.69% de electricidad y 99.42% de servicio sanitario. Según el tipo de tenencia encontramos que el 63.92% son propias y el 26.24% rentadas. Del total de viviendas, la mitad se encuentra en mal estado.

El 95% del territorio de la delegación está urbanizado: la mitad se destina a habitaciones, la cuarta parte a vialidad, el 7.2% a la industria y el 0.3% a espacios abiertos. La Ciudad Deportiva de la Magdalena Mixhuca tiene una superficie de 1.6 km cuadrados. Las escasas zonas verdes se localizan principalmente en los camellones y en la Unidad Infonavit de Santa Anita. La Delegación cuenta con 28 jardines de niños, 66 escuelas prmarias, 14 secundarias, tres planteles de enseñanza media superior y uno de formación profesional; dos centros de salud, una clínica y un hospital; tres bibliotecas, tres teatros y un cine; ocho centros deportivos, entre ellos las instalciones de la Magdalena Mixhuca, incluyendo el Velódromo, el Palacio de los Deportes, el Autódromo y la Sala de Armas.

El sistema de vialidad primario de Iztacalco está compuesto de cuatro ejes con una disposición de oriente a poniente, otros tantos de norte a sur y las líneas 1, 4, 5 y 9 del metro. Cuenta con 43 rutas de autotransporte urbano (Ruta 100) y 613 camiones. En la delegación operan 5 oficinas de telégrafos, 12 estaciones de radio AM y 172 oficinas postales.

Historia. Iztacalco significa en náhuatl "en la casa de la sal", o sea, donde se recoge o se produce. El vocablo está compuesto por *iztatl*, sal; *calli*, casa; y *co*, locativo. El jeroglífico de la localidad representa el apresto utilizado en esa tarea. Durante la época prehispánica, Iztacalco fue un islote rodeado por las aguas del lago de Texcoco. Cuando aún no fundaban su ciudad, los mexicas estuvieron de paso en ese sitio y seguramente se proveyeron de sal, la cual obtenían evaporando el agua salobre en el aparejo que muestra el ideograma.

Más tarde, un pequeño grupo se dedicó en esa zona al cultivo de frutas y legumbres destinadas al consumo de los habitantes de Tenochtitlan, y de flores para el culto, actividad que perduró, respecto de la posterior Ciudad de México, hasta la cuarta década del siglo XX. Una vez realizada la Conquista española, los pocos vecinos de Iztacalco fueron evangelizados por los frailes franciscanos, quienes levantaron ahí un conventillo bajo la advocación de San Matías. Nunca radicaron en él más de dos religiosos, pues la comunidad que debían atender espiritualmente no pasaba de 300 indígenas. No tuvieron pueblos de visita, sino únicamente la ermita de San Antonio, donde cada año celebraban fiestas. El primer libro de bautizos de la vicaría se inicia en el año de 1662. En ese tiempo se registraron ocho minúsculos barrios periféricos.

Poco o nada pudo crecer el poblado en los dos siglos siguientes a causa de que se encontraba en los terrenos inundados o anegadizos del lago. A fines del siglo XIX estos y otros asentamientos ya constituían la municipalidad de Iztacalco, dependiente de la prefectura de Tlalpan. La población del municipio era apenas de 2 800 habitantes, distribuidos en los pueblos de San Matías Iztacalco, Santa Anita, Xicaltongo San Francisco, Zacahuixco San José, Nextipan San Juanico, Magadalena, Atlaxolpa y Asunción Aculco; los barrios de Santiago, Los Reyes Zapotla y Santa Cruz; y los ranchos Cedillo, Viga o de la Cruz, Matlapalco y Palo Gacho.

Curiosamente, el nombre que los españoles agregaron al locativo indígena no fue utilizado en todos los casos antes de éste, sino después, como en Xicaltongo San Francisco. La mayoría de estas localidades se hallaba rodeada de chinampas, es decir los terrenos de corta extensión, rectangulares, formados sobre una base de juncos o cañas y limitados por canales artificiales. Por estas vías se cominicaban entre sí y con el canal principal, llamado de la Viga o de Xochimilco, que unía el lago de este nombre con el de Texcoco, pasando por el extremo sureste de la ciudad de México. Cada chinampa estaba sembrada de legumbres y flores, y en uno de sus extremos se levantaba la choza de su propietario. Dice Manuel Rivera Cambas, en el libro *México pintoresco, artístico y monumental* (1880-1883), que en un principio los indios podían mover su terreno y su casa cuando les convenía, tirando de la chinampa con unas cuerdas; pero que el azolve de los lagos acabó haciendo imposible esta maniobra.

Iztacalco y Santa Anita, situados en la orilla del canal principal, fueron hasta 1940 uno de los paseos preferidos por los vecinos de la capital. "Los paseantes —dice el propio Rivera— se embarcaban en canoas en la Viga y pasaban la garita por debajo de un puente de dos ojos, que por la noche cerraban grandes compuertas". A una y otra banda del canal sólo había llanuras, roturadas por apantles. Las viviendas, que aparecían dispersas, eran jacales de carrizo o adobe y muy pocas casas había de cal y piedra. Sin embargo, la gente concurría por el gusto de pasear en las trajineras, seguidas a menudo por otras pequeñas embarcaciones desde las cuales las indias ofrecían verduras frescas, tamales, tortillas enchiladas y pulque; y también por el placer de penetrar en aquel paisaje bucólico, contemplando los sembradíos de rosas, amapolas y azucenas. En los potreros adyacentes era abundante la caza de patos, gallaretas, chichicuilotes, agachonas, gansas, gavilanes, aguiluchos y gallinas de agua. Aun cuando este paseo era muy concurrido todos los fines de semana, la temporada más propicia empezaba el primer domingo de Cuaresma y terminaba en la Pascua del Espíritu Santo. La fiesta principal de Iztacalco, sin embargo, era la procesión del Corpus, en el mes de agosto. A la una de la tarde se lanzaban millares de cohetes y se echaban las campanas a vuelo. El curso de la procesión se adornaba con enramadas, jaulas con pájaros y flores regadas en el piso.

El canal de la Viga, también llamado Nacional, empezó a cegarse en los años treintas y sobre lo que fue su trazo se construyó una calzada.

A ambos lados de esta vía se fraccionaron los terrenos ya desecados y se fueron formando colonias populares, como La Cruz, Pantitlán y Granjas México, donde se asentaron buena parte de los trabajadores de las industrias que habían surgido: de cajas y láminas de cartón, de colchones, de muebles de madera y de productos químicos y alimenticios. Nacida en terrenos que le fueron ganados al lago y con una vida moderna de apenas 35 años, la actual Delegación Iztacalco perdió su anterior fisonomía rural y no tiene todavía ninguna nota urbana peculiar que la caracterice.

Acervo cultural. 1. *Antiguo convento y templo de San Matías.* Juárez núm. 4. Lo fundaron los frailes franciscanos en 1564. La fachada del templo, ya muy modificada, está ornamentada con labores de piedra; el interior es de una sola nave, con una capilla anexa. La pila bautismal es rústica. Se conserva la portería y el claustro, de diseño muy sencillo. 2. *Ermita de Santa Cruz.* Es la edificación colonial más antigua de Iztacalco. Fue construida a fines del siglo XVI por los padres franciscanos. En su interior se encuentran dos Cristos hechos de pasta de caña de maíz. 3. *Palacio de los Deportes.* Ciudad Deportiva de la Magdalena Mixhuca, en la esquina que forman la avenida Río Churubusco y el viaducto Miguel Alemán. Se inauguró en 1968, en ocasión de los Juegos de la XIX Olimpiada. Lo diseñaron los arquitectos Félix Candela, Antonio Peyrí Maciá y Enrique Castañeda Tamborrell. El edificio tiene una planta circular totalmente cubierta por una bóveda metálica mixta, con claro de 160 m, que a la vez de techumbre le sirve de fachada. El punto central del casquete esférico está a 45 m sobre el nivel del terreno. La estructura de la cubierta está formada por una retícula de armaduras de acero con arcos que siguen la dirección de los círculos máximos de una esfera. Como resultado del cruce de estas armaduras se forman 121 puntos de intersección que definen los vértices exteriores de unas pirámides tetragonales, llamadas en lenguaje geométrico paraboloides hiperbólicos. Las pirámides están sustentadas en una estructura de aluminio y cubiertas por dos capas de madera "multilaminar marino", una película de fieltro asfáltico y unas tejas de cobre. Los muros exteriores se desplantan en zigzag, pero en su perímetro superior siguen el desarrollo de un círculo. La pista de competencias tiene un diámetro de 80 m. Las tribunas desmontables tienen capacidad para 5 852 personas; las medias, para 7 086; y las altas, para 6 840. Proyectado para servir como escenario de diversos espectáculos, la sección de vestidores y baños puede dar acomodo simultáneo a 300 personas. Los estacionamientos ocupan una superficie de 88 205 m^2 útiles para 3 864 vehículos. La gran plaza que circunda el edificio suele utilizarse para instalar exposiciones. 4. *Parroquia de la Santa Cruz.* Calle Santa Cruz, s. núm. Es de estilo churrigueresco. Sus muros están ornamentados con abundancia de grecas y figuras de hombres y animales en superposición de planos. 5. *Sala de Armas.* Ciudad Deportiva de la Magdalena Mixhuca, en la acera sur de la avenida Río de la Piedad. Se inauguró en 1968, en ocasión de los Juegos de la XIX Olimpiada. La diseñaron técnicos de la Secretaría de Obras Públicas. El edificio tiene planta rectangular, muros aparentes y techumbre curva de lámina de asbesto-cemento y de acrílico transparente, colgada de cables que van sujetos a 30 apoyos aéreos de acero (15 de cada lado) y que por medio de una rótula se unen a otros de concreto. Este tipo de techumbre, de origen suizo, basado en los principios de los puentes colgantes, se utilizó por primera vez en México en esta obra. El escenario de competencia tiene capacidad para 15 pistas de esgrima de 18 m de largo por ocho de ancho, hechas con tarimas desmontables de encino, cubiertas con un tapete de hule asfáltico y una malla de cobre para señalar los toques mediante un dispositivo eléctrico. Las tribunas pueden alojar a 3 258 espectadores y en el estacionamiento caben 158 vehículos. Diseñada para eventos múltiples, el área de competencia mide 95.20 por 65 m. El 13 de septiembre de 1968, el presidente Gustavo Díaz Ordaz impuso a esta sala el nombre de Fernando Montes de Oca, uno de los héroes juveniles de México. 6. *Templo de Santa Anita.* Calles de Juárez e Hidalgo. Se construyó en 1777. Los vecinos remodelaron el interior en 1948. En el altar se conservan cuatro pinturas que datan del siglo XVII. Hay también esculturas talladas en madera del Señor Crucificado, de Jesús Nazareno y de Nuestra Señora de los Dolores. 7. *Velódromo Olímpico.* Ciudad Deportiva de la Magdalena Mixhuca, entre las calles de Agiabampo, Morelos y Genaro García. Se inauguró en 1968, en ocasión de los Juegos de la XIX Olimpiada. El trazo de la pista

lo realizó el arquitecto Herbert Shurmann y el edificio lo diseñaron los arquitectos Jorge, Ignacio y Andrés Escalante y Legarreta. La instalación, de planta ovoide, está orientada en su eje longitudinal de norte a sur y se compone del escenario de competencias, las tribunas y los servicios. La pista de carreras tiene un desarrollo elíptico de 333.3 m de longitud en su borde interno, 7 m de ancho en las rectas y 39.5° de peralte en las curvas de ambos extremos; está sostenida por 498 apoyos estructurales y está cubierta con tarimas de *Doussie Afzeiba*, madera que se obtiene en el Camerún Francés y que se singulariza por ser resistente a la humedad e inmune a los hongos, además de poseer gran dureza. Bordeada por la pista de ciclismo e inscrita en un rectángulo de 91.44 m de largo por 54.86 de ancho, quedó la cancha de hockey, sembrada con cinco veriedades especiales de pasto y dotada de un sistema de drenaje que permite usarla un minuto después de una lluvia copiosa. Las tribunas tienen capacidad para 5 421 personas; y el estacionamiento, para 693 automóviles. El 1° de septiembre de 1968, el presidente Gustavo Díaz Ordaz impuso al Velódromo Olímpico el nombre de Agustín Melgar, uno de los cadetes que defendieron el Castillo de Chapultepec en 1847.

IZTACCÍHUATL. (Del náhuatl *iztac*, blanco y *cihuatl*, mujer: mujer blanca.) Volcán situado al oriente del valle de México y al poniente del de Puebla, a los 19° 11' de latitud y 98° 38' de longitud. Se formó en la época terciaria, a fines del Mioceno. Sus cumbres están cubiertas de nieves perpetuas. V. GEOFÍSICA, GLACIARES y VOLCANES.

IZTACNANÁCATL. *Russula delica* Fr. Hongo comestible, solitario, de 17 cm. El píleo es infundibuliforme, las láminas poco decurrentes y el estípite corto, grueso y de color blanco lechoso, que se torna amarillento al secarse. La carne, blanca y dura, tiene sabor a nuez. Se distribuye en los estados de Puebla Hidalgo y México y en Distrito Federal. Se le conoce también como *trompa, trompa de puerco* y *hongo de venado.*

IZTACOANENEPILI. *Cissampelos pareira* L. Bejuco de la familia de las menispermáceas, pubescente, algo astringente y con tallos largos delgados; de hojas alternas, orbiculares, cordiformes o reniformes, generalmente peltadas, pilosas y delgadas; flores unisexuales y blancoverdosas: las masculinas, regulares, tetrámeras, con el perianto doble y los estambres unidos en una columna que se ensancha en la parte superior, y las femeninas, con un solo sépalo, un pétalo y un ovario unilocular y unicarpelar con el estigma trifurcado; las inflorescencias femeninas presentan brácteas pequeñas, orbiculares o cordiformes. El fruto es una drupa roja o anaranjada, pequeña y comprimida. La raíz de la planta se usa en medicina popular contra picaduras de serpientes y otros animales ponzoñosos; se ha usado en lugar de la *pareira brava* o *butúa de Brasil —Chondodendron tomentosum—*, de la misma familia, empleada en farmacia como febrífugo, anticonvulsivo, diurético y tónico. Es frecuente en los matorrales secundarios de las selvas tropicales y subtropicales, desde Tamaulipas y Sonora hasta Veracruz, Oaxaca, Chiapas y Yucatán. Se le conoce también como *curarina* —Chiapas—, *oreja de ratón* —Guerrero y Michoacán—, *butúa* —Colima, Guerrero y Veracruz—, y *pareira brava* —Oaxaca y Veracruz—. El nombre de *iztacoanenepilli* hace alusión a la semejanza de la raíz, según los antiguos mexicanos, con una lengua de serpiente.

IZTACOLIUHQUI. (Blanco torcido.) Deidad azteca, aparece representada en el *Códice borbónico* con un gorro torcido y adornos o cordones blancos, también torcidos, en la cabeza, a juzgar por los cuales, más que simbolizar el hielo y la nieve, como hasta ahora se ha dicho, debe representar el algodón en copos torcidos, sin perjuicio de que represente, por similitud, las nubes y la nieve, y aun el pecado y el castigo.

IZTAPALAPA, D.F. Delegación situada al oriente del Distrito Federal; linda al norte con Iztacalco, por este rumbo y al poniente con el muncipio de Nezahualcóyotl, del estado de México, al sur con las delegaciones de Tláhuac y Xochimilco, y al poniente con las de Benito Juárez y Coyacán. Tiene una superficie de 117.5 Km^2 (7.8% del total de la entidad) y una densidad demográfica promedio de 12 685 personas por kilómetro cuadrado. En 1950 la población era de 74 240 habitantes y en 1980, de 1.2 millones; es decir que creció 16 veces en 30 años. Este fenó-

meno se debió a la constante inmigración proveniente del propio Distrito Federal y de los estados de Michoacán, México, Guanajuato y Puebla. Sin embargo, este crecimiento disminuyó si tomamos en cuenta las cifras del censo de 1990, en el que se consigna que la delegación contaba con un total de 1 490 499 habitantes. Según el censo, de la población económicamente activa, que es el 46.3% de la total, el 55.5% se ocupa en el comercio y los servicios, el 32.1% en la industria, el 0.6% en el sector primario; el 7.6% en la administración pública y defensa, y el 3.9% en actividades no especificadas. El 25.92% de la población no es nativa de la delegación.

De la superficie de la delegación, el 80% está urbanizada; y de ésta, el 43% está ocupada por habitaciones, el 19% por calles, calzadas y avenidas, el 4% por industrias, el 3% por servicios. En general Iztapalapa se ha convertido en una ciudad dormitorio, pues la mayoría de sus pobladores trabajan fuera de la delegación. El 55.2% del total de viviendas corresponde a viviendas unifamiliares, el 31.8% a plurifamiliares y el 13% a conjuntos de varios edificios, de las cuales el 73.57% son propias y el 16.90% rentadas. La delegación dispone de 77 jardines de niños, 328 primarias, 52 secundarias, cinco planteles de educación media superior y la Unidad Iztapalapa de la Universidad Autónoma Metropolitana; una clínica del Instituto de Seguridad y Servicios Sociales de los Trabajadores del Estado y otra del Instituto Mexicano del Seguro Social, tres centros de salud, tres hospitales; cinco bibliotecas, un club social, dos cines, un teatro, un museo y cinco centros deportivos. La estructura vial está formada por nueve ejes viales, entre ellos las calzadas de La Viga, Ermita Iztapalapa y México-Tulyehualco, y las avenidas Cinco y Javier Rojo Gómez. Cuenta con 70 rutas de autotransporte urbano (Ruta 100) y 927 camiones, 8 Oficinas de Telégrafos, 14 estaciones de radio (11 amplitud modulada y 3 frecuencia modulada); y 311 oficinas postales. Hay 2.5 m^2 de áreas verdes, principalmente en el Cerro de la Estrella, que es de origen volcánico y tiene en la cima una pequeña meseta a 224 m de altura sobre el nivel medio de la ciudad. Las principales elevaciones son los cerros de Santa Catalina, de 2 457 m de altitud; el de la Caldera, de 2 167, asociado a una serie de conos volcánicos; y el de la Estrella, de 2 481, que contiene varias cavernas. El Peñón Viejo o del Marqués cobró celebridad por la profesía indígena de que la ciudad de México desaparecerá cuando ese cerro haga erupción.

Historia. Las malas cosechas, las convulsiones sociales y los conflictos religiosos provocaron el abandono de la metrópoli sagrada de Teotihuacan en el curso del siglo X. Por ese tiempo grupos nómadas, nahoas y chichimecas, encabezados por Mixcóatl, irrumpieron en el norte del Valle, destruyeron la ciudad evacuada, continuaron hacia el sur bordeando los lagos y al fin se detuvieron al pie del cerro de la Estrella, donde fundaron su capital, que llamaron Culhuacán. Mixcóatl se unió a una mujer de origen teotihuacano y se inició así, sobre el grupo invasor, la influencia de aquella cultura mucho más evolucionada. Esta pareja engendró a Topiltzin. Nacido hacia 947, pasó su infancia y su primera juventud en Tepoztlán, donde afirmó el legado materno y conoció el culto a Quetzalcóatl. Mientras tanto, Ihitimal asesinó a Mixcóatl y usurpó el señorío culhua. Topiltzin, una vez que llegó a la mayoría de edad, mató a Ihitimal y quedó dueño de Culhuacán. El nuevo soberano decidió cambiar de asiento la capital y se trasladó a Tollantzinco, lugar donde según las crónicas habitó sólo cuatro años, y de ahí a Tula, llevando consigo a los artífices y constructores teotihuacanos que aún quedaban en el Valle. En el último tercio del siglo X florecieron en Tula la escultura y en menor grado la arquitectura. Topiltzin trató de imponer el culto a Quetzalcóatl, en una sociedad que tenía a Tezcatlipoca como dios nacional, y eso determinó su caída del gobierno. Sin embargo, la aculturación de los chichimecas, por su contacto en Culhuacán y Tepoztlán con los teotihuacanos dispersos, había propiciado el advenimiento de los toltecas, la comunidad más desarrollada de su tiempo. Durante el siglo XI fueron cobrando importancia los toltecas, cuyo poderío culminó y acabó bajo el reinado de Huémac, muerto en 1156. Desde años antes nuevas perturbaciones sociales forzaron la salida de migrantes hacia la región de los lagos. Uno de estos grupos fundó la dinastía tolteca de Culhuacán en 1114. En ellas se sucedieron Nauhyotl (muerto en 1124), Cuauhtexpetlatzin (1124-1181), Huetzin (1181-1202), Nonoalcatl (1202-1223) y Cuauhtonal (1237-1251). A mediados del siglo XIII se entronizó una nueva dinastía llamada chichimeca, regida por Mazatzin (1251-

1274), Quetzaltzin (1274-1287), Chalchiuhtlatonac (1287-1304), Cuautlix (1304-1311), Yuhuallatonac (1311-1321), Tziuhtecatzin (1321-1334), Xihuitlemoc (1334-1352), Coxcox (1352-1376), Acamapixtli (1376-1388) y Achicometl (1388-1400). Hacia fines del siglo XIV estalló la guerra civil y se despobló Culhuacán, que ya nunca pudo recuperarse. También contribuyó a su decadencia y acabamiento la expansión conquistadora de los tecpanecas de Azcapotzalco. Sin embargo, antes de ser sometidos a vasallaje, en dos ocasiones aportaron los culhuas miembros de su casa reinante para fundar el linaje de Tenochtitlan. El florecimiento de Culhuacán comprende el periodo que va desde la caída del imperio tolteca hasta el nacimiento del Estado azteca. A juicio de George C. Vaillant (*La civilización azteca*, 1941), "Culhuacán fue considerado como un centro de civilización y durante tres siglos fue un poder dominante en el Valle de México".

A principios del siglo XIV los aztecas procedentes de Aztlán, obtuvieron permiso del rey tecpaneca Tezozómoc para atravesar su territorio y establecerse en el cerro de Chapultepec. Allí vivieron tranquilos durante unos cuantos años, pero cuando sus jóvenes dieron en raptar mujeres de los pueblos vecinos, fueron reprimidos y la mayor parte de la tribu pasó a refugiarse en Culhuacán, en calidad de siervos. Sin embargo, pronto se distinguieron por su bravura en las batallas, y de vasallos se convirtieron en aliados del señor culhua. Validos de esta amistad, le pidieron una hija que luego sacrificaron y desollaron para que un sacerdote vistiera la piel de la doncella en ocasión de una de sus fiestas. Enfurecido el jefe culhua, arrojó a los mexicanos a los carrizales del lago, donde hacia 1325 encontraron el sitio para fundar su ciudad. Para la gente de Culhuacán, Azcapotzalco y Texcoco los aztecas no eran entonces sino una miserable tribu semisalvaje que vivía en un islote, alimentándose de raíces, hierbas y animales. Cincuenta años más tarde, Acamapixtli, cacique mexicano originario de Culhuacán, pudo ya fundar la dinastía azteca, cuyo cuarto señor, Itzcóatl, terminó con el dominio de Azcapotzalco, formó la Triple Alianza con Texcoco y Tacuba e inauguró la era imperial de Tenochtitlan.

El cerro de la Estrella, llamado por los antiguos Huizachtépetl, fue para los aztecas el escenario de la ceremonia del fuego nuevo. La terminación

IZTAPALAPA

de un ciclo de 52 años se solemnizaba con la extinción total del fuego y el dramático acto de volver a encenderlo en la cumbre de esa montaña, una vez que la constelación de las Pléyades llegaba al cenit, señal de que continuaría el movimiento de los astros y en consecuencia la vida. En los días anteriores a este acontecimiento la gente destruía sus enseres domésticos, las mujeres y los niños se quedaban en casa, las embarazadas se recluían en las trojes donde se guardaba el maíz y los hombres se reunían sollozantes al pie y en las laderas del cerro en espera del desenlace. A la puesta del Sol los sacerdotes ascendían a la cumbre y cuando aquellas estrellas llegaban al meridiano, el principal de ellos hundía su cuchillo de pedernal en el pecho de la víctima propiciatoria que los otros sujetaban y luego, sobre la herida abierta, encendía un fuego con los aperos de madera. Todos lanzaban entonces exclamaciones de alegría. Mensajeros especiales prendían antorchas en el fuego nuevo y corrían a llevarlo a los altares de los templos, de donde el pueblo tomaba la lumbre para sus hogares. La última ceremonia de esta índole se celebró en 1507.

En vísperas de la Conquista española, Culhuacán ya no era una localidad preeminente en el sur del Valle. En sus proximidades se había desarrollado Iztapalapa, también a la orilla del lago y al pie del cerro de la Estrella, aunque del lado norte de esa montaña. Al parecer del náhuatl *iztapalli* (cierto tipo de piedra plana) y *apan* (sobre el agua), Iztapalapa significa "en las losas del agua", topónimo que describe su situación ribereña, pues estaba fincada mitad en tierra firme y mitad en el lago, conforme al sistema de chinampas. Enteramente mexica, era una de las villas reales que rodeaban Tenochtitlan, a la cual abastecían de mantenimientos y a la vez protegían, pues constituían una primera línea de defensa. Gobernada por Cuitláhuac, hermano de Moctezuma II, tendría unos 10 mil habitantes dedicados a la horticultura, la floricultura y la producción de sal. En la ciudad sobresalían los huertos, los estanques para peces, los criaderos de aves, el jardín botánico y el palacio de Cuitláhuac, todo de cantería y vigas de cedro, con patios muy espaciosos. En el centro ceremonial de la población desembocaba el camino de Meyehualco, que luego continuaba hasta Mexicalzingo, de donde salía, con destino a Tenochtitlan, la calzada llamada de Iztapalapa. Esta obra

la empezó a construir en 1429 el cuarto señor de los aztecas, Itzcóatl, aprovechando el trabajo servil de los tecpanecas y xochimilcas. El terraplén, cimentado en el fondo del lago, sobresalía metro y medio de las aguas, medía 8 km de longitud y era tan ancho que por él podían ir ocho caballos a la par. A la mitad del trayecto estaba el fuerte de Xoloc, de piedra, con torres a los lados y en medio un pretil almenado y dos puertas, una para entrar y otra pasa salir. De ese punto partía el ramal a Coyoacán.

Los lagos de Chalco y Xochimilco se comunicaban con el de Texcoco por una boca de unos 3 km de amplitud, en cuyo extremo oriental estaba Mexicalzingo, unido a su vez por un dique con Churubusco, desde donde también podía irse, bordeando el lago, a Coyoacán. Este dique tenía un sistema de compuertas para regular el flujo de las aguas dulces. El poblado de Culhuacán, a su vez, se hallaba en el ribera sur de la península que forma la sierra de Santa Catarina y tenía cuatro barrios, dos en tierra firme y dos formados por chinampas.

Después de trasponer la sierra Nevada, Hernán Cortés y su hueste llegaron a Iztapalapa el 6 de noviembre de 1519. Les dio la bienvenida Cuitláhuac, los obsequió y los aposentó en su palacio, según eran los deseos de Moctezuma. El día 8 los españoles continuaron su marcha rumbo a Tenochtitlan. Ya en la capital mexica, usaron la violencia para arrebatar sus riquezas a la nobleza mexicana. Moctezuma y Cuitláhuac fueron encarcelados. En mayo del año siguiente, en ausencia de Cortés, Pedro de Alvarado realizó una matanza de hombres, mujeres y niños en el recinto sagrado del Templo Mayor y provocó el levantamiento popular. A su regreso, Cortés exigió a Moctezuma que restableciera la normalidad y éste pidió para ello que se pusiera en libertad a Cuitláhuac, quien trasmitiría sus instrucciones. Los indígenas se negaron a obedecer al monarca y encontraron en el príncipe de Iztapalapa al caudillo que los guiaría en la guerra. Del 26 al 30 de junio los españoles no tuvieron reposo en repeler los continuos y furiosos ataques. Moctezuma, obligado por Cortés, arengó a su súbditos, pero fue injuriado, lapidado y muerto. La retirada de la tropa hispana ocurrió el 30 de junio y dio ocasión al episodio de la Noche Triste. El 7 de septiembre de 1520, Cuitláhuac fue elegido emperador de los mexicas, en cuya ocasión

IZTAPALAPA

fueron sacrificados los 41 jinetes que cayeron prisioneros durante la retirada. Repuesto Cortés, a principios de 1521 volvió al Valle, armó unos bergantines y emprendió la campaña para cincunvalar Tenochtitlan y destruir las poblaciones ribereñas. Chalco, Mixquix e Iztapalapa fueron saqueadas, aniquiladas y sojuzgadas, aunque fieramente defendidas. Dicen las crónicas que sólo en Iztapalapa murieron unos 5 mil indígenas.

Esta localidad decayó tanto en la época colonial, que en la segunda mitad de siglo XVIII únicamente vivían en ella 130 familias aborígenes, según Antonio de Alcedo, autor del *Diccionario geográfico-histórico de las Indias Occidentales o América* (Madrid, 1787). Cien años más tarde tenía 3 416 habitantes, incluyendo los barrios de San Miguel, San Nicolás, Jerusalén, Ladrillera, Xomulco, Ticomán, Santa Bárbara, Huitzila, Cuautla, Xoquilac, Tecolpa, Tequicalco y Alixoca; y otros 1 809 en el resto de la municipalidad, o sea en los pueblos de San Andrés Tetepilco, San Simón, Santa María Nativitas y Mexicalzingo, las haciendas de Soledad y Portales y los ranchos de Suárez, José Tenorio y Sánchez y Albarrada. La ley de organización política y municipal de 1903 le añadió los pueblos de Iztacalco, San Juanico, Santa Cruz Meyehualco, Santa Marta, Santa María Hastahuacan, Tlacoyucan, Tlaltenco, San Lorenzo Tezonco, Santa Ana Zacatlamanco y Zapotitlán, con lo cual la población llegó a 10 440 habitantes, de los cuales 7 200 correspondían a la cabecera. Las principales actividades seguían siendo la horticultura y la floricultura. La mayoría de las viviendas eran jacales. Iztapalapa estaba comunicada por tranvías de tracción animal hasta Jamaica, y de ahí a México por tranvías eléctricos. El lago, a su vez, en proceso de desecación, se había convertido en un llano cenagoso. La apariencia general era de pobreza y abandono. Sobrevivía la versión de que una india, llamada María Bartola, había dejado en el siglo XVI una relación de la Conquista, de la que al parecer se sirvió el historiador texcocano Fernando de Alva Ixtlixóchitl. Después de la Revolución, Iztapalapa siguió siendo un pueblo precario, hasta 1950 en que se inició su expansión. En el curso de las tres décadas siguientes han surgido unas 100 colonias y unidades de habitación de gente pobre y de la clase media.

Acervo cultural. 1. *Exconvento de Culhuacán.* La iglesia y el convento de San Matías empezaron a edificarse por los frailes agustinos en 1562. La construcción se terminó en 1569 y se amplió en 1576. El convento se destinó a seminario de lenguas. Tuvo amplio atrio y cementerio, huerta, manantial y un molino de papel. Vivieron ahí unos ocho religiosos. El curato se secularizó en 1756. La iglesia primitiva se demolió en 1892. El templo actual, de tres naves, fue construido de 1880 a 1897 utilizando materiales del antiguo. Cada lado del claustro tiene cinco arcos en la planta baja y cuatro ventanas en la alta. Es notable una puerta de madera, la única que se conserva del siglo XVI, compuesta por tableros con relieves tallados que representan la Pasión y muerte de Cristo y a Juan de Sahagún, mártir agustino. Hay en varias de las dependencias del edificio tres capas de pinturas murales, dos del siglo XVI, al fresco, y la otra del XVIII, al temple. Las que mejor han logrado restaurarse muestran la entrada de Jesús a Jerusalén, la Adoración de los Reyes, La Natividad y personajes célebres de la Orden de San Agustín, a menudo enmarcados por columnas candelabro, típicas del plateresco. El edificio, reconstruido hacia 1960, está ocupado por oficinas del Instituto Nacional de Antropología e Historia. 2. *Parroquia de Iztapalapa.* Esquina de las calzadas Iztapalapa y Estrella. Está dedicada a San Lucas y se construyó en 1664. En una de las varias remodelaciones que se le han hecho se le restituyó la cubierta de madera. En las hojas de la puerta parece haber símbolos indígenas no plenamente identificados a causa de su mal estado de conservación. El púlpito es excelente. El templo conserva un lienzo que representa la Inmaculada Concepción coronada por la Trinidad. 3. *Santuario del Señor del Santo Sepulcro de Jerusalén.* A juzgar por una tradición oral, hacia 1687 unos señores de la villa oaxaqueña de Etla llevaban a restaurar a la ciudad de México la imagen de Cristo muerto que se veneraba en su localidad. Al cabo de una de sus jornadas, pasaron la noche al pie del cerro de la Estrella. Al despertar, advirtieron que la imagen había desaparecido. Tras minuciosa búsqueda, la hallaron en una cueva de la montaña, de donde ya no pudieron moverla, prueba de que el Señor deseaba permanecer ahí. Los vecinos de Iztapalapa lo acogieron como patrón y le edificaron una ermita. En 1833, en ocasión de una grave epidemia de cólera morbus, invocaron la protección del Señor de la Cuevita, nombre que el pueblo le dio a esa imagen desde un principio, y al cesar la peste le erigieron, en agradecimiento, al actual santuario, que se terminó en 1875. La iglesia es de planta rectagular y mide 41 m de largo, 10.6 de ancho y 25 de altura hasta el remate de las torres. Atrás del presbiterio está la cueva que menciona el relato y a un lado, túnel de por medio, la capilla penitencial. El gran atrio, donde cada año se representa la Pasión de Cristo, tiene 179 m de largo por 55 de ancho y culmina en una capilla abierta. La fachada está compuesta a base de elementos inspirados en el orden jónico. El campanario del lado derecho fue construido en 1857 y está mucho mejor acabado que el opuesto, levantado en 1907 y solamente aplanado. En el ciprés se guarda la urna con la imagen de Cristo en el sepulcro. Los altares laterales están dedicados al Sagrado Corazón de Jesús y a la Virgen del Monte Carmelo. Entre las esculturas destacan las de las vírgenes de Santa Juanita y de la Balita. Pintadas al óleo directamente sobre los muros, aparecen *La adoración de los magos*, *Jesús entre los doctores*, *Las tentaciones*, *La última cena*, *La resurrección de Lázaro*, *La hija de Jairo*, *La flagelación*, *La cura del paralítico* y los cuatro evangelistas, obras realizadas en 1875 por Anacleto Escutia. La imagen del Señor de la Cuevita, hecha de pasta de caña de maíz, está en el camerino del altar principal; y una réplica suya, llamada *El peregrino*, en la cavidad adyacente. Este santuario es sede de la Vicaría Espiscopal de San Pablo.

J

J. Undécima letra del alfabeto castellano, catalogada como consonante fricativa velar sorda. Se la hace derivar de la I latina, pero el sonido fuerte se debe a influjo árabe. La grafía definitiva de la letra apareció en la Edad Media, dividida en alta, normal y baja, según su posición y tamaño respecto de las otras letras.

JABALÍ. V. PÉCARI DE COLLAR y SENSO.

JABALÍ DE COLLAR. *Pecari tajacu* familia Tayassuidae, del orden Artiodactyla. Mamífero parecido al cerdo. Es rechoncho, de cabeza grande y patas cortas y delgadas; de color grisáceo pálido en el vientre y los lados de la cabeza, y más oscuro a lo largo de la línea media dorsal; generalmente con una banda más clara que cruza diagonalmente los hombros, desde la espalda hasta el pecho; mide 50 cm de algura y de 10 a 97 cm de largo presenta sólo vestigios de cola –2.5 cm–, oculta por el pelo; y pesa de 14 a 25 kg. Las hembras son de iguales dimensiones o ligeramente más grandes que los machos. Presenta una glándula odorífera, conocida como ombligo, situada en la línea media dorsal y a unos 15 cm de la cola, que emite un fuerte olor a almizcle, especialmente cuando se asusta o es molestado. Se adapta a diversos tipos de vegetación, en zonas tropicales, templadas, de altura y aun semidesérticas. Era común en todo el país, excepto en Baja California, y raro en la Meseta Central; ahora se puede encontrar en las zonas tropicales del Pacífico, desde Sinaloa hasta Chiapas y parte de la península de Yucatán. Es gregario y tiende a vivir en pequeñas manadas hasta de 18 individuos; a veces los machos viejos se alejan y viven solos –jabalíes solitarios–; es omnívoro, se alimenta de hojas, raíces tiernas, frutos, bulbos, biznagas, gusanos, insectos o sus larvas, e inclusive se introduce en los cultivos y causa estragos, principalmente en las milpas. Es apreciado por su carne, que se usa como alimento, y por su piel, que bien curtida sirve para hacer artículos finos de cuero, principalmente guantes. Los antiguos mexicanos lo llamaron *coyametl*, *quauhcoyametl* y *uapizotl*, y se le conoce también como *jabalí*, *pécari de collar* y *javelina*.

JABIRU. *Jabiru mycteria*, familia Ciconiidae, orden Ciconiiformes. Ave zancuda de gran tamaño, de plumaje blanco y cabeza desnuda y negra, con la base del cuello roja, las patas muy largas y el pico largo, masivo y recto. Habita en las zonas pantanosas de Centro y Suramérica; en ocasiones se le encuentra en el sureste de la República Mexicana.

JABONCILLO. *Sapindus saponaria* L. Árbol de la familia de las sapindáceas, de 30 m de altura, tronco recto de 30 cm de diámetro, ramas horizontales ascendentes y copa irregular. Las hojas son compuestas, con cinco a 17 hojuelas linear-lanceoladas u oblongas, asimétricas, con el margen entero, casi lisas abajo y algo pubescentes en el envés, largamente acuminadas u obtusas. Las flores, blanquecinas, se dan en panículas terminales, y los frutos, globosos, en grupos de dos a tres, con pulpa transparente y mucilaginosa. El fruto, macerado y puesto en agua, produce espuma en abundancia y se usa para lavar toda clase de telas y para asfixiar peces. Tiene amplia distribución en todo el país.

2. Como jaboncillo se conoce también a la *Billia hippocastanum* Peyr., de la familia de las hipocastanáceas, de 25 m de altura; de hojas compuestas, con tres hojuelas lanceolado-oblongas y de peciolo largo; flores vistosas, rojas y presentandas en inflorescencias algo densas; y fruto en forma de cápsula de consistencia coriácea, que contiene tres semillas. Se localiza en Chiapas, Oaxaca y Veracruz.

JABONERO. Nombre que se aplica a varias especies de peces de la familia Grammistidae, orden Perciformes, principalmente a las del género *Rypticus*. Comparten un buen número de características con los meros y pargos, por cuya razón han sido clasificados a veces en la familia Serranidae. Los peces del género *Rypticus* son de cuerpo oblongo y comprimido, y rara vez rebasan los 30 cm de longitud. Tienen la cabeza de tamaño mediano, los labios gruesos y la boca oblicua, provista de pequeños dientes cónicos. El opérculo presenta dos o tres espinas, y su borde superior está unido al cráneo por una membrana. La parte alta del margen preopercular lleva de una a tres espinas. La aleta dorsal es continua y generalmente carnosa, con dos a cuatro espinas; la anal está constituida únicamente por radios; en ambas, la porción distal es lobuladeada; la aleta caudal es redondeada, al igual que las pectorales. Las pélvicas se insertan por delante de estas últimas y sus radios internos se unen al abdomen por medio de una membrana. Las escamas, embebidas en la piel, muestran anillos concéntricos. La línea lateral es completa. Su nombre común se debe al mucus jabonoso que recubre su piel y produce espuma cuando el pez es manipulado. Estos especímenes son de color variable, ya sea uniforme o cubierto de manchas o lunares contrastantes. Habitan en áreas costeras poco profundas, sobre distintos tipos de fondo y aguas de calidad variable. Se distribuyen en ambos litorales de México, en el Atlántico están representados por *R. maculatus*, *R. subbifrenatus* y *R. saponaceus*, y en el Pacífico por *R. xanti* y *R. nigripinnis* principalmente. Su pesca es incidental y se realiza con anzuelos o trampas. No son estimados como alimento.

JABONES Y DETERGENTES, INDUSTRIA DE. Hasta fines del siglo XIX, los jabones se hacían en México con grasas animales tratadas con tequesquite, en pequeñas pailas anexas a las tocinerías. Tras varios ensayos para fabricarlos con sustancias vegetales (resina de pino, higuerilla, ajonjolí y semilla de algodón), entre 1890 y 1899 se establecieron en ciudades del centro y norte del país fábricas modernas que usaban grasas vegetales. Esto originó un considerable aumento en la importación de aceite de coco. Al aumentar el cultivo del algodón la industria jabonera encontró una localización ventajosa en las comarcas productoras de esa semilla; especialmente en las riberas del río Nazas, en Coahuila y Durango. Hacia 1892 ya había nuevas fábricas de esta índole en Veracruz, México, San Luis Potosí, Chihuahua, Villa Lerdo y Monterrey, aparte de las que existían desde tiempo atrás en Puebla, Toluca, Huamantla, Zapotlán y otros lugares. La Compañía Industrial Jabonera de La Laguna estableció en Torreón, en enero de 1900, una de las mayores plantas del país, la cual extendió sus actividades para destilar glicerina. La fábrica La Luz, en el Distrito Federal, producía anualmente 3.5 millones de kilogramos de jabón corriente. En 1927 estas dos empresas y las otras 84 del ramo produjeron 21 mil toneladas de jabón corriente, 117 de jabón fino y 61.3 de lejía. Al finalizar 1942, esta actividad contaba con 103 establecimientos y 1 402 obreros. Y en 1960, la Dirección General de Estadística registró la siguiente producción, en toneladas: jabón de tocador, 13 144, y de lavandería, 106 mil; detergentes, 76 372, y glicerina, 2 650.

Esta industria transforma materias primas de origen animal, vegetal y de síntesis química, para producir artículos de limpieza y aseo, entre los cuales destacan, además de los jabones, los detergentes, blanqueadores, polvos limpiadores y dentífricos. El número de empresas disminuyó de 155 en 1970 a 135 en 1975, pero creció a 176 en los cinco años siguientes. En 1970, el 7.1% de las empresas produjo el 82.9% del total de jabones y detergentes, y en 1980, el 6.8% aportó el 88.6% de la producción. También se acentuó la concentración geográfica, pues para 1980 el 71% de las plantas estaban en los estados de Jalisco, México y Nuevo León, y el Distrito Federal. El comportamiento posterior de la industria se expresa en el cuadro:

JABONES Y DETERGENTES

Concepto	1989	1990	1991
Principales productos (toneladas):			
Jabones	303 407	164 569	333 918
Detergentes sólidos	746 307	413 230	844 238
Detergentes líquidos	27 336	17 290	38 928
Empleo (personas)	9 710	10 427	11 538
Remuneración al personal (millones de pesos)	209 485	295 837	446 158

Fuente: Instituto Nacional de Estadística, Geografía e Informática: *Encuesta Industrial Mensual* (varios años).

En el periodo de 1972 a 1980 los consumos por persona crecieron de la manera siguiente: jabones corrientes, de 3.8 a 3.9 kg; jabones de tocador, de 0.79 a 1.47 kg; y detergentes líquidos, de 0.11 a 0.34 L. En el mismo lapso, los precios de estos productos aumentaron 37.5% en promedio. En el proceso de producción se utilizaron grasas y sebos de bovinos y ovinos; aceites derivados de soya y cártamo, y dodecilbenceno, sosa cáustica, fosfatos, ácido sulfúrico, sulfatos y silicatos. La demanda de sebos y grasas por parte de esta rama de la industria se incrementó 9.3% en promedio anual, superior al ritmo de crecimiento de la producción nacional, lo cual originó que el volumen importado alcanzara la cifra de 82 964 t en 1980. Ese año, se utilizaron 82 mil toneladas de aceites vegetales.

Mientras el consumo nacional aparente de dodecilbenceno aumentó a una tasa anual de 7.7% de 1972 a 1980, la producción sólo lo hizo al 0.5%, de modo que las compras de ese producto en el exterior representaron el 2.9% de la demanda en aquel año y el 42.7% en éste.

De 1970 a 1980, las inversiones en la industria de jabones y detergentes pasaron de $1 311.2 millones a $8 882.1 millones; las ventas, de $2 716.5 millones a $14 594 millones; y las utilidades, de $595.7 millones a $2 493.2 millones. En 1983, el Instituto Nacional de Estadística, Geografía e Informática sólo registró 44 establecimientos dedicados a esta rama de la industria, acaso porque la crisis haya hecho desaparecer a los pequeños. Aquéllos tuvieron una producción con valor de $79 968 millones y ventas netas de $80 732 millones.

Bibliografía: Félix F. Palavicini y otros: *México, historia de su evolución constructiva* (1946); Fernando Rosenzweig: "La industria", en *Historia moderna de México. El porfiriato. La vida económica* (1965); Secretaría de Programación y Presupuesto: *Escenarios económicos de México. 1981-1985* (1981).

JACAMARA. *Galbula ruficauda*, familia Galbulidae, orden piciformes. Ave mediana, de color verde metálico en el dorso y el pecho, la garganta blanca, el vientre y la cola rojizos, esta última larga y graduada; y pico muy largo, agudo y recto. Habita en las selvas tropicales del sureste de México, pero es muy tímida y rara vez es vista.

Se le conoce también como *gorrión de montaña* y *pico largo.*

JACAMATRACA. *Wilcoxia striata* (T.S. Brand.) Britt. y Rose. Planta de la familia de las cactáceas, de 1 m de altura, tallos delgados gris azulosos o verdes, con ocho o nueve costillas apenas visibles. Las flores son de color rojo encendido, con areolas provistas de lana vellosa, y el fruto es rojo, periforme. Las raíces tienen aplicación en la medicina popular para combatir enfermedades de los pulmones. Se ha registrado en Baja California y Sonora.

JACANA. *Jacana spinosa*, familia Jacanidae, orden Charadriiformes. Ave pequeña con el cuerpo color rojizo, la cabeza y el cuello negros, el pico y la placa frontal amarillo vivo, las alas amarillo limón, las patas delgadas y los dedos muy largos y finos. Habita en lagos y pantanos con abundante vegetación flotante. Presenta un par de espolones en las alas. Se le conoce también como *cirujano.*

JACARANDA. *Jacaranda mimosaefolia* D. Don. Árbol de la familia de las bignoniáceas, de 8 m de altura en promedio, de tallo recto, ramas horizontales y ascendentes, hojas bipinnadas y hojuelas imparipinnadas. Las flores, moradas o lila azuladas, son hermafroditas, asimétricas y se dan dispuestas en racimos. Cada una presenta cáliz campanulado y lobado; corola de cinco pétalos concrecidos, bilabiada, con prefloración imbricada y descendente, por lo común de forma campanulada; androceo con cuatro estambres didínamos –dos altos y otros tantos bajos–, alternados con los pétalos e insertos abajo del tubo corolíneo; pistilo con ovario súpero, bicarpelar y bilocular, provisto de un disco nectarial hipógeo; y estilo filiforme, bilobado y con el estigma en la parte inferior de los lóbulos. El fruto es una cápsula bivalvar, dehiscente y con semillas lateralmente comprimidas y aladas. Es originario del Brasil y se cultiva ampliamente en el país para adornar calles, camellones, parques y jardines.

2. No obstante que la especie *mimosaefolia* es la que se registra taxonómicamente para este nombre vernáculo, también se aplica, en mayor grado, a la *Jacaranda acutifiola* Humb. y Bonpl. Esta planta, también originaria de Suramérica, tiene follaje tan fino como el del helecho simétrico y elegante. Las flores se dan en panículas piramidales, terminales o axilares, de aproximadamente 20 cm de largo, en las que se contienen hasta 90 ejemplares. Cada flor, de color azul violeta, tiene el cáliz cortísimo y de cinco dientes; la corola, sedosa y tubular, delgada y cilíndrica en la base, presenta un conducto largo inflado y encorvado que se ensancha en forma de campana. El ramaje de esta especie es ligeramente parecido al del guanacaste –*Enterolobium cyclocarpum* (Jacq.) Griseb. y *Schyzolobium parahybum* Blake–. V. FLOR. **Jacaranda.**

JACINTES, MIGUEL. Nació en Acapulco, Gro.; murió en la ciudad de México en 1919. Obrero de los talleres de la Escuela Militar de Aviación, sobresalió por sus conocimientos mecánicos, llegando a ser, a los 23 años, maestro fundidor. Obtuvo de los talleres ferroviarios de Nonoalco el equipo para construir los hornos donde el 15 de junio de 1916 se fundieron las primeras piezas de aluminio para el monoplano *El Guajolote*. En enero de 1918 ingresó a la Escuela como alumno supernumerario, habiendo ascendido a cadete tres meses después, y en mayo a teniente piloto aviador. Salió a campaña como oficial de la Fuerza Aérea Mexicana y participó en varios bombardeos sobre Puebla, San Pedro y Atlixco. Formó parte de la escuadrilla acrobática Amado Paniagua. El 25 de abril de 1919, en el extinguido campo militar de Balbuena, al oriente de la ciudad de México, se desintegró su avión A-45 al salir de un "rizo", muriendo al caer a tierra.

JACINTO. *Hyacinthus orientalis* L. Planta herbácea de la familia de las liliáceas, con raíz bulbosa y bulbos tunicados; hojas radicales, angostas y largas; y flores cilíndricas, de varios colores, presentadas en racimos paniculares. Se cultiva de ornato al igual que las especies *H. amethystimus* –*H. hispanicus* y *H. angustifolius*– *H. azureus* y *H. romanus*. La *H. orientalis* crece silvestre en el sur de Europa, con flores de color azul agrupadas en número de seis a 15 en un racimo flojo. De esta especie se cultivan las variedades *albulus* –*jacintos romanos*–, de flores unilaterales, blancas, con espiga alargada y fina y de floración precoz, y la *provincialis* –*jacinto de París*–, de flores azul

encendido, poco numerosas y dispuestas en un solo lado de la espiga.

2. Con el nombre vernáculo de *jacinto* se conoce la especie *Moringa oleiferoc* Lam., de la familia de las moringáceas. Es un árbol de 6 m de alto, de hojas bifoliadas o trifoliadas; flores amarillo claro o suavemente rosadas, olorosas, con tinte rojo hacia la base y presentadas en panículas, y fruto grande, hasta de 15 cm, capsular, con tres costillas a lo largo y semillas aladas, blancas, con tres ángulos y aceitosas. Se le cultiva en climas cálidos por la calidad del aceite que se obtiene de las semillas.

3. La *Eichhornia crassipes* Kunth., se conoce también como *jacinto*, *lirio de agua*, *cucharilla* y *huachinango*. Es una yerba acuática, flotante o arraigada en el fango, de 15 a 26 cm de altura y a veces con hojas arrosetadas. Las flores, grandes y de color azul, se dan en espigas; la pieza superior del perianto mide de 4 a 5 cm y presenta en el centro una mancha cuadrangular amarilla. En este ejemplar los peciolos globosos le sirven de flotadores; en las arraigadas en el lodo, aquéllos pierden su forma globosa, alargándose. Crece silvestre, entre otras zonas del país, en las zanjas de Xochimilco, Míxquic, Tlalnepantla y Chapultepec, en el valle de México.

JACKSON FRANCIS, MICHAEL. Nació en Oberlin, Kansas, EUA, en 1938. Autor de: "*The U.S. Congress and military aid to Latin America*", en *Journal of Inter-American Studies* (1964), y "*The United States and the Act of Chapultepec*", en *Southwestern Social Science Quarterly* (1964).

JACOBINO CUELLO BLANCO. *Florisuga mellivora mellivara*, familia Trochilidae. Mide 12 cm de largo y es la única especie de colibrí que presenta la cola inmaculadamente blanca. El macho tiene la cabeza, el cuello, la garganta y el pecho de color azul violeta oscuro, y blanca la parte inferior del cuello –con una franja en forma de media luna– e igual el abdomen y las plumas de la cola, la cual rematan en una punta negra; el dorso, la rabadilla, los lados del pecho y los flancos son de color verde metálico, y negro el pico. La hembra tiene la cabeza y los lados del cuello verde bronceado brillante y de color blanco la mayor parte de las plumas de la cola; el pecho, la garganta y el abdomen, del mismo color, aunque un tanto bronceado; las plumas de la cola presentan una banda azul subterminal característica. Vive en los bosques húmedos de Oaxaca, Chiapas y Veracruz.

JACOBS, BÁRBARA. Nació en México, D.F., el 19 de octubre de 1947. Ha publicado *Un justo acuerdo* (cuentos breves, 1979), *Doce cuentos en contra* (1982) y *Escrito en el tiempo* (1985), conjunto de cartas no enviadas por la autora.

JÁCOME, BASILIO ANTONIO. Nació en Nápoles, Italia, en 1609; murió en Villa de Aguilar (Chih.) en 1652. Sacerdote jesuita, en 1651 fue enviado a Nueva Vizcaya para continuar la obra del misionero Cornelio Bendín, quien había sido asesinado por los tarahumares. Se encontraba en Temosachi cuando estalló la tercera sublevación acaudillada por Teporame. Jácome, con el ánimo de pacificar a los indígenas, marchó pronto a Villa de Aguilar, pero el 3 de marzo de 1652 los sublevados tomaron e incendiaron el cuartel de aquella población y ahorcaron hombres, mujeres y niños. El propio misionero, herido con flechas y macanas, fue colgado de uno de los brazos de la cruz que él mismo había mandado construir y colocar en la iglesia. Tiempo después, el padre Sebastián Prieto localizó los restos de Jácome y el 14 de julio de 1749 los sepultó en el presbiterio de la iglesia parroquial de Guerrero (Chih.).

JAFET RUIZ, DOMINGO. Nació en Acanceh, Yuc., el 15 de mayo de 1916. Estudió en el Seminario Conciliar de la sede yucateca y en la Pontificia Universidad de Comillas, España, y fue ordenado sacerdote el 21 de diciembre de 1940 en la catedral de Mérida, por el arzobispo Martín Trischler y Córdoba. Ha sido vicario cooperador de la parroquia de Santa Ana; párroco de Tekit; ecónomo, prefecto de disciplina y profesor del Seminario; secretario de la curia y capellán de San Martín de Porres. El 16 de abril de 1968 el arzobispo Fernando Ruiz y Solórzano lo nombró canónigo efectivo; el 10 de diciembre de 1969, el arzobispo Castro Ruiz, luego de auscultar la opinión del presbiterio, le confió la vicaría general; el 13 de abril de 1975, el papa Paulo VI le confirió la dignidad de protonotario apostólico supernumerario; y en 1978 el mismo pontífice lo nombró obispo titular de Gegi y auxiliar de monseñor Castro Ruiz. Recibió la consagración episcopal en una ceremonia realizada en el Parque Deportivo Carta Clara, ante 27 mil fieles; presidió el altar la imagen del Santo Cristo de las Ampollas, signo ancestral de fe del pueblo yucateco, que fue trasladada desde su capilla en la catedral por vez primera en tres siglos. La procesión de entrada la encabezaron los arzobispos de Yucatán, México y Durango; 33 obispos, el encargado de negocios de la Delegación Apostólica y 200 sacerdotes. Participó como asistente de honor el cardenal José Salazar López. Trasmitieron el acto ocho radiodifusoras y el Canal 3 de la televisión local lo filmó a color para una emisión diferida de 25 minutos.

JAGUACTÉ. *Bactris baculifera* Karw. Planta de la familia de las palmas, de 6 m de altura y tronco con internudos de 20 cm de longitud, armados con numerosas espinas; de hojas alternas, pinnadas, con el raquis y el peciolo también cubierto de espinas. El fruto, rojo y en forma de globo, se presenta en inflorescencias protegido con una espata espinosa. Crece en lugares cálidos de Veracruz, Tabasco, Campeche y en la parte sur de la península de Yucatán.

JAGUAR. Esta palabra, de origen guaraní, designa a un mamífero carnívoro (*Felis onca*), el mayor de los felinos de América. Alcanza un peso de 135 kg y una longitud de 1.80 m, aparte la cola que puede medir 90 cm. Sobre el fondo color ocre amarillento de su pelaje destacan unas manchas negras en forma de rosetas, en cuyo centro aparece otra mancha negra. Debido a su tamaño y gran fuerza, el jaguar puede apresar venados adultos, cocodrilos y otros animales corpulentos. Sin embargo, no siempre caza al límite de sus posibilidades, pues su dieta puede incluir pécaris, tlacuaches y agutíes, aunque forzado por las circunstancias llega a consumir hasta puercoespines. El habitat característico del jaguar son las selvas tropicales, manglares y matorrales, y ocasionalmente los bosques mesófilos de montaña y los bosques de encino. Los jaguares tienen de una a tres crías después de un periodo de gestación de cerca de 110 días. La reproducción obliga a la hembra a limitar sus desplazamientos. Estos animales se distribuyen desde el suroeste de Estados Unidos hasta los 40° de latitud sur, en Argentina. Se desplazan en busca de alimento: datos para Centroamérica indican que un jaguar adulto cubre al año una extensión de 100 km². Aunque no son afectos a vivir en la proximidad de los poblados rurales, los jaguares, al igual que otros felinos de gran tamaño, pueden convertirse en un peligro para el ganado. Si bien esto es poco probable, ha dado pretexto a los cazadores comerciales para exterminarlo en numerosas áreas. Ha contribuido a su persecución la belleza de su piel, pero el principal factor de la disminución de su número ha sido la alteración violenta, irreversible y a menudo inútil de las selvas y bosques originales. No se dispone de censos de la población de jaguares. Las leyes los protegen de manera severa (v. CAZA), lo cual no ha evitado que siga siendo atacado por cazadores furtivos.

JAGUARUNDI. *Felis yagovarundi.* Felino, llamado también *onza* u *oncilla*, alcanza 1.40 m de longitud. Su pelaje es corto y no tiene manchas. El color de fondo puede ser grisáceo oscuro o moreno rojizo. De cuerpo alargado, tiene la cabeza proporcionalmente más pequeña que otros felinos, las orejas de menor tamaño y redondeadas, los ojos aparentemente muy cercanos entre sí y el cojinete de la nariz muy ancho. El jaguarundi se distribuye desde Tamaulipas hasta Oaxaca y desde Sonora hasta Guerrero, y además en todo el Sureste. Habita en las selvas ya sea húmedas o con sequía en la primavera, y hacia el norte del país en matorrales subtropicales. Es esencialmente diurno, pero procura reposar durante las horas de mayor calor. Puede trepar a los árboles con facilidad y saltar ágilmente de una rama a otra si es necesario. Se alimenta principalmente de ratones y conejos, aunque ocasionalmente captura aves y más raramente monos araña. De Chiapas se ha informado que las crías nacen entre abril y junio y que las crías de una misma camada pueden presentar los dos tipos de coloración que le son características. La gestación posiblemente dura nueve meses. A causa de que su piel no es tan atractiva como la de otros gatos silvestres, no se le ha perseguido muy intensamente con fines comerciales. Sin embargo, los cazadores furtivos lo han exterminado en varias zonas, pues existe la creencia de que el jaguarundi ataca un gallinero hasta acabar con las aves, lo cual nunca se ha demostrado. De manera similar a lo que ha ocurrido con los linces, los biólogos esperan que los jaguarundies puedan sobrevivir en los pequeños manchones de selvas y matorrales que han logrado escapar a las actividades humanas.

JAIBA. Nombre común que se aplica a los cangrejos decápodos braquiuros (v. CANGREJO), pertenecientes a la familia Portunidae. Habitan en los esteros, las lagunas costeras y la plataforma continental. Se caracterizan por presentar un cuerpo deprimido y un caparazón duro, más ancho que largo y ligeramente convexo. El borde anterolateral está armado con cuatro a nueve dientes, y el quinto par de patas (pereiópodos) generalmente está adaptado para la natación, o sea que tiene los dos últimos artejos (propodio y dactilopodio) aplanados, formando una especie de remo. Son omnívoros y tienen preferencia por los sustratos arenosos y fangosos. A pesar de que esta familia se encuentra representada en México por más de siete géneros, el nombre de jaiba se adjudica en especial al género *Callinectes*, el más conocido, debido a la importancia enconómica que tienen algunas de sus especies. De las 11 especies de *Callinectes* (v. cuadro) que se distribuyen

---

JAIBAS DEL GÉNERO *CALLINECTES*

Jaiba azul, *C. sapidus* (sabroso, en latín) De Nueva Escocia a Brasil	I A
Jaiba prieta, *C. rathbunae* (dedicada a M.J. Rathburn) Golfo de México	I A
Jaiba azul menor, *C. similis* (similar, en latín) De la bahía Delaware a Yucatán	II A
Jaiba rugosa, *C. ezasperatus* (irritado, en latín) De Bermuda a Santa Catarina, Brasil	III B
Jaiba roma, *C. bocourti* Del sur de Florida a Santa Catarina, Brasil	I D
Jaiba, *C. danae* (dedicada a J.D. Dana) De Bermuda a Santa Caratirna, Brasil	III D
Jaiba gris, *C. ornatus* (adornado, en latín) Del norte de Carolina a Sao Paulo, Brasil	III D
Jaiba de máscara, *C. larvatus* Del sur de Florida hasta Brasil	IV D
Jaiba, *C. arcuatus* (arqueado, en latín) De Los Ángeles, Cal., a Mollenda, Perú	V C
Jaiba, *C. bellicosus* (bravo, en latín) De San Diego, Cal., al istmo de Tehuantepec	VI C
Jaiba gigante, *C. tozotes* De cabo San Lucas al norte de Perú	I C

I. Esteros y lagunas costeras; II. Boca de lagunas costeras y plataforma continental; III. Esteros, lagunas y zona litoral; IV. Esteros y zona litoral; V. Esteros, lagunas costeras y plataforma continental; VI. Plataforma continental.

A. Tamaulipas, Veracruz, Tabasco y Campeche; B. Yucatán y Quintana Roo; C. Costa del Pacífico; D. Sin importancia comercial.

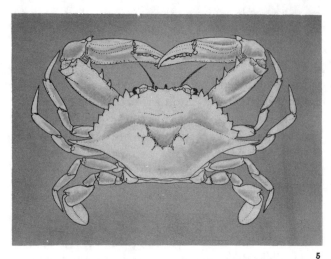

5

Jaiba. Callinectes sapidus

en ambas costas mexicanas, destacan por su importancia pesquera *C. sapidus, C. rathbunae* y *C. similis*. En 1984, los estados de Tamaulipas, Veracruz, Tabasco y Campeche tuvieron una producción de poco más de 6 500 t de jaiba fresca y pulpa, que redituó al país cerca de $1 400 millones. En la costa del Pacifico, a su vez, se capturaron ese mismo año 450 t con un valor de $71.8 millones.

JAINA (Camp.). (Casa en el agua, en maya.) Zona arqueológica frente a la costa oriental de Campeche. Sobre un islote que sobresalía del mar, los antiguos mayas construyeron un pequeño centro ceremonial, acarreando de la tierra firme toneladas de material calizo que elevó la superficie del terreno unos 3 m, a manera de una extensa plataforma de sustentación; y sobre ella levantaron dos conjuntos arquitectónicos conocidos como El Zacpol y El Sayozal, separados por una larga plaza rectangular, limitada en sus lados por bajas plataformas habitacionales. Con el tiempo, Jaina se convirtió en un importante santuario, a la vez que en una necrópolis a donde se llevaban a enterrar los muertos de lugares vecinos y aun lejanos, acostumbrándose colocar a los adultos en fosas, en posición extendida o flexionada, mientras que los niños eran depositados dentro de grandes urnas o tinajas de barro, las cuales eran después enterradas a distintas profundidades. A los muertos se les ponía una cuenta de jade en la boca, se les rociaba con polvo rojo de hematita o cinabrio, y se les ponían ofrendas para la otra vida, consistentes en alimentos, vasijas, ornamentos, herramientas y, sobre todo, figurillas de barro. Estas rea-

listas y bellas figurillas representan gobernantes, sacerdotes, guerreros, comerciantes, jugadores de pelota, sirvientes, enanos, cargadores, enfermos y otros personajes, o bien mujeres de elevada alcurnia, sacerdotisas, tejedoras, ancianas y ciegas, o sea toda la sociedad de aquel tiempo con sus rangos sociales y ocupaciones. También pueden observarse la indumentaria usada por los hombres: bragueros o paños de cadera, faldellines, capas o mantos, sacos, petos, cinturones, sandalias, sombreros y yelmos; las prendas femeninas: faldas, fajas, quechquémiles y huipiles; los ornamentos: brazaletes, pulseras, collares, orejeras, pectorales y anillos; y otros objetos: abanicos, bolsas para el copal, penachos de plumas de quetzal, bastones de mando, rodilleras y muchas prendas más. Este centro ceremonial floreció de 400 a 900 de la era cristiana.

JALAPA. *Ipomoea purga* (Wend.) Hayne, igual que *Exogonium purga* Wend. Planta herbácea, trepadora, de la familia de las convolvuláceas. Se compone de dos o tres tallos cilíndricos, volubles, delgados, lampiños y de color púrpura; hojas acuminadas, alternas –en forma de corazón–, escotadas en la base, de 6 a 14 cm de largo por 3 a 8 de ancho; flores casi siempre solitarias, tubulares acampanadas, largamente pedunculadas y de 6 a 8 cm. El pedúnculo es ancho y delgado; el cáliz, corto y persistente, compuesto de cinco sépalos desiguales; la corola, monopétala, rojiza y campanulada; el androceo, de otros tantos estambres desiguales, con filamentos cortos, blancos y anteras estrechas; y el ovario, también corto, bilocular y rodeado de un nectario, estilo delgado y estigma de dos lóbulos hemisféricos. La raíz es tuberosa, formada por grupos variables de raíces periformes, moreno oscuras y agrietadas; de ellas nacen raicillas casi en la extremidad; tienen un olor particular y el sabor, dulce al principio, se hace después acre y desagradable; en el corte microscópico se ven numerosos puntos brillantes debido a las celdillas resinosas; y su polvo es áspero al tacto y de olor suave. La resina se compone de dos sustancias: jalapina y convolvulina, en proporción de 0.3 la primera y 0.7 la segunda. La *raíz de jalapa* se emplea en medicina popular como purgante; se considera enérgico y hasta peligroso en alta dosis, pero asociado al calomel o al ruibarbo proporciona buenos compuestos que se venden en las farmacias bajo las denominaciones de *azúcar anaranjada* y *aguardiente alemán*. La farmacopea mexicana acepta la siguiente composición en porcentaje: resina, 11.0; extractivo, 17.9; extracto gomoso, 14.5; materia colorante, 8.2; azúcar incristalizable, 15.6; basorina, 3.2; albúmina, 3.9; almidón, 6.0; material leñoso, 8.2; y agua y sales, 11.5. La *Ipomoea purga* vegeta hasta una altura de 2 mil metros sobre el nivel del mar, en sitios cálidos y húmedos, principalmente en el estado de Veracruz: Jalapa en primer lugar y sus alrededores, valle de Córdoba, Orizaba, Cofre de Perote, Chiconquiaco, Magdalena, Monte Real, Tatatila, Tlacolula y Tlachi. En el mismo estado: Chinchotla, San Pedro, Tihuacán de los Reyes, Ticochimalco y Jico. En Hidalgo: San Cornelio y Zacualtipán. Se sabe que existe también en el estado de Jalisco.

JALAPA, ARQUIDIÓCESIS DE. V. XA-LAPA, ARQUIDIÓCESIS DE.

JALAPA, FERIA DE. Trasunto de costumbres europeas, y más concretamente españolas, fueron en Nueva España las ferias anuales mercantiles de Acapulco, Jalapa, San Juan de los Lagos, Saltillo, Chihuahua y Taos. La principal de ellas, por el monto de sus transacciones, fue indudablemente la de Jalapa, de tal suerte que a esta villa se le dio el nombre de "Jalapa de la Feria". El "Monopolio Sevillano", o sea el control que ejerció Sevilla como el único puerto de salida de todas las mercaderías y pasajeros que vinieran a América, pasó en 1718 a Cádiz. De Sevilla, desde 1561 hasta 1718, y de Cádiz, de 1720 a 1778, partieron las flotas y galeones rumbo a América. Las primeras a Nueva España, las segundas a Panamá. En 1718 el poderoso Consulado de Mercaderes de México inició gestiones ante la Corte para realizar las ferias de Jalapa en vez de Veracruz, por ser el clima de este puerto insalubre. Hay que recordar que en él y en todo el litoral veracruzano y tamaulipeco el "vómito negro" (fiebre amarilla) y las "fiebres tercianas" (malaria) eran endémicos. La frase del viajero francés Fossey du Mathieu: "México tiene el primer cielo, Puebla el segundo, Orizaba el purgatorio y Veracruz el infierno", encerraba gráficamente una realidad.

De 1720 a 1778, año éste en que por haber cambiado el sistema de comercio exterior español se suprimieron las ferias, vinieron 13 flotas. Su llegada no era regular, pues venían cada dos, tres, cuatro, y aun cada cinco años, según las circunstancias:

Año	Mando de la flota	Tonelaje
1720	Fernando Chacón	4.428 15/6
1723	Antonio Serrano	4.309 99/60
1725	Antonio Serrano	3.744 21/40
1729	Marqués de Mari	4.882 1/2
1732	Rodrigo Torres y Morales	4.458 29/100
1736	Manuel López Pintado	3.141 1/2
1757	Joaquín Manuel Villena	7.069 7/10
1760	Carlos Regio	8.492 3/4
1762	Francisco M. Espínola	5.237
1765	Agustín de Idiáquez	8.013 3/8
1769	Marqués de Casa Tilly	5.588
1772	Luis de Córdoba	7.674 34
1776	Antonio de Ulloa	8.176

Los productos principales que se traían de España eran vinos, vinagre, aceites, aceitunas, quesos, loza, textiles de muy diversas clases y procedencia, medias, zapatos, lencería, hierro de Vizcaya, papel, libros, productos artesanales españoles, franceses e ingleses (muebles, botones, agujas, objetos de arte, relojes), armas, carruajes, almendras y frutas secas. Y se exportaban grana o cochinilla, henequén, palo de campeche, vainilla, azúcar, cacao en polvo, chocolate, añil, bayetas y bayetones de Puebla, Tlaxcala y Querétaro; sarapes, bayetas y jergas de Saltillo y San Luis Potosí y, sobre todo, oro y plata amonedados y en barra, y especias, cerámica, baratijas y sedas y porcelanas traídas por el Galeón de Manila (o Nao de Filipinas como también se le decía), que atracaba en Acapulco cada año. Iban a las ferias los mercaderes de todo el territorio para proveerse de artículos de comercio en largas "conductas" guiadas por expertos arrieros. V. GALEÓN.

Al calor de las ferias aumentó la población y creció la villa de Jalapa, uniéndose al centro de ella los barrios de San José Santiago y el Calvario. La feria de Acapulco primero, y la feria de Jalapa después, hicieron de Nueva España el punto de reunión de la corriente mercantil entre Asia y Europa. La ruta mercantil Acapulco-México-Veracruz hizo de la Nueva España la colonia más importante del vasto Imperio Español, y puso al virreinato dentro de la economía mercantilista mundial imperante en situación geográfico-económica parecida a la que hoy tiene el canal de Panamá.

JALISCO

Bibliografía: Manuel Carrera Stampa: "Las ferias novohispanas", en *Historia mexicana* (1953); Francisco González de Cossío: *Xalapa* (1957); José Joaquín Real Díaz: *Las ferias de Jalapa* (Sevilla, 1959).

JALAPA, VER. V. XALAPA DE ENRÍQUEZ, VER.

JALISCO, ESTADO DE. Situado en el occidente de la República, sus coordenadas extremas son 18° 58' 05" y 22° 51' 49" de latitud norte y 101° 28' 15" y 105° 43' 16" de longitud oeste. Tiene una superficie de 80 137 km^2 (4.07% del total nacional) y linda al norte con Durango, Zacatecas y Aguascalientes, al noreste con San Luis Potosí, al este con Guanajuato, al sur con Michoacán y Colima, y al oeste con el océano Pacífico y Nayarit. La mayor parte de la entidad está inscrita en la Altiplanicie mexicana, aquí formada por la región de los Altos y varios valles sucesivos cuya altitud va descendiendo según se avanza hacia el litoral. La sierra Madre Occidental atraviesa de norte a sur el territorio: en el extremo septentrional lleva el nombre de sierra de los Huicholes y en la parte media los de San Sebastián, Cuale, Parnaso y Manantlán. Las formaciones montañosas transversales, ligadas a la cordillera, son principalmente las de Quila, Tapalpa y El Tigre. Son sistemas independientes las sierras de Vallejo y Comanja, al noroeste, y la del Tecuán, en los bordes de Chapala. Las principales eminencias son los volcanes de Colima: el Nevado, de 4 330 m de altura, y el De Fuego, de 3 960. El lago de Chapala –82 km de largo por 28 de ancho–, con dos islas en su seno –Mezcala y Alacranes–, es el mayor del país. Hay en sus riberas y en otros sitios (v. BALNEARIOS HIDROMINERALES Y TERMALES), numerosas fuentes termales.

El estado carece de plataforma continental: gracias a los trabajos del Año Geofísico Internacional (1958) pudo determinarse que la falla de San Andrés que forma la depresión del golfo de California, se resuelve, a la altura de las islas Marías, en tres grandes fracturas, la segunda de las cuales se acentúa frente a cabo Corrientes –donde acaso llegue a los 5 mil metros de profundidad–, se une a la falla Clarión y luego penetra a Jalisco, cuyos valles se formaron con materiales del Pleistoceno y del Holoceno, deyectados durante la tercera gran época volcánica (v. GEOLOGÍA y GUADALAJARA, JAL.), de la cual son testimonio los innumerables conos que se hallan entre los paralelos de 19 y 21°. Privan por ello en el perfil geológico de la entidad las rocas ígneas, intensamente fracturadas. La apariencia de la línea costera, a su vez, puede dividirse en tres partes de longitud más o menos equivalente (100 km cada una): la primera va de la desembocadura del río Cihuatlán, al sur del cerro de San Francisco, hasta Chamela, y se caracteriza por una sucesión de bahías donde se combinan las montañas y las planicies con accidentes geográficos espectaculares; la segunda, de punta Pérula al extremo norte del valle de Tomatlán, consiste en playones abiertos, con simples tierras bajas que alojan albuferas, esteros y salinas; y la tercera, de Tehualmixtle a Puerto Vallarta, en que las montañas se precipitan francamente en el mar y configuran un gigantesco promontorio que constituye, por el poniente, la culminación del eje volcánico de México.

Suelos. De las 8 013 700 ha que tiene la entidad, 1 924 720 son tierras de labor, 3 310 910 corresponden a bosques y pastizales, 2 419 740 tienen fuertes restricciones para un aprovechamiento económico y 358 330 son eriales o zonas improductivas. Los estudios edafológicos han permitido diferenciar siete clases de suelos: rojos o cafés encarnados, de origen laterítico, propicios a la selva tropical o a la sabana de altos pastos, o bien negros o grises oscuros, de transición entre los climas húmedo y seco, ambos en la región de la costa, unos en las tierras altas y otros a lo largo del litoral; grises o negros, neutros o medianamente alcalinos, pobres en nitrógeno, regulares en fósforo y ricos en potasio, en la región media; los procedentes de una toba de pómez, ligeramente ácidos, escasos en materia orgánica y otros nutrientes, pero abundantes en potasio, en el valle de Guadalajara y sus alrededores; arenosos, con base normal de cuarzos, ligeros y permeables, deficientes en nitrógeno, fósforo y magnesio, en el área de Ciudad Guzmán; ensalitrados, en las antiguas lagunas de Zacoalco, San Marcos y Sayula; de origen lacustre sin álcali, efecto de la desecación de vasos naturales, con profundos perfiles de humus aluviales, en Magdalena, Ciénega de Chapala, Jamay y Ocotlán; y rojos, provenientes de un basalto de olivino rico en hierro, arcillosos y permeables, sin materia orgánica ni nitrógeno, o bien delgados, de origen riolítico, ocupados por zacates, ambos en la región de los Altos.

Municipios: *1. Acatic. 2. Acatlán de Juárez. 3. Ahualulco de Mercado. 4. Amacueca. 5. Amatitán. 6. Ameca. 7. Antonio Escobedo. 8. Arandas. 9. El Arenal. 10. Atemajac de Brizuela. 11. Atengo. 12. Atenguillo. 13. Atotonilco el Alto. 14. Atoyac. 15. Autlán. 16. Ayo el Chico. 17. Ayutla. 18. La Barca. 19. Bolaños. 20. Cabo Corrientes. 21. Casimiro Castillo. 22. Cihuatlán. 23. Ciudad Guzmán. 24. Cocula. 25. Colotlán. 26. Concepción de Buenos Aires. 27. Cuautitlán. 28. Cuautla. 29. Cuquío. 30. Chapala. 31. Chimaltitán. 32. Chiquilistlán. 33. Degollado. 34. Ejutla. 35. Encarnación de Díaz. 36. Etzatlán. 37. El Grullo. 38. Guachinango. 39. Guadalajara. 40. Hostotipaquillo. 41. Huejúcar. 42. Huejuquilla el Alto. 43. La Huerta. 44. Ixtlahuacán de los Membrillos. 45. Ixtlahuacán del Río. 46. Jalostotitlán. 47. Jamay. 48. Jesús María. 49. Jilotlán de los Dolores. 50. Jocotepec. 51. Juanacatlán. 52. Juchitlán. 53. Lagos de Moreno. 54. El Limón. 55. Magdalena. 56. Manuel M. Diéguez. 57. La Manzanilla de la Paz. 58. Mascota. 59. Mazamitla. 60. Mexticacán. 61. Mezquitic. 62. Miztlán. 63. Ocotlán. 64. Ojuelos de Jalisco. 65. Pihuamo. 66. Poncitlán. 67. Puerto Vallarta. 68. Purificación. 69. Quitupan. 70. El Salto. 71. San Cristóbal de la Barranca. 72. San Diego de Alejandría. 73. San Juan de los Lagos. 74. San Julián. 75. San Marcos. 76. San Martín de Bolaños. 77. San Martín Hidalgo. 78. San Miguel el Alto. 79. San Sebastián ex 9° Cantón. 80. San Sebastián ex 10° Cantón. 81. Santa María de los Ángeles. 82. Sayula. 83. Tala. 84. Talpa de Allende. 85. Tamazula de Gordiano. 86. Tapalpa. 87. Tecalitlán. 88. Tecolotlán. 89. Techaluta. 90. Tenamaztlán. 91. Teocaltiche. 92. Teocuitatlán de Corona. 93. Tepatitlán de Morelos. 94. Tequila. 95. Teuchitlán. 96. Tizapán el Alto. 97. Tlajomulco. 98. Tlaquepaque. 99. Tolimán. 100. Tomatlán. 101. Tonalá. 102. Tonaya. 103. Tonila. 104. Totatiche. 105. Tototlán. 106. Tuzcacuesco. 107. Tuxcueca. 108. Tuxpan. 109. Unión de San Antonio. 110. Unión de Tula. 111. Valle de Guadalupe. 112. Valle de Juárez. 113. Venustiano Carranza. 114. Villa Corona. 115. Villa*

Guerrero. 116. Villa Hidalgo. 117. Villa Obregón. 118. Yahualica de González Gallo. 119. Zacoalco de Torres. 120. Zapopan. 121. Zapotiltic. 122. Zapotitlán de Vadillo. 123. Zapotlán del Rey. 124. Zapotlanejo

Hidrografía. Las lluvias –de 543 a 1 185 mm de precipitación, según las regiones– aportan 68 472 millones de metros cúbicos al año. Éstas y el agua de los manantiales escurren a tres cauces principales: Lerma-Santiago, Armería y Ameca. El primero, de ricas vegas desde el valle alto de La Barca hasta Puente Grande, recibe el caudal del Zula en Ocotlán; y más adelante, ya encañonado en la barranca que constituyó el límite septentrional de Mesoamérica, los aportes del Verde, el Juchipila, el Bolaños y el Guaynamota, todos por la margen derecha. El vaso regulador de este sistema –fin del Lerma, fuente del Santiago– es el lago de Chapala. El segundo –Ayuquila en su curso alto– drena el centro de Jalisco, a partir de Tecolotlán, por Autlán y El Grullo, hasta Zapotitlán, en cuyos contornos abre, para trasponerla, profundo tajo en la sierra Madre. El Ameca, a su vez, rompe por el norte la barrera montañosa y forma lindero con Nayarit cuando ya se ha vuelto divagante. Al oeste del parteaguas de la cordillera, ya en la costa, se alojan las cuencas secundarias del Cihuatlán, el Purificación, el Cutzamala, el San Nicolás, el Tomatlán y el Mascota. Y en el franco sur, las primeras aguas del Tepalcatepec escurren hacia Michoacán, y las del Tuxpan –también Naranjo o Coaguayana– hacia Colima.

Regiones. El gobierno del estado de Jalisco, deseoso de ajustar la inversión pública, dentro de un plan de conjunto, a las necesidades y peculiaridades de las varias regiones de la entidad, confió la delimitación de éstas, en 1971, a su Departamento de Economía. El análisis de los datos geográficos, demográficos, económicos, sociales y administrativos condujo a fijar las siguientes áreas, más o menos homogéneas, formadas a su vez por las zonas que se indican: 1. centro (Guadalajara, Ocotlán, Ameca y Tequila), con 38 municipios y 15 460.87 km^2; 2. los Altos (Tepatitlán, Lagos de Moreno, San Juan de los Lagos y Teocaltiche), con 19 municipios y 14 695.59 km^2; 3. sur (Ciudad Guzmán, Autlán, Zacoalco, Tamazula y Tecalitlán), con 43 municipios y 21 537.48 km^2; 4. la costa (Cihuatlán, Tomatlán, Puerto Vallarta

JALISCO

<table>
<tr><td colspan="5">JALISCO
MUNICIPIOS
UBICACIÓN Y POBLACIÓN
(1990)</td></tr>
<tr><td></td><td colspan="2">Latitud
o ' "</td><td colspan="2">Longitud
o ' "</td><td>Altitud
msmn</td><td>Población</td></tr>
</table>

	Latitud o ' "	Longitud o ' "	Altitud msmn	Población
Acatic	20 46 08	102 54 06	1 680	16 367
Acatlán de Juárez	20 25 02	103 35 05	1 370	14 416
Ahualulco de Mercado	20 42 00	103 58 06	1 310	17 525
Amacueca	19 59 09	103 35 07	1 340	4 952
Amatitán	20 50 00	103 43 06	1 260	10 075
Ameca	20 32 08	104 02 09	1 250	54 438
Antonio Escobedo	20 48 00	104 00 03	1 360	8 182
Arandas	20 42 03	102 20 07	2 060	63 164
Arenal, El	20 46 06	103 41 08	1 380	11 594
Atemajac de Brisuela	20 08 03	103 43 07	2 300	5 062
Atengo	20 16 05	104 14 01	1 400	5 508
Atenguillo	20 25 00	104 29 06	1 300	4 504
Atotonilco el Alto	20 32 09	102 30 05	1 600	46 422
Atoyac	20 00 05	103 31 00	1 350	8 078
Autlán de Navarro	19 46 02	104 22 01	950	46 624
Ayotlán	20 31 07	102 19 08	1 600	30 461
Ayutla	20 07 07	104 20 08	1 360	13 666
Barca, La	20 16 08	102 33 00	1 520	52 949
Bolaños	21 49 09	103 46 08	880	6 404
Casimiro Castillo	19 36 01	104 26 02	360	21 681
Cihuatlán	19 14 02	104 33 08	20	24 824
Ciudad Guzmán	19 42 03	103 27 08	1 520	73 919
Cocula	20 21 09	103 49 03	1 350	24 520
Colotlán	22 06 08	103 16 01	1 660	15 850
Concepción de Buenos Aires	19 58 07	103 15 06	2 060	5 272
Cuautitlán	19 27 00	104 21 06	580	13 060
Cuautla	20 12 01	104 24 04	1 720	2 895
Cuquío	20 55 06	103 01 04	1 810	17 457
Chapala	20 17 03	103 11 04	1 530	35 414
Chimaltitlán	21 46 07	103 46 09	860	3 313
Chiquilistlán	20 05 03	103 51 07	1 700	4 926
Degollado	20 26 07	102 08 01	1 780	20 372
Ejutla	19 54 03	104 09 07	1 140	2 241
Encarnación de Díaz	21 31 05	102 14 02	1 800	42 333
Etzatlán	20 45 08	104 04 08	1 400	15 901
Gómez Farías	19 47 06	103 28 06	1 500	11 679
Grullo, El	19 48 03	104 13 01	880	20 128
Guachinango	20 34 05	104 22 08	1 500	5 301
Guadalajara	20 40 06	103 20 08	1 550	1 628 617
Hostotipaquillo	21 03 05	104 03 01	1 300	8 047
Huejúcar	22 21 05	103 12 06	1 830	7 254
Huejuquilla el Alto	22 37 06	103 53 09	1 740	9 911
Huerta, La	19 28 09	104 38 04	280	20 637
Ixtlahuacán de los Membrillos	20 20 09	103 11 05	1 590	16 629
Ixtlahuacán del Río	20 51 09	103 14 03	1 640	19 466
Jalostotitlán	21 10 00	102 28 00	1 750	24 492
Jamay	20 17 05	102 42 07	1 530	19 128
Jesús María	20 36 04	102 13 04	2 100	21 348
Jilotlán de los Dolores	19 22 02	103 01 02	740	8 621
Jocotepec	20 17 01	103 25 09	1 540	31 026
Juanacatlán	20 30 05	103 10 03	1 520	10 036
Juchitlán	20 05 00	104 05 09	1 290	6 128
Lagos de Moreno	21 21 07	101 56 01	1 900	106 137
Limón, El	19 49 04	104 09 03	800	6 515
Magdalena	20 54 04	103 58 08	1 380	15 373
Manuel M. Diéguez	19 35 01	102 54 06	940	2 786
Manzanilla de la Paz, La	20 00 02	103 09 04	2 100	3 541
Mascota	20 31 05	104 47 02	1 240	14 349
Mazamitla	19 54 08	103 01 01	2 240	10 246
Mexticacán	21 15 09	102 47 01	1 740	6 698
Mezquitic	22 23 03	103 44 01	1 360	14 194
Mixtlán	20 26 03	104 24 05	1 540	3 857
Ocotlán	20 21 00	102 46 03	1 540	69 559
Ojuelos de Jalisco	21 51 09	101 35 06	2 220	23 343
Pihuamo	19 15 01	103 22 07	720	16 311
Poncitlán	20 22 09	102 55 07	1 520	32 296
Puerto Vallarta	20 37 03	105 13 07	10	111 175
Purificación	19 43 00	104 36 02	440	12 628
Quitupan	19 55 06	102 52 05	1 660	12 857
Salto, El	20 31 01	103 10 08	1 530	37 332
San Cristóbal de la Barranca	21 02 06	103 25 08	820	4 682
San Diego de Alejandría	20 59 04	101 59 04	1 940	6 018
San Juan de los Lagos	21 14 09	102 19 09	1 750	48 012
San Julián	20 59 07	102 10 07	2 060	13 099
San Marcos	20 47 06	104 11 07	1 380	3 175
San Martín de Bolaños	21 40 09	103 48 08	800	3 619
San Martín de Hidalgo	20 26 00	103 55 09	1 300	26 664
San Miguel el Alto	21 01 08	102 24 03	1 850	23 611
San Sebastián	20 49 03	104 06 09	1 400	6 757
Santa María de los Angeles	22 10 03	103 13 05	1 700	4 810
Sayula	19 53 00	103 36 00	1 360	27 878
Tala	20 39 01	103 42 01	1 350	44 930
Talpa de Allende	20 22 09	104 49 04	1 160	13 039
Tamazula de Gordiano	19 40 04	103 15 03	1 120	42 346
Tapalpa	19 56 07	103 45 05	2 060	12 138
Tecalitlán	19 28 03	103 18 04	1 140	17 958
Tecolotlán	20 12 00	104 02 07	1 200	15 528
Techaluta	20 04 03	103 33 00	1 400	3 164
Tenamaxtlán	20 13 00	104 09 09	1 490	6 516
Teocaltiche	21 26 03	102 34 05	1 750	36 305
Teocuitalán de Corona	20 05 06	103 22 06	1 370	12 768
Tepatitlán de Morelos	20 48 08	102 45 07	1 800	92 378
Tequila	20 53 00	103 50 02	1 180	28 082
Teuchitlán	20 40 09	103 50 09	1 260	7 691
Tizapán el Alto	20 09 03	103 03 00	1 550	19 532
Tlajomulco de Zúñiga	20 28 03	103 26 08	1 560	68 323
Tlaquepaque	20 38 02	103 18 00	1 540	337 950
Tolimán	19 35 08	103 54 08	800	8 915
Tomatlán	19 56 04	105 14 08	50	30 737
Tonalá	20 37 04	103 14 06	1 660	168 277
Tonaya	19 47 01	103 58 03	820	6 664
Tonila	19 24 07	103 33 00	1 240	7 494
Totatiche	21 55 07	103 26 06	1 760	6 631
Tototlán	20 32 03	102 47 05	1 600	18 715
Tuito, El	20 19 01	105 19 05	600	
Tuxcacuesco	19 41 07	103 58 09	720	4 337
Tuxcueca	20 09 03	103 11 01	1 530	5 546
Tuxpan	19 33 02	103 22 06	1 140	34 723
Unión de San Antonio	21 07 06	102 00 04	1 920	15 015
Unión de Tula	19 57 03	104 16 00	1 340	13 934
Valle de Guadalupe	21 00 06	102 37 00	1 840	5 467
Valle de Juárez	19 56 00	102 56 06	1 960	5 479
Venustiano Carranza	19 44 07	103 46 01	1 260	14 209
Villa Corona	20 24 09	103 39 09	1 350	15 670

| | Latitud | | | Longitud | | | Altitud msmn | Población |
	o	'	"	o	'	"		
Villa Guerrero	21	58	09	103	35	06	1 760	6 391
Villa Hidalgo	21	38	09	102	35	00	1 920	12 783
Villa Obregón	21	08	09	102	41	04	1 850	5 165
Yahualica de González Gallo	21	10	08	102	53	03	1 800	21 395
Zocoalco de Torres	20	13	06	103	34	02	1 350	24 620
Zapopan	20	43	03	103	23	07	1 560	711 876
Zapotiltic	19	37	05	103	25	01	1 300	28 008
Zapotitlán	19	32	07	103	48	09	1 140	6 236
Zapotlán del Rey	20	28	01	102	55	05	1 550	14 218
Zapotlanejo	20	37	04	103	04	01	1 520	38 967

msnm: metros sobre el nivel del mar.

y Mixtlán), con 14 municipios y 18 587.82 km^2; y 5. norte (Colotlán, Mezquitic y San Martín de Bolaños), con 10 municipios y 9 855.24 km^2.

Climas. Salvo los extremos de la humedad y de la aridez, todos los demás climas se dan en Jalisco: en general, tropical en la costa, seco estepario o semiárido en el norte y los Altos, y templado en el centro, con una amplia gama de variaciones zonales. Es común denominador el invierno seco: las lluvias ocurren, en un 90%, de mayo a octubre, y la temporada de secas varía de cinco a ocho meses. En la mayor parte del territorio llueve entre 750 y 1 000 mm, menos de 500 en el extremo noreste; y más de 1 500 en las cumbres de la Sierra. Mayo y junio son los meses más calientes; enero el más frío. La temperatura media es de 26°C en la costa y 20 en el resto de la entidad.

Vegetación. Rogers McVaugh, de la Universidad de Michigan, y Jerzy Rzedowski, de la Escuela Nacional de Ciencias Biológicas (*La vegetación de Nueva Galicia*, 1966), han definido 13 tipos de vegetación: 1. palmar, siempre próximo al litoral, dominado por *Orbignya cohune* (palmas de coquito de aceite o corozos), de alturas que varían de 15 a 30 m; 2. bosque tropical subdecidua, agrupado en masas densas, con árboles de 15 a 35 m, entre los que sobresale *Brosimum alicastrum* (capomo) en el estrato más alto, y acacias, lianas y epifitas en los más bajos; 3. bosque tropical deciduo, dominado por especies arbóreas no espinosas, de 8 a 15 m, que pierden su follaje en secas, cuyos principales géneros son *Bursera*, *Ceiba* y *Lysiloma*; 4. bosque espinoso característico del valle de Tomatlán, de la depresión del Armería y las riberas del Tepalcatepec, donde abundan *Achatocarpus gracilis* y *Ruprechtia pallida*, o bien de las playas de Zacoalco y Sayula, cubiertas de mezquitales, o sea

bosques de *Prosopis laevigata*; 5. matorral subtropical, que da fisonomía a la región central del estado, donde árboles pequeños (*Acacia pennatulata, A. farnesiana, Ipomoea intrapilosa* y *Bursera bipinnata*) sobresalen en la formación herbácea, en los alrededores del lago de Chapala y en las laderas y barrancas de los Altos (*Acacia tortuosa, A. pennulata, Mimosa monancistra* y *Forestiera tomentosa*); 6. vegetación sabanoide, formada por gramíneas más o menos elevadas que prosperan en las pendientes, de los 400 a los 800 m de altitud, donde descuellan los árboles *Byrsonima crassifolia, Curatella americana* y ocasionalmente una o dos especies de encinos; 7. zacatal, particularmente característico de los Altos, en el que predominan las herbáceas de tipo graminiforme, a menudo asociadas con arbustos como *Acacia tortuosa*; 8. matorral crasicaule, a base de cactáceas arbustivas, en especial *Opuntia streptacantha* (tuna cardona), acompañadas de leguminosas con espinas, sólo existente en el extremo noreste, arriba de los 1 800 m de altitud y abajo de los 500 mm de precipitación; 9. bosque de pino y encino, al oeste de Cocula, al norte de Autlán, al este de cabo Corrientes, en la sierra de Manantlán y al norte, sur y centro del estado, en altitudes de mil a 4 mil metros: *Pinus oocarpa, P. michoacana* y a veces *P. douglasiana* y *P. leiophylla* (de 1 000 a 1 500 m), *P. pseudostrobus, P. montezumae* y *P. ayacahuite* (hasta los 3 mil metros) y *P. hartwegii* hasta el límite de la vegetación arbórea, y *Quercus macrophylla* en casi todas las agrupaciones; 10. bosque mesófilo de montaña, que prospera en las barrancas dentro del bosque de pino y encino, en la mitad suroeste del estado, con árboles de 20 a 40 m (*Carpinus caroliniana, Ilex brandegeane, Ostrya virginiana* y muchos más), con multitud de arbustos altos, epifitas, trepadoras y helechos; 11. bosque de oyamel, desde San Sebastián del Oeste a Autlán, en las laderas protegidas de las barrancas, en altitudes de 1 500 a 3 500 m, destacando *Abies religiosa, A. guatemalensis* y *A. jaliscana*; 12. vegetación semiacuática y acuática: *Pistia stratiotes* cerca de la costa, *Eichhornia crassipes* (lirio) en los lagos del Altiplano y otras muchas en los arroyos; y 13. manglares (*Rhizophora mangle*), a la orilla de los esteros y en la desembocadura de los ríos.

Historia. Hay vestigios del hombre en Jalisco que tienen más de 15 mil años de antigüedad. En las lagunas de Zacoalco y Chapala, que entonces formaban una sola, se han hallado fragmentos de cráneos humanos y restos de animales en asociación con otros objetos de hueso que presentan testimonios de manufactura: puntas de lanza, raspadores, punzones, percutores e incluso una vértebra de ballena con golpes producidos por un instrumento muy tosco. Asimismo, en estos parajes se han localizado petroglifos muy sencillos que, aunque más recientes, son también de gran antigüedad. Se trata de una comarca donde el clima benigno y la abundancia de agua hicieron menos difícil la vida nómada y más fácil el descubrimiento de la agricultura y la existencia de los primeros grupos sedentarios. Menos viejos (4 o 5 mil años) son los vestigios de asentamientos de agricultores incipientes en las riberas del río Juchipila, en las barrancas del norte de Jalisco y sur de Durango, y en las cercanías de San Blas. Fue entonces cuando se debieron fabricar los primeros objetos de barro, que tanto refinamiento alcanzarían después en el occidente de México. Sin embargo, los más tempranos que se han encontrado (en El Opeño, cerca de Zamora, Mich., y en Capacha, cerca de Colima, Col.) tienen una edad máxima de 3 500 años, pero no son ya piezas meramente utilitarias, sino con grandes cualidades artísticas. Los de Capacha son principalmente ollas parecidas al bule; y las de El Opeño, pequeñas representaciones humanas, algunas muy estilizadas. Había ya entonces artesanos de cierta experiencia, de manera que debió existir una cierta especialización y complejidad social que habría de irse incrementando con el tiempo.

Al declinar el milenio anterior a Cristo, formas culturales mucho más evolucionadas aparecieron en el territorio del actual Jalisco. Una, cuya manifestación más significativa se produjo en Chupícuaro, Gto., abarcó el sureste, desde Durango hasta Puebla, y dejó testimonios en Bolaños, Totatiche y cerro Encantado (cerca de Teocaltiche) y El Cuarenta (cerca de Lagos de Moreno). Otra, ligeramente más tardía, floreció entre 200 a.C. y 600 d.C. en el centro y sur de Jalisco, todo Colima y buena parte de Nayarit. Se la denomina "de las tumbas de tiro" porque su rasgo definitivo es el uso de este tipo de sepulcros que no existen en otras partes de México. Constan de un pozo vertical que llega por lo regular a 3 o 4 m de profundidad (aunque en El Arenal alcanza 16 m y en Etzatlán 14), donde se encuentra con una o varias cámaras mortuorias; éstas penetran hacia un lado, a manera de un corto túnel donde se colocaban uno o varios muertos con sus correspondientes ofrendas. La variedad de ofrendas cerámicas encontradas en ellas ha permitido establecer diferencias estilísticas entre Colima, Nayarit y Jalisco. Las de este último muestran el uso generoso del color rojo sobre bayo, o blanco sobre rojo, y representan en su mayoría seres humanos estáticos y de apariencia hierática, de cabeza alta y estrecha, y con una nariz recta y afilada. Los guerreros y las mujeres de pechos tatuados son muy comunes, pero se representaron también enfermos, músicos y personajes con vasijas. En menor grado se han encontrado ollas y cajetes, así como las finísimas "cajas de cerámica" y las vasijas que simulan bules. A juzgar por los atavíos de las figuras humanas, se supone que la desnudez corporal completa era muy frecuente y que, al pasar el tiempo, la tendencia fue la de cubrirse más, sobre todo en el caso de los individuos de mayor jerarquía; así, sólo algunos sacerdotes, guerreros y danzantes portan abundantes ropajes. Desnudas o vestidas, todas las figuras tienen mucha pintura en el cuerpo, lo mismo que tatuajes y escoriaciones, de lo que se induce que esta práctica haya sido muy general entre los seres vivos. El atuendo masculino habitual consistió en una especie de trusa que ocultaba los genitales, pero que dejaba las posaderas parcialmente a la vista; y el femenino, en una tira de tela que se enredaba a la cintura y se sostenía con una faja. El torso masculino quedaba casi siempre desnudo, mas para combatir se protegía con una especie de armadura de algodón y carrizo que amortiguaba el impacto de las porras, las lanzas cortas y las piedras lanzadas con hondas, que eran, junto con el *atlatl* o lanzadardos, las armas ofensivas. Para defenderse, además de la cota, usaban escudos cuadrados que podían llegar a cubrir todo el tórax. Los tocados y adornos para la cabeza eran simples bandas frontales, aunque combinadas con numerosos tipos de peinados o rapados. Algunas efigies de guerreros llevan también una especie de penacho sobre las espaldas, a modo de insignia, reveladora quizá de un rango mayor. Todas las figuras encontradas en las tumbas de tiro están descalzas. Entre los adornos predominan los collares, los pectorales, las orejeras, las nariguaras y los brazaletes fabricados en su mayoría de conchas y caracoles; y en los lugares alejados de la costa, como en el valle de Atemajac, se fabricaban cuentecillas de barro y ornamentos de obsidiana lascada.

Dado lo perecedero del material empleado en la construcción de viviendas (carrizos, varas y aplanados de lodo para las paredes, y paja o zacate para el techo), no hay vestigios de ellas, de manera que sólo unas pequeñas casas de cerámica encontradas también en las tumbas –primordialmente en Nayarit– permiten imaginar los espacios en que habitaban. Todas tienen techos de cuatro aguas y uno o dos cuartos (igual que muchos jacales de hoy), pero sin ofrecer una variedad que haga suponer diferencias muy marcadas entre las de los grandes personajes y el común de la gente. También en este caso, la casi totalidad de las piezas proceden de un contexto funerario y, por lo mismo, no fueron en esencia creadas para los vivos. Si bien muchas figuras representan acciones y hechos de la vida cotidiana, otras mezclan rasgos de diversos animales o los combinan con formas humanas, lo cual sugiere expresiones simbólicas vinculadas con la religión o los atributos de chamanes o seres con facultades sobrenaturales.

Si la cultura de las tumbas de tiro se mantuvo poco comunicada con el centro de México y con Chupícuaro, hay indicios de que sí tuvo relaciones con localidades norteñas como Chalchihuites (Zacatecas), Chametla (sur de Sinaloa) y las poblaciones michoacanas de la cuenca chapálica, pero lo que resulta más espectacular es la conexión con el norte de Suramérica (Ecuador y Colombia), donde también hubo tumbas de tiro y otras formas culturales similares. Por esta razón se supone una influencia recíproca esporádica del poniente mexicano con el macizo amazónico, llevada a cabo por vía marítima.

Alrededor del siglo VII d.C., la vida en el Occidente debió alterarse a causa de oleadas migratorias provenientes del norte, que cruzaron sus tierras en dirección al Altiplano central, donde acabarían con el poderío de Teotihuacan, que ya se encontraba en franca decadencia. Trescientos años después, muchos de los usos y costumbres aportados por aquellos emigrantes habrían de vertirse de nueva cuenta en el Occidente, sólo que esta vez enriquecidos por expresiones culturales características del centro y sur de México. Fueron los toltecas quienes impusieron sus ideas, tecno-

logía, modelos arquitectónicos, formas cerámicas y religión en casi todo el territorio mesoamericano, sin que el actual ámbito jalisciense resultara una excepción, aun cuando ello no implicara por fuerza una dominación política. Fue durante el apogeo de Tula, entre 900 y 1200, cuando el México prehispánico alcanzó una mayor uniformidad cultural. Después se derrumbó el dominio de los toltecas y los contactos entre el centro y el Occidente no sólo disminuyeron sino que cambió la dirección de la influencia. Durante el tiempo que transcurrió hasta la consolidación de la hegemonía azteca –del siglo XIII al XV–, cobró vida y se fortaleció la única organización política superior que existió en el Occidente mexicano antes del arribo de los españoles: el Estado purépecha, el cual acabó por eliminar toda posibilidad de comunicación directa entre México-Tenochtitlan y los moradores de Jalisco, Colima y Nayarit. Pero tampoco los purépechas pudieron dominar todo el Occidente. A pesar de que fueron capaces de contener la gran fuerza expansiva de los aztecas, en tierras de Jalisco no pasaron de realizar incursiones efímeras. Su mayor presencia se hizo sentir por el sur, en busca del salitre de Sayula o de los metales preciosos de la sierra del Tigre, aunque también deben haber andado por las inmediaciones de Cuquío, como lo muestra la filiación michoacana de este toponímico. Sin embargo, cuantas veces procuraron los tarascos establecerse en Jalisco, más temprano que tarde acabaron por ser rechazados.

Sin embargo, este no fue el único motivo de guerra, pues los diferentes grupos que habitaban en Jalisco muy a menudo se enfrascaban en luchas entre ellos. Se sabe bien de conflictos entre Tuxcacuesco y Autlán, Tuxpan y Colima, Ameca y Etzatlán, y Sayula y Tenamaxtlán. Ocasionalmente se formaron también alianzas entre dos o más de aquellos conglomerados humanos a efecto de combatir a un enemigo común, pero ninguna de ellas resultó duradera. Hay suficientes datos arqueológicos para asegurar que aquellos pueblos peleaban con frecuencia: puntas de proyectiles de obsidiana que fueron lanzados con el *atlatl*, con el arco que se empezaba a usar, o simplemente con la mano; hachas, porras o macanas con cabeza de piedra, y el *macuáhuitl*, un palo grueso y aplanado con hojas de obsidiana en ambos filos; y entre las armas defensivas, la antigua cota de algodón y el escudo, que llegó a ser preferentemente redondo y más pequeño.

No hubo en cada una de aquellas aldeas la misma forma de gobierno. En algunos casos éste era hereditario, lo que daba lugar en ocasiones a que mujeres tomaran el mando, desde la muerte del marido hasta que el hijo estaba apto para la sucesión; tal fue, por ejemplo, el caso de Tonalá. En otros lugares (Teocaltiche y Tenamaxtlán), el "cacique" era seleccionado por sus virtudes guerreras, o por sus cualidades religiosas (Ameca). A veces los gobernantes regían solos, pero también los había que eran supervisados por una especie de consejo, generalmente de ancianos. Unas localidades eran dominadas ocasionalmente por otras y les rendían tributo, pero eran varias las condiciones y las demandas que se imponían. Al norte del río Santiago, poco antes de la llegada de los españoles, los habitantes eran seminómadas, tal vez por la naturaleza hostil de su geografía o por la proximidad de los grupos bárbaros del norte (chichimecas). Entre los pueblos asentados al sur de esa corriente, bien delimitada por la barranca de su cauce, hubo muchos elementos culturales comunes: 1. la poligamia, según la riqueza de cada varón; 2. los tres estamentos básicos: jefes, gente del pueblo y esclavos de guerra; 3. las tres grandes áreas profesionales: artesanos, campesinos y comerciantes; 4. los guerreros, que no parecen haber constituido un grupo especial, sino que eran reclutados cuando las circunstancias así lo requerían; 5. una organización y un orden entre los sacerdotes, dedicados tan solo a practicar su ministerio; y 6. una religión que originó representaciones de deidades con atributos propios, un campo de acción definido y un lugar específico en el universo y en la jerarquía de los panteones.

En esto último tuvo mucho que ver la influencia tolteca; por lo tanto, no es raro que se tratara de una concepción del mundo similar y de deidades semejantes a las que se veneraban en el centro y sur de México desde los tiempos teotihuacanos. También en el Occidente predominaba la idea de un universo dispuesto en varios niveles, cada uno de ellos habitado por determinados dioses, según su categoría y potestad. Lo mismo que en el Altiplano central, en Jalisco se adoró a Tláloc (el agua, la fertilidad y el sustento); a Xipe-totec, una especie de patrono de los artesanos, en cuyo honor se desollaba a las víctimas de los sacrificios; a Quetzalcóatl, bajo la advocación de Ehécatl; a Tonan, la diosa madre; a Mixcóatl, padre de Quetzalcóatl y dios de la caza; y a Mictlantecuhtli, el señor de los muertos. Menos frecuente fue el culto a Huehuetéotl, dios viejo del fuego, sustituido con frecuencia por Xiuhtecuhtli (el calor solar). Con relación a las deidades solares, también se sugiere la veneración a Tonatiuh (el Sol en movimiento) y a Piltzintli o Teopiltzintli, con su cara de niño. Una peculiaridad en lugares de Jalisco, Nayarit y Michoacán fue adorar como divinidad a una piedra o "navajón". Esto puede ligarse con la piedra que iba incrustada en el pecho de algunos ídolos mexicas y toltecas a manera de corazón y que representaba su esencia o su espíritu, o sea, lo más sagrado de la imagen. En el Occidente no hubo tales efigies, pero sí hay referencias, en cambio, de "ídolos de manta" y se han encontrado cabezas de piedra que quizá los remataban. Es muy probable que en el interior de estos ídolos se colocara esa piedra sagrada, tenida ella misma por deidad. Otra posibilidad sería que el "navajón" no fuera sino el cuchillo de sacrificios que en muchos casos se consideró divino. El culto a estos dioses se rendía mediante un sinnúmero de ceremonias, en las cuales se realizaban sacrificios, se ejecutaban danzas y se entregaban ofrendas. Rasgo común a toda la región en materia religiosa son los trazos sencillos y abstractos, picados o cincelados en grandes rocas. Representan casi siempre espirales, círculos concéntricos, rombos y, en ocasiones, imágenes humanas o de animales sumamente estilizadas. El hecho de que siempre se encuentren cerca del agua autoriza a suponer alguna relación con este elemento o con la fertilidad. Los más notables se encuentran en la orilla norte del lago de Chapala, en la cuenca del río Tomatlán (Jalisco) y en Coamiles (Nayarit).

A causa de que la comunidad participaba masivamente en el culto, fue necesaria la construcción de templos y plazas para llevar a cabo los ritos. Así, de una arquitectura simple ligada al culto funerario, se pasó a conceptos más complejos que incluían edificaciones mayores y espacios para el juego de pelota, cuyo interés ya no respondía sólo a la veneración de los ancestros. Sin embargo, como no hubo núcleos de gran concentración demográfica, siempre fueron instalaciones modestas tanto por su tamaño como por la tecnología empleada. Los materiales utilizados dependieron de los distintos recursos de cada lugar: rocas de varios tipos, adobes, bajareques e inclusive madera. Basamentos recubiertos totalmente con piedras no hubo, como tampoco se usó el estuco, tan frecuente en otras partes de México para enlucir muros y pisos. En su lugar se hacía un aplanado de lodo mezclado con fibras vegetales, expuesto a veces al fuego para darle mayor consistencia. En la mayoría de los casos se empleó solamente lodo para unir los materiales de basamentos y muros, aunque también hay ejemplos de mampostería seca. Para levantar las plataformas se hacía primero un cajón de rocas o adobe y luego se rellenaba con tierra y piedras. A menudo se adaptaron promontorios naturales o se aprovecharon edificios anteriores; así sucedió con el Iztépete, cuyo basamento exterior cubre cuando menos cinco estructuras. Las casas de los personajes, así como algunos locales aparentemente administrativos, se desplantaban sobre basamentos alargados y bajos, configurando en ocasiones conjuntos similares a los llamados "palacios" del centro de México; tal es el caso del encontrado en Oconahua (municipio de Etzatlán). Alrededor de estos núcleos se establecía la población que los sustentaba, casi toda en chozas con una sola puerta de acceso, orientada hacia la plaza donde confluían las actividades cotidianas. Estas habitaciones debieron tener un solo cuarto, circular en la costa y rectangular en las tierras altas, pero en todos los casos de materiales perecederos. Además, reafirmando la belicosidad de aquellos pueblos, las localidades sobresalientes por su mayor número de habitantes (Tamazula y Autlán, por ejemplo), se encontraban en lugares con buenas condiciones defensivas.

También las costumbres funerarias cambiaron y se volvieron menos complicadas. Los sepelios se hacían en fosas simples, sin que el cadáver se librara del contacto con la tierra. Sin embargo, subsistió la costumbre de enterrar a los muertos en lugares especiales, por lo general bajo un promontorio, en cuyo interior se encuentran las tumbas. El hallazgo de perros sepultados solos o en asociación con humanos, hace pensar que el animal estaba destinado a proteger y a guiar al alma del difunto en su largo e intrincado camino hasta encontrar el postrer descanso. La mayoría de los cráneos rescatados revela que la costumbre

de deformar la cabeza por medio de tablas durante la infancia, era práctica habitual entre los habitantes del Occidente. Las mutilaciones dentarias, en cambio, se hacían en forma menos frecuente y se practicaban sólo en las piezas anteriores, particularmente en los incisivos superiores.

La gran novedad en el Occidente, a partir del siglo X, fue la metalurgia. Proveniente del área andina y de Centroamérica, esta industria penetró en México por el poniente. El mayor número de objetos metálicos era de cobre, pero también se han encontrado piezas de oro y pocas de plata, estaño y plomo. El cobre se utilizó en ornamentos y herramientas, y el oro y la plata exclusivamente para fabricar adornos pequeños como cascabeles, broches, alfileres, pinzas para depilar, cuentas y laminillas finas que debieron coserse a los vestidos. Objetos de madera, ónix o cerámica fueron recubiertos a veces con hojuelas de oro muy delgadas. Piezas metálicas se han localizado en todo el Occidente, pero las mejor trabajadas son obra de los tarascos, de ahí el interés de éstos por dominar el sur de Jalisco y disponer de los yacimientos de Tamazula y Jilotlán.

Salvo los metales, los materiales básicos siguieron siendo los mismos que en épocas anteriores, pero no dejó de haber utensilios nuevos o de generalizarse el uso de otros que ya existían. El descubrimiento del comal, por ejemplo, debió originar cambios importantes en la preparación de los alimentos. Los malacates hechos de barro, tan comunes en la costa, dan fe de un notable incremento en la elaboración de textiles y en la demanda de vestidos. También puede suponerse un número cada vez mayor de artesanos especializados y del surgimiento de localidades dedicadas casi en exclusiva a las artesanías y a la explotación de bienes naturales propios de su ámbito geográfico (peces, algodón, sal, minas, etc.), que permutaban por otros de diferentes áreas. Aunque muchas veces los productos cambiaban de manos en calidad de tributos, alcanzó a existir una compleja red comercial que relacionó a los grupos humanos y contribuyó a crear una mayor uniformidad cultural. Sin embargo, no puede pensarse en una homogeneidad, pues a ello se opone la diversidad de idiomas que prevalecía en Jalisco, Colima, Nayarit y Sinaloa cuando llegaron los españoles.

JALISCO

La Colonia. Fue en el sur de la región donde los españoles aparecieron por vez primera en tierras del actual estado de Jalisco. Una vez sojuzgados los tarascos, los hombres de Hernán Cortés incursionaron en dirección al poniente en busca de un puerto para emprender la exploración hacia las costas asiáticas, y a la vez deseosos de encontrar los yacimientos que habían abastecido a los purépechas de metales preciosos. Así, a fines de 1522, Cristóbal de Olid debió incursionar por Mazamitla y Tamazula y dejar a un primo de Cortés, Hernando de Saavedra, a cargo de las minas descubiertas. Desde ahí, la dominación se fue extendiendo sin gran resistencia de los nativos ni grandes aspavientos de los españoles, pues el propio Cortés no deseaba que llegase noticia alguna a España, a fin de no ceder al rey la quinta parte de los beneficios probables. A principios de 1523, Olid salió rumbo a Zacatula, en la costa, donde había ya españoles llegados desde Acapulco, pero Juan Rodríguez de Villafuerte, al frente de un pequeño grupo, se desprendió de esa tropa sin permiso, y fue derrotado por los indígenas en Tecomán y obligado a huir. Al mediar el mismo año, ya con la venia de Cortés, Gonzalo de Sandoval, a la cabeza de un nutrido contingente, venció a los nativos y el 25 de julio de 1523 fundó una villa de españoles con el nombre de Colima, sitio que serviría de base para dominar toda la región. En agosto de 1524, Cortés dispuso que Francisco Cortés de San Buenaventura, también pariente suyo, fuese su lugarteniente en Colima e incursionara hacia el norte para conocer la costa y buscar metales. En abril de 1525, San Buenaventura llegó cerca de la desembocadura del río Santiago, en el actual Nayarit, habiendo pasado por Cihuatlán, Autlán y Etzatlán, donde fue estableciendo encomiendas después de vencer a los nativos, dando opción a que se asentaran españoles para asegurar tanto su regreso como la potestad de Hernán Cortés. Todo indica que, a partir de Etzatlán, no encontró mayor resistencia, pero tampoco lugares que suscitaran su interés; en cambio, al llegar al río Santiago, la beligerancia de los indios se sumó al calor y la sequía, y tuvo que decidir el regreso. Cuando en 1524 Hernán Cortes marchó a Honduras, llevando entre sus acompañantes a Hernando de Saavedra, un hermano menor de éste, Alonso de Ávalos, se quedó a cargo de la encomienda que comprendía desde el sur de Jalisco hasta la ribera meridional del lago de Chapala, con extensión a Cocula, Zacoalco y Sayula. Ávalos se quedó con todo sin atender las reclamaciones que su hermano le hacía desde Honduras. A partir de 1529, la Primera Audiencia, presidida por Nuño de Guzmán, cedió esta encomienda a otras personas, pero pronto fue recuperada por Ávalos, quien disfrutó de ella hasta su muerte unos 40 años después. Esta vasta región fue conocida como provincia de Ávalos durante toda la época colonial.

El despojo perpetrado por Nuño de Guzmán no fue accidental. A fines de 1528, sin dejar de ser gobernador de la provincia del Pánuco, había asumido el cargo de presidente de la Audiencia, en cuyo carácter procuró privar a Cortés y a sus partidarios de los bienes que habían acumulado, suponiendo que el capitán extremeño no conseguiría librarse en España de la infinidad de acusaciones que se le habían hecho; pero en cuanto supo que Cortés volvía fortalecido, Nuño decidió emprender la conquista de nuevas tierras en el Occidente, con la ilusión de unirlas con las de Pánuco y disponer de posesiones costeras en ambos litorales. De esta manera podría no depender en cosa alguna de México y quizá convertirse en la clave de una ulterior expansión transpacífica que permitiera alcanzar las tan soñadas riquezas asiáticas. En diciembre de 1529 salió de la ciudad de México, y entró a lo que hoy es Jalisco por el rumbo de La Barca, hacia marzo de 1530. A sangre y fuego siguió el curso del río Santiago hasta Tonalá, donde después de vencer a los nativos cruzó la barranca y se adentró hacia el norte por la Cazcana, en busca de la provincia del Pánuco. Sólo llegó a Nochistlán, y desde ahí tres capitanes suyos expedicionaron hacia Teocaltiche, Jalpa y El Teul, destruyendo todo a su paso. Ante la dureza de las tierras y lo elusivo de los indios, decidió volver al suroeste de la barranca, dividiendo para ello su expedición en dos: el grueso debió atravesar el río por San Cristóbal, tocar Etzatlán, ya poblado por algunos españoles, y tomar rumbo al norte hasta Jalisco (inmediato al actual Tepic), donde esperó al otro grupo, más ligero, encabezado por Pedro Alméndez Chirinos, que debió cruzar más al norte, a la altura de las asperezas de Bolaños, no sin grandes esfuerzos. De Jalisco siguieron hacia el norte, sufriendo un gran descalabro cerca de Sentispac, a causa de la hostilidad de los indios y de las torrenciales lluvias. Después de un paréntesis para regresar por más aborígenes vecinos de Etzatlán, dar un reposo necesario a la tropa y escribir al rey su carta del 8 de julio, explicando lo que había hecho, siguió Nuño hasta Culiacán, volvió a cruzar la sierra Madre y llegó hasta la fuente del Nazas, deseoso de arribar al Pánuco, pero hubo de regresar al poniente, fundar la villa de San Miguel de Culiacán, descender hasta Chiametla y seguir a donde fundó la villa del Espíritu Santo, con la idea de convertirla en capital del territorio por él conquistado, al que pretendió llamar La Mayor España. Sólo que la Corona dispuso que se llamase reino de Nueva Galicia y que Compostela fuera su capital. Se pretendía así, en la medida de lo posible, reproducir en la Nueva España el mapa de la vieja, donde Galicia queda también al noroeste. Guzmán fue nombrado gobernador. Después mandó fundar en Nochistlán un poblado que recibió el nombre de Guadalajara (fines de 1531), interesado en fomentar la comunicación con el Pánuco, a donde fue Nuño a principios de 1533 y se enteró de que ya no era su gobernador. Ese mismo año, Juan Fernández de Híjar fundó la villa de Purificación, cerca del sitio al que se mudó en 1543 y donde está actualmente, con ánimo de inmiscuirse en las tierras cuya conquista fue realizada por soldados dependientes de Hernán Cortés. El primer asentamiento de Guadalajara fue un fracaso a causa de la hostilidad del paisaje y de los indígenas, de manera que los españoles se mudaron a Tonalá al mediar 1533. Sólo que al volver Nuño del Pánuco ordenó que pasaran de nuevo la barranca, yéndose a Tlacotán en 1534. Los conflictos entre Guzmán y Cortés acabaron por mover a éste en busca de aquél; se encontraron en Compostela a fines de febrero de 1535, pero no hubo mayor conflicto: Cortés marchó a su expedición por el Golfo que lleva su nombre, y Guzmán quedó gobernando Nueva Galicia hasta 1536, en cuando decidió ir a México, donde fue aprehendido y después enviado a España en calidad de preso.

Cristóbal de Oñate sucedió a Guzmán en el gobierno, con el solo paréntesis de Diego Pérez de la Torre (1538) y la primera parte de la administración de Francisco Vázquez Coronado. En marzo de 1540 éste salió de Compostela, ya en el sitio actual, al frente de una fuerza considerable, en busca de las míticas ciudades de Cíbola y Quivira. Lo acompañaba, entre otros, fray Marcos de Niza, quien dos años antes había emprendido un infructuoso viaje semejante. En 1541 ocurrió la sublevación general de los indígenas del norte de la entidad. En esa guerra fue derrotado Miguel de Ibarra y muerto Pedro de Alvarado, asaltada Guadalajara (en el sitio de Tlacotán) y al fin vencidos los indios en el Mixtón por el ejército del virrey Antonio de Mendoza (8 de diciembre). Restablecida la paz, el 5 de febrero de 1542 Oñate nombró los primeros regidores de Guadalajara, ya en el valle de Atemajac, y comisionó a Ibarra y a Juan del Camino para que congregaran a los indios dispersos; los vecinos de Compostela, Guadalajara y Purificación pidieron al rey que les permitiera esclavizar a los indios (6 de febrero de 1543), cosa que de todos modos hicieron aun cuando les fue negada la solicitud; empezó a cultivarse el trigo y se descubrió la primera mina, estableciéndose con ese motivo la Caja Real; Vázquez de Coronado se reintegró a la gobernación, y Oñate descubrió la mina de Xaltepec, cerca de Compostela, y promovió el hallazgo de las de Etzatlán, Guachinango y Purificación. El papa Paulo III concedió la erección del obispado en 1546, y el 13 de febrero de 1548 Carlos V dispuso la creación de la Audiencia de Nueva Galicia, la cual empezó a funcionar en enero del año siguiente, en Compostela, con los oidores Lebrón de Quiñones, Marcha y Contreras. El traslado de la Audiencia a Guadalajara, o sea la mudanza de la capital, se ordenó el 10 de mayo de 1560 y se ejecutó el 10 de diciembre siguiente, cuando ya formaban ese cuerpo los licenciados Morones, Oceguera y Alarcón.

De modo paralelo a todos estos sucesos los frailes franciscanos atendían a la evangelización. Juan de Padilla y Miguel de Bolonia acompañaron a Cortés de San Buenaventura; y el primero y Juan Badillo, a Nuño de Guzmán, quienes en 1531 fundaron el convento de Tetlán, junto con Antonio de Segovia y Juan Badiano. Estos dos penetraron al país de los tecuexes (Zapotlanejo, Tepatitlán, Jalostotitlán) y al de los caxcanes (Teocaltiche, Nochistlán, Juchipila). Martín de la Coruña, procedente de Michoacán, fundó a su vez, en 1531, el convento de Ajijic y estimuló la actividad de otros misioneros. Hacia 1540 había ya casas de franciscanos en Zapotlán,

JALISCO

Poncitlán, Etzatlán, Tuxpan y Xalisco; y en 1567, en Guadalajara, Zacoalco, Atoyac, Teocuitatlán, Amacueca, Sayula, Chapala y Cocula. Los agustinos se establecieron en 1573, los jesuitas en 1586 y los dominicos en 1588, pero la influencia de estas tres órdenes fue muchísimo menor.

El 27 de abril de 1575 dispuso el rey que la Audiencia de Nueva Galicia fuera independiente del virrey de Nueva España, a quien sólo reservó el mando militar. El presidente de la Audiencia (Jerónimo de Orozco, a partir de 1574) era a la vez gobernador del reino, cuyos límites eran diferentes de los de la Audiencia, y ejercía el patronato para la presentación de ministros eclesiásticos. En Guadalajara había unas 60 familias y en sus alrededores unos 3 mil indios, y en el resto del territorio mil peninsulares y 20 mil aborígenes convertidos. En 1563 se había establecido la villa de Lagos y en 1575 se fundó Aguascalientes, una y otra como estaciones y puestos de defensa en el camino de la plata (v. AGUASCALIENTES, ESTADO DE y LAGOS DE MORENO, JAL.). Las constantes disputas en materia de jurisdicciones entre Nueva Galicia y Nueva España estuvieron a punto de provocar una guerra civil (1588) y le costaron el puesto al virrey Álvaro Manríquez de Zúñiga.

Las sublevaciones indígenas volvieron a producirse en el último tercio del siglo XVI. En 1584 se reprimió a los indios de Guaynamota, que habían asesinado a los frailes Andrés de Ayala y Francisco Gil: más de mil fueron herrados, azotados, desollados o ahorcados. En 1591 se sometieron los chichimecas, que no habían dejado de hostilizar a los españoles, y aceptaron que familias tlaxcaltecas se asentaran en Colotlán y Mezquitic, pero al año siguiente asaltaron Aguascalientes y mataron a muchos vecinos. En 1593 hicieron armas los de Acaponeta, a causa de la falta de víveres, lo cual dio ocasión al capitán Juan Ochoa Aramburo para fundar ahí una colonia de españoles. Y en 1601, en virtud de los despojos de que eran víctimas, se insurreccionaron los coras de la sierra del Nayar, hasta que intervino, para pacificarlos, el obispo Alonso de la Mota y Escobar. Quince años más tarde, sin embargo, la sublevación volvió a estallar, esta vez desde Nayarit hasta la Nueva Vizcaya, comprendiendo sobre todo a los tepehuanes. V. GUERRA CIVIL.

El último año en que se hicieron elecciones municipales en Nueva Galicia fue 1591, pues el 1° de noviembre se dispuso que esos cargos se vendieran y se aplicaran de por vida al comprador. Algo mejoraron los ingresos con el producto de los reales de minas de Los Reyes, cerca de San Sebastián del Oeste, y de la Resurrección, en Hostotipaquillo (1606). Se creó la provincia franciscana de Jalisco (1607), con el nombre de Santiago, segregada de la de San Pedro y San Pablo de Michoacán. Contribuyeron también a desarrollar el reino las disposiciones del presidente y gobernador Juan de Villega (1608-1613), quien hizo que los principales vecinos edificasen casa en la capital y prohibió la explotación del ganado de cría y la libre matanza. Signo de que la nueva situación se había consolidado ya en el norte, fue la erección de la diócesis de Durango (11 de octubre de 1625). En el campo hospitalario trabajaban ya los Hermanos de San Juan de Dios (desde 1606) y en el de la enseñanza los mercedarios (1628). El culto público a la imagen de San Juan de los Lagos, llevada a ese lugar por Miguel de Bolonia en el año de 1542, se autorizó por el obispo Leonel Cervantes Carvajal en 1630.

Los ingresos de la Corona procedían de fuentes del todo irregulares: hacia mediados del siglo XVII visitó Guadalajara, en comisión del rey, Pedro Cabañas, para "vender oficios y varas", o sea los puestos públicos. Los alcaldes pagaban, además, una cantidad anual; las alcabalas se elevaron del 4 al 6%; se estableció el derecho de alhondigaje (medio real por cada fanega de maíz que se introducía a la plaza); se cobraba tributo a los corregimientos y alcaldías mayores; y mediante paga suficiente a su majestad, se concedían indultos a los delincuentes, se legitimaba a los hijos naturales, se otorgaban títulos de escribano y se erigían las villas en ciudades. Simultáneamente, en la época del presidente y gobernador Antonio Ulloa y Chávez (1654-1661), se extremaron el lujo y la ostentación. De la situación de los indios en 1677 da cuenta una orden del gobernador Francisco Romero Calderón (el constructor del puente de su nombre): prohibió que se les herrase en la frente.

En 1652 el franciscano Antonio Tello terminó su *Crónica miscelánea de la Sancta Provincia de Xalisco*, la primera historia general de la región. En 1704 los indígenas de Mezquitic y Colotlán mataron a su encomendero y luego se sublevaron.

JALISCO

En Tlaltenango sostuvo la defensa un aborigen fiel a los españoles, al que llamaban Calderilla, quien hizo huir al enemigo, recibiendo por ello distinciones y honores. Los primeros 15 años del siglo XVIII fueron de intentos vanos para someter a los coras de Nayarit. En 1721 el jefe de éstos, forzado por el hambre y la falta de sal, salió de las montañas y fue hasta México a negociar la paz con el virrey marqués de Valero, pero su gente desconoció las capitulaciones y en octubre se reanudaron las hostilidades. Hicieron la campaña Juan Flores de la Torre, gobernador de Nayarit, y el capitán Nicolás Escobedo. El 17 de enero de 1722 éste derrotó a las fuerzas de Tlahuicole, quien murió en combate. Varios objetos de culto de los coras fueron remitidos a México y quemados en un solemne auto de fe el 1° de febrero de 1723 en la plazuela de San Diego. El territorio, ya pacificado, se llamó Nuevo Reino de Toledo, cuya administración espiritual se confió a los jesuitas.

Los licenciados dejaron de presidir la Audiencia en 1708. En su lugar entraron los militares. Fue el primero Toribio Rodríguez Solís, con el título de capitán general y gobernador del reino de Nueva Galicia. En 1718 se terminó el puente sobre el río Santiago, en el paso de Tololotlán (actual Puente Grande).

Un gran cambio para Nueva Galicia lo representó la colonización del noroeste, iniciada al finalizar el siglo XVII, pues pasó de ser un rincón del Imperio Español a un centro de abastecimiento de las comarcas recién incorporadas. Así, sobrevino un crecimiento inusitado que dio a sus habitantes motivo para aspirar a convertirse en virreinato, en aras de lo cual Matías Ángel de la Mota Padilla escribió su *Historia del reino de Nueva Galicia en la América septentrional*.

En tiempos del obispo Francisco de San Buenaventura y Martínez de Tejada (1752-1760) se concluyeron las torres del santuario de Zapopan. La nueva iglesia de San Juan de los Lagos (1732-1769) se hizo bajo la dirección del maestro de obras Juan Rodríguez de Estrada. El 25 de junio de 1767 ocurrió la aprehensión y expulsión de los 35 jesuitas que había en Nueva Galicia, entre ellos Francisco Javier Clavijero. La iglesia de la Compañía y los colegios de Santo Tomás y San Juan, en Guadalajara, pasaron al dominio del gobierno.

El 12 de diciembre de 1771 hizo su entrada a la capital novogalaica el nuevo obispo fray Antonio Alcalde. En su época (1771-1792) se erigió el obispado de Nuevo Santander (25 de diciembre de 1777), comprendiendo las provincias de Nuevo León, Coahuila, Texas y Seno Mexicano; se edificaron en Guadalajara el santuario de Guadalupe (1777-1891) y 158 casas para pobres; se establecieron cocinas populares el año del hambre (1785); se emprendió la obra del nuevo hospital y Carlos IV autorizó la fundación de la Universidad (18 de noviembre de 1791). Hacia 1776, a instancias de Alcalde, un grupo de comerciantes y propietarios fundó 100 talleres de algodón, lana y corambres finos. V. ALCALDE, ANTONIO.

Una nueva división territorial fue ordenada el 4 de diciembre de 1786: se creó la intendencia de Guadalajara (Jalisco, Aguascalientes y Nayarit), se extinguieron las alcaldías mayores y los corregimientos, y se enviaron subdelegados a los pueblos de indios. El título de capitán general y gobernador se cambió por el de intendente gobernador y presidente (de la Audiencia), con facultades en los ramos de justicia, policía, hacienda y guerra. Fue el primero Antonio de Villaurrutia, durante cuyo gobierno la milicia de Guadalajara formó la tripulación de la fragata *Princesa* y del paquebote *San Carlos*, que en 1788 salieron de San Blas para tomar contacto con la colonia rusa en la costa americana del Pacífico norte.

La Universidad se inauguró el 3 de noviembre de 1792, ya muerto Alcalde, y en mayo de 1794 se trasladó el Hospital de San Miguel de Belén a su nuevo edificio. A principios de 1793 y con privilegio exclusivo por 10 años, Mariano Valdés Téllez Girón, hijo de Manuel Antonio Valdés, editor de la *Gazeta de México*, abrió la primera imprenta en Guadalajara, de cuyas prensas salió de inmediato *Elogios fúnebres con que la santa iglesia catedral ha celebrado la buena memoria de su prelado el Ilmo. y Rmo. señor mtro. D. fray Antonio Alcalde*. El 1° de marzo de 1794 se estableció la comunicación periódica entre Guadalajara y México por medio de un coche de cuatro asientos, tirado por 12 mulas, que recorría el camino en 12 días.

La feria de San Juan de los Lagos empezó a celebrarse en 1798 y llegó a tener más de 100 mil visitantes, vendiéndose en ella, del 1° al 12 de diciembre, multitud de efectos extranjeros y nacionales (v. FERIAS y GALEÓN). En febrero de 1800 se hizo cargo del gobierno Fernando de Abascal y Souza: persiguió el bandolerismo y el juego, prohibió la portación de armas blancas, abrió escuelas de primeras letras, liquidó la rebelión del indio Mariano, que se proponía establecer una monarquía en Nayarit (1801), y en Guadalajara pavimentó buen número de calles. El 30 de abril de 1804 se aplicó por vez primera la vacuna, llevada a Nueva Galicia por el doctor Francisco Araujo. El 2 de mayo de 1805 entró como gobernador e intendente el coronel Roque Abarca, quien extendió el Paseo Nuevo del puente de San Juan de Dios a la Alameda. El obispo Juan Cruz Ruiz de Cabañas y Crespo (1796-1824) inició, a su vez, el proyecto del hospicio, cuyos planos encargó a Manuel Tolsá. Éste estuvo en Guadalajara en 1802, dejando a su discípulo José Gutiérrez para que instruyera a los artesanos. En julio y agosto de 1808, al conocerse la abdicación de los soberanos de España y la invasión napoleónica a la Península, las autoridades y el pueblo juraron fidelidad a Fernando VII. A partir de la deposición del virrey Iturrigaray, privó en Nueva Galicia la política de la Audiencia. V. INDEPENDENCIA e ITURRIGARAY Y ARÓSTEGUI, JOSÉ DE.

Al finalizar el régimen colonial, según informe de José Fernando Abascal, del 18 de abril de 1804, el reino de Nueva Galicia tenía 522 317 habitantes distribuidos en dos ciudades, seis villas, cuatro congregaciones, 322 pueblos de indios y 27 reales de minas; y estaba dividido en 29 partidos, conocidos con el nombre de sus cabeceras: Acaponeta, Aguascalientes, Ahumacatlán, Autlán, Bolaños, Colima, Compostela, Cuquío, Etzatlán, Guachinango, Guadalajara, Hostotipaquillo, Juchipila, La Barca, Lagos, Purificación, San Cristóbal, San Sebastián de Jolapa, Santa María del Oro, Sayula, Sentispac, Tala, Tepatitlán, Tepic, Tequila, Tlajomulco, Tonalá, Tuxcacuesco y Zapotlán el Grande. El único puerto era San Blas y todos los caminos eran pésimos. Los bosques se habían reducido considerablemente. El principal ramo de la economía era la agricultura: maíz en primer lugar y luego trigo, frijol, cebada, legumbres, algodón, caña de azúcar y añil. La grana y el ixtle se daban silvestres. El tabaco, aunque de excelente calidad en la costa y en Nayarit, dejó de cultivarse a causa del monopolio oficial que ejercían Córdoba y Orizaba, y sólo se producía, espontáneo, el llamado *macu-che*. El cacao empezaba a fomentarse. Se curtían anualmente 280 mil piezas de vaqueta, gamuzas de venado, zaleas, cueros de puerco y chivo, cordobanes y badanas, para producir 16 686 botas, cueras y sillas vaqueras. La industria producía sal, sebo, jabón, queso, tequesquite, aguardiente, carne salada, fustes, búcaros, frenos, azúcar, panocha, piloncillo, loza y textiles. En el litoral se extraían perlas. De Tonalá salían 8 139 cargas de objetos de barro; y en Autlán y Teocaltiche se fabricaban, en pequeños talleres, 240 mil piezas de manta y 401 de cambaya, 1 306 colchas y 3 900 docenas de rebozos. El mezcal de Tequila salía en barriles lo mismo hacia México que a San Blas, para ser embarcado rumbo al noroeste. En Tecalitlán llegó a explotarse el hierro, y en Autlán el cobre. Se conocían más de 300 vetas de plata, "pero con la misma facilidad con que se descubrían y registraban, se abandonaban". El azogue se obtenía en Tapalpa; y la sal, en el Zapotillo y en las playas de Sayula. Todo lo demás se importaba de Castilla y en menor proporción de Asia. Los ingresos públicos procedían de las alcabalas, la renta del tabaco, los diezmos, el tributo personal –distinto para los indios, negros, mulatos y castas–, el quinto sobre extracción de metales, el alhondigaje, el papel sellado, la bula de la Cruzada y los estancos del mezcal, la pólvora y la sal, principalmente. (*J.M.M.*).

La Guerra de Independencia. Las primeras noticias sobre la sublevación de Hidalgo se conocieron en Guadalajara el 25 de septiembre de 1810. Unos días más tarde aparecieron en territorio neogallego dos grupos insurgentes: Navarro, junto con Portugal y Huidobro, por el rumbo de Arandas, Atotonilco y La Barca; y José Antonio Torres, en Tizapán y Zacoalco. Una de las primeras medidas adoptadas por la Audiencia y los ricos comerciantes españoles para garantizar sus vidas y propiedades, fue haber instalado la Junta Superior Auxiliar de Gobierno, Seguridad y Defensa de Guadalajara. Al mismo tiempo, proporcionaron arbitrios a los hacendados para que armaran con lanzas a sus mozos, improvisaron batallones con los empleados del comercio y concentraron cerca de 12 mil hombres en Colotlán y Tepic. El obispo Cabañas, por su parte, organizó y equipó el Batallón de la Cruzada, con miembros del clero, y el 24 de octubre emitió un edicto de excomunión contra Hidalgo y quienes de una manera u otra apoyaron el movimiento. A fines de ese mismo mes salió rumbo a La Barca una guarnición encabezada por el oidor Juan José Recacho, para oponerse a Huidobro; mientras que otra, al mando de Tomás Ignacio Villaseñor, se dirigió hacia Zacoalco, para enfrentarse a Torres. El 4 de noviembre, en esta población, los insurgentes infligieron una tremenda derrota a los realistas. A consecuencia de este descalabro, la Cruzada quedó disuelta, y tanto el obispo Cabañas como los españoles más ricos de Guadalajara huyeron hacia San Blas con el propósito de embarcarse. Por su parte, el intendente Roque Abarca se ocultó, ante la falta de apoyo. Acto seguido, una comisión del Ayuntamiento de Guadalajara, formada por José Ignacio Cañedo y Rafael Villaseñor, se encargó de entrevistarse con Torres para ofrecerle la ciudad, a cambio de que el caudillo hiciera una entrada pacífica. El 11 de noviembre, Torres entró triunfante a la capital neogallega; por la tarde, arribaron las fuerzas de Huidobro.

Torres fue respetuoso con las vidas y las propiedades de los habitantes de Guadalajara, según el pacto que concertó con la comisión del Ayuntamiento. Luego invitó a Hidalgo, quien se encontraba en Valladolid (hoy Morelia) a ponerse al frente del ejército que tenía concentrado en la capital neogallega. El generalísimo llegó el 26 de noviembre, siendo recibido por el Ayuntamiento, el Cabildo eclesiástico y las comunidades religiosas; el 29 abolió la esclavitud, los tributos a los que estaban sujetos los indios, el uso del papel sellado, los estancos y la prohibición de fabricar pólvora; redujo las alcabalas y prometió estímulos a quienes cultivasen y labrasen el tabaco. El 6 de diciembre reiteró la libertad de los esclavos; reorganizó el gobierno y nombró a Pascasio Ortiz de Letona embajador plenipotenciario ante el gobierno de Estados Unidos (v. HIDALGO Y COSTILLA, MIGUEL). Después incautó los bienes de los españoles radicados en Guadalajara y autorizó la ejecución de 200 peninsulares –la mayoría de Colima– que se encontraban presos en el Seminario (hoy Museo Regional) y en el Colegio de San Juan. Estas ejecuciones hicieron concebir a Ignacio Allende, distanciado ya del jefe de la insurrección por muchos otros motivos, el proyecto de envenenarlo, pero al parecer lo disuadieron el gobernador de la mitra, José Gómez Villaseñor, y el cura de Mascota, Francisco Severo Maldonado. Éste había empezado a publicar, el jueves 20 de diciembre, por encargo de Hidalgo,

El Despertador Americano, primer periódico que propagó las ideas de la insurrección, y del cual salieron, hechos en la imprenta de José Fructo Romero, siete números, el último de ellos con fecha 17 de enero de 1811.

Desde noviembre anterior, el cura de Ahualulco, José María Mercado, había sido autorizado por Torres para sublevar la región occidental de la intendencia de Guadalajara. El día 13 de ese mes se pronunció en la sede de su parroquia; el 18, con 50 hombres, tomó sin resistencia Etzatlán; el 23, acompañado de 200 insurgentes, se apoderó de Tepic, y el 1° de diciembre el comandante José Joaquín Lavayén le entregó la plaza de San Blas. En la fortaleza del puerto se hallaban 300 marineros, 200 de maestranza, 250 europeos armados, abundantes víveres y municiones, y más de 100 piezas de artillería; y en el mar, una fragata, dos bergantines, una goleta y dos lanchas cañoneras. Hidalgo premió a Mercado con el grado de brigadier y le pidió que le enviase la artillería. En acatamiento a esta orden, fueron remitidas a Guadalajara 43 piezas de bronce, mismas que fueron transportadas por una multitud de indios a través de las barrancas de Mochiltic.

Mientras tanto, Allende, Abasolo y Jiménez se encargaron de organizar en Guadalajara el ejército insurgente; 30 mil infantes, entre ellos 5 mil flecheros de Colotlán, guiados por el cura José Calvillo; 6 mil jinetes y 94 cañones, la mayor parte sin cureñas. Los regimientos de la Reina de Celaya, de Pátzcuaro y de Nueva Galicia carecían de oficiales y sargentos, pues éstos pasaron a formar otros cuerpos; los soldados disponían de 1 200 fusiles, unos centenares de sables y lanzas, y la mayoría de cuchillos y soguillas. Se fabricaron, además, algunas granadas que podían lanzarse en honda y un buen número de cohetes con punta de fierro. Advertido de que el ejército virreinal de Félix María Calleja se aproximaba procedente de Lagos, el 14 de enero de 1811 salió Hidalgo de Guadalajara y el 15 se situó con sus fuerzas en la banda izquierda del puente de Calderón. En la tarde del día siguiente llegaron los realistas al rancho de La Joya –6 mil hombres y 10 piezas de artillería– y el 17, a las 9 de la mañana, empezó la batalla. Calleja dispuso que Manuel Flón, conde de la Cadena, vadease el río aguas arriba y atacara a los adversarios por el oriente, mientras el general Manuel de Emparan lo hacía por el extremo opuesto, y el coronel José María Jalón, con seis cañones, se lanzaba sobre el puente. Estas maniobras se facilitaron porque las baterías insurgentes, despojadas de sus cureñas, se colocaron sobre las cercas, de tal modo que sólo tenían un solo ángulo de tiro. Aun así, los realistas fueron rechazados varias veces, hasta que al fin cargaron a la bayoneta, mientras una granada hacia estallar un carro de parque; el incendio se propagó al zacate a impulsos del viento, y el fuego provocó la huida de los insurgentes. Cubrieron la retirada Allende, Abasolo, Aldama y Torres. Los independentistas tuvieron cerca de mil muertos y 500 los realistas, entre ellos el conde de la Cadena.

Después de haber sido derrotado, Hidalgo volvió a Guadalajara la madrugada del día 18 y el 19 salió para Aguascalientes, por el rumbo de San Cristóbal de la Barranca, seguido de una tropa muy reducida. Calleja, a su vez, entró a la ciudad el 21, y la tarde de ese mismo día llegaron las fuerzas del brigadier José de la Cruz, sin haber participado en la batalla. Calleja reinstaló la Real Audiencia –la cual había sido suprimida por Hidalgo–, formó un tribunal para castigar a las infidentes y una junta encargada de reintegrar sus bienes a los españoles; mandó fusilar a 10 prisioneros hechos en Calderón, entre los que figuraban el norteamericano Simon Fletcher, encargado de la maestranza del ejército insurgente. Dispuso que Cruz fuera en persecución del cura Mercado, mientras él tomó el rumbo de Zacatecas. El 25 de enero, en la barranca de Taray, Cruz batió a los 500 indios de Juan José Zea, que había sido subdelegado en Ahualulco; y ese mismo día, en San Blas, los realistas capitulados, seducidos por el cura del puerto, Nicolás Santos Verdín, asaltaron el castillo. Al cabo de una breve refriega, con saldo de siete muertos, Mercado, en plena huida, resbaló y cayó en un precipicio, donde perdió la vida. Estos hechos estimularon la contrarrevolución en Tepic: el cura Benito Antonio Vélez llamó a la lucha contra la insurgencia, algunos vecinos apresaron a Zea, que iba huyendo de Cruz, y éste llegó a la ciudad el 8 de febrero; abrió proceso a Lavayén, en San Blas, y mandó fusilar a Zea y a José Mercado, padre del cura de Ahualulco. En la plaza principal de Tepic se erigió una horca, donde se colgó a 20 rebeldes cada día, y junto a ella un púlpito, desde el cual un sacerdote predicaba, después de las ejecuciones, un sermón contra el movimiento insurgente. El 20 de febrero regresó Cruz a Guadalajara, nombrado ya gobernador de Nueva Galicia y presidente de la Audiencia. Dispuso en seguida que el coronel Rosendo Porlier, acompañado de Tomás Ignacio Villaseñor, Pedro Celestino Negrete, Juan Linares y el coronel Manuel del Río, saliera a pacificar la región del sur. Las instrucciones que dio a Porlier fueron terminantes: "No debe perdonarse la vida a ningún rebelde, sea de la clase, condición y edad que fuere". Del 25 al 28 de ese mes, la columna ocupó Zacoalco y Techaluta, que habían sido totalmente abandonados, y Atoyac y Sayula, donde fusiló a algunos vecinos. El 3 de marzo, en la cuesta de Zapotlán el Grande, le presentaron batalla unos 2 mil hombres comandados por Francisco y Gordiano Guzmán, y por el lego Gallaga, a quienes infringió fuertes bajas. Cruz, mientras tanto, le reiteraba las órdenes: "Llegó el caso de sembrar la muerte y el espanto en todos los pueblos donde se ha manifestado el fuego rebelde". En los días siguientes entró a Tuxpan y Tamazula, y envió al coronel Manuel del Río a garantizar la fidelidad de Colima. El día 18 regresó a la capital neogallega. Otra expedición pacificadora fue la del coronel Pedro Celestino Negrete, quien el 7 de abril derrotó en Colotlán a los indios flecheros del cura Calvillo y el 7 de mayo, en San Sebastián (hoy Gómez Farías), a las tropas de Gallaga. Éste, unido a Sandoval y a Cárdenas, se apoderó en agosto de Colima, pero fue desalojado por Del Río. El resto del año y todo 1812 ocurrieron infinidad de asaltos, promovidos por los hermanos Guzmán en la región del sur. Así, por ejemplo, atacaron sin éxito las fortificaciones de Atoyac y Zapotlán (diciembre), asaltaron e incendiaron los cuarteles realistas de Tamazula y Mazamitla (mayo de 1812) y perdieron la batalla de Santa Rosa (14 de mayo). Se refugiaron, dispersos, en la costa, pero el 8 de diciembre volvieron a tomar Tamazula, donde fueron sorprendidos por las fuerzas de Nepomuceno Cuéllar, en cuya acción murieron Francisco Guzmán y otros jefes. Como escarmiento, la cabeza de éste estuvo expuesta en Atoyac durante algún tiempo. A partir de entonces, Gordiano encabezó la insurrección, convirtiendo a la región meridional en el foco principal de la insurgencia. Entre tanto, Cruz pudo lograr en otros rumbos algunas victorias parciales. La más importante fue la captura de José Antonio Torres en Palo Alto, cerca de Tupátaro, el 4 de abril. Fue trasladado a Guadalajara, a donde llegó el 11 de mayo y, al día siguiente, se le sentenció "a ser arrastrado, ahorcado y descuartizado", pena que se ejecutó el día 23. Su cabeza, desprendida del cuerpo, se clavó en la misma horca, donde permaneció 40 días, y su casa, en San Pedro Piedra Gorda, fue demolida y cubierto de sal el terreno. Estas medidas correspondían al clima de represión y terror que se vivía entonces en Nueva Galicia; regían, entre otros, los bandos del general Cruz que obligaban a la población, bajo pena de muerte, a entregar todas las armas, inclusive machetes y cuchillos; a no reunirse, a no andar a caballo por las calles después de las 7 de la noche y a no transitar por la provincia sin permiso; a no proporcionar a los rebeldes víveres ni dinero, "aun cuando fuesen padres, hijos o parientes"; a usar en el sombrero una divisa encarnada y a no portar el "cotón insurgente", pues en caso contrario se les supondría criminales. Estas disposiciones continuaron vigentes aun después del 10 de octubre, en que se proclamó solemnemente la Constitución de Cádiz. El obispo Cabañas, que había regresado a su diócesis en febrero anterior, la llamó "código sagrado".

En la ribera del lago de Chapala surgió otro movimiento insurgente muy peculiar, porque además de luchar por la causa libertaria, planteó y exigió la solución de los problemas agrarios que afectaban a los lugareños. Se inició a mediados de octubre de 1812, y terminó el 25 de noviembre de 1816. Las hostilidades empezaron en Mezcala, cuando un oficial realista intentó aprehender a Encarnación Rosas, caudillo ribereño que había tomado parte en las batallas de Zacoalco y Puente de Calderón. El pueblo rechazó a pedradas a la tropa y, sabiendo que se tomarían represalias, se lanzó francamente a la lucha. El pequeño e improvisado ejército tomó Tizapán, Tlachichilco y San Pedro Ixicán, donde el 1° de noviembre fue acometido por fuerzas de José Antonio Serrato. A partir de entonces, la insurrección se propagó a todas las comunidades indígenas de la ribera del lago. El día 4 eran ya 3 mil los insurgentes levantados, al mando de Rosas y de José Santa Ana. Asaltaron Poncitlán, se hicieron de armas y municiones, y se retiraron al llegar los refuerzos del comandante Manuel Álvarez. El 25 derrotaron a éste y al siguiente día al teniente coronel Ángel de Linares en el cerro de San Miguel. Pero advertidos de que serían perseguidos sin misericordia, decidieron a instancias del presbítero Marcos Castellanos, párroco de Ocotlán, hacerse fuertes en la isla de Mezcala, distante 8 km del litoral lacustre. Así, a fines de diciembre, se embarcaron 600 hombres en 20 grandes canoas.

A partir de entonces y durante cuatro años, hubo constantes encuentros navales y terrestres. En 1813 fueron significativas las siguientes acciones: el 26 de febrero, los isleños atacaron laguna adentro a siete canoas de Linares, a quien después de derrotarlo, lo tomaron prisionero, para fusilarlo más tarde; en marzo desembarcaron en San Pedro y batieron a la guarnición de Álvarez; y en abril, Santa Ana sorprendió a los realistas en El Vigía y penetró hasta Atequiza. El 20 de junio trataron de asaltar la isla cinco navíos y una plataforma –labrados en Cedros y armados en Chapala–, al mando de Felipe García –la flota– y del coronel Negrete –la tropa–, pero fueron detenidos por cercas subacuáticas, puestas ahí por los insurgentes, y luego destruidos con piedras y fuego de artillería, resultando muerto García, herido Negrete y otros 200 realistas ahogados o prisioneros; en julio, el general Cruz organizó una nueva armada –dos balandras, un flotante, tres falúas, dos lanchas cañoneras, cinco botes y varias canoas–, apostó soldados en toda la ribera y declaró el bloqueo, que resultó infructuoso, pues Santa Ana siguió penetrando a Ocotlán, Ixtán y aun a la hacienda de Buenavista; y en octubre y noviembre ocurrieron otros dos combates navales entre los convoyes insurgentes de abastecimiento de víveres, leña, azufre y plomo, y la flotilla del realista Murga. En 1814, el 16 de enero, frente a Tuxcueca, los españoles comandados por el alférez de la fragata *Bocalán*, atacaron desde el agua a una cuadrilla de guerrilleros; el 23, cerca de Palo Alto, la gente de Rosas, a bordo de 12 grandes canoas, abrió fuego contra tres navíos artillados; el 1° de mayo, en Los Corrales, estancia de la hacienda de San Francisco Tizapán, la brigada insurgente de José Trinidad Delgado –a la que pertenecían el canónigo Lorenzo de Velasco, José María Vargas y Gordiano Guzmán– acabó con la columna volante de los tenientes Juan N. Cuéllar y Manuel Arango, haciendo prisionero a este último

–luego fusilado– y a 300 de los 800 soldados; y el día 25 siguiente, Santa Anna asaltó Jocotepec, destruyó la muralla que protegía al pueblo, incendió el cuartel y rescató la imagen del Señor del Camichín, que había sido llevada allí desde Cojumatlán. Aun cuando Cruz cambió varias veces al jefe de la flota –José Navarro, Gaspar de Maguna, José Narváez, sucesivamente–, nada pudo hacer contra los isleños. Desesperado por tan aguerrida resistencia, mandó quemar, en 1815, todos los ranchos, graneros y sembradíos de las orillas del lago, salvo los de Ocotlán, con la esperanza de rendirlos por hambre. En 1816 fracasaron varios intentos de los insurgentes por abastecerse, sufrieron una grave epidemia en la isla, y en noviembre, cuando no tenían ya nada que comer, aceptaron parlamentar con Cruz, que se había situado en Tlachichilco. Primero Santa Ana y luego el padre Castellanos negociaron los términos de la rendición: a cambio de entregar la isla, se les garantizó la vida y la libertad, se les devolvieron sus pueblos, se les eximió del tributo y se les repartieron yuntas, tierras y semillas. El día 25 los españoles tomaron posesión de la fortaleza, donde sólo encontraron 17 cañones, nueve fusiles y 10 cajas de municiones.

En medio de la guerra, hubo un acontecimiento que impulsó el desarrollo económico de Guadalajara: el bloqueo de Acapulco impuesto por los insurgentes que dirigía Morelos propició que el puerto de San Blas se abriera al comercio exterior; de tal forma a partir de 1815, la capital neogallega experimentó un periodo de bonanza, gracias al comercio que se llevó a cabo por este puerto. Pero apenas quedó pacificada la región de Chapala, cobró nueva importancia la actividad insurgente de Pedro Moreno. Vinculado a la Junta de Apatzingán desde 1812, durante tres años hizo frecuentes incursiones en las cercanías de Lagos y de León, hasta que a fines de 1815 se fortificó en el cerro del Sombrero, como natural de la sierra de Comanja. Ahí se le unió Francisco Javier Mina, el 24 de junio de 1817. Después de algunas acciones de éxito alterno, les pusieron sitio los realistas el 1° de agosto, hasta el 19 en la noche, en que la guarnición, enviando por delante a las mujeres y a los niños, decidió abandonar el fuerte. Descubiertos, fueron cañoneados a la luz de los cohetes, y acuchillados los dispersos al día siguiente, en la sierra. Uno y otros jefes volvieron a reunirse en

el cerro de San Gregorio y el 16 de octubre atacaron Guanajuato, pero el 27 fueron sorprendidos en el rancho del Venadito por el cuerpo de dragones del comandante Mariano Reinoso. Moreno fue muerto en combate personal y decapitado; su cabeza, clavada en una lanza, se le remitió a Pedro Celestino Negrete, quien se hallaba en Silao. Mina, a su vez, fue detenido y enviado al mariscal Pascual de Liñán, que dirigía las operaciones en el Bajío. Éste lo mandó fusilar, el 11 de noviembre, en el cerro del Bellaco.

La madrugada del 31 de mayo de ese año, un terremoto derribó las torres de la catedral de Guadalajara, devastó la ciudad de Colima y causó graves daños en otras poblaciones. En noviembre siguiente, se instalaron los frailes franciscanos en el nuevo convento del Colegio Apostólico de Propagación de la Fe, construido en Zapopan según los planos de Pedro Ciprés y cuya creación había solicitado, desde 1803, la religiosa agustina María Manuela Fernández Barrena, quien cedió para ello 120 mil pesos. El 7 de junio de 1820 se proclamó en Guadalajara el restablecimiento de la Constitución de Cádiz. Mientras todo esto ocurría, la región del sur continuaba en poder de los rebeldes que encabezaban Gordiano Guzmán, Montes de Oca y otros cabecillas.

A partir de la firma del Plan de Iguala –24 de febrero de 1821–, se promovió en toda la provincia de Guadalajara una campaña que prescribía el tipo de independencia que las clases altas estaban decididas a consumar. Uno de los primeros en brindar su apoyo político y económico fue el obispo Cabañas. El gobernador José de la Cruz, en cambio, lo rechazó, y sólo se comprometió a intervenir cerca del virrey para que éste analizara su contenido (entrevista del 7 de mayo en la hacienda de San Antonio, cerca de La Barca). Por instrucciones de Iturbide, el brigadier Pedro Celestino Negrete se movió con sus tropas desde Lagos y el 12 de junio, reunido con sus oficiales en San Pedro Tlaquepaque, hizo pública su adhesión al movimiento trigarante. El día 13, en este mismo lugar se juró y se firmó el Plan de Iguala, y cuando el general Cruz huyó hacia Durango, Antonio Basilio Gutiérrez de Ulloa quedó al frente del gobierno. Ese mismo día por la tarde, Negrete y su tropa entraron a Guadalajara, pero fue hasta el 14 cuando se reunieron la Diputación Provincial, la Audiencia, el Ayuntamiento y las demás corporaciones civiles y eclesiásticas para prestar obediencia a Iturbide y reconocer a Negrete como jefe superior político de la provincia de Guadalajara. La proclamación de la Independencia se hizo el 23 de junio, y ese mismo día Antonio J. Valdés empezó a publicar *La Gaceta del Gobierno de Guadalajara*, primer periódico oficial. En las poblaciones del interior se juró también la separación de España, salvo en el apostadero de San Blas, que a la postre obligó a capitular el capitán Mariano Laris.

Periodo 1821-1854. Las primeras disposiciones dictadas por Pedro Celestino Negrete al inicio de la condición independiente, fueron la supresión de las contribuciones que gravaban al maíz y la leña, y la liberación del pago de derechos judiciales a que estaban sujetos los indígenas. José Antonio Andrade, por su parte, al encargarse del gobierno provisional mientras Negrete salía en persecución de Cruz, suprimió la contribución personal, la de guerra, la de convoy y la del 10% sobre alquileres de casas, y redujo los impuestos de amonedación. Y para promover la ilustración, la economía y la moral fue creada la Junta Patriota de Guadalajara, la cual estuvo integrada por hacendados y comerciantes.

El 27 de septiembre de 1821 hizo su entrada triunfal en la ciudad de México el Ejército de las Tres Garantías y, al día siguiente, se instaló la Junta Provisional Gubernativa compuesta por 38 individuos. De acuerdo a los Tratados de Córdoba, cada provincia debería nombrar sus delegados; la de Guadalajara comisionó a Francisco Severo Maldonado y a José Domingo Rus. Instalada la Regencia, el 12 de octubre se designó a Negrete capitán general de la provincia de Guadalajara, Zacatecas y San Luis Potosí, y a José Antonio Andrade como jefe superior político. Las elecciones para los ayuntamientos se hicieron en diciembre, y en enero las de electores, quienes a su vez nombraron a los diputados al Congreso Nacional. Siendo Andrade uno de ellos, el 5 de febrero de 1822 fue sustituido por Gutiérrez y Ulloa, a quien tocó publicar en Guadalajara, el 28 de mayo, la proclamación de Iturbide como emperador. Esta noticia fue acogida con mucho entusiasmo por el Ayuntamiento, la Diputación, la Universidad, el Real Consulado y el Cabildo eclesiástico. Otros grupos iturbidistas recibieron este comunicado con igual alegría y,

para el 31 del mismo mes, ya habían preparado una misa de acción de gracias y un *Te Deum* para agradecer tan "venturosa elección". La oposición al monarquismo la representaba en Guadalajara *La Estrella Polar*, periódico donde escribían Gil Martínez, Francisco Martínez, Francisco Severo Maldonado, Ignacio Isaac Vergara, Pedro Zubieta, Crispiniano del Castillo, Ignacio Sepúlveda y Anastasio Cañedo. El avance de las ideas republicanas llevó a Iturbide a disolver el Congreso (31 de octubre) y a nombrar en su lugar una Junta Instituyente, a la que pertenecieron, por la provincia de Guadalajara, Toribio González y Mariano Mendiola. El 16 de noviembre, Gutiérrez y Ulloa fue sustituido por el general Luis Quintanar, quien traía órdenes expresas del emperador de controlar las manifestaciones localistas de los habitantes de esta región. En lugar de cumplir las órdenes recibidas, Quintanar se identificó con los grupos de poder local, y de inmediato apoyó el Plan de Casa Mata promulgado el 1° de febrero de 1823 por los generales Antonio López de Santa Anna y José Antonio Echávarri, el cual desaprobaba la conducta de Iturbide y exigía la convocatoria de un nuevo Congreso. Éste fue restablecido el 7 de marzo, cuando ya se había unido a la sublevación republicana el capitán general Pedro Celestino Negrete. Una vez que abdicó Iturbide (19 de marzo), se formó (31 de marzo) el Supremo Poder Ejecutivo —el propio Negrete, Nicolás Bravo y Guadalupe Victoria—, pero como no se convocó de inmediato a un nuevo Congreso, para que la nación se constituyera en República Federal, la Diputación Provincial y Luis Quintanar reclamaron con energía el cumplimiento del Plan de Casa Mata, lo cual fue interpretado en la ciudad de México como una reacción iturbidista. Movido por este recelo, el 26 de mayo el Poder Ejecutivo destituyó a Quintanar del mando político y nombró en su lugar al general José Joaquín de Herrera. Tal medida les pareció a los tapatíos contraria a los intereses regionales por lo que decidieron extremar sus acciones: el 2 de junio procedieron al alistamiento de las milicias cívicas para defender la provincia, y el 16 del mismo mes, la Diputación Provincial, reunida con Quintanar y el Ayuntamiento, erigió la provincia de Guadalajara en estado libre de Jalisco, federado con los demás de la nación mexicana, resolución que Quintanar publicó el día 21 siguiente. Muchos de los principios federalistas sostenidos por los jaliscienses provenían del pensamiento de Prisciliano Sánchez, los cuales plasmó en su obra *Pacto Federal de Anáhuac*. Para dar mayor consistencia y legitimidad al pronunciamiento federalista de Jalisco, Quintanar presionó a todos los ayuntamientos para que levantaran actas de adhesión al sistema federal. El conjunto de estos documentos fue compilado en un solo legajo bajo el título de *Voto general de los pueblos de la provincia libre de Xalisco, denominada hasta ahora de Guadalajara, sobre constituir su forma de gobierno en República Federada.* Conforme al plan de gobierno, la nueva entidad –Jalisco– se integró con 28 partidos: Acaponeta, Ahuacatlán, Autlán, Colima, Compostela, Colotlán (incluyendo el Nayarit y el corregimiento de Bolaños), Cuquío, Etzatlán, Guadalajara, Hostotipaquillo, La Barca, Lagos, Mascota, Real de San Sebastián, San Blas, Santa María del Oro, Sayula, Sentispac, Tomatlán, Tala, Tepatitlán, Tlajomulco, Tepic, Tequila, Tonalá, Tuxcacuesco, Zapotlán el Grande y Zapopan. Se declaró además, a Nuestra Señora de Zapopan, "Generala y Protectora Universal del Estado Libre de Xalisco".

Como Herrera no pudo llegar a la capital del estado porque las milicias se lo impidieron, el Poder Ejecutivo envió entonces 2 mil hombres al mando de Nicolás Bravo. Quintanar salió a encontrarlo a Lagos y allí sostuvieron, a fines de junio, negociaciones pacíficas, al cabo de las cuales se convino que las órdenes que provinieran del centro serían puntualmente obedecidas, siempre y cuando no se opusieran al federalismo. Desde antes de la reunión, y con el propósito de debilitar a Quintanar y demás federalistas, el Supremo Poder envió al coronel Anastasio Brizuela a Colima para que promoviera su separación de Jalisco. El 20 de junio de 1823, el partido de Colima fue segregado del ámbito jalisciense y convertido en territorio federal dependiente del Supremo Gobierno.

El 14 de septiembre de 1823 se instaló el Congreso Constituyente del Estado, integrado por 19 diputados: Pedro Vélez, Esteban Huerta, Juan Nepomuceno Cumplido, Diego Aranda, José María Gil, José Justo Corro, José María Esteban Gil, José Antonio Méndez, Anastasio Bustamante, Urbano Sanromán, Prisciliano Sánchez, José María Castillo Portugal, Santiago Guzmán, Ignacio Navarrete, José Manuel Cervantes, José

Ignacio Cañedo, Esteban Aréchiga, Vicente Ríos y Rafael Mendoza. Se encargó provisionalmente el Poder Ejecutivo a Quintanar; se formó el Supremo Tribunal de Justicia, y el 20 de enero de 1824 se ordenó que los esclavos fuesen puestos en libertad en un término de ocho días. El 5 de marzo el gobernador nombró jefe de las armas al general Bustamante y otra vez se suscitaron los recelos del triunvirato, de tal forma que el Supremo Poder dispuso, el 12 de mayo, una segunda expedición militar al mando de Nicolás Bravo. Al frente de 4 mil hombres, Bravo llegó hasta la hacienda del Cuatro, muy próxima a Guadalajara; el 11 de junio convino con las autoridades de Jalisco que no se obligaría a la nación a obedecer un poder contrario al Acta Constitutiva e inmediatamente después entró a la capital jalisciense. El 16, sin embargo, mandó aprehender a Quintanar y a Bustamante, a los que envió a Acapulco por Manzanillo. El Congreso nombró gobernador provisional al coronel José María Castañeda y Medina, y más tarde, a partir del 3 de julio, al licenciado Rafael Dávila, quien renunció el 14 de octubre, al asumir la Presidencia de la República el general Guadalupe Victoria. Lo sustituyó, con el cargo de vicegobernador, Juan Nepomuceno Cumplido. El 18 de noviembre siguiente se promulgó la Constitución Política del Estado de Jalisco –272 artículos–, según la cual el territorio de la entidad quedó dividido en ocho cantones: Atotonilco, Autlán, Cocula, Colotlán, Guadalajara, Lagos, Sayula y Tepic. Se erigieron los poderes Legislativo –30 diputados–, Ejecutivo y Judicial, y se formó un Senado –cuerpo consultivo y de vigilancia de los caudales públicos, formado por cinco vocales–. Al día siguiente se hizo el juramento del texto constitucional en la iglesia de La Merced, y no en la catedral, porque el Cabildo eclesiástico impugnó que el estado fijara y costeara los gastos del culto.

Celebradas las elecciones, el 24 de enero de 1825 tomó posesión Prisciliano Sánchez como primer gobernador constitucional del estado. Durante su gestión, se interesó mucho en ilustrar a las autoridades municipales acerca de las cuestiones administrativas. Muchas de las circulares que envió eran instrucciones sencillas que explicaban la mejor forma de dirigir un municipio. Además, publicó una cartilla sobre el modo de hacer los comicios, formó la Milicia Cívica, prohibió la sepultura de cadáveres en las iglesias, propagó la vacuna, abrió pequeños hospitales en los pueblos, mandó formar un censo –del que resultaron 547 359 habitantes–, expidió la Ley de Instrucción Pública (29 de marzo de 1826), fundó el Instituto de Ciencias (inaugurado el 14 de febrero de 1827), clausuró la Universidad de Guadalajara, promulgó una severa ley contra ladrones y asesinos, declaró abierto al comercio exterior Barra de Navidad y mejoró el camino a Lagos. Murió prematuramente el 30 de diciembre de 1826.

Tras el breve periodo de Jose María Echauri, el 18 de enero de 1827 tomó posesión como gobernador interino el vicegobernador Juan Nepomuceno Cumplido. Durante su gobierno, recrudeció el odio hacia los españoles a raíz de la frustrada conspiración de Joaquín Arenas –19 de enero de 1827–, que pretendía el restablecimiento de la monarquía española. Como respuesta local a estos hechos, el Congreso, a iniciativa del diputado Pedro Tamés, decretó el 3 de septiembre la expulsión de los españoles radicados en Jalisco. Con motivo, a su vez, del Plan de Montaño, que pretendía la extinción de las sociedades secretas y la expulsión del país del embajador de Estados Unidos Joel R. Poinsett, Cumplido autorizó la aprehensión de los militares Juan de la Peña, Manuel de la Campa y Guillermo Maruri, por considerar que estaban involucrados en dicha conspiración. Esta medida, que algunos consideraron arbitraria, originó la caída de Cumplido, el 22 de septiembre; para ocupar el cargo fue nombrado José Justo Corro.

Hechas las nuevas elecciones (1828), el 1° de marzo de 1829 asumió la gubernatura José Ignacio Cañedo, en cuya administración se prohibió a la Iglesia adquirir bienes raíces, y se cubrió el préstamo forzoso que por 266 mil pesos impuso a Jalisco la Federación. El 21 de diciembre se pronunció en Guadalajara el general Mariano Paredes y Arrillaga, jefe de las armas, en apoyo del Plan de Jalapa, por el cual Bustamante desconoció la elección de Guerrero y asumió el poder. El Congreso Federal declaró nulas las elecciones jaliscienses de 1828 y legítima la investidura de Juan Nepomuceno Cumplido como gobernador. Éste tomó posesión el 15 de marzo de 1830, pero el 12 de junio el mismo Congreso rectificó su fallo y Cañedo volvió al poder el 29 de julio. En septiembre, la Legislatura suprimió el Senado y

creó un Consejo de Gobierno. Del 25 de octubre al 14 de febrero de 1831 fue sustituido por el vicegobernador José Ignacio Herrera. Gordiano Guzmán, que se mantenía insurrecto por no haber estado conforme con el tipo de independencia que se consumó, se declaró junto con Guadalupe Montenegro en favor de Guerrero, y ambos se apoderaron de Sayula. Para combatirlos fue designado el general Ignacio Inclán. Este militar, durante su estancia en Guadalajara, observó una conducta arbitraria: convirtió la ciudad en un verdadero cuartel, tratando de impresionar a los rebeldes del sur; sus abusos fueron criticados por el impresor José María Brambila, quien estuvo a punto de ser asesinado por haberse atrevido a publicar un volante en contra de Inclán. Llegó a tal grado su comportamiento que obligó a los poderes a trasladar la capital a Lagos el 4 de diciembre. Bustamante removió a Inclán el 28 de ese mismo mes, nombrando en su lugar al coronel Cirilo Gómez Anaya, y el gobierno volvió a establecerse en Guadalajara. Cañedo hizo esfuerzos por restaurar la paz, mediante la reorganización de la Milicia Cívica que llegó a tener 8 mil hombres. El 14 de julio de 1832, con el apoyo de la Legislatura, se pronunció Gómez Anaya contra Bustamante y en favor de Gómez Pedraza. Las fuerzas de Jalisco, divididas en tres secciones, tomaron Zamora, Colima y Morelia, y más tarde Querétaro. Mientras este pronunciamiento se propagaba, Cañedo renunció a la gubernatura el 19 de agosto y fue sustituido por Herrera. Bustamante fue al fin derrotado, y el 23 de diciembre se firmaron los convenios de Zavaleta: Gómez Pedraza fue reconocido como presidente, en virtud de la elección de 1828 y el ejército se comprometió a sostener el pacto federal.

El 1° de febrero de 1833 se instaló en Guadalajara la nueva Legislatura y un mes más tarde tomó posesión del gobierno del estado el doctor Pedro Tamés, llevando como vicegobernador a Juan N. Cumplido. Tamés aplicó una serie de medidas radicales que formaron parte de la primera reforma que promovían los liberales que lidereaba Valentín Gómez Farías: prohibió que los españoles ausentes tuviesen bienes en el estado y que los residentes administrasen negocios con más de 10 dependientes; expulsó a los peninsulares que habían vuelto después de 1828, y a 40 conservadores prominentes. La disposición más importante fue la desamortización de bienes de manos muertas, declarando la incapacidad de las corporaciones religiosas para poseer bienes raíces y concediendo un plazo de 60 días para la enajenación de las fincas urbanas. La Iglesia opuso una tenaz resistencia y el gobierno quiso someterla desterrando a sus ministros. Estos hechos coincidían con el cuarto periodo de gobierno de Gómez Farías (16 de diciembre de 1833 al 24 de abril de 1834), durante el cual se pretendió transformar por primera vez las estructuras coloniales, para sentar las bases de un Estado moderno. El 12 de abril de 1834, la Legislatura jalisciense invitó a los estados de Querétaro, Guanajuato, San Luis Potosí, Michoacán, Zacatecas y Durango a formar una coalición en defensa del federalismo y en contra de Santa Anna, a quien consideraba responsable de los actos en contra de la Reforma. En Lagos se sublevó el padre Zermeño contra las leyes reformistas; Tamés, presionado por las circunstancias propuso su derogación (13 de junio), pero la Legislatura se opuso a ello. El día 16 renunció, y el 22 lo sustituyó Cumplido. Los sublevados de Lagos, mientras tanto, en número de 4 mil, avanzaron hasta San Pedro y el 4 de julio fueron dispersados por las milicias que comandaba José María Mellado. Santa Anna, a su vez, frustró la coalición con la toma de Querétaro y envió al general Luis Cortázar a sofocar a los liberales de Jalisco, cuya capital ocupó el 12 de agosto. José Antonio Romero, representante de los conservadores, se hizo cargo del gobierno del estado. Los estragos de la guerra civil entre liberales y conservadores fueron mayores por la epidemia de cólera morbus que azotó a casi todo el estado.

El mismo día en que asumió el poder el mandatario conservador, una turba despedazó el retrato de Prisciliano Sánchez que había en el Congreso, demolió su monumento funerario y quiso arrojar su cadáver a un muladar, acto que Romero impidió ocultando los restos. La nueva administración derogó muchas de las disposiciones liberales: por ejemplo, suprimió la Ley de Desamortización, deshizo la Milicia Cívica, cerró el Instituto de Ciencias y restableció la Universidad y el Colegio de San Juan; luego convocó a elecciones y el 1° de diciembre Romero empezó a actuar como gobernador constitucional. Durante su gobierno dispuso que en todos los pueblos hubiese una escuela primaria (5 de mayo de 1835), y para que la educación tuviese una fiel aplicación, nombró regidor de escuelas al ilustre educador Manuel López Cotilla. El 3 de octubre, el Congreso General, presidido por Miguel Ramírez, canónigo de Guadalajara, promulgó la ley que constituyó al país en República Central, en cuya virtud los estados pasaron a ser departamentos y las legislaturas, juntas departamentales.

En junio de 1836, Romero fue sustituido por Antonio Escobedo, nombrado gobernador constitucional en diciembre de 1837. Sofocó los movimientos revolucionarios de José M. Méndez, Juan Marmolejo y Crescencio Araiza en Guadalajara, y de Rafael Carreón, Francisco Uribe y Juan N. Ramírez en Autlán (1836); legisló sobre la Academia de Ciencias Médicas, el ejercicio profesional y la Universidad; suprimió los ayuntamientos, salvo los de Guadalajara, Lagos, Tepic, Sayula, Zapotlán y Compostela; dividió el territorio del departamento en ocho distritos y 19 partidos, y reprimió un nuevo pronunciamiento federalista (18 de mayo de 1839). A pesar del clima general de inestabilidad e inquietud, en 1841 se instaló la fábrica de hilados y tejidos La Escoba, a iniciativa de Sotero Prieto y de José Escandón.

El 8 de agosto de 1841, en Guadalajara, el general Paredes y Arrillaga encabezó un pronunciamiento contra el gobierno de Bustamante. Aun cuando el principal motivo fue el aumento de los impuestos a los productos de importación, se le reprochaba, además, no haber intentado la reconquista de Texas, haber cedido ante la agresión armada de Francia y carecer, en suma, de fuerza moral. Zacatecas, Guanajuato y San Luis Potosí apoyaron el plan de Paredes –Plan del Progreso–, mientras que Santa Anna se pronunciaba en Veracruz y Valencia en la Ciudadela. Tras el breve periodo de Echeverría (del 23 al 30 de septiembre), Santa Anna volvió a ocupar la Presidencia, y Paredes pasó a gobernar Jalisco del 3 de noviembre de ese año al 28 de enero de 1843. En ese lapso empezó a trabajar la fábrica textil La Prosperidad Jalisciense, la de papel de Tapalpa, la Escuela de Artes y Oficios y la Compañía Lancasteriana. En los dos meses siguientes se sucedieron tres gobernadores –José María Jarero, José Antonio Mozo y Pánfilo Galindo– hasta que el 15 de mayo tomó posesión por segunda vez, nombrado por Santa Anna, Antonio Escobedo. Éste promulgó el 25 de junio las Bases Orgánicas, impuso un préstamo forzoso de 100 mil pesos a los propietarios y otro de 150 mil a la Tesorería de Guadalajara, y gravó a los contribuyentes, según sus ingresos. A los perjuicios que esto produjo, se añadió el grave efecto de las contribuciones extraordinarias, ordenadas para los habitantes de todo el país por la ley general del 21 de agosto. A fines de octubre, la asamblea departamental propuso la derogación de esa ley y la modificación de las Bases. Galindo, jefe de las armas, se adhirió a la iniciativa y la guarnición militar ofreció el mando a Paredes y Arrillaga, que se hallaba en Guadalajara de paso hacia Sonora. Éste aceptó encabezar el movimiento, y el 2 de noviembre lanzó un manifiesto por el cual sujetaba a juicio del Congreso Nacional los actos de Santa Anna y se despojaba a éste del Poder Ejecutivo. Se sumaron a la sublevación las guarniciones de Aguascalientes (día 6), Mazatlán (día 7), Zacatecas (día 8), Colima (día 8) y Durango (día 10), y finalmente la Junta de Querétaro. Paredes reunió 4 mil hombres de tropa y marchó hacia las barrancas de Mochiltic, donde esperaba resistir el ataque de Santa Anna, cuyas avanzadas llegaban hasta San Juan de los Lagos, pero el 6 de diciembre se pronunció en México el Batallón de Reemplazos y pudo reunirse el Congreso para nombrar presidente a José Joaquín Herrera. Santa Anna retrocedió y Paredes pudo llegar a la capital de la República el 7 de enero de 1845.

En esos días se vivía ya de hecho un estado de guerra con Estados Unidos. Paredes y Arrillaga, a quien se había confiado la defensa nacional, se hallaba en San Luis Potosí, prácticamente inmovilizado, y el 14 de diciembre de 1845 se sublevó contra el presidente Herrera, aduciendo que no recibía recursos del gobierno para enfrentarse a la invasión extranjera. Gracias a la defección del ejército de la capital, pudo entrar a México sin disparar un tiro el 2 de enero de 1846, fecha en que fue designado presidente de la República por una junta de representantes departamentales nombrada por él mismo. Paredes llegó a pensar que la mejor defensa contra Estados Unidos consistía en establecer una monarquía con un soberano español. Debido a esto, el 20 de mayo un grupo de liberales de Guadalajara –Joaquín Angulo, Gregorio Dávila, Espiridión López Portillo, Crisanto Sánchez y otros–, unidos a varios jefes militares –José María Yáñez, J. Guadalupe Montenegro y Santiago Xicoténcatl–, se apodera-

ron de Palacio, aprehendieron al gobernador Escobedo y al comandante de la plaza y levantaron un acta oponiéndose a la monarquía, convocando a un congreso constituyente, proclamando a Santa Anna caudillo de la defensa nacional y nombrando gobernador de Jalisco a Juan N. Cumplido. De México se mandó una división de 3 mil hombres a someter la insurrección. El 12 de junio empezó el asedio y para el 27 de julio eran ya 6 mil los sitiadores, pero salvo la acción del convento de Santa María de Gracia no habían ocurrido sino tiroteos. El 4 de agosto, cuando el presidente se disponía a salir de la capital, para combatir él mismo a los liberales jaliscienses, se pronunció en la Ciudadela el general Mariano Salas proclamando el federalismo. Paredes fue hecho prisionero y el día 11 se levantó el sitio de la capital tapatía. Cumplido organizó entonces el estado conforme a la Constitución de 1824 y restituyó la división política basada en cantones (ocho) y departamentos (28): 1. Guadalajara, Cuquío, Tlajomulco, Tonalá y Zapopan; 2. Lagos, San Juan de los Lagos y Teocaltiche; 3. Atotonilco, La Barca, Chapala y Tepatitlán; 4. Sayula, Tuxcacuesco, Zapotlán y Zacoalco; 5. Cocula, Ahualulco y Tequila; 6. Autlán y Mascota; 7. Tepic, Acaponeta, Ahuacatlán, Sentispac y Compostela; y 8. Colotlán y Bolaños. El 17 de noviembre se instaló la Legislatura y el 23 tomó posesión como gobernador provisional el licenciado Joaquín Angulo, quien tuvo el carácter constitucional a partir del 1° de marzo de 1848. Durante su administración, se promulgó la ley que condenaba a muerte a los ladrones y asesinos (12 de septiembre de 1848), se arreglaron los caminos a Tepic, Tala, Zapotlán y Tepatitlán, y se construyeron los puentes de Encarnación y de Lagos.

La euforia federalista fue opacada por la llegada de las primeras noticias acerca de la invasión norteamericana. Los jaliscienses vivieron atemorizados desde que la corbeta estadounidense *Cyane* ancló en San Blas a principios de septiembre de 1846. Gobierno, clero y propietarios tomaron algunas providencias para repeler un posible desembarco. Jalisco contribuyó también a la guerra contra Estados Unidos con dos brigadas que reforzaron al Ejército del Norte: una al mando del coronel José Guadalupe Perdigón Garay, de la que formaba parte el Primer Batallón de Lagos, a las órdenes del teniente coronel Xicoténcatl; y otra jefaturada por el coronel J. Guadalupe Montenegro. Participaron en las batallas de Palo Alto y La Angostura. En ésta fue herido Xicoténcatl, quien de regreso a Guadalajara y todavía convaleciente, organizó el Batallón de San Blas y marchó a México, donde le tocó librar la batalla de Chapultepec, en la que perdió la vida (v. GUERRA DE ESTADOS UNIDOS A MÉXICO). El 22 de abril de 1848, cuando ya se había firmado el Tratado de Guadalupe-Hidalgo, el padre Celedonio Domeco Jarauta se opuso a tales convenios y proclamó en Lagos la prosecución de la guerra y el desconocimiento del gobierno constituido. Días más tarde se extendió la sublevación a Aguascalientes, con el concurso de los generales Manuel Doblado y Paredes Arrillaga. Mientras Yáñez salía a batirlos, Bustamante los derrotaba en Guanajuato, donde fue fusilado Jarauta. Resuelto el conflicto con Estados Unidos, el país se vio profundamente afectado por una epidemia de cólera, a principios de 1850. En Jalisco, los estragos mayores fueron en los cantones de Lagos, La Barca y Guadalajara.

El licenciado Jesús López Portillo entró a gobernar el estado el 1° de marzo de 1852. En el curso de los meses siguientes persiguió los juegos de azar y la vagancia, abrió una exposición de productos locales y de bellas artes, instauró la estadística agrícola, expidió una nueva ley de hacienda, aumentó el número de escuelas primarias, subvencionó el periódico *El Ensayo*, órgano de la Falange de Estudio, y estableció el servicio de policía. Fueron precisamente los excesos cometidos por este cuerpo de seguridad, lo que fue creando en Guadalajara un clima tenso y a la postre lo que ocasionaría la caída de López Portillo. El 26 de julio, el coronel José María Blancarte encabezó a un grupo de maleantes y se apoderó del Palacio, cuya guarnición se adhirió a la asonada. La tarde de ese día los sublevados desconocieron a la administración lopezportillista y nombraron gobernador provisional a Gregorio Dávila, líder de los liberales puros. López Portillo se retiró el día 28 a Zapotlanejo y desde ahí dio aviso de lo ocurrido al presidente Arista. Cuando éste se disponía a reconocer a Dávila, Blancarte, movido por Juan Suárez y Navarro –vocero de los conservadores capitalinos–, proclamó un nuevo plan, el 13 de septiembre, mediante el cual se desconocía al presidente y se llamaba a Santa Anna para que sostuviera el federalismo. Dávila dejó de

actuar y López Portillo cambió su gobierno a Lagos. La mayoría de los canónigos, los propietarios y algunos miembros de la clase media de filiación conservadora, se reunieron en el Hospicio el 20 de octubre para promulgar un tercer plan que llevó el nombre precisamente Del Hospicio. Los firmantes de este documento declararon cesantes a todos los poderes públicos, previeron la convocatoria de un Congreso Nacional que debía nombrar un presidente interino, quien a su vez invitaría a Santa Anna a regresar al país, y nombraron gobernador al general José María Yáñez. López Uraga, quien había sido enviado por Arista a reprimir el movimiento, se puso secretamente de acuerdo con los promotores del plan. El 15 de diciembre llegaron al fin a San Pedro Tlaquepaque las fuerzas del gobierno, al mando del general José Vicente Miñón, quien el 26 cañoneó con violencia Guadalajara, aunque sin causar ningún daño, y el 27 levantó el sitio por falta de parque. El 6 de enero de 1853 renunció el presidente Arista, y tras los interinatos de Juan Bautista Ceballos (6 de enero a 6 de febrero) y de Manuel María Lombardi (7 de febrero a 20 de abril), volvió Santa Anna a asumir el Poder Ejecutivo. López Portillo fue desterrado a Europa y Yáñez siguió como gobernador, hasta el 16 de junio, día en que cedió el poder a José Palomar, quien a su vez lo trasmitió a José María Ortega, el 17 de julio.

El 6 de febrero anterior, cuando se adoptó en la ciudad de México, con ligeras modificaciones, el Plan del Hospicio, se había señalado a Santa Anna el plazo de un año para que arreglara los negocios públicos con el carácter de presidente interino, pero el 17 de noviembre, a instancias de Ortega, un grupo de conservadores tapatíos sancionaron en Palacio el acta de la guarnición militar de Guadalajara, por la cual se prorrogaba indefinidamente el mandato a Santa Anna y se le erigía, de hecho, en dictador.

Periodo 1854-1867. Los excesos de la dictadura santannista provocaron la revolución de Ayutla, que estalló el 1° de marzo de 1854 en las montañas del estado de Guerrero. En Jalisco se sublevaron la guardia y los presidiarios de Mezcala (agosto), encabezados por Ramón Suro y Juan Nepomuceno Rocha; Gordiano Guzmán en la región del sur; los guerrilleros Magallón y Castillejo (enero de 1855), en las márgenes de Chapala; Plutarco Cabrera, en el cuarto Cantón; Santos Degollado, José

JALISCO

Salgado y Simón Gutiérrez (febrero), en Zapotlán el Grande, y Villaseñor e Hinojosa, en Autlán. Degollado amagó Guadalajara (enero de 1855) y puso sitio a Zapotlán (julio), con la ayuda de las fuerzas de Ignacio Comonfort, Ghilardi y Manuel García Pueblita. Tomaron esa plaza (día 22), después Colima (día 29) y luego regresaron para asediar Guadalajara, defendida por 2 500 hombres. Santa Anna, sin embargo, huyó de México el 9 de agosto, y el general José María Gamboa, quien era a la sazón era gobernador del departamento, envió al canónigo Juan José Caserta a capitular con Comonfort. Éste entró a la capital jaliscience el 22 de agosto; el 29 de este mismo mes promulgó el Estatuto Orgánico de Jalisco –que suplió momentáneamente la falta de una constitución–, mediante el cual quedaron garantizados los derechos de libertad, igualdad, propiedad y seguridad; el 31 nombró gobernador provisional a Santos Degollado, y el 16 de septiembre se reunió en Lagos con los demás cabecillas –Manuel Doblado y Antonio de Haro y Tamariz– para reconocer a Juan Álvarez como jefe de la revolución. Debido a este convenio, el 4 de octubre siguiente, en Cuernavaca, se designó al jefe suriano presidente de la República.

Degollado restructuró la educación y la hacienda pública; restableció el Instituto de Ciencias e instaló 402 escuelas en los ocho cantones, las cuales fueron sostenidas con recursos del propio gobierno; expidió las leyes Penal, de Hacienda y de Imprenta, e inició la construcción del teatro que lleva su nombre. En el orden político, sometió el pronunciamiento del batallón de Ángel Benítez, en Tepic, financiado por la casa comercial Barrón y Forbes (13 de diciembre de 1855) y salió absuelto del juicio que con ese motivo le siguió el Congreso. El 30 de mayo de 1856, por desavenencias con Comonfort, entregó el gobierno a Ignacio Herrera y Cairo, quien habiéndose negado a trasmitirlo a Joaquín Angulo, primer vocal del Consejo, fue obligado por el Convenio de Zapotlanejo (26 de julio de ese año) a ceder el poder al general Anastasio Parrodi, quien llegó de la ciudad de México a someterlo. La Ley Lerdo, del 25 de junio, que disponía la desamortización de bienes de las corporaciones religiosas y civiles, provocó la sublevación del general Luis G. Osollo en San Luis Potosí, al cual salió a batir Parrodi, quedando como gobernador sustituto Gregorio Dávila (hasta el 8 de febrero de 1857) y luego Jesús Camarena (hasta el 28 de marzo).

El 12 de abril de 1857 fue promulgada y jurada en Guadalajara la Constitución Federal. En Lagos y en San Juan de los Lagos hubo ese día motines, y en Mascota se levantó en armas Remigio Tovar, cuyas fuerzas fueron dispersadas en mayo por el coronel Juan N. Rocha. Meses más tarde se sublevó en la capital del estado el coronel Sóstenes Garavito (24 de julio), y se descubrió (septiembre) la conspiración de José Moscoviche (Pepe Montes). En Tepic se exacerbó la rivalidad entre liberales y conservadores, y se pronunció Manuel Lozada (septiembre) al frente de 300 indígenas, al grito de "¡Religión y fueros!". En cuanto a la redacción de la Constitución local, el Congreso Constituyente de Jalisco no pudo reunirse hasta los primeros días de agosto de 1857. El cuerpo legislativo estuvo integrado por los diputados Juan N. González, Emeterio Robles Gil, Rafael Jiménez Castro, Anastasio Cañedo, Jesús Camarena, Jesús López Portillo, Albino Aranda, Aurelio Ramos Portugal, Silviano Camberos, Martín García Ochoa, Amado Agraz, Ignacio Madrid y Gregorio Dávila.

La Constitución Política del Estado fue promulgada el 6 de diciembre de 1857. El día 21, al conocerse el levantamiento de Zuloaga en Tacubaya y el golpe de Estado de Comonfort, el gobernador y la Legislatura reiteraron a los supremos poderes la invitación para que se trasladaran al territorio jalisciense, ofrecieron 2 mil hombres armados e invitaron a los demás estados a coaligarse para sostener la Constitución Federal. Aceptaron esa instancia los mandatarios de Colima, Zacatecas, Aguascalientes, Guanajuato, Querétaro, Guerrero y Veracruz, los cuales reconocieron como jefe militar a Parrodi. Éste salió de Guadalajara el 18 de enero de 1858, para ponerse al frente de las fuerzas aliadas, dejando el gobierno a Jesús Camarena. El 14 de febrero llegó a Guadalajara el presidente Juárez con sus ministros Santos Degollado, Melchor Ocampo, León Guzmán, Manuel Ruiz y Guillermo Prieto. El gobernador Camarena alojó a esta comitiva en el Palacio de Gobierno; de esta forma, este edificio se convirtió en la sede oficial del Poder Ejecutivo y Guadalajara en la capital del país.

El 1° de marzo, el presidente Juárez impuso el primer préstamo nacional de su administración, correspondiendo a Jalisco aportar 80 mil pesos, cantidad que fue distribuida entre los cantones. Los días 9 y 10 de este mes, se libró en las inmediaciones de Salamanca la batalla entre las fuerzas liberales –7 mil hombres– comandadas por Parrodi, Victoriano Zepeda, Manuel Doblado, José María Arteaga y Epitacio Huerta, y las conservadoras –4 700– jefaturadas por Miguel Miramón, Francisco G. Casanova, Luis Manero y Tomás Mejía. La victoria fue de éstas: Doblado no llegó a entrar en combate y Parrodi, con sólo 1 100 elementos de tropa, se retiró sucesivamente a Irapuato, Silao, León y Lagos. En cuanto la noticia se supo en Guadalajara –12 de marzo–, cobró mayor fuerza la conspiración que dirigían el canónigo Rafael Homobono Tovar y fray Joaquín de San Alberto, y cuyo brazo ejecutor fue el coronel Antonio Landa, quien había quedado en la plaza al mando de 200 soldados. El día 13 se apoderaron de Palacio, donde tenía sus habitaciones el presidente, e hicieron prisionero a éste y a sus ministros. Algunas fuerzas de la Guardia Nacional, encabezadas por Miguel Contreras Medellín, Rafael Jiménez Castro y Miguel Cruz Aedo, rompieron el fuego contra los asaltantes a las 11 de la mañana, desde las alturas del templo de San Agustín. El tiroteo duró hasta las 9 de la mañana del día siguiente, en que se tocó parlamento para convenir con Camarena los términos de un arreglo que preservara la vida de Juárez, constantemente hostilizado por la tropa y a menudo amenazado de muerte. Estaba celebrándose la conferencia con el representante de Landa, cuando Cruz Aedo, al frente de 30 voluntarios, trató de asaltar el Palacio; aunque fue rechazado, el hecho exasperó a Filomeno Bravo, teniente que mandaba la guardia, quien dio la orden de fusilar al presidente y a sus ministros. Se dice que Guillermo Prieto, al ver semejante peligro, se puso delante de los fusiles y arengó a los soldados hasta que éstos desistieron de su intento. El convenio que se firmó ese día entre el gobierno y los sediciosos consistió en dar una fuerte cantidad a Landa para que saliera en un plazo de 48 horas de Guadalajara, con su tropa formal y los reos de los presidios que se le habían unido; poner en libertad a Juárez y a sus colaboradores, que pasarían a la casa del cónsul francés Guillermo Augspourg, y la amnistía para todos aquellos que hubieran tenido parte en la revuelta y no quisieran

abandonar la ciudad. En la tarde del día 15 salió Landa, y el 16, en un manifiesto, Juárez, Ocampo, Ruiz, Guzmán y Prieto dieron las gracias al pueblo de Jalisco. El día 20 abandonaron Guadalajara, escoltados por 80 rifleros al mando del coronel Francisco Iniestra, y al mediodía fueron atacados por Landa en Acatlán; pero en la noche, sin ser vistos, continuaron el viaje hacia Manzanillo. Contreras Medellín y Cruz Aedo, a su vez, salieron de la ciudad con 300 de los ciudadanos de la Guardia Nacional. El 22 de marzo, en Tlaquepaque, Parrodi entregó la plaza a Miramón.

Ocupada Guadalajara por las fuerzas conservadoras (23 de marzo), una junta de notables –20 representantes de los cantones– convocada por Osollo, nombró gobernador al licenciado Urbano Tovar, quien a su vez formó un Consejo y dispuso que Jalisco se convirtiera en departamento. El 2 de abril salió de la ciudad Osollo, precedido por las brigadas de Miramón y Mejía. Pedro Ogazón, quien había huido la víspera de la capitulación de Parrodi, asumió por sí mismo el gobierno de Jalisco y estableció la capital en Zapotlán el Grande el 5 de abril, donde se habían reunido Degollado, Rocha, Núñez, Contreras Medellín, Valle, Cruz Aedo, Iniestra y otros jefes, todos dispuestos a organizar la contraofensiva. Para mayo ya habían formado la Primera División del Ejército Federal, compuesta de dos brigadas: la de Rocha y la de Iniestra, a las que se añadieron las guerrillas de Antonio Rojas, Pineda y Contreras. En esos días el coronel Manuel Piélago fusiló en Ahualulco, con motivo de una falsa denuncia, al doctor Ignacio Herrera y Cairo, quien estaba retirado de la política; los estudiantes protestaron en Guadalajara y el 26 de mayo fue cerrada por el gobernador Tovar la Escuela de Medicina. El 3 de junio llegaron a San Pedro las fuerzas constitucionalistas del sur, a las que se unieron las de Miguel Blanco, enviadas por Zuazua desde el norte, y 600 hombres de Michoacán al mando de Menocal. Eran en total 4 mil soldados con 18 piezas de artillería. Los conservadores, a su vez, sumaban 2 500, con 14 cañones, y quedaron a las órdenes de Francisco G. Casanova, una vez que Tovar declaró a Guadalajara en estado de sitio. Este mismo día, los jefes de cada bando trataron de llegar a un entendimiento para evitar la prolongación de la guerra, pero ninguno cedió en sus apreciaciones. El día 4, Degollado avanzó hasta el Hospicio; Ogazón instaló su gobierno en ese sitio, teniendo como secretario a Ignacio L. Vallarta, y de inmediato comenzaron las hostilidades. El día 13, los liberales se apoderaron del convento de Santo Domingo y del Colegio de San Diego, y el día 20, cuando preparaban el asalto general, una vez que habían horadado las manzanas, supieron que Miramón, con 4 mil veteranos, se hallaba ya en Pegueros y marchaba a auxiliar la plaza. El 21 se retiraron los sitiadores hacia el sur y el 23 llegó Miramón a Guadalajara, para continuar luego en persecución del adversario. El 2 de julio se entabló el combate en la barranca de Atenquique, que duró ocho horas, sin que ninguno de los bandos alcanzara la victoria. El día 8, ya en la capital tapatía, Miramón dejó como gobernador y comandante militar a Casanova. Para entonces, el obispo Pedro Espinosa y Dávalos, asediado por los liberales y los préstamos forzosos de los conservadores, ya había abandonado la ciudad.

Casanova hizo varias expediciones para batir a los constitucionalistas entre el 22 de julio y el 17 de septiembre, pero en la última cayó en la emboscada que Degollado le tendiera en Techaluta, perdiendo casi todas sus fuerzas. Esta victoria abrió a los liberales el camino a Guadalajara, a la que sitiaron por segunda vez el día 28. Un mes duró el asedio, durante el cual la plebe y algunas partidas de guerrilleros se dedicaron al saqueo, mientras que gran parte de la ciudad quedaba destruida a consecuencia de los cañonazos. Blancarte fue el último de los conservadores que resistió –en el templo de San Francisco–, pero luego fue sometido mediante los convenios del 27 de octubre. El 29 fueron ahorcados Piélago y Monayo, tras un juicio sumarísimo; y el 30, Antonio Rojas asesinó a Blancarte. Degollado puso fuera de la ley al homicida, pero éste logró huir para continuar, fuera del Ejército Federal, sus operaciones militares.

Tanto liberales como conservadores aplicaron sus propias disposiciones con el propósito de fortalecerse, lo que ocasionó confusión entre los jaliscienses, pues éstos no sabían cuáles órdenes eran las que debían cumplir. Así, por ejemplo, Márquez había dado a conocer el 12 de noviembre un bando que castigaba con la pena de muerte a quien auxiliara al gobierno liberal. Degollado, por su parte, el 29 del mismo mes impuso un préstamo de 150 mil pesos a los habitantes de Guadalajara,

y prohibió que cualquier otra autoridad hiciera lo mismo. En el terreno militar, Ogazón se ocupó en abrir las calles obstruidas por los conventos, y el general en jefe en aprovisionarse, pues estaba advertido de que pronto se enfrentaría nuevamente a Miramón. El encuentro ocurrió, en efecto, del 11 al 14 de diciembre en las márgenes del río Santiago, desde Puente Grande hasta Atequiza, habiendo triunfado los conservadores, quienes nuevamente entraron a Guadalajara el día 16. Los liberales se vieron obligados a abandonar la capital y retirarse otra vez al sur del estado. El 18, Miramón salió en persecución de los constitucionalistas. Esta vez el caudillo conservador salvó por el sur la barranca de Atenquique, se apoderó de Colima sin encontrar resistencia (día 24) y derrotó a Degollado en San Joaquín (día 26). Victorioso, regresó a Guadalajara, donde impuso a la población un préstamo forzoso por 100 mil pesos (2 de enero de 1859) y nombró al general Leonardo Márquez gobernador y comandante militar de Jalisco (día 8). Éste, a su vez, recurrió al reclutamiento forzoso para aumentar su tropa, declaró que todo nombramiento para desempeñar un cargo entrañaba la obligación de aceptarlo, y expidió la ley de conspiradores, condenando a muerte a quienes murmuraran o a quienes siéndole desafectos, integrasen corrillos de más de dos personas.

Después del desastre de San Joaquín, Degollado se retiró a Morelia. En esta ciudad nombró a Ogazón general en jefe de la División, y él marchó hacia México para atraer a Miramón que había puesto sitio a Veracruz, donde se hallaba el gobierno del presidente Juárez. En la primera quincena de febrero Ogazón penetró a Jalisco, ocupó los cantones de Sayula, La Barca, Zapotlán el Grande y Autlán, e incorporó a sus fuerzas, con el permiso de Degollado, al controvertido guerrillero Antonio Rojas. Márquez, a su vez, salió en marzo hacia la capital de la República a detener a Degollado, a quien derrotó el 11 de abril en Tacubaya, mandando luego matar a los oficiales prisioneros, a los médicos y a un buen número de liberales. A su regreso a Guadalajara, el 15 de mayo, los conservadores le ciñeron una corona de laurel, toda hecha de oro, en premio a sus victorias. Los liberales, mientras tanto, extendieron su influencia al cantón de

Tepic, donde Ramón Corona, que se encontraba combatiendo a Lozada, había asumido el mando político y militar tras la muerte del coronel Bonifacio Peña. Corona abandonó la capital del séptimo cantón cuando supo que el enemigo se aproximaba. Márquez llegó a esa ciudad el 28 de junio, y antes de regresar a Guadalajara confió la defensa de toda el área tepiqueña al Batallón Fijo de México y a los Lanceros de Querétaro.

Por los meses de junio y julio de 1859 la Guerra de Reforma atravesaba los peores momentos: todas las actividades económicas estaban paralizadas, los alimentos escaseaban, Guadalajara y el sur del estado se encontraban devastados, y muchos comerciantes que manejaban sumas considerables habían abandonado la capital jalisciense, ante el temor de perder su vida y sus fortunas. En el resto del año, Márquez se aventuró hasta Zapotlán el Grande (agosto) en busca de Ogazón, pero se volvió al ser hostilizado por las columnas volantes de Leandro Valle y Antonio Rojas, que le causaron graves bajas en su retaguardia. Por lo que respecta a Tepic, ésta fue recuperada por los liberales que dirigía Esteban Coronado, comandante de las brigadas de Sinaloa, Chihuahua y Durango, hasta el 5 de noviembre, en que este jefe murió. Leonardo Márquez, quien había recibido el encargo de custodiar una conducta de 2 millones de pesos, se apoderó de 600 mil, por cuya causa Miramón lo hizo renunciar y lo obligó a reintegrar el dinero, nombrando en su lugar al general Adrián Woll. El líder de los conservadores llegó a Guadalajara el 19 de noviembre, en donde fue homenajeado por haber derrotado a Degollado en Las Vacas, Querétaro. El 24 de diciembre venció a Ogazón en las barrancas de Atenquique y Beltrán, esta vez por traición de Juan Nepomuceno Rocha, a quien le pagó 100 onzas de oro. Cuando Miramón retornó de nueva cuenta a Guadalajara –29 de diciembre– el clero y demás conservadores volvieron a tributarle honores reales.

A principios de 1860 los conservadores estaban situados en los siguientes puntos: Woll en Guadalajara, Calatayud en Colima y Valdez en Zapotlán el Grande, con posiciones en Sayula, Zacoalco y Santa Ana Acatlán. De parte de los liberales, Contreras Medellín tomó Autlán y Ogazón reorganizó su tropa a Jiquilpan, avanzó hasta La Barca y envió a Rojas a una rápida y fructuosa campaña por San Juan del Teul (26 y 27 de enero), Aguascalientes (día 30), Zacatecas (8 de febrero) y Fresnillo, volviendo otra vez al sur. El gobernador constitucionalista, sin embargo, cayó en una emboscada (5 de febrero) en los callejones de Zapotlán el Grande, cuando quiso tomar esa plaza, y se retiró, con su tropa diezmada –por Sayula, Zacoalco y Cocula– hasta Ameca, perseguido por Valdez, a quien derrotó en La Coronilla (16 de marzo). Calatayud abandonó Colima, lo que aprovecharon los liberales para apoderarse de ella (26 de marzo), y tomar después el puerto de Manzanillo. Durante esa marcha, Ogazón redimió los capitales que se reconocían al clero, mediante un 30% en efectivo y el resto en abonos de la deuda nacional, al 3 o 4%, con lo cual pudo hacerse de recursos. En abril, el general Plácido Vega –de la Brigada de Sinaloa–, y el coronel Antonio Rojas –enviado por el gobernador Ogazón–, se propusieron tomar Tepic, pero este último se encontró en el camino con Lozada y tuvo un encuentro personal con él, hiriéndolo de una lanzada. Los conservadores se refugiaron en San Blas, fortificado y defendido por los marinos de las fragatas inglesas *Amethyst* y *Pylades*, que al fin levaron anclas en mayo. El 10 de ese mes, Lozada y Calatayud fueron derrotados en Ixcuintla, muriendo este último en combate. Ya sin obstáculos, las brigadas de Rojas y de Sinaloa, y la sección de Tepic emprendieron la marcha hacia Guadalajara, cuando las tropas de Ogazón estaban ya en Tlaquepaque (día 12), en espera de que llegaran las del general López Uraga, que se le unieron el 23. Al día siguiente, cerca de 8 mil soldados constitucionalistas provistos de 48 cañones, emprendieron el ataque contra la capital jalisciense, que se encontraba defendida por Woll. A los primeros tiros, que fueron nutridísimos, cayeron heridos Contreras Medellín (quien murió después en Sayula) y el propio López Uraga, quedando el mando liberal a cargo de Ignacio Zaragoza, quien ante la resistencia de la plaza y la proximidad de Miramón, levantó el campo y se retiró con todos sus efectivos nuevamente hacia el sur. El 27 llegó el presidente conservador con 6 mil soldados, llevando como segundos a Severo del Castillo y a Tomás Mejía, y el 8 de junio salió por cuarta vez a perseguir a los constitucionalistas; pero éstos, en lugar de protegerse en las barrancas de Atenquique, se parapetaron en la cuesta de Zapotlán el Grande.

JALISCO

Miramón regresó desde Sayula el día 21 sin haber intentado atacarlos. El día 15 anterior González Ortega había ganado la acción de la hacienda de Peñuelas, en Aguascalientes. Gracias a esa victoria, San Luis Potosí, Zacatecas y la propia capital hidrocálida quedaron en poder del gobierno liberal.

Miramón dejó como gobernador a Severo del Castillo y luego se trasladó a Lagos, donde permaneció del 30 de junio al 2 de agosto, para continuar hasta León. Zaragoza, a su vez, se unió con 3 mil soldados a los 5 mil de González Ortega, y juntos aniquilaron a los conservadores en Silao (día 10). El 14 de septiembre volvió el ejército liberal a Lagos, una vez que Doblado, con autorización de Degollado, se había apoderado de una conducta de 1.127 millones de pesos. El 22 llegaron a San Pedro, donde se les incorporó Ogazón, y el 26 pusieron sitio a Guadalajara con 20 mil hombres. Al día siguiente procedieron a tomar posiciones estratégicas: las tropas de Zacatecas, Aguascalientes y San Luis Potosí, comandadas por Zaragoza, Lamadrid, Alatorre y Chesman, se situaron al norte; y el Ejército del Centro al mando de Doblado, Régules, Antillón, junto con la División Jalisco dirigida por Ogazón y Domingo Reyes, se ubicaron al oriente y al sur. Del Castillo, mientras tanto, impuso un préstamo a los vecinos que variaba de 100 a 5 mil pesos, y se apoderó del oro y la plata, y de los vasos, alhajas y paramentos de la catedral y otros templos. El 9 de octubre se horadaron las manzanas, para conducir a cubierto la artillería, y el 29 dio principio el asalto final. El objetivo era apoderarse de los conventos de Santo Domingo, El Carmen y Santa María de Gracia, y de San Francisco y San Felipe, los cuales fueron tomados parcialmente esa noche. El día 30 Doblado celebró unos convenios con el enemigo mediante los cuales ambos bandos debían retirarse 12 leguas de la ciudad, declarada neutral. Esto permitió a los liberales, al mando de Zaragoza, salir a detener a Márquez, que se aproximaba por el rumbo de Zapotlanejo, y a quien derrotaron el 1° de noviembre, haciéndole 3 mil prisioneros. Los 2 mil soldados que acompañaban a Huerta y a Rojas persiguieron a los dispersos hasta Paredones, quedando el camino lleno de cadáveres. El 2 salió Del Castillo de la capital de Jalisco y el 3 entraron los liberales.

Hasta entonces Pedro Ogazón pudo establecer su gobierno en Guadalajara, pero como el Palacio estaba muy destruido a causa de una explosión ocurrida en 1859, instaló las oficinas públicas en el edificio del obispado. Acto seguido, prorrogó el vencimiento de todas las obligaciones mercantiles, mandó recoger la moneda falsa, extinguió el Seminario y la Universidad (2 de diciembre) y restableció el Liceo. Los constitucionalistas avanzaron entonces hacia el centro del país, yendo la División de Jalisco al mando de Leandro Valle, y el 22 derrotaron definitivamente a Miramón en Calpulalpan. El 1° de enero de 1861 los liberales entraron triunfantes en la ciudad de México. De las 30 batallas importantes de la Guerra de Reforma, 15 libró la División de Jalisco, y 12 de ellas ocurrieron en territorio jalisciense, donde cinco veces se resistió con éxito a Miramón.

Los principios liberales fueron sostenidos en la tribuna y en la prensa por un grupo formado por Miguel Cruz Aedo, Ignacio L. Vallarta, José María Vigil, Emeterio Robles Gil, Antonio Rosales, Antonio Molina, Justo B. Tagle, Antonio Pérez Verdía, Amado y Jesús L. Camarena, Epitacio J. de los Ríos, Urbano Gómez, Juan Hijar y Haro, Lauro Guzmán y Miguel Contreras Medellín, entre otros. El conservadurismo estuvo defendido por el canónigo Rafael H. Tovar –publicó *La Tarántula*, pagó a Landa para que atentara contra Juárez y sostuvo a Blancarte–, Juan Cayetano Orozco, fray Ignacio de J. Cabrera, Germán A. Villalvazo, fray Joaquín de San Alberto, Tomás Ruiseco y Remigio Tovar, entre los más connotados.

Tras la pacificación de Tepic, el 25 de julio se instaló la Legislatura y el 29 declaró gobernador constitucional a Pedro Ogazón, e insaculados a Vallarta, Anastasio Cañedo y Gregorio Dávila. Con facultades muy amplias, el gobernador pudo acelerar la implantación en el estado de varias disposiciones constitucionales, entre ellas las Leyes de Reforma, que ya se habían aplicado en las poblaciones ocupadas por los liberales, menos en Guadalajara, por haber sido el último sitio recuperado. Además, impuso una contribución del 6% sobre el producto anual de las fincas rústicas y urbanas, y en octubre un préstamo de 800 caballos a los habitantes de los cantones. En esos días andaban levantados los hermanos Maldonado, Ángel Manzo, Ramón García, Jesús Ruiz y Mariano Alatorre, todos con el apoyo de los conservadores. Los militares encargados de reprimirlos estaban a su vez autorizados para exigir el pago de los capitales en favor de la Iglesia, de modo que con aquél y este motivo se cometían todo tipo de atropellos. Otra problema capital fue la proliferación del bandidaje en todas las poblaciones de Jalisco. El número de bandoleros fue tan exorbitante que el gobierno confió a individuos de la misma calaña la tarea de combatirlos. Dos focos de insurrección aparecieron desde fines de 1860: el de Remigio Tovar en el departamento de Mascota, y el de Manuel Lozada en el cantón de Tepic. En enero de 1861 fue Rojas a batir a Tovar, pero no logró derrotarlo; en julio volvió a presentarse y fue batido; en octubre el cabecilla asaltó el mineral de Cuale y al fin, en marzo de 1862, fue derrotado cerca de Mascota por Márquez de León y Corona.

A pesar de que el 8 de enero de 1861 las fuerzas de Manuel Lozada se habían sometido al gobierno, el 1° de febrero siguiente se negaron a entregar las armas, por lo que Ogazón, desde Tepic, ordenó el exterminio de los pueblos de San Luis, Tequepexpan y Pochotitlán, centros principales de la insurrección de la sierra del Nayar. La campaña la dirigieron Ramón Corona, Antonio Rojas y Anacleto Herrera y Cairo, quienes libraron constantes batallas en los cerros y los ríos, hasta el 11 de marzo, en que Rojas, habiendo recogido 30 piezas de artillería y quemado pueblos abandonados, pero no teniendo enemigo que combatir, regresó a Tepic. El 6 de junio, sin embargo, otra vez los indios hostiles aparecieron en Santa María del Oro y San Cayetano, donde se libraron combates. El gobierno organizó entonces una nueva división a las órdenes de Antonio Rojas y el 17 de junio puso fuera de la ley a Lozada, Fernando García de la Cadena, Carlos Rivas y Jesús Ruiz, ofreciendo 10 mil pesos por la cabeza del primero, y 5 mil por la de los otros. El día 12 anterior se había ejecutado la sentencia de muerte en contra del presbítero Gabino Gutiérrez, acusado de haber inducido al general Juan Nepomuceno Rocha a traicionar las banderas del Ejército Federal. Durante noviembre y diciembre de 1861, Ogazón, al frente de un ejército de 5 mil hombres y llevando como segundos a Antonio Rojas y Ramón Corona, trató de acabar con Lozada, a cuyas fuerzas dispersaron varias veces. La campaña

contra los lozadeños tuvo que suspenderse a consecuencia de la invasión que hicieron las potencias aliadas –España, Francia e Inglaterra– al territorio mexicano. Antes de retirarse del séptimo cantón, Ogazón lo declaró en estado de sitio y firmó, el 20 de enero de 1862, un tratado de paz con Lozada, el cual fue conocido como los Convenios de Pochotitlán. Conforme a este documento, los indígenas insurrectos depusieron las armas y el gobierno se comprometió a resolver sus demandas de tierra. El 9 de febrero regresaron el gobernador y su ejército a Guadalajara.

Durante la ausencia de Ogazón, la Legislatura había tenido conflictos con el gobernador sustituto, Ignacio Luis Vallarta, por haberse negado este último a publicar la ley de hacienda que elaboraron los diputados para el año de 1862, la cual disponía la supresión de las alcabalas y de las aduanas interiores. Ya en Guadalajara, Ogazón pidió al presidente Juárez que declarara a Jalisco en estado de sitio (14 de febrero) con motivo de la invasión extranjera, con lo cual cesó en sus funciones el Congreso local. En sus últimas sesiones, la Legislatura dispuso que se reclutaran 8 mil hombres distribuidos entre los cantones, a lo que añadió el gobierno (12 de mayo) la formación de 10 cuerpos de infantería y otros tantos de caballería. El Cabildo eclesiástico contribuyó a exaltar el patriotismo, pues el 13 de mayo reprobó la invasión extranjera. Cuando los coroneles Corona, Rojas y Herrera y Cairo se disponían a incorporarse con el contingente de Jalisco al Ejército de Oriente, Lozada declaró inexistentes los Convenios de Pochotitlán (1° de junio de 1862), reanudó las hostilidades, se apoderó de Tepic y rechazó dos veces a Corona (30 de julio y 20 de octubre). Mientras tanto, Rojas desconoció la autoridad del general López Uraga, quien llegó a Guadalajara a organizar la división que sería destinada a la guerra contra los franceses, regresándose sin conseguir ese propósito el 27 de agosto. En medio de todo esto, la gavilla de Jesús Ruiz, *el Colimilla*, combatía con éxito a las fuerzas oficiales encargadas de capturarlo. En esos días el presidente Juárez nombró gobernador y comandante militar a Manuel Doblado, quien se trasladó desde Guanajuato con 3 mil hombres y asumió el poder local el 15 de noviembre, dejándolo nueve días más tarde en manos de Jesús López Portillo, con el carácter de sustituto, mientras se dedicaba a perseguir a

JALISCO

Lozada y a Tovar. Después de fracasar en este intento, reintegró el gobierno a Ogazón el 31 de enero de 1863. Éste dispuso que 1 500 hombres, al mando de Isidoro Ortiz, se situaran en Ahualulco para contener la invasión del *Tigre de Alica*. Entre tanto, Jalisco enviaba al Ejército del Centro cuatro brigadas de 500 hombres para repeler la intervención extranjera. El 30 de mayo, al conocerse la derrota de Puebla, el gobierno llamó al servicio de las armas a todos los hombres de 18 a 50 años de edad, y ese mismo día se formó una Junta Patriótica con el propósito de reunir recursos para la guerra. El 19 de junio, el Ministerio de la Guerra nombró gobernador al general José María Arteaga, quien tomó posesión el día 26 del mismo mes. Su prestigio se deterioró por no haber podido controlar la acción devastadora de los bandoleros.

A fines de 1863, el general Bazaine emprendió la ocupación de otras áreas del país. Tomó Lagos (15 de diciembre), pasó a Aguascalientes y regresó para continuar a Tepatitlán (1° de enero de 1864). El gobernador Arteaga y los republicanos más decididos abandonaron Guadalajara el día 4 para dirigirse al sur de Jalisco; el 5 llegó la avanzada del general Osmont y el 6 hizo su entrada Bazaine, a las 10 de la mañana. Entre el pueblo hubo expectación, pero no entusiasmo. El 12 del mismo mes de enero, Bazaine regresó a la ciudad de México. Al coronel Garnier lo dejó como autoridad militar y como prefecto político designó al general Rómulo Díaz de la Vega. Con la ocupación francesa cambió la nomenclatura territorial de acuerdo a los esquemas conservadores: Jalisco en lugar de estado, pasó a ser departamento, y los cantones se denominaron distritos. En febrero, el general Tapia, con 2 mil jinetes, se aproximó a Guadalajara, lo que obligó a Douay a concentrarse con su división. Ese mismo mes, en Colotlán, el comandante Lepage sorprendió a los generales José Fernández, quien cayó combatiendo, y Luis Ghilardi, fusilado el 16 de marzo en Aguascalientes. Ya para fines de febrero los franceses tenían controladas las ciudades de Guadalajara y Tepic, incluyendo el puerto de San Blas. Douay consiguió la alianza de Lozada y sus hombres a cambio de un subsidio del Imperio y del control del distrito de Tepic. Por esos días sólo combatían al invasor las guerrillas de N. Delgado (*el Chino*), Simón Gutiérrez y Antonio Rojas. Las

fuerzas de Arteaga y López Uraga se mantenían inactivas. El 31 de marzo éste fue nombrado por el presidente Juárez –desde Saltillo–, general en jefe del Ejército del Centro, pero simultáneamente, cuando se habían puesto 15 mil hombres bajo su mando, entraba en tratos con el enemigo, muy a pesar de que lanzó un manifiesto, desde la hacienda de San Marcos, protestando defender la soberanía del país. Ramón Corona, al sospechar que su superior los había traicionado, renunció al mando de la Primera Brigada y se marchó a Sinaloa, donde desempeñó importantes actividades militares. El 13 de junio el gobernador Arteaga desconoció a López Uraga, quien al verse descubierto, salió de Sayula el 22 y con sólo un escuadrón de guías viajó hasta León para unirse a los franceses. Con fecha 1° de julio, Juárez nombró para sustituirlo al general Arteaga, y éste designó gobernador provisional de Jalisco a Anacleto Herrera y Cairo, el 24 del mismo mes. Durante la estación de lluvias sólo hubo dos acciones importantes: el 9 de agosto una columna francesa sorprendió en Cocula a la Primera División del Ejército del Centro, ocasionándole 100 muertos; y en octubre, J. Gutiérrez atacó al lozadeño Carlos Rivas en Ameca, pero éste recibió a tiempo auxilio de los franceses, al mando del capitán A. de Chaural. El resto del ejército republicano permanecía inactivo y disperso: Arteaga, en Zapotlán el Grande; Herrera y Cairo, en Sayula; Echegaray, en Atoyac; Julio García, en Colima; Rojas, en Zacoalco; Díaz de León, en Contla; Régules, en Mazamitla; García Pueblita, en Jiquilpan, y otros menos importantes en Tepalpa, Zapotiltic y Tecalitlán, cuyo conjunto sumaba alrededor de 7 mil hombres.

El 15 de octubre, al reanudarse el buen tiempo, Douay, al frente de 2 mil soldados, salió a la campaña del sur, mientras el general Márquez, con una fuerza semejante, se movía desde Zamora hacia Zapotiltic. El 24 estaba ya el primero en Zapotlán el Grande y Arteaga se prevenía a la defensa en las barrancas de Atenquique y Beltrán. El 28 los franceses intentaron un asalto en Atenquique, pero fueron rechazados. Douay dejó en ese sitio al coronel De Potier, para ocultar sus movimientos, y con el grueso de su tropa vadeó el río Tuxpan cerca de Tonila, apareciendo el 31 a la retaguardia de los republicanos. Arteaga abandonó el 1° de noviembre sus posiciones y arrojó la artillería a los precipicios: el 5 llegó a Autlán, con el ejército disminuido por las deserciones; perseguido, siguió a Unión de Tula, hacienda de San Clemente, Tenamaxtlán, Quila, Huejotitlán, Tuxcueca, Tizapán y Jiquilpan. El día 22 el coronel Clinchant, con 300 zuavos y 100 cazadores de África, sorprendió a las avanzadas del ejército republicano en la Loma de la Trasquilla, causándoles numerosas bajas —el general Rioseco, entre otros—; tras la derrota, Arteaga se retiró con una pequeña tropa a las montañas de Michoacán y sólo las caballerías de Herrera y Cairo y Galván, que habían acampado en Guaracha, volvieron a internarse en territorio jalisciense.

El 13 de diciembre de 1864 se reunieron en la hacienda de Zacate Grullo, cerca de Autlán, los cabecillas de las fuerzas republicanas que continuaban activos en Jalisco, para seleccionar entre ellos a un nuevo jefe. Contendieron para este cargo Anacleto Herrera y Cairo, Julio García —gobernador de Colima— y Antonio Rojas. Al no ponerse de acuerdo, este último hizo firmar a todos el compromiso de luchar hasta morir, y el de pasar por las armas a quienes no aprobaran el pacto, a los infidentes y a los prisioneros de guerra, debiendo incendiar las poblaciones hostiles y considerar los bienes de los particulares como propiedad de las Brigadas Unidas. El 28 y 29 atacaron juntos, aunque sin éxito, la ciudad de Colima. El 28 de enero de 1865, García y Herrera, unidos a Echegaray, fueron batidos por Oronoz en el cerro del Aguacero, cerca de Huescalapa. Rojas y Simón Gutiérrez, a su vez, marcharon a Autlán y Tecolotlán, pero el 28 de enero fueron derrotados por el capitán Berthelin, en la hacienda de Potrerillos, en donde Rojas perdió la vida. Con estas acciones quedó pacificado temporalmente el sur de Jalisco.

A principios de 1865 habían vuelto a Guadalajara la mayor parte de los liberales, aun cuando algunos se negaron a colaborar con el Imperio. El 8 de mayo, Jesús López Portillo recibió la prefectura política de manos del general Morett, y el 16 de septiembre asumió el cargo de comisario imperial del departamento de Jalisco. La ley de Maximiliano, del 3 de octubre, sentenciando a muerte a los republicanos beligerantes (v. INTERVENCIÓN FRANCESA E IMPERIO), se aplicó por primera vez en Uruapan el día 20 siguiente, en contra del gobernador Arteaga, que cayó prisionero el 13, y los coroneles Trinidad Villagómez, Díaz Paracho y Pérez Miliona. Se exceptuó a José Vicente Villada porque con anterioridad había salvado la vida a 200 belgas. El 19 de julio de 1866, Lozada, de regreso de su campaña de Concordia contra Ramón Corona, renunció a la comandancia superior del departamento de Tepic y se retiró al pueblo de San Luis. Por esas fechas, los levantamientos contra el Imperio surgieron en varias partes: Simón Gutiérrez, por el rumbo de Autlán y San Clemente; Angulo y Trinidad Rodríguez, en Cocula; Pedro A. Galván y Florencio Cuervo, en Tecolotlán. En Guadalajara empezó a temerse por la actividad de los liberales indultados, muchos de los cuales fueron detenidos y perseguidos. Con ese motivo López Portillo se separó del comisariado imperial y pasó a México como miembro del Consejo de Maximiliano. A principios de agosto el coronel Pedro A. Galván, que vivía indultado en la hacienda Del Carmen, proclamó la república en Tecolotlán. Esto fue el pretexto para que el capitán Berthelin implantara el terror en esa zona; sin embargo, el 10 de noviembre perdió la vida, junto con casi todos sus hombres, en un enfrentamiento que sostuvo con las guerrillas de Julio García, Neri, Magaña, Vargas, Sánchez Aldana, Merino, Topete, Zepeda y Muñiz, en el cañón del Guayabo, en los límites de Colima. Simultáneamente a estos acontecimientos moría en la ciudad de México el arzobispo de Guadalajara, Pedro Espinosa.

A fines de 1866 una columna de franceses salió de Guadalajara con el propósito de apoyar a los imperialistas que se habían hecho fuertes en Ciudad Guzmán (antes Zapotlán el Grande). Informado Parra de este desplazamiento, el 18 de diciembre interceptó a este batallón en la hacienda La Coronilla, cerca de Santa Ana Acatlán, en donde derrotó a los imperialistas. Al conocerse estos sucesos en Guadalajara, el prefecto Juan C. Jontán, los soldados que aún quedaban y los más prominentes colaboradores abandonaron la ciudad, y el día 21 entró a ella el Ejército de Occidente. El 26 se nombró comandante militar a Donato Guerra. El 14 de enero de 1867, el general Ramón Corona arribó a Guadalajara después de haber recorrido el territorio controlado por Lozada —departamento de Tepic—, al que ese cabecilla había declarado neutral desde el 1° de diciembre anterior. Dos días después, Corona nombró gobernador interino a Antonio Gómez Cuervo. Para el 3 de febrero, el ejército imperialista estaba prácticamente liquidado: Guadarrama y Julio García habían batido en Beltrán al general Antonio Álvarez; Tolentino había derrotado a Ramón Méndez en Zamora; y el propio Corona hizo capitular al general Felipe N. Chacón en Colima. Pudo entonces marchar a Querétaro para contribuir al aniquilamiento definitivo del Imperio. La noticia de la ocupación de Querétaro se conoció en Guadalajara el 16 de mayo a las 2 de la tarde.

Periodo 1867-1910. A partir del triunfo republicano (mediados de 1867) dio principio un periodo que los historiadores han dado en llamar la Restauración de la República. Jalisco inició esta etapa teniendo a su capital y a la región del sur muy destruidas por haber sido varias veces escenario del enfrentamiento entre las tropas francesas y las constitucionalistas. En septiembre de ese año se reincorporó al territorio jalisciense el cantón de Colotlán; el de Tepic siguió considerándose distrito militar, por lo cual el Gobierno Federal tuvo facultad para nombrar a las autoridades. Celebradas las elecciones, el 26 de noviembre se instaló el Congreso, se restableció el orden constitucional y Antonio Gómez Cuervo asumió la gubernatura el 8 de diciembre. El licenciamiento general de la tropa –40 mil hombres en todo el país– aumentó de modo alarmante el bandolerismo. Los asaltos, robos y plagios ocurrían a toda hora y en cualquier lugar: en los últimos meses de 1867 fueron secuestrados, y luego liberados mediante fuertes rescates, ricos comerciantes como Pedro Gil Romero, Valente Quevedo, Juan y Sotero Prieto, Juan N. Portillo e Ignacio Vázquez, entre otros. Con este motivo, a principios de 1869, el gobernador expidió el decreto número 61, por medio del cual los jefes políticos tuvieron facultades para juzgar y condenar a muerte a plagiarios y ladrones. Así, por ejemplo, el 24 de febrero fueron ajusticiados cinco delincuentes en la plaza de armas de Guadalajara. En mayo, los diputados federales jaliscienses Juan Robles Martínez, Apolonio Angulo y Silvano Moreno acusaron ante el Congreso de la Unión a Gómez Cuervo de haber violado la Constitución con aquel decreto, y el día 9 el Gran Jurado declaró culpable al gobernador. Éste se separó del cargo, pero volvió a ocuparlo el 1° de marzo de

1869, después de que la Suprema Corte declaró compurgada la pena.

Durante la ausencia de Gómez Cuervo, a partir del 18 de mayo de 1868, se encargó del gobierno Emeterio Robles Gil. Reorganizó la Guardia Nacional, restableció el Liceo de Varones en el edificio que fue del Seminario, derogó el decreto número 61, inauguró el servicio de vapores entre Chapala y La Barca, inició el camino a Zacatecas por la barranca y declaró propiedad del estado las pinturas de los antiguos conventos (6 de diciembre de 1868). Vuelto el gobernador constitucional, entró en servicio la línea telegráfica de León a Guadalajara, y luego a Manzanillo, construida por la Compañía del Telégrafo de Jalisco que organizó Vallarta y presidió el industrial José Palomar.

El 16 de enero de 1870 estalló en Sayula un movimiento en contra de Gómez Cuervo. Lo inició Eufrasio Carreón, jefe político de ese cantón, pero a los pocos días el general Amado Guadarrama se puso al frente de la revuelta con 1 500 hombres. En esos mismos días hizo lo propio, con otros motivos, el general Trinidad García de la Cadena en Zacatecas, quien luego de derrotar a Sóstenes Rocha (18 de enero) marchó hacia Guanajuato; pero cuando el Gobierno Federal envió contra él al general Escobedo, cambió de rumbo y se dirigió a Guadalajara con 6 mil hombres. El coronel Florentino Carrillo, que estaba al frente de la guarnición de la ciudad, declaró el estado de sitio el 17 de enero y asumió el Poder Ejecutivo. Entonces Guadarrama, en lugar de pronunciarse contra la Federación, se puso al servicio de ésta para combatir a las fuerzas de Zacatecas, a condición de que Carrillo le diera a Juárez buenas referencias acerca de él. El 15 de febrero llegó García de la Cadena frente a Guadalajara, pero advertido de que Rocha lo perseguía, siguió adelante, siendo derrotado el día 22 en el rancho de Lo de Ovejo por las fuerzas combinadas de Rocha, Carrillo y Guadarrama. Éste se sometió a la autoridad el 3 de marzo y el 6 de abril el presidente de la República levantó el estado de sitio. Los días siguientes fueron de grave conflicto entre los poderes Ejecutivo y Legislativo, llegando el Congreso (11 de junio) a suspender en sus funciones al gobernador. La Legislatura nombró al insaculado Aurelio Hermoso para sustituirlo (día 13), pero Gómez Cuervo, que disponía de la fuerza pública y de las oficinas de hacienda, asumió por sí facultades extraordinarias y gobernó de hecho hasta el 28 de febrero de 1871, contando con el apoyo de Sebastián Lerdo de Tejada, jefe del gabinete y candidato a la Presidencia. Lo sucedió Jesús Camarena, presidente del Supremo Tribunal de Justicia, mientras se hacían nuevas elecciones.

El general Ramón Corona relevó a Carrillo en la comandancia militar a principios de 1871. El 12 de abril Camarena convocó a elecciones, en las que contendieron Rafael Jiménez Castro, Justo P. Topete, Robles Gil y el grupo del general Corona que postuló a Ignacio L. Vallarta. Resultó electo este último, pero tomó posesión hasta el 28 de septiembre por hallarse en la ciudad de México; mientras, la gubernatura estuvo a cargo de Félix Barrón, con carácter de interino. En el periodo de éste se inició el camino de Autlán hacia la costa. A causa de la bancarrota en que Gómez Cuervo dejó el erario, Vallarta suspendió por seis meses el pago de la deuda pública. En México, mientras tanto, no habiendo obtenido ninguno de los candidatos la mayoría absoluta de los electores, el Congreso eligió presidente de la República a Benito Juárez, suscitando el levantamiento de parte del ejército y el Plan de La Noria de Porfirio Díaz (8 de noviembre). Este movimiento tuvo en Jalisco muchos adeptos, incluyendo al gobernador Vallarta. Guadalajara fue fortificada por Corona, mientras se pronunciaban el 30 de diciembre Francisco y Luis Labastida en Ahualulco; al día siguiente, el diputado porfirista Sabás Lomelí, en Tototlán; Filomeno Mata, en Tonila; Julio García, en Tecalitlán; Pedro A. Galván, en Cocula; Irineo Cardona y Juan Ruiz, en Mascota; Félix Vélez, en Teocuitatlán; y Antonio I. Morales, en Ameca. El general Díaz, que no cesaba de buscar aliados, desembarcó de incógnito en Chamela con el propósito de obtener el apoyo de Manuel Lozada (abril de 1872), pero la muerte repentina de Juárez (18 de julio) fue la que puso fin a sus propósitos.

El 17 de enero de 1873, Manuel Lozada proclamó el Plan Libertador en la sierra de Alica, por el cual formaba el Ejército Mexicano Popular Restaurador para hacer la guerra al gobierno de Lerdo de Tejada. Prometía reunir, al triunfo de la campaña militar, una asamblea que determinase la forma de gobierno que debiera darse a la nación, ya fuera república, imperio o reino. El día 24 tomó la población de Tequila y el 28, al frente de 8 mil indígenas, llegó a La Mojonera, distante 5 km de Zapopan, donde sostuvo un enconado combate con los 2 200 soldados que comandaba Ramón Corona. Este mismo día los lozadeños abandonaron el campo de batalla, habiendo perdido más de mil hombres entre muertos y heridos. Lozada volvió a internarse en la sierra y durante seis meses resistió la ofensiva del Ejército de Operaciones, retirándose de uno a otro cerro fortificado, siempre perseguido por las brigadas de los generales Ceballos, Carbó y Tolentino. Meses más tarde, Corona decidió continuar las operaciones, esta vez con cuatro columnas ligeras al mando de los tenientes coroneles Doroteo López, José Urrea, Práxedis Núñez y Andrés Rosales. El 14 de julio hizo éste al fin prisionero a Lozada, quien el día 19 fue fusilado en la Loma de Metates, cerca de Tepic. Restablecida la paz, el séptimo cantón continuó siendo manejado por el Gobierno Federal.

Al mismo tiempo en que el Ejército de Operaciones combatía a Lozada, el gobernador Vallarta afrontaba serios problemas con el Gobierno Federal a consecuencia de la injerencia de Lerdo de Tejada en la política local. Hubo también acalorados enfrentamientos entre los grupos de poder. El 11 de octubre de 1873 se promulgó en Guadalajara el decreto que incorporó las Leyes de Reforma a la Constitución, y a principios de 1874 las Hermanas de la Caridad abandonaron Guadalajara, a donde habían llegado en 1853 para hacerse cargo del hospicio, el Hospital Civil y la Casa de Caridad de San Felipe. En los últimos meses de su gobierno, Vallarta redificó el Palacio, destruido por la explosión de 1859, impulsó la construcción de la penitenciaría, abrió el camino a Autlán y apoyó la formación de una compañía para el ferrocarril urbano.

Verificadas las elecciones el 9 de diciembre de 1874, Jesús Leandro Camarena resultó electo gobernador del estado. Asumida la responsabilidad el 1° de marzo de 1875, hubo de resistir la presión de los grupos vallartista y lerdista, este último apoyado por el general José Ceballos, comandante de la Cuarta División acantonada en Guadalajara. El 1° de febrero de 1876 se instalaron dos legislaturas: una adicta y otra hostil al gobernador, apoyada esta última por el general Ceballos. La situación pareció normalizarse el día 5, pero el 9, a causa del pronunciamiento de Donato Guerra en Lagos en favor del Plan de Tuxtepec, Ceballos declaró el estado de sitio y asumió el Poder

JALISCO

Ejecutivo. A consecuencia de esto, el día 14 se sublevó en Ahualulco Pedro A. Galván y unido a Florentino Cuervo se apoderó de Tequila y Ameca, mientras que Antonio Córdoba hacía lo propio en Mascota. Guerra fue derrotado en Tabasco, Zac., el 4 de marzo, y tres días más tarde en el sur de Jalisco, en tanto que Galván caía preso en la hacienda de Santa Ana, el 15 de abril. Con estos acontecimientos la rebelión tuxtepecana quedó prácticamente aniquilada en Jalisco. Cuando parecía que Lerdo de Tejada se consolidaría en el poder, José María Iglesias –presidente de la Suprema Corte de Justicia–, considerando que Lerdo había sido relecto de manera irregular, nulificó las elecciones y se autoerigió presidente interino. Con tal carácter llegó a Guadalajara el 30 de diciembre, alojándose con sus ministros en Palacio; pero cuando dispuso combatir a las fuerzas de Porfirio Díaz, el general Ceballos prefirió renunciar. El 5 de enero de 1877, habiendo ya defeccionado las últimas tropas legalistas, Iglesias salió hacia Manzanillo.

Jesús L. Camarena volvió a encargarse del mando político de la entidad el 6 de enero de 1877. Dos días más tarde, la Legislatura acordó adoptar el Plan de Tuxtepec y reconocer a Porfirio Díaz como presidente provisional de la República. Éste entró a Guadalajara el día 9, en medio del júbilo que manifestaron los tapatíos. Díaz regresó a México el 5 de febrero, dejando al general Rosendo Márquez al frente de una división, y enviando otra a Tepic y Sinaloa al mando de Francisco Tolentino.

Hacia 1878, Jalisco contaba con 980 mil habitantes, de los cuales el 70% vivía en el campo. Los departamentos con mayor índice demográfico se localizaban en la zona central: Guadalajara, La Barca, Atotonilco, Cocula, Sayula y Zapotlán. Eran, además, los mejor comunicados y en donde estaban establecidas algunas agroindustrias prósperas. Pero sobre todas las poblaciones, la capital de Jalisco sobresalía por su índice demográfico, comercio e industria. En toda la región del occidente seguía ejerciendo una función muy importante como centro político, administrativo y educativo.

El 28 de mayo de 1878, el gobierno de Jalisco solicitó al Federal la reincorporación del séptimo cantón, constituido en distrito militar de Tepic desde el 7 de agosto de 1867, pero no obtuvo ninguna respuesta. Hacia el final del gobierno de Ca-

marena (21 de noviembre), fue disuelta con violencia una manifestación de contribuyentes que se oponían a un impuesto extraordinario del 0.5% sobre capitales. El 1° de marzo de 1879 asumió la gubernatura Fermín González Riestra (vallartista), teniendo al frente como enemigo político a Francisco Tolentino. Para las elecciones presidenciales de 1880 fueron postulados Ignacio L. Vallarta y Manuel González. El triunfo favoreció a este último, lo que dio lugar a que se exacerbara la lucha de los grupos de poder: el gobernador Riestra, por un lado, apoyado en los recursos del estado; y el general Tolentino, por el otro, respaldándose en el ejército. El 1° de febrero de 1882 se instalaron dos legislaturas; y el 6, temiendo un ataque, el gobernador abandonó Palacio, instalándose en seguida, con el carácter de provisional, Antonio I. Morelos, hasta el 27 de mayo, en que el Senado declaró desaparecidos los poderes y nombró gobernador interino a Pedro Landázuri, quien a su vez entregó el poder, el 1° de marzo de 1883, a Francisco Tolentino. Fue el primer gobernante auténticamente porfirista. Durante su administración se expidieron los códigos Civil y el de Procedimientos que entraron en vigor el 16 de septiembre, creándose el Ministerio Público y el Registro de la Propiedad; se persiguió a los ladrones, aplicando a menudo la ley fuga; se concentraron en la Dirección de Rentas los fondos de la Beneficencia y de la Instrucción Pública; se aprovecharon los manantiales de Agua Azul y se introdujo el alumbrado eléctrico (1884) a la plaza de armas y a los portales de Guadalajara; se extendieron las líneas de los tranvías urbanos; se reorganizó el Tribunal de Justicia en virtud de la vigencia en toda la República del Código de Comercio (20 de julio de 1884); se reformó la Constitución (1885): se permitió que los candidatos a gobernador fueran militares, se facultó al Ejecutivo para nombrar jefes y directores políticos, se suprimió la inamovilidad del Poder Judicial y se señaló a jueces y magistrados un periodo de cuatro años; y se revaluó la propiedad raíz de todo el estado (1884-1885), la cual se estimó en 45 millones de pesos.

Siendo candidato a la Presidencia de la República, el general Manuel González había contraído el compromiso de segregar el cantón de Tepic del territorio jalisciense. A causa de que su reducida población y escasos recursos no hacían posible erigirlo en estado, se inició la reforma del

Artículo 43 constitucional a efecto de convertirlo en territorio de la Federación. El Congreso de la Unión admitió el proyecto en mayo de 1884 y lo turnó a las legislaturas locales para su aprobación: 14 votaron a favor y sólo Veracruz en contra; la de Jalisco, mediatizada por el gobernador –adicto al presidente González–, formuló una protesta tardía, pero no contó su voto; de tal suerte que el 30 de octubre el Congreso de la Unión erigió dicho cantón en territorio federal. Para entonces, Jalisco tenía, ya sin Tepic, una población de 1 159 341 habitantes.

El 10 de abril de 1885 regresó a México el general Ramón Corona, quien había sido ministro en España y Portugal desde 1874. Como era de esperarse, el 28 de enero de 1886 fue postulado candidato a gobernador, previa la adhesión de Pedro A. Galván, y una vez triunfante en los comicios, asumió el poder el 1° de marzo de 1887. Fundó el Monte de Piedad y Caja de Ahorros (16 de abril); promulgó el Reglamento de Instrucción Primaria por medio del cual el estado absorbía los gastos de la educación elemental; aumentó el número de planteles primarios de 200 a 423; inició la práctica de visitar las poblaciones para conocer y resolver sus problemas; expidió la Ley del Notariado (18 de septiembre de 1887); abolió las alcabalas (10 de octubre), sustituyendo esos impuestos por la contribución directa sobre propiedades, traslación de dominio y herencias; impulsó la construcción del ferrocarril México-Guadalajara, inaugurado el 15 de mayo de 1888; reformó la Escuela de Medicina, a proposición de los doctores Salvador Garciadiego y José M. Benítez (20 de febrero de 1888); gestionó el establecimiento en Guadalajara de una sucursal del Banco de Londres y México (1889); construyó el mercado que llevó su nombre, y equilibró las finanzas públicas. El 10 de noviembre de ese año, cuando Corona se dirigía al Teatro Principal en compañía de su esposa, para concurrir a la presentación de *Los mártires de Tacubaya*, fue agredido por Primitivo Ron, quien le asestó tres puñaladas. El gobernador murió al día siguiente.

De todas las obras realizadas por Ramón Corona, fue la extensión de la red ferroviaria hasta Guadalajara, la más importante. Con la llegada del tren los empresarios tapatíos pudieron conseguir con facilidad algodón de otros lugares, además de lograr la ampliación del mercado regio-nal. Los comerciantes resultaron también favorecidos al poder transportar grandes volúmenes de mercancías a un costo menor que el que venían pagando a los arrieros. Así, la función que Guadalajara venía desempeñando como centro distribuidor de mercancías, se fortaleció con la presencia del ferrocarril. Los tapatíos, llenos de júbilo, consideraron este acontecimiento como el advenimiento de la era del progreso para Jalisco. Después de la muerte de Corona, el presidente del Supremo Tribunal de Justicia, Ventura Anaya y Aranda, se hizo cargo del gobierno en forma provisional. El día 13 de noviembre asumió el poder Mariano Bárcena, en su condición de insaculado, a quien sustituyó el 22 de octubre de 1890, Luis C. Curiel.

El 1° de marzo de 1891 tomó posesión de la gubernatura el general Pedro A. Galván, quien murió el 12 de diciembre siguiente. Tras el breve interinato de Francisco Santa Cruz, Luis C. Curiel se hizo cargo del Ejecutivo del 2 de marzo de 1893 hasta el 10 de enero de 1903. Durante su gestión se hicieron las obras de saneamiento e introducción de agua a la capital jalisciense, mediante los empréstitos de 1898 y 1899. Del 1° de marzo de 1903 al 25 de enero de 1911 fue gobernador el coronel Miguel Ahumada, quien inició la pavimentación de las calles de Guadalajara, arregló las plazas y los edificios públicos, embovedó el río de San Juan de Dios e hizo otras mejoras públicas.

Periodo 1910-1983. Alrededor de 1908, la oposición al régimen de Porfirio Díaz la sostenía un grupo perteneciente a la clase media, el cual estaba integrado por profesionistas, estudiantes y algunos obreros. Entre ellos figuraban Roque Estrada, Ignacio Ramos Praslow y Miguel Mendoza López, quienes usaban las páginas de revistas y periódicos para manifestar su desacuerdo. Después de proclamarse las candidaturas de Porfirio Díaz para presidente y de Ramón Corral para vicepresidente de la República (2 de abril de 1909), en Jalisco se fundó el Club Político Pedro Ogazón, integrado por los liberales más connotados, con el propósito de sostener la candidatura de Bernardo Reyes para vicepresidente y la de su hijo, Rodolfo Reyes, para gobernador del estado. A pesar del impulso que cobró el reyismo, don Bernardo acabó por retirarse e instar a sus partidarios a votar por la fórmula Díaz-Corral. Debido a esto triunfó en las elecciones locales de 1910 Manuel Cuesta Ga-

JALISCO

llardo, quien recibió el poder el 1° de marzo de 1911 de manos de Juan R. Zavala, pues el coronel Ahumada había renunciado desde el 25 de enero anterior. El reyismo, sin embargo, tuvo la virtud de estimular la actividad política en favor del antirreeleccionismo y el maderismo. Madero estuvo en Guadalajara en dos ocasiones durante su campaña electoral: el 19 de diciembre de 1909 y en mayo de 1910. Más tarde, cuando llamó a las armas a partir del 20 de noviembre, surgieron varios levantamientos aislados e inconexos: Manuel Díaz y José María Contreras, en Zacoalco; José María Moreno, en Puente Grande y sus alrededores; Salvador Gómez y Ramón Romero, en Ahualulco; Abundio Valencia, Pedro Flores, Anastasio Álvarez y Abraham Casillas, en la región de Sayula; Cosme Cedano y Juan Estrada, por Tecolotlán; Francisco del Toro, en Lagos; Alfredo y Raymundo Vázquez, en el valle de La Barca; Paulino Navarro, en Autlán; y otros cabecillas, como Cleofas Mota, que se desplazaban con una rapidez sorprendente. El 24 de mayo de 1911 renunció Cuesta Gallardo a consecuencia de la lucha revolucionaria. Le sucedieron José Cuervo y David Gutiérrez Allende, a quien tocó recibir el 1° de junio a los maderistas triunfantes encabezados por Ramón Romero, cuando ya había salido del país Porfirio Díaz. Se nombró entonces gobernador provisional a Alberto Robles Gil y éste entregó el poder a José López Portillo y Rojas, quien tomó posesión el 23 de octubre de 1912.

Asesinado el presidente Madero en febrero de 1913 y usurpado el poder por Victoriano Huerta, éste llamó a López Portillo, en febrero de 1914, a la Secretaría de Relaciones, dejando el gobierno de Jalisco al comandante militar Jose María Mier. Para entonces, se habían lanzado a la Revolución constitucionalista: Félix Barajas y Rosario Orozco, en Los Altos; L. Vera, Jesús Calderón y Elías Cedano, por el rumbo de Mascota y Talpa; los Estrada, los Macháin y los Caloca, en Cuquío; Joaquín Amaro, Rentería Luviano y Gertrudis Sánchez, en los límites de Michoacán; los hermanos Zúñiga, en Tlajomulco; los Gómez, en Tala; Amaral Meza, al frente de los mineros de la *Amparo Mining Co.*, en Etzatlán; José María Moreno, en Acatlán; los Novoa, Julián del Real, Pedro Zamora y Salvador Covarrubias, en la región de Autlán; y los Medina, Luis Mata, el español Cirilo Abascal y Pablo González, en

la zona de Hostotipaquillo. Sin embargo, estos pronunciamientos, al operar en forma dispersa, no constituyeron en ese momento una fuerza capaz de derrocar al gobierno usurpador. La situación cambió hasta que llegaron a los límites de Jalisco, procedentes de Sonora, las avanzadas del Ejército del Noroeste, al mando de Álvaro Obregón. Este caudillo llegó el 24 de junio a Etzatlán, a fin de juntar sus tropas con las de Diéguez; el 26, desde Ahualulco, instó a todos los cabecillas constitucionalistas que operaban por el sur y el occidente de Jalisco para que coordinaran sus fuerzas y preparasen el ataque a Guadalajara: el 1° de julio Obregón dispuso que Lucio Blanco, dejando entre Ameca y La Vega la brigada de Buelna y el regimiento de Trujillo, marchara con el resto de la caballería, sin ser sentido, hasta situarse entre El Castillo y La Capilla, cortando la vía y amagando a Guadalajara por el sur; y que Diéguez, con los batallones de Eulogio Martínez, Esteban B. Calderón, Pablo Quiroga, Juan José Ríos, Severiano Talamantes y Fermín Carpio, atravesara la sierra de Tequila hasta Amatitán, para apoderarse de los cerros de La Venta, al sur de Orendáin, y destruyera la base de la columna huertista. En tanto, él mismo, con los generales Hill, Cabral y Buelna, y utilizando la artillería y las ametralladoras, atacaría la retaguardia del enemigo en cuanto Diéguez entrara en combate. Al amanecer del día 6, Blanco y Diéguez habían cumplido las órdenes, y el combate se inició en La Venta. Al día siguiente, los constitucionalistas se habían apoderado de los principales puntos, lo que les permitió interceptar los trenes. Sin levantar el campo, continuaron sobre Guadalajara, para evitar que los gobiernistas dispersos se unieran a la guarnición. Al caer la tarde llegaron a Zapopan y durante la noche bloquearon los caminos de acceso a la capital. Mientras tanto, Mier evacuó Guadalajara, al frente de 3 mil soldados, que a su vez fueron batidos por Blanco, a quien se habían unido las fuerzas de Estrada. En los combates de los días 6 al 8, entre Orendáin y El Castillo, se hicieron a los huertistas 2 mil muertos —entre ellos el general Mier y 170 jefes y oficiales— y 5 mil prisioneros; se les confiscaron 16 cañones, 18 trenes y 40 locomotoras; 5 mil rifles y medio millón de pesos. El 8 de julio entró Obregón a Guadalajara y el 14 impuso una "contribución especial extraordinaria" de 5 millones de pesos

4449

sobre bienes inmuebles, capitales impuestos, giros mercantiles e industriales y empresas bancarias. Además, dispuso una nueva emisión de billetes –para cubrir los gastos de la guerra– los cuales tuvieron una circulación forzosa. Diéguez, por su parte, expidió moneda fraccionaria de cartón. La ocupación de la capital jalisciense por parte de los carrancistas tuvo gran importancia porque prácticamente abrió a los revolucionarios las puertas del centro del país.

Desde el 18 de junio el general Manuel M. Diéguez había sido nombrado gobernador de Jalisco por acuerdo del primer jefe Venustiano Carranza. Su cuartel general y el asiento de su gobierno los estableció primero en Etzatlán. Desde principios de julio inició un trascendente programa de reformas: el día 2 suprimió las jefaturas y directorías políticas con la idea de debilitar a los poderosos cacicazgos y de fortalecer a los municipios; el 4 de septiembre declaró de interés público la instrucción en el estado –que debía ser laica–, reservó al gobierno la exclusiva de la enseñanza profesional y prohibió los seminarios; en el mismo mes de septiembre estableció el descanso dominical obligatorio; y el 7 de octubre el gobernador provisional, Manuel Aguirre Berlanga, fijó los salarios mínimos, instituyó la jornada de trabajo de nueve horas, el pago en moneda de curso legal y prohibió las tiendas de raya.

La proximidad de las fuerzas de Villa, en guerra contra el constitucionalismo, obligó a Diéguez a cambiar su gobierno a Ciudad Guzmán (12 de diciembre). El Centauro del Norte entró a Guadalajara el 17 y de inmediato nombró gobernador de Jalisco a Julián Medina. El gobierno villista prohibió los billetes carrancistas e impuso la circulación de la moneda emitida en Chihuahua y Durango. El mismo Villa dispuso que las propiedades de las clases acomodadas que habían sido confiscadas por el general Diéguez, volviesen al poder de sus antiguos dueños. Otra de sus órdenes fue la reapertura de los templos clausurados por el gobierno anterior. Los días 17 y 18 de enero de 1915 los contingentes combinados de Diéguez y Francisco Murguía (9 mil hombres) derrotaron a los 10 mil villistas comandados por Medina, Melitón F. Ortega y Calixto Contreras en los cerros del Cuatro, El Gachupín y Santa María, y recuperaron la capital. El mismo 18 de enero se fueron al precipicio, en la cuesta de

Sayula, los trenes que conducían desde Zapotlán a las soldaderas carrancistas, provocando tal desastre que aún se recuerda. Después de la victoria, Diéguez reinstaló su gobierno en Guadalajara. Mas el 30 de enero, unos 3 500 villistas encabezados por Julián Medina lograron llegar hasta el centro de esta ciudad, pero fueron rechazados por los defensores de la plaza. El 11 de febrero volvió a trasladarse la capital a Ciudad Guzmán "por convenir así al desarrollo de las operaciones militares". En la región del sur se libraron las acciones de El Volcán, Tuxpan, Nextipac y Santa Ana, en que los carrancistas salieron victoriosos. El 18 de abril, Diéguez, auxiliado por Murguía, se apoderó nuevamente de Guadalajara, tras derrotar a Medina que huyó hacia Lagos. El 23, en La Barca, se nombró gobernador interino a Manuel Aguirre Berlanga, mientras Diéguez marchaba a incorporarse al Ejército de Operaciones en el Bajío, donde ese mismo mes (6 al 15) Obregón había vencido a Villa. Aguirre Berlanga modificó el 15 de mayo el Código Civil para incorporar el decreto federal del 29 de diciembre anterior, admitiendo que "el matrimonio es un contrato social" y autorizando el divorcio; mandó que las calles de Guadalajara no llevaran nombres de santos; declaró contrario a la salud pública el vicio del alcoholismo; impuso penas a los notarios que defraudaran al fisco y prohibió las corridas de toros. Las últimas acciones importantes contra los villistas en territorio jalisciense se libraron el 20 de junio en Encarnación de Díaz, y el 29 y 30 en Lagos de Moreno, donde el general Diéguez resultó herido. Después, sólo quedaron algunos bandoleros, como Inés Chávez García y Trujillo, que alteraron el orden en distintos rumbos del estado.

El 13 de febrero de 1916 Carranza visitó Guadalajara. Ese día pronunció un discurso en donde exaltó las virtudes revolucionarias de los jaliscienses y legitimó los principios del constitucionalismo. El general Diéguez reasumió el gobierno y la comandancia militar en el mes de abril, muy a tiempo para cuidar la elección de diputados al Congreso Constituyente: Luis Manuel Rojas, Marcelino Dávalos, Federico E. Ibarra, Manuel Dávalos Ornelas, Francisco Martín del Campo, Bruno Moreno, Gaspar Bolaños, Juan de Dios Robledo, Ramón Castañeda, Jorge Vi-

JALISCO

llaseñor, Amado Aguirre, José I. Solórzano, Francisco Labastida Izquierdo, Ignacio Ramos Praslow, José Manzano, Joaquín Aguirre Berlanga, Esteban Baca Calderón, Paulino Machorro Narváez y Sebastián Allende. Una vez aprobada la nueva Constitución (5 de febrero de 1917), Venustiano Carranza hizo otro viaje a Jalisco (del 23 de febrero al 6 de marzo) durante el cual inauguró los trabajos de construcción del ferrocarril a Chamela y conoció la protesta de los obispos mexicanos exiliados en Estados Unidos contra las disposiciones constitucionales que afectaban a la Iglesia.

Diéguez resultó electo gobernador por el resto del periodo que terminaría el 28 de febrero de 1919, pero sólo ejerció el poder del 1° de junio al 20 de septiembre de 1917, pues nuevas emergencias nacionales lo obligaron a ponerse al frente de sus tropas. En ese lapso, el arzobispo Francisco Orozco y Jiménez escribió una carta pastoral (4 de junio) oponiéndose a la Constitución, debido a lo cual se consignó y aprehendió a los sacerdotes en cuyos templos se leyó el documento; se disolvió una manifestación de católicos (25 de junio) y se clausuraron la catedral y siete iglesias (16 de julio), a la postre devueltas a sus pastores, a partir del 19 de octubre, siendo ya gobernador provisional Emiliano Degollado. Éste fue sustituido, el 24 de febrero de 1918, por Manuel Bouquet, a quien le correspondió firmar los decretos del 3 de julio y del 1° de agosto, los cuales asignaban un sacerdote a cada templo de cualquier culto, previo permiso oficial para ejercer el ministerio y sin que el total excediese la proporción de uno por cada 5 mil habitantes. El malestar que provocaron estas medidas se acentuó con la aprehensión de Orozco y Jiménez. Los católicos declararon entonces un boicot general dirigido por Anacleto González Flores y Pedro Vázquez Cisneros. El 1° de febrero de 1919 volvió Diéguez a Guadalajara y derogó ambas disposiciones.

Luis Castellanos y Tapia entró a gobernar el 1° de marzo de 1919, después de haber derrotado en las elecciones a Gutiérrez Hermosillo y a Labastida y Blancarte. En el curso de ese año regresó a Guadalajara el arzobispo Orozco y Jiménez (16 de octubre) y Álvaro Obregón visitó la ciudad como candidato a la Presidencia (16 de noviembre), ya en abierta pugna con el régimen de Venustiano Carranza. Para promover la candidatura del caudillo

de Sonora se creó a fines de 1919 el Partido Liberal Jalisciense, al que pertenecieron personajes como Alberto Pani, José Guadalupe Zuno, Gustavo R. Cristo, José María Cuéllar, Alfredo Romo y Manuel Hernández Galván, entre otros. Al triunfo de la rebelión de Agua Prieta (11 de mayo de 1920), asumieron sucesivamente la gubernatura Ramos Praslow y Labastida Izquierdo, hasta que tomó posesión Basilio Vadillo (1° de marzo de 1921). Éste no dispuso de un clima apropiado para llevar a cabo la reconstrucción debido a la crisis política, a la rebelión de Pedro Zamora en la zona de Autlán y a la huelga ferrocarrilera. A causa del distanciamiento que tuvo con los integrantes del Centro Bohemio –Zuno, Romo, etc.– y del conflicto con el Ayuntamiento de Guadalajara, Vadillo fue desaforado por la Legislatura jalisciense el 14 de marzo de 1922. Lo sustituyó el diputado Antonio Valadez Ramírez, quien el 1° de marzo de 1923 entregó el poder a José Guadalupe Zuno.

Por esos días, algunos sacerdotes utilizaban el púlpito para impugnar la Revolución. En el curso de 1923 el gobernador llamó a varios de ellos para persuadirlos de que depusieran esa actitud, y para pedirles que aprovecharan su prestigio ante el pueblo promoviendo, asociados al estado, obras de beneficio colectivo. Orozco y Jiménez creyó salvada su autoridad, reclamó el procedimiento al Ejecutivo y aun llegó a advertirle que "la más insignificante indicación del eclesiástico bastaría para levantar al pueblo contra un mandato indebido". Zuno rechazó la amenaza y negó al clero todo derecho de intervenir en los asuntos públicos. Esta agria relación entre los poderes no llegó entonces a una crisis porque acontecimientos de otra índole desencadenaron la guerra civil, aplazando por entonces el conflicto religioso.

El 26 de agosto de 1923 el Partido Laborista lanzó en Guadalajara la candidatura presidencial de Plutarco Elías Calles, a quien se opuso el Cooperativista, que en noviembre postuló a Adolfo de la Huerta. Al primero lo apoyaron Zuno, Alfredo Romo, Antonio Valadez Ramírez, Juan de Dios Robledo y el senador Francisco Labastida Izquierdo. A favor del segundo estuvieron Juan Manuel Álvarez del Castillo, Manuel Navarro, Aurelio Sepúlveda y el senador Camilo E. Pani. Sin esperar los comicios, el 7 de diciembre se sublevaron en pro de De la Huerta y en contra del gobierno de

Obregón, los generales Guadalupe Sánchez, en Veracruz, y Enrique Estrada, jefe de la Segunda División del Noroeste con sede en la capital tapatía. Ese mismo día los estradistas lograron poner bajo su control a la capital jalisciense y a todas las oficinas gubernamentales. Zuno, sin apoyo militar, huyó de la ciudad, mientras los sublevados declaraban a Francisco Tolentino gobernador provisional. Los contingentes delahuertistas se apostaron en La Barca y Ocotlán, al mando de Salvador Alvarado, teniendo sus flancos cubiertos, en más de 100 km, por el lago de Chapala y el cauce del río Santiago. A partir del día 10, Obregón empezó a concentrar tropas en Irapuato, entre ellas algunas brigadas obreras de la Confederación Regional Obrera Mexicana y otras de indios mayos. El 23, los rebeldes obtuvieron un importante triunfo al derrotar en Huejotitlán (cerca de Zacoalco) al general Lázaro Cárdenas, a quien Obregón le había dado instrucciones de apoderarse del sur de Jalisco. El 13 de enero de 1924, De la Huerta dispuso desde Veracruz que Tolentino entregara la gubernatura de Jalisco al general Aurelio Sepúlveda. Mientras tanto, Estrada hacía la campaña de Morelia, y Obregón preparaba el ataque general, cuya ejecución, el 6 de febrero, confió a Joaquín Amaro; el día 9, después de un intenso bombardeo, éste logró pasar el río frente a Ocotlán, a costa de muchas víctimas. Los generales Jesús M. Aguirre y Roberto Cruz dirigieron el ataque frontal; Eulogio Ortiz y Matías Ramos, con la caballería; y Teodoro Escalona y José Amarillas, al frente de los fusileros. Después de ser derrotados, los jefes delahuertistas Alvarado y Anzaldo huyeron hacia Colima, mientras Estrada y Manuel M. Diéguez permanecían en Michoacán. El día 12, Guadalajara cayó en poder de Roberto Cruz, y el 14 Obregón pudo entrar a la ciudad en compañía de sus principales generales. Para entonces, el gobernador Zuno, aprovechando el desamparo en que se encontraba Sepúlveda, se había posesionado del Palacio de Gobierno y asumido el cargo de gobernador. Los obregonistas recobraron el control del país entre febrero y junio de 1924. Poco a poco los generales que habían apoyado el movimiento se rindieron o fueron derrotados. Enrique Estrada, por ejemplo, después de la derrota de Ocotlán, huyó hacia Estados Unidos, al igual que De la Huerta. Manuel M. Diéguez, en cambio, fue fusilado en el mes de abril.

Durante su mandato, Zuno expidió algunas leyes que reglamentaron el trabajo; aceleró el reparto agrario; fundó la Universidad de Guadalajara, inaugurada el 12 de octubre de 1925; y en la capital del estado entubó el río de San Juan de Dios, edificó el mercado de ese nombre, puso en servicio la calzada Independencia, construyó un estadio, inició la demolición de la penitenciaría de Escobedo, abrió la avenida Vallarta, instaló el zoológico de Agua Azul y continuó con el empedrado de las calles que se había iniciado en 1920. Gobernó hasta el 23 de marzo de 1926. Su caída se debió al enfrentamiento que tuvo con Calles y a la oposición que presentaron los católicos inconformes con su política en materia religiosa. A éstos incomodó mucho, por ejemplo, que el gobenador hubiera ordenado, a principios de junio de 1925, la clausura del Instituto de Ciencias dirigido por jesuitas, medida que fue interpretada como un acto contrario a la religión.

Del 24 de marzo al 26 de junio de 1926, Clemente Sepúlveda ocupó el cargo de gobernador. Continuó Silvano Barba González, a quien correspondió organizar los comicios para elegir al nuevo mandatario estatal, las cuales se celebraron el 5 de septiembre, correspondiendo el triunfo a Daniel Benítez. Ya para entonces la oposición de la Iglesia a los artículos 3, 5, 24, 27 y 123 de la Constitución y a algunas disposiciones del presidente Calles, indicaba el pronto estallamiento de la guerra civil. La Liga Nacional Defensora de la Libertad Religiosa, de la cual funcionaban 17 centros en Jalisco, declaró el 21 de octubre un boicot contra el gobierno (abstención del pago de impuestos y reducción al mínimo de los bienes de consumo), formó el 26 de noviembre un Comité de Guerra y señaló el 1° de enero de 1927 como fecha para la sublevación general. Los primeros brotes rebeldes estuvieron encabezados por Miguel Hernández, Victoriano Ramírez (*el Catorce*), Toribio Valadés, Lauro Rocha, *el Güero Mónico* y los curas José Reyes Vega y Aristeo Pedroza, en la región de los Altos; Carlos Blanco, en Cuquío e Ixtlahuacán del Río; y Jesús Medina, en Etzatlán y Hostotipaquillo. En Cocula y Tapalpa, la población en masa liquidó a las guarniciones militares. En los primeros meses de 1927, el director intelectual del movimiento cristero fue el licenciado Anacleto González Flores, editor de *Gladium*, quien fue aprehendido y fusilado a principios

JALISCO

de abril, junto con Luis Padilla Gómez y Jorge y Ramón Vargas González. Pocos días después, Margarito Ramírez asumía la gubernatura, gracias al apoyo que recibió del grupo zunista. En mayo, Jesús Degollado y Guízar se hizo cargo del mando de las operaciones rebeldes en el sur del estado, luego sustituido, en julio, por el general Enrique Gorostieta. Para ese entonces, había unos 7 mil hombres alzados divididos en pequeños grupos, dedicados a hostilizar al ejército por medio de constantes escaramuzas. Entre el 21 y el 23 de mayo de 1928 se reunieron en Mezquitic los principales jefes cristeros para formular una ordenanza general y tomar algunas medidas de gobierno en las áreas que ocupaban; para el 28 de octubre, fiesta de Cristo Rey, planearon nombrar a Gorostieta primer jefe del Ejército Libertador, adoptar la Constitución de 1857, "sin las sectarias Leyes de Reforma", y proponer la distribución de la tierra, previa indemnización a sus dueños. El general Gonzalo Escobar, que había pactado una alianza con los cristeros, prometiéndoles la libertad de conciencia y enseñanza, se sublevó el 9 de marzo de 1929, pero fue pronto sometido. Gorostieta, a su vez, murió en combate el 3 de junio en la hacienda El Valle, cerca de Atotonilco. Estos hechos facilitaron los Arreglos entre el gobierno y la Iglesia. Así, entre el 5 y el 21 de ese mes, el arzobispo Leopoldo Ruiz y Flores y el obispo Pascual Díaz, por una parte, y el presidente Emilio Portes Gil, por la otra, llegaron al acuerdo de reanudar el culto con la única condición de que ese ejercicio se apegara a las disposiciones legales.

De 1926 a 1932, años que correspondieron a la Rebelión Cristera, a varias crisis políticas nacionales y a la depresión económica mundial, se sucedieron 10 mandatarios en el gobierno de Jalisco, sin contar otros cuatro que cubrieron las ausencias de éstos. Salvo Margarito Ramírez (23 de abril de 1927 a 7 de agosto de 1929), cuya administración coincidió con el periodo de guerra civil, los demás duraron en su encargo un promedio de cinco meses, de suerte que uno y otros no tuvieron oportunidad de concluir ningún plan de trabajo. En ese lapso decayó la agricultura, disminuyeron los ingresos oficiales, se despidió a muchos maestros, se abandonaron 245 edificios escolares, se enajenaron propiedades del estado y se levantó la vía que desde la época de Diéguez había empezado a tenderse con destino a Chamela.

Al gobernador Sebastián Allende (1° de abril de 1932 al 28 de febrero de 1935) le tocó presenciar un nuevo conflicto con la Iglesia. El problema se originó casi a finales del mes de enero de 1932, cuando el arzobispo Francisco Orozco y Jiménez, inculpado de promover una rebelión como la cristera, fue aprehendido y desterrado del país. Meses más tarde, el 9 de junio, el obispo José Garibi Rivera fue detenido por vestir traje talar en la entrega de premios del Instituto de Ciencias que se llevó a cabo en el cine Luz, lo que se interpretó como una violación del Artículo 130 constitucional. Durante el mes de octubre, se registraron varios enfrentamientos entre las fuerzas del gobierno y los católicos. Para evitar que se generara otra cristiada, la Secretaría de Guerra dispuso el acantonamiento en los Altos de un numeroso contingente bajo las órdenes del general Félix Ireta. La situación se agudizó el 26 de ese mes cuando la Legislatura dispuso que el número de sacerdotes en Jalisco debía limitarse a 50, lo que equivalía a uno por cada 25 mil habitantes. El día 30, las autoridades eclesiásticas, en respuesta a esta disposición, decidieron cerrar los templos y suspender el culto en el estado. Dos semanas más tarde, después de algunos acuerdos, los servicios religiosos se reanudaron.

Al año siguiente (1933), Allende afrontó los problemas derivados de la implantación de la educación socialista. El 28 de octubre clausuró la Universidad por haberse pronunciado por la libertad de cátedra; la reabrió el 24 de febrero de 1934, señalándole la función de impartir la enseñanza superior a nombre del estado, aunque "sujeta a los postulados sociales de la Revolución", pero tuvo que cerrarla otra vez a mediados de octubre, al suscitarse el movimiento de autonomía. A pesar de los problemas que ello originó, el gobernador impuso la vigencia de la educación socialista, prescrita por el Artículo 3° constitucional, y mandó cerrar 51 de los 86 colegios particulares. Puso a funcionar, en cambio, las primarias que estaban clausuradas desde 1929. Fundó la Lotería de Jalisco para la Beneficencia Pública y la Comisión de Caminos, iniciando las terracerías de Guadalajara a Tequila, Morelia y Barra de Navidad.

Everardo Topete, su sucesor (1935-1939), ajustó sus acciones al programa aprobado por la convención del Comité Estatal del Partido Nacional Revolucionario (PNR) del 29 de septiembre de 1934. Por otra parte, desde un principio el gobernador dio muestras de estar dispuesto a aplicar íntegramente en el estado la política cardenista. Esto provocó que varios anticardenistas –Sebastián Allende y Jesús González Gallo, entre otros– y algunos grupos que rechazaban la educación socialista, empezaran a hostilizar a Topete. Para afianzar la idea de que el gobierno estatal y el Ejecutivo Federal marchaban de común acuerdo, Cárdenas realizó una visita a la capital jalisciense entre el 14 y el 19 de julio de 1935. Durante su administración, el mandatario estatal entregó 438 mil hectáreas de tierra a los campesinos y apoyó a los obreros en sus conflictos de trabajo; el 22 de julio de 1937 restableció la Universidad y dispuso la clausura de la Dirección General de Estudios Superiores, que desde 1935 la había suplido; construyó las terracerías hasta Autlán, Zapotlanejo y Chapala; inició la construcción de redes de agua potable y viviendas populares en varias poblaciones, y contrató a José Clemente Orozco para que pintase los frescos de la Universidad, el Hospicio Cabañas y el Palacio de Gobierno.

Para el periodo 1939-1943, el Partido de la Revolución Mexicana (PRM) lanzó la candidatura de Silvano Barba González, quien triunfó en forma arrolladora sobre el general Julián Medina, postulado por el Partido Socialista Reivindicador en las elecciones celebradas el 4 de diciembre de 1938. Durante los dos primeros años de su administración, se desarrolló la campaña presidencial en la que contendieron los generales Manuel Ávila Camacho y Juan A. Almazán; y en los dos últimos, estalló la Segunda Guerra Mundial. A partir de enero de 1942, los jaliscienses que habitaban en la costa vivieron bajo el temor de que esa área fuese una de las primeras que invadieran los japoneses. Con el propósito de tomar medidas comunes para la defensa del litoral del Pacífico, los gobernadores de esa zona se reunieron en Mazatlán del 18 al 20 de febrero. En esa junta se acordó construir campos aéreos y habilitar los existentes, establecer sistemas de defensa urbana, controlar los productos alimenticios, construir lugares de alojamiento, instalar aparatos receptores y trasmisores, y crear servicios públicos de emergencia. Por otro lado, Barba González creó el Departamento de Tránsito, la Comisión Local de Turismo, el Cuerpo de Policía Rural y la Junta Local de Irrigación. Aun cuando pavimentó los caminos a Tlaquepaque y Zapopan, su principal preocupación fue concluir la carretera a Ojuelos. Durante su administración se establecieron varias industrias: Compañía Industrial de Atenquique, Productora de Levaduras, *Canada Dry Bottling*, Artículos de Hule y Productos Látex, entre otras.

En medio del temor de sufrir una agresión de las potencias del Eje, el general Marcelino García Barragán fue postulado por el PRM candidato al gobierno de Jalisco (2 de agosto de 1942). A fines de noviembre llegó a Guadalajara el presidente Ávila Camacho para observar de cerca las maniobras militares que realizaban los tapatíos, y de paso presenciar las elecciones estatales. Éstas se efectuaron el 6 de diciembre, y en ellas García Barragán fue electo para el periodo 1943-1947. Una de sus primeras acciones fue vincular la capital jalisciense con las zonas improductivas de la costa. A fines de noviembre de 1943, consiguió un préstamo de 3.4 millones de pesos en el Banco Nacional Hipotecario para construir caminos hacia el litoral; además ofreció estímulos fiscales a colonos y hombres de negocios que desearan establecerse en la zona costera. Los municipios que salieron beneficiados con este proyecto fueron Autlán, Purificación, Tomatlán, Puerto Vallarta, San Sebastián, Talpa, Mascota, La Resolana (hoy Casimiro Castillo), Cihuatlán y cabo Corrientes. Al concluir los dos primeros años de su administración, García Barragán comenzó a tener serios problemas de carácter político, por haber apoyado la precandidatura de Miguel Henríquez Guzmán a la Presidencia de la República. Su postura resultó opuesta a la del presidente Ávila Camacho, quien apoyaba a su secretario de Gobernación, Miguel Alemán Valdés. A esto se debió que el poder y la influencia de García Barragán disminuyeran notablemente en el último año de su gobierno. Prueba de ello fue el hecho de haber sido desaforado al final de su periodo (17 de febrero de 1947) por el Congreso local, a consecuencia de haberse negado a publicar el decreto que ampliaba el periodo constitucional de cuatro a seis años.

Una vez convertido el PRM en Partido Revolucionario Institucional (PRI) y ampliado el periodo constitucional a seis años, Jesús González Gallo fue electo gobernador para el sexenio 1947-1953.

JALISCO

Su plan de trabajo consistió en impulsar la producción, ampliar la red de carreteras, fomentar el crédito agrícola y la educación, así como proteger la pequeña propiedad. Las dificultades a las que se enfrentó fueron las que planteó la posguerra: el desempleo y el alto costo de la vida.

El PRI postuló a Agustín Yáñez como candidato a gobernador en septiembre de 1952. Yáñez triunfó en las elecciones del 7 de diciembre y fue electo para cubrir el periodo 1953-1959 (V. YÁÑEZ, AGUSTÍN). A partir de entonces no se han registrado pugnas entre los grupos de poder, lo que ha determinado que la sucesión gubernamental se haya realizado en forma pacífica y que los gobernadores concluyan sus respectivos periodos. Tales han sido los casos de Juan Gil Preciado (1959-1965), que no concluyó su periodo porque pasó a ocupar el cargo de secretario de Agricultura; Alberto Orozco Romero (1971-1977), Flavio Romero de Velasco (1977-1983), Enrique Álvarez del Castillo (1983-1989) y Guillermo Cossío Vidaurri (1989-1992), que no concluyó su periodo en la gubernatura porque el 22 de abril de 1992, a las 11 de la mañana, una terrible explosión en el sector Reforma de la ciudad de Guadalajara causó la muerte de más de 200 personas, destruyó propiedades públicas y privadas en una amplia zona circundante al punto del siniestro y dejó más de 3 000 damnificados. La explosión fue provocada por la existencia de una gran cantidad de gasolinas en el sistema de drenaje, presumiblemente por fallas en instalaciones subterráneas. Después de los hechos, Cossío Vidaurri pidió licencia al congreso estatal para responder a los cargos y facilitar la investigación. El congreso local nombró a Carlos Rivera Aceves como gobernador interino, quien se comprometió a reconstruir la zona siniestrada y ayudar a los damnificados y deudos.

Para el periodo 1995-2001 resultó electo el panista Alberto Cárdenas Jiménez, quien se convirtió en el primer gobernador de la oposición en la entidad. Uno de los principales retos que tenía que enfrentar el mandatario estatal era el manejo de la deuda pública de la entidad, que en 1996 se incrementó 45%. De igual forma, existía un grave problema de inseguridad, dado que de enero a septiembre de 1997 se habían reportado 42 650 ilícitos, 43 secuestros y 518 personas desaparecidas.

Población. De acuerdo con las proyecciones del Consejo Nacional de Población, en 1999 habitaban en el estado de Jalisco 6 425 723 personas, de las cuales el 49.2% son hombres y el 50.8% mujeres. La tasa de crecimiento es de 2.0% en promedio anual. El perfil de la población es netamente urbano ya que el 84.1% vive en localidades de más de 2 500 habitantes, mientras que el restante 15.9% en zonas rurales. En cuanto a la pirámide de edades, se destaca un ligero envejecimiento de la población en la última década ya que en 1990 el 38.67% era menor de catorce años, mientras que en 1999 esta cifra pasó a 34.3%; por lo demás, el 60.6% tiene entre 15 y 64 años y el 5.1% más de 65 años.

En cuanto al lugar de origen de los habitantes, cifras del INEGI indican que en 1995 el 85.6% de la población era nativa de la entidad mientras que el restante 14.4% nacieron en otro estado de la república o el extranjero. Michoacán, Zacatecas y el Distrito Federal son las principales entidades de origen de los inmigrantes al estado de Jalisco. En cuestión de preferencias religiosas, el XI Censo General de Población y Vivienda de 1990 señala que el 96.5% de los habitantes profesa el catolicismo, el 1.3% es protestante o evangélico, el 0.8% de alguna otra religión y el 1.3% no profesa credo alguno.

En materia de educación, en los últimos treinta años la proporción de analfabetas disminuyó más de trece puntos porcentuales ya que en 1970 los analfabetas representaron 21.0% contra 7.3% en 1999, de acuerdo con la Secretaría de Educación Pública. En ese mismo año, el promedio de años de estudios era de 7.4%. En cuanto a la población indígena de la entidad, en 1995, de acuerdo con el INEGI, 28 784 personas hablaban un dialecto además del español (18 670 mujeres y 10 114 hombres), mientras que 3 996 (3 074 mujeres y 922 hombres) no dominaba el español.

Respecto de las características económicas, el INEGI y la STyS apuntan que en 1998 la población económicamente activa sumó 2 821 922 personas, de las cuales 2 762 922 contaban con un empleo; de éstas, 1 758 528 eran hombres y 1 044 394 mujeres. Las actividades relacionadas con la industria de la transformación, de acuerdo con los asegurados permanentes en el IMSS, fueron las que ofrecieron el mayor número de plazas (282 800), seguidas de las actividades comerciales (146 000) y de los servicios a empresas y al hogar (154 500).

De acuerdo con cifras del *Anuario estadístico* del INEGI, en 1995 el total de viviendas habitadas ascendía a 1 240 870, de las cuales 1 240 054 eran particulares y 816 colectivas; éstas albergaban en su conjunto a 5 991 176 habitantes, con promedio de 4.8 ocupantes por vivienda.

En relación con los materiales predominantes en las viviendas, se observa que, en lo que respecta a pisos, el 64.73% estaban hechos de madera, mosaico u otros recubrimientos, seguidos por los de cemento o firme, en un 25.0%, y en tercer término los de tierra, con 10.27%. En la construcción de las paredes, el primer lugar lo ocupan el tabique, ladrillo, block o cemento, con 85.93%, seguido de materiales ligeros, como lámina, adobe o cartón, con 14.07%. En cuanto a los techos, 78.53% eran de materiales sólidos y el 21.47% de materiales ligeros, naturales y precarios.

En materia de servicios básicos para la vivienda, 1 065 416 disponían de agua entubada, drenaje y energía eléctrica; 101 459 de dos servicios (40 659 de agua entubada y energía eléctrica, 40 659 de drenaje y energía eléctrica y 5 783 de agua entubada y drenaje); 47 595 de un servicio (34 453 de energía eléctrica, 9 196 de agua entubada y 3 946 de drenaje); y 22 192 no disponían de servicios o no lo especificó en la encuesta.

Morbilidad, mortalidad y asistencia social. En 1996, de acuerdo con el *Anuario estadístico* del INEGI, las cinco principales causas de muerte en la entidad, cuyo número se indica entre paréntesis, eran: enfermedades del corazón (4 864), tumores malignos (3 947), diabetes mellitus (2 630), accidentes (2 517), enfermedades cerebrovasculares (1 863). En cuestión de servicios médicos, en 1997 alrededor del 60.0% de la población era derechohabiente de alguna institución de salud pública: el IMMS atendía a 3 178 693 personas, el ISSSTE a 296 749, la Sedena a 41 020 y la Secretaría de Marina a 3 984.

En 1999, de acuerdo con estimaciones de la Secretaría de Salud, las unidades médicas del estado sumaban 977, de las cuales 933 eran de consulta externa, 33 de hospitalización general y 11 de hospitalización especializada; los médicos que prestaban atención en estas instituciones sumaban 8 461 y las enfermeras 11 285. En ese mismo año, se brindaron 9 073 715 consultas, de ellas 1 981 596 en alguna especialidad; se practicaron 153 311 intervenciones quirúrgicas; se autorizaron 273 632 egresos hospitalarios, y los días paciente sumaron 1 198 370.

En 1999, de acuerdo con las estimaciones del IMSS, se amparó a 1 083 600 trabajadores, de los cuales 952 600 eran permanentes y 131 000 eventuales. De los permanentes, 44 800 se dedicaban a la agricultura, ganadería, pesca, silvicultura y caza; 1 700 a las actividades extractivas; 282 800 eran empleados de la industria de la transformación; 21 600 de la construcción; 6 400 de los servicios de electricidad y agua; 146 700 del comercio; 39 200 de transportes y la comunicación; 154 500 de servicios empresariales y del hogar; 145 100 de servicios sociales y comunales; y 109 700 desempeñaban otras actividades.

En cuanto a los casos de sida, en el periodo 1989-1999 se registraron 3 726 contagios en hombres, con 2 191 defunciones; y 800 contagios en muje-

ESTADO DE JALISCO SALUD	
Principales enfermedades (1991)	*Número de casos*
Amibiasis	24 834
Ascariasis	12 333
Cirrosis hepática	12
Diabetes	3 235
Escarlatina	640
Fiebre reumática	12
Fiebre tifoidea	3
Hipertensión arterial	4 454
Infecciones intestinales mal definidas[1]	152 422
Infecciones respiratorias	205 929
Intoxicaciones alimenticias[2]	1 165
Neumo y bronconeumonías	4 794
Paludismo	234
Rubeola	799
Sarampión	65
Shigelosis	563
Tétanos	5
Tosferina	1
Tuberculosis pulmonar	266

[1]: Cifras correspondientes al año de 1990.
[2]: Comprende la suma de intoxicación alimentaria bacteriana y no bacteriana.

Enfermedades prevenibles por vacunación.
Casos registrados y vacunas aplicadas 1991-1992.

Enfermedad	*No. de caso*	*Vacunas aplicadas*
Sarampión	206	839 397
Poliomielitis	0	108 659
Tuberculosis	456	124 941
Difteria, tosferina y tétanos	33	106 318

Síndrome de inmunodeficiencia adquirida (sida)

No. de casos		*% respecto al total nacional*		*Tasa**	
1991	1992	1991	1992	1991	1992
1 135	1 280	12.5	11.8	228.3	229

* Por cada millón de habitantes
Fuente: Grupo Financiero Banamex Accival. *México Social 1992-1993*.

ESTADO DE JALISCO

ESTADO DE JALISCO. Jalisco colinda con los estados de Durango, Aguascalientes, Zacatecas, San Luis Potosí, Guanajuato, Michoacán, Colima y Nayarit. Está constituido por 124 municipios. En las fotografías interiores se pueden apreciar dos tipos de vegetación, existentes en el estado, y que son el manglar y el bosque de capomo.

ESTADO DE JALISCO. En la fotografía se muestra una vista panorámica de la ciudad de Guadalajara. Después de las explosiones en el sistema de drenaje ocurridas el 22 de abril de 1992 en esta ciudad, quedó totalmente destruido el sector Reforma y dañadas las colonias circunvecinas.

ESTADO DE JALISCO. En esta fotografía se aprecia una vista panorámica del monumento a Juárez, la estación de los ferrocarriles y la zona industrial de Guadalajara. El desarrollo de esta zona se ha sustentado en el de los recursos agropecuarios de la región, lo cual ha relegado a un segundo plano la producción de bienes intermedios y de capital.

JARIPEO. La imagen presenta un cuadro de G. Morales en el que se muestra la fiesta del jaripeo. El jaripeo es una fiesta charra en la que se ejecutan diversas suertes con las reses tales como jinetear, lazar, colear o torear. Este entretenimiento tiene su origen en el siglo XVIII.

MARIANO JIMÉNEZ. Participó en la Guerra de Reforma, combatió a los franceses y luchó contra el imperio de Maximiliano. Fue gobernador de Michoacán.

JAROCHO. Término con que los españoles designaban despectivamente a los mestizos de negro e indio de la región veracruzana. Actualmente ha perdido su sentido peyorativo e identifica a sus habitantes. En la ilustración, jarochos del siglo XIX.

JESUITA. Orden religiosa que llevó a cabo una importante obra evangelizadora en la Nueva España. Por conflictos con la corona, fue expulsada en 1727. La foto presenta la iglesia del Colegio de Tepotzotlán, actualmente Museo Nacional del Virreinato.

JINICUIL. En la foto se puede observar una rama del árbol del jinicuil, que pertenece a la familia de las leguminosas, tiene follaje denso y frondoso, y carece de las alas laterales, que son características de otras especies del mismo género.

JOCONOSTLE. En la ilustración se observa el joconostle, nopal arborescente de 2 o 3 metros de altura. Tiene un fruto agrio o agridulce y crece principalmente en los estados de Jalisco, Durango, Chihuahua, Nuevo León y Coahuila.

JITOMATE. En la foto aparecen unos cosecheros de jitomate de Sinaloa. El jitomate pertenece a la familia de las solanáceas. Su nombre vernáculo deriva del náhuatl *xictli* y *tomatl*, que significa "tomate ombligado".

JOYERÍA. En las fotos se aprecian piezas de joyería de Tehuantepec, de estilo *art nouveau*, y de la ciudad de Oaxaca. La joyería mexicana actual se ha olvidado de los modelos propios y busca coincidir con el gusto europeo, a fin de tener acceso a los mercados internacionales.

BENITO JUÁREZ. Presidente de México. Defendió las Leyes de Reforma, derrotó a los conservadores en la Guerra de Tres Años, resistió la intervención francesa, derrotó al imperio de Maximiliano y restauró la República.

FRIDA KAHLO. Pintora mexicana, esposa de Diego Rivera. Su obra es intimista, personal, onírica y cercana al surrealismo. En la foto se puede apreciar uno de sus autorretratos, titulado *Las dos Fridas*.

KABAH. En la gráfica aparece el Palacio de los Mascarones de Chac, localizado en Kabah, estado de Yucatán. Esta ciudad se ubica en la llamada zona Puuc de Yucatán. El Palacio mide 46 metros de largo y 6 de alto. La fachada tiene un basamento con una moldura lisa inferior y otra superior.

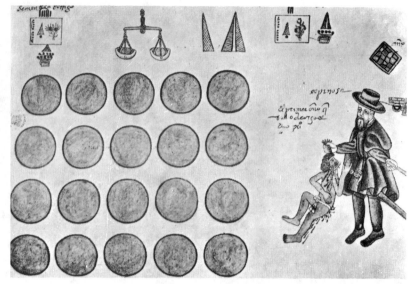

KID AZTECA. Pugilista mexicano cuyo nombre era Luis Villanueva. Se inició en el box en 1929. Fue campeón mundial de peso welter de 1932 a 1947.

CÓDICE KINGSBOROUGH. En las gráficas se pueden observar dos láminas del *Códice Kingsborough*, que se halla en el Museo Británico de Londres. Relata las protestas presentadas por los indígenas de Tepetlaoztoc al rey de España, en contra de las injusticias de los españoles en ese lugar.

LABNÁ. En la fotografía se aprecia el arco de la Plaza Principal de Labná, zona arqueológica maya ubicada en el estado de Yucatán. Los dos grupos arquitectónicos más importantes son la Plaza Principal y El Palacio. El primero consta de la Pirámide El Mirador; el Palacio comprende diversos edificios decorados con columnillas y otros mascarones y grecas.

LACANDONES. Las fotografías muestran a algunos lacandones contemporáneos. Los lacandones son un grupo tribal de origen prehispánico en vías de extinción; habitan en el estado de Chiapas, cerca del río Usumacinta.

LA PAZ. Una vista panorámica de la ciudad de La Paz, cabecera de municipio y capital del estado de Baja California Sur. La Paz está constituida por 5 delegaciones y se localiza en el extremo meridional de la entidad.

LA LAGUNILLA. En la foto aparece el conjunto de mercados llamados de La Lagunilla. Se encuentra en el centro histórico de la capital de la República y es una de las zonas comerciales más antiguas de la ciudad.

AGUSTÍN LARA. Compositor mexicano, creó cerca de 700 melodías.

CÓDICE LAUD. Es un *tonalámatl* o libro de la cuenta de los días, de origen olmeca o zapoteca.

LECHUGUILLA. Planta de la familia de las agraváceas. Se le explota para hacer lazos, costales, cables, tapetes y alfombras.

LA VENTA. Cabeza monolítica en basalto de La Venta, zona arqueológica de origen olmeca ubicada en Tabasco.

FRANCISCO LEÓN DE LA BARRA. Presidente interino de México, ocupó la primera magistratura a raíz de la renuncia del general Porfirio Díaz. León de la Barra (con la banda presidencial) fue presidente del 25 de mayo de 1911 hasta el 6 de noviembre del mismo año.

JALISCO

res, con 467 defunciones. El año más crítico fue 1995, con 402 casos nuevos en hombres, y 74 defunciones; y 225 en mujeres, con 41 defunciones.

Educación. En el periodo escolar 1999-2000, de acuerdo con estimaciones de la Secretaría de Educación Pública, en la entidad funcionaron 11 482 escuelas de todos los niveles, a las que acudieron 1 800 900 niños y jóvenes, quienes fueron atendidos por 72 967 maestros (v. cuadros del Sistema Educativo). En cuestión de absorción, deserción, reprobación y eficiencia terminal en la educación básica, los índices en la primaria fueron de 70.3%, 2.3%, 5.4% y 85.5%, respectivamente, y en la secundaria de 92.3%, 11.3%, 28.4% y 69.0%. En lo

JALISCO
PRINCIPALES SERVICIOS EDUCATIVOS

	Básica			Media superior		
	Matrícula	Maestros	Escuelas	Matrícula	Maestros	Escuelas
1989-1990	1 437 200	50 243	8 447	174 100	6 698	161
1990-1991	1 419 300	50 256	8 631	168 800	6 843	164
1991-1992	1 416 200	49 753	8 719	138 100	6 858	171
1992-1993	1 428 200	50 477	8 929	133 900	7 424	196
1993-1994	1 443 200	51 522	9 211	144 500	8 365	251
1994-1995	1 468 000	53 947	9 703	141 100	9 870	262
1995-1996	1 485 800	55 832	9 977	146 400	13 573	315
1996-1997	1 494 000	58 235	10 151	148 800	11 797	326
1997-1998	1 497 800	58 762	10 470	158 600	11 084	371
1998-1999	1 502 400	60 546	10 728	166 100	12 239	389
1999-2000*	1 513 700	61 294	10 875	173 800	12 603	418

JALISCO
PRINCIPALES SERVICIOS EDUCATIVOS

	Superior			Capacitación laboral **		
	Matrícula	Maestros	Escuelas	Matrícula	Maestros	Escuelas
1989-1990	108 300	7 782	111	37 000	1 998	338
1990-1991	112 800	7 522	111	32 700	1 856	318
1991-1992	119 400	7 269	115	32 800	1 854	334
1992-1993	122 500	7 413	101	28 100	1 743	311
1993-1994	118 000	7 689	112	27 500	1 728	320
1994-1995	107 500	8 496	118	31 000	1 931	343
1995-1996	114 300	8 700	134	34 300	2 091	376
1996-1997	94 100	10 533	166	36 900	2 207	413
1997-1998	110 700	10 760	192	62 900	2 660	481
1998-1999	115 700	11 58	193	63 200	2 756	500
1999-2000 *	113 400	11 255	189	65 600	2 784	525

Fuente: Secretaría de Educación Pública
* Estimaciones
** No se incluye en los totales señalados en el rubro de Educación

que se refiere a la construcción de nuevos espacios educativos, en el transcurso de 1999 se construyeron 67, de los cuales nueve fueron de capacitación para el trabajo, catorce para el nivel medio superior y 44 de superior y posgrado. Las principales instituciones de enseñanza superior son las universidades de Guadalajara (oficial), Autónoma de Guadalajara, del Valle de Atemajac y Pedagógica Nacional (con unidades en Autlán, Ciudad Guzmán, Guadalajara, Tlaquepaque y Zapopan); los institutos tecnológicos de Ciudad Guzmán, Agropecuario núm. 26, de Estudios Superiores de Occidente y de Estudios Superiores de Monterrey (Unidad Guadalajara); el Centro de Enseñanza Técnica Industrial; las escuelas normales superiores de Especialización, de Jalisco y Nueva Galicia, y la Militar de Especialistas de la Fuerza Aérea.

Comunicaciones y transportes. En 1997 la red de carreteras tenía una longitud de 11 148.08 km; 5 148.28 km eran libres, 566.10 km de cuota y 4 433.70 caminos rurales. Las principales carreteras son la núm. 80, que procede de Tampico, recorre toda la longitud de los Altos, toca Guadalajara y continúa hasta llegar al mar en Barra de Navidad; la núm. 200, parte de la costera del Pacífico, que une Cihuatlán con Puerto Vallarta; la núm. 90, que penetra a la entidad desde La Piedad de Cabadas; la núm. 15, que procede de Morelia, recorre la ribera sur del lago de Chapala, pasa por Guadalajara, y continúa hacia Tepic; la núm. 54, que vincula Zacatecas con Colima, pasando por la capital de Jalisco; la núm. 110, que va de Jiquilpan a Colima por el sur del estado; la núm. 45, de León a Aguascalientes, por Lagos de Moreno. En 1986 entró en servicio la carretera de Guadalajara a Colotlán, eje de comunicación con la región norte, y se trabajaba en la nueva ruta a Manzanillo, por Sayula y Ciudad Guzmán, y en los libramientos de Puerto Vallarta, de Guadalajara (por Santa Cruz de las Flores-Tala) y de Lagos de Moreno. Un camino en construcción era el de Mezquitic a Monte Escobedo, con la finalidad de beneficiar a la zona huichol. En 1997 estaban registrados en Jalisco 1 027 679 vehículos automotores: 618 482 automóviles, 402 537 camionetas y 6 678 camiones para pasajeros, a los que daban servicio 215 gasolineras. La red ferroviaria tiene una longitud de 1 033 km correspondientes a las vías México-Guadalajara-

Nogales, Guadalajara-Colima-Manzanillo, México-Ciudad Juárez y Guadalajara-Ameca. En 1987 continuaba en obra la vía férrea de Encarnación de Díaz a Tlajomulco, útil para acortar la distancia entre Manzanillo y Monterrey. En 1997 el Ferrocarril del Pacífico registró la llegada de 165 437 pasajeros y la salida de 178 337. Hay en la entidad dos aeropuertos nacionales e internacionales, los que en 1997 registraron una operación de 141 551 vuelos, en los que se transportaron un total de 5 416 346 pasajeros. En la entidad funcionan 34 estaciones televisoras, siendo veinte concesionadas, cinco permisionadas y nueve complementarias; las estaciones de radio suman ochenta; de ellas, 47 son de amplitud modulada y 33 de frecuencia modulada. Las oficinas postales son 1 332 y la red telegráfica está integrada por un total de noventa oficinas. En la telefonía, en 1999 se atendió a 268 comunidades urbanas y a 1 701 rurales.

Minería. En 1997, según el INEGI, se produjeron 726 143 t de fierro, 25 t de plomo y 3 t de cobre, mientras que en metales preciosos se obtuvieron 71 266 kg de plata y 90.7 kg de oro. Los principales centros mineros son Bolaños, Pihuamo, El Barqueño y Tequila.

Abastecimiento de energía. Jalisco forma parte del Sistema Occidental de la Comisión Federal de Electricidad, que comprende: Guanajuato, Presidente Lázaro Cárdenas, Aguscalientes, Tepic, Colima, Chapala y Zacatecas, conectado al Oriental en Mal Paso. Los combustibles, a su vez, llegan a Guadalajara desde la refinería de Salamanca, distante 316 km, por un oleoducto y un gasoducto.

Ganadería. En 1997 había en la entidad un total de 3 375 119 cabezas de bovino, 2 458 023 de porcino, 91 840 de ovino, 289 354 de caprino, 66 030 487 aves y 202 866 colmenas. En ese mismo año, la producción fue de 200 124 t de carne de bovino, 184 736 t de porcino, 713 t de ovino, 2 424 t de caprino y 168 364 t de aves. También se produjeron 1 257 369 litros de leche de vaca, 315 400 t de huevo y 6 065 litros de miel.

Silvicultura. La superficie total forestal del estado es de 5 395 000 ha: 2 729 000 arboladas, 1 103 000 arbustivas, 1 059 000 de matorrales, 502 mil áreas perturbadas y dos mil de vegetación hidrófila. De la superficie arbolada 1 067 000 ha son de bosques de coníferas y latifoliadas, y

JALISCO
AGRICULTURA SUPERFICIE SEMBRADA
Y COSECHADA, VOLUMEN Y VALOR
DE LA PRODUCCIÓN EN EL AÑO AGRÍCOLA SEGÚN
TIPO DE CULTIVO Y PRINCIPALES CULTIVOS
CICLO 1996-1997

Tipo y cultivo	Superficie sembrada ª (hectáreas)	Superficie cosechada (hectáreas)	Volumen (toneladas)	Valor (Nuevos pesos)
Total	1 459 672	1 224 102	NA	7 689 501 367
Principales cultivos cíclicos	*1 061 849*	*893 234*	*NA*	*4 519 636 691*
Maíz grano	747 114	626 625	2 045 288	2 650 688 611
Sorgo grano	86 316	76 047	321 285	339 731 092
Trigo	37 226	36 851	830 208	189 644 716
Frijol	33 421	23 388	165 168	206 126 220
Garbanzo forrajero	28 484	24 687	17 686	92 960 069
Maíz asociado	15 192	14 017	29 196	36 859 145
Avena forrajera	9 389	9 161	134 895	65 668 748
Sorgo forrajero	8 988	8 367	221 275	64 999 830
Tomate cáscara	4 156	3 908	51 910	128 349 291
Principales cultivos perennes	*387 823*	*330 868*	*NA*	*3 169 864 676*
Pasto forrajero	227 158	226 150	4 848 235	968 287 438
Caña de azúcar	72 102	64 776	5 637 881	1 198 570 149
Agave	62 108	5 268	703 385	507 739 750
Alfalfa verde	7 322	7 302	606 915	97 753 205
Mango	5 492	5 476	50 302	38 127 400

ª En el caso de los cultivos perennes, se trata de «superficie plantada»
Fuente: Secretaría de Agricultura, Ganadería y Desarrollo Rural. Delegación del Estado. Unidad de Planeación

JALISCOPESCA, 1997
VOLUMEN DE LA CAPTURA EN PESO
DESEMBARCADO
SEGÚN ESPECIE

Especie	Volumen
Total	14 989.7
Atún	13.1
Bagre	27.3
Bandera	19.7
Barriete	0.9
Berrugata	10.8
Cabrilla	2.3
Camarón	0.1
Carpa	1 119.3
Cazón	58.8
Charal	693.6
Corvina	47.4
Esmedregal	3.7
Guachinango	504.9
Jaiba	26.1
Jurel	19.5
Langosta	10.9
Langostino	29.3
Lebrancha	1.5
Lenguado	NS
Lisa	60.6
Lobina	22.8
Mero	0.2
Mojarra	4 092.1
Pámpano	3.2
Pargo	84.7
Pulpo	337.0
Raya y similares	103.6
Róbalo	7.7
Ronco	2.4
Sierra	167.1
Tiburón	67.5
Otras	2 191.7
Captura sin registro oficial	5 260.1

Fuente: Semarnap, Delegación en el Estado. Subdelegación de Pesca

84 711 000 de estas últimas. En 1997, de acuerdo con el *Anuario estadístico* del INEGI, los árboles plantados en la entidad sumaron 47 441 284 y la producción forestal maderable ascendió a 728 644 m³, de los cuales 497 627 m³ fueron de pino, 178 143 m³ de encino, 18 049 m³ de diversas coníferas, 12 735 m³ de oyamel, 2 756 m³ de maderas preciosas y 19 334 m³ de corrientes tropicales. Jalisco, al igual que otros estados de la república, ha tenido que enfrentar en los últimos años los incendios forestales. En 1997 se registraron 115, los que afectaron a un área de 2 031 ha, siendo éstas 672 de pastos, 879 de hierba y arbustos, 243 de renuevo y 237 de arbolada. Los municipios más afectados por estos siniestros, muchos de ellos provocados por la mano del hombre, fueron Talpa de Allende, donde se afectaron 323 ha, y San Sebastián del Oeste con 200 ha.

Industria. En 1997, en la entidad había 18 002 unidades económicas, las que daban empleo a 222 742 personas. De acuerdo con las estadísticas económicas del INEGI, la industria maquiladora de exportación en Jalisco registró en las últimas dos décadas un acelerado desarrollo al pasar de 14 establecimientos en activo en 1980 a 77 en 1998 (24 de ellos localizados en Guadalajara); éstos importan cada año insumos por alrededor de los 14.5 millones de pesos. Esta industria daba ocupación a 26 366 personas, las que recibían en sueldos, salarios y prestaciones un promedio de 1 484 559 pesos.

Comercio y servicios. Conforme a los Censos Económicos 1994 del INEGI, en 1993 existían en la entidad 84 274 establecimientos comerciales, los que daban empleo a 242 668 personas en promedio; del total, 5 930 se dedicaban al comercio al por mayor de material de desecho, alimentos, be-

JALISCO, INDUSTRIA
ESTABLECIMIENTOS CENSADOS, PERSONAL OCUPADO,
REMUNERACIONES, PRODUCCIÓN BRUTA E INSUMOS
SEGÚN SUBSECTOR DE ACTIVIDAD

Subsector	Establecimientos censados [a]	Personal ocupado total promedio [b]	Remuneraciones totales al personal ocupado	Producción bruta total (miles de nuevos pesos)	Insumos totales (miles de nuevos pesos)
Total	18 002	222 774	4 713 310.9	38 481 572.9	23 451 525.5
Productos alimenticios Bebidas y tabaco	6 348	63 936	1 335 350.3	15 343 701.3	9 010 008.5
Textiles, prendas de vestir e industria del cuero	2 327	37 561	596 946.3	2 657 495.0	1 543 937.8
Industrias de la madera y productos de madera, incluye muebles	1 981	13 846	147 944.8	1 010 935.2	619 768.8
Papel y productos de papel, imprentas y editoriales	996	10 407	205 561.6	1 203 295.5	730 714.2
Sustancias químicas, productos derivados del petróleo y del carbón, de hule y de plástico	770	32 843	985 641.2	6 816 276.1	4 001 765.5
Productos minerales no metálicos, excluye los derivados del petróleo y del carbón	1 578	12 156	245 287.5	1 959 995.4	946 614.4
Industrias métalicas básicas	12	1 953	67 978.0	823 024.2	688 553.1
Productos metálicos, incluye instrumentos quirúrgicos y de precisión	3 748	47 434	1 097 222.2	8 501 525.0	5 819 817.3
Otras industrias manufactureras	242	2 606	31 379.0	165 361.2	90 345.9

Fuente: INEGI. Jalisco. XIV Censo Industrial, XI Censo Comercial y XI Censo de Servicios. Censos Económicos 1994

bidas, tabaco y productos diversos. Las unidades económicas al por menor sumaban 78 344, y eran: establecimientos especializados en productos alimenticios, bebidas y tabaco (42 801); alimentos en supermercados, tiendas de autoservicio y almacenes (579); productos no alimenticios en tiendas especializadas (32 020); tiendas departamentales y almacenes de productos no alimenticios (221); de automóviles y refacciones (2 508) y estaciones de gasolina (215).

Turismo. De acuerdo con el *Anuario de estadísticas básicas del sector turismo* en el estado había, en 1997, 834 establecimientos de hospedaje, con un total de 40 833 cuartos. Aquéllos estaban clasificados por categorías de la siguiente manera, con el número de habitaciones entre paréntesis: cinco estrellas y gran turismo, 35 (8 181); cuatro estrellas, 53 (6 418); tres estrellas, 92 (5 195); dos estrellas, 92 (3 302); una estrella, 166 (5 137); cabañas, bungalows, condominios, suites y albergues, 396 (12 600). Los principales centros turísticos son Puerto Vallarta, que registró una ocupación promedio de 67.31%, y la zona metropolitana de Guadalajara, con 48.64%.

Finanzas. De acuerdo con el *Anuario estadístico* del INEGI, durante 1996 el estado de Jalisco tuvo ingresos totales por 5 876 814 285 pesos, de los cuales 5 757 073 618 fueron ingresos netos. Los conceptos, cuya parte porcentual figura entre paréntesis, fueron los siguientes: impuestos, 356 150 212 (6.1%): participaciones federales, 3 817 206 089 (65.0); contribuciones de mejoras, 1 664 887; productos, 145 101 383 (2.5%); derechos, 196 900 521 (3.3%); aprovechamientos, 165 776 117

(2.8%); deuda pública, 668 904 314 (11.4); transferencias, 405 370 095 (6.9%); y disponibilidades, 119 740 667 (2.0%). En el mismo año, los egresos de la entidad fueron del mismo monto que los ingresos, 5 876 814 285 pesos, y se distribuyeron de la siguiente forma: a gastos administrativos, 2 460 097 408 (41.9%); obras públicas, fomento y adquisiciones, 410 111 840 (13.4%); transferencias, 1 771 272 805 (30.1%); deuda pública, 789 996 634 (13.4%); y disponibilidades, 445 335 598 (7.6%). Por su parte, los municipios tuvieron ingresos totales por 2 340 833 275, de los cuales 390 811 098 fueron por impuestos; 1 152 475 412 por participaciones federales; 1 222 194 por contribuciones de mejoras; 247 921 014 por derechos; 166 871 746 por productos; 180 150 111 por aprovechamientos; 74 210 555 por deuda pública; 4 838 335 por cuenta de terceros; 16 013 721 por ingresos variados y 43 639 565 por disponibilidades. En cuanto a los egresos de los municipios, éstos fueron por el mismo monto de las ingresos, 2 340 833 275, y se distribuyeron de la siguiente forma: 1 712 875 531 en gastos administrativos; 274 615 580 en obras públicas, fomento y adquisiciones; 144 903 651 en transferencias; 144 623 123 en deuda pública; 54 036 329 en disponibilidades, y 9 779 061 por cuenta de terceros.

JALTOMATE. *Saracha jaltomate* Schl. Planta herbácea de la familia de las solanáceas, hasta de 1 m de altura, ramosa y de hojas alternas, enteras y en forma de huevo; flores monopétalas y de cáliz persistente; fruto globoso, de 10 mm de diámetro y con muchas semillas aplanadas. Vegeta casi siempre cerca de los cultivos de maíz.

JAMAICA. Una de las Grandes Antillas. Constituye desde 1962 un Estado independiente. Situada en el mar Caribe, a 128 km al sur de Cuba y a 160 al suroeste de Haití, tiene una extensión de 10 962 km^2 y una población de 2.190 millones de habitantes (1984). Su capital es Kingston; su idioma oficial, el inglés; y su moneda, el dólar jamaiquino. Según la Constitución de 1962, Jamaica es una monarquía constitucional, cuyo soberano es nominalmente el del Reino Unido, quien se hace representar por un gobernador general. El primer ministro es el jefe de gobierno, designado de entre los 60 miembros de la Cámara de Representantes por el gobernador general. Los in-

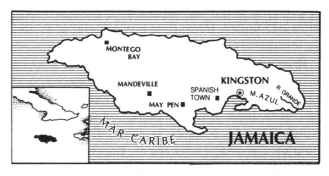

tegrantes de la Cámara son elegidos por sufragio universal por un periodo de cinco años. El gobernador designa a los 21 miembros del Senado (13 recomendados por el primer ministro y ocho por el líder de la oposición). Los ministros del gabinete son también designados por el gobernador a proposición del primer ministro. Los partidos políticos son el Laborista de Jamaica (en el poder en 1987), el Nacional Popular y el Obrero de Jamaica, formados en 1943, 1938 y 1978, respectivamente.

La isla de Jamaica fue descubierta por Cristóbal Colón durante su segundo viaje, el 3 de mayo de 1494, y colonizada por los españoles en 1509, año en que se nombró gobernador a Juan de Esquivel. En 1523 se fundó la primera población, Villa de la Vega, capital de la colonia, hoy conocida como Spanish Town. En 1655 los ingleses atacaron las posesiones españolas en las Antillas y en esa época Jamaica se convirtió en el principal centro pirático del Caribe. En 1670, por medio del Tratado de Madrid, España reconoce el traspaso oficial de Jamaica a Inglaterra. En 1866, Jamaica adquirió la condición de colonia británica y 18 años más tarde se autorizó a los jamaiquinos a elegir nueve miembros de la Legislatura. En 1872, Kingston fue declarada capital, en sustitución de Villa de la Vega. En 1944 se promulgó una Constitución que estableció la Cámara de Representantes. Dieciocho años más tarde, Jamaica se unió a otras islas del Caribe en la Federación de las Antillas Británicas, pero se retiró de ella años más tarde. En 1959, Jamaica consiguió la autonomía interna; el día 9 de febrero de 1962 firmó con el Reino Unido el acta de autonomía; el 6 de agosto de ese mismo año proclamó su Independencia y el 18 de septiembre pasó a formar parte de la Organización de las Naciones Unidas. En 1976 se inició en Jamaica una era de inestabilidad social y política, provocada por el descontento hacia

JAMAICA

el gobierno social demócrata del primer ministro Michael Manley, teniéndose que declarar el estado de emergencia.

Relaciones bilaterales. Los gobiernos de México y Jamaica establecieron relaciones diplomáticas el 17 de mayo de 1966. Los embajadores de México han sido Juan Antonio Mérigo Aza y Gustavo Iruegas Alonso; y los de Jamaica, Trevor Eugene Bentley Dacosta, Louis Heron Boothe y Thomas Alvin Stimpson. En julio de 1974 se celebró el primer encuentro entre los mandatarios de Jamaica y México, durante la visita que realizó el presidente Luis Echeverría a la isla. En esa ocasión se suscribieron acuerdos de intercambio cultural, científico y tecnológico, y de complementación económica en materia de petróleo, siderurgia, turismo, producción cinematográfica y líneas de navegación. En junio de 1975 visitó México el primer ministro Michael Manley, un mes después de que había firmado el acuerdo constitutivo de la Empresa Naviera Multinacional del Caribe, formada a iniciativa de México y cuyos objetivos son contribuir a la independencia comercial de la región y obtener un ahorro sustancial de divisas en el pago de fletes.

En agosto de 1987 el presidente Miguel de la Madrid Hurtado viajó a Jamaica como invitado principal a las fiestas del XXV Aniversario de la Independencia Nacional. Durante su estancia en Kingston, se entrevistó con el primer ministro Edward Phillip George Seaga y con el gobernador general sir Florizeli Augustus Glasspole, y habló ante el Parlamento en sesión especial convocada en su honor. Esta vez se convino impulsar la cooperación en los campos científico-técnico, deportivo y cultural-educativo, especialmente en materia de rescate arqueológico y restauración de monumentos históricos. También han visitado México los ministros de Relaciones Exteriores de Jamaica: Dudley Thompson en febrero de 1976, y Hugh Sheaner en julio de 1983. Los tratados vigentes entre los dos países, cuyas fechas se indican entre paréntesis, se refieren a las siguientes materias: supresión de visas (15 de marzo de 1968), cooperación científica y tecnológica (30 de julio de 1974) y comercio (3 de julio de 1975). Las ventas de México a Jamaica ascendieron a Dls. 12.9 millones en 1984 y a Dls. 46.8 millones en 1985; y las compras, a Dls. 127 mil en aquel año y a Dls. 148 mil en éste.

JAMAICA. *Hibiscus sabdariffa* L. Arbusto anual de la familia de las malváceas, de 2 m de altura, subleñoso, ramoso, inerme, con epidermis carminada que se extiende a la nervadura de las hojas, a los cálices y a los botones de las flores. Tiene hojas verdosas por arriba y amarillentas por abajo, alternas, lisas, con peciolos largos y erguidos, con una glándula en el nacimiento de la nervadura dorsal y provistos de estípulos filiformes; las hojas situadas en la parte inferior del tallo son simples, ovales y más pequeñas que las superiores; todas son flexibles, dentadas, con las nervaduras principales de color carmín y con sabor ácido, ligeramente astringente. Las flores son axilares, solitarias y casi sésiles, de cálices persistentes, rojizos, cortados profundamente en lacinias agudas derechas o encorvadas; corola campanulada, rosada o amarillo rojiza, compuesta de cinco pétalos con manchas oscuras en la parte inferior; al centro, una columna estaminal que sostiene numerosos estambres con filamentos libres que llevan anteras reniformes; ovario súpero, coronado con un estilo filiforme y situado al centro de la columna estaminal, y la parte superior, dividida en cinco segmentos provistos de estigmas globosos. La corola, después de cierto tiempo, se marchita y desaparece, quedando sólo los cálices, de los cuales el interior se alarga, se vuelve carnoso y toma un color rojo oscuro y un sabor ácido. El fruto es seco, oval, de cinco lóbulos compuestos cada uno de tres láminas delgadas y oblongas, lisas por dentro y erizadas por fuera, de pelos finos y picantes. La planta se propaga por semillas, siempre en climas cálidos y terrenos húmedos, sin ser pantanosos; crece en semillero y se trasplanta cuando el individuo mide aproximadamente 10 cm; generalmente se siembra en los primeros meses del año y se cosecha en septiembre y octubre; cada planta produce 6 kg de cálices, que son los que se utilizan para hacer jaleas, dulces y aguas frescas. El análisis químico de los cálices, en porcentaje, es como sigue: agua, 78.22; sólidos, 11.09; cenizas, 0.89; residuos insolubles, 6.67; ácidos, 2.77; azúcares, 0.33, y sucrosa, 0.03. Las bebidas refrescantes preparadas con los cálices son muy agradables, se venden en casi todos los mercados y se recomiendan a los enfermos febricitantes, a los débiles y a los biliosos. Las hojas se emplean exteriormente como emolientes y se usan además para lavados intestinales en el tratamiento de enfermedades del tubo digestivo. Las semillas constituyen un excelente alimento para las aves; su contenido, en porcentaje, es el siguiente: agua, 13.10; cenizas, 4.20; proteína, 19.16; grasa, 5.60; carbohidratos, 30.49 y fibra, 27.45. La *H. sabdariffa*, probablemente originaria de la India y Malasia, se cultiva principalmente en Jalisco, Michoacán, Oaxaca, San Luis Potosí y Puebla. En Jalisco: Puerto Vallarta, Tomatlán, Purificación y Cihuatlán. En Michoacán, sólo en Jacona. En Oaxaca: Pochutla y Sola de Vega. En Tamazunchale, S.L.P., y en Chiautla, Pue. En 1984 se sembraron de jamaica 8 706 ha y se cosecharon 3 643 t, con un valor de $2 036 millones.

JAMES, EDWARD. Nació en West Dean, Escocia, el 16 de agosto de 1907; murió en París, Francia, el 7 de diciembre de 1984. Su madre, Evelyn Forves, era hija del rey Eduardo VII. Estudió literatura en Eaton y en 1928 contrajo nupcias con la bailarina Tilly Losch. Trabajó en el servicio diplomático de Inglaterra y fue mecenas del pintor Salvador Dalí. En Barcelona presenció la producción del *Guernica* de Picasso. Luis Buñuel cuenta en sus *Memorias* que James donó dos bombarderos de su propiedad al gobierno republicano español, a cambio de que éste protegiera la pintura española, en particular la surrealista. Fue modelo en *La reproducción prohibida* de René Magritte. Auxilió a Bertolt Brecht en su huida de la Alemania nazi. Pasó a México en 1944 y se radicó en Cuernavaca. Durante un viaje al estado de Jalisco conoció al telegrafista Plutarco Gastelum, indio yaqui que lo guió por la Huasteca potosina. Se instaló en Xilitla y allí pintó varios cuadros que evocan las fantasías de un mundo mágico. Destacan: *Nació un niño en el río Violino* y *The subconscient* (1955), *The bones of my hand* y *Arquitectura fantástica en Xilitla* entre otros.

JANAMARGO. *Vicia sativa* L. Planta herbácea, trepadora, de la familia de las leguminosas, de aproximadamente 1 m de altura y cubierta de pelos; de hojas alternas, con hojuelas opuestas que terminan en un zarcillo con varias ramificaciones; flores sésiles, azulosas o algo rojizas, y fruto en forma de vaina. Aunque originaria de Europa, vegeta en el centro del país, donde se le utiliza como planta forrajera.

JANITZIO o JANICHO. Su etimología ha sido motivo de encontradas opiniones: según unos significa "maíz seco"; según otros, "flor de elote" o "el lugar donde llueve". Es la principal de las cinco islas del lago de Pátzcuaro. En la parte sur se asienta un poblado de pescadores, de unos 500 a 700 habitantes, con las casas de adobe encalichado, cubiertas con tejas de barro rojas, características de la región. Hombres y mujeres tejen redes *chésemicas* (redes angostas), *varucas* (*chinchomis*) para el pescado blanco y la perca negra, la acúmara, la mojarra y la sardina; y *guaramútacas* y *tiribuspétacuas* (cucharas) para pescadillos llamados charases o charales y turuhs. Hablan tarasco y castellano defectuosamente: el primero se ha corrompido; el segundo no se ha dominado. Cultivan maíz, hortalizas y frutales –durazno y chabacano–. La isla, al igual que las demás del lago, es de formación pétrea, en cuya cima se levanta una monumental estatua, de 40 m de alto, que representa a José María Morelos y Pavón, toda de cemento armado, obra del escultor Guillermo Ruiz. Durante la noche de Todos Santos y la madrugada del Día de Muertos (noviembre 1° y 2), cientos de canoas con pescadores de poblados ribereños y del propio Janitzio, y visitantes curiosos, bordean la isla portando velas y cirios, y remando lentamente en grupos, a manera de peregrinación, desembarcan y van al cementerio a depositar las luminarias sobre las tumbas, junto con cempazúchiles a manera de ofrendas.

Bibliografía: Justino Fernández: *Pátzcuaro* (1936); *Michoacán* (*Estudios de Historia Económico Fiscales sobre los Estados de la República*) (1940).

JANOS, CHIH. Este municipio limita al norte con el condado de Hidalgo, Nuevo México, EUA; al este con los municipios de Ascensión y Nuevo Casas Grandes, Chih.; al sur con este último, y al oeste con los de Bavispe y Agua Prieta, Son. Tiene una superficie de 5 862 km^2 y una población de 8 906 habitantes (1980). Su territorio está comprendido entre las planicies septentrionales del estado y la sierra Madre Occidental. El río de Janos o San Pedro es afluente del Casas

JANOS

Grandes, que desagua en la laguna de Guzmán. El clima es extremoso en invierno y verano, y la precipitación pluvial es en promedio de 350 mm, anuales. Extensas planicies están dedicadas a la cría de ganado. Se cultivan maíz, frijol, trigo, algodón y avena, en pequeña escala. En la zona occidental se explota la madera de pino. La industria se reduce a la producción de queso y a la destilación de sotol. El ferrocarril toca las estaciones Dublán y San Pedro Corralitos. Hay comunicación por carretera con los municipios colindantes y el estado de Sonora.

Janos, la cabecera, es una de las primeras poblaciones establecidas por los españoles en Chihuahua. La región, ya habitada desde antiguo por tribus nómadas, fue descubierta hacia 1533-1534 por Alvar Núñez Cabeza de Vaca (véase). Como testimonio del extraordinario viaje de este náufrago y de sus compañeros, queda el cerro de Cabeza de Vaca en los límites de Chihuahua y Sonora, entre los municipios de Moris y Yécora. Otro explorador español que llegó a esta región hacia 1563, fue el capitán Francisco de Ibarra (véase), adelantado de la Nueva Vizcaya. Pasó por el sur de Janos y visitó las ruinas de Paquimé (Casas Grandes). Janos fue fundada hacia 1580 por los misioneros franciscanos, quienes la tomaron como punto de partida para la conquista espiritual de las tierras desconocidas del Nuevo México. Los primeros evangelizadores, los frailes Agustín Rodríguez, Juan Santa María y Francisco López, fueron muertos por los indios. Después de este fracaso, el virrey de Nueva España celebró convenio con el adelantado Juan de Oñate, quien al mando de una expedición armada tomó posesión de aquellas tierras el 30 de abril de 1598, en el punto donde hoy se encuentra Ciudad Juárez. El 10 de agosto de 1680 estalló la rebelión general de los apaches, que se propagó por toda la provincia. Unos 600 blancos, entre ellos 22 misioneros franciscanos, encontraron la muerte a manos de los indios y entre las misiones destrozadas se encontró la de Nuestra Señora de la Soledad de Janos. A consecuencia de estos hechos, una real orden de 1686 autorizó el establecimiento de los presidios militares de San Pedro del Gallo, el Pasaje y San Francisco de Conchos, a los que el gobernador Neyra y Quiroga añadió los de Janos y Santa Rosa de Corodéhuachi (Fronteras). El acantonamiento de

Janos fue uno de los más importantes en la Nueva España septentrional, pues podía cortar el paso a los apaches gileños que infestaban Sonora y la Nueva Vizcaya. En la capilla castrense de este presidio se encuentra sepultado Domingo Terán de los Ríos, defensor de las misiones de Sonora contra los apaches, fundador del mineral de Álamos y gobernador de Texas, quien murió en 1695. En agosto de 1697, el obispo García de Legaspi y Velasco, visitó el presidio de Janos e hizo un buen número de confirmaciones. El poblado indígena de Nuestra Señora de la Soledad, destruido durante la rebelión de 1680, fue vuelto a fundar en 1717. Se incluyó entonces la construcción de una iglesia y de un edificio público. Los indios janos y jocomes habían pactado la paz 13 años antes, circunstancia que propició la repoblación. Los apaches, en cambio, se mantenían insurrectos; en 1724, el comandante español del presidio de Janos, Antonio Bezerra Nieto, informó que había enfrentado a unos 2 mil de ellos en la sierra de Enmedio. La guarnición de Janos llegó a tener 150 hombres, y la villa 1 300 personas en 1807: 517 españoles, 592 mestizos y 191 sirvientes. Desde 1790, Janos fue un asentamiento donde los apaches eran mantenidos en cierta paz, y hasta fines del siglo XIX, un refugio para ellos, al grado de que ahí tuvo su centro de operaciones el indio Gerónimo, uno de sus caciques más temibles. Después de la Guerra de Estados Unidos a México (véase), los apaches usaron la nueva frontera como instrumento de sus depredaciones, pues al ser perseguidos al cabo de sus ataques, se pasaban impúnemente de un territorio a otro. En 1882 los gobiernos de ambas naciones firmaron el tratado que permitió, tanto al ejército mexicano como al norteamericano, penetrar al otro país en persecución de los indios bárbaros. Las fuerzas del general Croock siguieron a Gerónimo y a sus hombres hasta México, donde finalmente fueron diezmados y forzados a rendirse en mayo de 1886. También desde Janos, en 1916, Francisco Villa organizó a sus guerrilleros para atacar la población norteamericana de Columbus (V. EXPEDICIÓN PUNITIVA).

Quedan escasos vestigios del antiguo presidio de Janos. El arqueólogo norteamericano Rex Gerald excavó en 1954 y encontró las ruinas sumamente alteradas. Dice que, de acuerdo con un mapa de Joseph de Urrutia, "una muralla circundaba dos plazas adjuntas, la capilla, las habitaciones del capitán y las de los soldados" y que "varias de las esquinas estaban fortificadas con torreones redondos". Muy recientemente se ha descubierto un fragmento del basamento de uno de los torreones. La capilla en ruinas, a su vez, estaba siendo restaurada en 1987 por la Dirección General de Sitios y Monumentos del Patrimonio Cultural. Este templo es cuando menos el de 1717, pues en una fotografía de los años sesentas de este siglo se aprecia el interior todavía en servicio, con el retablo original de fines del XVII o principios del XVIII.

Bibliografía: Francisco R. Almada: *Resumen de historia del estado de Sonora* (1955) y *Diccionario de historia, geografía y biografía chihuahuenses* (2a. ed.; Chihuahua, 1968); José U. Escobar: *Siete viajeros y unas apostillas de Paso del Norte* (Ciudad Juárez, 1943); Roger Dunbier: *The sonoran desert, its geography, economy and people* (Tucson, 1968); Herbert y Virginia Gambrell: *A pictorial history of Texas* (Nueva York, 1960); Rex Gerald: *Spanish presidios of the late Eighteenth Century in northern New Spain* (Santa Fe, 1968); William B. Griffen: *"Cultural change and shifting populations in central northern Mexico"*, en *Anthropological Papers of the University of Arizona* (Tucson, 1966), e *Indian assimilation in the franciscan area of Nueva Vizcaya* (Tucson, 1979); Louis Lejeune: *La guerra apache en Sonora* (Hermosillo, 1984); Alvar Núñez Cabeza de Vaca: *Naufragio y relación de la jornada que hizo a la Florida con el adelantado Pánfilo de Narváez* (Valladolid, 1542); Pedro de Rivera: *Diario y derrotero de lo caminado, visto y observado en la visita que hizo a los presidios de la Nueva España septentrional* (1948); Alfonso Trueba: *Las 7 Ciudades. Expedición de Francisco Vázquez de Coronado* (1955); Rafael Vidales Tamayo: *"En busca de El Dorado"*, en *Letras de Sinaloa* (núm. 15; Culiacán, 1949).

JANVIER, THOMAS A. Nació en Filadelfia, EUA, a mediados del siglo XIX; murió en Niza, Francia, en 1913. Desde joven se dedicó al periodismo, llegando a ser editorialista del *Philadelphia Press Bulletin* y del *Times* de Nueva York (1870-1881). Fue corresponsal de este último en la ciudad de México (1881-1887). Escribió numerosos libros de viajes, impresiones, costumbres y leyendas, entre ellos: *Color studies* (1885), *The mexican guide* (1886; 2a. ed., 1887; 3a. ed., 1890), *The aztec treasure* (1890; 2a. ed., 1901), *Stories of old New Spain* (1891), *Santa Fe's*

Patner (1907) y *Leyends of the city of Mexico* (1910).

JAPÓN. Imperio del oriente de Asia. Tiene una superficie de 372 536 km^2 y una población de 117 millones de habitantes. Está situado en el océano Pacífico, frente a las costas de la URSS, Corea del Norte y Corea del Sur, mar de Japón de por medio. El archipiélago está formado por cuatro islas principales: Jokkaido, Jonshu, Kyushu y Shikoku. Al norte queda la isla Sakhalin, que Japón reclama a la URSS, y al sur el grupo de las Ryukyu. El gobierno es una monarquía constitucional; el idioma, el japonés; la moneda, el yen; la capital, Tokio; y otras ciudades importantes, Osaka, Yokohama, Nagoya, Kobe y Kitakyushu.

El primer contacto entre México y Japón ocurrió en 1596-1597: el galeón en que navegaba el protomártir mexicano Felipe de Jesús, fue a dar a las costas de Shikoku. Según una versión, el piloto de la nave comentó a las autoridades japonesas que los misioneros eran la vanguardia del rey de España para conquistar nuevas tierras. Esto provocó que el *shogun* (generalísimo o dictador mili-

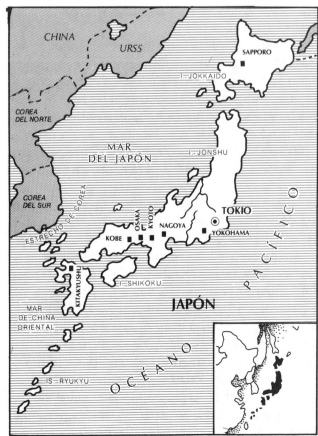

tar) Jideyoshi desatara una persecución contra los religiosos y algunos conversos que se hallaban en el Japón. El fraile mexicano y otros 25 religiosos, catequistas y conversos fueron apresados, mutilados, expuestos a la infamia pública y al fin crucificados el 5 de febrero de 1597 en Nagasaki (v. FELIPE DE JESÚS). En el sitio del sacrificio, llamado Colina de los Mártires, se erigieron en 1962, primer centenario de la canonización de las víctimas, un santuario, un monumento y el mayor museo cristiano de Oriente. Adyacente a la Universidad del Estado de Nagasaki funciona también, a cargo de jesuitas mexicanos, el Centro Universitario Nagai, destinado a prestar servicios culturales y religiosos a los estudiantes, quienes al año hacen unas 25 mil visitas a sus instalaciones. La decoración de este centro fue hecha por Francisco Borboa V., artista mexicano residente en Hong Kong. La *Vida de San Felipe de Jesús, protomártir de Japón y patrón de su patria México*, en 30 láminas, fue grabada por José María Montes de Oca en 1801, en el taller de la calle del Bautisterio de Santa Catalina núm. 3 (actual calle de Argentina, frente a la Secretaría de Educación Pública, en la ciudad de México). Otra versión plástica del sacrificio fue pintada a principios del siglo XVII en los muros de la catedral de Cuernavaca.

En 1603 quedó al frente del shogunato del mismo nombre Ieyasu Tokugawa, quien pugnó por establecer el comercio directo entre Nueva España y Japón. Por ello, cuando en 1609 la nave *San Francisco*, en la que viajaba Rodrigo Vivero, gobernador saliente de Filipinas, fue arrojada a las costas de la península de Cliba, Ieyasu aprovechó la oportunidad para expresarle el deseo de establecer esa relación. Vivero partió en un barco japonés como embajador de Ieyasu ante el rey de España, acompañado por 25 mercaderes de aquel imperio. Poco después de su llegada a Acapulco, Vivero expuso las ventajas que acarrearía para la Colonia el comercio de Japón. Sin embargo, en ese momento la propuesta no fructificó. En 1928 en Onjuku, sitio del naufragio, se construyó un monumento para conmemorar el rescate del *San Francisco* y desde 1970 se celebra en esta ciudad y en Ohtaki el rescate de la nave. El virrey Luis de Velasco, el segundo, queriendo agradecer a las autoridades niponas aquel rasgo, nombró embajador a Sebastián Vizcaíno para que fuese a dar las gracias, pagar la deuda, explorar los fondeaderos, establecer relaciones formales e insinuar la idea de que abrazasen la religión católica. El 22 de marzo de 1611 zarpó de Acapulco en la nao *San Bernardo*, acompañado de tres franciscanos, tres legos y una sección de soldados. El 16 de junio arribó a Urangawa y de ahí marchó a Edo (después Tokio) para visitar al segundo *shogun* Jidetada, y a Sumpa, para entrevistarse con el exshogun Ieyasu. A éste le entregó, entre otros regalos, un reloj que aún se conserva en el templo de Kuno-San, cerca de Shizouka. Vizcaíno salió el 16 de octubre en viaje de exploración y el 7 de noviembre recaló otra vez en playas japonesas, con su navío destrozado. El shogunato decidió entonces enviar una nueva embajada a España, designó su representante al capitán Tsunenaga Rokuemon Jasekura, y confió el mando de la nave al religioso Luis Sotelo. Subieron a bordo otros dos frailes, 60 samurais y 130 mercaderes, además de Vizcaíno y su comitiva. Zarparon el 28 de octubre de 1613 y llegaron a Acapulco el 25 de enero de 1614. La embajada fue objeto de grandes atenciones en la ciudad de México, donde se quedó buena parte del séquito. Jasekura se embarcó en Veracruz el 1° de junio, en la flota del almirante Antonio Oquendo, y llegó a San Lucas de Barrameda el 5 de octubre de ese mismo año. Fuentes japonesas afirman que quien envió la embajada fue Masamune Date, señor feudal de la comarca de Oshu, en el noreste del Japón. La misión de Rokuemon Jasekura, que se prolongó hasta 1620, fracasó porque la corte española condicionaba el establecimiento del comercio entre Japón y Nueva España, a que se permitiera la evangelización católica en las islas del extremo Oriente. Ieyasu consideraba el catolicismo contrario al budismo y no sólo no aceptó la condición sino que proscribió el cristianismo. Con ello fracasó el proyecto comercial del *shogun*. En la ciudad de Tsukinoura, de donde partió la embajada, se erigió una estatua de Jasekura, a instancias de la autoridad municipal y del gobierno de la prefectura de Miyagui. Una réplica de esa estatua fue colocada en Acapulco en 1973.

En 1620 la nao de fray Bartolomé de Burguillos regresó de Oriente con un centenar de japoneses a bordo, deseosos de intercambiar sus mercancías directamente con la Nueva España. Sin embargo, desde el 25 de julio de 1609, Felipe III había

JAPÓN

dispuesto que sólo los residentes en Manila podían hacer ese comercio, yendo a tratar con los japoneses a las islas, para no dar lugar a que estos visitasen Filipinas. Por los edictos de 1633, 1635 y 1639 el shogunato interrumpió sus relaciones con los países católicos, prohibió a los japoneses viajar al extranjero e impidió el arribo de barcos portugueses y españoles a sus puertos. Desde entonces, Japón vivió un largo periodo de aislamiento, pues sólo el puerto de Dedyima quedó habilitado para el intercambio con los chinos y los holandeses.

Al parecer no habían sido éstos ni los primeros ni los únicos contactos de Japón con México. La posibilidad de vinculaciones transoceánicas entre los pobladores primitivos de Asia, Polinesia y América ha sido demostrada por investigaciones y experiencias recientes. La semejanza y aun la identidad de algunas formas culturales en ambas márgenes del Océano, ha conducido a postular el origen asiático del hombre americano, tesis todavía sujeta a examen. No hay duda, en cambio, respecto a la introducción, hacia el año 300 a.C., de tipos cerámicos del periodo medio temprano japonés en la cultura Valdivia de Ecuador. El indicio más insinuante, sin embargo, consta en los trabajos del antropólogo e historiador mexicano Jorge Olvera, quien logró reunir 350 vocablos del zoque y de los dialectos zoqueanos –tapachulteca, mixe y popoluca– que presentan semejanzas esctructurales, fonéticas y semánticas con el japonés.

En 1841, el barco japonés *Eidyu Maru*, que navegaba a la deriva, fue rescatado por un barco español. Los sobrevivientes fueron conducidos al sur del territorio de Baja California. Uno de ellos, Jatsutaro, redactó en 1853 un libro sobre el México de entonces llamado *Kaigai Ibun*.

Japón volvió a abrir sus puertos al comercio con las potencias occidentales en 1854 y dio los primeros pasos para participar en la comunidad internacional, pero fue a raíz de la Revolución Meidyi (1868), cuando se liquidó la hegemonía del shogunato, se restituyó el poder imperial y se acentuó el proceso de modernización del Japón, que en pocas décadas transformó su estructura tradicional en una sociedad industrial accesible a los cambios del mundo moderno. Legiones de estudiantes y observadores japoneses salieron a prepararse; se contrató a numerosos técnicos, científicos y profesores y se adquirieron máquinas y herramientas de todas clases.

En 1874 una comisión mexicana fue al Japón para observar el paso de Venus. La comisión estaba encabezada por Francisco Díaz Covarrubias, quien escribió el informe titulado *Viaje de la comisión astronómica mexicana al Japón para observar el tránsito del planeta Venus por el disco del Sol el 8 de diciembre de 1874*. En él habla sobre la Restauración Meidyi y menciona la disposición favorable del gobierno japonés hacia el establecimiento de relaciones diplomáticas y comerciales con México, ya que la plata mexicana era de suma importancia para la economía de aquel país. En 1882 se iniciaron las negociaciones de un tratado de amistad y comercio entre ambas naciones, pero éstas fueron suspendidas en tanto Japón revisaba los tratados desiguales firmados con las potencias occidentales. En 1888 se reanudaron los contactos diplomáticos que culminaron con la firma del primer tratado que México convino con un país asiático y el segundo que Japón suscribió con un país de América Latina. México buscaba impulsar el comercio con Asia para terminar con la intermediación europea y aumentar los beneficios que obtenía de la venta de la plata, y deseaba recibir inmigrantes japoneses que coadyuvaran al crecimiento económico. Para Japón, el tratado significó la oportunidad de invalidar el derecho de extraterritorialidad del que gozaban las potencias extranjeras. En efecto, el documento establecía que los inmigrantes mexicanos podrían residir en cualquier parte del territorio nipón, aunque sujetos a las leyes locales, de modo que cualquier otro país que quisiera recibir el mismo beneficio que México, invocando la cláusula de la nación más favorecida, tendría que sujetarse a las mismas condiciones. En agradecimiento por la firma de este tratado, el emperador donó un predio para la legación mexicana en Japón. Se inició así la llegada de japoneses a México y se sentaron las bases para un servicio de vapores entre ambos países.

El 2 de septiembre de 1910 se inauguró una exposición del Imperio del Sol Naciente en el Palacio de Cristal, expresamente construido para ese efecto en la calle de Chopo, donde más tarde se alojó el Museo de Historia Natural; pero aun cuando un sector del régimen del presidente Díaz se mostraba dispuesto a estrechar las relaciones económicas con Japón, este país

JAPÓN

advertía que su actuación estaba limitada por el área de influencia de Estados Unidos, potencia a la que entonces no deseaba desafiar. Los mexicanos de principio de siglo estaban invadidos por una intensa nipnofilia. Durante las fiestas del Centenario de la Independencia, la mañana del 16 de septiembre de 1910 hubo un desfile de carrozas abiertas –de Madero a la Plaza de la Constitución– dentro de las cuales iban llegando a Palacio los distintos embajadores enviados de todo el mundo. Quienes fueron testigos del hecho recordaban que el embajador de Japón fue el más aplaudido de todos cuantos vinieron a los célebres festejos. Pese a este clima tan favorable, la etapa armada de la Revolución mexicana difirió la perspectiva de contrarrestar la influencia de Estados Unidos en México, y Japón, a su vez, preocupado por extender y consolidar su dominio en Asia, no mostró mucho interés en incrementar aquella vinculación.

No obstante, fue durante la Revolución mexicana cuando Japón solicitó la firma del convenio para el libre ejercicio de la profesión de médico, farmacéutico, dentista, partero y veterinario. Este instrumento se firmó el 26 de abril de 1917 y estuvo vigente hasta 1928. En ese lapso llegaron a México 25 japoneses entre médicos y odontólogos. En 1924 se firmó un nuevo tratado de comercio y navegación entre los dos países, bajo el principio de la cláusula de la nación más favorecida. Estuvo vigente hasta el 30 de mayo de 1942, fecha en que el gobierno del presidente Ávila Camacho declaró el estado de guerra con las potencias del Eje, entre ellas Japón, a causa del hundimiento de barcos mexicanos por submarinos alemanes en aguas del Atlántico. México participó inicialmente en el conflicto mundial proporcionando materias primas y mano de obra a Estados Unidos; pero el 27 de diciembre de 1944 el Ejecutivo Federal indicó que aun cuando el concurso bélico de México no había sido requerido por los países aliados, sentía el compromiso moral de coadyuvar al triunfo común contra las dictaduras nazifascistas, pues por modesta que fuera numéricamente esa cooperación, su alcance simbólico sería muy grande. El día 29 siguiente el Senado autorizó el envío de un contingente a la guerra y señaló con exclusividad para realizar esa misión al Escuadrón 201 de la Fuerza Aérea. Éste entró en combate el 7 de junio de 1945 contra las baterías japonesas en el valle de Cagayán, en Filipinas. Los mexicanos habían empezado a atacar las posiciones japonesas en Formosa, cuando el 5 de agosto la aviación de Estados Unidos lanzó la primera bomba atómica sobre Hiroshima –y el 9 sobre Nagasaki–, precipitando así la rendición incondicional del enemigo. V. GUERRA MUNDIAL, SEGUNDA (1939-1945).

Siete años después de terminada la guerra, se firmó con Japón un tratado de paz en San Francisco y se le dio vigencia por cinco años más al tratado firmado en 1924. En 1952, ya con el rango de embajadores, representaron a Japón en México, Shunichi Kase y a México en Tokio, Manuel Maples Arce. En aquella década Japón hizo en México inversiones directas y conjuntas; y realizó compras de materias primas, en especial de algodón. En 1954 se firmó el primer convenio cultural entre ambos países. Hacia 1960 Japón advirtió que su comercio con México le era desfavorable en una relación de 10 a 1, pero al final de esos años el intercambio se había nivelado. Los principales productos exportados fueron algodón, sal común, zinc, cobre, mercurio, sorgo, garbanzo y ópalos tallados; y los importados: acero inoxidable, automóviles y sus partes y refacciones, aparatos de radio y televisión y sus piezas, juguetes, máquinas generadoras, piezas para instalaciones eléctricas, maquinaria para varias clases de industria, productos de polimerización y copolimerización, chapas revestidas, barras, flejes y planchas de acero aliados; cables, cordajes y trenzas de aluminio; rodamientos, cojinetes, chumaceras, flechas y poleas; material rodante para vías férreas; aisladores y aparatos para radiotelefonía, radiotelegrafía, telefónicos y telegráficos.

Del 11 al 14 de octubre de 1962, el presidente de la República y la señora López Mateos visitaron Japón. Al término de las pláticas con el emperador Hirohito y el primer ministro Hayato Ikeda, se firmó con éste un comunicado conjunto en el que se previeron créditos para las industrias de comunicaciones, eléctrica y petrolera; inversiones mixtas, y el aprovechamiento de técnicos. En 1964 el príncipe heredero Akihito y la princesa Michiko estuvieron, a su vez, en México. En marzo de 1968 se realizó la primera reunión de la Comisión Económica México-Japón. Del 9 al 14 de marzo de 1972, el presidente de la República y la señora Echeverría realizaron una nueva visita a Japón. Se concertó el Acuerdo Sobre Servicios Aéreos

JAPÓN

-gracias al cual *Japan Airlines* llega a México-, hubo un canje de notas sobre supresión de visas, y se inició el programa especial de intercambio de estudiantes y jóvenes técnicos. En el comunicado conjunto, ambas partes manifestaron su deseo de ampliar el intercambio en materia educativa, científica, cultural y económica; en aumentar el comercio recíproco y directo, y en apoyar los esfuerzos de los empresarios de los países para realizar inversiones conjuntas en México. Japón mostró su interés por participar en el proyecto de la Siderúrgica Lázaro Cárdenas-Las Truchas, en el cuarto programa de electrificación, en el mejoramiento de los puertos de la costa mexicana del Pacífico, en especial Manzanillo, y en el financiamiento de la Escuela de Capacitación en Comunicaciones Eléctricas. El primer ministro Eisaku Sato señaló que se abría "una nueva era que no sólo se limitará a las relaciones comerciales, sino que abarcará todos los temas". El licenciado Luis Echeverría develó en Kioto un busto del presidente Benito Juárez y puso en Tokio la primera piedra de un edificio anexo a la embajada de México.

Y como lo auguraba la visita de Estado de 1972, en los últimos años las relaciones diplomáticas y económicas entre México y Japón se intensificaron. En marzo de 1976 se realizó la Primera Reunión de la Comisión Cultural Mixta Mexicano-Japonesa con el objeto de evaluar los resultados de los programas de intercambio cultural y acordar nuevas acciones. En agosto de ese mismo año, el secretario de Relaciones Exteriores, Alfonso García Robles, realizó una visita extraoficial a Tokio y expuso la necesidad de la cooperación japonesa en favor del desarme nuclear. En marzo del año siguiente, el gobierno japonés donó al mexicano un barco para realizar investigaciones pesqueras, y se firmó el acuerdo de cooperación relativo al proyecto de adiestramiento en pesquería. Del 30 de octubre al 4 de noviembre de 1978, el presidente José López Portillo realizó una visita oficial al Japón. Sus conversaciones con el primer ministro Takeo Fukuda versaron principalmente sobre las posibilidades de cooperación mutua en materia económica, pues las reservas petroleras mexicanas están vinculadas a los planes energéticos del Japón. En agosto del año siguiente visitó México el ministro de Asuntos Extranjeros de Japón, Sunao Sonoda, para intercambiar opiniones con el presidente sobre cuestiones interna-

cionales. El 2 de mayo de 1980, visitó oficialmente México el primer ministro Masayoshi Ohira. En el comunicado conjunto, ambos gobiernos se pronunciaron por la paz y la estabilidad mundiales; manifestaron su preocupación por los conflictos en Afganistán y Centroamérica, por la situación del mercado petrolero y por el endeudamiento de los países del Tercer Mundo, y expresaron la intención de dar un nuevo giro a las relaciones mexicano-japonesas en el momento en que se iniciaba una nueva década.

Así, en 1981, el gobierno japonés donó un millón de dólares para establecer el Fondo de Amistad México-Japón, con el fin de promover la cooperación cultural. Otras donaciones se destinaron a la adquisición de equipos arqueológicos y para la educación científica, y al fomento de la enseñanza en escuelas japonesas. México se ha esforzado por responder equitativamente a esa cooperación, pero la crisis económica lo ha impedido: desde 1982 ha tenido que reducir la cuota de estudiantes japoneses que recibe como parte de los programas de intercambio. No obstante, tras la visita del primer ministro Zenko Suzuki (1982), el gobierno japonés ha seguido prestando al mexicano valiosa ayuda económica, sobre todo en materia de deuda externa, de la cual es acreedor de un 17% aproximadamente. En los primeros meses de 1983, el secretario de Hacienda y Crédito Público, Jesús Silva Herzog, obtuvo la participación de Japón en el préstamo de emergencia solicitado por México. Este apoyo fue agradecido por el secretario de Relaciones Exteriores, Bernardo Sepúlveda, en el viaje que realizó en marzo de ese mismo año. Desde entonces, México ha recibido nuevas donaciones para el fomento de la investigación y de la enseñanza. Hasta 1984 se habían realizado nueve reuniones de la Comisión Conjunta de Cooperación Económica y Científico-Técnica, y se habían cumplido 14 etapas anuales de los programas de intercambio de estudiantes y jóvenes técnicos. Estos últimos han incluido también a profesores e investigadores, y el canje de exposiciones y libros. Como resultado de todo ello, se han formado en Japón especialistas en temas mexicanos y se han fundado departamentos de estudios latinoamericanos en las universidades de Tokio, Osaka, Tsukuba y Sofía. Aquellos profesionales participan en los órganos de gobierno y en las empresas de su país. En México también han

JAPÓN

surgido expertos en temas japoneses. En septiembre de 1984, en ocasión de la visita a México del ministro de Asuntos Extranjeros japonés, Shintaro Abe, se acordó formar un grupo para estudiar las relaciones bilaterales a largo plazo. México reconoció entonces que Japón ocupa un lugar preponderante en sus relaciones con el exterior. Abe, a su vez, expresó el apoyo de su gobierno a las gestiones de paz del Grupo Contadora. Y ambas partes establecieron un mecanismo de consultas periódicas bilaterales entre una y otra cancillería, para lograr un mejor entendimiento político y así coordinar sus posiciones en los foros internacionales. En abril del año siguiente se reunió el Grupo de Trabajo México-Japón para discutir la estrategia de las relaciones bilaterales a largo plazo. En él se hicieron proposiciones en materia económica, cultural y política. En 1986 se reunió la Comisión Mixta de Intercambio Cultural; y en septiembre de ese año, al solicitar una restructuración para el pago de la deuda externa, México buscó nuevamente el apoyo de Japón.

Los tratados, convenios y acuerdos entre ambos países, cuya fecha de firma se indica entre paréntesis, tratan sobre las siguientes materias: amistad, comercio y navegación (30 de noviembre de 1888), intercambio directo de giros postales (28 de febrero de 1910), cambio de bultos postales (24 de mayo de 1910), libre ejercicio de profesiones (26 de abril de 1917), servicio de valijas especiales con correspondencia diplomática (15 de octubre de 1921), comercio y navegación (8 de octubre de 1924), ciertos puntos de comercio y migración (9 de marzo de 1934), paz (8 de septiembre de 1951 y 11 de agosto de 1952), intercambio cultural (25 de octubre de 1954), cooperación técnica en el ramo de telecomunicaciones en México (24 de julio de 1967, 23 de julio de 1971 y 23 de julio de 1973), pesca por embarcaciones japonesas en aguas contiguas al mar territorial mexicano (7 de marzo de 1968), comercio (30 de enero de 1969), intercambio de estudiantes y jóvenes técnicos (3 de marzo de 1971), supresión de visas y derechos de visa consular (10 de marzo de 1972), visas diplomáticas u oficiales (10 de marzo de 1972), adiestramiento en pesquería (30 de marzo de 1977), intercambio de estudiantes y jóvenes técnicos (31 de junio de 1977), cooperación en materia de turismo (1° de noviembre de 1978), intercambio cultural y educativo (6 de junio de 1980), donación, por parte de Japón, de un millón de dólares para establecer en México el Fondo de Amistad México-Japón (24 de febrero de 1981), donación, por parte de Japón, de 50 millones de yenes para la adquisición de equipos para la educación científica (24 de febrero de 1981), donación, por parte del Japón, de 50 millones de yenes para la adquisición de equipos para la educación técnica (16 de octubre de 1981), donación, por parte de Japón, de 50 millones de yenes para la adquisición de equipo arqueológico (25 de julio de 1983), programa especial de estudiantes y jóvenes técnicos México-Japón (3 de marzo de 1984), donación, por parte de Japón, de 50 millones de yenes para la adquisición de equipos para la televisión educativa (5 de junio de 1984) y donación, por parte de Japón, de 39 millones de yenes para la adquisición de programas de televisión educativos y culturales producidos en ese país (21 de septiembre de 1984).

Los representantes diplomáticos de México en Tokio han sido los ministros, o los encargados de negocios (e.n.), que se enumeran a continuación: 1891, José María Rascón; 1893, M. Wohlheim (e.n.); 1897, M. Wohlheim (e.n.); 1899, Américo Lera; 1907, Ramón G. Pacheco; 1913, Luis G. Pardo; 1916, Manuel Pérez Romero; 1918, Manuel C. Téllez (e.n.); 1918, Manuel Pérez Romero; 1919, Salvador Martínez de Alva (e.n.); 1920, Juan B. Rojo; 1920, Salvador Martínez de Alva (e.n.); 1921, Leopoldo Blázquez; 1922, Luis N. Rubalcava; 1924, Eduardo Hay; 1925, Joaquín Mesa (e.n.); 1925, Carlos Puig Casauranc; 1926, Joaquín Mesa (e.n.); 1926, José Vázquez Shiaffino; 1929, Carlos A. Baumbach (e.n.); 1929, Miguel Alonzo Romero; 1935, Carlos A. Baumbach (e.n.); 1935, Francisco J. Aguilar; 1937, Juan Manuel Alcaraz Tornel (e.n.); 1937, Francisco J. Aguilar; 1938, Eduardo Espinosa y Prieto (e.n.); 1939, Primo Villa Michel; 1941, Antonio Méndez Fernández (e.n.); 1941, José Luis Amezcua. Y los embajadores, o los encargados de negocios (e.n.) siguientes: 1952, Octavio Paz (e.n.); 1952, Manuel Maples Arce; 1952, Germán Rennow (e.n.); 1956, Javier Rojo Gómez; 1957, Federico Siller (e.n.); 1959, Alfonso Castro Valle; 1962, Rafael de la Colina; 1964, Carlos Villamil (e.n.); 1965, Fernando Casas Alemán; 1966, José Rojas (e.n.); 1967, Francisco A. de Icaza; 1968, Federico Siller (e.n.); 1968, Julián Rodríguez Adame; 1971,

Jaime Soriano Bello (e.n.); 1971, Gustavo Romero Kolbeck; 1973, Jaime Soriano Bello (e.n.); 1974, Manuel Álvarez Luna; 1977, Carlos A. Bado (e.n.); 1977, Xavier Olea Muñoz; 1979, Francisco Javier Alejo López; 1982, Plácido García Reynoso, y 1983, Sergio González Gálvez.

Cooperación reciente. México exportó a Japón mercancías por Dls. 1 868 millones en 1984, y por Dls. 1 709 millones en 1985; e importó de ese país Dls. 503 millones en aquel año y Dls. 723.340 millones en éste. A partir de 1980, México suministra a Japón 100 mil barriles diarios de petróleo crudo, y ocasionalmente una cantidad mayor cuando la producción de Pemex así lo permite. Japón, a su vez, vende a México principalmente equipo eléctrico y de transporte, y maquinaria en general. En 1986, el secretario de Hacienda y Crédito Público, Gustavo Petriccioli, aseguró en Tokio créditos que superaron los 600 mil millones de yenes, para el financiamiento de varios proyectos industriales, entre ellos la etapa II de la Siderúrgica Lázaro Cárdenas, para la producción de 2 millones de toneladas anuales de acero; el equipamiento de una fábrica de tubería de acero de gran diámetro, también en Lázaro Cárdenas, Mich.; y la ampliación de las instalaciones petroleras en Salina Cruz, Oax. La cooperación técnica entre ambos países se manifiesta en el Centro Hidráulico Portuario, el Centro de Estudios Tecnológicos Mexicano-Japonés, y el estudio sobre la recuperación de minerales valiosos. Para las labores de reconstrucción de la ciudad de México, afectada por los sismos de septiembre de 1985, los japoneses aportaron Dls. 1 250 000. A fines de 1987 se inauguró el hotel Nikko-México en el Distrito Federal, que requirió una inversión de 30 mil millones de yenes. Japón ha recibido 1 879 becarios mexicanos y enviado a México 379 expertos en diversas materias y equipos que superan los 2 mil millones de yenes. En 1986 esos expertos hacían investigaciones en el sector minero, sobre el control de la contaminación atmosférica en el Distrito Federal, en el campo de la geotermia y respecto a la posibilidad de reparar los astilleros del puerto Lázaro Cárdenas.

JAQUETÓN. *Carcharinus limbatus* (Valenciennes), elasmobranquio de la familia Carcharinidae, orden Squaliformes. Es una especie de tiburón de cuerpo fusiforme, relativamente esbelto, de 1.5 m de longitud en promedio. Tiene el hocico largo, de tamaño casi igual a la anchura de la boca, con el extremo agudo o redondeado. No presenta espiráculos. Los dientes de ambas mandíbulas son muy semejantes y casi simétricos, con cúspides estrechas, rectas y alargadas, y márgenes aserrados. Las aberturas branquiales son más bien largas. La primera aleta dorsal, que se origina arriba o ligeramente atrás de la inserción de la base de las pectorales, tiene el ápice puntiagudo o estrechamente redondeado. La segunda dorsal se emplaza casi opuesta a la aleta anal. La aleta caudal es asimétrica (heterocerca), con una muesca profunda en la parte subterminal del lóbulo superior. El color del dorso es variable: gris oscuro, azul cenizo o broncíneo. A cada lado del cuerpo se extiende hacia atrás una banda oscura que llega hasta el origen de las aletas pélvicas, las cuales muestran en su extremo una mancha negra que persiste durante toda su vida. Las puntas de las aletas, con excepción del lóbulo superior de la caudal, son generalmente negras en los individuos jóvenes, razón por la cual en algunas localidades es conocido también con el nombre de *puntinegro.* Es una especie cosmopolita de mares tropicales y templados, común en ambas costas de América. Nadador muy ágil, muestra preferencia por las aguas superficiales, aunque en ocasiones penetra a las aguas salobres. Se le encuentra generalmente formando grupos de seis o más individuos. Es vivíparo y en cada alumbramiento produce de una a 10 crías. Su alimentación consiste básicamente de peces y calamares. En el Pacífico se distribuye desde el golfo de California hasta Perú, y en el Atlántico desde Nueva York hasta Brasil. Se pesca con palangre de deriva o línea de mano, y ocasionalmente en los arrastres camaroneros. Los principales productos que se obtienen de esta especie son: la carne, que se comercializa seca y salada; la piel y el hígado, para la obtención de aceite.

JARA. Nombre que se da a varias especies de plantas arbustivas o subarbustivas de la familia de las compuestas, en particular a las siguientes: *Baccharis heterophylla* H.B.K., *B. glutinosa* Pers., *Pluchea adnata* (Humb. y Bonpl.) Mohr., y *Verbesina otophylla* Blake. *B. heterophylla* alcanza hasta 2.5 m de altura y es una planta densamente pubérula –con pelitos cortos–, algo áspera, glutinosa, muy ramificada y densamente foliosa. Tiene hojas alternas, oblanceoladas o elíptico-lanceoladas, enteras o algo dentadas, con una nervadura, en su mayoría de 2 a 5.5 cm de largo por 0.3 a 2 de ancho. Las flores son dioicas, blancas, dispuestas en cabezuelas subsésiles que, a su vez, en gran número, se dan en el extremo de las ramas en inflorescencias compuestas, de 1 a 2.5 cm de ancho. Los frutos son aquenios lisos con un vilano o penacho de pelitos sedosos de unos 5 mm de longitud y de tonalidad blanquecina o pardusca. Se desarrolla de San Luis Potosí a Nayarit; aparece en el valle de México y luego en Oaxaca y Yucatán. Se le conoce también como *escobilla* –ciudad de México–.

2. *B. glutinosa*, de hasta 4 m de altura, es una planta muy glutinosa, ramificada y foliosa, y con ramas lisas, purpúreas y estriadas; de hojas alternas, lineares, lanceoladas u oblongo-lanceoladas, de 5 a 12 cm de largo por 1.8 de ancho, agudas en ambos extremos, enteras o de bordes serrulados, triplinerviadas y con los peciolos hasta de 5 mm de longitud. Las flores y los frutos son semejantes a los de la especie *B. heterophylla*; de cabezuelas blancas, agrupadas en corimbos terminales, densos, subglobosos y de 3 a 5 cm de ancho. Es común cerca de los ríos en las partes áridas de la República, donde forman asociaciones densas y extensas, en particular desde Baja California y Sonora hasta Tamaulipas. Se da también en el valle de México –Pedregal de San Ángel– y en Oaxaca. Las ramas se emplean para cubrir las vigas en las construcciones antes de colocar las tejas o la paja. La cocción de las hojas se usa para lavar los ojos, y las hojas solas, como cataplasmas en las heridas. Se le conoce también con los nombres vernáculos de *jarilla*, *hierba del carbonero* –valle de México–, *jaral*, *jarilla común* y *jarilla del río*.

3. *P. adnata* es una planta subarbustiva, de 1 m, glandular, flojamente pilosa y con el tallo alado en la prolongación de las partes basales de las hojas. Éstas son alternas, lineares o lanceoladas, de 3.5 a 11 cm de largo por 0.4 a 2.2 de ancho, enteras o dentadas, notoriamente recurrentes. Las flores, blanquecinas, están dispuestas en cabezuelas de 0.4 a 0.8 cm de grosor, agrupadas en panículas redondeadas hasta de 13 cm de ancho. Los frutos son pequeños con un vilano sedoso. Se desarrolla de Sonora a Michoacán y Puebla.

4. *V. otophylla* es un arbusto con las ramas estrigulosas, es decir, cubiertas por pelos cortos, rígidos y ásperos; de hojas alternas, lanceoladas o elíptico-lanceoladas, de 7.5 a 10.5 cm de longitud y de 1 a 1.3 de ancho, acuminadas, sésiles y con una prolongación o aurícula en la base, aserradas, estrigulosas en la parte superior y casi lisas en el envés. Las flores, amarillas, están agrupadas en cabezuelas con rayos o pétalos periféricos, de 4 a 5 cm de largo y pedúnculos de 0.6 a 2 cm; las cabezuelas, a su vez, en número de cinco, forman inflorescencias compuestas. Los frutos son aquenios comprimidos provistos de dos alas y un vilano de otras tantas cerdas. Sólo se ha registrado en Tamaulipas.

JARA, JOSÉ MARÍA. Nació en Orizaba, Ver., en 1866; murió en Morelia, Mich., en 1939. De 1881 a 1889 estudió en la Academia de San Carlos, teniendo como maestros a Pina, Rebull y Velasco. Se dedicó a la pintura de temas costumbristas y en 1891 obtuvo un primer premio con *El velorio*, una de sus obras mejor ejecutadas, la cual escogió José María Velasco para llevar a la exposición universal celebrada en París. En 1892 se trasladó a Morelia, invitado por Melchor Ocampo Manzo, hijo póstumo del mártir de la Reforma, para dedicarse a la enseñanza en el Colegio de San Nicolás, llegando a ser rector de la Universidad de Michoacán en 1920 y de 1925 a 1926. Obras suyas son *La fundación de México*, *Los aguadores adornando una fuente para la fiesta de la Santa Cruz* y *Los primeros pasos*.

JARABE. Baile popular mexicano derivado del fandango, la seguidilla, la zambra y otras modalidades españolas. El baile popular de grupo se llamó originalmente sarao, pero más tarde se difundió la expresión jarabe, usada a mediados del siglo XVIII. Fue muy gustado el "Jarabe gatuno", prohibido por las autoridades virreinales a causa de sus influencias africanas. Los insurgentes entonaron el jarabe como canción guerrera, varias de cuyas modalidades –en música y baile– se divulgaron a mediados del siglo XIX. En 1913, J. Martínez publicó su "Verdadero jarabe tapatío", compuesto de aires regionales de Jalisco. Esta música y su coreografía se popularizaron a principios del siglo XX, adoptándose los trajes de charro y de china poblana. La más famosa de las versiones es el "Jarabe tapatío"; la más auténtica, el "Jarabe largo".

JARA CORONA, HERIBERTO. Nació en Orizaba, Ver., en 1879; murió en la ciudad de México en 1968. Estudió en la Escuela Modelo de Orizaba, regida por el educador Enrique Laubscher, y en el Instituto Científico y Literario del Estado de Hidalgo. A los 19 años de edad se adhirió al Partido Liberal Mexicano, en lucha contra la dictadura del presidente Díaz. Participó en la huelga de la fábrica de Río Blanco (7 de enero de 1907), donde era tenedor de libros. Se adhirió a la revolución maderista en 1910, resultando electo diputado al Congreso de la Unión. Junto con otros siete legisladores, en febrero de 1913 votó contra la obligada renuncia del presidente Madero y del vicepresidente Pino Suárez. Denunció a González de la Llave como asesino de Casimiro Z. Mendoza y tuvo que huir hacia el norte, incorporándose el 30 de junio a las fuerzas del general Pablo González. Era entonces coronel de caballería y fue ascendido a general brigadier en 1914. El 30 de agosto de 1913 participó en el primer reparto de tierras que hubo en el país, realizado por el general Lucio Blanco en Los Borregos, Tamps., a orillas del río Bravo, cerca de Matamoros. Fue jefe de la Brigada Ocampo de la División de Oriente, donde alcanzó el grado de general de brigada (1914-1915), y gobernador del Distrito Federal (1914). Intervino en las primeras huelgas de los tranviarios en la ciudad de México. En los años siguientes, fue jefe accidental de las operaciones militares en el estado de Veracruz (1915), gobernador y comandante militar de la plaza de Veracruz (1916), jefe de la División de Oriente (1916), diputado al Congreso Constituyente (1916-1917), ministro de México en Cuba (1917-1920), senador de la República (1920-1924) y gobernador de Veracruz, del 18 de diciembre de 1924 al 31 de octubre de 1927. Distanciado del presidente Plutarco Elías Calles, el Gobierno Federal le retuvo las participaciones, y Luis N. Morones, secretario de Industria y Comercio, mandó levantar con el ejército el embargo que Jara había impuesto sobre varios pozos petroleros. Extremadas estas diferencias, fue desconocido por la Legislatura local. Retirado de la política, fue asesor del Sindicato de Consumidores de Energía Eléctrica de Veracruz, consiguiendo rebajas en las tarifas. Más tarde, en 1934, fue presidente de la Comisión de Estudio de las Leyes Militares, inspector general del Ejército (1935), comandante de la 26a. Zona Militar (1935-1937) y de la 28a. (1938-1939), presidente del Partido Nacional Revolucionario, que cambió su nombre por el de Partido de la Revolución Mexicana (1939-1940), y jefe del Departamento de Marina (1944-1946), convertido poco después en Secretaría. Presidió el Comité Nacional de la Paz y formó parte del Consejo Mundial de la Paz. En 1951 recibió el Premio Stalin (hoy Lenin) de la Paz, y en 1959 el Premio Belisario Domínguez, otorgado por el Senado de la República.

Se batió honrosamente, al frente de su Brigada Ocampo, en Santa Engracia, Tamps. (1913), Huejutla (1914), Boloncheticul, Blanca Flor, Habachó, Unam y Mérida, y en diversas acciones al sur del valle de México contra zapatistas y villistas (1915). Tuvo una brillante actuación en el Congreso Constituyente: al lado de Francisco J. Mújica, Alfonso Gravito y Luis G. Manzón, formó parte del ala izquierda que rechazó y modificó el Proyecto de Constitución presentado por José Natividad Macías a nombre del primer jefe de la Revolución, logrando incorporar postulados sociales a los artículos 3°, 27 y 123 (v. GARANTÍAS CONSTITUCIONALES). En sus últimos años colaboró en la revista *Siempre!* Sus cenizas fueron esparcidas en el mar veracruzano desde un helicóptero, según sus deseos, el 19 de abril de 1968.

Fuente: Archivo Histórico de la Secretaría de la Defensa Nacional.

JARAMILLO, JUAN DE. Nació en Salvatierra, España, a fines del siglo XV; murió en la ciudad de México. Pasó a Cuba, donde conoció a Hernán Cortés, adhiriéndose a su expedición como soldado. Tomó parte en todas las acciones de guerra durante la Conquista de Anáhuac, aunque operó especialmente en Tepeaca e Izúcar. Fue encomendero de Jilotepec. Cuando al término de la Conquista vino la esposa de Cortés, Catalina Juárez Marcayda, el capitán general, a fin de ocultar su amancebamiento con doña Marina (*la Malinche*), casó a ésta con Jaramillo en un lugar cercano a Jalapa (1524). Acompañó a Cortés a las Hibueras (Honduras) y, de regreso a Nueva España, fue regidor de la ciudad de México y después alférez real. Gozó de escudo de armas.

JARAMILLO, JULIÁN. Nació y murió en la ciudad de México (1831-1917). A los 16 años de edad combatió como soldado contra los norteamericanos en Churubusco y Molino del Rey (1847), y ya con el grado de teniente, bajo las órdenes del general Jesús González Ortega, en la defensa de lá ciudad de Puebla (1863), cayendo prisionero de los franceses. Logró evadirse y se unió a las fuerzas del general Porfirio Díaz; participó en los combates de Tehuitzingo (3 de febrero de 1865), Tlaxiaco (6 de enero de 1866), Huajuapan (5 de septiembre), Nochistlán (23 de septiembre), Miahuatlán (3 de octubre) y La Carbonera (23 de octubre) y en las tomas de Puebla (2 de abril de 1867) y de la ciudad de México (21 de junio). Al triunfo de la República, fue ascendido a teniente coronel y luego a coronel (1872). Se adhirió al Plan de Tuxtepec (10 de enero de 1876) y fue comandante militar de Miahuatlán (1881-1884), Salina Cruz (1884-1890) y Tuxtla Gutiérrez (1894-1899). Pasó después al Cuerpo de Inválidos en la ciudad de México (1900-1905). Como general brigadier, fue jefe de las tropas en la frontera de Guatemala (1906-1909), y como general de brigada (1909), peleó a las órdenes de Victoriano Huerta contra los zapatistas (1910), y contra los orozquistas en las batallas de Conejos (12 de marzo de 1912), Rellano (25 de marzo) y Bachimba (3 de julio). Fue gobernador del estado de Colima (12 de abril al 13 de octubre de 1913). Dado de baja al disolverse el Ejército Federal en 1914, murió en la pobreza.

JARAMILLO, SILVINO. Nació en Valle de Bravo, Méx., en 1924. Estudió en la Escuela Superior de Música de Morelia con los maestros Bernal Jiménez, Romano Picutti y Mier Arriaga. Ha sido director del Orfeón Infantil Mexicano, del Coral Infantil Voces de México, del Coral del Centro Gallego de México, del Coro Infantil de la Ciudad de los Niños de Monterrey, de los Niños Cantores de Monterrey y del Coro Universitario de la propia ciudad. Es autor de: *Tres preludios a la ausente* (piano y orquesta), *Sinfonietta por México* (orquesta y mariachi), *Trilogía de los pájaros* (soprano e instrumentos de cuerda y aliento), *Villancicos mexicanos* (mariachi y coros) y *Motetes* (piano y órgano). En 1988 continuaba dirigiendo coros infantiles y enseñando composición musical en instituciones regiomontanas.

JARAMILLO VILLALOBOS, VÍCTOR. Nació en la ciudad de México el 6 de junio de 1921. Ingeniero agrónomo (1945) por la Escuela Nacional de Agricultura de Chapingo, ha sido vicepresidente del Club Toluca de futbol (1953-1961) y de la Confederación Deportiva Mexicana (1980-), y presidente de la Confederación Panamericana de Badminton (1977-1981) y de la Federación Mexicana de esa rama deportiva (1976-).

JARANA. Danza yucateca y campechana de origen español, semejante a la jota aragonesa. Las parejas ejecutan diferentes zapateados que se alternan con pasos más suaves. Las damas visten de mestiza y en las localidades más importantes –donde además del maya se habla el castellano– la música se interrumpe de vez en cuando para que alguien pueda recitar su "bomba", graciosos versos improvisados.

JARAUTA, CELEDONIO DÓMECO DE. Nació en Zaragoza, España, en 1814; murió en Guanajuato, Gto., en 1848. Franciscano, antes de llegar al presbiterado, luchó en su país en favor del pretendiente Carlos, pero vencido éste embarcó para América y llegó a Veracruz en 1844. Se secularizó en este puerto y obtuvo del obispo Vázquez una parroquia en Puebla, que dejó a poco para domiciliarse en el convento de la Merced de Veracruz. En 1847, en ocasión de la invasión norteamericana, fue nombrado capellán del 2° Batallón de Infantería, al mando del coronel Arzamendi, y luego del hospital de sangre, pero prefirió formar varias guerrillas con las que realizó notables hazañas, sorprendiendo a las fuerzas norteamericanas en diferentes puntos de la región veracruzana e hidalguense. Firmada la paz con Estados Unidos, se radicó en Lagos de Moreno, Jal., donde el 1° de julio de 1848 lanzó el plan revolucionario que lleva su nombre, en contra de los Tratados de Guadalupe. El general Paredes y Arrillaga se adhirió al movimiento y el 15 de julio, llamados por Manuel Doblado, marcharon y ocuparon la plaza de Guanajuato; el día 18 siguiente Jarauta y sus fuerzas partieron para Mellado y Valenciana, punto éste donde cayó prisionero. Presentado al general Cortazar, fue remitido al general Anastasio Bustamante y éste ordenó su fusilamiento.

JARDINES BOTÁNICOS MEDICINALES.

Los antiguos pobladores de México, esencialmente agricultores, aprovecharon escasamente la cría de los animales domésticos y mostraron un interés predominante por el mundo de las plantas. Admiraron la belleza de las flores, la majestad de los árboles y divinizaron ciertos vegetales alimenticios. La diversidad de altitudes y de lluvias favorecen en México la riqueza de la vegetación, lo que explica el comercio de plantas medicinales entre tierras calientes y frías desde épocas remotas. La veneración al reino vegetal encontró su expresión culminante en la creación de jardines botánicos, sobre todo medicinales, para los cuales los soberanos se esforzaban en reunir colecciones de especies lo más diversas posibles, por medio del comercio, de la diplomacia y hasta de la guerra. Entre los más célebres se contaban los de Texcoco y Tenochtitlan. Moctezuma I logró tener a su alcance plantas de tierra calientes cultivadas en Huaxtepec, extraordinario jardín de dos leguas de circunferencia que tanto admiraron los primeros conquistadores. Una lámina del *Códice de la Cruz-Badiano* atestigua conocimientos adelantados en la representación de los caracteres morfológicos de los "simples". No fue sino hasta mediados del siglo XVI cuando se establecieron los primeros jardines botánicos en Europa.

JARERO, JOSÉ MARÍA.

Nació en Jalapa, Ver., en 1801; murió en la ciudad de México en 1867. Entró como soldado en el Regimiento de Infantería Urbana (1816); combatió contra los insurgentes; se adhirió al Plan de Iguala, proclamando la Independencia en varias localidades del estado de Veracruz; entró a la ciudad de México con el Ejército Trigarante el 27 de septiembre de 1827, a las órdenes de Vicente Filisola, que cubría la retaguardia; y fue después jefe de las armas en Jalapa, Córdoba y Orizaba (1831) –con el grado de coronel–, gobernador de los castillos de San Juan de Ulúa (1839) y de San Carlos de Perote (1843), comandante general de Aguascalientes (1841), de Jalisco (1842), de Sonora (1846) –con el grado de general de brigada–, de México (1846), de Querétaro (1848) y de Puebla (1849-1857). En Jalisco y en Sonora fue también gobernador. En 1855 ascendió a general de división. Presidió, además, el Supremo Tribunal de Guerra (1858-1860). Ya jubilado, ofreció sus servicios al gobierno de Benito Juárez durante la lucha contra la Intervención y el Imperio, pero no hay noticias de que hayan sido aceptados.

Bibliografía: Alberto María Carreño: *Jefes del Ejército Mexicano en 1847* (1914); Genaro García: "Correspondencia de José María Jarero con el general Mariano Paredes y Arrillaga", en *Documentos para la historia de México* (5 vols., 1906-1908); Vicente Paz: *Historia del Estado Mayor Mexicano* (1900).

JARILLA.

Nombre que se atribuye a varios arbustos o hierbas de la familia de las compuestas, en particular a las siguientes: *Senecio salignus* D.C., *Stevia salicifolia* Robinson, *Viguiera dentata* (Cav.) Spreng., *Heterospermum pinnatum* Cav., *Florestina pedata* (Cav.) Cass., *Selloa glutinosa* Spreng. y *Baccharis neglecta* Britton. También reciben el nombre de jarilla, en Jalisco y Guanajuato, dos plantas herbáceas de la familia de las caricáceas y del género *Jarilla* –*caudata* (T.S. Brandeg.) Stand. y *heterophylla* (Llave) *Rusby*–, que son las que más se apegan, en su clasificación taxonómica, a la planta de que se trata.

J. caudata es una planta delgada, de 1 m, con jugo lechoso, erecta o inclinada hacia el suelo, con raíz muy desarrollada y rizoma tuberoso; de hojas simples, con peciolo grande, de forma variable, deltoides, con los lóbulos basales redondeados, oblongas u ovadas, de 2 a 12 cm de longitud, agudas o redondeadas en el ápice, cuneadas o cordadas en la base, enteras, onduladas dentadas o lobuladas y pálidas en el envés. Las flores son dioicas y axilares, las masculinas van en largas cimas paniculadas y tienen al cáliz pequeño, la corola blanca purpúrea, infundibuliforme, con el tubo delgado, y miden aproximadamente 1 cm de largo; las femeninas, generalmente solitarias, están sostenidas por un pedúnculo largo y delgado. El fruto, colgante, hasta de 9 cm de longitud, es una baya elipsoide o subglobosa, unilocular, pentangular, donde cada ángulo se prolonga en la base como un apéndice largo, carnoso, recurvado y de 3 a 5 cm. Vegeta en las zonas montañosas de Baja California, Sinaloa, Jalisco y Guanajuato.

2. *J. heterophylla*, llamada *granadilla* –Jalisco y Guanajuato–, difiere de la especie anterior por la forma y tamaño de las hojas que son astadas con lóbulos basales angostos, alargados, agudos y de 2.5 a 10 cm de largo; presentan dientes en el borde, distantes entre sí y son verde pálido en el envés. Las flores, masculinas, tienen los lóbulos de la corola tan largos como el tubo de la misma. El fruto, subgloboso, con apéndices cortos y gruesos, mide 2.5 cm de diámetro.

JARIPEO. Se le da este nombre a un entretenimiento o reunión en la cual se ejecutan variadas suertes con las reses y caballos, como son jinetear, lazar, colear y aun herrar; además de torear, banderillear y rejonear a caballo, sin llegar a matar al toro o novillo. Esta forma de diversión, muy divulgada en las grandes haciendas del centro del país desde fines del siglo XVIII hasta los años treintas del siglo XX, ha ido decayendo ostensiblemente.

Bibliografía: José Álvarez del Villar: *Historia de la charrería* (1941); Carlos Rincón Gallardo: *El libro del charro mexicano* (3a. ed., 1960).

JARNÉS Y MILLÁN, BENJAMÍN. Nació en Codo, Zaragoza, y murió en Madrid, ambas de España (1888-1949). En junio de 1939 llegó a México como refugiado político y escribió en diversos periódicos y revistas. Entre sus obras figuran: *Cartas al Ebro* (1940); *Manuel Acuña, poeta de su tiempo*; *Vasco de Quiroga, obispo de Utopía*, y *Sweig, cumbre apagada* (1942). Publicó también, en seis volúmenes, *Enciclopedia de la literatura*.

JAROCHO. Fue el término aplicado en la región veracruzana a la mezcla de negro y de indio. El vocablo deriva, según parece, del epíteto *jaro* que en la España musulmana se aplicaba al puerco montés, añadido a la terminación despectiva *cho*. Los españoles, al llamar "jarochos" a los mulatos pardos veracruzanos, querían simplemente injuriarlos. En el siglo XVII se olvidó el sentido despectivo de la voz. Con la Independencia y la Reforma el calificativo tomó una acepción noble, y hoy día la población entera de Veracruz es titulada jarocha y el puerto de Veracruz es comúnmente llamado el puerto jarocho.

Véase: Gonzalo Aguirre Beltrán: *La población negra en México.*

JARRITOS. Nombre que se da a varias especies de plantas herbáceas de la familia de las escrufulariáceas y del género *Pentstemon*, en particular *P. barbatus* Nutt., *P. campanulatus* Willd. y *P. gentianoides* Don. También se conoce como jarritos a la cactácea *Marginatocereus marginatus* (D.C.) Berg., más ampliamente conocida con el nombre de *órgano*.

P. barbatus, de 90 cm, es una hierba de hojas opuestas, enteras, sin estípulas, siendo las basales grandes, sésiles y de 13 cm de largo. Las flores son rojas o rosadas, hermafroditas, de simetría bilateral, con pedúnculo largo y brácteas basales lineares; de cáliz pentapartido y con los sépalos imbricados; corola gamopétala, tubular, con la parte superior ensanchada a manera de jarro o tarro y con numerosos pelos blanquecinos salientes en la superficie interior; limbo dividido en cinco pétalos, dos superiores y tres inferiores; estambres fértiles en número de cuatro –dos largos y otros tantos cortos–, aparte un estaminodio o estambre estéril, largo y con el extremo barbudo; ovario súpero, bicarpelar, bilocular y asentado sobre un disco; estilo filiforme y estigma esferoidal. Las flores se dan en inflorescencias cimoso-paniculadas. El fruto es capsular, dehiscente y con numerosas semillas pequeñas.

2. *P. campanulatus*, de 40 a 60 cm con hojas lanceoladas, ápice largamente acuminado y borde aserrado, presenta flores rojas encendidas o purpúreas y la garganta carente de pelos salientes.

3. *P. gentianoides*, de 60 cm, presenta hojas opuesto-cruzadas, elíptico-lanceoladas, con el ápice acuminado y el borde liso. Tiene flores moradas, carentes de pelos salientes en la garganta de la corola.

Las tres especies son comunes en las faldas de las montañas del Distrito Federal.

JARRO DE ORO. *Erblichia odorata* Seem. Árbol de la familia de las turneráceas, hasta de 15 m de altura; de hojas alternas, lanceoladas, oblongas o elípticas, simples, pecioladas, crenadas, lisas en la superficie superior y finamente pilosas o casi lisas en el envés, agudas o acuminadas, de 6 a 13 cm. Las flores son amarillas, vistosas, axilares y colocadas sobre pedúnculos largos; con cáliz de cinco sépalos caducos, imbricados, casi libres, linear-lanceolados, acuminados, finamente pilosos y con márgenes petaloides delgados; corola de otros tantos pétalos apendiculados y unidos a la garganta del cáliz y de aproximadamente 8 cm de largo por 4 de ancho; igual número de estambres con filamentos libres e insertos en el cáliz, y pistilo con 3 estilos. El fruto es una cápsula unilocular con tres valvas gruesas y leñosas; es densamente piloso amarillento y mide 4 cm. Se conoce en Oaxaca, Chiapas, Tabasco y Nayarit. Recibe también los nombres de *suelda consuelda* –Nayarit–, *sanjuanero* –Tabasco– y *azuche* –Oaxaca–.

JASSO, JUAN DE. Nació en San Juan del Pie del Puerto, España, a fines del siglo XV; murió en Guanajuato el 7 de septiembre de 1571. En 1523 llegó a Nueva España con Francisco de Montejo y en 1524 partió para las Hibueras (hoy Honduras) en compañía de Hernán Cortés, en calidad de maestresala, y regresó a México en 1526. En 1535 participó en la expedición de Cortés a California, donde el 3 de mayo suscribió el acta de posesión levantada en la bahía de Santa Cruz (hoy La Paz). Luego de explorar la región, volvió en 1536, y en 1541 participó en las batallas de Pajacuarán, Nochistlán y El Mixtón, en Nueva Galicia, al servicio del virrey Antonio de Mendoza. En 1546 solicitó merced de dos sitios de ganado mayor en la Gran Chichimeca (Guanajuato) y le fueron otorgadas por el virrey la hacienda de Comanja y la estancia De la Señora, que posteriormente sería el sitio de la ciudad de León. Durante los años siguientes, descubrió las vetas de Guanajuato y pobló la región, aumentando sus terrenos hasta comprender una gran parte del actual estado de Guanajuato.

JASSO PUENTE, JOSÉ J. Nació en León, Gto., a fines del siglo XIX; murió en la ciudad de México en 1927. Estudió en la Escuela Militar de Aviación y como miembro de la Fuerza Aérea Nacional alcanzó renombre como piloto de guerra en contra de los delahuertistas, en 1923, principalmente en Jalisco, Veracruz y Chiapas.

JÁUREGUI, AGUSTÍN. Murió en la ciudad de México en 1760. Jesuita, vistió la sotana de la Compañía en 1702. Enseñó humanidades y filosofía en el Colegio de San Pedro y San Pablo de la capital. Dejó escrito *Certamen poético para el día de Navidad de 1715, en que se propone al Niño Dios bajo la metáfora de Gusano de Seda* (1716).

JÁUREGUI, JOSÉ DE. Se ignora la fecha de su nacimiento; murió en la ciudad de México en 1778. Clérigo y licenciado en teología, en 1767 adquirió la Imprenta de la Bibliotheca Mexicana en la calle de San Bernardo, establecida en 1573 por Juan José de Eguiara y Eguren; y en 1771, el taller de los herederos de María de Ribera. En 1770 utilizó por primera vez caracteres fundidos en México por Francisco Javier de Ocampo, para imprimir la *Descripción del barreno inglés* de José Antonio de Alzate. A su fallecimiento en 1778, la empresa continuó bajo el nombre de Herederos de José de Jáuregui, quienes utilizaron el nombre de Imprenta Nueva Madrileña a partir de 1781. En 1791 el taller pasó al bachiller José Fernández Jáuregui, sobrino del fundador, quien lo dirigió hasta su muerte en 1800. En ese año la imprenta fue heredada por María Fernández de Jáuregui, quien imprimió el *Diario de México* en 1805-1806 y 1812-1813; al fallecer en 1815, el taller continuó en operación por un breve periodo, y en 1817 fue adquirido por Alejandro Valdés, quien lo incorporó al suyo.

JÁUREGUI, JOSÉ MANUEL. Nació en Ozuluama y murió en Jalapa, ambas de Veracruz (1820-1891). Estudió en el Colegio de San Ildefonso de México y sirvió como juez en varias poblaciones de su entidad. Peleó contra la Intervención Francesa y rindió a los conservadores de Tuxpan en 1866. Ocupó interinamente la gubernatura de Veracruz y se destacó en la Cámara de Diputados combatiendo al presidente Manuel González por la conversión de la deuda inglesa.

JAVELLY GIRARD, MARCELO. Nació en Jalapa, Ver., el 18 de enero de 1927. Abogado por la Facultad de Derecho de la Universidad Nacional Autónoma de México, ha sido jefe de la Oficina Auxiliar de la Dirección de Crédito de la Secretaría de Hacienda (1958-1965), director del Fondo de Operación y Descuento Bancario a la Vivienda (1965-1971), vicepresidente de la Comisión Nacional Bancaria y de Seguros (1971-1972), subdirector financiero del Instituto del Fondo Nacional de la Vivienda para los Trabajadores (1972-1974), director del Fideicomiso Liquidador de Instituciones y Organizaciones Auxiliares de Crédito (1977-1982) y director del Banco Aboumrad (1982). Fue secretario de Desarrollo Urbano y Ecología del 30 de diciembre de 1982 al 10 de marzo de 1985. El 1° de julio de 1987 fue designado embajador de México en Suiza.

JAY, WILLIAM. Nació y murió en Estados Unidos (1789-1858). Fundó *The American Bible Society* y la *English Peace Society*. Escribió *War and peace: evils of the first with a plan for security of the last* y *A review of the causes and consequences of the Mexican war*, obra en la que se revelan las verdaderas causas de la invasión de Estados Unidos a México en 1847. En 1948 se publicó la traducción española con el título *Causas y consecuencias de la guerra de 47*.

JAYA. *Comocladia ingleriana* Loes. Arbusto de la familia de las anacardiáceas, que alcanza los 18 m de altura; de hojas alternas, compuestas de 15 o más hojuelas con pelos lanosos y suaves; flores paniculadas y pubescentes; y fruto elipsoidal, negro y algo carnoso. La corteza exhala un jugo cáustico, venenoso, que causa hinchazones peligrosas. Se localiza principalmente en Morelos, Oaxaca, Guerrero y Chiapas.

JAZMÍN. Nombre que se da a varias plantas del género *Jasminum* L. de la familia de las oleáceas, todas ellas con flores generalmente blancas o amarillas y aromáticas; son ornamentales y se les cultiva en jardines. También se da el nombre vernáculo de jazmín a las siguientes especies: *Petrea arborea* H.B.K., de la familia de las verbenáceas; *Philadelphus mexicanus* Schl., de las saxifragáceas; *Tabernamontana coronaria* Willd., de las apocináceas; *Gardenia jasminoides* Ell., de las rubiáceas; *Boureria huanita* Hemsl., de las borragináceas, y *Clerodendrum falllax* Lind. V. FLOR DE CONCHA.

Las especies del género *jasminum* son arbustos trepadores o erectos, con tallos verdes, delgados y flexibles; hojas opuestas o alternas, imparipinnadas, que conjuntan de tres a siete foliolos. Las flores se dan en cimas terminales simples o ramificadas y ocasionalmente solitarias; con cáliz en forma de embudo o campana, con cuatro a nueve dientes; corola bilabiada, con un tubo cilíndrico y de cuatro a nueve lóbulos imbricados que corresponden a los limbos de los pétalos; dos estambres cuyos filamentos son cortos, y ovario súpero, bilocular.

El fruto es una baya bilobulada con dos a cuatro semillas. Esta planta es originaria de Asia –Persia, India, China y Japón–; algunas proceden de Europa y otras otras del norte de África. En México se cultivan principalmente las siguientes: *J. officinale* L., arbusto trepador caducifolio, con hojas imparipinnadas, opuestas, blancas y de hasta 2.5 cm de longitud; *J. officinale* var. *grandiflorum* Bail., que presenta flores de 3 a 4 cm de diámetro; *J. sambac* Ait., arbusto trepador con ramas angulosas y pubescentes, de hojas simples, opuestas, elípticas u ovoides, y de flores blancas que miden de 1.5 a 2.5 cm; *J. humile* L., arbusto semierecto, esparcido o trepador, de ramas angulosas, lisas y de hojas alternas, y flores de intenso color amarillo, con longitud que va de 1 a 1.5 cm; *J. humile* var. *revolutum* Kobuski, cuyas flores alcanzan un diámetro de 2.5 cm. Se les conoce también como *jazmín de España*, *jazmín de olor*, *jazmín blanco* y *jazmín amarillo*.

2. *P. arborea* es un bejuco leñoso con las hojas opuestas, enteras, coriáceas, duras, escamosas y con peciolo corto. Las flores son azules, vistosas, dispuestas en pedúnculos largos. El fruto es una cápsula azul, alcanza los 6 m de altura; de hojas lanceoladas. Crece silvestre en Veracruz, Tabasco, Oaxaca y Yucatán

3. *Ph. mexicanus* es un arbusto de ramas sarmentosas, a veces con el hábito de bejuco trepador, que alcanza los 6 m de altura; de hojas lanceoladas u ovoides, con peciolo corto, algo acuminadas, finamente aserradas, redondeadas en la base y de 3 a 7 cm de longitud. Las flores son vistosas, fragantes, de color blanco amarillento o rosado y con diámetro de 3 a 4 cm; se dan solitarias o en cimas bifloras o trifloras; de cáliz corto, valvar, con cuatro o cinco sépalos; corola con otros tantos pétalos libres; estambres numerosos; ovario ínfero, de cuatro lóculos, con numerosos óvulos colgantes en cada uno de aquéllos, y con cuatro estilos. El fruto es capsular, dehiscente en cuatro valvas. Las mujeres del campo usan las flores para perfumarse y la infusión de las hojas se utiliza en la medicina popular para curar algunos males del estómago.

4. *T. coronaria* es un arbusto con jugo lechoso de 2 a 3 m de altura y con hojas opuestas, oblanceoladas y brillantes; de flores blancas, aromáticas, con la corola tubuloso-estrellada y rizados los pétalos en el margen del limbo. Crece silvestre en algunas regiones calientes y húmedas de Chiapas y se le conoce también como *jazmín de la India.*

5. *G. jasminoides* es un arbusto de 2 m de altura y de hojas opuestas o en verticilos –en número de tres–, algo coriáceas y medianamente lanceoladas; de flores blancas, solitarias, de aspecto céreo, sencillas o con doble número de pétalos, y de aroma delicado. Es una de las gardenias de importancia económica. en la floricultura y se propaga fácilmente por estacas. Recibe también el nombre de *jazmín del Cabo.* V. FLOR. **Gardenia.**

6. *B. huanita* es un árbol maderable, de 25 m de altura, con la corteza oscura y agrietada; de hojas verde oscuro, alternas, medianas o grandes, ovadas, algo asimétricas en la base, brillantes, un poco coriáceas y de peciolo largo. Las flores, blancas, de 3 cm de ancho, van agrupadas en inflorescencias que cubren la copa. El fruto es carnoso, amarillo y globoso. Crece silvestre en las selvas subcaducifolias, principalmente a lo largo de las barrancas de Chiapas, Oaxaca, Guerrero y Michoacán. Se le conoce también como *jazmín de Oaxaca, jazmín de Tehuantepec* y *jazmín de la India.*

JAZMÍN DEL ISTMO. (*Guie'shuba* en zapoteco, de *guie',* flores, y *shuba,* blancas.) Árbol de mediana corpulencia, tronco leñoso central, grandes ramas, hojas ovaladas alternas, y flor de cinco pétalos blanquísimos. Mide de 5 a 6 m de altura. En el verano se viste totalmente de blanco inmaculado y es muy aromático; la flor dura en el árbol una semana. Se reproduce por brotes que nacen de las raíces; requiere muchos cuidados para que prospere y vive unos 100 años. Desde la época prehispánica, sus flores se utilizan en la preparación de aguas frescas y para aromatizar el tabaco, tanto para los puros como para los cigarrillos torcidos con hoja de la panoja del maíz. Las flores se recogen del suelo, se secan al Sol, se pulverizan y el polvo se esparce sobre las hojas de tabaco, o bien frescas y en racimos se alternan con éstas.

JEANNETTI DÁVILA, ELENA. Nació en el Distrito Federal el 2 de octubre de 1932. Licenciada en ciencias sociales y relaciones internacionales (1956) por la Universidad Nacional Autónoma de México (UNAM), especializada en administración pública (1961) por la Universidad de París, ha sido profesora e investigadora en el Instituto Nacional de Pedagogía, y directora de Incorporación y Revalidación del Centro de Estudios sobre la Universidad, todo ello en la UNAM. Entre sus obras figura *25 años de administración pública y ciencia política.*

JECKER, JUAN B. Nació en Porrentruy, Francia –hoy Suiza–, en 1810; murió en París en 1871. Llegó a México en la primera mitad del siglo XIX, se dedicó al comercio y a poco fundó la casa Jecker, de la Torre y Compañía. Tanto él en lo personal como la negociación que dirigía se mezclaron en varias actividades ilegales y subversivas, como las dos invasiones de filibusteros franceses al estado de Sonora en 1852 y 1854; pero su mayor fraude consistió en el contrato que el 29 de octubre de 1859 firmó con Isidro Díaz, secretario de Hacienda del gobierno del general Miguel Miramón, mediante el cual se emitieron bonos por valor de 15 millones de pesos al 6% anual, garantizados al 50% por la casa J. B. Jecker y Cía. durante cinco años, quedando la diferencia bajo la responsabilidad del gobierno. A cambio, Miramón recibió 723 mil pesos en efectivo y 468 mil en equipo y vestuario. El presidente Juárez, al ocupar la capital en enero de 1861 declaró nulo y sin efecto el contrato y expulsó a Jecker del país. Éste se estableció en Francia, obtuvo su naturalización y se asoció al duque de Morny, hermano de Napoleón III, con cuya influencia consiguió que el emperador incluyera el cumplimiento de ese contrato entre las reclamaciaones que en 1862 desencadenaron la guerra (v. INTERVENCIÓN FRANCESA E IMPERIO). El 25 de mayo de 1871 Jecker murió fusilado por los comunistas de París.

JENÍZAROS. (Del turco *ieni tcheri,* nuevos soldados.) Milicia turca creada por Amurat I en 1362, según unos, y por Bayaceto I en 1389, según otros. Se destinaba a la defensa del trono y de las fronteras, y estaba compuesta por soldados de infantería reclutados entre los jóvenes cautivos cristianos que se educaban en el islamismo. Fueron disueltos por Mahomet II, a causa de una insurrección. En México la palabra jenízaros se aplica, en general, a los miembros de la fuerza pública y, en particular, a los guardaespaldas de los políticos.

JENKINS–JEROGLÍFICOS

JENKINS, WILLIAM O. Nació en Selbyville, Tennessee, EUA, en 1878; murió en Puebla, Pue., en 1963. En 1901 llegó al país, trabajó en Nuevo León y en 1905 pasó a radicar a Puebla. Se inició en el comercio de medias y calcetines; fue cónsul de su país, adquirió ingenios azucareros, formó la Compañía Civil e Industrial de Atencingo, construyó salas cinematográficas en todo el país y en 1954, después de la muerte de su esposa, instituyó la fundación Mary Street Jenkins, con capital de $90 millones, que en 1963 llegó a $500 millones. Con fondos de esta institución se han realizado obras de beneficencia, la restauración de monumentos coloniales y el establecimiento de planteles docentes.

JENS, JUAN FEDERICO. Nació en Alemania a principios del siglo XIX; murió en la ciudad de México en 1890. En 1865 llegó a México; estableció una imprenta y editó libros y periódicos. En 1883 fundó la revista *La Familia*, donde colaboraron los principales literatos mexicanos de su tiempo. Jens tuvo especial interés en divulgar obras alemanas; tradujo, entre otras, los dramas de F. Halm, que editó entre 1883 y 1888.

JENS PÉREZ, FEDERICO CARLOS. Nació y murió en la ciudad de México (1865-después de 1900). Hijo de Juan Federico Jens, trabajó con éste en *La Familia*, donde publicó traducciones al español de poemas alemanes. Dio a conocer sus propios poemas en el *Siglo XIX* y la *Época Ilustrada*.

JEROGLÍFICOS. (Del griego *hierós*, sagrado; y *glýphein*, grabar.) Son las figuras que expresan algo y que forman parte de una escritura antigua, generalmente conocida y manejada por la clase sacerdotal. Estos signos pueden estar aislados o formar textos o alternar o no con figuras de dioses, monstruos, individuos, animales, astros o elementos naturales. Los jeroglíficos de México –la escritura más extensa y artística no sólo de Mesoamérica, sino de todo el continente– aparecen en libros comúnmente llamados códices; en planos, mapas, pinturas, piezas de cerámica y multitud de monumentos como estelas, frisos, altares, jambas, peldaños, muros exteriores e interiores, esculturas, calendarios, tronos, tableros y objetos de adorno. Se dividen en: a) *figurativos* o pictográficos, que representan objetos, animales, figuras, astros, montañas, ríos; b) *ideográficos*, que significan una idea; por ejemplo, los números, de acuerdo con un sistema vigesimal, las fechas en función de un calendario, y también conceptos abstractos y aun metafísicos como los de dioses, movimiento y vida; c) *fonéticos*, que figuran sonidos alfabéticos (de una letra) o silábicos; y d) *iconomáticos*, o "de charada", si el sonido está representado por muy variados elementos que unidos dan una frase. Aún no se han podido descifrar miles de jeroglíficos de las diversas culturas mesoamericanas, entre otras las mixteca, zapoteca, tlapaneca y maya. Los de ésta, la más avanzada, se conocen en un 30%.

Las ilustraciones son de: *Nombres geográficos de México* (1885), por Antonio Peñafiel.

ACAMALIXTLAUACAN · ACAMILTZINCO · ACAPAN · ACAPETLATLAN · ACAPOLCO · ACAXOCHIC · ACAXOCHITLAN · ACAYOCAN · ACAZACATLAN · ACOCOLCO

JEROGLÍFICOS

ACOCOZPAN   ACOLHUACAN   ACOLMAN   ACOZPA   AHUATZITZINCO

AHUEHUEPAN   AHUEXOYOCAN   AHUILIZAPAN   AMACOZTITLAN   AMATLAN

AMAXAC   AMAXTLAN   AMEYALCO   ANENEQUILCO   APANCALECAN

ATEMPA   ATENANCO   ATENCO   ATEPEC   ATEZCAHUACAN

ATLACUIHUAYAN   ATLAPULAC   ATLATLAUHCAN   ATLHUELIC   ATLICHOLOAYAN

ATOCPAN   ATOTONILCO   ATZACAN   AUCHPANCO   AYOTLAN

JEROGLÍFICOS

AYOTOCHCO	AYOTOCHCUITLATLA	AZCAPUTZALCO	AZTAQUEMECAN	AZTOAPAN
CALIMAYAN	CALIXTLAHUACAN	CALTEPEC	CALYAHUALCO	CEMPOALAN
CENTZONTEPEC	CIHUATEOPAN	CIHUATLAN	CILLA	CINCOZCATLAN
CITLALTEPEC	COACALCO	COAPAN	COATEPEC	COATLAN
COATLAYAUHCAN	COATZINCO	COAXOMULCO	COCOTLAN	COHUATLAN

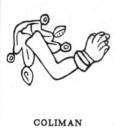

COLHUACAN	COLHUATZINCO	COLIMAN	COYOHUACAN	COYOLAPAN

JEROGLÍFICOS

COYUCAC	COZAMALOAPAN	COZCACUAUHTENANCO	COZCATECUTLAN	COZOHUIPILECAN
CUACHQUETZALOYAN	CUAHUACAN	CUAHUITLIXCO	CUALAC	CUATLATLAHUAC
CUATZONTEPEC	CUAUHNACAZTLAN	CUAUHNAHUAC	CUAUHPANOAYAN	CUAUHPILOYAN
CUAUHQUECHOLAN	CUAUHQUEMECAN	CUAUHTECOMATLAN	CUAUHTETELCO	CUAUHTITLAN
CUAUHTLAN	CUAUHTOCHCO	CUAUHXAYACATITLA	CUAUHXILOTITLAN	CUAUHXIMALPAN

CUAUHXOMULCO	CUAUHYOCAN	CUETLAXTLAN	CUEZCOMAHUACAN	CUEZCOMATITLAN

JEROGLÍFICOS

CUEZCOMATLYACAC

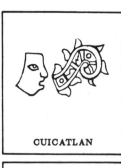

CUICATLAN

CUITLAHUAC

CHALCO

CHAPOLIXITLA

CHAPOLMOLOYAN

CHIAPAN

CHICHICUAUHTLA

CHICTLAN

CHILACACHAPAN

CHILAPAN

CHIMALPAN

CHINANTLAN

CHIPETLAN

CHONTALCOATLAN

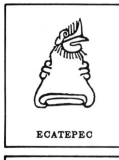

ECATEPEC

EHECA-TLAPECH-CO

EHUACALCO

EPATLAN

EPAZOYUCAN

HUAPALCALCO

HUAXTEPEC

HUAXYACAC

HUEHUETLAN

HUEIPOCHTLA

HUEXOLOTLAN

HUEYAPAN

HUIPILAN

HUITZANNOLA

HUITZILAPAN

JEROGLÍFICOS

HUITZILOPUCHCO

HUITZITZILAN

HUITZNAHUAC

HUITZOCO

HUIXACHTITLAN

ICHCAATOYAC

ICHCATEOPAN

ICHCATLAN

ICPATEPEC

ICZOCHINANCO

ITZCUINCUITLAPILCO

ITZCUINTEPEC

ITZIHUQUILYOCAN

ITZMIQUILPAN

ITZOCAN

ITZTEPEC

ITZTEYOCAN

ITZTLAN

IXCOYAMEC

IXICAYAN

IXQUEMECAN

IZHUATLAN

IZTACALCO

IZTACTLALOCAN

IZTAPAN

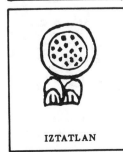

IZTATLAN

IZTITLAN

MACUILXOCHIC

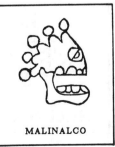

MALINALCO

MALINALTEPEC

4485

JEROGLÍFICOS

MATIXCO	MATLATLAN	MAZATLAN	METEPEC	MIAHUAPAN
MICHATLAN	MICHMALOYAN	MICQUETLAN	MICTLAN	MICTLANCUAUHTLA
MIXCOAC	MIZQUIC	NEXTITLAN	NOCHEZTLAN	NOPALLA
OCPAYUCAN	OCUILAN	OXICHAN	OZTOMAN	OZTOTICPAC
OZTOTLAPECHCO	PAPANTLAN	PATLANALAN	PETLATLAN	PIAZTLA
PIPIOLTEPEC	PUXCAUHTLAN	QUECHULAC	QUETZALMACAN	TAMAZOLAN

JEROGLÍFICOS

TAMAZOLAPAN	TECAMACHALCO	TENAYOCAN	TEOCUITATLAN	TEONOCHTITLAN
TEOTITLAN	TEOTLIZTACAN	TEPECHPAN	TEPETLACALCO	TEPETLAOZTOC
TEPUZTLAN	TETICPAC	TEXCOCO	TIZAYOCAN	TLACHQUIAUHCO
TLALTIZAPAN	TLAPACOYAN	TLAPAN	TLATELOLCO	TLATZOXIUHCO
TLAYACAPAN	TOCHCONCO	TOCHTEPEC	TOLIMAN	TOLOCAN
TONATIUHCO	TOTOLAPAN	TOTOLTZINCO	TOTOTEPEC	TOTOTLAN

JEROGLÍFICOS

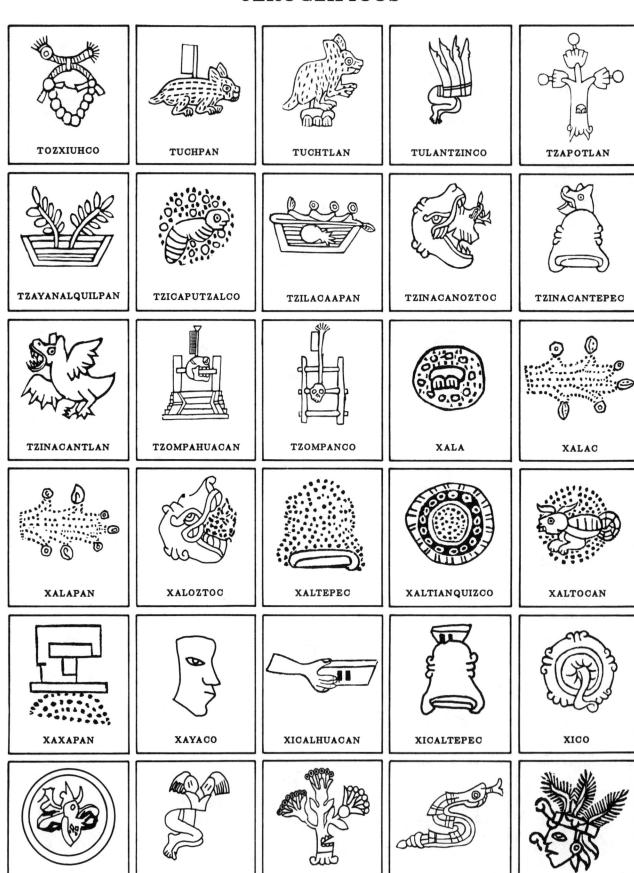

TOZXIUHCO	TUCHPAN	TUCHTLAN	TULANTZINCO	TZAPOTLAN
TZAYANALQUILPAN	TZICAPUTZALCO	TZILACAAPAN	TZINACANOZTOC	TZINACANTEPEC
TZINACANTLAN	TZOMPAHUACAN	TZOMPANCO	XALA	XALAC
XALAPAN	XALOZTOC	XALTEPEC	XALTIANQUIZCO	XALTOCAN
XAXAPAN	XAYACO	XICALHUACAN	XICALTEPEC	XICO
XICOCHIMALCO	XILOTZINCO	XILOXOCHITLAN	XIUHCOAC	XIUHTECZACATLAN

4488

JEROGLÍFICOS

XIUHTEPEC	XOCHIACAN	XOCHICHIUCAN	XOCHIMILCATZINCO	XOCHIMILCO
XOCHITLA	XOCHIYETLA	XOCHTLA	XOCONOCHCO	XOCOTITLAN
XOCOTLA	XOCOYOCAN	XOLOTLAN	XOMETZOYOCAN	XOYOLTEPEC
YACAPITZTLAN	YAUHTEPEC	YAUNAHUAC	YOALAN	YOALTEPEC
YOLTEPOZONTLA	YOPICO	ZACATEPEC	ZACATLA	ZACATULAN
ZACUALPAN	ZACUANTEPEC	ZOLA	ZOQUITZINCO	ZOZOLAN

JESUITAS. Con este vocablo, usado en sentido propio, se designa a los religiosos pertenecientes a la Compañía de Jesús, orden de clérigos regulares fundada por San Ignacio de Loyola y aprobada por el papa Paulo III (27 de septiembre de 1540) "para aprovechar a las almas en la vida y doctrina cristiana, para propagar la Fe por medio de la pública predicación y explicación de la palabra divina, para dar los Ejercicios Espirituales, ejercitar obras de caridad y singularmente para instruir a los niños y a los rudos en la doctrina..." Característica de la nueva Orden fue desde el principio el voto, o sea el compromiso religioso irrevocable de obedecer al Papa, no sólo en lo que todo cristiano está obligado a obedecerlo como jefe supremo de la Iglesia, sino también en cuanto mandare "para bien de las almas y propagación de la Fe en cualesquiera provincias adonde nos quisieren enviar, ya... (a tierra de infieles en el mundo islámico), ya a partes que llaman Indias (América), ya a los países de herejes..."

Las experiencias de los 10 primeros años llevaron a San Ignacio a la convicción de que no le bastaban sacerdotes, sino que le convenía admitir jóvenes (escolares) que se preparasen, estudiando y enseñando, para colaborar en esta empresa de apostolado, y otras personas idóneas para ayudar en los varios menesteres de los domicilios que iban teniendo (hermanos coadjutores). El papa Julio III aprobó esta ampliación el 21 de julio de 1551.

No tardaron los miembros de la naciente Compañía en dispersarse por varias regiones a petición del Papa, o de varios prelados y aun de príncipes cristianos. No se sabe por qué San Ignacio deseaba que pasaran a México algunos, pues se conserva una minuta de carta suya a los superiores de España en que les recomienda que envíen algunos "haciendo que sean pedidos, o sin serlo". Por años quedaron sus deseos sin cumplir. De joven, Felipe II no tenía simpatía por la nueva Orden y hasta 1568 mantuvo la costumbre de no permitir el paso sino a los miembros de las cuatro grandes órdenes medievales: menores franciscanos, agustinos, dominicos y mercedarios.

Llegada y establecimiento en México. Francisco de Borja, que había sido hombre de confianza de los padres de Felipe y había renunciado al ducado de Gandía para hacerse hijo de Ignacio de Loyola, logró doblegar la oposición del monarca y obtuvo el real beneplácito para que pudieran los je-suitas misionar en las posesiones españolas. Como excepción se había ya concedido a Menéndez de Avilez traer unos pocos en su peligrosa expedición a la Florida (1565). Borja, ya superior general de la Compañía de Jesús, envió la primera expedición para fundar en el Perú (1567) una provincia jesuítica, y en 1572 designó al padre Pedro Sánchez, doctor y catedrático en Alcalá antes de entrar a la Compañía, y después rector del Colegio de Salamanca, para que encabezara el puñado de jesuitas que tenían que comenzar la nueva misión. Fueron ocho sacerdotes, tres todavía estudiantes y cuatro hermanos coadjutores (o sea religiosos dedicados a trabajos que no requerían estudios) los que desembarcaron el 9 de septiembre en San Juan de Ulúa. El 28 entraron en la ciudad de México y se alojaron en el Hospital de Jesús. A poco uno de ellos murió de vómito, que todos contrajeron, y fueron a convalecer al Hospital de Santa Fe. En tanto, el creso de la Nueva España, Alonso de Villaseca, empezó a interesarse en los recién llegados y les regaló un terreno al noroeste de la Plaza Mayor en donde los indios de Tacuba, con la condición que luego les predicaran y adoctrinaran, les construyeron unos jacalones y más tarde una iglesia amplia, pero recubierta de paja.

Venían los jesuitas para misionar entre los indios, pues inmensas regiones de la Nueva España estaban aún por civilizar y evangelizar y desde que uno de los primeros compañeros de Ignacio, Francisco Xavier, enviado por el Papa, había recorrido el extremo Oriente y establecido misiones en la India oriental, las Molucas y el Japón, la nueva Orden se dedicaba a misiones entre infieles como a tarea muy principal. Sin embargo, la gran necesidad espiritual de los estudiantes había hecho que Ignacio aceptara también que sus hijos se dedicaran a la educación e instrucción de jóvenes que podían llegar a contribuir a la mejora moral y cultural de la sociedad de entonces. De ahí que admitiera colegios en Tívoli, Gandía, Mesina y otras partes. A la muerte de su fundador, la Compañía dirigía 33 colegios en que se admitía a niños o jóvenes externos. Con esto resultó la primera gran Orden de los tiempo modernos, dedicada a la enseñanza. No es, por tanto, inexacto lo que dice el historiador francés Robert Ricard en su obra *La conquista espiritual de la Nueva España:* "Los jesuitas traen un espíritu distinto y preocupaciones propias: sin dejar de lado a los indios, en la Nueva España la Compañía se consagrará con especial esmero a la educación y robustecimiento espiritual de la sociedad criolla un tanto cuanto descuidada por los mendicantes, así como a la mejora del Clero Secular, cuyo nivel estaba bastante bajo. En tal sentido, la actividad de los hijos de San Ignacio contribuirá a preparar la entrega progresiva de las parroquias de indios al Clero Secular, y con ello eliminar a las Órdenes primitivas forzadas a dejar el ministerio parroquial para recluirse en sus conventos, o bien para emprender la evangelización de remotas regiones aún paganas".

Sería un grave error interpretar estas palabras de Ricard atribuyendo a un puñado de religiosos, novatos en la tierra, el innegable cambio que marca 1572 en toda la situación religiosa no sólo de México sino de la América española. Las causa fue otra. El año de 1568 fue crucial en el reinado de Felipe II (muerte de su hijo Carlos, levantamiento de los moriscos, conflicto con el papa Pío V). También aquel año reunió una Junta Eclesiástica importantísima para la organización de los virreinatos y, dada su intromisión en asuntos eclesiásticos, para la vida de la Iglesia en América. Las instrucciones secretas enviadas tanto al virrey del Perú, como al de la Nueva España, Martín Enríquez de Almanza, son preparación para que se ejecute lo que ordenará la Cédula Magna de 1574, por la que quedó definitivamente organizada la centralización de diócesis y misiones en todos los dominios americanos de la monarquía española. Terminó así la explosión misionera espontánea y heroica, creadora y dispersa, y comenzó la época organizada, disciplinada, aun cautelosa. Muy de advertir es que sólo hasta 1571 se estableció definitivamente la Inquisición (véase). A los jesuitas los recibió con marcada desconfianza el virrey Enríquez.

Actividad educativa. Los comienzos difíciles cedieron pronto el paso a un extraordinario avance. Apenas habían pasado dos años, cuando ya habían llegado siete jesuitas más y entrado a la Compañía tres sacerdotes y ocho jóvenes; se estaba levantando un edificio con locales destinados a las clases de letras, de filosofía y de teología, y una iglesia; y en 1586 un establecimiento para niños indios, el Colegio de San Gregorio, que iba a durar hasta mediados del siglo XIX, aunque en otras manos. Allí residió

el provincial hasta 1592, y los estudiantes más jóvenes hasta que se trasladaron a Tepotzotlán en 1595. Poco después se abrieron hasta cuatro colegios para estudiantes externos. Los jesuitas estudiaron en ese sitio filosofía y teología, al menos hasta 1625 en que los de filosofía pasaron a Puebla, y allí escribió y enseñó Garochi la gramática náhuatl, por mucho tiempo la mejor. Fue el primer centro jesuita de ministerios apostólicos en la capital y en toda la región hasta que empezó la Casa Profesa en 1592.

En noviembre de 1574 habían abierto el Colegio de Pátzcuaro, en el que hubo más de 300 niños indios y criollos. Entre los maestros figuró Pablo Huitziméngari, nieto del último Caltzontzi. Los jesuitas lo utilizaron también para aprender allí el tarasco. En 1579 abrieron el de Puebla, encabezado por un novel jesuita, el padre Antonio del Rincón, descendiente de los reyes de Texcoco. Más tarde se trasladó al magnífico edificio que fue Colegio de San Javier. Y en 1584 pusieron en servicio el de Tepotzotlán, con 30 colegiales internos, hijos de caciques de la región. El Colegio de Inditas, en cambio (las ocho escuelas para niñas indias establecidas por Zumárraga se habían extinguido), fue fundado por el padre Antonio de Herdoñana en 1754.

Al ir aumentando su número, tanto por los que iban llegando, como por los que ingresaban en la Nueva España, los jesuitas se dedicaron mucho más a la educación de los muchachos criollos. Tuvieron unas 20 escuelas equivalentes a las actuales secundaria y preparatoria, consagradas a la enseñanza de la gramática (tres años) y las humanidades latinas (dos años) y aun helénicas, a la retórica y a la filosofía (tres años), que incluía las matemáticas y las ciencias naturales (filosofía natural). Quien empezaba estos estudios a los 10 años, podía continuarlos en la única Universidad que había entonces. Más tarde se concedió a los colegios de la Compañía que distaban más de 200 leguas de la capital, el privilegio de otorgar ciertos grados universitarios. Llegaron a tener los padres de la Provincia Mexicana hasta 26 centros de este tipo, pues también se extendieron a la capitanía general de Guatemala, y a las Grandes Antillas. En lo que es hoy la República Mexicana, tuvieron 23 con más de 160 cátedras fundadas; es decir: sostenidas por un capital que ordinariamente se expresaba en fincas, pues la enseñanza era gratuita. Además tenían en propiedad cuatro cátedras en la Universidad de México. Todos estos institutos docentes fueron focos culturales de las regiones donde estaban, pues casi sólo ellos se dedicaron a la enseñanza. Había un seminario tridentino en el siglo XVI y se abrieron cinco en el siguiente y uno más en el XVIII (Mérida), antes del destierro de los jesuitas (1767). En algunos de estos planteles unos pocos jesuitas enseñaban las primeras letras y la gramática latina, y en otros más bien atendían el templo contiguo y diversas necesidades espirituales de la población. Así fueron los de León, San Luis Potosí, Veracruz, Celaya, Chihuahua, Parral y Campeche. Es curioso que en Monterrey no haya podido sostenerse el establecido en 1714 y cerrado en 1744. En Tepotzotlán se impartían, además, humanidades, que estudiaban también los jesuitas jóvenes desde 1585; en Zacatecas, filosofía; y en la Ciudad Real de Chiapas (hoy San Cristóbal de las Casas), teología moral. Los que disponían de más personal tenían también cátedras de Sagrada Escritura, teología dogmática y moral y derecho canónico. Tal era el caso de México y Puebla y, con ligeras diferencias, de Guadalajara, Pátzcuaro, Valladolid (Morelia), Querétaro, Durango, Oaxaca y Mérida.

Casi todos los estudiantes mexicanos que llegaron a la Universidad o al sacerdocio (exceptuando los formados en los seminarios tridentinos o en los que para sus propios religiosos tenían las otras órdenes) pasaron por estas aulas. Muchos fueron prelados y superiores, pero también hubo quienes figuraron en otros campos: Juan Ruiz de Alarcón, Carlos de Sigüenza y Góngora, el presbítero José Antonio de Alzate, que nunca perteneció a la Compañía, y muchos hijos de los virreyes, entre los que sobresalió el que fue más tarde segundo conde de Revillagigedo. Sí pertenecieron a la Compañía muchos otros alumnos o profesores de estos colegios, o ambas cosas, que en muy diversas formas contribuyeron a la cultura mexicana. Dejando para el estudio de la obra misional a los que se distinguieron como historiadores y lingüistas, hay que mencionar los nombres de quienes más brillaron durante el virreinato. En el siglo XVI descolló como teólogo del arzobispo Moya de Contreras y activo participante en el Tercer Concilio Mexicano, cuyos decretos tradujo al latín clásico, Pedro de Hortigosa (1547-

1626), quien enseñó teología más de 40 años en la Universidad. Juan de Ledesma (1574-1637) fue el primer criollo que obtuvo la cátedra de teología en esa institución. No sólo se distinguieron como maestros de teología, sino también como oradores sagrados, escritores de temas religiosos y aun historiadores, Francisco de Florencia (1620-1695) y Antonio Núñez de Miranda (1618-1695), director espiritual de Sor Juana Inés de la Cruz. En filosofía escolástica llegó a insigne notoriedad Antonio Rubio (1548-1615), cuya *Lógica mexicana* (Alcalá, 1603) fue texto en España y cuyos comentarios a varias obras aristotélicas, utilizados también como libros escolares, fueron impresos en Colonia, Lyon, Cracovia y otras ciudades europeas. Muchos más lectores tuvieron los tres tomos de conferencias doctrinales, predicadas en la iglesia de La Profesa, por Juan Martínez de la Parra (1652-1701), que impresos en México en 1691, 1692 y 1696, alcanzaron en un siglo 25 ediciones, y fueron traducidas al latín, italiano, portugués y náhuatl. También traspasó las fronteras la *Práctica de teología mística* del padre Miguel Godínez (Wadding), nacido en Waterford, Irlanda, en 1586, llegado a México en 1609 siendo aún novicio, misionero en Sinaloa de 1618 a 1626, y dedicado a la enseñanza y a la dirección espiritual en Puebla, Guatemala y México, en donde murió en 1644. La primera edición se hizo en Puebla (1681), pero muy pronto se reimprimió varias veces en España. El padre Ignacio Manuel de la Reguera, profesor en Roma, no sólo la tradujo al latín sino que le agregó amplios comentarios y la editó en dos infolios (Roma, 1740 y 1745). El manuscrito original, que nunca ha sido publicado íntegro, se conserva en la Biblioteca Nacional de México. En el siglo XVIII destacaron los poblanos Francisco Javier Lazcano (1702-1762) y José Mariano Vallarta (1719-1790), y más aún Juan Francisco López (1689-1783), que a muchos tratados añadió sus acertadas gestiones, como enviado del episcopado y de prelados religiosos de Nueva España, para obtener en Roma la confirmación de Patronato Nacional de Nuestra Señora de Guadalupe y la concesión de misa y oficio propios para su festividad, aún en uso.

Aunque la contribución de los jesuitas a la historiografía se manifiesta sobre todo en las cartas y crónicas de los misioneros del norte y noroeste del México actual, y en las obras históricas de los expulsos Alegre, Cabo y Clavijero, no debe olvidarse que en los principios tuvo la Compañía un cronista que marcó huella en las primeras historias indígenas: el padre Juan de Tovar (1544-1626), autor de una *Relación escrita por orden del virrey Enríquez* entre 1568 y 1578 y de otra conocida hoy como *Códice Ramírez*, redactada algunos años después. El jesuita castellano José de Acosta (1540-1600), misionero en el Perú, a su paso por la Nueva España de regreso de Europa –desembarcó en Huatulco en julio de 1586 y zarpó de Veracruz el 18 de marzo de 1587– aprovechó esa estancia para tratar a Tovar y obtener datos para su varias veces reditada *Historia natural y moral de las Indias* (1a. ed.; Sevilla, 1590), obra que iba a difundirse por toda la Europa culta de entonces. Otra crónica muy importante es la *Historia de los triunfos de nuestra Santa Fe entre gentes las más bárbaras y fieras del Nuevo Orbe* (Madrid, 1645) de Andrés Pérez de Ribas (1575-1655), el primer ensayo historiográfico de la región noroeste de México, rico en datos religiosos, culturales y etnográficos; completado en 1654, en otra obra que trata de los primeros 80 años de la Provincia Mexicana y que se publicó hasta 1896: *Crónica e historia religiosa de la Compañía de Jesús de México en la Nueva España.* V. HISTORIOGRAFÍA.

Actividades misionales. El real decreto que autorizaba la venida a México a los jesuitas les encargaba misionar a los naturales. Las dificultades con que tropezaron al llegar y, a poco, la insistencia del virrey, del arzobispo y de sus bienhechores, los constriñeron a comenzar por la predicación y la enseñanza en la ciudad de México. Sólo hasta 1579 pudo el padre provincial colocar a unos pocos en el curato de Huixquilucan, al oeste de Cuajimalpa, en la sierra de las Cruces, para que aprendieran el otomí y atendieran a los indígenas. Al año siguiente los trasladó a Tepotzotlán, en donde, sostenidos por el Colegio de México, siguieron aprendiendo el otomí y catequizando a los aborígenes de la comarca. En realidad los jesuitas se encontraron con que el territorio mexicano hasta entonces pacificado y más o menos incorporado a la gobernación de la Nueva España, estaba repartido para su evangelización entre las órdenes antiguas que llevaban ya varios decenios de apostolado. Puede decirse que era la parte del México actual que queda al sur de una línea que iba de la desembocadura del Pánuco, al este, a la del Santiago, al oeste, pero no recta, sino sinuosa, siguiendo aproximadamente la cuenca del Moctezuma y el Lerma. Al norte había reales o sitios fortificados que amparaban los comienzos de la explotación minera en Guanajuato, Zacatecas y Durango, donde también existían unos cuantos conventos. En esta región, denominada en parte reino de la Nueva Vizcaya, de abruptas sierras inexploradas y desérticas mesetas, los indígenas aún nómadas (los más civilizados del Anáhuac les habían puesto el mote despectivo de "chichimecas") estaban por incorporarse a la Iglesia y a la cultura. En varias ocasiones emprendieron los jesuitas recién llegados expediciones aisladas, pero sólo hasta 1589 se adentró en ese territorio, para permanecer en él, el padre Gonzalo de Tapia (1561-1594) al que se unió luego el padre Nicolás de Arnaya (1567-1623). Ambos fundaron San Luis de la Paz (1590), como centro de evangelización (v. GUANAJUATO, ESTADO DE). En 1594 abrieron una escuela y a los pocos años tenían construidos un templo, una residencia e inclusive un seminario para indios que no prosperó. La residencia sí duró hasta la expulsión y cinco o seis padres estaban consagrados de continuo a los otomíes y cuauhchichiles de la sierra Gorda. Por allí pasaban algunos que iban a realizar trabajos apostólicos en Zacatecas y Durango. Uno de ellos, el padre Juan Agustín Espinosa, nacido en Zacatecas y conocedor de las lenguas y costumbres de los indios, después de varias excursiones apostólicas por la región de La Laguna obtuvo que el gobernador de la Nueva Vizcaya favoreciera su proyecto de congregar a los recién convertidos y fundara en 1598 el pueblo de Parras, que pronto tuvo iglesia, escuelas y varios misioneros que de allí salían hacia el norte, hasta Cuatrociénegas y el río de Nadadores, a catequizar a los laguneros y a otras diversas tribus. Cuando en 1652 el obispo de Durango les hizo entregar al clero diocesano sus propiedades, los jesuitas tenían, además de Parras, cinco cabeceras y 11 lugares más que visitaban periódicamente. Sólo retuvieron en la fundación primitiva una residencia con su iglesia no parroquial.

Las misiones que poco a poco fueron fundando en el noroeste fueron más duraderas. El padre Tapia, acompañado del padre Martín Pérez, comenzó las misiones de Sinaloa en 1591. Eran las primeras que se establecían entre los indios todavía del todo paganos y bárbaros, que se calculaban en unos 100 mil distribuidos en las cuencas de los ríos que bajan de la sierra Madre hacia el Pacífico, desde el Mocorito hasta el Yaqui (norte del actual estado de Sinaloa y sur del de Sonora). Tres años consagró Tapia a la ardua tarea de buscar a los indios, tratar con ellos, irlos instruyendo en la fe y la moral cristianas. Atrajo a muchos, pero otros lo odiaban, apegados a sus vicios y costumbres ancestrales. Uno de ellos, hechicero brutal, lo mató la noche del 9 de julio de 1594. Treinta años después sus hermanos habían convertido a unos 80 mil indios ocoronis, guasaves, tamazulas y sinaloas, y para 1638 los libros de bautizos registraban ya más de 300 mil neófitos. El lenguaje más generalizado en esa región era el cahita. Un informe a la Congregación romana de *Propaganda Fide* asegura que en 1662 había 16 misioneros que atendían 38 centros con 16 escuelas y 21 912 naturales. Cuando ocurrió la expulsión, en 1767, los misioneros eran 21, con 50 centros y unos 30 mil indígenas.

Otras muchas misiones iban a ir estableciendo los jesuitas. Irradiaban de Guadiana o Durango, capital del reino de Nueva Vizcaya, cuyo gobernador Rodrigo del Río y Loza tenía gran esperanza en su trabajo misional para pacificar y civilizar esas regiones. Así, a la obra iniciada por Tapia siguieron las misiones que a continuación se enumeran por orden cronológico de su fundación.

En 1598 los misioneros lograron congregar a los acaxes y xiximíes en San Andrés y Topia, en las abruptas montañas que dominan los valles del Piaxtla, San Lorenzo y Culiacán. Mientras los demás recibían anualmente una pensión de 300 pesos y 35 para la escuela de los niños indígenas, a quienes misionaban en esas zonas se les entregaban 50 más por las dificultades para conseguir alimentos. Según el informe de 1662, ya citado, había 12 misioneros y 41 centros muy dispersos, pues los indios vivían aislados en los montes, con 12 escuelas que atendían a 3 851 indios. En 1753 los jesuitas entregaron 11 de los centros más desarrollados a la diócesis de Durango.

Tepehuanes. En 1600 comenzaron a misionar a los tepehuanes, que vivían en estado salvaje, dispersos en las montañas de Durango que van del oriente de la región de los xiximíes hasta el sur de la sierra Tarahumara. En noviembre de 1618 fueron asesinados por los indios ocho misioneros.

Quienes se ofrecieron para reemplazarlos, establecieron los centros de Guanaceví, Zape, San Ignacio y Santiago Papasquiaro. Aunque la lengua más extendida era el tepehuán, había tribus que hablaban náhuatl, tarahumar o salinero. El informe de 1662 señala sólo cuatro misioneros para 11 estaciones con cuatro escuelas y 2 356 indios. A principios del siglo XVIII ya casi todos entendían el castellano y las misiones pasaron a la diócesis de Durango.

Tarahumara Baja. En 1608 el padre Fonte (1574-1616) logró reunir algunos indios amigos de los tepehuanes, pero de costumbres más morigeradas, que habitaban en las laderas orientales de la sierra Tarahumara (suroeste del estado de Chihuahua) y que a sí mismos se llaman *rarámuri* (los que corren veloces). La rebelión de los tepehuanes cortó estos comienzos y hasta 1630 se fundó la primera misión estable en San Miguel Bocas (hoy Ocampo, Dgo.). Ya fundados varios centros, hubo revueltas y asesinatos de 1645 a 1652. Diez años después había allí sólo cinco misioneros que atendían sendas escuelas y 11 pueblos con 3 400 indios. La mayor importancia de esta misión consistió en haber servido de entrada para los misioneros a la Tarahumara Alta y al norte de Sonora.

Entre el Yaqui y el Mayo. Se daba entonces el nombre de Ostimuri a la región que se extiende al norte del río Mayo hasta el Yaqui. La habitaban tribus belicosas y divididas entre sí: mayos, yaquis, tepehuanes y conicaris. En 1614 los jesuitas empezaron a evangelizarlos y en pocos años bautizaron a varios miles. En 1678 los naturales eran unos 15 000 congregados en 12 poblaciones. Las exacciones de los exploradores los excitaron tanto, que en 1740 se sublevaron y arrasaron toda la comarca. Cuando volvió la paz, los misioneros del norte de Sinaloa emprendieron la restauración, pero casi todos los indios volvieron a su paganismo ancestral después de 1767. La misión de Sonora o Pimería (región al norte del Yaqui) empezó con la conversión de los nebones en 1619. Ese territorio, entonces desértico e inexplorado, estaba habitado en la faja que costea el golfo de California por tribus muy diversas, entre ellas los seris (hoy casi extinguidos y confinados en la isla Tiburón). En 1646 se convirtieron los guasaves, lo cual facilitó el avance hacia el norte. En 1662 había 17 misioneros

JESUITAS

en sendas cabeceras, que atendían 40 centros y 18 mil indios, casi todos en las estribaciones occidentales de la sierra Madre. La tribu más extendida era la de los pimas, de donde le vino a la misión el nombre de Pimería. La llegada de Francisco Eusebio Kino (1645-1711) a la misión de Dolores (Pimería Alta) en 1687, marca el inicio de un florecimiento excepcional. Emprendió unas 40 expediciones para explorar, levantar mapas, congregar indios, bautizar y construir templos y centros de misión, de modo que transformó todo el norte de Sonora, desde Casa Grande y San Javier del Bac, actualmente en Arizona, EUA, hasta la confluencia del Gila y el Colorado, y la desembocadura de éste en el Golfo. Fomentó la prosperidad económica de los nuevos centros mediante plantaciones adecuadas y la cría de ganado. Se calculan en 30 mil los indígenas bautizados por aquel entonces. En 1767 había 29 misioneros que atendían 60 centros.

La misión de Chinipas se puso en obra casi al mismo tiempo que la de Sonora. En 1621 se establecieron allí los primeros misioneros, quienes desde Sinaloa habían estado ya en contacto con los chinipas y hecho excursiones apostólicas, bautizando a muchos de ellos y levantando iglesias. En esta sierra, que recorre el suroeste del actual estado de Chihuahua, fueron martirizados dos misioneros en 1631. Luego floreció la misión que convirtió también a tribus de pimas, varohios, baborigames y guazapares. En 1764 había 12 misioneros en sendas cabeceras, desde donde visitaban muchos pueblos cristianizados.

La Tarahumara Alta recibió a sus primeros misioneros estables hasta 1673. Subieron de la parte baja, ya más civilizada, pero tropezaron con todo género de dificultades. Hubo varias revueltas feroces y en 1690 fueron víctimas los padres Juan Foronda y Manuel Sánchez, cuando ya había unos 8 mil cristianos congregados en 44 pueblos. En 1764 había 16 misioneros, encargados de 60 pueblos. Cuando el gobierno español expulsó a los jesuitas, dejaban la misión apenas a punto de florecer. Es la única a la que volvieron a principios del siglo XX.

La misión de California. La extensa región de la Nueva España que Cortés bautizó con el nombre de California, había quedado abandonada por tantos años que, aunque desde 1529 se había descubierto que el mar de Cortés era un

alargadísimo golfo y todo el territorio sur una península, una y otra cosa se habían olvidado, y en la segunda mitad del siglo XVIII, el padre Kino, de muy buena fe, creyó ser el primero en comprobarlo en una de sus expediciones. Fuera de los buscadores de perlas, casi nadie se interesaba en esa región inhóspita, habitada por tribus bárbaras: al sur guaicuríes y pericúes, y más al norte cochimíes y yumas, que hablaban lenguajes del todo diversos a los conocidos. El padre Juan María Salvatierra (1648-1717) fue el primero que se empeñó en evangelizar a aquellas olvidadas gentes. Había comenzado como misionero en Chinipas y en 1691 lo nombraron visitador de la Pimería. En 1697 emprendió la misión de Loreto, pero su noble entusiasmo estuvo a punto de ceder ante crecientes obstáculos de toda índole, entre otros la dificultad de las comunicaciones (tuvo que fletar un barco) y la casi invencible pobreza y poquedad de los indios. Uno de sus súbditos, el heroico Juan de Ugarte (1660-1730), salvó la misión al obligarse con voto especial a no salir de ella sino por estricta orden superior. La población indígena, que quizá llegaba a 50 mil habitantes en el siglo XVII, era de sólo 20 mil a mediados del XVIII. Lograron los misioneros fundar unos 20 pueblos que aún se reconocen por sus iglesias bien construidas y muchos aun por sus nombres religiosos. La extrema penuria de los indios y la creciente dificultad para obtener subsidios de los monarcas españoles, inspiraron a Salvatierra el plan de reunir un capital con qué sostener la misión. Ayudado por los jesuitas del interior de México y autorizado por los gobernantes del virreinato, comenzó a reunir el "Fondo Piadoso de California", que con el último donativo de una dama de Guadalajara, Josefa Paula de Argüelles, llegó en 1765 a 1 257 000 pesos. Ya no disfrutaron de esos recursos los jesuitas, expulsados en 1767, sino los misioneros que los reemplazaron: los dominicos y, especialmente, los franciscanos, que los aplicaron en gran parte al desarrollo de las incipientes misiones de la Alta California. Al separarse en México la Iglesia del Estado, y sobre todo, al pasar la Alta California a los Estados Unidos, se plantearía un grave conflicto internacional (v. FONDO PIADOSO DE LAS CALIFORNIAS). Al sobrevenir la expulsión 16 misioneros y un hermano coadjutor atendían unas 18 cabeceras y a unos **cuantos millares** de indígenas, pues la población había bajado constantemente.

La misión del Gran Nayar fue un encargo que el virrey marqués de Valero hizo a la Compañía de Jesús en 1720 con la esperanza de reducir a la obediencia y al orden a una abigarrada mezcla de coras, huicholes y prófugos de la justicia que vivían al margen de toda civilización en una región montañosa al este del río de San Pedro Mezquital y al norte del Santiago. Aunque al principio entraron los misioneros con el ejército enviado para sojuzgar a los semisalvajes nayaritas, tuvieron meses de contrariedades y varios amagos de rebelión. Poco a poco se fueron ganando a los indios más pacíficos y en 1725 ya estaban congregados en 11 pueblos y casi todos bautizados y en vías de civilizarse. Cuando salieron desterrados los siete jesuitas que estaban al frente de otras tantas comunidades, dejaban una cristiandad próspera y pacífica, aunque con pocos contactos con las regiones comarcanas.

"El vandálico decreto", según expresión de Menéndez y Pelayo, que de la noche a la mañana expulsó de los dominios españoles a todos los miembros de la Compañía de Jesús, arrancó de las misiones del noroeste mexicano a poco más de 100 misioneros. Dejaban miles de indígenas en proceso de integración a la cultura de entonces. Los jesuitas mexicanos habían intentado en el noroeste lo que sus hermanos en el Paraguay: reducir a la vida y cultura cristiana a miles de naturales de muy diversas razas y costumbres. Procuraron hacerlo con cierta independencia de las autoridades españolas vecinas y, sobre todo, evitando que los aventureros, en su codicia, hicieran fácil presa a los indios. Alguna idea puede formarse de lo que se iba logrando, por lo que, pasados algunos años después de la expulsión de los misioneros, informaba el virrey Revillagigedo, cuando ya la inquina contra los jesuitas empezaba a ceder en la corte de Madrid. En el informe que rindió por real orden el 31 de octubre de 1793 aseguraba que en todas las cabeceras tenían iglesias capaces, proporcionadas, unas veces hasta suntuosas, otras por lo menos decentemente adornadas, y siempre provistas de ornamentos, vasos sagrados y aun plata labrada. Más o menos de todas afirmaba lo que expresamente dice de las de Sonora y Sinaloa: "Era cada pueblo de misión una grande familia, que... reconocía dócilmente la discreta, suave y prudente sujeción, como verdadero padre espiritual y temporal, instruyéndolos en la vida cristiana y civil. Todos estaban impuestos en el catecismo, asistían con puntualidad a la misa en los días festivos, a la doctrina y a los ejercicios devotos; y muchos entendían y hablaban el idioma castellano, siendo también muy raro el regular extinguido (jesuita), que no sabía o no se aplicaba a entender el de los indios de su misión. Ningún indio andaba desnudo; se cubrían con vestuarios humildes, pero decentes y aseados; nunca les faltaba su regular y sobrio alimento, y cada familia tenía su pequeña casa, choza o jacal dentro de pueblos formales, tanto más reunidos en territorios avanzados cuanto era mayor su exposición a las hostilidades de las naciones bárbaras o gentiles, por cuya razón no sólo se cercaban con sencillas murallas o tapias de adobe o piedra, sino que se defendían con torreones fabricados en los ángulos de la población. Las casas de los padres ministros, sus modestos pero compuestos muebles, los almacenes y trojes para depósito y conservación de semillas y frutos, géneros y efectos de precisa necesidad, eran edificios y adquisiciones que acreditaban la habilidad de la administración de los desterrados..." Y añade: "Nada de esto podía hacerse con los cortos subsidios de 300 pesos que consignaba la piedad del rey a cada misionero y cobraba anualmente uno de los regulares extinguidos, con el título de procurador, en las cajas de esta capital; pero así como se esmeraban los padres ministros en cuidar muy particularmente del alimento, vestuario y educación cristiana de sus indios, también los obligaron a trabajar en las labores del campo, y en las que podían desempeñar dentro de sus pueblos con conocidas y ventajosas utilidades. Por estos medios llegaron las misiones de los regulares extinguidos, casi en lo general, a la mayor opulencia, aumentándose sus bienes con las mercedes de tierras que registraron y de que tomaron posesión con títulos reales, para establecer estancias o ranchos de ganado mayores y menores, con abundantes crías de yeguas, caballos y mulas". La empresa evangélica y civilizadora de los misioneros fue, por tanto, el comienzo, interrumpido por muchos años, de la prosperidad actual de algunos de aquellos territorios.

También conviene tener presente que muchos misioneros trazaron mapas, recogieron datos sobre las costumbres de los indios, observaron los parajes que tenían que recorrer, sus animales y sus plantas; y aunque muchísimos de sus escritos yacen aún olvidados en el polvo de los archivos, no pocos llegaron a publicar sus relatos o sus obras lingüísticas. Para la historia del noroeste fueron y siguen siendo fuentes de sumo interés, además de las ya citadas de Pérez de Rivas, Clavijero y Alegre, las que se mencionan a continuación. Sobre California: Miguel Venegas: *Noticias de la California...*, publicada por el padre Burriel (3 vols.; Madrid, 1757) y la *Vida del p. Juan M. Salvatierra* (1754); Francisco M. Piccolo: *Informe del estado de la nueva cristiandad de California* (1702); Fernando Konzag: *Diario de viajes en California*, publicado en traducción francesa (París, 1767); Juan Jacobo Baegert: *Noticias de la Península...*, publicada en alemán (Manheim, 1772-1773) y sólo traducida al castellano por Pedro Hendricks y editada por José Porrúa en México (1942). Sobre Sonora: Francisco Eusebio Kino: *Las misiones de Sonora y Arizona* (1922); Juan Antonio Baltasar: *De los principios, progresos y decaimiento de la espiritual conquista de la...Pimería Alta... De nuevos progresos, varios descubrimientos y estado presente de la Pimería Alta*, publicados junto con el libro de Ortega *Apostólicos afanes de la Compañía de Jesús...* (Barcelona, 1754); Ignaz Pfefferkorn: *Descripción del panorama de Sonora y otras noticias maravillosas*, en alemán (2 vols.; Colonia, 1794). Y sobre Nayarit: José Ortega: *Maravillosa reducción... del Gran Nayar* (Barcelona, 1754).

Obra lingüística. La dedicación primordial a las misiones de indígenas aplicó a muchos jesuitas al estudio de las lenguas nativas. Escribieron diccionarios, gramáticas, sermones y catecismos en unas 30 lenguas: acaxe, cahita, cora, cachimí, chicorato, ópata meridional, guaycura, guasave, guazapare, maya, mazahua, medio tahue, náhuatl, nebe, névome, nío, monqui, ocoroni, teqüima, otomí, pima, seri, tarahumar, tarasco, tehueco, tepehuán, xixime y zacateca, que no siempre llegaron a difundirse por la imprenta. Hubo algunos muy dignos de mención. El estudio de la lengua náhuatl empezó con una *Gramática* del padre Antonio del Rincón (1550-1601), superada años más tarde por la de Horacio Carocci (1579-1662) que por mucho tiempo se consideró la mejor. En otomí sobresalió Francisco de Miranda

(1720-1787); en tarahumar y tepehuán, Tomás de Guadalajara (1649-1720); en cora, José Miguel de Ortega (1700-1768); y en cahita, Diego Pablo González (1690-1740).

El destierro. El 25 de junio de 1767, antes de rayar el alba, en la Casa Profesa y en todos los colegios de la Nueva España (en las misiones lo hicieron en fecha posterior), se presentaron fuerzas armadas y el delegado del virrey hizo reunir a toda la comunidad para notificarles que, por orden del rey Carlos III, quedaban desde ese momento incomunicados y que tendrían que salir para España sin otra cosa que la ropa necesaria, el breviario y el dinero que fuera pertenencia de cada uno. Todos los bienes de la Compañía, incluyendo libros y escritos de cada individuo, quedaban bajo secuestro. A los pocos días, por todos los caminos de México, pasaban decenas de religiosos para embarcarse en Veracruz. A una veintena se les permitió quedarse por estar incapacitados para el largo viaje, recluidos en el convento u hospital que les señalaron.

La estupefacción fue general. En la Nueva España no estaban tan difundidas, como en la vieja, las calumnias con que se preparó orden tan violenta. Se achacaba a los jesuitas haberse enriquecido enormemente en las misiones, haber intervenido en la política obstaculizando a los reyes y aun haber intentado el asesinato de los reyes José de Portugal y Luis XV de Francia. Ya hace un siglo, un protestante, Von Ranke, nada favorable a los jesuitas, explicaba la lucha contra ellos por intereses políticos: "En la situación mundial —dice— los (Estados) no católicos tenían un predominio innegable y los Estados católicos procuraban entenderse con ellos... En esto, creo, reside el motivo más profundo de la supresión de los jesuitas... Como (la Compañía) no quería ceder ni un ápice..., ella misma pronunció su sentencia". En efecto, la actitud, entonces sin excepciones, de defensores de los derechos de la Santa Sede contra el regalismo fue la verdadera causa para la extirpación de los jesuitas en los países católicos. Esto explica que el gobierno español previera que la orden real iba a ser muy mal recibida y que tomara precauciones para evitar cualquier intento de insumisión. Los jesuitas, aunque desolados, se sometieron sin la menor réplica.

En la misma mañana en que pusieron presos a los jesuitas, el virrey publicó la orden de destierro que terminaba "con la prevención de que estando estrechamente obligados todos los vasallos de cualquiera dignidad, clase y condición que sean, a respetar y obedecer las siempre justas resoluciones del Soberano, deben venerar, auxiliar y cumplir ésta con la mayor exactitud y fidelidad, porque S.M. declara incursos en su real indignación a los inobedientes o remisos..., pues de una vez para lo venidero deben saber los súbditos del gran Monarca que ocupa el trono de España, que nacieron para callar y obedecer y no para discurrir ni opinar en los altos asuntos del gobierno".

Como el 25 de junio era la fiesta del Sagrado Corazón, se ordenó que se cerraran los templos ese día y el siguiente. Aterrados por las amenazas y el despliegue de tropas, los parientes, amigos y alumnos de los jesuitas no se atrevieron, por lo general, a ninguna manifestación pública ni pudieron comunicarse con ellos. Sólo en Pátzcuaro, Guanajuato, San Luis de la Paz y San Luis Potosí la indignación popular suscitó actos de protesta y muchos trataron de impedir la salida de los padres. Algo la estorbaron, pero por poco tiempo y a costa de terribles represalias, pues por orden del visitador José de Gálvez fueron ejecutados 69 manifestantes. Los jesuitas arrancados de sus casas, en la provincia mexicana, fueron 418 sacerdotes, 137 estudiantes y 123 hermanos, o sea 678, de los cuales 153 habían nacido en España y 61 en otras naciones europeas. Las penalidades del largo y triste viaje, el clima de la costa, la falta de higiene en los barcos en que iban amontonados, llevaron a la tumba a más de 100 en dos años y medio, tanto más cuanto que a su llegada a España fueron desterrados a los Estados Pontificios, a donde, tras dolorosos contratiempos, empezaron a llegar en lamentable estado de miseria en septiembre de 1768. El papa Clemente XIII les asignó para su residencia las ciudades de Bolonia y Ferrara, al norte de sus Estados. Allí moraban los sobrevivientes, cuando en 1773 les intimaron el breve de Clemente XIV que suprimía la Compañía de Jesús. No se sabe de ninguno que haya causado perturbación ni escándalo. Muchos se dedicaron a escribir. Sobresalieron los veracruzanos Francisco Xavier Clavijero (1737-1781), quien publicó en italiano su *Historia antigua de México* (4 ts.; Cesena, 1781-1782), que reveló a la Europa culta un México insospechado por sus riquezas naturales, su historia y cultura prehispánicas, y su novedosa *Historia de la Baja California* (1789); y Francisco Xavier Alegre (1729-1788), de talento más amplio y profundo y de más elegante estilo, teólogo, humanista e historiador cuya obra más sólida y duradera había tenido que dejar secuestrada en su cámara de San Ildefonso: la *Historia de la provincia de Nueva España de la Compañía de Jesús* que sólo hasta 1841-1842 vio la luz en México, publicada por Carlos María de Bustamante (los jesuitas E. Burrus y Zubillaga publicaron en Roma, de 1956 a 1960, una edición en cuatro tomos mucho más cuidada y con notas). Primer historiador de casi tres siglos de México (1519-1766), fue el tapatío Andrés Cavo (1739-1803), cuya obra fue editada por Bustamante hasta 1836 y reditada, conforme al texto original, por E. Burrus (1949).

Entre los innumerables poemas que escribieron los desterrados, merecen especial mención los latinos del humanista Diego José Abad (1727-1779) y sobre todo la *Rusticatio mexicana* de Rafael Landívar (1731-1793), "el primer maestro del paisaje, el primero que rompe decididamente con las tradiciones del Renacimiento y descubre rasgos más característicos de la naturaleza en el Nuevo Mundo, su flora, su fauna, sus campos, sus montañas, sus lagos y sus cascadas", según dice Pedro Henríquez Ureña en *Las corrientes literarias en la América hispánica*.

Humanista latino y al mismo tiempo biógrafo de muchos de sus compañeros de exilio, fue Juan Luis Maneiro (1744-1802), quien publicó en Bolonia (1791-1792) tres tomos de semblanzas –traducidas algunas al castellano (1956)–, muy interesantes porque dan a conocer el movimiento renovador de la enseñanza que habían emprendido. Así se vislumbra el detrimento que padeció la cultura de la Nueva España, porque no abundaban las personas capaces de sustituirlos en sus colegios y mucho menos en las misiones. El propio virrey, en carta a su hermano del 24 de diciembre de 1767, confiesa que "todo el mundo los llora todavía, y no hay que asombrarse de ello. Eran dueños absolutos de los corazones y de las conciencias de todos los habitantes de este vasto Imperio". La devoción al rey quedó un poco quebrantada, razón por la cual algunos historiadores mencionan el destierro de los jesuitas entre las causas remotas de la Independencia.

JESUITAS

También dejaban en México una variada y rica herencia monumental: sus iglesias, colegios y misiones. Entre los templos que aún hoy son admirables, se cuentan el de Tepotzotlán, que con el antiguo noviciado anexo es quizá el más admirado museo colonial de América; las iglesias de Guanajuato, Puebla, Oaxaca, aún llamadas por el pueblo "de la Compañía"; la Profesa de la capital y, aunque mucho más sencillos, innumerables más en lo que fueron sus misiones del norte. Muchos de los edificios que habían construido para colegios quedaron aplicados a la enseñanza, pero con los años tuvieron que ampliarse o transformarse, sobre todo cuando se aplicaron a otros usos. Entre los mejor conservados quedan el antiguo Colegio de San Ildefonso, en México, célebre desde el triunfo de la República como Escuela Preparatoria; y el del Espíritu Santo, en Puebla, hoy sede de la Universidad. Por cierto que justamente en los años de la expulsión de los jesuitas, se dio una importancia exagerada a lo que había sido allí un alboroto estudiantil y popular a mediados del siglo XVII: el conflicto del obispo de Puebla, Juan de Palafox, con los jesuitas de su diócesis. Entonces los jueces conservadores de México y luego el gobierno de Madrid, dieron la razón a los jesuitas, pero en Roma y en varios países de Europa el caso fue motivo de discusiones apasionadas y más tarde fue aprovechado por los enemigos de la Compañía para presentar a ésta como enemiga de un obispo ejemplar, cuya causa de canonización se empeñaron en promover sin resultado.

El vacío causado por la supresión de tantos colegios y misiones, produjo en muchos mexicanos una añoranza que se manifestó, cuando cambiaron las condiciones del gobierno, en una franca petición por la vuelta de los jesuitas. Los diputados novohispanos enviados a las Cortes de Cádiz se unieron a los que iban por el resto del Imperio Español para presentar un pliego de peticiones el 16 de diciembre de 1810, cuya primera demanda era la restitución de los jesuitas en colegios y misiones. Por otra parte, entre los insurgentes (Hidalgo fue su alumno en Morelia) privó el mismo deseo, pues en el Congreso de Chilpancingo, a petición del propio Morelos, los diputados constituyentes expidieron el siguiente decreto: "Se declara el restablecimiento de la Compañía de Jesús para proporcionar a la juventud americana la enseñanza cristiana de que carece en su mayor parte y proveer de misioneros celosos a las Californias y demás provincias de la frontera" (6 de noviembre de 1813).

Restauración. El papa Pío VII anunció al mundo católico, el 7 de agosto de 1814, que autorizaba de nuevo a los jesuitas sobrevivientes para que restablecieran la Compañía de Jesús tal como la había fundado Ignacio de Loyola. El año siguiente Fernando VII admitía en sus dominios españoles a la Orden, desterrada por su abuelo. Apenas recibida la noticia oficial, el padre José M. Castañiza (1744-1816) acudió al virrey y al arzobispo para que le permitieran, reunido con otros dos que también habían regresado del destierro, restablecer en México la Orden ignaciana. Obtuvo el Colegio de San Ildefonso y con la ayuda de su hermana, la condesa de Bassoco, y su propio capital, pudo el anciano en los pocos meses que le quedaban de vida, abrir un noviciado el 19 de mayo de 1816, con ocho jóvenes, y encargarse de proseguir la tarea educativa. Consiguieron después los padres la devolución del Colegio de San Pedro y San Pablo, ya muy deteriorado, y el adjunto templo de Loreto, que estaba construyendo a sus expensas el conde de Bassoco. Con los novicios que entraron en los años siguientes y dos antiguos jesuitas que regresaron de Europa, se hicieron por poco tiempo la ilusión de que iban a recomenzar la interrumpida labor educadora y misionera. Sin embargo, el 17 de agosto de 1820 las Cortes de Cádiz decretaron la dispersión de los jesuitas y en el siguiente enero les conminaba esta orden el virrey. Eran sólo 13 sacerdotes, que siguieron perteneciendo a su Orden, pero que tuvieron que vivir dispersos y sujetos en todo al obispado del lugar en que residían. El padre Gutiérrez del Corral (1799-1848) fue celoso predicador, párroco y aun vicario capitular. En la capital fue ciertamente figura de primera magnitud en el clero el padre Basilio Arrillaga (1799-1867), por su asombrosa erudición en materias eclesiásticas y sus innumerables escritos en defensa de los derechos de la Iglesia. Tuvo que aceptar cargos públicos, pues además de ser catedrático de derecho civil y canónico en la Universidad de México, en 1834 fue diputado, en 1835 presidente del Congreso, y al siguiente senador, cargos que no podían aceptar los jesui-

JESUITAS

tas, según sus reglas, pero que se toleraron en México. El deseo de mucha gente y las necesidades de la región fronteriza, decidieron al gobierno en 1853 a permitir que volvieran los jesuitas a encargarse del Colegio de San Gregorio, que desde la invasión norteamericana y la muerte del licenciado Juan Rodríguez Puebla (1848) había entrado en franca decadencia. Quedaban sólo cuatro padres, pero con algunos que vinieron de Guatemala y de España se dedicaron a mejorar el edificio y el adjunto de San Pedro y San Pablo, que estaba casi en ruinas, y consiguieron poner en marcha el plantel que llegó a tener unos 200 alumnos. Las pasiones políticas, sin embargo, acogieron los ataques contra los jesuitas que corrían por España, y no obstante las protestas de Guillermo Prieto, de José M. Mata, yerno de Melchor Ocampo, y del ministro de Justicia, Ezequiel Montes, que se negó a firmarlo, a fines de 1856 se expidió el decreto de clausura del Colegio, que ordenaba, además, la dispersión de los religiosos. Al triunfo de la República, el presidente Benito Juárez cedió para seminario el antiguo convento de San Camilo, y el arzobispo encomendó su dirección a los jesuitas dispersos. De allí los expulsó, en 1873, el presidente Sebastián Lerdo de Tejada. La política conciliatoria de Porfirio Díaz permitió que los jesuitas fueran ensayando nuevos métodos para vivir en un país en el cual ya no era posible seguir el que habían tenido un siglo antes. Comenzaron a tener ministerios sacerdotales en templos que les confiaba algún obispo amigo, a predicar misiones populares y aun a colaborar en algún colegio sostenido por asociaciones de padres de familia y mensualidades de los alumnos, a diferencia de los que tuvieron en la Nueva España, que fueron siempre gratuitos. Así empezaron uno en Puebla, en 1870, con una escuela de artes y oficios, y otro en Saltillo, en 1878, donde estudió de niño Francisco I. Madero. En 1896 abrieron en la capital el de Mascarones, llamado así por el notable edificio donde funcionó originalmente, y en 1905 otro en Guadalajara. Al caer Díaz, les devolvió el gobierno su antiguo noviciado de Tepotzotlán, pero también los esfuerzos que desarrollaron allí fueron efímeros. En 1914, la contienda armada obligó a cerrar todos esos planteles. Los jesuitas que permanecieron en el país se consagraron a obras de caridad y a ministerios estrictamente sacerdotales. El padre Alfredo Méndez Medina (1877-

1968) había promovido en 1911 la Confederación de Obreros Católicos y fundó en 1920 el Secretariado Social, que contribuyó a acrecentar entre los católicos el interés por la justicia social. Las ardientes controversias sobre la aplicación y alcance del Artículo 3° de la Constitución de 1917, sobre todo en su versión materialista (1933-1945), impidieron por años el progreso de los colegios en que colaboraban los jesuitas (México, Puebla, Guadalajara, Chihuahua); y la exacerbación de la campaña, al cerrar aun los seminarios, obligó a los obispos a abrir uno más allá de la frontera, en Montezuma (Nuevo México, EUA), que confiaron en 1937 a la dirección de los jesuitas mexicanos. Muchos enseñaron en él hasta que se cerró en 1972. Otros volvieron a colaborar en centros de enseñanza después de la reforma al Artículo 3° (diciembre de 1945). Los jesuitas han creado dos instituciones de educación superior: la Universidad Iberoamericana, en la capital, y el Instituto Tecnológico y de Estudios Superiores, en Guadalajara, ciudad donde también dirigen una Ciudad del Niño, institución benéfica muy estimada por la sociedad tapatía, la cual levantó un monumento a su fundador, el padre Roberto Cuéllar (1896-1970).

No obstante la insistencia de sus propios superiores y las necesidades de los indios, los jesuitas no pudieron volver a sus antiguas misiones. A fines del siglo XIX, el padre Piñán recorrió una parte de Sonora y entró en la sierra Tarahumara; sus informes y experiencia hicieron posible que tres padres y un hermano remprendieran la misión de la Tarahumara en septiembre de 1900; pero muy pronto la Revolución, que estalló precisamente en el estado de Chihuahua, acrecentó las dificultades. Sin embargo, la misión arraigó y ha durado. Trabajan en ella (1988) 23 sacerdotes y seis hermanos en 14 centros; tienen un Seminario y han procurado que se establezcan en la Sierra escuelas, talleres y hospitales. Según las nuevas normas de la Iglesia, la misión quedó erigida en vicariato apostólico con un obispo al frente, que lo es monseñor José Llaguno Farías. Los indios tarahumares, cuyas necesidades espirituales deben atenderse, son unos 150 mil, de los cuales 6 mil son todavía paganos, pero están en tal estado de miseria que los misioneros tienen que buscar toda clase de ayuda para asistirlos. También en Chiapas los jesuitas emprendieron en 1960 una misión con los indios

JESÚS

tzotziles y tzeltales: trabajan en 1988 14 sacerdotes. La falta de comunicaciones y las lenguas hacen difícil la tarea.

Son muchísimos los jesuitas que han publicado libros, folletos o artículos. El padre Mariano Cuevas (1879-1949) contribuyó a la reconstrucción del pasado de México, más que con su *Historia de la Iglesia* (5 ts., 1921-1928), y su tan interesante como apasionada *Historia de la nación mexicana* (1940), con los muchos documentos que publicó, en particular el testamento original de Hernán Cortés, hallazgo suyo en el Archivo de Indias (1926). Mucho más serena y objetiva es la *Historia de México* escrita por el padre José Bravo Ugarte (1898-1968) en tres tomos (1941-1959), síntesis notable por su concisión y solidez. Publicó otras muchas monografías para las cuales se preparaba con mucha lectura, procurando ser muy esmerado al redactarlas.

Otra nota característica de los jesuitas en esta segunda época, es la de haber sido consagrados obispos: Ignacio Velasco (1834-1891), para Pasto; (1882) y Bogotá (1889), ambas en Colombia; Laureano Veres (1844-1920), para que hiciera la visita apostólica de Durango, Saltillo, Monterrey y Veracruz; Pascual Díaz (1876-1936), para Tabasco, trasladado como arzobispo a la capital en 1929; Luis Benítez (1836-1933), para auxiliar del anciano obispo de Tulancingo; Salvador Martínez Aguirre (1897-1987) para vicario apostólico de la Tarahumara, a quien sucedió José Llaguno Farías (1925-). Esto hubiera sido inconcebible en la Nueva España, cuando el episcopado era una dignidad, acompañada ordinariamente de rentas. Por esto los jesuitas profesos tienen que hacer promesa religiosa de no aceptar dignidades sino por expresa orden de obediencia, que desde el siglo XIX impone con frecuencia el Sumo Pontífice en países de misión o en donde hay serias dificultades. También es hecho muy reciente el que haya jesuitas que trabajan como obreros para cristianizar ese medio. En México apenas han empezado esta experiencia unos pocos. (*D.O.*).

Bibliografía: Gerard Decorme: *La obra de los jesuitas en la Nueva España* (2 vols., 1940) e *Historia de la provincia mexicana de la Compañía de Jesús en la República Mexicana*, que abarca de 1816 a 1914 (3 vols.; Guadalajara, 1914 y 1921; y Chihuahua, 1959); José Gutiérrez Casillas: *Jesuitas en México durante el siglo* XIX (1972), obra enriquecida con nuevos datos, muchos tomados directamente de archivos europeos; Juan B. Iguíniz: *Bibliografía de los escritores de la Compañía de Jesús de la provincia de México* (1945); Ch. Sommervogel: *Bibliotheque des ecrivains de la Compagnie de Jesús* (10 ts.); Jesús de Uriarte y Lecina: *Biblioteca de escritores de la Compañía de Jesús* (Madrid, 1925 y 1930), de la que se publicaron dos tomos, de la "A" a "Ferrusola", pero terminada, en papeletas, en cuanto a los escritores de la Nueva España; y Francisco Zambrano: *Diccionario bio-bibliográfico de la Compañía de Jesús en México*, obra monumental cuyo tomo I apareció en 1961.

JESÚS, ALONSO DE. Nació en Asturias y murió en Nueva España. Carmelita, fue lector en teología, prior de los conventos de Orizaba, San Luis Potosí y Querétaro, y definidor de la provincia de San Alberto. Escribió: *Oración fúnebre en las honras celebradas en la iglesia de Carmelitas de México a la memoria del sr. d. Cosme de Mier y Tres Palacios, del orden de Carlos III, del Consejo de Indias y regente de la Real Audiencia de dicha capital* (1806).

JESUSEAR. Estar o vivir con el "Jesús en la boca" es una expresión figurada que indica tener miedo. *Jesusear* o *echar jesuses* indica la acción de invocar el nombre de Jesús, especialmente en favor de los agonizantes. *Jesusera* se le dice a la persona que repite a cada momento el nombre de Jesús.

JESÚS MARÍA, JUAN DE. Nació en Sevilla y murió en el convento de Vélez, Málaga, España (1560-después de 1632). Teólogo y filósofo, profesó en la Orden de los Carmelitas Descalzos; se trasladó a México y fue prior del convento de Puebla y más tarde provincial. Escribió: *Epistolario espiritual para personas de diferentes estados y relación histórica de los hechos de los padres carmelitas de San Sebastián de México por la conversión de los indios.*

JESÚS MARÍA, NICOLÁS DE. Nació en Andalucía, España, y murió en la ciudad de México. Carmelita, profesó en el convento de Puebla. Fue prior, sucesivamente, de los conventos de Orizaba, Oaxaca, Puebla y México, y definidor y provincial de la provincia de San Alberto. Gozó fama de orador brillante. Dejó escritas numerosas piezas oratorias cargadas del barroquismo imperante en la primera mitad del siglo XVIII. Entre ellas destacan: *La mano de los cinco señores* (1726), *Panegírico del patriarca S. José* (1727), *El paño de lágrimas de Oaxaca, María en su imagen de la Soledad* (1733), *Las travesuras de Santa Teresa* (1735), *El para siempre de Santa Teresa: sermón moral* (Puebla, 1745) y *La cátedra de San Pedro en concurso de opositores* (1749).

JESÚS MARÍA DEL NAYAR, PRELATURA DE. (*Nayarianus de Jesu et Maria*). Sufragánea de la arquidiócesis de Guadalajara, se erigió por bula *Venerabilis frater* del papa Juan XXIII, del 30 de abril de 1962, ejecutada por el delegado apostólico Luis Raimondi el 15 de agosto del mismo año. Su sede es Jesús María, Nayarit; su titular, Nuestra Señora del Rosario; y su territorio, 27 mil kilómetros cuadrados de los estados de Jalisco, Nayarit y Zacatecas. Tiene 10 parroquias, cinco vicarías fijas, 49 capellanías, 16 sacerdotes franciscanos, un diácono permanente, siete religiosos no sacerdotes, 30 religiosas y una población de 88 mil habitantes, de los cuales 79 mil son católicos. *Obispos prelados:* 1. Manuel Romero Arvizu (1962). La prelatura de Jesús María limita con las circunscripciones eclesiásticas El Salto, Durango, Guadalajara, Mazatlán y Tepic. Comprende los siguientes pueblos: Huaistita, Popotita, Santa Clara y Pachanta, de Zacatecas; Taxacaringa, Xoconoxtla, Temilpiyas Chico y Lajas, de Durango; Jesús María, Huajicori, San Juan Bautista y Tenopahuastle, de Nayarit, y San Andrés Coamiata, Santa Catarina, San Sebastián, Guadalupe Ocotán y Tuxpan de Bolaños, de Jalisco. Hay en estas comunidades 43 mil indígenas: 18 mil coras, 10 mil huicholes, 22 mil tepehuanes y 3 mil aztecas o mexicaneros. Completan la población de la prelatura 35 mil mestizos, en su mayoría marginados de la civilización V. CORAS, HUICHOLES, y TEPEHUANES.

Los ríos que cruzan el territorio de la prelatura y vierten en el océano Pacífico son el Grande de Santiago, el Chapalagana, el Huaynamota, el San Pedro y el Acaponeta. Las comunicaciones terrestres son pocas y muy deficientes. Los medios más eficaces para la transportación son las avionetas.

Historia. Los primeros españoles que incursionaron en el país de los coras fueron los expedicionarios de Nuño Beltrán de Guzmán en 1531; sin embargo, ni ellos ni los franciscanos pudieron someter a los indígenas y éstos conservaron su independencia los dos siglos siguientes. A partir de 1702, en que los coras asaltaron el pueblo de Acaponeta, la Audiencia de Guadalajara y el virrey de Nueva España hicieron toda clase de esfuerzos para dominarlos, unas veces valiéndose de los religiosos y otras por medio de las armas, hasta que en 1722 una expedición militar pudo tomar sus principales reductos y derrotarlos. De ese año a 1767 intentaron la evangelización los jesuitas, que más tarde volvió a ser tarea de los franciscanos (v. NAYARIT, ESTADO DE). En mayo de 1884, el padre Manuel María de Estragués, terciario de Propaganda Fide, hizo por disposición del párroco Raimundo Velasco una relación de los templos de la región del Nayar. Los había en Agua Caliente, erigido por los jesuitas; en Huaynamota, con las imágenes de la Virgen Dolorosa, la Guadalupana y San Ignacio de Loyola; en la del Nayar, cuyo titular era la Santísima Trinidad, con dos retablos grandes con pinturas al óleo, de la titular y de San Francisco Javier; en Santa Teresa de Jesús; en San Francisco, cerca de Jesús María; en San Juan Peyitán, ya en ruinas; en Santa Rosa de Lima, con retablos de la Trinidad, San Francisco Javier y las vírgenes de Guadalupe y del Refugio; en Jesús María, que era el mejor, en forma de cruz latina, con bóveda, dos torres de caracol y cinco campanas, cuya patrona era la Sagrada Familia, aunque también se veneraban un crucifijo, Jesús Nazareno, San Antonio de Padua, San Juan Evangelista, San José, Santa Ana, San Francisco, San Buenaventura, la Dolorosa y la Virgen de Guadalupe; en Dolores, de construcción muy pobre, y en el poblado de Tzacatan.

El 23 de junio de 1891 el papa León XIII erigió la diócesis de Tepic, y las zonas del Nayar, Huajicori y Acaponeta, que dependían del arzobispo de Guadalajara, pasaron a la jurisdicción del nuevo obispado. La de Tepehuanes perteneció a la arquidiócesis de Durango hasta la creación de la prelatura de Jesús María (1962). Los frailes menores franciscanos, que habían evangelizado el territorio actual de la Prelatura y que pertenecían al Colegio de Propaganda Fide de Guadalupe, se retiraron del área huichol casi coincidiendo con la expulsión de los jesuitas en 1767 y no regresaron sino hasta el 11 de mayo de 1953. A ellos les encomendó el papa Juan XXIII el cuidado de la Prelatura de Jesús María.

Nuestra Señora de la Candelaria de Huajicori. Esta imagen fue llevada por el fraile franciscano Francisco de Fuentes, quien fundó la doctrina y construyó iglesia y convento. Fue colocada en el templo entre 1627 y 1628, según testimonio de fray Nicolás Ornelas Mendoza y Valdivia. Es semejante a las de San Juan de los Lagos y Zapopan y se consiguió en Pátzcuaro. Está hecha de pasta de caña de maíz y parece ser de principios del siglo XVII, pues tiene los brazos de lienzo y de ellos penden las manos. Representa a la Virgen de pie y mide 45 cm de altura. Su atuendo es de seda bordada y recamada de oro. Viste túnica suelta y manto en forma piramidal. Hace pocos años que la gente acostumbra colocar, de los hombros de la imagen a los extremos del manto, guías de flores al estilo de los que ostenta Nuestra Señora de Talpa. Luce, además, aretes de oro y una corona dorada con pedrería falsa. Colgada a la altura del pecho, lleva del lado izquierdo una imagen del Niño Jesús, de diferente factura. En su mano derecha y atada con un listón, sostiene una pequeña candela de cera, insignia de su título de la Candelaria. Ostenta una aureola dorada con 12 estrellas y a sus pies tiene una media luna de plata, obra de orfebrería antigua. La figura se asienta sobre una peana de madera, laminada con plata, de forma sexagonal. Se le tributa especial veneración en el norte del estado de Nayarit y en el sur de Sinaloa. Su fiesta se celebra del 2 de febrero y se le conoce también con el título de Nuestra Señora de la Purificación.

JÍCAMA. *Pachyrrhizus erosus* (L.) Urban. Planta herbácea, trepadora o rastrera, de la familia de las leguminosas. Alcanza 15 m de altura y parte de una raíz gruesa, oval o globosa. Las hojas son largamente pecioladas, con estípulas pequeñas y lineares, formadas por tres hojuelas ensanchadas hacia la extremidad, frecuentemente deltoides, simples o lobuladas, y enteras o toscamente dentadas. Las flores se dan en racimos axilares, en grupos de hasta cinco ejemplares de color violeta pálido o blanquecinas. El fruto es un vaina de 10 a 14 cm que contiene de ocho a 10 semillas cuadrangulares o redondeadas, de color rojizo o moreno. La parte más importante de este individuo florístico es la raíz. Ésta varía en forma y tamaño: las hay ovales, periformes y achatado-globosas, de 6 a 15 cm de diámetro, aunque en ocasiones llegan hasta 25. Por fuera son blanquecinas o amarillentas, por dentro, blanco traslúcido; de sabor dulzón y algo amiláceo. Generalmente se consumen en trozos, a los que se agrega sal, jugo de limón y polvo de chile; también se las corta en trozos para encurtirlas en vinagre, junto con chiles, zanahorias, cebollas y pepinos. Es opinión general que la jícama es dañina, especialmente para los niños. Los médicos recomiendan a las madres que crían abstenerse de comerlas. La composición de la raíz de la jícama, en porcentajes, es como sigue: humedad, 84.72; cenizas, 0.55; proteína, 1.55; grasas, 0.11; azúcares, 1.66; almidón, 10.72, y fibra, 0.69. La semilla: agua higroscópica, 4.314; sales minerales, 0.333; sales insolubres, 6.954; principios minerales, 11.601; grasa líquida, 24.202; resina neutra, 0.910; resina ácida, 3.402; tanino y resina, 0.840; glucosa, 1.072; materias pépticas, 0.927, e hidratos de carbono análogos a la dextrina, 0.613.

La jícama parece ser originaria de México pues los indígenas la consumían desde tiempos remotos. Ximénez, en *Los quatro libros de la naturaleza*, la menciona como "un agradable y fresco mantenimiento". En 1945, R.T. Clausen hizo el estudio más amplio hasta ahora conocido sobre el tema y de las seis especies que menciona, tres se hallan registradas en México: *P. erosus*, que vegeta desde el norte del país hasta Centroamérica –raíz comestible–; *P. strigosus* Clausen, en Chiapas –raíz no comestible–; al igual que *P. vernalis* Clausen, que se da desde Tehuantepec, Oax., hasta Panamá. En 1983 la producción nacional de jícama fue de 65 125 t, y en 1984 de 80 379; en aquel año se cosecharon 2 229 ha, y en éste 3 002.

JICARITA. *Amanita caesarea* (Scop. ex Fr.) Quél. Hongo comestible, robusto de 17 cm. El píleo, hemisférico y anaranjado, se halla provisto de escamas; las láminas, libres, son amarillas al igual que el estípite, y la volva, blanca membranosa y persistente. Común en los bosques de Pinus, Quercus y Liquidambar. Se le conoce también como *ahuevado, yema, yemita* y *yema de huevo.*

JICORE. *Lophophora williamsii* (Lam.) Coutl. Planta algo parecida a una biznaga, de la familia de las cactáceas, que consta de una raíz gruesa y cónica y de una cabeza que sólo sobresale del suelo 15 o 20 mm. De la misma familia existe *Anhalolium lewinii* Hemm., llamado ahora *L. lenwinii* (Henn.) Thomps., que algunos autores consideran como simple variedad de *L. williamsii*, y los más la identifican como *Epithelantha micromeris* (Engelm.) Britt. y Rose. La planta se conoce más ampliamente como *peyote* y Maximino Martínez sostiene que únicamente hay dos especies: *L. williamsii* y *L. lewinni.* V. PEYOTE.

JICOTEA. Especie de tortuga de agua dulce del género *Trachemys*, aunque el nombre jicotea generalmente se aplica a la subespecie *Trachemys scripta venusta*. La concha de esta tortuga es de color verde olivo, con líneas irregulares amarillas o naranja, y algunas veces manchas negras. En los escudos costales y marginales de la concha aparecen manchas circulares de color claro con un centro oscuro. El plastrón o peto es amarillo, con una zona elipsoidal oscura en el centro; y la cabeza, morena, con varias líneas amarillas que van de la punta del hocico hacia atrás, a lo largo del cuello, color que repite detrás del ojo. Las extremidades están barradas de amarillo sobre un fondo negro. Por ser tan vistosas, las crías se venden en las tiendas de animales como mascotas, con el nombre erróneo de "tortugas japonesas". Esta práctica puede ser peligrosa, pues las tortugas de agua dulce son trasmisoras potenciales de la salmonelosis. Las adultas miden entre 35 y 40 cm de longitud en la concha, aunque se han registrado ejemplares de casi medio metro y 10 kg de peso. Subespecies de este género existen en los estados costeros del país, salvo en Jalisco, Colima y Michoacán, y también en algunos del interior. La jicotea se encuentra en Veracruz, Tabasco, norte de Oaxaca y Chiapas, y en los estados de la península de Yucatán. Habita en ríos, lagos y lagunas; acostumbra asolearse sobre rocas y troncos a la orilla de los cuerpos de agua donde vive; es herbívora; anida en tiempo de secas (de febrero a mayo) y sus crías nacen en la época de lluvias. Deposita en el nido de ocho a 20 huevos que tardan de ocho a 12 semanas en incubarse. Es muy codiciada por su carne.

JILGUERO. Está representado en el país por **dos especies** y varias subespecies: *Myadestes obscurus* y *M. twonsendi calophonus.* Pertenece a la familia Muscicapidae, subfamilia Turdinae. Los adultos miden de 18 a 24 cm de largo; la cabeza y la parte superior del cuello son de color gris claro; la garganta, el pecho y el abdomen, blanco ceniciento; el borde externo de las plumas de las alas, negro con puntas blancas, presentando un anillo del mismo color alrededor del ojo; el dorso y la región escapular, pardo verduzco o pardo amarillento; el pico, corto y negro, y la cola larga. *M. obscurus*, con varias subespecies, habita en las zonas boscosas desde Sonora hasta Oaxaca y de la región central de Tamaulipas hasta Chiapas, y en las islas Marías. *M. twonsendi calophonus*, a su vez, en las montañas de Chihuahua y Durango, y accidentalmente en Baja California. Una tercera especie, conocida también como jilguero, es *M. unicolor unicolor*, que en varias partes llaman *clarín*; se localiza desde las montañas de Veracruz y San Luis Potosí hacia el sur, pero sin llegar a la sierra Madre Occidental. Es de las aves canoras más apreciadas de América por su canto melodioso y armónico.

JILGUERO COPETÓN. *Ptilogonys cinereus*, familia Ptilogonatidae. Ave de aproximadamente 20 cm de longitud, de los cuales 10 corresponden a la cola. Las plumas de la cabeza se prolongan hacia atrás y forman un pequeño copete; aquélla, las mejillas y el copete son de color gris claro o ligeramente pardo; la espalda, rabadilla y parte inicial de la cola, gris azuloso; el resto de ésta, las alas, el pico y las patas, negros; la garganta y el pecho, gris claro; el abdomen, blanco, y los ojos, con un anillo blanco que los rodea. Se alimenta con frutos y vive en los parajes boscosos de casi toda la República, desde el sur de Chihuahua y Durango hasta Chiapas. Se le conoce también como *pillamoscas gris*.

JILGUERO NEGRO. *Phainopepla nitens*, familia Ptilogonatidae, orden Passeriformes. Ave de color negro brillante, con una mancha blanca en las alas; la hembra es gris pardusca; ambos poseen una cresta puntiaguda. Habita en las partes secas del norte y centro de México.

JILOTE. (Del náhuatl *xílotl*, mazorca en formación.) Cuando la mazorca empieza a formarse tiene numerosos cabellos, cada uno de los cuales nace en un óvulo que al fecundarse producirá un grano de maíz. Los cabellos que quedan en el elote y en la mazorca ya madura, o son infértiles o no alcanzaron a fecundarse.

2. Jilotear (del náhuatl *xiloti*, formarse la mazorca) denota empezar a formarse en la milpa ló que será la mazorca tierna o elote. La diosa Xilonen personifica esta etapa del crecimiento del maíz; Tzintéotl, el maíz acabado de sembrar; Iztacacentéotl (maíz blanco), el maíz tierno en forma de elote, y Tlatlauhqui centéotl o Tonacayahua, "la que tiene nuestro sustento", el maíz ya cosechado.

JIMÉNEZ, FELIPE. (*Indio.*) Nació en San Mateo Etlatongo, Oax., el 26 de mayo de 1929. A los 14 años de edad improvisó su primera canción, "A la medida". Pasó a la ciudad de México a probar fortuna y desempeñó diversos y modestos empleos hasta que Guillermo Acosta le hizo grabar "Ojitos pajaritos" en 1964. Obtuvo un gran éxito en 1966, cuando interpretaron sus composiciones, en especial "Ay, amigo", Vicente Fernández y Miguel Aceves Mejía. Otras de sus creaciones son: "Me está esperando María", "Con golpes de pecho", "Necesito un corazón", "El milagro", "Mi religión gitana" y "Camino de Canutillo". Desde 1970 es director artístico de una empresa grabadora de discos.

JIMÉNEZ, FRANCISCO. Nació en Villa de Valencia de Don Juan, cerca de León, España, a fines del siglo XV; murió en la ciudad de México a mediados del XVI. Tomó el hábito franciscano en la provincia de San Gabriel. Pasó a Nueva España en 1529, en la misión de "Los doce" que presidió fray Martín de Valencia. Era doctor en derecho canónico. El emperador Carlos V lo nombró obispo de Guatemala, pero no aceptó por humildad. Fue uno de los primeros que aprendió la lengua náhuatl y escribió en ella un arte o vocabulario. Por comisión expresa, examinó todos los libros y tratados que en esa lengua se escribieron en su época. Fue guardián del convento de Cuernavaca. Predicó mucho a españoles e indios y "andaba tan embebido y absorto en Dios, que tenía necesidad de compañero que le hiciese comer y mudar de ropa", según dejó escrito su biógrafo, fray Jerónimo de Mendieta. Escribió *Vida del santo fray Martín de Valencia.*

JIMÉNEZ, FRANCISCO. Nació y murió en la ciudad de México (1824-1881). Fue secretario de la Comisión de Límites entre México y Estados Unidos. En 1861 participó en la formación de la *Carta geográfica de la República.* En 1866 se le nombró oficial mayor de la Secretaría de Fomento, que desde el 3 de abril de 1861 formaba parte de la de Justicia y que fue restablecida el 20 de julio de 1867. En 1877 fue nombrado director del Observatorio Astronómico Central. Publicó *Determinación de la longitud de Cuernavaca por medio de señales telegráficas* (1860) y *Carta celeste proyectada por el horizonte de México*, en cuatro planisferios que indican la posición de las estrellas en los dos equinoccios y en los otros tantos solsticios.

JIMÉNEZ, GUILLERMO. Nació en Ciudad Guzmán, Jal., en 1891; murió en la ciudad de México en 1967. Estudió en Guadalajara, escribió para varios periódicos, fundó la revista *Número* (1930), desempeñó cargos públicos y de 1953 a 1959 fue embajador en Austria. Entre sus obras figuran: *Almas inquietas* (1915), *Del pasado* (1916), *La de los ojos oblicuos* (1918), *La canción de la lluvia* (1920), *Constanza* (1921), *La ventana abierta* (1922), *Cuaderno de notas* (1929), *Zapotlán* (1931), *La danza en México* (1932) y *Siete ensayos sobre danzas* y *Fichas de la pintura* (1937). Dejó inéditas *Viena, amor mío* y *San Francisco de Asís.*

JIMÉNEZ, JOSÉ. Nació y murió en la ciudad de México (hacia 1830-1859). Estudió en la Academia de San Carlos, al lado de Clavé y Landesio. Este último lo consideró uno de sus mejores discípulos, solicitando para él una beca. Murió joven. Se especializó en la copia de paisajes o vistas del natural, animando el realismo de sus cuadros con trozos de arquitectura y escenas costumbristas. Son obras suyas *Sauce llorón, Patio de San Francisco, Patio de una casa vieja, Patio de Loreto, Casa de recreo en Tacubaya* y *Molino de viento.*

JIMÉNEZ, JOSÉ ALFREDO. Nació en Dolores Hidalgo, Gto., el 19 de enero de 1926; murió en México, D.F., el 23 de noviembre de 1973. Llegó a la capital de la República en 1944, encontró trabajo en un restaurante yucateco y acompañado por el hijo del dueño, que sabía tocar la guitarra, compuso sus primeras canciones. Tomó parte en un programa de "La hora del aficionado", pasó la prueba felizmente y en 1947 logró que le grabasen en disco sus primeras canciones, "Yo" y "Ella". Se convirtió en un compositor de moda y así surgieron: "Paloma querida", "Esta noche", "Cuatro caminos", "La que se fue" y "Serenata huasteca". En 1950 ganó el trofeo Disco de Oro, que ese año instituyó el periodista y publicista Roberto Ayala. Otras composiciones de José Alfredo Jiménez son: "El jinete", "Camino de Guanajuato", "Tú y las nubes", "Cuando sale la luna", "¡Qué bonito amor!", "La enorme distancia", "No me amenaces" y "De un mundo raro". Celebró en vida sus 25 años de compositor, y al recibir la medalla de oro conmemorativa, se la entregó a Miguel Aceves Mejía, quien fue su mejor intérprete. En esa ocasión, el 17 de diciembre de 1972, estrenó su canción "Gracias".

JIMÉNEZ, JOSÉ DE JESÚS. Nació en Orizaba y murió en Veracruz, ambas del estado homónimo (1835-1875). Abogado, estudió en su pueblo natal y en el Seminario Palafoxiano de Puebla. En Jalapa fue magistrado del Tribunal Superior de Justicia. Autor de: *Del pensamiento y su enunciación, Pensamientos filosóficos, Lecciones de filosofía* y *Compendio de analogía.*

JIMÉNEZ, JOSÉ MARIANO. Nació en San Luis Potosí (S.L.P) en 1781; murió en Chihuahua (Chih) en 1811. En 1796 pasó a la capital del país e ingresó en la Escuela de Minería; presentados los exámenes teóricos, en 1802 hizo sus prácticas en Sombrerete (Zac.) y luego, en 1803, en Guanajuato, donde trabajó con el marqués de Rayas. Regresó a la ciudad de México y el 19 de abril de 1804 obtuvo el título de perito minero. El 28 de septiembre de 1810, consumada la toma de la alhóndiga de Granaditas, gracias, entre otras fuerzas, a una partida de 3 mil hombres por él reunida, se presentó a Hidalgo, quien le dio el grado de coronel. El 10 de octubre entró a Silao a la cabeza de las huestes insurgentes y el 16 siguiente hizo lo propio en Valladolid. En la marcha hacia la capital del país, ocupó el puente de Atenco, con lo cual obligó al general realista Torcuato Trujillo a retroceder al monte de las Cruces, para no ser cortado, y a abandonar el paso del Lerma. El 31 de octubre fue nombrado por Hidalgo parlamentario para solicitar la rendición de la plaza de México, pero no pudo llegar a su destino porque fue detenido en Chapultepec. Desde ahí envió al virrey Francisco Javier Venegas el pliego que portaba y regresó con la respuesta: el gobierno no trataría con los insurgentes. Fue testigo de las disenciones entre Allende e Hidalgo, que determinaron la retirada del 2 de noviembre. Después de la derrota de Aculco, tomó el partido de Allende y lo siguió hasta Guanajuato, junto con Abasolo, Aldama, Balleza y Arias. En la marcha a Zacatecas y Guadalajara, en la hacienda del Molino, Allende lo comisionó para extender la revolución en las provincias internas de oriente, encargo que le ratificó Hidalgo designándolo comandante de aquéllas. En marzo de 1811 formó parte de la comitiva insurgente que viajaba al norte y el día 20 fue sorprendido al igual que los otros jefes, en Acatita de Baján (Coah.) por las fuerzas de Tomás Flores e Ignacio Elizondo. El 26 de mayo de 1811 fue ejecutado en la plaza de ejercicios de Chihuahua; su cuerpo fue decapitado y su cabeza, junto con las de Hidalgo, Allende y Aldama, se conservaron en sal por los practicantes del hospital, y tras una larga peregrinación por Chihuahua, Zacatecas, Lagos, León y Guadalajara, fueron al fin colocadas, en octubre, en los cuatro ángulos de la alhóndiga de Granaditas, en Guanajuato, de donde las retiró el pueblo en marzo de 1821, en vísperas de consumarse la Independencia.

JIMÉNEZ, LAURO MARÍA. Nació en Tasco, Gro., en 1826; murió en la ciudad de México en 1875. Se graduó en la Escuela Nacional de Medicina en 1850. Se consagró al estudio de las propiedades terapéuticas de las plantas y animales del país, y a las epizootias en el ganado vacuno. Reclasificó el herbario del célebre botánico español Cervantes, que pasó a su poder. Enseñó botánica en la Escuela Nacional de Agricultura, e historia natural y patología externa en la de Medicina. Interesó a sus alumnos en las observaciones microscópicas de plantas, animales y tejidos humanos. Médico del Hospital de San Andrés, ingresó en 1866 a la Sociedad Médica, de la que fue dos veces presidente y cuyo reglamento cambió en 1874 para fundar la Academia Nacional de Medicina. Creó también la Sociedad Filoiátrica y de Beneficencia e instituyó un premio para el mejor trabajo anual de higiene pública. Dejó escritos numerosos estudios científicos en la *Gaceta Médica de México*, órgano de la Academia.

JIMÉNEZ, MARIANO. Nació y murió en el estado de Oaxaca (1831-1892). General, participó en la Guerra de Reforma y luchó contra la Intervención Francesa y el Imperio. Se adhirió al Plan de la Noria (1872) y en seguida al de Tuxtepec (1876). Varias veces fue diputado federal y gobernador interino de su entidad. En 1885 fue electo gobernador constitucional de Michoacán. En Morelia fundó el Museo Michoacano y la Academia de Niñas.

JIMÉNEZ, MARTÍN. Nació en Villa Alta (Oax.) en 1580; murió en la ciudad de Oaxaca en 1624. Ingresó a la Orden de Santo Domingo en Puebla. Fue destinado a misionar entre los indios popolocas y chochos o chuchones de Oaxaca y norte de Puebla, cuya lengua aprendió a la perfección, además de la mixteca. Su método de evangelización fue notable: por medio de piezas teatrales cortas, acompañadas de música, a semejanza de las antiguas farsas de los indios, dramatizó los misterios de la religión cristiana, tomando argumentos de la Biblia y de la vida de los santos, que le sirvieron para la enseñanza del castellano y de la fe católica. Escribió muchos dramas en lengua popoloca y mixteca, que desgraciadamente destruyó antes de morir. Parte de sus notas sobre la lengua popoloca las utilizó fray Bartolomé Roldán en *Cartilla y doctrina cristiana. Breve y compendiosa, para enseñar a los niños; y ciertas preguntas tocantes a la dicha doctrina, por manera de diálogo: traducida, compuesta y ordenada, y romançada en la lengua chuchona del pueblo Tepexic de la seda* (1680), obra rarísima.

JIMÉNEZ, MIGUEL FRANCISCO. Nació en Amozoc (Pue.) en 1813; murió en la ciudad de México en 1876. En 1834 ingresó al Establecimiento de Ciencias Médicas y en 1838 obtuvo el título de médico cirujano con la tesis *Lesiones de continuidad en general.* Sirvió como director del Hospital de San Andrés –antecesor del Hospital General– y formó parte del grupo de médicos que fundaron la Academia Nacional de Medicina en 1864, de la cual fue el primer presidente mexicano,

sustituyendo al doctor Ehrmann. Su contribución más notable en el campo de la medicina consiste en el método operatorio para evacuar del hígado el absceso amebiano, que en aquella época disminuyó en un 60% la mortalidad por esta causa. Sus trabajos científicos aparecen en la *Gaceta Médica de México*; hacia 1856 publicó *Clínica médica.*

JIMÉNEZ, SORAYA. Su nombre completo es Soraya Jiménez Mendívil. Nació el 5 de agosto de 1977, en Naucalpan, estado de México. Era sobrina de Manuel Mendívil, que en 1980 ganó una medalla de bronce para México en el equipo de salto, en los Juegos Olímpicos de Moscú. Soraya siempre sintió una especial inclinación por la práctica de algunos deportes. Hasta los once años se dedicó al básquetbol, deporte que abandonó porque su estatura de 1.54 m no era muy adecuada. Después de haber practicado bádminton, voleibol y tenis de mesa aceptó la propuesta de un entrenador de halterofilia que le propuso levantar pesas. Eso cambió su destino. Su primer triunfo internacional fue un tercer lugar en el Campeonato Mundial Juvenil. En 1996, a pesar de haber obtenido un lugar para participar en el Campeonato Mundial de Polonia, la federación de la especialidad le quitó la oportunidad por ser mujer. Sin embargo, no se desanimó y continuó con su preparación. En 1999 la pesista mexicana clasificó para los juegos de Sydney, luego de terminar en el octavo sitio de la categoría de 58 kilogramos durante el Campeonato Mundial de Halterofilia. Soraya ganó, además, medalla de oro en los Juegos Centroamericanos y en el Campeonato Nacional Bulgaria 2000, además de una de bronce en Juegos Panamericanos. Soraya tenía como entrenador al búlgaro Gueórgui Koev y su fisiatra era Iván Chaquirov, de la misma nacionalidad. Antes de viajar a Australia, la pesista levantó 232 kg en una competencia no oficial, lo que la situaba tan solo a 3 kg del récord mundial, que ostentaba la china Chen Yanquing. Sin duda su triunfo en Sydney 2000, donde obtuvo medalla de oro en la categoría de 58 kg al levantar 222.5 kg, fue la culminación de su gran esfuerzo. Era la primera vez que la halterofilia femenina se incluía en la contienda olímpica y Soraya se convirtió en la primera mujer mexicana en ganar una presea de oro en los Juegos

Olímpicos. Con esto Soraya Jiménez alcanzó un lugar preponderante en la historia del deporte en México.

JIMÉNEZ ALARCÓN, MOISÉS. Nació en Chilapa, Gro., el 15 de noviembre de 1927. Estudió lengua y literatura españolas en la Escuela Normal Superior de México (1951-1954), donde fundó la Academia de Literatura y colaboró en la publicación de la revista que llevó el nombre de la institución. Ha sido profesor de enseñanza elemental, media y superior (1951-1970); presidente del Ateneo Ignacio M. Altamirano de la Escuela Nacional de Maestros (1947), de la Asociación Nacional de Profesores de Enseñanza Agrícola Superior (1960) y del Consejo Nacional Técnico de la Educación (1973-1976); director de la revista *Educación* (1973-1976); representante de la Secretaría de Educación Pública ante el Consejo Interamericano (1974-1976) y de la Asamblea de la Organización de las Naciones Unidas para la Educación, la Ciencia y la Cultura (Nairobi, Kenia, 1976); secretario (1976-1978) y director general adjunto (1983-1984) de la Comisión Nacional de los Libros de Texto Gratuitos; rector fundador de la Universidad Pedagógica Nacional (1978-1980), y delegado general de la Secretaría de Educación Pública en el estado de Morelos (1980-1981). Su obra literaria comprende, con el Grupo Ocelotl, *Cuentos* (1966), *Cuentos para adolescentes* (1967), *Banderolas* (1968), *Cenzontli, 10 por ciento de picardía* y *Entonces tuvimos miedo* (1972); y en forma individual, *Preludios líricos* (poemas, 1959) y *San Pillo y otros cuentos* (1984). Además, es autor de libros de texto de español, literatura y didáctica.

JIMÉNEZ CANTÚ, JORGE. Nació en la ciudad de México el 27 de octubre de 1914. Médico cirujano (1940) por la Universidad Nacional Autónoma de México, durante su formación escolar fue presidente de la Sociedad de Alumnos de Medicina y de la Federación Estudiantil Universitaria. En 1938 fundó el Pentathlón Deportivo Militar Universitario, institución que se propone formar a los jóvenes mediante la práctica del deporte y la afirmación de la conciencia cívica. Varias veces fue comandante general de ese organismo. Trabajó en el Hospital de Jesús y dio clases en instituciones de enseñanza superior. De 1948 a 1951 fue secretario de organización de la Campaña Nacional de Construcción de Escuelas; y de 1952 a 1957, jefe de los Servicios Médicos de la Secretaría de Comunicaciones y Obras Públicas. En esa época se le designó consejero del Instituto Nacional de la Juventud. Colaboró con el gobernador Gustavo Baz, en el estado de México, como secretario general de Gobierno (1957-1963), en cuyo carácter promovió la organización de los pobladores rurales en brigadas de trabajo voluntario. En 1965 fue secretario auxiliar del Comité Organizador de los Juegos de la XIX Olimpiada; y de 1966 a 1969, secretario general de la Comisión Promotora de la Compañía Nacional de Subsistencias Populares, cuya tarea principal consistió en propagar por todo el país la construcción de los graneros del pueblo. De septiembre de 1969 al 30 de noviembre de 1970 desempeñó por segunda vez la Secretaría General de Gobierno del estado de México, de la cual se separó por haber sido nombrado secretario de Salubridad y Asistencia en el gabinete del presidente Echeverría. Gobernó el estado de México del 15 de septiembre de 1975 a igual fecha de 1981.

JIMÉNEZ CASTILLO, MANUEL. Nació en Tuxpan, Ver., el 6 de abril de 1947. Maestro en ciencias antropológicas (1982) por la Universidad Veracruzana, ha sido profesor e investigador en dependencias oficiales y en instituciones de enseñanza superior. Ha publicado: *Dos relatos* (1981), *Huáncito. Historia social y organización política en una comunidad indígena purépecha* (Premio Nacional Julio de la Fuente 1982, editado en 1985), *Huáncito. La alfarería en una comunidad purépecha* (1982), *Compositores e intérpretes de música de arte nacionalista* (1984), y varios trabajos en obras colectivas.

JIMÉNEZ DE LAS CUEVAS, JOSÉ ANTONIO. Nació en San Andrés Chalchicomula –hoy Ciudad Serdán–; murió en Puebla, ambas del estado homónimo (1755-1829). En 1796 ingresó al Seminario Palafoxiano, del que fue catedrático y rector. Aparte sus cátedras en esa institución, enseñó en las escuelas primarias y, con el apoyo del gobernador Manuel de Flon, organizó la Junta de Caridad y Sociedad Patriótica, aprobada por la real cédula del 28 de abril de 1812, para mejorar la instrucción elemental. De esta promoción surgió la Academia de Bellas Artes angelopolitana.

JIMÉNEZ

JIMÉNEZ DE VIEYRA, ENRIQUETA (La Prieta Linda). Nació en Salamanca, Gto. Debutó como cantante con el mariachi de Silvestre Vargas. Ganó el Primer Festival de la Canción Ranchera con el tema "Amantes de una noche". Ha grabado unos 40 discos de larga duración; realizado giras artísticas en todo el país y en el extranjero, y participado en medio centenar de películas, entre ellas *El gallo colorado, Valente Quintero* y *Las pobres ilegales.*

JIMÉNEZ DOMÍNGUEZ, ENRIQUE. Nació en Orizaba, Ver., en 1891; murió en la ciudad de México en 1952. Escritor y diplomático, en 1933 sirvió como oficial mayor de la Secretaría de Relaciones Exteriores; en 1934 fue designado ministro ante la Sociedad de las Naciones, en Ginebra, y después ministro consejero en Francia. Junto con José Manuel Puig Casaurang fundó la editorial La Razón; tradujo del alemán *Juárez y Maximiliano* de Franz Werfel (1931), y del francés, *Fournier* de F. Armand (1940).

JIMÉNEZ FARÍAS, ARMANDO. Nació en Piedras Negras, Coah., el 10 de septiembre de 1917. Ingeniero arquitecto por el Instituto Politécnico Nacional, se especializó en construcciones relacionadas con juegos, deportes y actividades recreativas. Interesado, además, en las múltiples formas de folclore hablado, escrito y actuado (y a menudo prohibido en sociedad), escribió *Picardía mexicana* (1960), cuyas 80 ediciones hasta 1987 suman 3 millones de ejemplares. Obligado por el éxito de librería, abandonó el ejercicio de su profesión y se dedicó a escribir otros libros: *Nueva picardía mexicana* (1971), *Grafitos de la picardía mexicana* (1975), *Vocabulario prohibido de la picardía mexicana* (1976), *Tumbaburros de la picardía mexicana* (1977) y *Dichos y refranes de la picardía mexicana* (1982). Es autor, además, de un trabajo sobre el poeta Carlos Rivas Larrauri, titulado *Del arrabal* (1972), y de un *Cancionero mexicano* (1979). Basados en sus obras, se han hecho tres películas, una obra de teatro, dos discos de larga duración y varios *cassettes.*

JIMÉNEZ GONZÁLEZ, ENRIQUE. Nació en Madrid, España, en 1888; murió en la ciudad de México en 1957. Fue director de la Escuela Superior de Trabajo, de Sevilla y de Madrid, y del Instituto de Rehabilitación de Inválidos. Exiliado en México en 1939, enseñó matemáticas en la Universidad Nacional Autónoma de México y en instituciones incorporadas. Es autor de: *Curso de ampliación de matemáticas, Tratado de geometría descriptiva, Estudio sobre los sistemas polares, Estudio sobre la teoría de las sustituciones, Elementos de geometría analítica* y *Complementos de matemáticas.*

JIMÉNEZ GUTIÉRREZ, ELOÍSA. Nació en León, Gto., hacia 1917. Discípula de Antonio Segoviano desde los 13 años, aprendió de él a mezclar los colores, a sombrear y a desarrollar temas sencillos. Ya formada, su obra comprende tres etapas: la primera, hasta 1940, de retratos; la segunda, de ese año a 1950, en que perfecciona la técnica de la miniatura al óleo; y la tercera, en que regresa al retrato, ahora imaginativo y de mayores dimensiones. Usa técnicas propias, empleando una fórmula especial en la preparación de telas y papeles. Trabaja exclusivamente el óleo. En 1942 fue señalada como la restauradora de la miniatura en México y se le comparó con Isabey. Sus temas favoritos son retratos de gente del pueblo y de personajes pasados y presentes. Ha expuesto en México y en el extranjero, pero no ha salido de León a causa de su precaria salud. En 1988 continuaba activa en su ciudad natal.

JIMÉNEZ IZQUIERDO, JUAN. Nació en México, D.F., en 1949. Estudió la carrera de maestro normalista y la de director de escena en la Escuela de Teatro del Instituto Nacional de Bellas Artes. Dramaturgo, ha publicado *En busca de un hogar* (1974), y estrenado las obras *La venganza del chaneque* y *¡Negocios, negocios!* (1975). Es autor, junto con Epitacio Hernández, Héctor Dávalos y Mauro Mendoza, del espectáculo *Barrionetas.* Su comedia "El día que el diablo perdió su cola", dedicada a los niños, está antologada en *Detrás de una margarita* (1984).

JIMÉNEZ JÁUREGUI, NICOLÁS. Nació en Nueva Rosita, Coah., el 10 de septiembre de 1919; murió en la ciudad de México el 30 de junio de 1959. Ejecutante de guitarra y piano, llegó a la capital de la República hacia 1950. Dedicado a la composición, en 1954 conquistó gran popularidad con su bolero "Espinita", en grabaciones de Ana

María González y Salvador García. Después dio a conocer "Desgraciado de mí", "Aurora", "¡Ay, José!", "Miénteme más", "El corrido de Mauricio Rosales", "Dulce venganza" y "Nobleza".

JIMÉNEZ LATAPÍ, JOSÉ. Nació y murió en la ciudad de México (1900-1959). Se dedicó al periodismo desde joven, trabajando en *La Afición* y más tarde en *Excélsior*. Se destacó como cronista de toros bajo el seudónimo de *Don Dificultades*, muy popular en el mundo taurino. Fundó la Unión de Picadores y Banderilleros y la Unión de Empresarios. Experto conocedor del ambiente taurino, fue apoderado de Domingo Ortega, Luis Briones, José Rodríguez, *Cagancho* y otros.

JIMÉNEZ LOZANO, BLANCA. Nació en la ciudad de México el 23 de octubre de 1922. Se graduó de maestra de enseñanza primaria (1939) en la Escuela Nacional de Maestros, de profesora de ciencias biológicas (1945) en la Escuela Normal Superior y de doctora en ciencias (1964) en la Universidad de París. Aparte sus tareas docentes en el sistema formal y en la Universidad Nacional Autónoma de México (UNAM), ha sido directora del Instituto Nacional de Investigación Educativa de la Secretaría de Educación Pública (1962-1972) y directora adjunta del Centro Regional de Alfabetización Funcional para las Zonas Rurales de América Latina (CREFAL), organismo de la Organización de las Naciones Unidas para la Educación, la Ciencia y la Cultura, con sede en Pátzcuaro (1972). Ha publicado: "Notas preliminares de una investigación sobre el desarrollo del niño mexicano" (1952), "Nivel socioeconómico y condiciones higiénicas de un grupo de familias burócratas" (1952) y "Estudio del factor alimenticio en un grupo de niños de la ciudad de México", en *Anales del INAH*; *El programa de enseñanza primaria: su estructura y métodos para su desarrollo* (1965), y *El sistema abierto de la UNAM* (1980). De septiembre de 1978 a julio de 1979 publicó 33 artículos en *El Universal*, bajo el título común de "Realidad educativa". Colaboró en la *Guía didáctica para la enseñanza de la lectura-escritura* (1968) y en *Mi cuaderno de actividades. Enseñanza programada para el refuerzo del aprendizaje de la lectura-escritura* (1969). Fue redactora del *Curso de psicología educativa* (1948-1949), ha asesorado varias investigaciones y promovido los ciclos de conferencias de las doctoras Irene Lezine (1969) y Mira Stambak (1970), el profesor Michel Lobrot (1970) y el doctor Gastón Mialaret (1971), entre otros. Desde 1978 ha concentrado sus actividades en la UNAM. En 1988 era asesora pedagógica de la División de Estudios de Posgrado de la Facultad de Contaduría y Administración de esa casa de estudios.

JIMÉNEZ LOZANO, MARÍA ELENA. Nació en México, D.F., el 17 de noviembre de 1926. Profesora (1945) por la Escuela Nacional de Maestros e ingeniera agrónoma (1955) por la Escuela Superior de Agricultura (actual Universidad Autónoma Agraria Antonio Narro) de Saltillo, Coah., es la primera mujer mexicana graduada en esa especialidad. En una primera etapa, fue extensionista de la Secretaría de Agricultura y Ganadería (actualmente de Agricultura y Recursos Hidráulicos), en cuyo carácter estableció el programa nacional de clubes juveniles rurales; investigadora en el Instituto Latinoamericano de Cinematografía Educativa (1956); fundadora y supervisora del Programa de Mejoramiento del Hogar Rural (1956-1965); secretaria de Acción Femenil de la Confederación Nacional Campesina (1965-1968); diputada federal (1967-1970); maestra en ciencias (1973) y doctora en agronomía (1979) por el Colegio de Posgraduados de Chapingo (CPCh). Creó la especialidad de desarrollo rural en la Universidad Antonio Narro; organizó el seminario internacional sobre la intervención de la mujer en acciones de esa índole, y desde 1980 colabora en el Centro de Enseñanza, Investigación y Capacitación para el Desarrollo Agrícola Regional (CEICADAR), dependiente del CPCh, como coordinadora del Programa de la Mujer y la Familia Campesina, para el cual formuló una metodología de acción participativa (1981-1986) y elaboró el *Manual IAP* (1988).

JIMÉNEZ MABARAK, CARLOS. Nació en México, D.F., en 1916. Inició sus estudios en Santiago de Chile y los continuó en Bélgica, en el Instituto de Altos Estudios Musicales y Dramáticos de Ixelles. En 1936 obtuvo ahí el primer premio en un concurso de piano. En el Conservatorio Real de Bruselas cursó armonía y análisis musical. La Organización de las Naciones Unidas para la Educación, la Ciencia y la Cultura le otorgó en 1956 una beca para estudiar en Europa la música contemporánea. Trabajó entonces con René Leibowitz, en París. Maestro en composición (1971) por el Conservatorio Nacional de México, fue profesor en esa institución (hasta 1965) y miembro de la Comisión de Música Escolar del Instituto Nacional de Bellas Artes. En 1951 recibió el trofeo de la Academia de Ciencias y Artes Cinematográficas, y en 1968 el de la Asociación Nacional de Periodistas por la mejor música escrita para una película. En 1967 su *Fanfarria* fue elegida para la promoción mundial y las premiaciones de los Juegos de la XIX Olimpiada (México, 1968). En 1972 ocupó el cargo de consejero cultural de la embajada de México en Austria. En su catálogo de composiciones destacan: baladas *Del pájaro y las doncellas* (1947), *Del venado y la Luna* (1948), *Balada mágica* (1951) y *De los quetzales* (1953), y el ballet-cantata *Recuerdo a Zapata* (1951); las óperas *Misa de seis* (1961) y *La Güera* (1981); la *Sinfonía en mi bemol* (1945), la *Sinfonía en un movimiento* (1962), la *Sinfonía concertante para piano y orquesta*, el *Concierto para piano y percusiones* (1944), las cantatas *Los Niños Héroes* (1947), la *Elegía a Simón Bolívar*, con texto de Carlos Pellicer, y obras de cámara. Murió en 1994.

JIMÉNEZ MACÍAS, CARLOS MARTÍN. Nació en San Luis Potosí, S.L.P., el 10 de mayo de 1950. Licenciado en sicología clínica por la Universidad Autónoma Potosina, ha sido vocal representante ante el Fondo para la Vivienda de los Trabajadores al Servicio del Estado, presidente de la Federación Interamericana de Trabajadores de la Salud y de la Seguridad Social, y secretario general del Sindicato Nacional de Trabajadores del Instituto de Seguridad y Servicios Sociales de los Trabajadores del Estado. Es autor de *El rol del psicólogo en las instituciones de seguridad social* y *Las empresas transnacionales y el movimiento sindical latinoamericano.*

JIMÉNEZ MÉNDEZ, JUAN. Nació en Salamanca, Gto., en 1886; murió en la ciudad de México en 1956. Ingresó a los 25 años a las filas de la Revolución, sirviendo en el Primer Regimiento de La Laguna y en el 21° Cuerpo Rural. De guarnición en Tlalnepantla, bajo las órdenes del general Agustín Castro, se rebeló en 1913 contra Victoriano Huerta. Fue jefe del Regimiento Leales de Tlalnepantla, que luchó por el constitucionalismo. Obtuvo el grado de general de brigada en 1917. Fue gobernador y comandante militar de Oaxaca (31 de marzo de 1917 a 9 de julio de 1919), jefe del Departamento de Estado Mayor de la Secretaría de la Defensa Nacional y jefe del Estado Mayor del presidente Abelardo L. Rodríguez (4 de septiembre de 1932 a 30 de noviembre de 1934). En 1934 se le ascendió a general de división. Fue comandante en diversas zonas militares del país.

JIMÉNEZ MONTELLANO, BERNARDO. Nació en la ciudad de México en 1922; murió en Acapulco, Gro., en 1950. Poeta, cuentista, ensayista y dramaturgo, colaboró con notas y ensayos en la revista *Letras de México*; fundó con Wilberto Cantón la editorial Espiga (cuadernos de poesía) y en colaboración con éste escribió la novela para niños *América es nuestra patria*; publicó *Los títeres*, *La quiromancia* y *El grillo*, una pieza de teatro infantil. Después de su muerte apareció *El arca del ángel*, cuentos y relatos seguidos de *Notas en la libreta negra* y de *Apotegma* (1952).

JIMÉNEZ MORALES, ALEJANDRO. Nació en Tepic, Nay., el 24 de febrero de 1919. Estudió en el Seminario Diocesano de Tepic y en la Pontificia Universidad Gregoriana de Roma, de la cual es licenciado en filosofía, derecho canónico y teología. Fue consagrado sacerdote el 25 de octubre de 1942. Por 11 años ejerció el magisterio en los seminarios de Tepic, Mayor de Guadalajara y Regional del Sureste de Oaxaca. Fundó y dirigió el Colegio Cristóbal Colón de Tepic y en 1954 fue designado párroco de la capital nayarita. Introdujo a esta ciudad los movimientos Juvenil y Familiar Cristiano. También dio clases en la Preparatoria núm. 1 de la Universidad Autónoma local. En 1979, a instancias del arzobispo de México y del abad de la Basílica de Nuestra Señora de Guadalupe, pasó a ser canónigo penitenciario y secretario del cabildo de ese santuario. Desde 1980 es defensor del vínculo sagrado en el Tribunal Eclesiástico Interdiocesano de México.

JIMÉNEZ MORALES, GUILLERMO. Nació en Huauhchinango, Pue., el 2 de diciembre de 1933. Licenciado en derecho, ha sido secretario particular del director general de Obras Públicas del Departamento del Distrito Federal, asesor en asuntos laborales de la Dirección General de Aeronaves de México, secretario de la Comisión Calificadora de Infracciones de la Secretaría de Salubridad y Asistencia, director general de Participación de la Procuraduría General de Justicia del Distrito Federal, dos veces diputado al Congreso de la Unión (1973-1976 y 1979-1981), gobernador del estado de Puebla (1981-1987) y presidente del Partido Revolucionario Institucional en el Distrito Federal (1987-).

JIMÉNEZ MORENO, WIGBERTO. Nació en León, Gto., el 29 de diciembre de 1909; murió en la ciudad de México el 17 de abril de 1985. Estudió allí en la preparatoria (1926) y en las universidades Nacional Autónoma de México (UNAM, 1934) y Harvard (1934-1935), y con la beca Guggenheim realizó investigaciones en la de California (1945-1946). Etnólogo (1945), fue profesor de las escuelas Secundaria, Preparatoria y Normal de León (1930-1933), el Museo Nacional de Arqueología, Historia y Etnografía (1934-1938), de la UNAM (desde 1936), de la Escuela Nacional de Antropología (desde 1939), del Colegio Mexico City (1947-1967) y de la Universidad Iberoamericana. Enseñó antropología en las universidades de Texas (1960), Illinois (1964), Minnesota (1965), Wisconsin (1965), Arizona (1966) y California (Los Ángeles, 1968). Fue arqueólogo (1934), filólogo (1935-1939), etnólogo (1939-1940) y jefe del Departamento de Etnografía (1940-1953) del Instituto Nacional de Antropología e Historia (INAH); director del Museo Nacional de Historia (1953-1956) y del Departamento de Investigaciones Históricas del INAH (1959-1971) y presidente del Consejo de Historia, del mismo Instituto (1971-1985); secretario y luego director del *Boletín Bibliográfico de Antropología Americana* (1937-1945); subdirector y después director del Consejo de Lenguas Indígenas (desde 1939). Presidió el Seminario de Cultura Mexicana (1958-1960). Fue miembro titular de esta institución y de las academias de Historia y de Investigación Científica, y vicepresidente del XL Congreso Internacional de Americanistas (Roma, 1972). Es autor de: *Brevísimo resumen de historia antigua de Guanajuato* (1933), *Mapa lingüístico de Norte y Centroamérica* (1937), *Distribución prehispánica de las lenguas indígenas de México* (mapa hecho en co-

laboración con Miguel O. de Mendizábal en 1935, impreso en 1937 y reformado en 1939), *Materiales para una bibliografía etnográfica de la América Latina* (1937-1938), *Fray Bernardino de Sahagún y su obra* (1938), *La colección Troncoso de fotocopias de MM.SS.* (1939), *Origen y significación del nombre otomí* (1939), *Códice de Yanhuitlán* (en colaboración con Salvador Mateos, 1940), *Tula y los toltecas* (1941), *El enigma de los olmecas* (1942), *Fray Juan de Córdoba y la lengua zapoteca* (1942), *Tribus e idiomas del norte de México* (1944), *Relaciones etnológicas entre Mesoamérica y el sureste de los Estados Unidos* (1944), *La colonización y evangelización de Guanajuato en el siglo* XVI (1944), *Esquema de la historia de la población de México* (1944), *La enseñanza de la historia y la investigación histórica en la Escuela Nacional de Antropología y el Centro de Estudios Históricos* (1944), *Historia antigua de la zona tarasca* (1948), *Preservación y fomento de la cultura regional* (1948), *Origen y desarrollo de la Escuela Nacional de Antropología e Historia* (1949), *Historia antigua de México* (varias ediciones mimeográficas desde 1949), *Los orígenes de la provincia franciscana de Zacatecas* (1950), *Historical importance of Xaltocan* (1950), *Los estudios de historia precolonial de México* (1952), *50 años de historia mexicana* (1952), *Derecho político y ciencia política en México* (1953), *Bibliografía indigenista de México y Centroamérica* (en colaboración con Manuel Germán Parra, 1954), *Síntesis de la historia precolonial del valle de México* (1954-1955), *Diferente principio de año y sus consecuencias para la historia prehispánica* (1955 y 1958), *Estudios de historia colonial* ·(1958), *Síntesis de la historia pretolteca de Mesoamérica* (1959), *El mestizaje y la transculturación en Mexiamérica* (1961-1962), *El Noreste de México y su cultura* (1962), *Estudios mixtecos* (1962), *Historia de México. Una síntesis* (en colaboración con Alfonso García Ruiz, 1962), *Las fuentes escritas de la historia precolonial de México* (1962), *La historiografía tezcocana y sus problemas* (1962), *Historia de México* (en colaboración con José Miranda y María Teresa Fernández de Miranda, 1963), *Filosofía de la vida y transculturación religiosa* (1964), *La transculturación lingüística hispano-indígena* (1965), *Significación de la victoria del 5 de mayo* (1965), *Mexica, toltec and mixtec history* (1965), *Mesoamerica before the toltecs* (1966), *El hallazgo de los restos* del p. Kino (1966), *Los imperios del México antiguo* (1966), *Los toltecas y los olmecas históricos* (1967), *Los estudios lingüísticos en México* (1968), *Menéndez Pidal: historiador, filólogo y crítico literario* (1969), *¿Religión o religiones mesoamericanas?* (1970), *Nayarit: etnohistoria y arqueología* (1970), "Historiografía" (en colaboración con Luis González), en *Enciclopedia de México* (t. VI, 1972; t. VIII, 1988); *Las lenguas y culturas indígenas de Baja California* (1972), *La migración mexica* (Génova, 1973), y muchos otros trabajos aún no compilados. En 1982 fundó El Colegio del Bajío, institución de excelencia de la que fue director hasta su muerte.

JIMÉNEZ POSADAS, GUADALUPE. Nació en Tetepango, Hgo. Estudió en la Escuela Normal de Maestros de la ciudad de México. Fue de las promotoras del Tribunal Infantil en México y participó en la fundación de la Escuela Industrial de Obreras; presidenta de la Asociación de Universitarias, secretaria de la Unión Femenina Ibero-Americana y tesorera del Ateneo de Mujeres.

JIMÉNEZ QUINTO, ALBERTO. Nació en México, D.F., el 22 de noviembre de 1947. Estudió en la Escuela Nacional de Artes Plásticas. Pintor y grabador, ha expuesto en el país y en el extranjero. Ha realizado sendos murales en las escuelas Guadalupe Núñez y Parra y Alfonso Herrera, en la ciudad de México. Enseña serigrafía en la Universidad Nacional Autónoma de México.

JIMÉNEZ RUEDA, JULIO. Nació y murió en la ciudad de México (1896-1960). Fue catedrático de la Universidad Nacional Autónoma de México (UNAM) y del Instituto Politécnico Nacional; de 1917 a 1920, director de la Escuela de Arte Teatral, y de la de Verano (ambas de la UNAM) de 1928 a 1932; de 1920 a 1922, secretario de las embajadas de México en Montevideo y Buenos Aires; de 1932 a 1933, secretario general de la UNAM; de 1942 a 1944 y de 1953 a 1954, director de la Facultad de Filosofía y Letras, y de 1944 a 1960, profesor emérito y decano de la misma institución. De 1943 a 1952 dirigió el Archivo General de la Nación. Su obra literaria se divide en dos partes: la de investigación y la de creación. De la primera: *Historia de la literatura mexicana*

(1928), que se complementa con *Antología de la prosa en México* (1931); *Eregías y supersticiones de la Nueva España* (1946) y dos volúmenes de *Historia de la cultura mexicana* (1956-1958), que dejó inconclusa. De la segunda: *Cuentos y diálogos* (1918), *Sor Adoración del Divino Verbo* (1923), *Moisén* (1924) y *Novelas coloniales* (1947). Para el teatro escribió: *Balada de Navidad* y *Como en la vida* (1918), *Lo que ella no pudo prever* y *La caída de las flores* (1923), *Tempestad sobre las cumbres* (1923), *Cándido Cordero, empleado público* (1925), *La silueta de humo* (1927), *Toque de diana* (1928), *Miramar* (1932) y *El rival de su mujer* (1943). Tradujo *Amadeo y los caballeros en fila* de Jules Romains (1929).

JIMÉNEZ RUIZ, ELISEO. Nació en Xiacui, exdistrito de Ixtlán de Juárez, Oax., el 8 de noviembre de 1912. Trabajó en faenas agrícolas y en el mineral de Natividad. En la ciudad de Oaxaca ganó una beca para ingresar al Colegio Militar, donde se graduó de subteniente de infantería (1934). En 1935 fue encuadrado en el 28° Batallón, en Villa de Cuauhtémoc, Ver.; en 1937 y 1938 estudió en la Escuela Militar de Aplicación y ascendió a teniente; de 1938 a 1942 prestó sus servicios en el 48° Batallón, en el que llegó a comandar la compañía de ametralladoras; en 1942 se inscribió en la Escuela Superior de Guerra (ESG); y en 1945, siendo ya oficial del estado mayor, se le nombró capitán segundo; en 1945 causó alta en la Brigada Moto-mecanizada; en 1947 fue instructor de unidades blindadas en la Escuela Superior de Guerra; en 1948 ascendió a capitán primero, en 1951 a mayor y en 1952 a teniente coronel, cuando era ya comandante del Parque Ligero de la Brigada; de 1953 a 1960 fue subjefe del estado mayor de la XVIII Zona Militar, jefe de Comando de la Policía Federal de Caminos, director de Seguridad Pública del estado de Guerrero, jefe de ayudantes en la Dirección de Tránsito del Distrito Federal y jefe del estado mayor de la XVIII Zona Militar; en 1961, siendo ya coronel, comandó el 29° Batallón con sede en Tapachula, hasta 1964, en que fue electo diputado federal por Oaxaca; de 1968 a 1971 actuó como agregado a las embajadas de México en Guatemala y Honduras; en 1970 ascendió a general brigadier por su participación en el rescate del ministro de Relaciones Exteriores de Guatemala, quien había sido secuestrado; fue después jefe del estado mayor de las Zonas VII (Monterrey) y XV (Guadalajara) y comandante de la XXXV (Chilpancingo) y la XXVII (Acapulco); en 1974 dirigió el rescate del senador Rubén Figueroa y se le otorgó el empleo de general de brigada; y en 1976 se le eligió senador de la República. El 3 de marzo de 1977 la Legislatura de Oaxaca lo designó gobernador interino del estado, cargo que le fue refrendado con iguales formalidades el 29 de agosto siguiente. Gobernó hasta 1980.

JIMÉNEZ SOLÍS, MANUEL (Padre Justis). Nació en Valladolid, Yuc., el 6 de octubre de 1785; se ignoran los datos de su muerte. Estudió en el Seminario Conciliar de San Ildefonso de Mérida, donde fue ordenado sacerdote el 23 de diciembre de 1809. Condiscípulo de Lorenzo de Zavala y Andrés Quintana Roo, perteneció a la Sociedad Sanjuanista y se distinguió por sus ideas liberales, su apoyo a la nueva Constitución española promulgada en Cádiz y su defensa de los indios de Yucatán. Al implantarse de nuevo el absolutismo en julio de 1814, fue condenado a prisión en el convento franciscano de La Mejorada, en Mérida, donde permaneció tres años. Después de promulgada la Independencia, fue diputado a los congresos constituyentes de México (1822) y de Yucatán (1823). Retirado de la política, pasó sus últimos años como provisor y vicario general de la diócesis yucateca.

Véase: J. Ignacio Rubio Mañé: "Los sanjuanistas de Yucatán. Manuel Jiménez Solís, el Padre Justis", sobretiro del *Boletín del Archivo General de la Nación* (ts. VIII, IX y X, 1971).

JIMÉNEZ SOTELO, MARCOS. Nació en Tacámbaro, Mich., el 1° de septiembre de 1882; murió en esa misma ciudad el 27 de junio de 1944. Desde niño aprendió música y tocaba en la banda de su pueblo. En 1907 llegó al Distrito Federal en busca de una oportunidad para ingresar en el Conservatorio Nacional de Música, lo cual no consiguió, por lo que tuvo que trabajar como archivista del periódico *El Imparcial* y más tarde de *Excélsior*. Estuvo encargado de la página musical de *Revista de Revistas* hasta poco antes de su muerte. Entre sus composiciones, sobresalió "Adiós Mariquita linda", que le fue grabada por Artie Shaw y su orquesta. Otras de sus canciones son "La despedida", "Charapera", "Acércate a tu ventana", "Serenata azul", "Morelia", "Potosina", "Mi tierra" y "El caporal".

JIMÉNEZ VALDEZ, GLORIA MARTHA. Nació en San Gregorio, Ver., el 31 de marzo de 1945. Maestra por la Escuela Normal Veracruzana, especialista en lengua y literatura españolas en la Escuela Normal Superior de México y licenciada en arqueología, ha sido investigadora universitaria y ha participado en exploraciones arqueológicas en Chiapas, Oaxaca, Tabasco y Campeche. Ha publicado: *Informe preliminar sobre el sitio de Allende, Tabasco, Aspectos arqueológicos de la costa suroeste de Campeche, Arqueología de la península de Xicalango*, y "Tabasco", en la revista *México Desconocido*. Es coautora de *Presencia lítica en las tierras bajas noroccidentales.*

JIMÉNEZ Y ARIAS, FRANCISCO. Nació y murió en la ciudad de México (1844-1884). Estudió en la Academia de San Carlos, obteniendo su título en 1869. Son obras suyas el monumento a Enrico Martínez, que se encuentra en el ángulo noroeste de la Plaza de la Constitución; el basamento del de Cuauhtémoc en el Paseo de la Reforma; el conmemorativo del fusilamiento de Hidalgo en la ciudad de Chihuahua y la portada de acceso al Castillo de Chapultepec.

JIMÉNEZ Y MURO, DOLORES. Nació en San Luis Potosí, S.L.P., en 1850; murió en la ciudad de México en 1925. Escribió en los periódicos contra las reelecciones de Porfirio Díaz y se adhirió sucesivamente al maderismo, al zapatismo y al constitucionalismo. En la época de Madero sufrió castigos a causa de sus ideas revolucionarias, y cuando Huerta usurpó el poder estuvo internada en la Penitenciaría de la Ciudad de México durante 13 meses. Es autora del prólogo al Plan de Ayala y del Plan Político Social suscrito en la sierra de Guerrero en marzo de 1911. Al término de la lucha armada, desempeñó diversos cargos en la Secretaría de Educación Pública. V. FEMINISMO y GUERRERO, ESTADO DE.

JIMÉNEZ ZAYAS, LUIS. Nació y murió en Jalapa, Ver. (1864-1909). Se graduó de profesor en la Escuela Normal de Veracruz. En 1901 pasó a la capital de la República, al lado de su maestro Enrique C. Rébsamen, nombrado director general de Enseñanza Normal. Enseñó español y fue jefe de redacción de *México Intelectual*, director de *México Pedagógico* y colaborador de otras revistas. Escribió recitaciones y poesías escolares de fondo moral e instructivo, y cantos y coros para las escuelas.

JIMENO DE FLAQUER, CONCEPCIÓN. Nació en España en la segunda mitad del siglo XIX; murió en la ciudad de México en 1919. Hacia 1875 llegó a México y colaboró en diversos periódicos, entre ellos *El Correo de las Señoras*, que dirigía Adrián M. Rico. En 1883 fundó su propia revista, *El Álbum de la Mujer*, con buen material literario y excelentes fotografías, que dejó de aparecer en 1890.

JIMENO Y PLANES, RAFAEL. Nació en Valencia, España, en 1759; murió en la ciudad de México en 1825. Pintor, estudió en la Academia de San Carlos, de Valencia, y en la de Madrid, con Mengs. Hacia 1785 llegó a la capital del país; fue director de pintura de la Academia de San Carlos y en 1798 su director general. De su producción en México destaca un grabado de la *Plaza Mayor* y sendos retratos de Gerónimo Antonio Gil y de Manuel Tolsá. Una *Crucifixión* suya se halla en la capilla del Monte de Piedad. De sus murales en la cúpula de la iglesia de Santa Teresa, destruida por un temblor en 1845, que volvió a pintar Cordero, se conserva sólo una pechina. Hay, además, una *Asunción* en la bóveda de la capilla del Palacio de Minería. Las *Escenas bíblicas* que pintó en la catedral metropolitana fueron destruidas por el incendio del 17 de enero de 1967.

JINETEAR. Es el acto de montar un animal cerril: reses o bestias caballares ensilladas, en pelo con pretal, con "tentemozo", con "ahogador" y "a la mecha". Lo común es que la suerte se verifique en pelo: a) *Con pretal*, esto es, con una reata o cabestro que se le pone al animal a modo de cincha que le pasa por la barriga y el lomo detrás de los miembros delanteros, de modo que del pretal se detenga el jinete metiendo los dedos de ambas manos entre aquél y el cuero del animal; b) *Con tentemozo*, que es pretal con un sobrante, del cual se sujeta el jinete; c) *Con ahogador*, pedazo de rea-

ta que se pone al cuello del animal, apretándolo al tiempo de sostenerse con él; d) *Con cincha con agarraderas*, es decir, una lomera de cuero con agarraderas a cada lado, argollas y látigo, con cincha, que se usa a manera de pretal, para que el jinete no se lastime las manos y pueda soltarse de una para sombrear al animal; e) *A la mecha o a la greña*, o sea metiendo los dedos entre las crines de las bestias caballares y dando rápidamente, con los mechones salientes, una o más vueltas alrededor del dedo pulgar, para que, al cerrar la mano, se aprieten las crines fuertemente. Estas suertes se verifican en la plaza, ruedo o redondel del lienzo charro y son muy arriesgadas, vistosas y entretenidas, particularmente las llamadas *haciendo la carambola*, con caballos, y *a caras vistas, a cuero y cola* y *montando como mujer*, con reses; y sobre todas ellas, el *paso de la muerte*, con yeguas, una de las más peligrosas y espectaculares de la traveseada, pues en plena carrera pasa el jinete de su cabalgadura a la yegua bruta, sujetándose de las crines con las dos manos.

Bibliografía: José Álvarez del Villar: *Historia de la charrería* (1941); Carlos Rincón Gallardo: *El libro del charro mexicano* (3a. ed., 1960).

JINICUIL. *Inga jinicuil* Schl. Árbol de la familia de las leguminosas de follaje denso y frondoso; de hojas paripinnadas, formadas con seis foliolos brillantes, elípticos o lanceolados, agudos, lisos y de 8 a 11 cm de longitud; el raquis o eje de la hoja, así como el peciolo, son cilíndricos, carecen de las alas laterales características de otras especies del mismo género y presentan pequeñas estípulas caducas en la base. Las flores son blancas, pequeñas, pentámeras, sésiles, con numerosos estambres unidos por filamentos y de mayor longitud que la corola; se dan agrupadas en cabezuelas. El fruto es una vaina indehiscente, verde, carnosa, algo encorvada, larga y gruesa y de 30 cm de largo por 4 o 5 de ancho; contiene varias semillas semejantes a las habas verdes, pero envueltas por una pulpa de aspecto algodonoso de sabor dulce. Es comestible y común en las regiones cálidas de Veracruz y Chiapas, donde también recibe el nombre de *cuajinicuil* y *paterna chica*. Suele cultivarse en las plantaciones de cafetos como protección contra la luz directa del Sol.

JIOTE. *Bursera simaruba* (L.) Sarg. Árbol de la familia de las burseráceas, de 30 m de altura; de tronco torcido, pocas ramas quebradizas –también torcidas– y corteza gruesa, rojiza y exfoliable. Tiene hojas alternas, con cinco a siete hojuelas en forma de huevo, y con bordes lisos; flores amarillentas de grato aroma, y fruto en forma de elipse, que aloja tres valvas. La planta produce una goma que se emplea contra enfermedades venéreas e hidropesías. Vegeta en Sinaloa, Tamaulipas, Veracruz, Yucatán y Chiapas.

2. Con el mismo nombre vernáculo se conoce la especie *Pseudosmodingium perniciosum* (H.B.K.) Engl., un arbolito de la familia de las anacardiáceas, de 5 a 6 m de altura, liso y con la corteza rojiza, con hojas de nueve a 11 hojuelas redondas que en ocasiones terminan en punta. Se distribuye principalmente en Querétaro, Michoacán, Morelos, Guerrero, Puebla y Oaxaca.

JIPI. *Carludovica palmata* Ruiz y Pav. Planta con aspecto de palma, de la familia de las ciclantáceas y sin tallo. De un rizoma parten las hojas, las cuales tienen un peciolo de 1 a 3 m de largo, cóncavo en lo interno y convexo en lo externo, a cuyo término alcanzan la forma de abanico, divididas radialmente en cuatro partes y cada una de éstas, a su vez, repartidas en varios segmentos. Las flores, unisexuales, se presentan en grupos apretados dentro de un espádice grueso, protegido por espatas de tres o cuatro hojas membranosas y blancas. La especie, originaria de Ecuador, vegeta en Campeche y Tabasco. Otras especies afines, pero con hojas no adecuadas para la fabricación de sombreros, son: *C. gracilis* Liebm., de Oaxaca; *C. labella* Schult., de Veracruz y Oaxaca; *C. tabascana* Matuda y *C. chiapensis* Matuda, de Chiapas y Tabasco, clasificadas por el profesor Eizi Matuda, del Instituto de Biología de la Universidad Nacional Autónoma de México.

2. *Artesanía.* Jipi es contracción de jipijapa, nombre del sombrero que se teje con los limbos de esta palma, especialmente en la población de Bécal, Camp. Originalmente se utilizaba en esta artesanía la palma del huano llamado *bom*, que permitía un fino acabado. Según José T. Cervera, el cura Ignacio Berzunza, natural de Calkiní, pasó al Petén-Itzá en 1859 a prestar sus servicios religiosos y observó en esas tierras una clase de huano distinta a las conocidas en Yucatán. Entonces remitió a su hermano Casiano unas muestras. Al enterarse de este descubrimiento, Juan García Fernández, español establecido en Bécal, envió a sus hijos Sixto y Pedro, acompañados de varios expertos sombrereros, a que recogieran cantidades mayores de esa planta. Después de casi un mes de viaje llegaron a un rancho llamado San Luis, comprobando que en las riberas del río crecía la planta en forma silvestre. De regreso a Bécal, procedieron a tejer ese material y obtuvieron magníficos sombreros que se vendían a muy buen precio. A partir de ese momento se hicieron nuevas expediciones a Guatemala, agregándose expertos preparadores de cogollos que enseñaban sus conocimientos a otros artesanos. Cada viaje duraba cinco meses, dos en la ida y la vuelta y tres en preparar el cargamento. Las partes de la planta que se utilizan para hacer los sombreros son los limbos tiernos o cogollos. Ante las dificultades de los viajes a Guatemala, Sixto García se dedicó al cultivo de esta especie en su finca Santa Cruz, y mantuvo por varios años el monopolio de la materia prima. Sin embargo, pronto otros hacendados lograron producirla. Hacia 1938, la hacienda Santa Cruz proveía el 68% de los cogollos a los artesanos de Bécal.

Tanto el beneficio de la materia prima como la manufactura del sombrero son completamente manuales. El jipi se comienza a explotar después de tres años de sembrado, tiempo necesario para que los cogollos adquieran el largo indispensable. Cada planta produce un cogollo mensual, de modo que la cosecha se hace bimestralmente, a fin de dejar una hoja para su sostenimiento. Se corta el cogollo cuando se dice que está en sazón, lo que sucede antes de que se abra la palma. A los cinco días de efectuado el corte se hace el rayado; se dividen los pliegues de la hoja y por medio de una aguja se desechan los filamentos que forman el esqueleto; luego cada cinta se reduce a tiras, cuya anchura depende de la calidad del sombrero que se trate de confeccionar, pues mientras más angostas, el tejido será más fino. El cogollo, ya rayado, se cuelga de una cuerda para secarlo a la sombra; al otro día se expone al Sol para blanquearlo, se lava ligeramente para que suelte la clorofila que aún retenga, y se recoge a la caída de la tarde; al tercer día cada tira se habrá enrollado sobre sí misma longitudinalmente formando un hilo blanco. En seguida se somete al "ahumado", el cual consiste en colocar la fibra dentro de una

JIRONZA

caja herméticamente cerrada y en la que antes se quema azufre en barra, en proporción de 60 g por cada 100 cogollos. Esta operación se hace una o dos veces a juicio del "preparador". Blanqueado el material, se clasifica según su color, consistencia y ductibilidad, dejando de esta manera listos los manojos para los sombreros corrientes, entrefinos y finos. La confección del sombrero se realiza en cuevas o excavaciones subterráneas que se hacen en los patios de las viviendas. Seleccionado el manojo, se inicia el emparejamiento de las hebras tomando las de un mismo grueso. Sesenta y cuatro de éstas se disponen en cuadro (2 cm por lado) y se les da el primer "apretado", tensando las fibras hasta compactarlas. Luego se efectúa el primer "crecer", acción de aumentar la cantidad de hebras para dar mayor cuerpo al tejido; esto se repite después de cada cinco vueltas de tejido y "apretado", hasta que los hilos cubran exactamente el molde. Éste es de madera y se utiliza para dar forma a la copa. Los creceres se aumentan de acuerdo con la calidad del sombrero. Luego se teje la falda; para que ésta se extienda se hace un nuevo crecer equivalente a la tercera parte del que tenga la copa. Este añadido de hebras se practica después de ocho vueltas de tejido y apretado, hasta alcanzar la medida prevista. La orilla del sombrero lleva las fibras dobladas hacia adentro y apretadas, formando un cordón que le sirve de ribete. Los cabos se cortan con unas tijeras. Finalmente se pasa la pieza al ahumado. En la manufactura de un sombrero corriente el tejedor emplea de cuatro a ocho días, según su habilidad; y en el tejido de los entrefinos y finos, de 15 a 60 días. La calidad de un sombrero de jipi se conoce por el número de círculos que tenga en la parte interior de la copa; el más corriente es de tres hilos y el más fino de 13. Los conocedores toman en cuenta también el acabado del tejido y el ancho del ala. Aunque el tejido del jipi actualmente se realiza en varios lugares de la región, ninguno puede competir en calidad y cantidad con los de Bécal. Los sombreros se hacen en varios estilos y modelos. Salvo excepciones, el trabajo se realiza en el seno de la familia y en él toman parte hombres y mujeres, excepto los menores de nueve años y los mayores de 60. Se dedican a esta artesanía unas 300 personas. Con los filamentos que integran el esqueleto de la hoja y las fibras sobrantes se fabrican escobas. En 1930 se fundó la Sociedad Cooperativa de Producción de Sombreros Becaleños, que ha desarrollado una buena tarea desde el punto de vista social.

Fuente: Trabajo realizado por el profesor Manuel Coello Ruiz, publicado en la revista *Ah-Kin-Pech* (núms. 27, 28, 29 y 30; mayo a agosto, 1939).

JIRONZA PETRIZ DE CRUZAT, DOMINGO. Nació en Aragón, España, hacia 1650; murió en Sonora en 1717. El 10 de abril de 1680 fue comisionado para que pasara a prestar sus servicios a Nueva España; se presentó ante el virrey fray Payo Enríquez de Rivera y éste lo nombró alcalde mayor del Real de Minas de Metztitlán, cuyo cargo sirvió hasta 1682. En 1683 el virrey Tomás Antonio de la Cerda y Aragón lo nombró gobernador y capitán general de la provincia de Nuevo México, con instrucciones de combatir a los apaches y reconquistar la región. En julio de ese año arribó a Paso del Norte y fundó el presidio de San Elizario, lo cual le mereció un voto de confianza de Carlos II en 1686. Se retiró de la gubernatura y la capitanía, y vino a conminar, en la capital del virreinato, a todos los españoles que habían sido vecinos de Nuevo México para que regresaran a la provincia, bajo pena de ser tratados como traidores. En ocasión de un nuevo levantamiento de los apaches, Jironza fue designado por el virrey Melchor Portocarrero Lazo y de la Vega, en 1688, otra vez gobernador y capitán general de Nuevo México, cargo que ocupó hasta 1692, ya en la época de Gaspar de Sandoval Silva y Mendoza. El 2 de marzo de 1693 fue nombrado capitán vitalicio de la Compañía Volante de Sonora, con asiento en el presidio de Santa Rosa de Cordéhuachi (Fronteras) y el 7 de octubre siguiente Gabriel del Castillo, gobernador de Nueva Vizcaya, lo hizo alcalde mayor de la provincia de Sonora y teniente de capitán general. En 1695 hizo frente a la rebelión de los pimas altos que incendiaban misiones y ejecutaban religiosos; después combatió a las tribus de los janos, sumas y jocomis que habitaban en la región noroeste. En febrero de 1698 operó nuevamente contra los apaches y en 1700 contra los seris, tepocas y pimas bajos. Como resultado de esta última campaña se repobló Magdalena de los Tepocas, sobre la costa del golfo de California; al norte de la isla del Tiburón, se fundaron El Pópolu, Los Ángeles y El

JITOMATE

Pitic, y se hizo el reconocimiento de la bahía de Guaymas.

JITOMATE. *Lycopersicum esculentum* Mill. Planta herbácea anual o perenne de la familia de las solanáceas, de tallo leñoso en la base, erecto, rastrero o trepador, pubescente y con ramas esparcidas, algo colgantes; hojas verde grisáceas, rizadas y pinnadocompuestas; foliolos pequeños, enteros o irregularmente lobulados; flores pequeñas, amarillas, gamopétalas, casi rotadas, pentámeras y con cinco estambres unidos formando una estructura cónica alrededor del estilo; anteras dehiscentes longitudinalmente y prolongadas en un pico hueco; ovario bilocular o plurilocular, con muchos óvulos, e inflorescencias en racimos cortos que agrupan de cuatro a seis ejemplares. El fruto es una baya roja o amarilla, jugosa, comestible y con numerosas semillas amarillentas. Su nombre vernáculo deriva del náhuatl *xictli*, ombligo, y *tomatl*, tomate, fruto acinoso: tomate ombligado. No obstante que los antiguos mexicanos llamaban *xitomatl* al fruto de *L. esculentum*, la planta no es nativa de México, sino de América del Sur y principalmente del Perú. En el país suele verse en varios lugares fuera del cultivo, pero nunca silvestre. Los indígenas usaban y usan de preferencia el fruto llamado tomate (*Physalis exocarpa* Brot.). En la actualidad no hay mesa genuina mexicana donde no se sirva salsa a base del fruto de esta especie, diferente del jitomate. V. TOMATE.

L. esculentum se cultiva en gran escala en áreas de climas cálidos y templados, principalmente de las variedades que se enuncian en seguida: *L. esculentum* var. *commune* Bail. (igual a *L. esculentum* var. *vulgare* Bail.), jitomate común, con fruto globoso o algo achatado, particularmente en la zona de inserción con el pedúnculo, plurilocular y de 7 a 8 cm de diámetro; las partes de la flor con frecuencia son múltiples; las hojas, grandes, planas o poco rizadas, y el follaje denso y verde brillante. *L. esculentum* var. *cerasiforme* Alef., tomatillo, con fruto globular o regular, semejante a la cereza, de 2 cm de diámetro, rojo o amarillo, con pocos lóculos, a veces sólo dos, y en ocasiones alargado u oblongo; follaje grisáceo o poco denso; hojas delgadas y relativamente pequeñas, y flores dispuestas en racimos. Y *L. esculentum* var. *phyriforme* Alef., tomate largo, de frutos oblongos o piriformes de 3 a 4 cm. Entre las variedades obtenidas artificialmente –por selección de cultivos– destacan *L. esculentum* var. *validum* Bail., planta pequeña y erecta, con hojas también pequeñas, rizadas y abundantes; y *L. esculentum* var. *grandifolium* Bail., de hojas grandes, planas –no rizadas–, casi enteras o con pocos foliolos y parecidas a las de la papa.

El jitomate es importante en la alimentación por las vitaminas que contiene, especialmente la C, y por la presencia de fósforo y hierro. Su composición en porcentaje es como sigue: humedad, 95.70; cenizas, 0.63; proteínas, 0.62; extracto etéreo –grasas–, 0.10; fibra cruda –celulosa–, 0.57; y carbohidratos, 2.38.

Las investigaciones fitotécnicas han permitido separar los siguientes tipos hortícolas derivados del cruzamiento de algunas de las variedades antes descritas y, además, de diversas formas de *L. esculentum* var. *commune: Rutgers*, adecuado para jugos enlatados; *Marglobe*, que permite el jitomate verde de 4 por 5 al 7 por 8 que reclama el mercado estadounidense de acuerdo con las normas fijadas por el *Marketing Agreement; Stokesdale*, de amplia adaptabilidad y alto rendimiento; *Pearson*, semejante al *Rutgers; Long red*, adaptado a la producción tropical de invierno; *Red jacket*, con follaje similar al de la papa y frutos redondos de tamaño mediano; *Keystone*, vigoroso, de frutos atractivos y de buen tamaño; *Sioux*, de mediano a grande y de alto rendimiento; *Bonny best*, especial para regiones templadas; *First early*, bastante resistente al hongo del género *Fusarium*, causante de la marchitez, y capaz de fructificar a temperaturas más bajas que otros; *Jefferson*, también resistente al *Fusarium*, prolijo y con frutos globosos; *San Marzano*, de fruto piriforme o alargado, bilocular, con poco jugo y paredes gruesas, muy usado para pastas y enlatados; *Queens*, resistente al calor y a la sequía, similar al *Long red; Homestead*, semejante al *Rutgers* y *Pearson; Culiacán*, obtenido en Sinaloa, de frutos firmes, grandes, lisos, globosos y con un tamaño ideal para el empaque de exportación –rinde hasta 34 t por hectárea–; y *Cotaxtla*, aclimatado para las llanuras de Veracruz, con frutos adecuados al mercado europeo.

En las cuatro últimas décadas la producción mexicana de jitomate ha tenido un crecimiento notable: de 80 362 t en 1940 a 1 458 010 en 1980; el área cosechada cultivada aumentó de 20 588 a 75 938 ha; y los rendimientos pasaron de 3 909 a 19 200 kg por hectárea. La serie histórica se muestra en el cuadro correspondiente:

Las ventas de jitomate al exterior ascendieron a 451 261 t en 1984 y a 481 298 t en 1985; sin embargo, en aquel año se obtuvieron por este concepto Dls 220.7 millones y en éste Dls 198.1 millones, a causa de la diferencia de precios. El principal mercado para el jitomate mexicano ha sido el estadunidense, debido a la demanda de invierno, estación en que se reduce la oferta interior de ese producto. Las ventas mexicanas a Estados Unidos dependen de la producción de jitomate invernal en Florida y California, que por lo común aportan 580 mil toneladas.

Los envíos de jitomate al exterior presentan la siguiente estructura, en porcientos: jitomate verde, 9.2; maduro, 81.1; y común (*cherry*), 9.7. Las cotizaciones despenden del tipo, tamaño y calidad del fruto. Este tiene que sujetarse a las normas de calidad fijada por el *Marketing Agreement* de Estados Unidos, dentro de los 80 a 35 puntos *U.S. Ones*, clasificación máxima, con sus variedades de porcentajes, según el estado del fruto al pasar la frontera. En el empaque se siguen también las disposiciones estadunidenses, de acuerdo con los diámetros mínimo y máximo dados en pulgadas, que deben tener los jitomates, y el número de piezas que van colocadas a lo largo y ancho de la caja, lo que determina que en el mercado se vendan según su tamaño, que va desde 4 por 4, con 3 5/16 a 3 15/16 pulgadas de diámetro, hasta 7 por 8, con 1 14/16 a 2 4/16 pulgadas. El jitomate verde mexicano varía del 4 por 5 al 7 por 8; el maduro, en dos tandas, desde el 4 por 5 al 6 por 6, y de tres tandas, del 5 por 7 al 7 por 8. No hay restricciones en cuanto al *cherry*.

El problema del jitomate mexicano es un claro ejemplo de la oferta cautiva frente a un comprador monopsónico cuya decisión depende de las fluctuaciones de la cosecha de invierno. Las ventas mexicanas ocurren de noviembre a abril, cuando sólo una pequeña parte de la producción total de Estados Unidos se encuentra en el mercado. La demanda decrece sensiblemente hasta llegar a su mínimo en el mes de septiembre.

Los agricultores mexicanos, por lo general, venden por conducto de agentes domiciliados en Nogales y Nuevo Laredo, o bien en Los Ángeles y San Francisco. No falta, por supuesto, quien niegue la existencia de comisionistas y afirme

JITOMATE					
Año	I	II	III	IV	V
1985	69 329	23 315	1 616 394	53 110	85 847 453
1989	77 473	24 775	1 919 391	453 794	870 911 310
1990	81 545	23 119	1 885 277	780 572	1 471 594 686
1991	78 710	23 635	1 860 350	1 019 898	1 897 367 920

I. Has. cosechadas. II. Rendimiento (t/ha). III. Volumen de producción (toneladas). IV. Precio medio (pesos por t.). V. Valor de la producción (miles de pesos).

Fuente: Secretaría de Agricultura y Recursos Hidráulicos, Dirección General de Estadística. *Anuario de la producción agrícola de los Estados Unidos Mexicanos 1985-1991.*

que los exportadores directos son los propios horticultores. Estos, en su gran mayoría, están organizados en asociaciones de productores, afiliados a la Unión Nacional de Productores de Hortalizas. Entre aquéllas: Asociación de Agricultores del Río de Culiacán, en Sinaloa; la de Productores de Legumbres de la Región Agrícola de Huatabampo, Son.; la de Productores de Tomate de Ciudad Mante y la de Agricultores del Río Fuerte Norte, en Sinaloa, (*T.H.*).

JOBO. *Spondias mombin* L. (igual que *Spondias lutea* L.). Arbol de 15 a 20 m de altura, de la familia de las anacardiáceas. Se le conoce principalmente como *ciruela*, junto con la especie *S. purpurea* L. (igual que *S. mexicana* Wats.). V. CIRUELA.

JOCONOSTLE. Nombre que se da a ciertas cactáceas de fruto agrio o agridulce, en particular a las siguientes: *Opuntia joconostle* Weber, *O. imbricata* (Raw.) DC., *Stenocereus stellatus* (Pfeiff.) Riccobono, *Pereskiopsis porteri* (Brand.) Britt. et Rose y *P. blakeana* G. Ort. *O. joconostle* es un nopal arborescente de 2 a 3 m de altura, de tronco bien definido –20 cm de diámetro–, grisáceo y con ramificación abundante; artículos (ramas) pequeños, ovales, con epidermis glabra, de color verde claro, ligeramente amarillento; espinas blancas, de longitud desigual; flor amarilla y fruto subgloboso, de 2 cm de diámetro y pulpa ácida, rosada y ligeramente perfumada. Se cultiva en los estados de México, Hidalgo, Jalisco, Querétaro, Michoacán y el Distrito Federal, y crece silvestre en varios lugares del Altiplano. Los frutos, comestibles y de sabor ácido, se utilizan en dulcería y como condimento de algunos platillos regionales. Se le conoce también como *tuna blanca, tempranilla, joconoxtlé, xoconoztlé* y *xoconochtlé.*

2. *O. imbricata* es un cacto arborescente de hasta 3 m de altura, carnoso, con el tronco y las ramas subcilíndricos y articulados. Los artículos, notoriamente tuberculados, miden de 4 a 7 cm de grueso; los tubérculos son oblongos, de 2 a 3 cm de longitud, lateralmente aplanados, con ocho a 30 espinas, cada una cubierta por una vaina apergaminada. Las flores, moradas, grandes, de 3 a 6 cm de largo, brotan en la extremidad de las ramas y presentan el perigonio con numerosos pétalos, los estambres más cortos que aquéllos, y el ovario ínfero o semisúpero, multiovulado, con las paredes exteriores provistas de areolas. El fruto es una baya carnosa, desnuda, anaranjada o amarillenta, fuertemente tuberculada de 2 a 3 cm. Aunque comestible, no tiene aceptación comercial en virtud de su acentuada acidez y sequedad. Es común en el centro y norte de la República, en lugares áridos, semiáridos o pedregosos. Se le conoce también como *xoconostli, tuna joconoxtli* –Jalisco–, *cardenche* –Durango–, *tasajo* –Chihuahua–, *coyonsotlé* –Nuevo León y Coahuila– y *cardón* –México–.

3. *S. stellatus* (igual que *Lemaireocereus stellatus* Britt. y Tose) es un cacto cilíndrico, ramoso desde la base, verde azulado, carnoso, espinoso y de aproximadamente 2 m de altura. Los tallos son rectos y presentan de ocho a 12 costillas poco prominentes que tienen en el borde areolas distantes entre sí de 1 a 2 cm, cada una de éstas, con numerosas espinas. Las flores, rosadas, de 5 a 6 cm, se originan cerca del vértice de las ramas y frecuentemente forman una corona. El fruto, globoso, rojo, de 3 a 4 cm de diámetro, con numerosas espinas caducas, es comestible, jugoso y de sabor agridulce muy delicado. Se vende en los mercados con el nombre de *pitaya, tuna roja* o *joconostlé.* Se desarrolla en zonas áridas de los estados de Puebla y Oaxaca, donde también se le conoce como *xoconochtlé* y *pitayo.*

4. *P. porteri* y *P. blakeana* son cactos arbustivos con tallos leñosos provistos de hojas y de areolas con espinas, pelos y glóquidas –ahuates–. El fruto, rojo o anaranjado, jugoso, areolado, es comestible, aunque muy ácido y sin valor comercial. La primera especie mide de 1 a 1.20 m y tiene hojas sésiles, ovobadas, carnosas y de 2 a 3 cm;

ramas primarias y secundarias, cortas, a menudo sin espinas, y areolas con numerosas glóquidas o pelillos de color moreno. El fruto es oblongo, anaranjado, de 4 a 5 cm de longitud y provisto de grandes areolas con glóquidas. Se desarrolla principalmente en Baja California y Sinaloa y se le conoce también como *alcájer, rosa amarilla* o *xoconoztle* –Sinaloa–. La segunda especie, de hasta 3 m, rara vez presenta tronco definido. De tallo cilíndrico, de 5 cm de diámetro, verde cuando joven y castaño cuando adulto, presenta areolas circulares de 5 mm de diámetro, pelos blanco amarillentos y dos espinas grisáceas en la base; hojas carnosas, verde brillante y de 3 a 9 cm de longitud; fruto ácido, areolado, y semillas lenticulares de 2 mm de diámetro, de color rosa con el margen amarillo. Sólo se ha registrado en Sinaloa.

JOCOQUE o JOCOQUI. (Del náhuatl *xococ,* agrio.) Es una preparación alimenticia, de gusto ácido, hecha a base de leche agria. *Échenle jocoque al cura, que también sabe almorzar* equivale a una exigencia de buen trato, mientras *échale jocoque al padre y palos al sacristrán* denota la diferencia de atenciones según el rango.

JOCOTILLO DEL CERRO. *Exostema caribaeum* (Jacq.) Roem. y Schult. Arbusto de la familia de las rubiáceas que alcanza los 10 m de altura; de hojas con peciolo de 10 mm, ovadas, acuminadas, oblongas, con la base obtusa o aguda y pelos en las axilas de las nervaduras; flores en forma de tubo, pediceladas y con corola blanca, y fruto en forma de cápsula leñosa, dura y fuerte, con semillas aladas. Vegeta en los estados de San Luis Potosí, Colima, Guerrero, Oaxaca, Chiapas, Campeche y Yucatán.

JODOROWSKY, ALEJANDRO. Nació en Iquique, Chile, el 17 de febrero de 1929. Antes de 1953, en que salió de su país, fundó el Teatro de Mimos. Hasta 1959 vivió en Francia, donde dirigió a Maurice Chevalier, fundó el movimiento Pánico con Arrabal y Topor, y escribió para Marcel Marceau varias pantomimas, entre ellas *El fabricante de máscaras* y *La jaula.* Con este célebre mimo llegó a México en 1959. Impartió clases en las escuelas de teatro del Instituto Nacional de Bellas Artes y de la Asociación Nacional de

Actores. A partir de entonces montó unos 120 espectáculos, entre ellos: *Fin de partida* de Samuel Beckett; *Las sillas, Víctimas del deber* y *El rey se muere* de Ionesco; *El diario de un loco* de Gogol; *El gorila* de Kafka; *La sonata de los espectros* y *El ensueño* de Strindberg, y *Penélope* de Leonora Carrington. De él mismo presentó: *La opera del orden, Zaratustra, El juego que todos jugamos* y *Lucrecia Borgia*. Ha publicado los libros *Juegos pánicos, Teatro pánico* y *Cuentos pánicos*; y dirigió tres películas que también escribió, musicalizó y actuó: *Fando y Lis, El Topo* y *La montaña sagrada*. Durante seis años, en las páginas dominicales de *El Heraldo de México*, publicó sus "Fábulas pánicas", una historieta en colores dibujada por él. Realizó varias incursiones en la televisión. Entre los programas que despertaron mayor asombro se cuenta aquél en que destruyó frente a las cámaras un piano de cola a martillazos. En el teatro ligero produjo varios espectáculos cómicos, entre ellos *Locuras felices* y *Silencio, locos trabajando*. También es fundador, entre otros, del Movimiento de la Libre Expresión, que creó una forma de teatro improvisado llamado *Happening*. En 1977 era editor y director artístico de la revista *Sucesos para Todos* y escribía en *El Sol de México* nuevas fábulas pánicas. Reside habitualmente en Europa.

JOHNSON, HARVEY LEROY. Nació en Cleburn, Texas, EUA, en 1904. Es bachiller en artes del *Payne College* (1923), maestro en artes por la Universidad de Texas (1928), doctor en filosofía y letras por la Universidad de Filadelfia (1949) y profesor de español y portugués en la Universidad de Houston (1965). Ha escrito: *An edition of "Triunfo de los Santos" with a consideration of jesuit school plays in Mexico before 1600* (1941), *Datos sobre el teatro en la ciudad de México en la primera mitad del siglo* XVII (1941), *Disputa entre los alcaldes del crimen y los ordinarios de la ciudad de México (1819), por haber mandado que las mujeres no vistieran trajes del hombre en las funciones del Coliseo* (1945), *El primer siglo del teatro en Puebla y la oposición del obispo Palafox* (1946), *La América española* (1949) y *Aprende a hablar español, diálogos y ejercicios* (1963). Tradujo al inglés la novela *La navidad en las montañas* de Ignacio Manuel Altamirano (1961).

JOHNSON, IRMGARD WEITLANER DE. Nació en Filadelfia, Pennsylvania, EUA, en 1914. Siendo maestra en artes por la Universidad de California (Berkeley), su padre, el etnólogo y lingüista Roberto Julio Weitlaner, la familiarizó con las comunidades indígenas de México y despertó en ella el interés por la antropología, en especial por las artes textiles. En 1938, Irmgard casó con el antropólogo Jean Basset Johnson, con quien colaboró en diversos estudios. Ella es autora de *Chincha plain-weave clothes* (California, 1949), *An analysis of some textile fragments from Yagul (Oaxaca)* (1957), *Chichicastli fiber: the spinning and weaving of it in southern Mexico* (Viena, 1966), *The prehistory of the Tehuacan valley* (Texas, 1967), *A painted textile from Tenancingo, Mexico* (Viena, 1970), *"Basketry and textiles"*, en *Handbook of Middle American Indians* (Texas, 1971), *Designs motifs on mexican indian textiles* (2 vols.; Austria, 1976), *Old-style wrap-around skirta woven by zapotec indians of Mitla, Oaxaca* (Washington, 1977), *The ring-warp loom in Mexico* (Washington, 1979) y de muchos otros trabajos publicados en revistas especializadas.

JOHNSON, RICHARD. Nació en Moline, Illinois, EUA, en 1910. Es maestro en artes (1933) y doctor en filosofía y letras (1938) por la Universidad de Texas. Fue cónsul general de su país en Monterrey, N.L. (1962-1965). Es director de los programas interdisciplinarios de la Universidad Trinity. Entre sus estudios sobresale *The mexican Revolution of Ayutla* (1939).

JOHNSON, WILLIAM WEBER. Nació en Mattose, Illinois, EUA, en 1909. Es maestro en artes por la Universidad de Illinois (1933) y profesor de periodismo en la Universidad de California (Los Ángeles) desde 1961. Ha escrito varios libros, entre ellos: *Heroic Mexico: the violent emergence of a modern nation* (1968).

JOJOBA. *Simondsia californica* Nutt. Arbusto de la familia de las buxáceas, de 3 m de altura y hojas achatadas en el ápice o casi redondas, generalmente sin peciolo, aunque algunas veces lo tiene muy corto; flores unisexuales y fruto en forma de cápsula, en cuyo interior se aloja una semilla comestible. Vegeta en Sonora y Baja California.

JOLETE. Nombre que se aplica a diversas especies de hongos, principalmente *Lyophyllum decastes* (Pers. ex Fr.) Sing., *Hebeloma fastibile* (Fr.) Quél., *Rhodophyllus clypeatus* (L. ex Fr.) Quél., y *R. prunuloides* (Fr.) Quél. *L. decastes* presenta píleo convexo o casi plano, de color gris pardo a rojizo; láminas adheridas, un tanto decurrentes, y estípite cilíndrico, fibroso y blancuzco. Abunda en los estados de México, Puebla y Oaxaca, donde se le conoce también como *clavitos*.

2. *H. fastibile*, también llamado *jolete de ocote*, tiene el píleo convexo, glutinoso y de color bayo oscuro; láminas adheridosinuadas y achocolatadas, y estípite fibroso, más o menos bulboso en la parte basal y con fructificaciones de 10 cm. Se ha registrado en el estado de México.

3. *R. clypeatus* y *R. prunuloides* tienen píleo pardo grisáceo; láminas sinuadas y rosadas en su madurez, y estípite blanco y bulboso en la primera especie y pardusco blanquecino, en la segunda. Las esporas son subglobosas y angulosas. Ambas, solitarias, son abundantes en los humus de bosques de coníferas.

JONES, OAKAHL. Nació en Providence, Rhode Island, EUA, en 1930. Terminó su bachillerato en la Academia Naval estadounidense (1953) y es maestro en artes (1943) y doctor en filosofía y letras por la Universidad de Oklahoma, y profesor de historia hispanoamericana en la Academia de la Fuerza Aérea. Es autor de: *Pueblo warriors and spanish Conquest* (1966) y *Santa Anna* (1966). Editó *"The Spanish Borderlands"*, en *Journal of the West* (1969).

JONES SHAFER, ROBERT. Nació en South Salem, Ohio, EUA, en 1919. Ha sido bachiller en artes de la Universidad del Estado de Ohio (1938), maestro en Artes (1943) y doctor en filosofía y letras (1947) de la Universidad de California (Los Ángeles, 1943), y profesor de historia en la Universidad de Cornell (1968-). Autor de: *The economic societies in the spain world* (1958), *México: neutral adjustment planning* (1966) y *A guide to historical method* (1969).

JONGUITUD BARRIOS, CARLOS. Nació en San Luis Potosí, S.L.P., en 1922. Profesor normalista, y licenciado en derecho por la Universidad Nacional Autónoma de México, ha dado clases en planteles de enseñanza primaria, media y superior. Desempeñó diversos puestos en el Sindicato Nacional de Trabajadores de la Educación (SNTE), del que llegó a ser secretario general. Ha sido también diputado federal suplente, senador de la República (electo para el periodo 1976-1982), cargo en el que obtuvo licencia para asumir la dirección del Instituto de Seguridad y Servicios Sociales de los Trabajadores del Estado, a la que renunció en 1979 para realizar la campaña electoral que lo condujo a la gubernatura de su estado (1979-1985). Es presidente vitalicio de Vanguardia Revolucionaria, organismo que controla políticamente el SNTE.

JONOTE. *Heliocarpus appendiculatus* Turcz. Arbusto o árbol de la familia de las tiliáceas, de 7 a 15 m de altura, con tronco de 30 a 40 cm de diámetro, fibroso y con la corteza algo verdosa o amarillenta, que se torna rojiza en el interior; de hojas anchamente ovadas o redondeadas hacia la base y de largo peciolo; flores panniculadas y fruto algo globoso, de 7 a 10 mm, rodeado de unos pelillos suaves y plumosos. Vegeta en San Luis Potosí, Puebla, Veracruz, Tabasco, Oaxaca y Chiapas. Se le conoce también como *majagua*, *jonote blanco* y *jonote colorado*.

2. Con igual nombre vernáculo, y como *jonote capulín*, se conoce la *Bilotia campbellii* Sprague., que es un árbol de la misma familia, de hasta 18 m de alto, con corteza fibrosa, lisa, ligeramente verdosa, que se torna rosado oscuro en el interior; de hojas alternas, con el ápice simulando una lanza y de borde aserrado; flores violeta y sépalos rosa brillante, y fruto parecido a una cápsula, con dos cavidades y varias semillas casi negras. Vegeta en las mismas áreas que la *H. appendiculatus* y se le conoce también como *holol*, *majagua*, *majagua capulina* y *palancano*.

JONOTE REAL. *Ochroma lagopus* Swartz. Árbol de 8 a 15 m de altura, de 30 a 40 cm de diámetro, de la familia de las bombacáceas. Se le conoce más ampliamente como *balsa*, aunque también se le llama *pata de liebre*, *ma-ho* –en lengua chinanteca–, *jubiguy* –Tabasco– y *jopi* –Chiapas–. V. BALSA.

JORDÁN, FERNANDO. Nació y murió en La Paz, B.C.S. (hacia 1918-1955). Desde muy joven se dedicó al periodismo tanto en su entidad como

JORDÁN–JORDANIA

en la ciudad de México, donde colaboró en las principales publicaciones. Entre sus libros figuran *El otro México, Tierra incógnita, Un reto al mar* y el poema "Calafia", que mereció un premio en 1955.

JORDÁN, HELENA. Nació en México, D.F., el 20 de julio de 1926. Alumna de Guillermina Bravo y Ana Mérida en la Academia de Danza Mexicana, debutó en 1950, al lado de José Limón. De 1953 a 1957 realizó varias giras e impartió clases de danza contemporánea. Fue jefa del Departamento de Danza del Instituto Mexicano del Seguro Social (1958-1964). Creó, por segunda vez, la Sociedad Proarte de México, con Hugo Romero (1966). Montó varias obras en la Universidad Magill con los *Ballets Modernes du Canadá* (1967). Formó el Taller Coreográfico de San Carlos, en la Escuela Nacional de Artes Plásticas (1968); dirigió el Departamento de Danza del Instituto Politécnico Nacional y creó el grupo Espacios; llevó cursos de Plástica del Gesto en el Teatro Ladislav Fialka, en Praga (1969-1970); organizó un homenaje al bailarín y coreógrafo José Limón en el Palacio de Bellas Artes (1972) y fundó el Foro 73 de música y danza (1973); se perfeccionó en Europa en técnicas de improvisación y expresión corporal (1974-1976); formó con Sonia Castañeda el grupo Génesis, del cual es directora artística y coreógrafa; participó en el segundo homenaje a José Limón, en el décimo aniversario de su muerte, y en la conmemoración del 50 aniversario del fallecimiento de la norteamericana Isadora Duncan (1982); promovió el Festival Nacional de Danza en San Luis Potosí (1983); organizó el grupo de interrelación artística Signos (1984); fue homenajeada en Bellas Artes, donde estrenó cinco obras (1985), y recibió el encargo de la Secretaría de Educación Pública de escribir tres libros sobre danza (1986).

JORDÁN, RICARDO (Richard Keller). Nació y murió en la ciudad de México (1857-1902). Hijo de padre alemán y madre mexicana, adoptó el apellido de ésta, con el cual es más conocido. Estudió en Alemania. Regresó a México en 1878, dedicándose a la minería primero y más tarde al comercio. Tuvo establecimientos de maquinaria aquí y en la ciudad de Guatemala. Poeta, publicó dos libros en alemán con versiones de poetas españoles: *Canciones españolas* (1893) y *Can-*

ciones del océano Pacífico (1894). Dio a conocer en Alemania a numerosos poetas mexicanos del romanticismo y del modernismo, entre otros: Acuña, Flores, Peza, Cuenca, Gutiérrez Nájera y Díaz Mirón en la revista *Munchen Allgemeine Zeitung* de Munich (1893-1900), en versiones traducidas por él con apreciaciones críticas, que tal vez sean las primeras escritas en alemán.

JORDANA, ELENA. Nació en Buenos Aires, Argentina, en 1934. Estudió en la Universidad de Columbia, en Nueva York, y se especializó en literatura española y latinoamericana. Fundó las revistas literarias *Cantares de España y Cancionero de América* (Buenos Aires, 1951) y dirigió las Ediciones del Mendrugo (Nueva York, 1971), que continuaron en México, donde radica desde 1972. Es traductora y colaboradora de revistas culturales nacionales y extranjeras. En 1978 obtuvo el Premio Nacional de Poesía Aguascalientes, y en 1981 el de Teatro Ramón López Velarde. Sus libros de poesía se intitulan *S.O.S. aquí en New York* (1972), *Cartas no mandadas* (1979) y *La maga de Oz* (1983). Para el teatro ha escrito *Mujer al sol, Sí, licenciado* y *Shhh*.

JORDANIA, REINO HACHEMITA DE. Situado en Asia Menor, tiene una superficie de 97 740 km^2 y una población de 3 millones de habitantes. Limita al norte con Siria, al noreste con Iraq, al este y al sur con Arabia Saudita

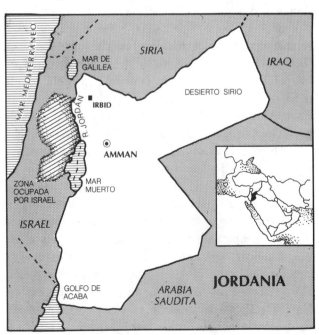

y el golfo de Acaba, y al oeste con Israel. Su capital, Amman, tiene cerca de 1 millón de habitantes. El idioma es el árabe; la religión oficial, el islamismo; y la moneda, el dinar jordano. El país se independizó del Reino Unido el 22 de marzo de 1946. A causa de la guerra de 1967, Israel ha ocupado la porción más rica del territorio: las zonas de riego situadas al oeste del Jordán y Jerusalén. México mantiene relaciones diplomáticas con Jordania desde el 9 de julio de 1975. Esporádicamente se ha producido un pequeño intercambio comercial.

JOROBADO. Nombre que se aplica a diversas especies de peces de los géneros *Selene* y *Vomer*, familia Carangidae, orden Perciformes. Rara vez rebasan los 20 cm de longitud. Son de cuerpo corto, muy alto y extremadamente comprimido. La cabeza es también muy alta y la línea casi recta que describe su perfil se ve interrumpida, en la mayoría de las especies, por una protuberancia en la región occipital, localizada por encima de los ojos, característica a la que alude su nombre común. La boca, de talla moderada, es protráctil y está provista de dientes pequeños. La porción anterior de la aleta dorsal está constituida generalmente por ocho espinas, y la posterior por una espina y un número variable de radios suaves. En algunas especies los primeros radios de las aletas dorsal y anal pueden estar notablemente alargados. La aleta anal va precedida por dos espinas libres, la caudal es bifurcada, las pectorales, largas y falcadas, y las pélvicas están sensiblemente reducidas en los adultos. La línea lateral describe un amplio arco por encima de las aletas pectorales y continúa por la parte media del cuerpo hasta el pedúnculo caudal. Este último puede estar provisto de un par de pequeñas quillas laterales. Los costados del cuerpo son generalmente de color plateado, que se va oscureciendo hacia el dorso hasta adquirir un tono azul metálico. El vientre es blanco. Habitan en las áreas litorales someras, sobre fondos duros o arenosos, formando cardúmenes pequeños que se desplazan constantemente en busca de su alimento, el cual consiste principalmente de camarones, cangrejos, gusanos y pequeños peces. En ocasiones los jóvenes penetran a los estuarios. En el Pacífico están representados por *S. brevoortii* (también conocido como *chapeta*), *S. oerstedii* y

V. declivifrons (también llamado *chanaleta*), y en el Golfo por *S. vomer*, *S. setapinnis* y *S. spixii*, a los que se denomina vulgarmente *papelillo*. Su pesca es incidental. Se venden frescos en los mercados locales. Algunos consumidores opinan que su carne es pobre; otros, que es excelente.

JOROBADOS. En el México prehispánico, los jorobados eran considerados personas relacionadas con fuerzas sobrenaturales. En muchos grupos se les escogía como brujos, al igual que a quienes presentaban patologías muy notables (labio leporino, enanismo o hidrocefalia, por ejemplo). En la arqueología, las representaciones de jorobados aparecen hacia el Preclásico inferior (1500 a.C.) y se mantienen en la cerámica hasta la llegada de los españoles. Después, por influencias del pensamiento mágico europeo, se hicieron figuras pequeñas de hueso y plata, y se usaron como amuletos. Los datos históricos los presentan como compañeros o consejeros de personajes notables, y a veces como bufones.

JORRÍN, MIGUEL. Nació en La Habana, Cuba, en 1902. Director de Estudios Extranjeros de la Universidad de Nuevo México. Es autor de *Governments of Latin America* (1953), *Post World War II political developments in Latin America* (1959) y *Latin american politics*.

JORULLO, VOLCÁN DE. Hizo su primera erupción el 29 de septiembre de 1759, después de estarse anunciando con fuertes estruendos y temblores desde el mes de junio anterior. Brotó en la parte más baja de la cañada que se llamó Cuitanga, en la entonces jurisdicción de Ario, de la alcaldía mayor de Tancítaro, Michoacán, en terrenos de una hacienda azucarera, ganadera y agrícola, denominada Jorullo. Arrasó los valles de Jorullo y Presentación, y el pueblo de La Guacana. Las grandes erupciones del volcán continuaron hasta febrero de 1760, y en los años siguientes fueron de más a menos. No ha tenido ninguna nueva deyección hasta la fecha (1987).

Véase: Diccionario universal de historia y de geografía (t. IV, 1854).

JOS. *Bumelia persimilis* Hemsl. Árbol de la familia de las zapotáceas, de 30 m de altura, espinoso y de corteza lechosa; de hojas alternas de color verde intenso y brillante, y con muchas nervaduras casi horizontales; flores agrupadas en axilas y fruto comestible, algo globoso, de 1 a 2 cm de largo. Se le halla en Yucatán, Campeche, Chiapas, Puebla y Veracruz. Se le conoce también como *ábalo blanco* –Veracruz–, *cajpoquí* y *chaschín* –Chiapas–, *yaga-bitzicutzi* y *tempiste* –Oaxaca–, *zapotillo bravo*, *clavo* y *palo de clavo* –Oaxaca y Chiapas–.

JOSÉ AGUSTÍN (RAMÍREZ). Nació en Acapulco, Gro., el 19 de agosto de 1944. Fue becario del Centro Mexicano de Escritores (1966-1967). Formó parte de una nueva corriente literaria, la de los jóvenes escritores desenfadados y contestatarios. Sus obras son parte de un lenguaje y una visión generacionales en las que quedan borrosos los límites entre el cuento, la novela y el teatro. Ha escrito: *La tumba* (novela corta, 1964), *Autobiografía* (1966), *De perfil* (novela, 1966), *Inventando que sueño* (cuentos, 1967), *La nueva música clásica* (ensayo, 1968), *Abolición de la propiedad* (teatro, 1969), *Se está haciendo tarde* (novela, 1973), *Círculo vicioso* (teatro, 1974), *La mirada en el centro* (cuentos, 1977), *El rey se acerca a su templo* (novela, 1978), *Ciudades desiertas* (novela, 1982), una actualización del ensayo *La nueva música clásica* (1985), *Furor matutino* (cuentos, 1985), *Ahí viene la plaga* (guión cinematográfico, 1985) y *Cerca del fuego* (novela, 1986). José Agustín es también autor de guiones de cine, notas bibliográficas y musicales, reportajes, traducciones y canciones. El lenguaje de su obra responde a una novedosa y sincera forma de sentir la realidad, una realidad llena de humorismo vista con una técnica y una ideología sin concesiones, que hace partícipe al lector de la jerga de la ciudad, del albur del adolecente, quien impone un ritmo de música rock al idioma y que se fundamenta en una actitud irreverente hacia la sociedad. José Agustín fue encasillado inicialmente en la llamada literatura de la *Onda*, término que oficializó Margo Glantz, pero en sus obras más recientes refleja un dominio del oficio al margen de cualquier corriente.

JOSEFINAS DE MÉXICO, HERMANAS. Congregación religiosa laical de derecho pontificio fundada en la ciudad de México el 22 de septiembre de 1872 por el sacerdote José María Vilaseca y sor Cesárea Ruiz de Esparza y Dávalos. Recibió la aprobación diocesana el 8 de diciembre de 1876; la temporal y el *decretum laudis*, en septiembre de 1897; *ad septennium* de sus constituciones, el 23 de abril de 1903; la definitiva del instituto, el 27 de mayo del mismo año; y la definitiva de sus constituciones, el 28 de febrero de 1920. Su finalidad específica es la educación cristiana de la niñez y la juventud, las obras benéficas y asistenciales, y las misiones populares. Además, apoya las actividades apostólicas de los misioneros josefinos.

El 19 de septiembre de 1872, el padre Vilaseca, siguiendo las disposiciones tridentinas, inició con 12 niños el Colegio Clerical del Señor San José en el Callejón del Montón, en la ciudad de México. Dos años antes había creado una biblioteca para difundir la doctrina cristiana y extender la devoción josefina. Fundado el plantel para instruir a los candidatos al sacerdocio, estableció con tres niñas el Instituto de Hijas de María Josefinas, cuya dirección confió a Cesárea Ruiz de Esparza y Dávalos. La primera escuela de la rama femenina se abrió en la calle de San Ramón, pero pronto resultó insuficiente y el arzobispo Pelagio Antonio de Labastida y Dávalos le proporcionó una casa más amplia en la calle de Pulquería de Palacio. A Cesárea se le unieron otras nueve compañeras y comenzaron a llamarse Hijas de María del Señor San José. En mayo de 1873, al extremarse la aplicación de las Leyes de Reforma, el fundador fue puesto en la cárcel en compañía de algunos jesuitas y pasionistas y al cabo de 10 días abandonó el país. La comunidad se refugió entonces en la casa central de las Hermanas de la Caridad de San Vicente de Paul. Allí inició el noviciado canónico, una vez que regresó Vilaseca, pero sin abandonar el colegio de Pulquería ni la casa que habían abierto para la rehabilitación de prostitutas. Luego instalaron dos colegios en la ciudad de Puebla e intentaron fundaciones en Huajuapan y Aculco, que no perduraron. Las primeras reglas y constituciones fueron aprobadas por monseñor Labastida el 8 de diciembre de 1876. Las primeras religiosas emitieron los votos el 25 de enero de 1877; se le dio al santo patrono el título de Señor San José del Buen Consejo y la comunidad se separó de la Congregación de la Misión, a la que había estado unida. El Instituto con sus dos ramas de Misioneros del Señor San José e Hijas de

JOSEFINAS

María Josefinas, se erigió canónicamente el 26 de noviembre de 1884.

Difusión. De la casa general de la ciudad de México partieron las fundaciones en las siguientes localidades: Huichapan, el 15 de diciembre de 1878; San Agustín Tlaxco, en 1881; San Ángel, él 22 de abril de 1884; Toluca, en mayo de 1884; Jilotepec, en febrero de 1885; ciudad de México (asilo de mendigos), el 5 de agosto de 1888; Orizaba, el 18 de agosto de 1889; Santiago Tianguistengo, en enero de 1890; Veracruz, en 1890; y San Juan Bautista, Tab., en julio de 1891. A las hermanas se les encomendó la Beneficencia Española, en abril de 1890, y la Quinta de Salud, en junio de 1891, ambas en la capital de la República. En 1896 tenían la casa central en San Juan de Letrán núm. 7, donde funcionaba un internado para la enseñanza elemental y superior. En los años siguientes fundaron o manejaron las instituciones que se enumeran. *Colegios:* Jesús Urquiaga, en San Ángel, D.F.; Juana de Arco, en Toluca; Sadi Carnot y Colón, en la ciudad de México; Josefa Espinoza de Ponchaux, en Ciudad Lerdo; San José y Nuestra Señora de Covadonga, en Orizaba; Del Sagrado Corazón, en Chalchicolula (actual Ciudad Serdán); José María Vilaseca, en Monterrey; Santa Rosa, en Múzquiz; Gillow, en Tehuacán; de Nuestra Señora de Guadalupe, en San Gabriel, Jal.; y con el nombre de Josefino, los de Veracruz, Orizaba, Tehuantepec, Zacatlán, San José del Rincón, Atlixco, Jocotitlán, Izúcar de Matamoros, Medellín, Acámbaro y San Andrés Tuxtla. *Escuelas:* Normal Católica de Puebla y elementales de las haciendas de Puruagua, en Michoacán; de la Y, en el estado de México; de Guaracha, en Jalisco; y De la Torre, en Ciudad Victoria. *Establecimientos de enseñanza en el extranjero: Saint Paul's College,* en Washington; Seminario de San Antonio, en Texas; *Saint Buenaventure's Seminary and College,* en Nueva York; *Sacred Heart College,* en Gardner, Colorado; y Colegio de Nuestra Señora de la Paz, en El Salvador. Asilos: en Ciudad Victoria, Veracruz y Chalchicomula. *Casas de salud:* en Puebla, San Pedro Tlaquepaque y la ciudad de México. *Hospicios:* Francisco Zarco, en Durango; y San Miguel, en San Salvador, República de El Salvador. *Orfanatorios:* en San Luis Potosí, Mérida y Morelia. *Sanatorios:* Cruz y Celis, en Puebla; y Degollado, en Guadalajara. *Casas de beneficen-*

cia: en Tacubaya, D.F., y Torreón. *Hospitales:* Del Refugio, en Tlaquepaque, con casa de ejercicios anexa; Concepción Béistegui y Escandón, en la ciudad de México; Francisco Zarco, en Lerdo; Del Carmen, en Culiacán; San Vicente, en Tepic; Del Sagrado Corazón, en Morelia; San Felipe de Jesús, en San Pedro, Coah.; San Vicente, en Monterrey; Balbuena, en Maravatío; De la Caridad, en Pénjamo; De la Beneficencia, en Toluca; De la Caridad, en Oaxaca; San Vicente y de la Beneficencia Española, en Torreón; San José, en Riva Palacio, Dgo.; Gastélum, en Culiacán; Vergara, en Querétaro; San Vicente, en Gómez Palacio; y los civiles de Durango, Puruándiro, Puebla, San Juan del Río, Querétaro, Tampico, Torreón, Silao y San Luis Potosí. En Nicaragua atendieron los hospitales General, en Managua; De San Juan de Dios y Del Sagrado Corazón, en Granada; de San Antonio, en Masaya; y el Civil, en Chinandega.

Durante la Revolución y el conflicto religioso, un buen número de josefinas se refugió en el extranjero, sobre todo en Estados Unidos y Centroamérica. En 1985 el Instituto contaba con 870 religiosas profesas distribuidas en 27 de las 74 circunscripciones eclesiásticas. En la ciudad de México tenían 14 residencias: la casa general, la casa provincial, el postulantado, el noviciado y el juniorado; los colegios Hispano Americano (primaria y superior), José María Vilaseca, Cristina F. de Merino, Vilaseca Esparza, Jesús Urquiaga y Sor Juana Inés de la Cruz; el dispensario Josefino y los hogares para ancianos González de Cosío y Casa del Actor. En el estado de México: el Centro Médico Romero, en Ciudad Nezahualcóyotl; los colegios Teotla, en Tenancingo, y José María Vilaseca, en Toluca; Hospital San José y el sanatorio Santa Cruz, en la capital. En Tlaxcala: el Colegio Nicolás Bravo, en Apizaco. En Michoacán: el Hospital del Sagrado Corazón y el Colegio Josefino, en Morelia; la casa hogar para niñas Providencia, en Pátzcuaro; y los colegios Cuauhtémoc, en Zacapu, y Socorro Díaz Barriga, en Pátzcuaro. En Guanajuato: la casa hogar para niñas José María Vilaseca, en Acámbaro; y el Colegio Fray Miguel Zavala, en Moroleón. En Jalisco: la sede de la provincia del Corazón de Jesús, el Hospital Civil y el siquiátrico Orozco y de la Rosa (antes San Camilo), en Guadalajara; y un centro de catequesis en San Miguel de la Paz. En Hidalgo: la Beneficencia Española, en Pachuca. En

Morelos: la casa de reposo Fidelita Ortiz y la casa hogar para ancianos Heredia López, en Cuernavaca. En Querétaro: el Hospital del Sagrado Corazón, en la capital. En Nayarit: el Hospital San Vicente, en Tepic. En Durango: el Colegio Josefa E. de Poncheaux, en Ciudad Lerdo. En Chihuahua: el Colegio Gil Esparza y la casa hogar de niñas, en la capital. En Coahuila: el Hospital Vilaseca y la Beneficencia Española de la Laguna, en Torreón. En Nuevo León: el Hospital San Vicente y la casa hogar para ancianas Sagrada Familia, en Monterrey; y el Colegio Francisco González y González, en General Terán. En San Luis Potosí: el estudiantado del Seminario Menor Josefino y los colegios México y John F. Kennedy, en la capital. En Oaxaca, el Colegio Vasconcelos, en la capital, y el Istmeño, en Tehuantepec; y la casa misión San José, en Huautla de Jiménez. En Veracruz: el Instituto Social Nazareth y el Colegio Minatitlán, en la ciudad del mismo nombre; la fundación hogar para niñas Juan Nicolás y el Colegio Covadonga, en Orizaba; la casa hogar para niñas Luz Nava y el Colegio La Paz, en Veracruz. En Puebla: la casa de ejercicios Betania y la casa de oración Santa Teresa, en Tehuacán; el preaspirantado, la casa provincial de Santa Teresa, los cuatro colegios Esparza (internado, primaria y normal, jardín de niños y normal de educadoras, y secundaria y preparatoria), el Hospital San José, la Escuela de Enfermería Emmanuel, la Beneficencia Española y la Casa del Anciano en la capital; los colegios María Goretti, en Huejotzingo, José González Soto, en Tepeaca, y Susana G. de Reyes, en Tlachichuca; y los hospitales Rafael Alducín, en Ciudad Serdán, y San José, en Zacatlán. Y en Yucatán: la casa hogar para niñas María de Monserrat, en Mérida.

Entre las hermanas se distinguió Luz Nava; nació en Lerma, Méx., en 1892, y murió en Veracruz el 9 de enero de 1954; llegó al puerto en 1902 y fue directora del Colegio Josefino hasta su muerte; en 1911 fundó el Asilo Veracruzano, en servicio de la niñez desvalida, y en 1914, durante la invasión norteamericana, convirtió el colegio en hospital para atender a los heridos. En 1933 el gobierno de Veracruz la condecoró y le otorgó el título de Hija Predilecta del Estado.

Fuera de la República, las josefinas se establecieron en Estados Unidos, El Salvador y Nicaragua. Hacia 1920 establecieron un noviciado en Matagalpa, que luego trasladaron a Granada, donde existe hasta la fecha. En años recientes se han extendido a Costa Rica, Puerto Rico y Roma. A fines de 1981 crearon una misión en Luanda, Angola, África, y poco después la del santuario de Muxima. Otro de sus noviciados se encuentra en Yaliet, Illinois, Estados Unidos.

JOSEFINOS, MISIONEROS. Congregación religiosa clerical de derecho pontificio fundada en la ciudad de México el 19 de septiembre 1872 por José María Vilaseca. Recibió la primera aprobación el 6 de diciembre de 1876, otorgada por el arzobispo Pelagio Antonio de Labastida y Dávalos, e inició su vida autónoma el 15 de agosto de 1885, por decreto del mismo prelado. El *decretum laudis* se le expidió el 20 de agosto de 1897; la autorización pontificia, el 27 de abril de 1903; y la definitiva de las constituciones, el 14 de septiembre de 1911. Su finalidad específica es el apostolado misionero entre fieles e infieles, principalmente en América Latina, y la educación de la juventud.

El fundador emprendió la obra para remediar la escasez de sacerdotes, provocada por la aplicación de las Leyes de Reforma. Del colegio de clérigos saldrían ministros para la arquidiócesis de México y misioneros para todo el país. Simultáneamente promovió la congregación de las Hermanas de San José (v. JOSEFINAS DE MÉXICO, HERMANAS) para continuar las actividades de las Hijas de la Caridad de San Vicente de Paul, que habían sido expulsadas de la República. El colegio de clérigos se inició con 12 aspirantes, tres minoristas y Vilaseca, y dos padres ancianos como profesores. Abrió sus puertas el 19 de septiembre de 1872 en la casa núm. 40 del Callejón del Montón (después calle de las Cruces). Al año siguiente el fundador fue expulsado del país, pero regresó 17 meses más tarde. Las primeras reglas, del 6 de diciembre de 1876, le atribuían al instituto, conforme al modelo de la Congregación de la Misión, la rectoría espiritual de las Hermanas de San José, pero esta función fue suprimida por la Santa Sede al aprobar las constituciones. En 1877 Vilaseca se separó de la Congregación de la Misión; el 26 de noviembre de 1884 emitió la profesión en su propio instituto, junto con los 12 primeros misioneros josefinos y 10 religiosas; y el 15 de agosto de 1885 entregó el colegio clerical al arzobispo Labastida y los misioneros se mudaron a la colonia Santa María la Ribera. Los primeros tres sacerdotes josefinos se ordenaron en marzo de 1886 y en abril iniciaron las misiones en Michoacán. En 1890 se fundó, contigua a la casa seminario, la más temprana escuela josefina para la instrucción y formación cristiana de la juventud. Le siguieron las de Orizaba y Comalcalco, en 1891. Tres años después abrieron una escuela de artes y oficios en Sisoguichic, entre los tarahumares; en 1896 penetraron a la región de Palenque para evangelizar a los indios lacandones; casi simultáneamente trataron de pacificar a los yaquis de Sonora y en 1901, a iniciativa del hermano lego Marciano Ríos, empezaron a trabajar en la conversión de los huicholes. A la muerte del fundador, el 3 de abril de 1910, siguió el estallido de la Revolución Mexicana, el 20 de noviembre. En 1914 algunos josefinos se escondieron y otros huyeron al extranjero; las cuatro casas de formación fueron ocupadas por las tropas y el sucesor de Vilaseca, José María Troncoso y Herrera, se refugió en San Antonio, Texas. Fue también difícil para el instituto la época callista, cuando la obra se estableció en Centroamérica. En 1939 fue electo sexto superior general el padre Carlos F. Alva, quien consiguió reanimar la congregación, incrementar las vocaciones y abrir nuevas casas, una de ellas en Roma. En 1956 el trabajo misionero se extendió a la Huasteca potosina, en jurisdicción de la diócesis de Ciudad Valles. El noveno superior general, electo en 1962, volvió más rigurosa la formación de los josefinos y creó una delegación con las fundaciones de Centroamérica y Venezolana. El 7 de octubre de 1972, el papa Paulo VI erigió la prelatura de Huautla, cuya administración confió al misionero josefino Hermenegildo Ramírez Sánchez. El capítulo general de 1974 eligió superior general al padre José Pablo Cárdenas, que organizó las provincias y delegaciones de Centroamérica. En 1978 la congregación estaba formada por 206 religiosos, de los cuales 132 eran sacerdotes y el resto hermanos legos. Las casas eran 46, distribuidas en siete naciones: El Salvador, Estados Unidos, Guatemala, Italia, México y Venezuela. De 1980 a 1985 fue superior general el padre José Torres Mora. En su periodo decretó la creación de la viceprovincia de Centro y Suramérica y abrió la misión de Muxima en la República Popular de Angola. En 1984 los josefinos tenían los siguientes establecimientos: en la ciudad de México, la casa general (primera cerrada de Caraci núm. 13), el juniorado y el teologado; los templos de la Sagrada Familia, en la colonia Portales; de El Señor de los Prodigios, en la colonia Independencia; de San Pelayo Mártir, en la colonia Argentina; y de San José del Buen Consejo, en la colonia Olivar de los Padres; los institutos Juventud, en Santa María la Ribera, y Naucalpan; el Colegio Fray Pedro de Gante, en la colonia Obrera; y las parroquias de la Sagrada Familia, y del Espíritu Santo, en la colonia Santa María la Ribera; del Santo Niño Jesús Limosnerito, en la colonia Atlampa; de San Bernabé y del Señor del Perdón, en la colonia Victoria de las Democracias; de San Juan Bautista, en la colonia Insurgentes; de Nuestra Señora del Consuelo, en la colonia Guadalupe Victoria; de Nuestra Señora de la Luz, en la Villa de Guadalupe; de San José de los Obreros, en la colonia Obrera; de la Sagrada Familia, en la colonia Barranca Seca, y de Santa María Magdalena. En Veracruz, la parroquia de San José, en la colonia Ortiz Rubio. En Oaxaca, las parroquias de los Dolores y de Santa Teresita. En Guadalajara, el templo de San José Obrero. En Toluca, el templo de la Sagrada Familia. En San Juan del Río, el noviciado. En San Luis Potosí, el seminario menor y el Instituto Manuel José Othón. En San Luis Río Colorado, Son., el Instituto Kino; en Monterrey, el Patria; y en Minatitlán, el Pedro Castillo. Y las misiones de Aquismón, Huehuetlán y Tamapatz, en San Luis Potosí; y de Huautla de Jiménez, Huehuetlán, sierra Mazateca, Mazatlán de Flores y Chilchota, en Oaxaca, todas con su respectiva parroquia. En 1985 un nuevo capítulo eligió superior general al padre Ignacio Ortega Rodríguez, y en 1988 la congregación tenía 217 miembros entre sacerdotes, hermanos coadjutores y estudiantes profesos, quienes atendían 45 casas distribuidas en México, Guatemala, El Salvador, Nicaragua, Costa Rica, Venezuela, Angola y Roma.

JOSEPH-NATHAN, PEDRO. Nació en la ciudad de México el 17 de septiembre de 1941. Químico (1963), ingeniero químico (1965) y doctor en ciencias químicas (1984) por la Universidad Nacional Autónoma de México (UNAM), ha sido profesor e investigador en esta casa de estudios y en el Instituto Politécnico Nacional. Hasta diciembre de 1987 había publicado 140 trabajos en revistas científicas nacionales y extranjeras, entre ellos *Resonancia magnética nuclear de hidrógeno*, con una redición titulada *Resonancia magnética nuclear de hidrógeno-1 y de carbono-13* (1982), y *La química de la perezona como homenaje al doctor Leopoldo Río de la Loza en el centenario de su fallecimiento* (1984). Ese año la UNAM publicó *Pedro Joseph-Nathan. Imagen y obra escogida*. Ha recibido, entre otros, el Premio de la Academia de la Investigación Científica.

JOUBLANC RIVAS, LUCIANO. Nació en la ciudad de México en 1896; murió en San Miguel de Allende, Gto., en 1959. Ingresó al servicio diplomático en 1923, hasta llegar por escalafón a ser ministro de México en Portugal (1940) y Polonia (1944), y embajador en la URSS (1948). Escribió *Cuentos de Amor*, novela semanal de *El Universal Ilustrado* (1923); *Como las mujeres* (comedia, 1924), *El alma trémula* (1925), *Al compás de la vida* (1926) y *De la hermandad* (1928). En San Luis Potosí fundó y dirigió la revista *El Fifí*.

JOUBLANC Y TOUGART, EDUARDO. Nació en Veracruz, Ver., en 1876; murió en Jiutepec, Mor., en 1928. Sirvió cátedras en la Facultad de Medicina de la Universidad de México y fundó la de enfermería en el Hospital General. Participó en la creación de la *Cruz Blanca*. Fue muchos años médico de la plaza El Toreo.

JOURDANET, DAVID. Nació y murió en París, Francia (1817-1890). Estudió medicina en la Universidad de París, graduándose en 1842. Atraído por las noticias acerca de las civilizaciones de Mesoamérica, llegó a México, ejerciendo su profesión cinco años en Campeche y en Mérida. Exploró las cuencas de los ríos Usumacinta y Grijalva, e hizo numerosas excursiones por Chiapas y Tabasco. En 1848 volvió a Francia, pero regresó ese mismo año a la ciudad de Puebla, donde vivió dos años. Escaló los volcanes Popocatépetl, e Iztaccíhuatl y la Malinche y otras montañas, verificando experimentos científicos. En 1850 se trasladó a la ciudad de México, donde radicó definitivamente. Dos veces viajó a su país y en 1864 regresó a Mexico con Maximiliano, figurando como miembro fundador de la sección sexta de la Comisión Científica, convertida en 1873 en la Academia Nacional de Medicina. Poco antes del fusilamiento de Maximiliano (19 de junio de 1867), pudo partir a Francia, radicando en París hasta su fallecimiento. Escribió numerosos artículos médicos, algunos de los cuales aparecieron en la *Gaceta Médica de México*, sobre la respiración en las alturas, el tifo, la fiebre amarilla, la tuberculosis (que no creyó que existiera en el Altiplano), la hierba del perro y otros temas. Publicó, además: *Les altitudes de l'Amérique tropicale... au point de vue de la constitution médicale* (París, 1861), *Du Mexique au point de vue de son influence sur la vie de l'homme* (París, 1861), *Le Mexique et l'Amérique tropicale* (Corbeil, 1864), *Influence de la pression barométrique de l'air sur la vie de l'homme* (París, 1876) y *Les syphilitiques de la campagne de Fernand Cortés* (París, 1877). Tradujo al francés la *Historia verdadera de la Conquista de la Nueva España* de Bernal Díaz del Castillo (París, 1879) y colaboró con Remi Simeón en la traducción al francés de la *Historia general de las cosas de la Nueva España*, de fray Bernardino de Sahagún, tomada de la edición de Carlos María de Bustamante.

JOYCE, THOMAS ATHOL. Nació y murió en Inglaterra (1878-1942). Arqueólogo. De 1903 a 1913 fue secretario del Real Instituto de Antropología, del que fue su vicepresidente de 1913 a 1917; en 1921, encargado del departamento de etnografía del Museo Británico y a partir de 1923, secretario de la *Hakluyt Society*. Entre su producción, *Mexican archaeology* (1914) y *American and west indian archaeology* (1916).

JOYERÍA. El estudio de los objetos preciosos utilizados como adorno personal ha permitido a la antropología conocer el uso de materiales y técnicas a lo largo de la historia y reconstruir ciertas actitudes sociales y religiosas. Por sus adornos, puede discernirse el rango de una persona; y por sus fetiches, su vinculación –de apego o temor– respecto de las deidades y los malos espíritus.

Nada se sabe de cómo se ornamentaban los primitivos cazadores y recolectores de Mesoamérica (hacia 12 000 a.C.), aunque bien pudieron usar plumas y pintura corporal. No se ha encontrado ningún objeto que pueda ser considerado como adorno o fetiche anterior al año 5000 a.C. Durante el crecimiento de las aldeas agrícolas (de 2500 a 1200 a.C.) evolucionaron los siguientes objetos: orejeras de barro huecas, cuentas de barro y de piedra verde, y complicados tocados hechos con tiras de algodón y cordeles de otras fibras vegetales, que se combinaban con pintura corporal, probablemente de significación totémica. Las figurillas de arcilla modelada de esta época representan personajes sin vestimenta, aunque portando orejeras y complicados tocados y collares.

Hacia 1200 a.C. se advierte el impacto de la cultura olmeca de La Venta y Tres Zapotes, caracterizado en joyería por las pequeñas cuentas pulidas de piedra verde, los breves pectorales que representan cabeza o cuerpos humanos con bocas atigradas y ojos alargados, los pectorales con bajorrelieves, las orejeras grandes y pulidas, y los colgantes de pirita y de hematita bruñidos como espejo.

En el centro de México (800 a.C. a 100), coincidiendo con los centros ceremoniales no muy desarrollados de Tlapacoya y Cuicuilco, se encuentran orejeras de barro sólidas, con dibujos, y cuentas de piedra verde y de barro; y aparecen los mosaicos de concha y caracol, acaso para ornamentar vestidos, tocados o insignias. En Chupícuaro abundan desde esta época las pequeñas cuentas de barro rojo, blanco y negro, muy pulidas, y las vasijitas trípodes, patojos o cazuelitas, hechas para engarzarse como cuentas; en la zona del Golfo, las placas pectorales de jadeíta, las mascaritas de jade, las cuentas en forma de canoas y colmillos, y los colgantes de pirita y hematita; y en esta área y en el centro y occidente de México, las cuentas de concha y caracol. En la pirámide de Tlapacoya se hallaron tres tumbas de sacerdotes, con abundantes ofrendas, entre otras: mosaicos de concha, collares de cuentas verdes y, al igual que en algunos entierros de Tlatilco, una cuenta verde en la oquedad del cráneo, en lo que fuera la boca, detalle que también aparece en épocas muy tempranas en China y posteriormente en Arabia y Persia. ¿Era esta la moneda que debía pagarse para entrar al otro mundo, o bien, como se cree en Arabia, fuente de vitalidad y salud?

De 100 a 900 florecen en Mesoamérica los grandes centros ceremoniales de la teocracia. Los entierros, las pinturas y los bajorrelieves han permitido conocer los ornamentos de los jefes, sacerdotes y guerreros. A juzgar por las figurillas de Jaina, usaban collares de grandes cuentas de piedra, cordones de fibra vegetal que sujetaban pectorales de jadeíta, madejas de cuentas de concha y caracol, anillos de piedra o de concha, y tocados con plumas preciosas y piezas de piedra verde. Los vestidos, a su vez, llevaban laminillas de piedra verde, concha y caracol, y aplicaciones de plumas preciosas. El Halach Uinik de los frescos de Bonampak muestra el atuendo de los altos jefes militares: huaraches ricamente trabajados, faldilla de caracoles marinos, collar y de jadeíta de tantos hilos que parece una capa corta, cetro profusamente adornado, y tocado de piedras talladas y plumas preciosas. En la época clásica de la zona maya se usó orejera grande de tapón, que consiste en una pieza circular de piedra con una cuenta tubular en medio, detenida por atrás de la oreja con un palillo atravesado. En algunos bajorrelieves se advierte que del extremo frontal de la cuenta tubular, cuelgan otras más pequeñas o haces de plumas preciosas. Simultáneamente se fue haciendo común la nariguera, también tubular, que atraviesa el septo.

En Oaxaca, las grandes y pequeñas urnas funerarias que representan deidades y acompañantes, muestran el uso abundante de cuentas de piedra verde, pectorales de jadeíta y de barro, y collares que combinan gruesos torzales de fibras con cuentas de variados diseños; tocados con ornamentos de lámina de piedra pulida, cuentas parecidas a las orejeras y plumas preciosas; brazaletes, pulseras y ajorcas; pero, sobre todo, grandes pectorales, decorados en bajorrelieve con animales y signos calendáricos, que seguramente indican la relación del dios y del acompañante con el personaje muerto.

Las pinturas y figurillas de Teotihuacan reproducen sacerdotes con vestimentas, tocados y joyería de gran imaginación y riqueza. Usaron plumas —acaso de tecolote— y piedras verdes —en especial al figurar a Tlaloc—, aunque menos ostentosas que los mayas o zapotecas.

Hasta el final de la época clásica (año 900) se utilizaron en joyería los siguientes materiales: piedras —sobre todo verdes—, concha, caracol, hueso, perlas, barro y plumas, principalmente; se aplicaron piezas a los vestidos y se recargó la ornamentación. Es posible que la joyería haya relacionado al sujeto con los tótems, con las religiones de sus antepasados, con significados mágicos —en cuyo caso tuvo funciones de fetiche o amuleto—, con las propiedades de ciertos dioses, con la riqueza y con las jerarquías religiosa, política y militar.

Los metales. Los hallazgos de la arqueología revelan que la metalurgia apareció al principio de la ocupación chichimeca, hacia el año 900, como resultado de los contactos con Panamá, Costa Rica y el norte de Colombia, producto a su vez de la difusión de la metalurgia andina, anterior a la era cristiana. Debido a este origen, los trabajos mexicanos en metal aparecen maduros de improviso, sin que hayan tenido, al parecer, una evolución previa. Las culturas precortesianas obtenían el oro nativo y el cobre lavando las arenas de río; y la plata, en estado nativo y en rudimentarias minas.

Los materiales arqueológicos han aportado los siguientes datos: se conocieron el oro y la plata, el cobre, el estaño, el plomo y el mercurio. En la joyería se usaron principalmente los tres primeros y sus aleaciones. Al mercurio no se le dio uso alguno. En figurillas, esculturas y bajorrelieves no se hace distinción entre los ornamentos de metal y de piedra. El oro y el cobre se mezclaron corrientemente, variando las proporciones. A esta aleación se le llamó tumbaga. También se mezclaron el oro y la plata, y aun el oro y el estaño, sin que se tenga seguridad de que esto último haya sido hecho en México. El laminado (oro batido o martillado) se usó para cubrir núcleos de madera, cuero y piedra, y como aplicación en tocados y vestidos. El calibre de la lámina variaba: grueso, para brazaletes o diademas; delgado, para cubrir objetos. Los martillos eran de piedras planas. Mediante presión o martillado se hacían figuras sobre las láminas. En el centro de México y en Oaxaca se produjeron piezas hechas de un solo fundido que conservan la independencia de sus diferentes partes.

Los objetos solían pulirse, probablemente con arena fina y granos de sílice. Para recubrir con oro o plata, se sometía la lámina al calor y se pegaba con vegetales gomosos. La incrustación consistía en ajustar un material —obsidiana, turquesa, caracol, concha y jadeíta— a otro, recortando una matriz exacta. En el embutido, en cambio, se encajaban piedras o metales en barro o madera. Con piedras más duras se tallaban el jade, la turquesa, la obsidiana, la esmeralda, el ópalo, el ámbar, el cristal de roca y la amatista. Los objetos no ornamentales —hachas, coas, azadas, agujas y perforadores— se endurecían por martillado. Para destemplar, las piezas de lámina se ponían directamente al fuego varias veces durante el martillado. El alambre se usó como hilo para coser los huaraches suntuarios, y para producir agujas, alfileres, anzuelos y joyería sencilla (anillos para los dedos o para las orejas). Para fundir, se colocaban pequeños crisoles en un brasero, cuya temperatura se hacía subir con sopletes largos dirigidos directamente a los carbones. El vaciado se hacía en moldes abiertos (piezas grandes) y cerrados (pequeñas).

El procedimiento de la cera perdida consistía en figurar con barro y carbón el objeto, ponerle una capa muy delgada de cera, detallarlo, cubrirlo con otras capas de carbón y barro, hacerle pequeñas aberturas, cocer el molde, derretir la cera, vaciar el metal, quebrar la cubierta, quitar los residuos y obtener la pieza. Es probable que para los cascabeles se haya tenido varios moldes, pues se han encontrado decenas de muestas idénticas. La falsa filigrana se obtenía enrollando un hilo de algodón sobre el núcleo. A menudo dos metales diferentes se juntaban y cubrían con una capa de barro y carbón molido para someterlos a altas temperaturas hasta que sus bordes se fundían y formaban una sola pieza. La soldadura se practicaba probablemente con soplete corto, utilizando cobre, malaquita y azurita, cosa que se advierte en las argollas de las piezas con movimiento (cascabeles).

Las joyas de metal se usaban en las fiestas y se portaban con ostentación; las de piedra y barro eran de uso diario. Entre aquéllas, los cascabeles eran las más comunes: esféricos, cónicos y mixtos; lisos, decorados o de falsa filigrana. Se usaban en joyas, trajes, tocados y huaraches. Hay representaciones de ellos en códices, pinturas, figurillas de barro, bajorrelieves y esculturas. Se han hallado en Oaxaca (de oro) y Michoacán (de cobre) y, en menor cantidad, en el centro de México y en la zona maya. Los hay excepcionales, como el de Coixtlahuaca, con alambre de oro sobre la superficie. Tienen a veces formas de animales: perro, mono, caparachos de tortuga, molares de jaguar, picos de pato. Los colgantes son también muy variados: con diseños religiosos, calendáricos y quizá totémicos; y de una pieza o de varias, como el de la Tumba 7 de Monte Albán que significa el juego de pelota. Las laminillas para ornamentación abundan en las épocas tardías: el llamado penacho de Moctezuma es un buen ejemplo de cómo se combinaban con plumas preciosas. También de oro laminado se llevaban en la cabeza bandas, coronas y diademas con el frente muy alto. La única corona que se conoce es la de la Tumba 7 de Monte Albán, que es una lámina sencilla curva complementada con una pluma de oro. Las orejeras de metal son raras: las hay de dos piezas, en oro y plata, en forma de medio carrete, para meter una en otra; y de cobre, con figuras caladas. Las esculturas modeladas en barro del occidente muestran varios anillos atravesados a todo lo largo de la oreja, o sea que se necesitaban muchas perforaciones pequeñas y no sólo una grande en el lóbulo. En los entierros se han encontrado estas piezas de alambre grueso de cobre. Hay narigueras tubulares que atravesaban el septo, y laminadas que tapaban la boca, sostenidas en el propio tabique interauricular; las primeras dominan en la zona maya, y las segundas en Oaxaca y el centro de México, donde asumen la forma de flores, mariposas, medias lunas e insectos. Los bezotes, que se colocaban en una perforación hecha en el labio anterior, son de oro o cobre, lisos o decorados, generalmente huecos o de falsa filigrana; en Oaxaca se han encontrado de cristal de roca, con ornamentos de oro; en Michoacán, los cortos y anchos; y en la Tumba 7 de Monte Albán, uno de oro con una cabeza de águila en jade; se conocen el que lleva una cabeza de serpiente, con lengua movible, y muchos otros con animales, siempre sobreponiendo pequeñas piezas de piedra a los metales. Los collares más comunes están formados por cuentas redondas, o cilíndricas cuando se trata de piedras semipreciosas como la turquesa y el ámbar; también las hay en forma de calabaza, con círculos concéntricos, de falsa filigrana, en forma de rombo, o con varias perforaciones para regular los hilos. Los collares más famosos son los de la Tumba 7 de Monte Albán, que tienen cuentas en forma de carapachos de tortuga y molares de jaguar, cascabeles, pequeñas piezas cilíndricas de turquesa, caracol

y concha, perlas y bolitas de oro. Casi todas las figuras representadas en códices, pinturas y bajorrelieves de esta época llevan pectorales metálicos –laminados, repujados o fundidos–, que aluden seguramente a la dignidad de quien los portaba, pues aparentan discos, escudos, figuras humanas, animales, diseños geométricos, deidades o fechas calendáricas.

Las pulseras son por lo común piezas de cuero cubiertas de metal y cascabeles; los brazaletes, en cambio, sí son de metal, generalmente grueso, a veces con motivos repujados. Los anillos y cubreuñas, muy abundantes, son de una sola pieza, vaciados, laminados, de alambre torcido o de falsa filigrana; llevan motivos por lo regular geométricos, pero los de la Tumba 7 de Monte Albán tienen decorados zoomorfos –águilas, principalmente– y cascabeles. Las ajorcas más usuales son de cuero, con pequeñas placas metálicas, piedras, cascabeles y plumas. También se hicieron de oro laminado, para cubrir las piernas de los grandes señores de la rodilla al tobillo. Las rodilleras sólo se emplearon en el juego de pelota y, según testimonio de los conquistadores, eran de cuero o de madera, con laminillas metálicas en la superficie.

La gente del pueblo usaba collares de piedras verdes, en cuentas redondas u ovaladas de cerámica, en barro rojo pulido con líneas negras, o en barro negro con pequeñas líneas incisas en forma de grecas. El mosaico de concha, abulón, caracol, turquesas, obsidiana u ónix, perlas y piezas de oro, plata y cobre no se usó sólo como ornamento personal, sino también para decorar cráneos o como insignia. Las joyas se conseguían por comercio o tributo. Los poderosos exigían oro y metales trabajados a los pueblos sometidos. La principal deidad propiciatoria de los joyeros en el centro del México antiguo fue Xipe, "el desollado", el dios de la vegetación que se renueva cada año, a quien se rendía culto quitándole la piel a un sacrificado para que la vistiera un sacerdote, queriendo significar con ello las plantas que mueren anualmente y nacen al siguiente ciclo. En la región mixteca se le representaba como una máscara sin ojos, con la boca abierta, en señal de muerte, y con las costuras de la piel del desollado en las mejillas.

Muy expresivas descripciones de la joyería prehispánica fueron escritas por Bartolomé de las Casas, Francisco López de Gómara, Gonzalo Fernández de Oviedo y Valdés, Pedro Mártir de Anglería, Luis Torres de Mendoza y Bernardino de Sahagún.

A medida que se consumaban la Conquista y la colonización fueron agotándose las joyas que los conquistadores exigieron a las familias indígenas nobles. Más tarde se dieron permisos para buscar tesoros enterrados en tumbas ricas, especialmente en Oaxaca. Todas esas piezas fueron fundidas. Luego se mandaron a la metrópoli objetos preciosos, sobre todo escudos, capas y corseletes de plumaria fina con láminas de oro y plata, y otros ornamentos a base de cuentas verdes o chalchihuites, de los que pocos ejemplares sobreviven, como el escudo de Ahuízotl que se conserva en el Museo de Historia Natural de Viena.

La Colonia. La joyería y todas las demás manifestaciones de la cultura indígena decayeron pronto o desaparecieron radicalmente a causa de la dominación española. Se dejó de pulir la piedra para ornamentos y los metales se trabajaron con técnicas europeas. Hubo, sin embargo, excepciones: en occidente continuaron haciéndose cuentas de barro pulido de diferentes tamaños y formas, con tradición prehispánica, de modo que en un entierro colonial pueden hallarse collares de ese tipo; y en Michoacán, cascabeles y placas de cobre para ser aplicados a las prendas de vestir.

Una cédula real de 1526 prohibió la orfebrería porque el quinto real no se pagaba debidamente, pero volvió a permitirse en 1551, cuando ya los indígenas, habiendo mudado sus preferencias, habían empezado a combinar las cuentas de vidrio de brillantes colores con piezas de metal, especialmente de plata, en forma de animales y flores. Se adoptaron los exvotos o "milagros" y se perforaron las monedas para intercalarlas en los collares o usarlas como aretes. España había aportado, además, otras influencias: las medias lunas, de ascendencia árabe, eran usuales en arracadas y en monedas que pendían de cadenas de plata y oro; las grandes cruces, con otras pequeñas colgando de sus brazos, de origen salmantino, inspiraron las de Yalalag, Pinotepa y sus alrededores; de la misma comarca española procede el traje de charro y sus ornamentos de plata, luego exagerados en México; y del norte de la Península, regido por el gusto francés, vino la orfebrería recargada con incrustaciones de piedras preciosas, que los indígenas mexicanos, en su pobreza, interpretaron con vidrios mal cortados. Las piezas de imitación, hechas en el siglo XVI, se caracterizan por su irregularidad, ingenuidad e inseguridad, sobre todo cuando se trata de soles, lunas, perfiles humanos, y plantas y animales americanos.

La joyería de la clase alta colonial era generalmente importada. Pronto se trajeron maestros europeos que instalaron talleres donde se trabajaba conforme a diseños y métodos extranjeros. La filigrana se hizo popular. El repujado, el grabado y la incrustación de piedras preciosas llegó a dominarse en poco más de un siglo y las piezas que se lograron fueron muy buenas. Sin embargo, los esmaltes y otras técnicas nunca tuvieron la calidad de los originales. Las cruces y las medallas eran tan solicitadas que acabaron troquelándose. Los orfebres se organizaron en gremios y se concentraron en barrios, sobre todo en las zonas mineras; y en la capital, en la calle de Plateros, para poder controlar el impuesto del 20% en favor de la Corona. Aparecieron los santos patrones. Y poco a poco se fue definiendo la nueva joyería mexicana, inconfundible por su diseño y calidad. Los indígenas, en cambio, aislados en sus comunidades producían joyería barata y a menudo adoptaban los estilos fugaces que pasaban de moda en las ciudades.

De China, por la vía de Manila, llegaron los jades y otras piedras semipreciosas talladas, los esmaltes y las lacas que aquí se usaron posteriormente en la joyería popular tipo jicarita. También de Oriente vinieron los trabajos de marfil y casi todas las piedras preciosas. Los negros comprados como esclavos aportaron muy poco al acervo joyero: la interpretación mágica de sus colores y elementos, el uso de semillas con determinadas propiedades y las pequeñas tallas de madera con función de fetiches. En todos los grupos sociales, sin embargo, el tema dominante en la joyería era el religioso: cruces, relicarios, medallas y rosarios que se usaban como collares. Los peninsulares traían su joyería de Europa. Los criollos estimulaban la producción mexicana, pero conservando los diseños extranjeros. Los mestizos usaban piezas finas, pero con nuevos conceptos, y los indígenas mantenían su vistosa ornamentación de cuentas de vidrio de colores —sobre todo rojos, imitando el coral–, alternando con monedas y figuras varias; y sus medallas, cruces y piedras policromas.

Durante el siglo XIX, a impulso del espíritu republicano, los hombres de la alta sociedad cambiaron los refinamientos de su atuendo colonial, a base de encajes y recamados, por trajes serios en color y corte; pero usaron fistoles, mancuernillas, anillos y ricas botonaduras en camisas de fiesta; empuñaduras de bastón, cajas de tabaco y relojes de bolsillo, todos tratados como joyas. Y las mujeres, peinetas redondas, cortas con ornamentos de plata (cachirulos) y altas para sostener la mantilla; collares de pedrería, de influencia francesa; brazaletes barrocos, anillos de diamantes, diademas de piedras preciosas –indispensables para los saraos–, broches con motivos románticos, botones de metales finos y largos aretes. Las clases medias mostraban preferencia por los rosarios y las largas y gruesas cadenas; la joyería de oro laminado de tres colores, según se le combinara con cobre, plata y zinc, figurando pequeños ramilletes de flores y hojas, rodeados de palomas con turquesas, corales y perlas; las arracadas macizas o de filigrana, los aretes largos de corales o perlas, las piezas a base de monedas, los anillos de manitas y corazones, las medallas de oro y plata con representaciones del Sagrado Corazón y de la Guadalupana, las cuentas huecas de oro y las cruces de variada composición. Los indios, mientras tanto, mantuvieron sus tradiciones coloniales: collares de cuentas de vidrio con monedas o figurillas de plata; aretes de este metal y de cobre, principalmente arracadas de filigrana o de lámina recortada con vidrios de colores, o adornados con soles, flores, jarritas, pájaros, gallos, conejos, jicaritas de laca o cuentas de vidrio. Los brazaletes se usaron raramente y los anillos presentaron motivos románticos de manos, corazones y flores.

Las cuentas de vidrio se importaban de Checoslovaquia, Alemania, Italia y Francia. De Italia venía en abundancia el coral, más fino que el de las costas del Golfo. De Checoslovaquia se trajo también el papelillo, acaso desde fines del siglo XIX, que tan rápidamente fue adoptado por el pueblo hasta convertirse en el ornamento más común. Las cuentas de mayor demanda eran imitaciones de coral; las mejores fueron de vidrio rojo oscuro transparente con el centro blanco opaco, más usadas en Guatemala que en México. El coral

auténtico no fue extraño en los pueblos indígenas; lo combinaban con monedas, medallas, cruces o figurillas de plata, según se ve todavía en Veracruz, en la sierra de Puebla, en la sierra y valle de Oaxaca, en Yucatán y Campeche, con frecuencia en familias que lo han conservado por varias generaciones. Las cruces y las medallas de toda clase de metales –plomo, latón, bronce, plata, cobre, oro y sus aleaciones– constituían el motivo central de los collares. Las imágenes del Sagrado Corazón, la Guadalupana, los Cristos, los santos locales y la Santísima Trinidad fueron las más representadas.

A partir de la Independencia la joyería fue registrando, a su hora, las sucesivas novedades que venían de Europa: los motivos egipcios, llevados por Napoleón a Francia y a España, de influencia restringida y efímera; las líneas greco-romanas del neoclásico, con temas del panteón politeísta; las flores y volutas del neobarroco, pronto desplazadas por las águilas nacionalistas en peinetas de carey, broches, colgantes de collares y hasta en dibujos de abanicos; los modelos franceses que adoptaron los conservadores ricos en ocasión de la invasión de 1862-1867; la preferencia por los granates, el ámbar y los azabaches; el gusto por los esmaltes, las cadenas, la relojería y los nuevos terminados del metal, como los chapeados mate; y las audacias formales del *art nouveau*: el abuso del color en los esmaltes, la representación de insectos, serpientes, flores y figuras femeninas idelizadas en broches y collares floridos, combinados con líneas ondulantes y envolventes. Con este nuevo estilo se usaron pastas y vidrios imitando materiales preciosos. Es notable la semejanza de los motivos de las puertas, rejas y detalles del Palacio de Bellas Artes con la joyería mexicana de 1920.

Al triunfo de la Revolución y coincidiendo con el primer centenario de la Independencia (1921), se suscitó en México un profundo movimiento nacionalista (v. ARTE POPULAR y NACIONALISMO). Empezaron a utilizarse en joyería piedras mexicanas como la obsidiana, las serpentinas, la jadeíta y la amatista. En la provincia aparecieron collares y aretes con pequeños sombreros de charro, guitarras, espuelas y palomitas, a menudo orladas por enrejados a la española y no por filigrana; pulseras con figuras nacionales pendientes, y peinetas redondas. En Pátzcuaro, donde se usaba un rosario de plata calada con cuentas rojas, se hicieron collares de pescaditos de lámina de plata, combinados con cuentas de vidrio rojo, y más tarde placas con las figuras de un pescador y su mujer en una canoa, con pescados colgando que se mueven; en Yucatán, aretes de filigrana y rosarios de oro laminado, de cuentas ochavadas; en Guerrero –especialmente en Iguala–, relicarios, colgantes, aretes y cuentas de filigrana y de oro de tres colores, laminado, formando flores con perlas, corales y azabache; en ambas costas, pero especialmente en la del Golfo, se trabajó el carey, que a poco tuvo ya incrustaciones de concha, madreperla, oro y plata; en Amozoc, espuelas, hebillas, botonaduras y otros ornamentos para charros, en plata quemada con diferentes ácidos para darles tonalidades azules, negras y blancas, muy brillantes al regrabar la pieza, lo cual recuerda la técnica medieval del *niello* para ornamentar las armaduras de los caballeros y sus armas; y en Papantla se produjo una cruz singular, de oro bajo rojizo, adornada con vidrios de colores, cuyo collar está hecho de lámina de oro recortado, tan angosto que parece alambre, con laminillas del mismo metal que le dan movimiento a la pieza.

Después de la gran crisis de 1929-1930, el mercado nacional fue invadido por la producción industrial extranjera y el público pudo comprar bisutería muy llamativa a precios irrisorios. Pero también por esos años llegaron al país personas receptivas, con un alto grado de preparación académica, a quienes se debe la introducción del buen gusto en la joyería moderna mexicana. Aunque de manera anónima, este fenómeno se observó primero en la capital, sobre todo entre los diseñadores que surtían las joyerías de la avenida Madero, y más tarde en Tasco, tradicional centro de artesanos donde se distinguió, entre todos, el taller de William Spratling, arquitecto norteamericano que combinó los estilos arqueológicos mexicanos con las formas de los esquimales modernos, logrando verdaderas obras de arte universal. Spratling usaba preferentemente oro y plata con carey, marfil y unas cuantas piedras nacionales. Influenciados por él, los miembros de la familia Castillo han realizado notables diseños, aplicando en abundancia la madreperla, la concha, las cuentas de piedra verde, el ónix, la obsidiana, los mosaicos de turquesa y lapizlázuli mexicano, los esmaltes y la plata en bajorrelieve, oscureciendo las partes bajas; pero sobresalen en su producción los

metales casados, en cuyo género han sido excelentes maestros. Siguiendo la inspiración de uno y las experiencias de los otros, han aparecido en Tasco artífices con fuerte personalidad: Enrique Ledezma, que integra la piedra al metal de manera que no se sientan ajenos; Antonio Pineda, que gusta de líneas largas con remates rebuscados, a veces con pedrería; Héctor Aguilar, que prefiere los efectos de la plata repujada; Felipe Martínez, que busca contrastes de piedras oscuras y plata muy pulida; Guadalupe Castellanos, dedicado a recrear los motivos prehispánicos; Margot de Tasco, cuyo principal interés se aplica al esmalte sobre plata; y Salvador Terán, autor de una joyería agresiva a base de ángulos agudos y bajorrelieves profundos.

La obra de Matilde Poulat entra en la línea general de Tasco. Hizo platería influida por el Cercano Oriente: repujada, pesada, oscurecida, con motivos más o menos mexicanos de palomas y pescados, moños y colgantes; aplicó en abundancia pedrería de color, disminuyendo la importancia de los metales, pues turquesas, amatistas y corales se destacan en sus piezas a pesar de lo barroco de los dibujos resacados. Para hacer más llamativas sus obras, siempre les puso pequeños colgantes, cuyo movimiento aprisiona la vista.

Los talleres de Guadalajara se especializaron en filigrana muy fina, y los de Puebla y Guerrero en aretes de pescados con escamas articuladas y movibles. Guanajuato, en cambio, hace imitaciones de relicarios franceses antiguos, con palomas de plata quemada, rodeadas de flores de oro laminado de colores, con cetros de turquesa, y desarrolló otro estilo especial en prendedores, aretes y mancuernillas con centros de carey e incrustaciones de madreperlas, orlados con plata gruesa brillante.

La joyería contemporánea mexicana ha dejado en cierto modo de interesarse por los modelos propios y busca coincidir con el buen gusto extranjero, modo de tener acceso a los mercados exteriores. En un principio adoptó formas sencillas, de trazos elegantes; pero a medida que las artes plásticas derivaron hacia lo abstracto, se volvió asimétrica, o utilizó elementos sin trabajar, como cristales de cuarzo, pirita, cantos rodados o pepitas de oro. En los esmaltes, antes muy cuidados, se copió la pintura chorreada, y se introdujeron materiales extraños como la gamuza, la madera, la pasta de papel, el aluminio y multitud de semillas. Se trataba de cambiar todo viejo concepto, de que la joya se viera diferente.

La protesta *hippie* se manifestó en las escuelas y talleres a donde fueron enviados los jóvenes que regresaban del frente de guerra, especialmente en San Miguel de Allende y Cuernavaca, donde se produce la joyería de chatarra, con plata retorcida y piedras sin tallar. Y vagando por el sur de México se ven grupos de jóvenes que prefieren hacer una vida artificialmente pobre y libre, ornamentados con signos de paz y amor, manos señalando la victoria, cruces irregulares o bandas frontales de tela.

La Iglesia ha modificado también sus tradiciones en cuanto a imaginería y joyería. Han contribuido a ello grupos religiosos que se caracterizan por su pensamiento progresista y que trabajan en talleres dirigidos por ellos mismos, como los benedictinos del monasterio de Cuernavaca y los Hermanos Emaús de Santa María Ahuacatitlán, también en Morelos, quienes hacen diseños muy modernos.

Los cambios y tendencias que se advierten en la sociedad son los siguientes: los indígenas han abandonado el papelillo y prefieren las cuentas de plástico de colores chillantes; las élites han dado en usar joyería exótica, de origen oriental especialmente, aunque los nuevos ricos se preocupan por recargarse de diamantes y esmeraldas; y las clases medias, siempre conservadoras, siguen prefiriendo la joyería de oro y plata mexicana, indistintamente con diseños tradicionales o modernos.

En la ciudad de México y en los puertos turísticos se han desarrollado unidades de artesanías muy selectas. En la primera, la Zona Rosa y el Bazar de los Sábados ofrecen los más variados diseños de piezas destinadas fundamentalmente al turismo, en las que es evidente el fuerte impacto del arte internacional. La avenida Madero sigue siendo el escaparate de la joyería fina mexicana, lo mismo que la avenida Juárez.

Los diseñadores contemporáneos de joyería más distinguidos son Víctor Fosado, quien por una parte trata de continuar muy apegado a la tradición popular antigua, y por otro busca, en trazos inspirados en el *art nouveau*, nuevos diseños para ornamentar diferentes partes del cuerpo; Ricardo Salas, continuador de los trazos de Matilde Poulat; los Castillo, fieles a las incrustaciones de madreperla en plata muy pulida; Jaime Vidal, que in-

tenta proyectar en las orejas femeninas los vitrales medievales modernizados; Eleanore de Romero, que utiliza pasta de papel dorado y piedras de colores, combinadas al estilo oriental; Anna Morelli, notable por su plata martillada incrustada de piedras mexicanas, que trata de revivir en cierta forma la vieja joyería tachonada de soles y lunas; Ayako Tsuro, empeñado en hallar nuevos contrastes de texturas al estilo "chatarra"; y Bárbara Brunauer, quien con las envolventes líneas *art nouveau* diseña piezas a base de pedacería. El gobierno del estado de México, finalmente, ha estimulado la joyería popular y moderna, reintroduciendo las palomitas en diseños de gran éxito.

Oaxaca es hasta la fecha un repositorio viviente de la ornamentación indígena. Las diferentes regiones conservan sus joyas características, aun cuando se hayan añadido, como elementos recientes, el papelillo y el plástico. En la costa norte se hallan las cruces compuestas, con vírgenes colgando de los brazos y el pie: si éstas llevan corona, son de Pinotepa Nacional; si lagartos comiendo un pescado, o alacranes, de Santa Catarina; si monedas en el collar, de San Juan Colorado; y si figuras de caballos entre las cuentas, de San Pedro Jicallán. Las gallinitas de plata son de San Lorenzo, los conejos para las gargantillas de Huazolotitlán y las cuentas de oro huecas de Pochutla. En la época de los Habsburgo se hicieron cruces en cuyo centro va el águila bicéfala, menos frecuentes en tiempos de los Borbón. En San Pedro Quiatoni se incorporaron a los collares, desde el siglo XVI, cuentas de vidrio de Murano, unas redondas muy características, y otras largas, raras, en azul, verde y agua. En la Mixteca se acostumbran las rojas, con figurillas de plata. En Ejutla los collares son más largos y en Ocotlán se agregan pompones de estambre de colores y cuentas rojas a las cruces de plata. En La Cañada, donde usan papelillo y vidrios de colores, no hay especialidades. En Tuxtepec se prefieren los collares muy cortos. Las cruces de Yalalag llevan otras más pequeñas, pendientes de bolas o de granadas de plata, cuyo pie es un corazón. Hay gran variedad de diseños con esta idea central, llegándose a cambiar las pequeñas cruces por medallas recortadas. Como la joyería de esta zona es muy temprana, acaso del siglo XVI, y las cruces compuestas derivan directamente de las salmantinas, que a su vez son de influencia oriental, se ha llegado a pensar que los primeros talleres de platería se fundaron allí y en Pinotepa. Aún hoy es posible, aunque muy raro, encontrar arracadas de Yalalag, e inclusive los aretes largos con gallitos o granadas de plata y oro de los primeros tiempos de la Colonia. Otro signo de arcaísmo es que las solteras usan comúnmente aretes y las casadas collares. En Betaza y en San Pedro Atoyac los collares son largos, de cuentas rojas, con monedas colocadas de frente y no de perfil, según quedan al ensartarlas. En Mixistlán destacan los grandes y pesados collares de vidrio blanco sobre los trajes verde oscuro. Y en Cotzocon vuelven a ser cortos, de cuentas rojas. En el Istmo es notable la joyería de oro de Tehuantepec y Juchitán: las tehuanas se adornan principalmente con monedas de oro, mexicanas o norteamericanas, que cuelgan generalmente de una manita o que llevan en torno filigrana o flores laminadas de oro de tres colores. Lo correcto para una mujer es llevar dos collares: el "ahogador", corto, de monedas pequeñas, con un colgante central, y el "largo", que a menudo es una gruesa cadena que da varias vueltas al cuello, o bien otro de monedas más grandes, con una pieza central ornamentada; aretes, que pueden ser arracadas de filigrana o estar compuestos de monedas, de la más chica a la más grande, intercaladas con perlas y bolitas de oro; pulseras, también de monedas, unidas con cadenas; y anillos de oro de tres colores. En los alrededores de la ciudad de Oaxaca abundan las cruces de plata con los signos de la Pasión grabados a línea, acompañadas de animalitos, y también los grandes y viejos relicarios con imágenes impresas. Los huaves de San Mateo del Mar usan los centros de la espina dorsal de los pescados para hacer cuentas pulidas. Con frecuencia se incorporan a estos objetos elefantitos de la buena suerte, jorobados, budas y hasta elementos de *peace and love*.

Los indígenas chiapanecos han tallado el ámbar de Simojovel para hacer exvotos, cuentas y cruces, o lo han dejado en bruto cuando algún trozo aprisiona un insecto. A causa de que el ámbar, en hechicería, contrarresta el "mal de ojo", se les cuelgan a los niños, en los brazos, pequeñas piezas que figuran colmillos de lagarto. En Tuxtla Gutiérrez abundan los talleres que producen hermosas joyas de filigrana: cuentas, relicarios, colgantes, aretes y cruces.

Los huicholes, en Jalisco, producen aretes, pulseras, tiras para la frente, collares, anillos, bolsitas y adornos para los sombreros, con chaquira pequeña europea, en colores azul, rojo, blanco, amarillo y verde, representando flores, águilas bicéfalas, venados y mariposas. Algunas veces, mientras ensartan las cuentas, las mujeres se enredan los macizos de chaquiras en el cuello como si fueran collares.

JOYSMITH, JEAN. Nació en Escocia en 1920. Fue educada en Londres, donde su padre era artista. En México es maestra de bellas artes en la Universidad de las Américas. Se ha destacado en la pintura de retratos y ha ejecutado algunos murales. Con un estilo realista y enérgico, sus representaciones humanas muestran una gran sensibilidad para captar el ambiente mexicano. Ha expuesto en muchas ocasiones en Londres y en México.

JOYSMITH, TOBY. Nació en Londres en 1907. Desde 1951 ha desarrollado en México actividades en la pintura, el teatro, el cine y la publicidad. Ha ejecutado murales. Escribe artículos de arte en el *News* de la ciudad de México y es corresponsal del *Art Forum* de San Francisco, Cal. Es profesor de la Universidad de las Américas. Ha presentado numerosas exposiciones individuales en México y en Estados Unidos.

JUAN BAUTISTA. Nació en la ciudad de México en 1555; murió allí mismo, sin saberse la fecha. Tomó el sayal franciscano en el Convento Grande de México (1571), donde enseñó después filosofía y teología; en esta última disciplina tuvo por discípulo a fray Juan de Torquemada. Fue guardián del convento de Texcoco (1595), donde curó con gran celo a los enfermos de la peste que asoló a los indios a fines de ese año y principios del siguiente; guardián del convento de Santiago Tlatelolco (1598-1603), definidor de su provincia (1603-1609), guardián en Tacuba (1605) y lector de teología en Tlatelolco (1606-1607). No aprendió de niño la lengua náhuatl, sino ya mayor, a instancias de fray Francisco Gómez, Miguel de Zárate y Jerónimo de Mendieta. Escribió muchas obras, sirviéndose de trabajos inéditos de otros frailes, haciendo traducir a los alumnos indígenas de Tlatelolco, del castellano al mexicano, lo que le convenía. Sobresalen en su obra: *Confesionario en lengua mexicana y castellana* (1599), *La vida y la* *muerte de tres niños tlaxcaltecas, que murieron por confesión de la fe: según la escribió en romance el P. fray Toribio Motolinía, uno de los doce primeros...* (1604), *Huehuetlatolli, que contiene las pláticas que los padres y las madres hicieron a sus hijos y a sus hijas, y los señores a sus vasallos, todos llenos de doctrina moral y política,* del cual se conocen dos ejemplares, uno en la Biblioteca John Carter Brown de Providence, Rhode Island, y otro, incompleto, en la Biblioteca Pública de Nueva York; *Vida y milagros del bienaventurado sanct (sic) Antonio de Padua...* (1605), *Libro de la miseria y brevedad de la vida del hombre... y de sus cuatro postrimerías, en lengua mexicana* (1604) y *Sermonario en lengua mexicana* (1607).

Véase: Joaquín García Icazbalceta: *Bibliografía mexicana del siglo* XVI (1954).

JUAN BAUTISTA, MATÍAS DE. Nació en Huejotzingo, Pue.; murió en la ciudad de México en 1724. Religioso carmelita, explicó las cátedras de teología escolástica, moral y filosofía en los colegios de su Orden en Querétaro, Valladolid, Puebla y México, siendo prior de ellos y dos veces definidor y provincial. Publicó escritos religiosos y dejó el manuscrito *Del origen y fundación del santo desierto de la provincia de los PP. carmelitas de S. Alberto en los montes de Santa Fe, con estampas de sus ermitas.*

JUAN DIEGO. Nació en 1474 en Tolpetlac, aldea al norte de la actual Villa de Guadalupe, D.F.; murió en 1548. Indio a quien se reveló la Virgen de Guadalupe el 12 de diciembre de 1531, en el cerro de Tepeyac. Su nombre indígena era Cuauhtlatóhuac ("El que habla como águila"). Siendo pobre *macehual* (labriego) y de 53 años de edad, tuvo, según la leyenda, la aparición milagrosa que dio principio a la adoración de la Virgen de Guadalupe como patrona de México. Su oficio era la manufactura de petates, que vendía en Tlatelolco. Su tumba fue durante algún tiempo lugar venerado por los indios, hasta que sus restos fueron retirados y sepultados, temporalmente, en otro lugar, para ser reintegrados nuevamente en 1649. Juan Diego ha sido propuesto como santo de la Iglesia católica. La estatua de bronce, obra de Guadalupe Martín del Campo, que se erigió en la plaza de la Basílica en memoria de Juan

Diego y que fue inaugurada por el presidente Miguel Alemán en 1952, lleva una leyenda que dice: "Personificación de nuestro pueblo, a quien la Excelsa Madre de Dios tituló: hijo predilecto de su corazón y le mandó pedir al obispo un templo donde mostrar su misericordia. Al entregar las flores recibidas como señal, apareció estampada en su tilma la maravillosa imagen de la Virgen de Guadalupe, el 12 de diciembre de 1531 (año *metlactli omey acatl,* 13 "caña"), fecha inmortal para todos los mexicanos". V. GUADALUPE, VIRGEN DE.

JUANES G. GUTIÉRREZ, FERNANDO. Nació en Mérida, Yuc., en 1857; murió en París, Francia, en 1900. Utilizó el seudónimo de *Mike* y colaboró en *El Álbum Literario* y en *Arte y Letras* de su ciudad natal. En 1888 se editaron sus *Romances líricos, elegías y romances de amor,* reimpresos en 1923.

JUAN GABRIEL. V. AGUILERA VALADÉS, ALBERTO.

JUANINOS. V. HOSPITALES. *Los hermanos de San Juan de Dios.*

JUÁREZ, BENITO. Nació en San Pablo Guelatao, Oax., donde sólo vivían 20 familias, el 21 de marzo de 1806; murió en la ciudad de México el 18 de julio de 1872. Sus padres, Marcelino Juárez y Brígida García, eran indios zapotecas. Se le bautizó en Santo Tomás Ixtlán con el nombre de Pablo Benito. A los tres años de edad quedó huérfano, junto con sus hermanas mayores Josefa y Rosa. Vivió con sus abuelos paternos, Pedro Juárez y Justa López, hasta que murieron, pasando entonces al cuidado de un tío suyo que tenía un rebaño de ovejas, del cual fue pastor. Al lado de éste empezó a aprender el castellano, aunque también asistía a la escuela municipal. El 17 de diciembre de 1818 se fugó del pueblo porque había perdido una oveja y se fue a pie a la ciudad de Oaxaca, a donde llegó la noche de ese mismo día, refugiándose en la casa de Antonio Maza, de origen español, donde servía su hermana Josefa. Tres semanas más tarde entró al servicio doméstico del fraile lego Antonio de Salanueva, quien le patrocinó sus estudios en el seminario. En 1825 terminó los cursos de gramática latina, en 1827 los de filosofía escolástica y en 1828 los de teología moral, pero cuando estaba a punto de ordenarse sacerdote se inscribió (1829) en el Instituto de Ciencias y Artes del Estado, recién establecido, para seguir la carrera de derecho. En 1830 se le confió la cátedra de física, siendo ya pasante, y el 13 de enero de 1834 recibió el título de abogado.

Juárez formaba parte del grupo de liberales oaxaqueños cuyo mentor era Miguel Méndez, otro indígena de la sierra. Debido a esos vínculos y a su prestigio de hombre capaz y grave, fue electo regidor del Ayuntamiento en 1831, y en 1833, cuando gobernaba el país Valentín Gómez Farías, diputado a la Legislatura local, donde se distinguió por haber presentado dos iniciativas: honrar la memoria de Vicente Guerrero, fusilado dos años antes en Cuilapan, a la que propuso que se llamara Guerrerotitlán, y confiscar los antiguos bienes de Cortés en beneficio del estado. A fines de 1834, siendo magistrado del Tribunal Superior de Justicia, defendió a los habitantes de Loxicha frente a los abusos del párroco, por cuya causa abandonó las actividades públicas. A partir de 1841 fue juez civil y de hacienda. El 31 de julio de 1843 se casó con Margarita Maza, hija de la familia que lo acogió cuando escapó de Guelatao.

En 1844 fue secretario de Gobierno en la administración centralista del general Antonio de León, pero renunció a su puesto cuando se trató de consignar a quienes se negaban a pagar los diezmos eclesiásticos. Pasó a ocupar la fiscalía del Tribunal Superior de Justicia, hasta fines de 1845, en que triunfó el general Paredes; pero en 1846, al perder el poder los conservadores, compartió el gobierno del estado (11 de agosto al 11 de septiembre) con Luis Fernández del Campo y José Simeón Arteaga. Participó después en el Congreso Federal (1846-1847) que decretó la hipoteca de los bienes eclesiásticos para financiar la guerra contra Estados Unidos, y a su regreso a Oaxaca, una vez derrotados los polkos locales, se le nombró gobernador interino (2 de octubre de 1847 a 12 de agosto de 1849). Por esos días impidió que Santa Anna, que iba huyendo hacia el sur, penetrara a territorio de Oaxaca más allá de Teotitlán del Camino. Al terminar su periodo provisional, fue relecto sin oposición. Durante su mandato constitucional, concilió intereses y partidos, subvencionó al Instituto, fomentó la

ilustración de la mujer, rehabilitó el puerto de Huautla, mejoró el camino a Tehuacán, suprimió las alcabalas, introdujo la rotación de cultivos, estimuló la minería fundando una casa de moneda, y atendió al sostenimiento de ocho escuelas normales, 699 municipales y 19 amigas, con una asistencia de 25 637 niños y 4 429 niñas. Al término de su administración (12 de agosto de 1852), dejó una existencia en caja de 50 mil pesos. Ocupó después la rectoría del Instituto y volvió a su bufete de abogado, pero el 25 de mayo de 1853, habiendo asumido Santa Anna la Presidencia por décima primera y última vez, fue detenido por la tropa y enviado prisionero a Jalapa, luego a las *tinajas* (celdas inundadas) de San Juan de Ulúa y finalmente expulsado a La Habana.

De la capital de Cuba pasó a Nueva Orleans, donde se vinculó con otros liberales expatriados: Melchor Ocampo, José María Mata y Ponciano Arriaga, que desempeñaban los oficios más diversos para poder sobrevivir. Juárez trabajó en una imprenta y fue torcedor de tabacos. A principios de 1854 protestaron públicamente por la firma del Tratado de la Mesilla (v. FRONTERA CON ESTADOS UNIDOS y LÓPEZ DE SANTA ANNA, ANTONIO) y una vez que se lanzó el Plan de Ayutla (1° marzo de 1854) se constituyeron en junta revolucionaria. Llamado por Comonfort, Juárez llegó a Acapulco a fines de julio de 1855 y fue secretario y brillante consejero político del general Juan Álvarez, caudillo de la sublevación liberal, de quien sería ministro de Justicia e Instrucción Pública del 6 de octubre al 9 de diciembre de ese año. En ese lapso (23 de noviembre) se expidió la Ley sobre Administración de Justicia, y Orgánica de los Tribunales de la Nación, del Distrito y Territorios, o Ley Juárez, que suprimió los fueros eclesiásticos y militares. Esta disposición, primera propiamente de la Reforma, provocó violentos pronunciamientos armados y verbales de los conservadores y el clero, la renuncia del presidente Álvarez y el advenimiento de la administración moderada de Ignacio Comonfort. V. FUEROS.

Juárez regresó a Oaxaca como gobernador del estado (10 de enero de 1856 a 25 de octubre de 1857). En ese lapso, reinstaló el Instituto de Ciencias y Artes, que Santa Anna había rebajado a la categoría de escuela preparatoria; mejoró la instrucción pública; influyó para introducir, en la Constitución local, el sufragio directo para la

JUÁREZ

elección de gobernador; reorganizó la hacienda y la administración de justicia; sancionó los códigos Civil y Criminal del estado, y restableció dos veces el orden público: con energía en Ixcapa y con prudencia en Tehuantepec. Mientras tanto, en la capital de la República se discutía y promulgaba la nueva Constitución. En septiembre fue electo Juárez gobernador constitucional, por 100 336 votos directos de los 112 541 que emitieron los ciudadanos. El 20 de octubre el presidente Comonfort cambió su gabinete y confió a Juárez la cartera de Gobernación. Éste obtuvo licencia de la Legislatura el día 24 y salió rumbo a México para tomar posesión del ministerio el 3 de noviembre. Días después se celebraron las elecciones generales y Comonfort salió electo presidente de la República y Juárez presidente de la Suprema Corte de Justicia, lo cual le daba el carácter de vicepresidente de la nación. El 17 de diciembre el general Félix Zuloaga, de acuerdo con el propio Comonfort, quien se erigió en dictador, mandó aprehender a Juárez. El 11 de enero de 1858 los conservadores depusieron a Comonfort, quien previamente había liberado a Juárez, y éste asumió, por ministerio de la ley, la Presidencia de la República (v. GABINETES). De hacienda en hacienda, a bordo del guayín del correo, y durmiendo a campo raso, hizo Juárez el viaje hasta Guanajuato, donde declaró establecido su gobierno. Lo apoyaba una coalición de estados integrada por Jalisco, Colima, Aguascalientes, Zacatecas, Querétaro, Michoacán, Guanajuato, Veracruz y Oaxaca. Sin embargo, la ofensiva militar de los conservadores lo obligó a retirarse a Guadalajara (15 de febrero). Allí, el 13 de marzo, después de la derrota de las armas liberales en Salamanca (día 11 anterior), estuvo a punto de ser asesinado por la guardia de Palacio, atentado que logró impedir, con singular valentía, Guillermo Prieto. El día 20, con sólo una escolta de 90 hombres, salió el presidente rumbo a la costa, fue alcanzado y atacado en Santa Ana Acatlán; pasó por Sayula (día 23), Zapotlán (día 24) y Colima (día 26) y se embarcó en Manzanillo (11 de abril). Lo acompañaban los ministros Prieto, Ocampo, Guzmán y Ruiz, a bordo del vapor *John L. Stephens.* Tocó Acapulco, con el deseo no cumplido de conferenciar con Juan Álvarez, que se hallaba en su hacienda de La Providencia. Llegó a Panamá (día 18) y atravesó el istmo. Continuó en el *Granada* (día 19) hasta La Habana (día 22); y de allí, en el *Philadelphia*, a Nueva Orleans (día 28), para rembarcarse en el *Tennessee* (1° de mayo) y llegar al fin a Veracruz (día 4).

El principal problema que se presentó al gobierno de Juárez en Veracruz fue el de conseguir recursos económicos para sostener, por medio de la guerra, la vigencia de la Constitución. De una parte buscó el reconocimiento de Estados Unidos, pero éste lo condicionó a la concesión de los derechos de tránsito por el istmo de Tehuantepec y al permiso para construir un ferrocarril desde la frontera de Texas hasta un puerto en el golfo de California, y aun llegaron a proponer la compra de la Península. La otra alternativa consistía en nacionalizar los bienes del clero. Mientras Juárez examinaba con sus ministros los extremos de una u otra medida, el general Miguel Miramón quitó a Zuloaga la jefatura del gobierno conservador (31 de enero de 1859) y puso sitio a Veracruz (principios de marzo), aunque sin éxito. El mismo día que cesó el asedio al puerto (1° de abril) desembarcó el diplomático norteamericano Robert McLane, quien otorgó a la administración de Juárez el reconocimiento de su gobierno (día 6) y empezó a discutir con Melchor Ocampo las bases para un tratado. Los conservadores denunciaron el reconocimiento y protestaron de antemano contra cualquier compromiso que entrañara una enajenación territorial. Esto suscitó una violenta controversia que retrasó las negociaciones y, a principios de julio, Juárez se decidió por la expedición de las Leyes de Reforma: nacionalizó los bienes del clero, separó la Iglesia del Estado, ordenó la exclaustración de monjas y frailes, y previó la extinción de las corporaciones eclesiásticas (12 de julio), implantó el registro civil (23 de julio) y secularizó los cementerios (31 de julio) y las fiestas públicas (11 de agosto) (v. IGLESIA CATÓLICA y REFORMA). Sin embargo, McLane advirtió que Estados Unidos no concedería un empréstito con la garantía de los bienes del clero. Esto volvió ineludible reanudar las negociaciones: la compra de Baja California fue descartada porque resultaba dudoso que semejante operación pudiera hacerse cuando un gobierno estaba combatiendo a otro por la posesión del territorio; pero en virtud de la inestabilidad del país era indispensable, a juicio de McLane, proteger las concesiones de tránsito con tropas norteamericanas. Tras algunos incidentes,

McLane y Ocampo firmaron el tratado que lleva su nombre y por el cual, en resumen, se aseguraban al gobierno de Estados Unidos el derecho de paso por el istmo de Tehuantepec a perpetuidad, la construcción de una vía férrea en el área noroccidental del país y el derecho de proteger esas comunicaciones con sus propias fuerzas militares. México recibía, en cambio, la promesa de Dls. 2 millones en efectivo y 2 más en créditos a cuenta de indemnizaciones. El gobierno conservador protestó formalmente ante Washington y los liberales acusaron a los ministros juaristas de haberse extralimitado en sus facultades constitucionales. Sin embargo, la validez del convenio dependía de la aprobación del Senado norteamericano y de la ratificación de Juárez, condiciones que no llegaron a cumplirse debido a la violenta reacción de la opinión pública en Estados Unidos y al profundo recelo que provocó esa expectativa en las cortes de Europa.

Juárez resistió en Veracruz un segundo sitio puesto a la plaza por Miramón (marzo de 1860), esta vez apoyado por dos barcos que fueron detenidos por fuerzas navales norteamericanas; las presiones del ministro de Inglaterra, Mathew, interesado en precipitar la paz mediante el establecimiento de un gobierno que conciliara los bandos en pugna; y aun las flaquezas de sus amigos, en especial de Santos Degollado, quien llegó a pedirle su renuncia como fórmula de la pacificación. Tras la victoria liberal en Guadalajara (29 de octubre) (v. GUADALAJARA, JAL.), Juárez expidió la Ley de Libertad de Cultos (4 de diciembre) y convocó al Congreso, seguro como estaba ya de su triunfo. Una vez liquidadas las fuerzas de Miramón en Calpulalpan (22 de diciembre), las primeras tropas constitucionalistas entraron a la ciudad de México el 25 de diciembre, al mando del general Jesús González Ortega. El presidente salió de Veracruz el 5 de enero de 1861 y llegó a la capital de la República el día 11.

Las dificultades a las que iba a enfrentarse Juárez en la capital no eran menores: la oposición violenta de la prensa radical, no satisfecha con el enjuiciamiento de los caudillos conservadores, el destierro de los obispos beligerantes y la expulsión de los diplomáticos hostiles; las reclamaciones francesas, expuestas por Saligny, una vez que hubo presentado sus cartas credenciales a mediados de marzo; el pago de los créditos exteriores consolidados, especialmente los ingleses, que absorbía casi por entero el producto de las aduanas del Pacífico y el 85% de las del Golfo; la miseria en que se hallaba el erario, al punto de que el propio Juárez disminuyó el monto de sus modestos honorarios; la agitación política previa a la elección presidencial, que a la postre lo favoreció (11 de junio); y las muertes de Manuel Gutiérrez Zamora (21 de marzo), Miguel Lerdo de Tejada (22 de marzo), Ocampo (3 de junio), Degollado (15 de junio) y Leandro Valle (23 de junio), estos tres últimos a manos de las gavillas, pues Márquez, Mejía, Vicario y otros jefes reaccionarios continuaban en campaña. En estas circunstancias, el 17 de julio expidió un decreto suspendiendo por dos años el pago del servicio de la deuda exterior, lo cual dio oportunidad al ministro de Francia para romper las relaciones diplomáticas con México y precipitar la intervención extranjera; a los conservadores exiliados en Europa, para reactualizar los proyectos de monarquía; y a los partidarios del general Jesús González Ortega, para pedir, sin éxito (7 de septiembre), la renuncia a Juárez, atribuyéndole falta de capacidad y energía para resistir la invasión que ya se presumía inevitable.

Conforme a la Convención de Londres, firmada por Inglaterra, Francia y España el 31 de octubre, fuerzas militares de esas tres potencias desembarcaron en Veracruz entre el 17 de diciembre de 1861 y el 8 de enero de 1862. Juárez, por conducto de los secretarios Zamacona y Doblado, consiguió llevar el conflicto al terreno de las negociaciones; el 9 de abril se rompió la alianza, los ingleses y los españoles se retiraron, y los franceses emprendieron su avance hacia el interior del país el día 19. (v. INTERVENCIÓN FRANCESA E IMPERIO). El 20 de abril los franceses entraron a Orizaba. El 12 de abril Juárez expidió un manifiesto: "Mexicanos: el supremo magistrado de la nación... os invita a secundar sus esfuerzos en la defensa de la independencia; cuenta para ello con todos vuestros recursos, con toda vuestra sangre y está seguro de que, siguiendo los consejos del patriotismo, podremos consolidar la obra de nuestros padres. Espero que preferirán todo género de infortunios y desastres, al vilipendio y al oprobio de perder la independencia o de consentir que extraños vengan a arrebatarnos nuestras instituciones y a intervenir en nuestro régimen interior. Tengamos fe en la justicia de nuestra causa, tengamos fe en nuestros propios esfuerzos y unidos salvemos la independencia de México, haciendo triunfar no sólo a nuestra patria, sino los principios de respeto y de inviolabilidad de la soberanía de las naciones". El ejército francés fue rechazado en Puebla el 5 de mayo de 1862, pero el 17 de mayo del año siguiente tomó esa plaza, después de un sitio de 30 días. Juárez salió de la ciudad de México el 31 de mayo, rumbo a San Luis Potosí, donde permaneció hasta el 22 de diciembre. Ahí se ocupó de organizar la defensa nacional, poniendo en pie de guerra a 38 mil hombres en todo el país; expidió circulares advirtiendo a los jefes del ejército que debían respetar la propiedad privada y los bienes y caudales del Gobierno Federal, y prohibió a los gobernadores acuñar moneda e imponer contribuciones que no estuvieran legalmente autorizadas. Después estuvo en Saltillo (9 de enero al 3 de abril de 1864), donde rechazó las pretensiones de una comisión, nombrada por Manuel Doblado y González Ortega, en el sentido de que renunciara a la Presidencia para poder negociar la paz con los intervencionistas; en Monterrey (3 de abril al 15 de agosto), de cuya plaza huyó el gobernador Santiago Vidaurri, quien poco después se adhirió al imperio; y en Villa Coronado, Valle de Allende, Hidalgo del Parral, Ciudad Camargo, Rosales, Chihuahua (12 de octubre de 1864 al 5 de agosto de 1865) y Paso del Norte (14 de agosto). El 8 de noviembre Juárez expidió dos decretos: por el primero dispuso que se prorrogaran por todo el tiempo necesario las funciones del presidente de la República, fuera del periodo ordinario constitucional, en virtud del estado de guerra; y por el segundo, declaró que González Ortega, residente en Estados Unidos, era responsabe del delito oficial de abandono del cargo de presidente de la Suprema Corte de Justicia. Según los azares de la guerra, estuvo posteriormente en Chihuahua, por segunda vez (20 de noviembre al 9 de diciembre), Paso del Norte (18 de diciembre de 1865 a junio de 1866), Chihuahua por tercera vez (17 de junio), Durango (principios de enero de 1867), Zacatecas (22 de enero), Fresnillo y San Luis Potosí (11 de marzo), donde recibió la noticia del triunfo de las fuerzas republicanas en Querétaro el 15 de mayo de 1867. Durante todo ese tiempo, la lucha contra los invasores y los imperialistas fue obra del pueblo organizado en guerrillas, a la postre unidas en cuerpos de ejército para librar las últimas batallas (v. GUERRILLA). Durante la guerra contra la Intervención y el Imperio se libraron 1 020 acciones de guerra y cayeron en combate 50 mil republicanos.

Maximiliano, Miramón y Mejía fueron ejecutados en Querétaro el 19 de junio de 1867. Juárez les negó el indulto, "por oponerse a tal acto de clemencia las más graves consideraciones de justicia y la necesidad de asegurar la paz de la nación". El 21 siguiente capituló la guarnición de la ciudad de México y el 27 se rindió Veracruz. Juárez salió de San Luis Potosí y el 15 de julio hizo su entrada triunfal en la capital de la República, acompañado por el grupo de funcionarios y empleados que lo siguieron a todo lo largo de su peregrinación (v. INMACULADOS). El presidente convocó a elecciones; licenció a la mayor parte de los miembros del ejército, que llegó a ser de 60 mil hombres en el momento del triunfo; dedicó preferente atención a reorganizar la hacienda; y una noche, en compañía de Sebastián Lerdo de Tejada, visitó el templo de San Andrés, donde se guardaba, embalsamado, el cadáver de Maximiliano: "Era alto este hombre –dijo–, pero no tenía buen cuerpo; las piernas son muy altas y desproporcionadas. No tenía talento, porque aunque la frente parece espaciosa, es por la calvicie".

Juárez fue relecto en 1867 y en 1871. Desde el triunfo de la República, los liberales se habían dividido en tres grupos: juaristas, lerdistas y porfiristas. Lerdo de Tejada era presidente de la Suprema Corte de Justicia y el general Porfirio Díaz se había retirado a su pequeña propiedad rústica de La Noria, en el estado de Oaxaca. El 1° de octubre de 1871, aun cuando la gran mayoría de los diputados había votado por la relección de Juárez, un grupo de jefes y oficiales porfiristas –Negrete, Toledo, Cosío Pontones, Chavarría y otros– se apoderó de la cárcel de Belén y de la Ciudadela, donde estaban depositados los pertrechos de guerra y casi toda la artillería. Juárez confió el contraataque a los generales Alejandro García, Sóstenes Rocha y Donato Guerra, que reprimieron casi inmediatamente la asonada. Con motivo de estos sucesos, el Congreso concedió facultades extraordinarias al presidente. El general Díaz proclamó entonces el Plan de La Noria, oponiéndose a la relección, que tuvo el efecto de provocar una poderosa sublevación que el propio Juárez, al asumir nuevamente la Presidencia el 1° de diciembre, no vaciló en

JUÁREZ

calificar de "amenazadora". Cuatro meses después (1° de abril de 1872), sin embargo, pudo informar al Congreso que gracias a las victorias de Oaxaca y Zacatecas, y a otras ventajas de orden militar, el gobierno había echado por tierra "los proyectos de los revoltosos". Díaz, sin embargo, reapareció en Tepic y empezó a reunir nuevos elementos para reanudar la campaña; pero el 18 de julio de 1872 murió el presidente Juárez y ese hecho puso fin al conflicto. V. FUNERALES.

Después de haber sido varias veces gobernador de Oaxaca y secretario de Estado, presidente de la Suprema Corte de Justicia y durante 14 años presidente de la República, autorizado en seis ocasiones para ejercer facultades extraordinarias en los ramos de guerra y hacienda, dejó al morir una fortuna de 151 233.81 pesos, según aparece en el inventario de los bienes de su sucesión, formado el 18 de abril de 1873 por los señores Pedro Santacilia y Manuel Dublán, aprobado por el juez 3° de lo civil de la capital y elevado a escritura pública por el notario José Villela, el 19 de mayo siguiente:

Dinero encontrado en la casa mortuoria, según la cuenta del albaceazgo	$ 573.00
Dinero en poder de los señores Merodio y Blanco	20 119.88
Cobrado de la Tesorería General por cuenta de sus alcances como presidente de la República antes de que se expidiera la liquidación que obra en autos	1 500.00
Cobrado en la misma oficina después de expedida la liquidación, según la cuenta del albaceazgo	5 000.00
Productos de las casas de México desde el 19 de julio de 1872 hasta la fecha	5 120.00
Importan sus alcances como presidente de la República, deduciendo de la liquidación la cantidad que expresa la partida anterior	12 479.45
En alhajas	562.00
En muebles y menaje de casa	4 153.25
Una calesa usada y un tronco de mulas	500.00
La casa núm. 4 del portal de Mercaderes	29 827.67
La casa núm. 3 de la 2a. de San Francisco	33 235.82
La casa núm. 18 de la calle de Tiburcio	28 754.00
La casa en Oaxaca en la calle del Coronel	3 566.46
Libros, su valor	922.53
Acciones de minas y ferrocarril	4 770.00
Ropa de uso, su valor	149.75
Importa el cuerpo de bienes	$ 151 233.81

JUÁREZ, ERNESTO. Nació en Nochistlán, Zac., el 4 de agosto de 1937. A los nueve años de edad tocaba el violín y cantaba en la iglesia de su pueblo natal. Estudió música en el Seminario

Conciliar de Guadalajara y en Aguascalientes. Formó el cuarteto de cuerdas Manuel M. Ponce. En 1955 ingresó en el Conservatorio Nacional de Música y en la Facultad de Derecho de la Universidad Nacional Autónoma de México. Durante varios años perteneció a la Orquesta de Ingeniería. En 1960 ideó el argumento y la música de la película *Juana Gallo*, con la actuación estelar de María Félix. Otras de sus composiciones son: "El cuartel", "La mula arisca", "Abrázame", "Tres besos", "El compadre vacilador", "Hay un vacío", "Amada esposa", "Cuando tú te enojas" y "Nuestro error".

JUÁREZ, HERIBERTO. Nació en San Juan Teotihuacán, Méx., en 1945. Escultor, ha expuesto desde 1961 en el país y en el extranjero. En 1963 representó a México en la Bienal de París. Ha hecho varios trabajos monumentales en Quintana Roo. Se ha especializado en temas taurinos, desarrollados en bronce y madera. Trabaja también en piedra, barro, mármol y alabastro.

JUÁREZ, JORGE RAMÓN. Nació en Veracruz, Ver., el 18 de mayo de 1913. Inició la carrera de leyes en Barcelona, España; la continuó en Jalapa y la terminó en la Universidad Nacional Autónoma de México, donde también cursó materias de filosofía y letras. Ha sido periodista, publicista, orador en campañas políticas, mantenedor de juegos florales y director de varias revistas y de las Brigadas Culturales Pro Campaña Nacional de Alfabetización. En 1941 obtuvo la Flor Natural de los Juegos Florales del Ateneo Veracruzano. Es autor de: *Hojeando el pasado* (1928), *Pancho Villa y otros poemas* (1935), *Frisos mexicas* (1938), *Primera* (1942), *Segunda* (1943) y *Tercera antología poética Claro de Luna* (1944), *Arco lírico al estado de Veracruz* (1944), *Luna en las manos* (nocturnos y canciones; Puebla, 1945), *Romancero jarocho* (Jalapa, 1945), *Sonetos para la geografía romántica de Veracruz* (1948), *Como tajo de hielo* (1950) y *Urna verbal* (poema heroico, 1951). En 1988 radicaba en su ciudad natal.

JUÁREZ, JOSÉ. Pintor mexicano del siglo XVII. Estudió con López de Arteaga y siguió –copiando a veces– a Rubens y a Murillo. Produjo: *Adoración de los Reyes* (1665), *La Aparición*

de la Virgen a San Francisco, San Lorenzo, Santos Justo y Pastor, Muerte de San José, Milagros de San Salvador de Horta y *La Sagrada Familia*, que se halla en la Academia de Pintura de Puebla y que es copia de un grabado de Rubens.

JUÁREZ, LUIS. Nació y murió, al parecer, en la ciudad de México. Discípulo de Baltasar de Echave Orio, su obra va de 1600 a 1635. Pintó imágenes y escenas religiosas, de profundo misticismo. Distinguen su obra los colores luminosos, la luz directa sobre los personajes, la actitud de éxtasis de éstos, con los ojos en blanco y las manos implorantes; los paños acartonados aunque llenos de matices, y los ángeles rubios de cabellos ensortijados. Se conservan de él: *Santa Ana y la Virgen Niña, La oración del Huerto, El Angel de la Guarda, Desposorio místico de Santa Catalina* e *Imposición de la casulla a San Ildefonso*, en la Pinacoteca Virreinal de San Diego; una *Coronación* y dos escenas de la vida de Santa Teresa, en el Museo Nacional de Historia; varios cuadros que representan a San Ángel, en el convento del Carmen de Morelia; *San Elías* y algunas tablas, mal retocadas, en el templo carmelita de San Ángel, en el Distrito Federal; la *Confirmación de la Regla a Santa Teresa*, en la actual parroquia de Atlixco; la *Comunión de San Estanislao de Kostka*, en una colección particular; una *Transfiguración* (1610), *Santa Ana enseñando a leer a la Virgen* (1615), *San Antonio* (1618) y una *Oración del Huerto*, en el Museo de Querétaro; y una *Santa Teresa* en el de Guadalajara. Fueron también de su mano los cuadros de los retablos de La Profesa y de Jesús-María, en la ciudad de México, y de San Agustín, en Puebla, igual que las pinturas del arco levantado para recibir al virrey fray García Guerra, descrito por Mateo Alemán en 1612.

JUÁREZ, PEDRO. Nació y murió en la ciudad de México, activo en el siglo XVII. Indio cacique, siguió la carrera religiosa, llegando a ser sacristán de la iglesia de San Pablo El Viejo. Según Carlos de Sigüenza y Góngora, escribió *Memorial de las cosas notables, en lengua mexicana.*

JUÁREZ, SAÚL. Nació en Morelia, Mich., el 27 de febrero de 1957. Estudió derecho en la Universidad Nacional Autónoma de México. Fue miembro del taller literario de Miguel Donoso Pareja. En 1986 era director de la revista *Tierra Adentro* y subdirector de Servicios Culturales del Instituto Nacional de Bellas Artes. En su trabajo como promotor cultural destaca la gran expansión de los talleres literarios en el interior de la República. Hay notas críticas, cuentos y poemas suyos en los principales periódicos y revistas del país. Narrador, ha participado en los volúmenes colectivos *Tiene que haber olvido, Ahora las palabras* y *La realidad es lo increíble.* Individualmente ha realizado *Paredes de papel* (1981) y *Más sabe la muerte* (1983). Dentro de sus piezas más logradas –"Ninón" y "Nick Ringo", por ejemplo– se responde a la opresión con violencia.

JUEGO DEL VOLADOR. Juego simbólico practicado todavía entre los totonacas y otomíes, en que cuatro hombres, vestidos en forma especial o disfrazados de aves, se descuelgan volando, sujetos por una cuerda, de lo alto de un poste. Posiblemente simbolice el origen celeste de las plantas y de la alimentación.

JUEGOS DE LA XIX OLIMPIADA. Los Juegos Olímpicos son originarios de Grecia. Se escenificaban en Olimpia, cada cuatro años, presumiblemente desde el año 776 a.C Tenían carácter de fiesta cultural y deportiva. El barón francés Pierre de Coubertin se propuso revivir la tradición de los Juegos y organizó en 1896 la primera Olimpiada de la época moderna. Ésta tuvo por sede la ciudad de Atenas. Posteriormente, ajustándose al calendario griego, los eventos se han venido efectuando en distintas partes del mundo, con sólo las interrupciones de 1912 a 1920 y de 1936 a 1948, obligadas por los conflictos bélicos mundiales. A partir de los primeros en Atenas, los Juegos Olímpicos se han celebrado en las siguientes ciudades: París (1900), San Luis Misuri (1904), Londres (1908), Estocolmo (1912), Amberes (1920), París (1924), Amsterdam (1928), Los Ángeles (1932), Berlín (1936), Londres (1948), Helsinki (1952), Melbourne (1956), Roma (1960), Tokio (1964), México (1968), Munich (1972), Montreal (1976), Moscú (1980), Los Ángeles (1984) y Seúl (1988) Los Juegos de la XIX Olimpiada se efectuaron en la ciudad de México del 12 al 27 de octubre de 1968. Los protocolos de inauguración y clausura, en el Estadio Olímpico de la Ciudad Universitaria, los asumieron respectivamente el licenciado Gustavo Díaz Ordaz, presidente de la República, y el señor Avery Brundage, presidente del Comité Olímpico Internacional (COI).

La sede de los Juegos le fue otorgada a la capital mexicana en la Sexagésima Sesión Plenaria del COI celebrada en Baden-Baden, Alemania, el 16 de octubre de 1963. Fueron también postulantes las ciudades de Buenos Aires, Lyon y Detroit. La ciudad de México apoyó su solicitud en el libro *México* o *Libro Blanco*, en cuyas páginas ofreció una amplia descripción de sus normas jurídicas y de sus recursos económicos, además de un vasto panorama de la personalidad histórica del país y otra, muy precisa, de las instalaciones deportivas disponibles en esos momentos. Con todo ello daba respuesta a las preguntas que el COI formula para el discernimiento de la sede. La aprobación de la solicitud sobrevino después de que los delegados del COI pudieron comprobar que eran infundadas las versiones sobre el peligro que representaba la altitud de la ciudad para los competidores olímpicos. México obtuvo 30 votos; Detroit, 14; Lyon, 12, y Buenos Aires, 2.

En el propio decreto presidencial del 23 de mayo de 1963, que autorizó al Departamento del Distrito Fedral a solicitar la sede, se previó la constitución del Comité Organizador de los Juegos de la XIX Olimpiada. La presidencia de este organismo estuvo vacante hasta el 25 de junio de 1965, en que fue nombrado para ese cargo el licenciado Adolfo López Mateos, expresidente de la República, durante cuyo gobierno se habían iniciado las fructuosas gestiones, pero quien a mediados del año siguiente tuvo que declinarlo por razones de salud. El 24 de octubre de 1966 un decreto del Ejecutivo Federal dispuso que el Comité quedara integrado en la siguiente forma: presidente, vicepresidente, tres vocales, secretario general, oficial mayor, siete directores –de administración, técnica deportiva, relaciones públicas, servicios a los visitantes, actividades artísticas y culturales, control de instalaciones y control de programas– y un jefe del Destacamento Militar Olímpico. El ordenamiento transformó al Comité en organismo descentralizado, con personalidad jurídica y patrimonio propios. Fue designado presidente el arquitecto Pedro Ramírez Vázquez, y secretario general el licenciado Alejandro Ortega San Vicente.

Sobre los Juegos de la XIX Olimpiada se abatió el delicado problema del *apartheid* practicado por el gobierno de Sudáfrica. Este sistema de discriminación racial comprometió la estabilidad de las relaciones olímpicas internacionales, pues la participación de ese país en las competencias amenazó con provocar la abstención de las otras naciones africanas. México expresó su opinión en la reunión extraordinaria del Consejo Superior del Deporte Africano, reunida en Brazaville el 22 de febrero de 1968. Se opuso al acuerdo de incluir a Sudáfrica en los Juegos (Grenoble, febrero de 1968), pero anunció su decisión irrevocable de realizar los Juegos con los países que permanecieran solidarios. El debate culminó con la exclusión de Sudáfrica, acordada por la Comisión Ejecutiva del COI, en una votación de 46 contra 14, el 26 de abril de ese año. V. ÁFRICA.

Organización. Los trabajos de organización de los Juegos comprendieron a casi todas las dependencias gubernamentales. La Secretaría de Gobernación expeditó la entrada de los participantes olímpicos al país; la de Relaciones Exteriores convirtió a sus agentes diplomáticos y consulares en informadores y gestores de toda índole de materias olímpicas; la de Hacienda y Crédito Público y la de Industria y Comercio facilitaron la importación temporal de los equipos que trajeron consigo las delegaciones, así como la compra en el exterior de la utilería que necesitó el Comité Organizador; la de Salubridad y Asistencia ejerció el control sanitario de las personas, y la de Agricultura y Ganadería el de los caballos y alimentos; el Departamento de Turismo contribuyó a garantizar a los visitantes, durante el mes de octubre, el alojamiento de los boletos de acceso a los escenarios; la de Obras Públicas realizó la mayor parte de las instalaciones donde se efectuarían las competencias; la de Marina reacondicionó el escenario para las pruebas de vela en Acapulco; el Departamento del Distrito Federal ejecutó multitud de obras en la ciudad de México y construyó, con la asesoría de la Secretaría de Recursos Hidráulicos, la pista olímpica de remo y canotaje; y la de Comunicaciones y Transportes garantizó en todo momento la fluidez del tráfico aéreo e hizo posible la difusión mundial de los eventos. Cada vez que la ejecución de las obras dispuestas por el Comité Organizador obligó a disponer de terrenos comunales, el Departamento de Asuntos Agrarios satisfizo con amplitud los requerimientos de las comunidades afectadas. Las secretarías de la Defensa Nacional y de Marina aportaron los contingentes para el Destacamento Militar Olímpico, y esta última trasladó el Fuego Olímpico desde San Salvador, en las islas Bahamas, hasta el puerto de Veracruz.

La Secretaría de la Presidencia, que da forma a los acuerdos presidenciales y formula los programas oficiales de inversión, y la del Patrimonio Nacional (hoy de Energía, Minas e Industria Paraestatal), que administra los bienes de la Federación y vigila las adquisiciones oficiales, otorgaron asimismo al Comité la máxima ayuda. La de Educación Pública promovió el interés de los maestros, niños y jóvenes de todo el país, respecto a la trascendencia de los Juegos; intervino en el Programa de Actividades Artísticas y Culturales y proporcionó al Comité el auxilio de profesores de educación física, expertos en técnica deportiva; y la del Trabajo y Previsión Social asesoró a los organizadores en materia de contratación de personal y puso en contacto al Comité con las asociaciones sindicales.

Papel igualmente importante asumieron las dependencias descentralizadas del Estado: el Instituto Mexicano del Seguro Social destinó los nosocomios del Centro Médico Nacional, de La Raza y Traumatología, para cubrir los servicios de hospitalización que requirieran los atletas y sus acompañantes, e instaló clínicas y puestos de auxilio en las áreas de práctica y competencia, las villas de alojamiento y los hoteles, creando además la Coordinación General de Servicios Médicos. La Comisión Federal de Electricidad proporcionó amplios servicios técnicos en materia de ruta crítica y puso a su disposición aviones y helicópteros. Caminos y Puentes Federales de Ingreso facilitó al Comité un tramo de la autopista México-Querétaro para la celebración de algunas pruebas de ciclismo y también el uso gratuito del camino Puebla-Orizaba y de las autopistas México-Puebla y México-Teotihuacan a los vehículos del Comité, en ocasión del traslado y de la ceremonia de recepción del Fuego Olímpico, proporcionando en sus casetas de control de tránsito información al público. El Instituto de Seguridad y Servicios Sociales de los Trabajadores del Estado facilitó al Comité algunos terrenos para la instalación de la Subdirección de Transportes y de la Exposición sobre el Conocimiento del

Espacio. La Compañía de Luz y Fuerza del Centro, en coordinación con la Secretaría de Obras Públicas, el Departamento del Distrito Federal y el Banco Nacional de Obras y Servicios Públicos, hizo las instalaciones eléctricas de los escenarios deportivos, de las villas, de la torre de Telecomunicaciones, de los edificios del Comité Organizador y de las zonas olímpicas. El Instituto Nacional de Bellas Artes programó el mayor número de espectáculos y exposiciones del Festival Internacional de las Artes; el Instituto Politécnico Nacional participó en el montaje de las exposiciones sobre la Aplicación de la Energía Nuclear para el Bienestar de la Humanidad y en la de Espacios para el Deporte y la Cultura —capítulos del programa cultural que formó parte de los Juegos—; y la Universidad Nacional Autónoma de México aportó el Estadio Olímpico, una alberca, un frontón cerrado y un estadio para prácticas, además de 20 profesores de educación física.

El Comité Organizador consiguió tener bajo su control una capacidad de alojamiento en hoteles hasta para 81 365 personas. Pero aun así solicitó la colaboración de las familias residentes en la metrópoli. Esto le permitió aumentar su oferta de hospedaje a 98 208 camas.

Para la atención a los delegados olímpicos y aun de los turistas, se creó un cuerpo de edecanes. A los aspirantes se les sujetó a exámenes rigurosos, probatorios de su capacidad intelectual, dicción excelente del idioma castellano y de los otros dos que les eran exigidos, de su buena salud y de su apariencia.

Asistieron a los Juegos 150 dirigentes del COI y los presidentes y secretarios generales de las federaciones deportivas internacionales y de los comités olímpicos nacionales, quienes, junto con sus acompañantes, sumaron 461; 564 acreditados por los comités olímpicos nacionales y 1 414 representantes de las federaciones deportivas internacionales; 6 059 atletas procedentes de 113 países; 2 219 oficiales de equipo y auxiliares; 4 734 informadores extranjeros, y 669 invitados especiales: un total de 15 865 personas. Aun cuando los idiomas oficiales fueron el inglés, francés y castellano, tuvieron que manejarse otros 17: alemán, italiano, ruso, japonés, chino, irlandés, yiddish, hebreo, yugoslavo, checoslovaco, polaco, noruego, sueco, danés, portugués, griego y árabe. Los Jue-

JUEGOS

gos de la XIX Olimpiada fueron más concurridos que los 15 anteriores. La delegación de Estados Unidos fue la más numerosa: 294 hombres y 95 mujeres. El segundo lugar lo ocupó la URSS: 259 y 70, respectivamente. México (tercer lugar) estuvo representado por 253 deportistas en la rama masculina y 47 en la femenina. La relación completa de los deportistas acreditados por los distintos países y de los oficiales de equipo y auxiliares que los asistieron, se contiene en la siguiente tabla:

Comité Olímpico	Competidores Hombres	Mujeres	Suma	Oficiales de equipo y auxiliares	Total
Afganistán	6	–	6	1	7
África Central	1	–	1	3	4
Alemania	251	45	269	93	389
Alemania del Este	212	41	253	82	335
Antillas Holandesas	3	2	5	3	8
Argelia	3	–	3	3	6
Argentina	87	5	92	34	126
Australia	114	24	138	44	182
Austria	36	8	44	16	60
Bahamas	20	–	20	7	27
Barbados	9	1	10	9	19
Bélgica	83	5	88	28	116
Bermudas	9	–	9	3	12
Birmania	4	–	4	1	5
Bolivia	5	–	5	6	11
Brasil	81	4	85	29	114
Bulgaria	111	11	122	39	161
Camerún	7	–	7	5	12
Canadá	117	28	145	47	192
Ceilán	3	–	3	1	4
Colombia	43	5	48	25	73
Congo Kinshasa	10	–	10	9	19
Corea	44	14	58	32	90
Costa de Marfil	12	–	12	6	18
Cosa Rica	19	2	21	10	31
Cuba	108	16	124	56	180
Chad	4	–	4	2	6
Checoslovaquia	96	28	124	33	157
Chile	21	2	23	12	35
Dinamarca	68	4	72	30	102
Ecuador	15	1	16	20	36
El Salvador	57	8	65	25	90
España	127	2	129	54	183
Estados Unidos	294	95	389	94	483
Etiopía	21	–	21	5	26
Fiji (Islas)	1	–	1	–	1
Filipinas	46	4	50	27	77
Finlandia	64	6	70	34	104
Francia	178	32	210	82	292
Gabón	1	–	1	2	3
Ghana	36	1	37	10	47
Gran Bretaña	186	51	237	76	313
Grecia	48	–	48	16	64
Guatemala	52	1	53	16	69
Guinea	19	–	19	2	21
Guyana	5	–	5	8	13
Holanda	96	27	123	42	165
Honduras	9	–	9	2	11
Honduras Británicas	7	–	7	2	9
Hong Kong	12	–	12	3	15
Hungría	152	38	190	50	240
India	28	–	28	8	36

Comité Olímpico	Competidores Hombres	Mujeres	Suma	Oficiales de equipo y auxiliares	Total
Indonesia	13	–	13	6	19
Irán	14	–	14	12	26
Iraq	3	–	3	1	4
Irlanda	27	7	34	21	55
Islandia	6	2	8	2	10
Islas Vírgenes	8	–	8	2	10
Israel	28	3	31	15	46
Italia	184	17	201	77	278
Jamaica	29	6	35	12	47
Japón	158	29	187	53	240
Kenia	40	3	43	10	53
Kuwait	2	–	2	1	3
Líbano	12	–	12	7	19
Libia	1	–	1	9	10
Liechtenstein	2	–	2	–	2
Luxemburgo	3	2	5	–	5
Madagascar	4	–	4	5	9
Malasia	33	–	33	13	46
Malí	2	–	2	2	4
Malta	1	–	1	–	1
Marruecos	26	–	26	10	36
México	253	47	300	87	387
Mónaco	2	–	2	–	2
Mongolia	16	4	20	7	27
Nicaragua	13	–	13	3	16
Níger	2	–	2	1	3
Nigeria	36	6	42	15	57
Noruega	41	9	50	26	76
Nueva Zelanda	54	5	59	16	75
Pakistán	20	–	20	5	25
Panamá	17	–	17	8	25
Paraguay	1	–	1	1	2
Perú	16	14	30	21	51
Polonia	148	38	186	54	240
Portugal	22	2	24	14	38
Puerto Rico	58	4	62	20	82
República Árabe Unida	31	–	31	10	41
República Dominicana	23	–	23	13	36
Rumania	69	17	86	28	114
San Marino	4	–	4	1	5
Senegal	22	–	22	12	34
Sierra Leona	3	–	3	–	3
Singapur	4	1	5	2	7
Siria	3	1	3	–	3
Sudán	5	–	5	3	8
Suecia	94	16	110	49	159
Suiza	88	5	93	38	131
Surinam	1	–	1	–	1
Tailandia	42	–	42	19	61
Taiwán	35	8	43	31	74
Tanzania	4	–	4	2	6
Trinidad y Tobago	20	–	20	11	31
Túnez	7	–	7	4	11
Turquía	29	–	29	14	43
Uganda	11	–	11	4	15
URSS	259	70	329	135	464
Uruguay	22	6	28	17	45
Venezuela	27	–	27	13	40
Vietnam	8	2	10	5	15
Yugoslavia	61	10	71	22	93
Zambia	7	–	7	3	10
Total	5 215	844	6 059	2 219	8 278

Los competidores participaron en las siguientes pruebas:

JUEGOS

Deporte	Hombres	Mujeres	Total
Atletismo	863	258	1 121
Basquetbol	191	–	191
Boxeo	328	–	328
Canotaje	171	37	208
Ciclismo	361	–	361
Ecuestres	117	27	144
Esgrima	223	58	281
Futbol	301	–	301
Gimnasia	132	115	247
Hockey	284	–	284
Levantamiento de pesas	174	–	174
Lucha	314	–	314
Natación, clavados y water polo	494	252	746
Pentatlón moderno	61	–	61
Remo	394	–	394
Tiro	370	3	373
Vela	317	–	317
Volibol	120	94	214
Total	5 215	844	6 059

Atenciones especiales. Capítulo de especial importancia en la celebración de los Juegos fue la atención médica que requirieron los atletas, pues en cada sesión de entrenamiento y en cada competencia formal solieron ocurrir luxaciones, manifestaciones de fatiga extrema, distensiones musculares, fracturas o infecciones. Hubo abundantes casos dentales y no pocos ameritaron la intervención quirúrgica. Esto obligó a la operación de un sistema de consulta y tratamiento que abarcaba simultáneamente los escenarios de competencia, los campos de práctica, las villas residenciales y los hoteles. Los médicos, practicantes, fisiatras, enfermeros, conductores y camilleros que tomaron parte en este trabajo fueron 932 personas, en su totalidad comisionados por las secretarías de Estado y los organismos descentralizados del gobierno.

El movimiento incesante del público y de las 113 delegaciones motivó enérgicas medidas para garantizar una vialidad expedita. Las rutas de acceso a los escenarios fueron sujetas a disposiciones altamente tecnificadas, eliminación temporal de semáforos y cancelación de retornos entre otras. En ocasiones hubo necesidad de remodelar los trazos, ensanchándolos. La vigilancia de las autoridades de Tránsito en las pistas de alta velocidad, avenidas y calles, permitieron circulaciones hasta de 4 813 vehículos por hora en el lapso de mayor intensidad, comprendido entre las 8 y las 10 horas. Los dirigentes, oficiales y atletas de las delegaciones, y los miembros de los grupos culturales necesitaron trasladarse de los hoteles, villas y residencias a los sitios de práctica y de competencia, dispersarse y regresar a ellos, para reposar, asearse, comer o dormir. Para dar fluidez a estos movimientos, el Comité dispuso de 1 349 vehículos de distintas capacidades. Entre el 1° de agosto y el 15 de noviembre, prestó 69 219 servicios, con un gasto de combustible de 1 896 024.56 L y un recorrido total de 4 990 259.45 km.

Los 18 deportes de los Juegos Olímpicos de 1968 originaron 6 658 competencias específicas, sobre las que mantuvieron una atención constante 4 763 dirigentes y técnicos deportivos, auxiliados, a su vez, por 67 712 personas: 14 531 del Comité Organizador, 40 835 jóvenes de 18 años que cumplían en esos momentos su servicio militar obligatorio, 6 838 elementos del Ejército Nacional, 4 445 marinos y 932 integrantes de la Coordinacion General de los Servicios Médicos. En total, fueron 78 534 las personas que el Comité Organizador vinculó el desarrollo de los eventos.

Las instalaciones olímpicas de la ciudad de México, el 12 de octubre de 1968, fecha inaugural de los Juegos, eran las más completas y mejor dispuestas técnicamente de cuantas se habían utilizado en las distintas sedes anteriores. En el libro *México* se enlistaron 27; pero apenas conocida la decisión de Baden-Baden, el gobierno de México, a instancias del Comité, ordenó la construcción de siete más, dentro del perímetro del Distrito Federal, para elevar a 34 el número de escenarios. Nuevos: 1. El Palacio de los Deportes, para las competencias de basquetbol. 2. La Pista Olímpica de Remo y Canotaje, para las pruebas de estos deportes. 3. El Velódromo Olímpico, exclusivamente para las pruebas ciclistas de pista. 4. La Sala de Armas, para las competencias de esgrima como deportes en sí y para las justas de esa especialidad de pentatlón moderno. 5. La Alberca Olímpica, destinada a servir de escenario en los eventos de clavados y de natación; de las pruebas de nado del pentatlón moderno y de las finales de waterpolo. 6. El Polígono Olímpico de Tiro, para las competencias de ese deporte y para las pruebas de esa especialidad en el pentatlón moderno. 7. El Gimnasio Olímpico, como escenario principal para las justas de volibol. Acondicionados: 1. Estadio Olímpico de la Ciudad Universitaria, considerado como el escenario principal de los Juegos de la XIX Olimpiada, para celebrar las ceremonias de apertura y clausura; y las pruebas de pista y campo de atletismo y la final del Gran Premio Olímpico de Saltos con Obstáculos. 2. La Arena México, para los eventos de boxeo. 3. El Club de Golf Avándaro –en Valle de Bravo, estado de México–, para la prueba de los tres días en las competencias ecuestres. 4. El Campo Marte, para las pruebas de adiestramiento y de salto individual de obstáculos en ecuestres. 5. El Estadio Azteca, para las eliminatorias de octavos y cuartos de final del grupo A, de las semifinales y de la final de futbol. 6. El Estadio Jalisco –en la ciudad de Guadalajara – para las eliminatorias de octavos y cuartos de final del grupo B de las competencias de futbol. 7. El Estadio León –en la ciudad de León, Gto.– para las eliminatorias de octavos y cuartos de final del grupo C de las competencias de futbol. 8. El Estadio Cuauhtémoc –de la ciudad de Puebla, Pue.– para las eliminatorias de octavos y cuartos de final del grupo D de las competencias de futbol. 9. El Auditorio Nacional, para las competencias de gimnasia. 10. El Estadio Principal de la Ciudad Deportiva de la Magdalena Mixhuca y dos estadios secundarios, para los eventos de hockey sobre pasto. 11. El Teatro de los Insurgentes, para las pruebas de levantamiento de pesas. 12. La Pista de Hielo Insurgentes, para las pruebas de lucha en sus dos estilos: libre y grecorromana. 13. El Campo Militar núm. 1, para las carreras a pie y de equitación del pentatlón moderno. 14. El Club de Yates, en el puerto de Acapulco, Gro., para las pruebas olímpicas de vela. 15. La Pista de Hielo Revolución, como escenario secundario de las competencias de volibol. 16. La alberca de la Ciudad Universitaria, para las eliminatorias de waterpolo. 17. El Frontón Jai-Alai de Acapulco, en la población y puerto del mismo nombre, para la primera ronda de clasificación de cesta punta en frontón, uno de los dos deportes de exhibición. 18. El Frontón México, para la ronda final de clasificación de cesta punta en frontón. 19. Los frontones del Centro Deportivo Asturiano, para las rondas de clasificación y la final en la modalidad de frontón a mano. 20. El Frontón Metropolitano, para las rondas de eliminación y final de clasificación de la modalidad de paleta con pelota de cuero en frontón. 21 y 22. Los frontones del Centro Deportivo Chapultepec y los del Libanés, utilizados alternadamente para las competencias de las modalidades de paleta con pelota de goma

y frontenis. 23, 24 y 25. Las canchas de tenis del Guadalajara Country Club, del Centro Deportivo Guadalajara y del Centro Deportivo Atlas, todas en la ciudad de Guadalajara, Jal., para eliminatorias directas, cuartos de final, semifinales y finales de las cinco modalidades del Torneo de la Federación Internacional de tenis sobre césped. 26. Las canchas de tenis del Centro Deportivo Chapultepec, para exhibiciones fuera de concurso en las cinco modalidades de este deporte. 27. El Gimnasio del Instituto Tecnológico y de Estudios Superiores de Monterrey, en la ciudad del mismo nombre, para el Torneo Preolímpico de Basquetbol, a fin de que los equipos obtuvieran su clasificación para el Torneo Olímpico.

La crónica mundial de los Juegos se efectuó desde la torre de Telecomunicaciones de la Secretaría de Comunicaciones y Transportes (SCT), construida para facilitar el enlace y la interconexión de los sistemas telefónico, telegráfico, de televisión y télex. La SCT aumentó al máximo la eficiencia de sus instalaciones mediante una red de equipos de copia fotográfica y radio-foto, además de 16 sistemas electrónicos para apoyo de las estaciones costaneras. Completó este conjunto la estación terrestre para comunicaciones vía satélite, en el estado de Hidalgo, dotada con una antena parabólica de 32 m de diámetro y 530 t de peso.

Para satisfacer las necesidades de los informadores, el Comité instaló centros y subcentros de prensa, dotados con télex, telefoto, teléfonos de comunicación internacional y teléfonos de magneto. Y para sus ralaciones con el medio local, teléfonos y televisores. Estos equipos se complementaron con la operación, día y noche, de laboratorios fotográficos para trabajos de revelado y copias. Los centros de prensa funcionaron en la Villa Olímpica Libertador Miguel Hidalgo, en el hotel María Isabel y en la torre de Telecomunicaciones; y los 16 subcentros en los siguientes escenarios de competencia: Estadio Olímpico (atletismo), Alberca Olímpica (natación y clavados), Auditorio Nacional (gimnasia), Velódromo Olímpico (ciclismo), Palacio de los Deportes (basquetbol), Arena México (boxeo), Estadio Azteca (futbol), Pista Olímpica de Remo y Canotaje, Pista de Hielo Revolución (volibol), Gimnasio Olímpico (volibol), Sala de Armas de la Magdalena Mixhuca (esgrima), Estadio Principal de la Magdalena Mixhuca (hockey), Teatro de

JUEGOS

los Insurgentes (levantamiento de pesas), Alberca de la Ciudad Universitaria (waterpolo), Pista de Hielo Insurgentes (lucha) y Campo Militar núm. 1 (tiro).

Hicieron la crónica de los Juegos las agencias informativas *France Press*; Agencias Nórdicas; Reuter, de Gran Bretaña; SID, de la República Federal de Alemania; DPA, de la República Democrática Alemana; *United Press*, *Associated Press*, CORA y *Los Ángeles Times*, de Estados Unidos; AAP, de Australia; ANP, de Holanda; ANSA, de Italia; BLICK, de Suiza; CIK, de Checoslovaquia; EFE, de España; INFORMEX, de México; *Jiji Press* y *Kioto News*, de Japón; NZDA, de Nueva Zelanda; Prensa Latina, de Cuba; *Tanjug*, de Yugoslavia, y TASS, de la URSS.

En el Centro de Prensa de la Villa Olímpica fue instalado el Centro de Comunicaciones. Allí se recibían los datos de cuanto estaba ocurriendo en las áreas de competencia. Las informaciones procedían de los 16 núcleos periféricos instalados en los escenarios olímpicos. La retrasmisión de resultados se hacía al hotel María Isabel y a la torre de Telecomunicaciones, a las oficinas de las agencias de noticias nacionales e internacionales, a las cadenas de televisión y a los periódicos de la ciudad de México. Un centenar de técnicos operaron del 12 al 27 de octubre, 700 unidades de equipo telegráfico en serie, interconectadas por circuitos electrónicos. En ese lapso se trasmitieron 7 600 000 caracteres.

Los eventos de vela en Acapulco y los ecuestres en Avándaro, enviaron sus informes por la red de facsímiles. En las ciudades de Monterrey, Guadalajara, León y Puebla se establecieron centros de información dotadas con teletipos, teléfonos y salas de redacción y de entrevistas. Al igual que en la sede, los informadores que cubrieron los eventos foráneos dispusieron de asientos en las tribunas, posiciones para radio y televisión, edecanes y duplicación y distribución de boletines.

El boletaje. El número de asientos en las instalaciones olímpicas fue de 4 457 252, comprendido todo el periodo de competencias. La estructura general de los precios de los boletos se hizo con base en las experiencias de las olimpiadas anteriores –muy particularmente las de Roma y Tokio– y tomando en cuenta los vigentes de los espectáculos

metropolitanos. El número de boletos vendidos fue de 1 990 196, con una valor de $118 130 304.

Las villas olímpicas. De acuerdo con los reglamentos del COI, el Comité dispuso el albergue de los atletas, destinándoles un conjunto habitacional constituido por 29 torres: 13 de 10 de niveles y 16 de seis, que en total sumaban 904 departamentos con 5 044 habitaciones y 2 572 baños. El tránsito en el interior de los edificios se hacía por medio de escaleras y elevadores: dos de éstos en cada torre, con capacidad para 14 personas. En homenaje a la antigua Grecia, las construcciones recibieron los siguientes nombres: *Iris, Heracles, Aquiles, Teseo, Ulises, Eros, Atlas, Prometeo, Zeus, Hera, Apolo, Poseidón, Artemisa, Atenea, Hermes, Hefestos, Hestia, Urano, Gea, Cronos, Cibeles, Cloros, Higia, Temis, Heba, Eolo, Aristeo, Tritón y Solón.* Al conjunto se le dio el nombre de Villa Olímpica Libertador Miguel Hidalgo, la cual comprendía tres secciones –Villa Masculina, Villa Femenina y Villa Prensa– y el Club Recreativo Internacional, dotado de amplias zonas verdes, cine, teatro al aire libre, comedor, cafetería con solario, bar, alberca de recreación con inyectores de agua caliente, vestidores y baños –incluyendo sauna y turco para ambos sexos– y salas de lectura, de música, de juegos mentales, de mesa, y de conferencias –susceptible de convertirse en salón de danza o en teatro– y un pequeño museo arqueológico. A la Villa Masculina le fueron asignadas 24 torres, con 704 departamentos. De éstos, 635 estuvieron dedicados al alojamiento de 7 056 deportistas; 24 –uno por cada torre– fueron utilizados para instalar las oficinas administrativas y 45 más para montar los despachos de las delegaciones, las cuales incluían salas de estar, equipadas con aparatos de televisión y áreas de trabajo. Funcionaron en la Villa seis comedores: el 1, reservado a los países de Europa del este; el 2, a los africanos y asiáticos; el 3, a las delegaciones latinas; el 4, a las de Europa Occidental; el 5, a los contingentes de habla inglesa, y el 6, que tuvo carácter internacional. Estos sitios prestaron servicio regular durante 20 horas diarias.

La Villa Femenina, separada de la Masculina por cerca de alambre, constó de tres edificios con 120 departamentos. De éstos, 104 se dedicaron a las 1 002 competidoras procedentes de 57 naciones; 15, al personal de servicios y uno más para ser mostrado a los visitantes. En los vestíbulos de los tres edificios fue instalada una barra de información, donde una secretaria recepcionista y varias damas y edecanes distribuyeron folletos, periódicos, boletines informativos y programas de actividades recreativas; tomaron recados de toda índole y anotaron llamadas telefónicas. En cada uno de los edificios se acondicionó una sala de estar equipada con tres televisores a color y muebles de reposo. Uno de los departamentos del conjunto fue adaptado como salón de belleza, con servicios de pedicura y manicura, baños sauna, tinas de lavado y tintura de pelo, planchas para masaje, sillones para maquillaje y tratamiento estético, tocadores y una sección de venta y arreglo de pelucas y pestañas postizas.

La Villa Prensa se integró con 80 departamentos distribuidos en dos edificios de 10 niveles. Cada departamento constaba de cuatro recámaras, en las cuales fueron distribuidas de siete a ocho camas, completándose la dotación con mesillas de noche, sillas, televisión, teléfono y lámparas de lectura. Los edificios fueron complementados con una construcción desmontable que alojó las oficinas administrativas y con el Centro de Prensa, en donde, aparte los equipos de trabajo –télex, teléfono, laboratorio fotográfico–, los informadores dispusieron de restaurante, cafetería, bar y otras comodidades.

Para albergar a los oficiales técnicos y a los jueces –que por disposición del COI no deben alojarse en el mismo lugar que los atletas–, a los grupos artísticos que participaron en el programa cultural, a los periodistas y fotógrafos inscritos a última hora, a los observadores y a los huéspedes especiales, el Comité acondicionó la Villa Narciso Mendoza, dividiéndola en tres partes. La villa de oficiales técnicos y jueces constó de 356 casas de una planta y dos edificios de cuatro niveles con 110 departamentos, que en conjunto sumaron 1 398 habitaciones y 535 baños. En 11 casas y 13 departamentos se alojaron las oficinas administrativas, los almacenes y los servicios de intendencia y el resto fue para hospedar a dos visitantes como máximo en cada habitación. La villa de conjuntos culturales, destinada a los artistas que actuaron del 12 de septiembre al 7 de noviembre, dispuso de 156 casas y 150 departamentos, totalizando 918 cuartos y 351 baños. Finalmente, la segunda villa de prensa se formó con 174 casas y 210 departamentos, con

un total de 1 158 cuartos y 430 baños. Seis de aquéllos y 16 de éstos se destinaron a oficinas administrativas, almacenes, salas de redacción y servicios de intendencia; el resto, al alojamiento. La Villa Narciso Mendoza fue dotada de cocina, comedor, cafetería, bar, auditorio con pantalla gigante de televisión y centro comercial con siete locales diferentes. En la villa de conjuntos culturales se instaló un salón para ensayos de danza.

La alimentación de los atletas mereció especiales cuidados. El vasto espectro de hábitos gastronómicos, lo numeroso de los contingentes, la diversidad de las horas de entrenamiento y competencia, la corta duración de los Juegos y la complejidad intrínseca del servicio fueron los factores que tomó en cuenta el Comité para solicitar el auxilio de dietistas y otros expertos en el manejo técnico de las 29 categorías de trabajo especializado que se requerían. Éstas remitieron a la selección de 1 141 personas –cocineros, ayudantes de cocina y comedor, meseros, garroteros, bodegueros, mozos y charoleros, entre otros–, a quienes se sujetó a cursos intensivos previos.

Los distintos tipos de comida fueron balanceados de manera que cada ración representara de 5 a 6 mil calorías diarias. Se dispuso una gran variedad de platillos de condimentación sencilla y aceptación internacional, que fueran al mismo tiempo fáciles de asimilar orgánicamente. Los desayunos constaban de jugos vegetales, frutas frescas, cereales, huevos, carnes, quesos, leche, crema, pan, mantequilla, mermeladas, café, té y chocolate. Y las comidas y las cenas, de sopas, carnes, pescados, huevos, ensaladas de carne y vegetales, frutas frescas, postres, pan, mantequilla, crema, leche, café, té y bebidas. Las cuotas que cobró el Comité a las delegaciones deportivas, por concepto de hospedaje, alimentación y transportación, fueron de $100 diarios por persona (Dls. 8), del 2 al 27 de septiembre. Del 28 de septiembre al 11 de octubre, estos servicios se dieron gratuitamente, y del 12 de octubre al 7 de noviembre se fijó una cuota de $50 al día (Dls. 4). Quienes participaron en el programa cultural gozaron de idénticas consideraciones.

Información y difusión. La expresión gráfica de los Juegos se sujetó a un programa de identidad delineado por el arquitecto Ramírez Vázquez y desarrollado por un grupo de expertos (v. GRA-

FISMO). En materia de cine, aparte la película oficial, en cuya filmación intervinieron 79 camarógrafos, se rodaron previamente 17 cortometrajes, 23 notas, la cinta *México, ciudad de los 70* y ocho audiofilms. *La hora nacional*, que la Secretaría de Gobernación trasmite todos los domingos, difundió durante cuatro meses la historia del olimpismo, y del 12 al 27 de octubre de 1968 la cadena Radio México, que enlaza 498 radiodifusoras, trasmitió la crónica de los eventos. El Comité procesó 25 mensajes a color, en alto contraste, que estuvieron pasando por televisión desde enero; instaló 826 aparatos receptores en 60 escuelas secundarias, técnicas y normales del Distrito Federal y

CUADRO DE MEDALLAS DE LOS JUEGOS DE LA XIX OLIMPIADA MÉXICO 68

País	Oro	Plata	Bronce	Total
Estados Unidos	46	30	33	109
URSS	29	31	31	91
Hungría	10	10	12	32
Alemania	6	10	11	27
Japón	10	8	7	25
Alemania del Este	8	9	7	24
Australia	5	7	6	18
Rumania	5	7	6	18
Polonia	4	3	11	18
Italia	3	5	8	16
Francia	7	3	5	15
Checoslovaquia	7	2	4	13
Gran Bretaña	5	6	2	13
Kenya	3	4	2	9
México	3	3	3	9
Yugoslavia	3	3	3	9
Bulgaria	2	4	3	9
Dinamarca	1	3	4	8
Holanda	3	3	1	7
Irán	2	1	2	5
Canadá	1	3	1	5
Suecia	2	1	1	4
Austria	–	2	2	4
Finlandia	1	2	1	4
Cuba	–	4	–	4
Mongolia	–	1	3	4
Suiza	–	–	4	4
Brasil	–	1	2	3
Nueva Zelanda	1	–	2	3
Turquía	2	–	–	2
Noruega	1	1	–	2
Túnez	1	–	1	2
Etiopía	1	1	–	2
Bélgica	–	1	1	2
Corea	–	1	1	2
Uganda	–	1	1	2
Argentina	–	–	2	2
Pakistán	1	–	–	1
Venezuela	1	–	–	1
Camerún	–	1	–	1
Jamaica	–	1	–	1
Grecia	–	–	1	1
India	–	–	1	1
Taiwán	–	–	1	1

otros 900 en los centros de prensa; y durante los 15 días de los Juegos el Centro de Conmutación envió señales de televisión durante 938 horas y 39 minutos. El grupo encargado de la trasmisión internacional lo formó *American Broadcasting Co.* (ABC), *European Broadcasting Union* (EBU), *Nippon Hoso Kiokai* (NHK) y Telesistema Mexicano. Éste llevó la imagen a toda la República por cinco rutas de microondas. La NHK utilizó esta misma red hasta Ciudad Juárez, desde donde la *American Telephone and Telegraph* envió la señal a la estación portátil para comunicaciones por satélite instalada en Loma Prieta, California. El *Intelsat II* restrasmitió a la receptora de Ibaraki, y el ATS I desde Jamesburg. La EBU usó la antena de Tulancingo, cuyas señales de video llevó el ATS III a Goonhilly Downs, en Inglaterra, para distribuirse desde allí, por el sistema europeo de microondas, a toda Europa y África. La voz de los comentaristas, a su vez, se envió a Nuevo Laredo, luego a Mill Village, en Nueva Escocia; de ahí al Pájaro Madrugador, del COMSAT, y finalmente a Pleumeur Bodu, en Francia, desde donde fue difundida por la EBU. Al Japón llegó por cable submarino desde Oakland. En cuanto a publicaciones, se editaron tres órganos periodísticos en los idiomas oficiales: el boletín *México 68*, el *Noticiero Olímpico* y la *Carta Olímpica*, esta última acompañada de la *Reseña Gráfica*. Los folletos y programas fueron, a su vez, 150 distintos. Personal del Comité redactó el *Manual deportivo olímpico*, del que una casa editorial hizo un tiraje de 102 mil ejemplares; y, finalmente, se publicó la *Memoria oficial* en cuatro tomos, en dos versiones –una en español y alemán, la otra en inglés y francés–, con un suplemento sobre la organización y una caja adicional de recuerdos de los Juegos.

Como complemento de sus tareas informativas, el Comité hizo diseñar y producir carteles de muy distintos tamaños, calcomanías, distintivos, cartulinas, credenciales, etiquetas, diplomas, banderolas, gafetes, placas, planos, portafolios, menús, papelería, juguetes y *souvenirs*, en todos los cuales se representó el logotipo oficial de los Juegos, conjugando en cientos de formas distintas las bases del programa de identidad.

El Congreso de la Unión autorizó la emisión de una moneda de plata de $25, con el escudo nacional en el anverso y una efigie del Jugador de Pelota en el reverso. Primero se lanzaron a la circulación piezas por valor de $250 millones y posteriormente por otros $500 millones. Medio muy importante de difusión y promoción de los Juegos, fueron la sucesivas emisiones, por un total de 183 600 000 estampillas postales con un valor de $166 615 000. V. FILATELIA.

El programa artístico y cultural, que se desarrolló del 19 de enero al 30 de noviembre de 1968, constó de 20 eventos agrupados en cinco grandes capítulos: I. *Los Juegos Olímpicos y la juventud:* 1. recepción de la juventud de México a la juventud del mundo; 2. Misión de la Juventud, reseña cinematográfica, y 3. campamento olímpico de la juventud. II. *Los Juegos Olímpicos y al arte:* 4. exposición de Obras Selectas del Arte Mundial; 5. Festival Internacional de Bellas Artes; 6. Reunión Internacional de Escultores; 7. Encuentro Internacional de Poetas, y 8. Festival de Pintura Infantil. III. *Los Juegos Olímpicos y la expresión popular:* 9. Festival Mundial del Folclore; 10. Ballet de los Cinco Continentes, y 11. Exposición Internacional de Artesanías Populares. IV. *Los Juegos Olímpicos en México:* 12. recepción del fuego olímpico en Teotihuacán; 13. Exposición de Filatelia Olímpica, y 14. Exposición de Historia y Arte de los Juegos Olímpicos. V. *Los Juegos Olímpicos y el mundo contemporáneo:* 15. Exposición sobre la Aplicación de la Energía Nuclear al Bienestar de la Humanidad; 16. Exposición sobre el Conocimiento del Espacio; 17. Programa de Genética y Biología Humana; 18. Exposición de Espacios para el Deporte y la Cultura y el Encuentro de Jóvenes Arquitectos; 19. la Publicidad al Servicio de la Paz, y 20. Proyección de los Juegos de la XIX Olimpiada en cine y televisión.

En la recepción de la juventud de México a la juventud del mundo, celebrada el 10 de octubre en la Plaza de la Constitución, participaron 18 935 alumnos de las escuelas primarias y de enseñanza media de la capital de la República y del estado de Puebla. Durante el Festival Internacional de Cine se proyectaron 1 024 películas representativas de 30 países, proporcionadas por 23 cinematecas de todo el mundo; en los primeros nueve meses del año se hicieron 4 555 proyecciones. La Reseña Cinematográfica sobre la Misión de la Juventud comprendió 115 películas enviadas por productores e instituciones de 20 países, de las cuales fueron exhibidas 65 en tres ciudades. Y al Campamento Mundial de la Juventud, en Oaxtepec, Mor., concurrieron 819 jóvenes de 19 nacionalidades diferentes: 517 varones y 302 mujeres. La Exposición de Obras Selectas del Arte Mundial reunió 1 493 obras antiguas y 489 contemporáneas aportadas por 51 países; la visitaron 148 858 personas. El Festival Internacional de las Artes consistió en la actuación de 93 grupos –compañías de ópera, orquestas sinfónicas y de cámara, dúos y solistas, ballets y conjuntos corales de teatro y de jazz– que dieron 1 821 funciones, y en el montaje de 71 exposiciones; del total de 164 eventos, 69 fueron nacionales y 95 internacionales. La Reunión Internacional de Escultores congregó a 21 artistas de ese género, procedentes de 16 países distintos, que realizaron otras tantas obras monumentales en la Ruta de la Amistad y en las plazas de acceso del Palacio de los Deportes, del Estadio Azteca y de la Villa Olímpica. Sesenta y ocho países miembros del COI enviaron 1 200 cuadros a la Exposición Internacional de Pintura Infantil, mientras 160 niños, procedentes de 47 países y un grupo representante de la Organización de las Naciones Unidas realizaban 140 murales que fueron expuestos en el Bosque de Chapultepec. En el Festival Mundial del Folclore intervinieron 54 grupos: 30 extranjeros, de 24 países; y 24 mexicanos, de 19 entidades de la República; congregó a 2 458 artistas: 1 041 nacionales y 1 417 de otras nacionalidades que, en conjunto, realizaron 287 representaciones en 11 escenarios distintos. El Ballet de los Cinco Continentes tuvo dos temporadas en 11 meses: en la primera –de enero a septiembre– presentó coreógrafos y bailarines de seis países; y, en la segunda –octubre a diciembre–, de otros cinco; dio 35 funciones en la ciudad de México y otras tantas en 16 capitales de provincia. En la Exposición Internacional de Artesanías Populares, que visitaron 79 183 personas, estuvieron representados 45 países. La recepción del Fuego Olímpico en Teotihuacan reunió a 1 525 danzantes y a 50 mil espectadores. La Exposición de Filatelia Olímpica logró reunir 48 colecciones oficiales y privadas de 40 naciones; la visitaron 21 270 personas. La exposición de Historia y Arte de los Juegos Olímpicos, a la que concurrieron 21 770 visitantes, se integró con piezas aportadas por seis países. En la exposición sobre la Aplicación de la Energía Nuclear al Bienestar de la Humanidad participaron 10 países y un organismo internacional; el público llegó a 27 700 espectadores. La exposición sobre el Conocimiento del Espacio, montada con materiales proporcionados por seis países, fue visitada por 232 582 personas. En el desarrollo del Programa de Genética y Biología Humana se examinaron a 1 245 atletas de 93 nacionalidades durante los Juegos y a 197 de 31 diferentes países durante la III Semana Internacional (1967). La exposición de Espacios para el Deporte y la Cultura mostró 214 proyectos distintos, obra de 175 arquitectos de 39 naciones; los visitantes ascendieron a 25 382. El Encuentro de Jóvenes Arquitectos, a su vez, congregó a 171 participantes de 20 países. La promoción sobre la Publicidad al Servicio de la Paz movió la colaboración de las 64 compañías que controlaban los anuncios murales en la ciudad de México, las cuales aceptaron que los mensajes comerciales fueran sustituidos por grafismos y frases relativas a la paz y la fraternidad universales. El Programa Artístico y Cultural de los Juegos de la XIX Olimpiada se extendió a 16 ciudades de la República.

El gasto total de los Juegos de la XIX Olimpiada ascendió a $2 198 millones, distribuidos de la siguiente manera: 670 se destinaron a la construcción de las instalaciones deportivas; 207, a las obras urbanas; 201, a la Villa Olímpica Libertador Miguel Hidalgo; 159, a la Villa Narciso Mendoza; y 961, a los gastos del Comité Organizador. En octubre de 1968, éste llegó a tener 14 531 empleados; al 30 de noviembre siguiente, 1 655; y al 31 de diciembre, 867; al 31 de marzo de 1969, 440; y al 30 de junio, 82. El Comité se extinguió el 31 de agosto de 1969, una vez que entregó al gobierno las instalaciones y el equipo, y hubo rendido cuentas.

JUFRESA, PILAR. Nació en México, D.F., el 25 de marzo de 1950. Estudió diseño industrial. Dirigió el grupo de teatro Amaranto en la ciudad de Mérida. Es una de las asistentes de dirección del Laboratorio de Teatro Campesino e Indígena de Tabasco. Fundó y dirige (desde 1983) el Taller de Teatro Popular Minaam, en Cancún, Q.R. Con este grupo ha representado varias de sus obras, entre ellas *Estamos aquí* y *Fuimos nosotros*, de carácter histórico, y la pastorela *Luz maya*. Otros de sus dramas son *Poema de amor*, que versa sobre la Xtabay (v. FANTASMAS), *Guadalupe* y *Germinal*. Su Taller Minaam, amén de propiciar el rescate de los valores culturales del pueblo, es, al igual que

el Laboratorio de Tabasco, una nueva propuesta escénica.

JUGUETES. Objetos que sirven a los niños para jugar. Este artículo se refiere únicamente a los juguetes populares, o sea aquellos que están elaborados manualmente con los materiales, muy pobres y simples, que brindan espontáneamente el medio físico o urbano circundante, y que tienen por ello un carácter local, aun cuando su oferta corresponda en algunos casos al calendario de fiestas religiosas y cívicas. Entre los juguetes que se hacen para el Día de muertos, sobresalen las "calaveritas" de azúcar o de chocolate, que llevan nombres de personas para que cada quien busque el suyo y la adquiera. Reminiscencia de una sombría tradición ancestral son las filas de frailes, hechas de papel lustre de colores y cabeza de garbanzo, que cargan un ataúd en los hombros; estas figuras van montadas en tablillas cruzadas y amarradas con mecate, de modo que accionadas con la mano dan la impresión de moverse, o bien producen ese efecto al pasar por los huecos de una caja de cartón, sobre una cinta sinfín impulsada mediante una manivela de alambre. A veces un esqueleto, hecho de barro, sale del féretro al jalar un hilo; o bien el símbolo de la muerte, confeccionado con cartón y tirillas de tejamanil, contorsiona los brazos y piernas articulados, e incluso toca el violín cuando se tira del mecatillo que acciona todo el mecanismo. Lo mismo ocurre con "la temblorosa", figura de barro pintado con extremidades de alambre en espiral, provista de guadaña y montada a caballo. También de temporada son los personajes para los "nacimientos", de barro en Tlaquepaque, Jal. (v. ALFARERÍA), o de cera, vestidos con género, en Celaya y Salamanca, Gto.; las "mulitas" de tule, cargadas con huacales de carrizo llenos de golosinas, que se expenden en ocasión del Jueves de Corpus; y los caballitos de Tehuantepec (*tanguyú* en zapoteca), asociados a la festividad del Año Nuevo.

De barro se hacen: en todos los centros alfareros objetos zoomorfos —especialmente puerquitos— para servir de alcancías; en Tlaquepaque, notables figuras naturalistas que representan tipos populares o niños en varias actitudes; en Ocumicho, Mich., escenas y personajes fantásticos y a menudo demoniacos; en San Bartolo Coyotepec,

JUGUETES

Oax., silbatos, animales, sirenas y campanas en color negro, pulidos y esgrafiados; en Santa María Atzompa, Oax., animales músicos (conejos, gatos, chivos, venados) en color verde, engretados y brillantes, y borreguitos con cabeza vidriada y cuerpo áspero con estrías para sembrarles chía, cuyos delgados tallos van formando su pelaje; también en Atzompa, muñecas en color crudo, decoradas con flores y tocados fantásticos trabajados al pastillaje; en Tehuantepec, Oax., muñecas pintadas con llamativos colores; en varios pueblos de Michoacán y Jalisco, cazuelas de distintos tamaños, que colocadas una en otra, de menor a mayor, forman "rellenos" o colecciones; en Tzintzuntzan, Mich., peces; en Patamban, Mich., recipientes para el agua, llamados "piñas", con nutrida aplicación de hojas o escamas, de color verde brillante.

De madera se manufacturan: en Arrasola, Oax., figuras talladas que constituyen pequeñas obras de arte, en tonos de solferino, amarillo o rojo; en Paracho, Mich., guitarras, violines y arpas con cuerdas de alambre, susceptibles de tañerse; en varias partes, marimbas, flautas de carrizo, ocarinas, sonajas, güiros, raspadores y tamborcillos; en Quiroga, Mich., y en Olinalá, Gro., baúles, cajas, jícaras, tecomates y bateas maqueados y laqueados, o bien, aprovechando las formas naturales de los guajes o bules, figuras de animales (pescados, garzas, pájaros y culebras); también en Paracho, perinolas, trompos y baleros torneados, pintados y con adornos de hueso; en Teocaltiche, Jal., objetos como los anteriores y ollas, fruteros, copones y baúles de palo de naranjo; en Querétaro, trasteros, recámaras, comedores, salas y sillas de montar; en Zirahuén, Mich., y en algunos pueblos del estado de México, juegos de cucharas, cuchillos, tenedores y peines de naranjillo; en Irapuato, Gto., matracas, sonajas y caballos decorados con anilinas; en Tuxtla Gutiérrez, Chis., "chinteles", maromeros y "trepamicos"; en Tepoztlán y Cuernavaca, Mor., castillos y casas de corteza de pochote; en Tizatlán, Tlax., varas y bastones de Apizaco, con relieves e incisiones que figuran aves, lagartos y víboras, que en espiral recorren toda la longitud del objeto; y en Ixmiquilpan, Hgo., preciosos instrumentos musicales en miniatura. V. HIDALGO, ESTADO DE. **Artesanías y arte popular.**

Otros materiales. De carrizo u otate (tallo de una gramínea que crece a la orilla de los cuerpos de agua) se forman jaulas que aprisionan un pajarillo de médula de caña, víboras articuladas, castillos, iglesias, flautas, siringas y cestos. De cartón, se hacen en Celaya, Gto. (barrios de El Zapote, San Juan y Tierras Negras), "judas" en forma de brujas, calaveras y celebridades; cabezas para piñatas; sonajas que representan payasos, gatos y pericos; figuras de elefantes, camellos, caballos, toros y toreros; máscaras que simulan charros bigotones, "calacas" y diablos (a veces con cuernos de chivo, barbas de cerda y quijadas movibles), y sobre todo muñecas articuladas, de intenso color solferino. De tule se elaboran en Lerma, Méx., "carranclanes" (guerrilleros con rifle, pistola, cananas y sombrero de alas anchas), soldaderas, bandas musicales y charros a caballo. En varios lugares se tejen de bulto orquestas (cuyos músicos se pintan con anilinas de colores solferino, verde, amarillo y azul), charros, chinas poblanas, diablos, sonajas, cestos, cajas y otras pequeñas piezas; y en forma plana, casas, ferrocarriles, ángeles y palomas. En Santa Clara del Cobre, Mich., se forjan a martillo cazos, jarras y candeleros de pequeñas dimensiones.

Las miniaturas se elaboran con vidrio estirado, trapo, cera, chicle, hueso, hojalata, popote, paja de trigo, plomo, azúcar, camalote y muchos otros materiales. Entre ellas destacan las cocinas poblanas, alojadas en pequeñas cajas, en las que aparecen la cocinera, el brasero, todos los enseres y aun el gato y el perico; los juegos de ajedrez y de dominó tallados en hueso, obra generalmente de reclusos; los muñecos de globo que suben y bajan a discreción dentro de una botella con agua, y especialmente las pulgas vestidas, puestas en escena en una cáscara de nuez.

Juguetes móviles. Son tradicionales los changos de alambre con pelo de conejo, presas de agitación constante; las víboras que salen de una caja para picar con el alfiler que llevan en las fauces; los pajaritos de péndulo, que aparentan beber de un cuenco hecho de bellota; los volantines, ruedas de la fortuna, maromeros y equilibristas de madera; las mariposas de hojalata que baten sus alas; las pescadoras, molenderas, tejedoras y vendedoras de la región lacustre de Michoacán, formadas con madera y trapo, sensibles al impulso de un hilo; y los gallos de pelea hechos de tzumpantle, brea y plumas de colores, que se accionan por medio de un resorte.

(Resumen del artículo "Juguete", por Francisco Javier Hernández, mayo de 1987.)

JUIL. Nombre que se aplica en el valle de México a diversas especies de peces pequeños del género *Algansea*, familia Cyprinidae, orden Cypriniformes. Habitan en la cuenca del sistema Lerma-Chapala-Santiago. Destaca, por su importancia regional como alimento, el juil del Lago de Pátzcuaro, *A. lacustris*, regionalmente conocido como *acúmara*. Es de cuerpo esbelto y elongado, de hasta 35 cm de longitud. La cabeza, al igual que los ojos, es de talla moderada, y la boca más bien pequeña, protrucible y desprovista de barbillas asociadas a las comisuras. Presenta 17 branquiespinas en la rama inferior del primer arco branquial. La aleta dorsal, única y corta, está formada por ocho radios, el primero de ellos de aspecto espiniforme; la anal presenta siete radios, la caudal es bilobulada, las pectorales son cortas (las del macho más largas que las de la hembra) y las pélvicas abdominales. El cuerpo está cubierto de escamas (85 a 95 en una serie longitudinal) suaves al tacto, y la línea lateral es completa. Este pez, de color gris oscuro en el dorso, y blanquecino en el vientre, habita en aguas templadas, quietas y bien oxigenadas. Es omnívoro, aunque manifiesta cierta inclinación por las algas verdes filamentosas, las que consume junto con los pequeños moluscos, crustáceos e insectos asociados. Se reproduce en la primavera, cuando la temperatura aumenta, y desova en aguas someras y cálidas de fondo arenoso. Desde 1968, la *acúmara* ha sido distribuida en muchos cuerpos de agua de la República, en donde se aprovecha como especie forrajera para otros peces carnívoros o para consumo humano directo. En la meseta tarasca se come fresco y tatemado. Su carne, aunque muy espinosa, es de buen sabor, al igual que su hueva. Se pesca con redes, pues no muerde el anzuelo.

2. Otra especie importante de este género es *A. tincella*, también conocida como *juile*. Habita en el lago de Zumpango y en los depósitos de Chimalhuacán e Ixmiquilpan, Hgo. Con una longitud entre 15 y 18 cm, es el pez nativo de mayor talla en el valle de México. Su aspecto general es muy similar al anterior, del que se distingue por las escamas del cuerpo (de 70 a 76 en una serie longitudinal), proporcionalmente más grandes, y por tener de 10 a 12 branquiespinas.

3. Otras especies del mismo género son las siguientes: *A. monticola*, del río Santiago; *A. alvaresi*, *A. affinis* y *A. barbata*, del río Lerma; *A. lacustris*, de Pátzcuaro; *A. rubescens*, de Chapala; y *A. dugesi*, de Yuriria.

La expresión "éste se come los bagres y se le atoran los juiles" se emplea para censurar a quien cometiendo faltas graves se escandaliza de las leves. Equivale a esta otra: "Es como la burra de tía Cleta, que se come los petates y se asusta de los aventadores".

JULISSA (Julia Isabel de Llano Macedo). Nació en la ciudad de México el 8 de abril de 1945. Estudió en Estados Unidos, Canadá y Suiza; en la Facultad de Filosofía y Letras de la Universidad Nacional Autónoma de México, y arte dramático con José Luis Ibáñez. Comenzó su carrera como baladista en el conjunto Los Escupefuego; se inició en el cine en 1963 en la película *La edad de la violencia*, protagonizó después *Los novios de mis hijas* (1964), *El pecador* (1965), *Diablos en el cielo* (1965), *Pedro Páramo* (1966), *Ensayo de una noche de bodas* (1967), *Los caifanes* (1967), dirigida por Juan Ibáñez, cinta por la que obtuvo una Diosa de Plata como la mejor actriz del año y *Distrito Fedral* (1983), premiada con el Ariel a la mejor coactuación femenina; en 1964 se inició en la televisión y ha actuado en las telenovelas: *Las momias de Guanajuato* y *Doña Macabra* de Hugo Argüelles, *La mentira* y *Corazón salvaje* de Caridad Bravo Adams, *Los hermanos coraje*, *El demonio de mediodía* y *Extrañas familias* de Julio Alejandro. A partir de 1965 se ha dedicado también al teatro como actriz y productora, y ha realizado: *Jesucristo superestrella*, *Papá, pobre papá, mamá te ha dejado colgado en el closet*, *Las mariposas son libres*, *Pippin*, *El show de terror de Rocky*, *La pulga en la oreja* y *José el soñador*, entre otras.

JUMETE. Nombre que se da a varias plantas venenosas de la familia de las euforbiáceas y del género *Pedilanthus*, en particular *P. bracteatus* (Jacq.) Boiss., *P. tithymaloides* (L.) Poit y *P. palmeri* Millsp. *P. brateatus*, de 1 a 1.2 m de altura, presenta hojas fusiformes u oblongas y obtusas, lisas, de 10 cm de longitud, y flores con brácteas coloridas conspicuas que forman un involucro en forma de zapato, con un pequeño apéndice. Vegeta en Sonora, Sinaloa, Zacatecas, Guerrero, Jalisco y Oaxaca.

2. *P. tihymaloides*, de igual altura, tiene hojas ovales u oblongas, de 3.5 a 7.5 cm de largo, agudas, cuneadas en la base y lisas; flores con los involucros purpúreos y fruto capsular de 9 mm de ancho. El jugo lechoso es cáustico, irritante y emético. En medicina popular se emplea para el tratamiento de las enfermedades venéreas. Se desarrolla principalmente en Tamaulipas, Veracruz, Guerrero, Oaxaca y Chiapas. Se le conoce también como *candelilla* –Tamaulipas– y *gallito colorado*.

3. *P. palmeri*, parecida a las dos especies anteriores, presenta hojas agudas u obtusas, cuneadas en la base, lisas y hasta de 15 cm de longitud, y flores en los involucros rojos, de 1.5 cm, con apéndice corto y tubo involucral pubescente. Sólo se ha registrado en la región de Tepic, Nay.

JUMIL. Con este nombre se conoce a varias especies de insectos de la familia *Pentatomidae*, del orden Hemiptera: *Edessa mexicana, Atizies sufultus, A. taxcoensis, Euschistus crenator, E. lineatus* y *E. zopilotensis*. Se les da el nombre de *chinches de monte* y se encuentran en los estados de México, Morelos, Guerrero, Hidalgo, Veracruz y Oaxaca. Los machos miden de 8 a 85 mm y las hembras de 8 a 9. La coloración de la parte dorsal varía de amarillenta a verdosa, con pequeñas manchas pardas; la cabeza prominente, muestra dos ojos compuestos y dos antenas más o menos largas; el protórax es cuadrangular con hemiélitros grisáceos y las alas posteriores trasparentes. El abdomen tiene nueve segmentos al nivel de las coxas, y en el costado externo de cada una lleva un poro glandular por donde exuda un líquido aceitoso con fétido olor que le es característico. Viven entre los tallos y sobre las hojas de varias especies de encinos. Son comestibles: en Morelos y Guerrero se venden en los mercados, vivos y tostados y molidos con chile y pimienta, para espolvorearse en la comida. La gente de pocos recursos los ingiere vivos porque existe la creencia de que en tales condiciones constituyen un remedio eficaz contra el reumatismo, las dispepsias y las erupciones de la piel, aparte de atribuírseles virtudes afrodisiacas. Mariano Rojas opinó que jumil deriva de la palabra náhuatl *zotlimilli* –de *milli*, sementera, y *zotl*, pie–, modo de significar un insecto que vive al pie de los cultivos. No obstante su oleoso y picante sabor a chinche, se consumen en la preparación de salsas

JUNCO. *Hylocereus undatus* (Haw.) Britt. y Rose. Planta de la familia de las cactáceas, con tallos carnosos, largos, trepadores y con pocas espinas de 2 a 4 mm; flores amarillentas o algo verdosas, con el interior casi siempre blanco, y fruto rojo púrpura cuando madura, oblongo, hasta de 12 cm de diámetro, cubierto de escamas que semejan hojas y con pulpa blanca, algo dulce y comestible. Crece silvestre en Chiapas, Campeche, Veracruz, Hidalgo y San Luis Potosí. Se le conoce también como *pitahaya, pitahaya orejona, tasajo, chacoul* y *zacoul*.

JUNCO, ALFONSO. Nació en Monterrey, N.L., el 26 de febrero de 1896; murió en la ciudad de México el 13 de octubre de 1974. Desde niño se interesó por la literatura. Sus primeros versos, compuestos a los nueve años de edad, se publicaron en *El pasatiempo* y *El Estudiante*. A la muerte de los padres Méndez Plancarte, dirigió la revista *Ábside*. Perteneció a a la Academia Mexicana de la Lengua y fue socio correspondiente de la Colombiana. Colaboró habitualmente en el periódico *El Universal*. Destacó como poeta, polemista e historiador. Publicó poesía: *Por la senda suave* (1917), *El alma estrella* (1920), *Posesión* (1923), *Florilegio eucarístico* (1926) y *La divina aventura* (1938); y obras en prosa: *Fisonomías* (1927), *La traición de Querétaro* (1930), *La Sra. Belén desfanatizando* (1923), *Iturbide* (1924), *Voltaire* (1925), *Cristo* (1931), *Un radical problema guadalupano* (1932), *Antonio Vieyra en México* (1933), *Motivos mexicanos* (1933), *Inquisición sobre la Inquisición* (1933), *Cosas que arden* (1934), *Un siglo de México, de Hidalgo a Carranza* (1934), *Lope ecuménico* (1935), *Carranza y los orígenes de su rebelión* (1935), *Gente de México* (1937), *Lumbre de México* (1938), *La vida sencilla* (1939), *Savia* (1939), *El difícil paraíso* (1940), *Sangre hispana* (1940), *La ola de fango* (1941), *Defensa de la madre* (1942), *Tres lugares comunes* (1943), *Egregios* (1944), *El milagro de las rosas* (1945), *España en carne viva* (1946), *El gran teatro del mundo* (1947), *Un poeta de casa* (1950), *Los ojos viajeros* (1951), *El amor de Sor Juana* (1951), *Novedad de la Academia* (1953), *Sotanas de México* (1955), *Cuestiúnculas gongorianas* (1955), *Contro-

versia con don Antonio Caso (1956), *México y los refugiados* (1959), *Othón en el recuerdo* (1959), *El increíble Fray Servando* (1959), *Antología* (1960), *La viril castidad* (1960), *Defensa del proletario* (1960), *El milagro del Tepeyac* (1961), *Juárez intervencionista* (1961), *El apasionante problema de la propiedad* (1962), *Todos los que están* (1967), *La jota de México y otras danzas* (1967), *De los primeros dineros a los setenta febreros* (1970), *Insurgentes y liberales ante Iturbide* (1971) y *Tiempo de alas* (1973).

JUNCO, HUMBERTO. Nació en Monterrey, N.L., en 1912. Hijo del poeta Celedonio Junco de la Vega, cursó estudios de administración en su ciudad natal. Ha sido catedrático del Instituto Tecnológico y de Estudios Superiores de Monterrey. Fue alcalde del municipio de Garza García, postulado por el Partido Acción Nacional (1975-1977). Colabora en el periódico *El Norte*. Ha publicado: *Conjura contra Monterrey* (1975) y *Voces al viento... hoy aprisionadas.*

JUNCO, TITO. Nació en Gutiérrez Zamora, Ver., el 3 de octubre de 1921. Vivió sus primeros años cerca del mar con su padre y su hermano Víctor, también actor. En Veracruz ingresó a la Academia Naval, la que abandonó posteriormente para trabajar de salvavidas. Llegó a la ciudad de México en 1933, se incorporó al ambiente artístico y participó en 170 películas en calidad de extra. Su primera oportunidad en un papel coestelar fue en *Repatriados*. A partir de entonces ha hecho unas 200 películas, entre ellas *La sombra del caudillo* (1960), que obtuvo un premio en Karlovy Vari, y las más populares: *A dónde van nuestros hijos, Que Dios me perdone, Bamba, La Martina, Adiós mi chaparrita, Allá en el Bajío, Amanecer ranchero, Rosalinda, El ahijado de la muerte, Pobre corazón, El infierno de los pobres, Marejada, Nosotros dos, La vida de Agustín Lara, Tiburoneros, El pecador, La muerte es puntual, Su excelencia, María Isabel, Ensayo de una noche de bodas, Hermanos de hierro, Víctimas de la pasión* y, entre las más recientes, *Nuevo Mundo* (1976) y *Figuras de la pasión* (1984). Ha participado también en telenovelas.

JUNCO DE LA VEGA, CELEDONIO. Nació en Matamoros, Tamps., el 23 de octubre de 1863; murió en Monterrey, N.L., el 3 de febrero de 1948. En esta última ciudad colaboró en *La Defensa, El Grano de Arena, Pierrot, El Espectador* y *Revista Contemporánea*. Cobraron notoriedad los editoriales que escribió en *El Porvenir* (1919-1922) y *El Sol* (1922-1937). Se distinguió también como orador. Fue secretario particular del secretario de Hacienda en 1911. Ganó la Flor Natural en los Juegos Florales del Centenario de la Independencia, con la oda "A la ciudad de Monterrey"; y en Pachuca y en Guadalajara su poema "Himno a Hidalgo" mereció medalla de oro. Perteneció a la Academia Mexicana de la Lengua. De su obra poética destacan *Versos* (1895), *Musa provinciana* (1909) y *Recuerdos de la fiesta* (1927); y entre sus obras de teatro: *El retrato de papá, Todo por el honor, Tabaco y rapé, La familia modelo* y *Dad de beber al sediento.*

JUNCO OLOROSO. *Epiphyllum oxypetalum* (D.C.) Haw. Cactácea terrestre, a menudo adherida a las rocas, muy ramificada, con tallo de aproximadamente 3 m de longitud, leñoso y cilíndrico en la base. Las ramas son aplanadas, muy delgadas, festoneadas, de 20 cm, en cuyo borde presentan areolas pequeñas con escasos pelos y escama precaria. Carece de hojas; sin embargo, cuando muy jóvenes, éstas se hallan representadas por delgadas cerdas. Las flores, blancas y vistosas, se abren al oscurecer y producen un aroma delicado; miden 30 cm de longitud y presentan un tubo moreno, de 15 cm, provisto de escamas delgadas de aproximadamente 1 cm; los segmentos del perianto, numerosos, acuminados, son más cortos que el tubo de la flor: los exteriores son angostos, rojizos y de 5 a 10 cm de longitud, y los interiores, más anchos y de color blanco; los estambres, numerosos y con filamentos blancos, van unidos al tubo de la flor; el ovario es ínfero o semisúpero; el estilo, grueso, también blanco y de 20 cm, y el estigma, de varios lóbulos blancos amarillentos. El fruto es rojo o purpúreo y tiene semillas negras. Está ampliamente distribuido en estado silvestre en las selvas de la vertiente del Pacífico. Se le conoce también como *reina de la noche.*

JUNTAS. En el pasado se han reunido diversos personajes políticos o eclesiásticos, en distintas ocasiones, por diferentes motivos. A esas reuniones les dieron ellos mismos el nombre de Juntas.

JUNTAS

A continuación se indican las de mayor trascendencia histórica.

1) Juntas religiosas. a) *Junta Apostólica* (1525) convocada por fray Martín de Valencia, jefe de la primera misión franciscana, en su calidad de delegado pontificio. Se reunieron 19 religiosos, cinco clérigos seculares y cinco personas doctas en derecho. Asistió a ella Hernán Cortés. Se acordó que el bautismo debería dársele a los indios dos veces por semana, que la confirmación se difiriese para cuando existieran obispos, que con la dominica de septuagésima debería comenzar el cumplimiento pascual y que se dejara a discreción de los frailes el dar la comunión a los indios. En cuanto al matrimonio entre naturales, se decidió consultar al Papa por ser un problema escabroso (véase: Francisco Antonio de Lorenzana y Buitrón: *Concilios primero y segundo celebrados en México en los años de 1555 y 1565*, 1769). b) *Junta Eclesiástica* (1539) a la que asistieron los obispos de Mexico, Antequera (Oaxaca) y Michoacán y los superiores de los franciscanos, dominicos y agustinos. Se trataron diversos asuntos sobre la evangelización de los indios, particularmente lo relativo al bautismo y al matrimonio, y se determinó imprimir unas reglas bajo el título de *Manual de adultos* (1540). (véase: Lorenzana y Buitrón: *op. cit.*; Joaquín García Icazbalceta: *Don fray Juan de Zúmarra*, 1881; *Bibliografía mexicana del siglo* XVI, edición de A. Millares Carlo, 1954); c)*Junta Eclesiástica* (1546) convocada por el visitador Francisco Tello de Sandoval, con amplias facultades para fiscalizar los actos públicos de las autoridades de Nueva España. Se reunieron el arzobispo de México y los obispos de Michoacán, Chiapas, Oaxaca y Guatemala; los superiores de las tres Órdenes existentes y otros letrados. Se discutieron la esclavitud de los indios y los servicios personales, y se acordó procurar la congregación de los indios en pueblos, pedir la erección de nuevos obispados, dar la comunión a los naturales y publicar la administración de los catecismos (véase: Icazbalceta: *op. cit.*; Ciriaco Pérez Bustamante: *Don Antonio de Mendoza*, Santiago de Compostela, 1928; Silvio Zavala: *La encomienda indiana*, Madrid, 1935).

2) Juntas laicas. a) *Junta Provisional de Gobierno* (1821), instalada el 28 de septiembre de 1821, de conformidad con lo establecido por el Plan de Iguala y el Tratado de Córdoba (v. INDE-PENDENCIA). Eligió como presidente a Agustín de Iturbide. Fueron sus principales actos: el nombramiento de la Regencia y la expedición del Acta de Independencia (28 de septiembre), la declaración de su propia soberanía (6 de octubre), el otorgamiento de premios y honores a los miembros del Ejército Trigarante y la convocatoria al Congreso Constituyente (17 de noviembre). (véase: Lucas Alamán: *Historia de Méjico*, 1849-1952; Carlos María de Bustamante: *Cuadro histórico de la Revolución de la América mexicana comenzada el 15 de septiembre de 1810 por el C. Miguel Hidalgo y Costilla*, 1843-1846; Francisco Bulnes: *La Guerra de Independencia. Hidalgo e Iturbide*, 1910). b) *Junta Nacional Instituyente* (1822), creada por el decreto de Iturbide del 31 de octubre que disolvió el Congreso, y compuesta por dos de los antiguos diputados de cada provincia, o por uno donde fuese único. Su actuación duró del 2 de noviembre de 1822 al 6 de marzo de 1823; se ocupó de asuntos hacendarios, de la Constitución provisional y del posterior Congreso Constituyente (véase: Alamán: *op. cit.*, Bustamante y Bulnes: *op. cit.*). c) *Junta de Notables* (1858). A consecuencia del Plan de Tacubaya proclamado por el general Félix Zuloaga el 17 de diciembre de 1857 y aceptado por el presidente de la República, desconociendo la Constitución de 1857, sobrevino el pronunciamiento militar de la Ciudadela encabezado por el general José de la Parra (11 de enero de 1858) para eliminar a Comonfort. Una junta de 27 representantes de los departamentos en que estaba dividida la República, reunida el 22 de enero, eligió presidente al general Zuloaga (v. REFORMA; Manuel Cambre: *La Guerra de Tres Años*, Guadalajara, 1904; Manuel Payno: *Memoria sobre la Revolución de diciembre de 1857 y enero de 1858*, 1860). d) *Junta Popular* (1858-1859). El 20 de diciembre de este año se pronunció en Ayotla el general Miguel M. Echegaray, liberal moderado al servicio del gobierno conservador del general Zuloaga, pidiendo la convocatoria de una asamblea "verdaderamente nacional" que redactara una Constitución que no debería regir sino hasta obtener mayoría de votos en un plebiscito. Secundado por el jefe de la guarnición de la ciudad de México, general Manuel Robles Pezuela, con el nombre de Plan de Navidad (23 de diciembre), éste asumió el poder desde ese día hasta el 21 de enero de 1859. Con base en ese Plan se

reunió la Junta Popular, convocada por el general Mariano Salas y compuesta de 147 representantes de los departamentos, entre los cuales se hallaban los liberales Octaviano Muñoz Ledo, Vicente y Mariano Riva Palacio, José María Iglesias, Ponciano Arriaga, Cipriano del Castillo e Ignacio Cumplido. Tanto el general conservador Miguel Miramón, que combatía al general Santos Degollado en Jalisco, como Benito Juárez, jefe de los liberales, que estaba en Veracruz, reprobaron el Plan de Navidad. Robles Pezuela entregó el poder a Salas (21 de enero); éste a Zuloaga (24 de enero), y éste a Miramón (2 de febrero) (véase: Francisco de P. Arrangoiz: *México desde 1808 hasta 1867*, Madrid, 1871-1872; Cambre: *op. cit.*). e) *Junta de Notables* (1863). Abandonada la ciudad de México por el gobierno republicano el 31 de mayo de 1863, el general Bruno Aguilar se apoderó de ella el 1° de junio; el día 6 entró la vanguardia del ejército francés y el 10 el grueso de las fuerzas invasoras al mando del general Elías Federico Forey, Juan N. Almonte y Leonardo Márquez. Forey, asesorado por Dubois de Saligny, ministro de Francia en México, nombró una Junta Superior de Gobierno, compuesta por 35 personas, que deberían elegir a tres individuos propietarios y dos suplentes que se encargaran del Poder Ejecutivo, y los cuales, a su vez, escogieran a 215 personas para que determinaran la forma de gobierno. Esta Junta de Notables instalada el 8 de julio, adoptó la monarquía moderada y decidió ofrecer la corona a Fernando Maximiliano de Habsburgo (v. INTERVENCIÓN FRANCESA E IMPERIO). f) *Junta de Notables* (1867). Convocados por Maximiliano, el 14 de enero de 1867 se reunieron 34 personas y el mariscal Bazaine, con el objeto de decidir si aquél abdicaba al Imperio. Por 26 votos contra siete se confirmó lo resuelto en la Junta de Ministros y Consejeros del 24 de noviembre anterior, en el sentido de no abandonar el trono. Asistieron, entre otros, Teodosio Lares, Manuel Lizardi, Alejandro Arango y Escandón, Manuel Orozco y Berra, Manuel Robles Pezuela, Santiago Vidaurri y Villalba, Leonardo Márquez, Agustín Fisher, Urbano Fonseca, Bonifacio Gutiérrez, el arzobispo de México, Joaquín Lacunza, Víctor Pérez, Joaquín Mier y Terán, Ramón Méndez, Tomás Murphy, Juan Nepomuceno de Pereda, García Aguirre, Pánfilo Galindo, José Cordero, Pascual Almazán, Antonio Linares, Jesús López Portillo y Carlos Sánchez

Navarro (v. INTERVENCIÓN FRANCESA E IMPERIO; Emile Conte de Keratry: *LÉmpereaur Maximilien: son élévation et sachute*, Leipzig, 1867; Agustín Rivera: *Anales mexicanos. La Reforma y el Segundo Imperio*, 1904).

JURA DEL REY DE ESPAÑA. Nueva España, como parte integrante del imperio español, celebraba con solemnidad la jura de un nuevo soberano. Recibida la real cédula que se enviaba al virrey, comunicándole la muerte del soberano reinante y el ascenso al trono del sucesor, se reunían en Palacio todos los tribunales, con excepción del Ayuntamiento de la ciudad de México, cuyos miembros iban a caballo desde las casas del Cabildo. Luego que llegaban al patio, subían para acompañar al virrey, a la Real Audiencia y a los tribunales, hasta un tablado que se levantaba cerca de la puerta norte y en el que estaba, cubierto con una cortina y bajo un dosel, el retrato del rey que se iba a jurar; el sillón del virrey y las sillas para los oidores, alcaldes del crimen y demás tribunales; a la derecha, las bancas de la Nobilísima Ciudad; a la izquierda, las de los escribanos de Cámara, y detrás de ellas, las de los gobernadores indígenas de las parcialidades de Santiago, San Juan, Santa María, San Sebastián y San Pablo. El resto de los acompañantes permanecía de pie. El corregidor del Ayuntamiento pedía la venia del virrey para ir por el alférez que había de traer el estandarte real, acompañándole los regidores. Concedido el permiso, montaba a caballo y volvía presto con su comitiva y los individuos de la nobleza, ricamente vestidos. Colocábase el estandarte en un pedestal de plata frente al virrey, estando la infantería formada en el lado poniente, con reyes de armas en las cuatro esquinas. El virrey empuñaba el pendón real, daba unos cuantos pasos hacia la escalera y, tremolando el estandarte, gritaba tres veces" "¡Castilla! ¡Nueva España! ¡Por la Católica Majestad del Rey Nuestro señor, Rey de Castilla y de León, que Dios guarde muchos años!". Los miembros de los tribunales respondían: "¡Amén!" y el pueblo reunido en la plaza (hoy Zócalo), añadía al unísono: "¡Viva el Rey! ¡Viva el Rey!". Al mismo tiempo se escuchaban las descargas de la infantería y la artillería, y el toque de las campanas de catedral y de todas las demás iglesias. A continuación se arrojaban monedas de plata al pueblo, y el alférez real hacía la misma proclamación a derecha e izquierda del tablado mientras el virrey descubría el retrato del monarca. La proclamación se repetía frente al palacio arzobispal y delante de las casas del Cabildo, donde quedaba expuesto el pendón por tres días, custodiado por los cuatro reyes de armas. La tropa desfilaba y había iluminación y fuegos artificiales por tres noches.

Al día siguiente se celebraba función de gracias en la catedral, con misa pontifical y sermón, y asistencia del virrey, miembros de la Audiencia y demás tribunales y cortesanos. Al tercer día por la mañana, iban el Cabildo de la catedral y el arzobispo de México a cumplimentar al virrey y a felicitarse por la *Jura del Rey*, a tiempo que repicaban las esquilas del templo mayor; y por la tarde, el Cabildo y el abad de la Real Colegiata de Guadalupe hacían lo propio.

En los tres siglos de dominación española, se juraron en México a los siguientes monarcas: Carlos V de Alemania y I de España, Felipe II, Felipe III, Felipe IV, Carlos II, Felipe V, Luis I, Felipe V por segunda vez, Fernando VI, Carlos III, Carlos IV y Fernando VII. V. GOBERNANTES. **La Nueva España.**

Bibliografía: Luis González Obregón: *México viejo. Noticias históricas, leyendas y costumbres* (3a. ed.; 1945); Eusebio Ventura Beleña: *Recopilación sumaria de los autos acordados de la Real Audiencia y sala del crimen de la Nueva España...* (3 vols., 1787).

JURADO, KATY. Nació en Guadalajara, Jal., en 1928; murió en Cuernavaca, Mor., el 5 de julio de 2002. Desde niña estuvo relacionada con el ambiente artístico, pues su madre cantaba en la XEW haciendo dúo con Ricardo C. Lara o Juan Arvizu. Se inició en el cine con la película *No matarás* (1943). Posteriormente realizó más de 200 películas en México y en el extranjero. Fue la única mexicana nominada en dos ocasiones para el Oscar: la primera en 1952, por *La hora señalada*, y la segunda en 1954 por *La lanza rota*. Con la primera obtuvo el Globo de Oro en Los Ángeles, Estados Unidos. En México recibió el Ariel por *El bruto*, en 1953. Filmó en París, Alemania, Italia, España y Estados Unidos, donde también hizo teatro en Broadway y en televisión. Entre sus películas más popula-

res: *La vida inútil de Pito Pérez* (1943), *Tehuantepec* (1953), *La furia de los justos* (1955), *Barrabás* (1965), *Un hombre solo* (1964), *Fe, Esperanza y Caridad* (1973), *Los albañiles* (1977), *Los hijos de Sánchez* (1978) y *Distrito Federal* (1979). Hacia el final de su vida volvió a actuar en teatro y en algunas telenovelas.

JURADO, NICASIO. Nació en Huejutla, Hgo., en 1888; murió en el Distrito Federal en 1976. Estudió música en su pueblo natal y en la ciudad de México. En París tomó clases de violín con el cubano José White, y en Madrid con Pablo de Sarasate. Cuando cayó el gobierno del general Díaz tuvo que regresar a México, incorporándose a las fuerzas de Francisco I. Madero, de quien fue buen amigo. Al tomar éste posesión de la Presidencia de la República, lo envió de nuevo a Europa, donde logró algunos triunfos artísticos. Volvió al país poco antes de la Decena Trágica (8 al 18 de febrero de 1913). Afiliado al constitucionalismo, alcanzó el grado de coronel en las fuerzas del general Álvaro Obregón. Estuvo en las batallas de Celaya y Trinidad. Demostró un gran valor, pues tocaba su violín para alentar a los soldados en lo más fragoso de los combates. Fue diputado a las XXVII y XXIX legislaturas y secretario de la legación de México en París. En 1921 estuvo en La Habana y más tarde en Estados Unidos y Suramérica, actuando como concertista. Más conocido en el extranjero que en México, su composición *Fantasía cósmica*, inspirada en la Revolución Mexicana, lo consagró mundialmente.

JUREL. Nombre que se aplica a varias especies de peces marinos de la familia Carangidae, orden Perciformes, de ambas costas de México, principalmente a las del género *Caranx*. El jurel común *C. hippos* (Linnaeus) puede ser usado como ejemplo para la descripción de las características distintivas de estos peces. Es de cuerpo alargado, de aproximadamente 80 cm de longitud, moderadamente alto y comprimido, con la cabeza grande, el hocico redondeado y los ojos con un párpado adiposo bien desarrollado. Tiene la boca grande, provista de dientes en ambas mandíbulas. El extremo de la mandíbula inferior alcanza o rebasa el margen posterior del ojo. La aleta dorsal es doble, formada por ocho espinas seguidas por otra y con 19 a 21 radios suaves. La

JUREL

aleta anal presenta dos espinas libres seguidas por otra y 16 o 17 radios. Los lóbulos de la anal y la dorsal están alargados; la caudal es bifurcada, las pectorales son falcadas y más largas que la cabeza, y las pélvicas se insertan en posición toráxica. El cuerpo está cubierto con escamas suaves al tacto, a excepción del tórax que sólo las tiene en un pequeño parche delante de las aletas pélvicas. La línea lateral describe un amplio arco por arriba de las aletas pectorales y su parte posterior, recta, lleva de 23 a 35 escudetes óseos, flanqueados en la base de la aleta caudal por un par de quillas laterales. El cuerpo, por arriba, es verdoso o azul negruzco, y por abajo blanco plateado, amarillento o dorado. En los costados se destaca una mancha oval oscura por encima de las aletas pectorales. Los jóvenes presentan cinco barras oscuras en el cuerpo.

Los jureles son muy ágiles nadadores y realizan migraciones. Mientras los jóvenes suelen reunirse en grupos medianos o grandes en las áreas someras cercanas a la costa, los adultos pueden ser solitarios y adentrarse en el océano. Habitantes de las aguas continentales salobres, en ocasiones remontan los ríos. Se alimentan principalmente de peces, crustáceos y otros invertebrados. El jurel común es una especie cosmopolita de mares tropicales y templados. En el Atlántico occidental se distribuye desde Nueva Escocia, Canadá, hasta las costas de Uruguay; y en el Pacífico oriental, desde punta Concepción, en Estados Unidos, hasta las islas Galápagos. Es muy común en ambas costas de México. En el Pacífico se encuentran, además: *C. caballus*, *C. marginatus* y *C. vinctus*; y en el golfo de México, *C. latus* o *jurel ojón*, *C. lugubris* o *jurel negro*, y *C. bartholomaei*, *C. crysos* y *C. ruber*, más ampliamente conocidas como *cojinudas*. Al igual que otras especies pelágicas formadoras de cardúmenes, los jureles se pescan con redes de cerco con jareta, redes agalleras y chinchorros playeros, anzuelo y línea de mano, y ocasionalmente con redes de arrastre. La captura de jureles en México se ha incrementado paulatinamente: 1 300 t anuales de 1966 a 1972, 2 500 de 1973 a 1980, y 5 112 en 1983. El jurel se consume principalmente fresco y goza de buena aceptación, sobre todo en los mercados locales y regionales. Una parte de la producción se expende seca y salada, y otra se destina a la elaboración de harinas y fertilizantes.

4562

JUREL DE CASTILLA. *Seriola dorsalis* (Gill.), familia Carangidae, orden Perciformes. Pez de cuerpo fusiforme, alargado y ligeramente comprimido. Los adultos alcanzan 1.5 m de longitud y 40 kg de peso, aunque generalmente son más pequeños. Tienen la cabeza fuerte, un tanto redondeada, y la boca pequeña y oblicua, provista de dientes viliformes en ambas mandíbulas. La línea lateral describe un arco poco elevado en la región anterior y su porción recta está desprovista de escudetes óseos. Posee dos aletas dorsales, la primera con seis a ocho espinas unidas por una membrana, y la segunda con una espina de 31 a 35 radios, mucho más larga que la anal, compuesta por dos espinas y 20 radios. Ambas aletas carecen de pínnulas libres. La caudal es homocerca y muy bifurcada, y las pélvicas más largas que las pectorales. Es de color azul o verde metálico en el dorso, y plateado y blanquecino en el vientre, con una banda amarilla que corre por la mitad del costado, desde el ojo hasta la aleta caudal. Las aletas son amarillas o verde amarillentas. Habita sobre fondos rocosos o arenosos y se alimenta principalmente de pequeños peces. Se distribuye desde Monterey, en Estados Unidos, hasta las islas Galápagos. Es común en el golfo de California, frente a las costas de Mazatlán y Guaymas, donde es muy estimado por los pescadores deportivos. Su carne, aunque firme, tiene un sabor delicado. Se pesca todo el año, pero principalmente en primavera, utilizando atarrayas, chinchorros y ocasionalmente redes de cerco o anzuelo.

2. También se llama jurel de castilla a *Chloroscombrus orqueta*, conocido además como *monda* u *horqueta*. De talla pequeña (20 cm), tiene boca casi vertical, escudetes óseos reducidos, aleta caudal muy bifurcada, con el lóbulo superior ligeramente más grande que el inferior, aletas pectorales largas, y dorsal y anal con los márgenes negros. Habita en el litoral del Pacífico, desde bahía Magdalena hasta Chiapas.

3. También se aplica este nombre a *Hemicaranx amblyrhynchus* y *H. leucurus*, de la misma familia que los anteriores. La primera habita en el Atlántico y la segunda en el Pacífico.

JUREL DE COLA AMARILLA. *Seriola dorsalis* (Fam. *Carangidae*). Pez que llega a medir hasta 1.50 m de largo, y a pesar hasta 40 kg, aunque normalmente no sobrepasa los 10.

Tiene cuerpo alargado, más o menos cilíndrico y ligeramente comprimido; boca pequeña y oblicua, con dientes viliformes en las mandíbulas; línea lateral con una ondulación muy baja y larga, formando una quilla en el pedúnculo caudal y sin presentar escudos; dos aletas dorsales, la primera con 6 o 7 espinas pequeñas incluidas en una membrana y la segunda dorsal con una espina y de 31 a 35 radios; la aleta anal con 2 espinas libres, otras más y 20 radios unidos formando una membrana; la caudal, muy bifurcada, con ambos lóbulos de igual longitud. Viven agrupados en cardúmenes. Esta especie tiene el dorso azul-verde, el vientre plateado y la aleta caudal verde amarillento o amarilla –de donde deriva su nombre–, con una línea horizontal oscura que va desde el ojo hasta la cola. Es muy apreciado como pez deportivo, particularmente en Guaymas y Mazatlán. Se distribuye desde California hasta las islas Galápagos, penetrando al golfo de Cortés, donde suele ser abundante.

Otra especie del mismo género, de cierta importancia comercial, es *Seriola mazatlana*, llamada *jurel de aleta amarilla*; es también comestible y se distribuye desde Mazatlán hasta el Perú. *Seriola lalandi* es común en el Atlántico y se ha registrado en aguas del golfo de México como especie rara; mide 2 m de largo y es de colores azul, blanco y amarillo oro.

JUREL FINO. *Decapterus hypodus* Gill. Pez de la familia Carangidae, orden Perciformes. Es una especie estrechamente emparentada con los charritos *Trachurus symmetricus* y *T. lathami*, de los que se distingue por carecer de línea lateral accesoria, por tener escudetes óseos solamente en la última parte de la línea lateral, y porque presenta sendas pínnulas típicas después de las aletas dorsal y anal. Es una especie típicamente mexicana que se encuentra desde Ensenada hasta cabo San Lucas. Algunos autores señalan que es muy abundante en las cercanías de las islas Guadalupe, San Clemente y San Benedicto, esta última del grupo de las Revillagigedo. Es comestible. Se consume localmente. Recibe también los nombres de *macarela, caballa mexicana* y *chícharo*.

JUSACAMEA, JUAN IGNACIO. Nació en Sonora y murió en Ciudad Arizpe, de la misma entidad (1793-1833). Cacique y guerrero yaqui, en 1825 encabezó la rebelión general de su tribu y se sostuvo en armas hasta abril de 1827. El general José Figueroa, comandante de la entidad, valiéndose del presbítero Antonio Félix de Castro, padrino de bautismo de Jusacamea, hizo que éste se rindiera y se presentara ante las autoridades en el pueblo de Potam. El gobierno del estado lo nombró alcalde mayor de la cuenca del río Yaqui, donde sirvió con eficacia y diligencia. En 1832 volvió a encabezar la rebelión de su tribu en contra del Gobierno Federal; pretendió proclamarse rey de los indígenas; fue derrotado en Soyopa por una columna al mando de Leonardo Escalante; se le condujo a Ciudad Arizpe y fue juzgado y fusilado el 7 de enero de 1833 en unión de José Dolores Gutiérrez. V. GUERRA DEL YAQUI.

JUSTINIANI, CAYETANO. Nació en Jalapa, Ver., en 1800; murió en la ciudad de Chihuahua en 1863. En 1820 se unió a las fuerzas de José Joaquín Herrera. En 1828, siendo teniente, se le nombró secretario de la Comandancia General de Chihuahua y del territorio de Nuevo México. Fue diputado al Congreso de la Unión (1832), se le ascendió a teniente coronel (1834) y siendo comandante en Santa Rita del Cobre, Chih., obligó a los indios apaches gileños a firmar la paz (1836). Cuando el gobernador de Nuevo México fue asesinado (1837), salió de Paso del Norte para batir a los sublevados en Pojuaque. En 1838 quedó al mando de las fuerzas militares del estado de Chihuahua, pero dimitió su cargo (1839) por diferencias con el gobernador José María Irigoyen de la O. Fue después prefecto de Hidalgo del Parral (1840), diputado a la Asamblea Departamental Chihuahuense (1842) y comandante general del estado por segunda vez (1845). Protestó contra el cuartelazo de Paredes y Arrillaga en San Lusi Potosí (1846) y en su carácter de vocal decano de la Asamblea, asumió el Poder Ejecutivo del estado el 16 de febrero de 1846. Combatió a los norteamericanos en la batalla de Sacramento, como mayor general de la División de Operaciones (febrero de 1847). Cayó prisionero en Rosales (16 de marzo de 1848), pero logró escapar. Después de la guerra fue interventor de la aduana de Paso del Norte y administrador de la de Ojinaga (1849), diputado local (1850) y jefe del Contrarresguardo Fiscal de Chihuahua y Coahuila (1851-1856). En esa época sometió a los habitantes de Balleza, Chih., que se habían sublevado. Murió siendo administrador general de rentas del estado.

JUTETILLO. *Coutarea latiflora* Moc. y Sess. Arbusto o pequeño árbol de la familia de las rubiáceas, de 7 m de alto y de corteza amarga. Tiene hojas con peciolo largo, oval-oblongas, redondeadas hacia la base y de 4 a 12 cm de longitud; flores blancas y aromáticas que se dan formando un embudo, y fruto capsular, moreno, de consistencia leñosa, con dos cavidades y varias manchas blancas. Se distribuye en Sonora, Sinaloa, Michoacán, Morelos, Guerrero, Puebla, Oaxaca y Chiapas. Se le conoce también como *campanilla* –Chiapas–, *copalquín*, –Sonora–, *corteza de Jojutla* –Morelos–, *grañona* y *quina* –Oaxaca y Guerrero– y *palo amargo* –Sinaloa–.

K

K. Duodécima letra del alfabeto español, tomada de la *kappa* griega, cuyo antecedente es la *kaf* fenicia y su significado es "palma de la mano". Su forma arcaica fenicia y el jeroglífico egipcio evocan una mano con los dedos extendidos, o bien representan el antebrazo. Consonante oclusiva velar sorda, se emplea en el lenguaje científico y en palabras de origen griego, así como en nombres y apellidos sajones. Su sonido suele sustituirse con las letras C o Q. En química simboliza el potasio (*kalium*, en latín) y la constante de velocidad en reacciones y de equilibrio (k, del griego *kínesis*, movimiento); y en física indica el nivel de energía del átomo. Corresponde a la décima letra del alfabeto griego. El poco empleo en el idioma español explicaría su escasa transformación morfológica.

KABAH. Ciudad arqueológica maya de la región Puuc, en Yucatán. El área desmontada tiene dos kilómetros de este a oeste y uno de norte a sur. Consta de decenas de edificios, algunos de grandes dimensiones, agrupados en varios conjuntos: el Cuadrángulo del Este, del que forma parte el Codz-Pop; las llamadas por Maler, Segunda y Tercera casas; el Cuadrángulo del Oeste; los edificios de las Grecas y los Dinteles, una pirámide de masa considerable y el arco donde culmina una amplia calzada rectilínea. La función de éste —acaso conmemorar un triunfo— parece ser la misma que tenían esos monumentos en el Imperio romano. El edificio más extraordinario es el Codz-Pop, o Palacio de los Mascarones de Chac, de 46 m de largo por 6 m de alto, compuesto por dos crujías paralelas, de cuartos a distinto nivel, comunicados por la nariz extendida de una máscara, cuya forma sugirió el nombre maya de "estera enrollada". La fachada tiene un pequeño basamento con una moldura lisa inferior y otra superior llena de finos ornamentos, que abrazan una fila de mascarones; el alzado donde se abren las puertas lleva tres filas más de mascarones y, cornisa de por medio, otros tantos iguales en el friso, de suerte que toda la superficie está cubierta con esos elementos, sin dejar un solo espacio libre. El edificio debió estar rematado por una cerstería con rectángulos y grecas perforados en el muro. Hay inscripciones, de dudosa interpretación, en un dintel de madera, un arco, un friso de la plataforma del Codz-Pop y en las jambas de dos de las puertas de éste.

KABAL-CHECHEM. *Metopium brownei* (Jacq.) Urb. Árbol de la familia de las anacardiáceas, que alcanza los 25 m de altura, con tronco de 60 cm de diámetro y corteza delgada, rojiza a morena y escamosa. Tiene hojas pinnadas, de 20 a 30 cm de longitud —incluyendo el peciolo—, formadas por tres a siete foliolos suborbiculares u obovoides, cada uno de 3 a 6 cm de ancho y de 8 a 11 de largo, lisos y generalmente redondeados en el ápice. Las flores son unisexuales —dioicas y pentámeras—, con sépalos verde amarillentos y pétalos amarillos; actinomorfas y de 5 mm de diámetro, presentadas en grandes panículas axilares. El fruto es una baya oscura o amarillo anaranjada, lisa, de aproximadamente 1 cm que aloja una semilla ovoide de 8 mm. La madera presenta vistosas vetas y se emplea en la fabricación de chapas decorativas, duelas, pisos y lambrines. Tiene el inconveniente de ser urticante y cáustica; el aserrín provoca a menudo intensos trastornos en las vías respiratorias, al igual que lo hace el *huanacaste* o *guanacastle*. Se distribuye en las selvas medianas subcaducifolias y en las sabanas, principalmente en la vertiente del Golfo, desde el sur de Veracruz hasta Yucatán, y se le conoce también como *chechem negro* y *palo de rosa*.

KABAL-MUK. *Rauwolfia tetraphylla* L. (igual que *R. heterophylla* Roem. Schult.). Arbusto de la familia de las apocináceas de 0.5 a 1.5 m de altura; de hojas varticiladas –en grupos de cuatro y a veces de tres o cinco–, ovadas, elípticas, oblongo elípticas u obovado elípticas, lisas o tomentosas en el envés y a lo largo de la nervadura central, la cual alcanza 15 cm de longitud; flores pequeñas, agrupadas en corto número en las axilas de las hojas, en caliz, de cinco sépalos generalmente ciliados, corola blanca en forma de olla y estambres cortos; y fruto drupáceo –dos drupas fusionadas–, globoso o subgloboso, verde cuando tierno y rojo o negro cuando adulto, de 5 a 8 mm y altamente venenoso. Su distribución abarca regiones calientes y templadas de los estados de Campeche, Yucatán, Chiapas, Guerrero, Oaxaca, Michoacán, Jalisco, Nayarit, San Luis Potosí, Puebla y Veracruz. La raíz machacada se emplea en Guerrero para curar la erisipela, y la infusión de las hojas, contra la úlcera; en Colima, el cocimiento de la raíz se usa para aliviar enfermedades de la garganta y lavar las encías; y en otros lugares, contra infecciones intestinales y sifilíticas. El jugo del fruto sirve de tinta y colorante, al igual que las especies *R. serpentina* de Asia y *R. vomitoria* de África. De la raíz se obtiene la reserpina, alcaloide que en diversos preparados farmacéuticos se aplica para bajar la presión sanguínea y como calmante del sistema nervioso. Se le conoce también como *sarna de perro* –Colima– y *cocotombo* –Guerrero–.

En 1956, Rao, al hacer la revisión de las especies americanas del género *Rauwolfia*, indicó que en México la especie descrita recibe también los nombres vernáculos de *coralilla*, *corazillo* y *corralio*.

KAHAN, JOSÉ. Nació en México, D.F., en 1930; murió en la misma ciudad en 1986. Pianista, estudió en el Conservatorio Nacional de Música con Pablo Castellanos y posteriormente en el Instituto Curtis de Filadelfia, bajo la dirección de Isabela Venguerova, donde se graduó con los más altos honores. Hizo giras de conciertos por el país, y se presentó en otras 45 naciones. En 1977 realizó 20 programas para la red cultural de la televisión mexicana, con obras pianísticas desde los preclásicos hasta los compositores contemporáneos. Ese mismo año, con motivo del CL aniversario de la muerte de Beethoven, actuó en Centro y Suramérica. En 1979 estrenó en Europa los conciertos para piano de Blas Galindo y Armando Lavalle. Grabó varios discos de música mexicana, entre ellos uno con composiciones inéditas de Manuel M. Ponce. Fue solista de las orquestas mexicanas, y con Sally Van Den Berg y Luis Samuel Saloma formó el Trío Internacional.

KAHAN, SALOMÓN. Nació en Polonia en 1897; murió en la ciudad de México en 1965. En 1917 llegó a México y por algún tiempo fue profesor de historia universal en la Escuela Normal de Maestros. Reconocido como virtuoso del piano, dejó de ejecutarlo debido a una lesión en una mano, dedicándose a la crítica musical. Con tal carácter escribió para la revista *Tiempo* y en los principales periódicos del país. Tradujo al castellano la obra de Enrique Graetz, *Historia de los judíos*; jefaturó la redacción de *Tribuna Israelita* y escribió cinco libros de crítica musical: *La emoción de la música, Reflejos musicales, Impresiones musicales, Bosquejos musicales* y *Fascinación de la música*.

KAHLE, LOUIS GEORGE. Nació en San Luis Misuri, EUA, en 1912. Profesor de ciencias sociales en la Universidad de Misuri, es autor de *"The spanish colonial judiciary"*, en *Southwestern Social Science Quarterly* (1958), y *"Robert Lausing and the recognition of Venustiano Carranza"*, en *The Hispanic American Historical Review* (1958).

KAHLO, FRIDA. Nació y murió en Coyoacán, Distrito Federal (1910-1954). Estudió en la Escuela Normal de Maestros y en la Escuela Nacional Preparatoria de la ciudad de México. A los 16 años de edad fue atropellada por un autobús: sufrió 11 fracturas en el pie derecho, dos en la pelvis, dos en la columna vertebral y una en el codo izquierdo; una varilla de hierro, además, le atravesó el tronco. Las consecuencias del accidente las sufrió toda la vida. Empezó a pintar durante su larga convalecencia. Primero fue realista –rosas, caballos, niñas–; después, a causa de la tragedia íntima de su cuerpo hecho pedazos, pintó cosas extrañas, oníricas, a veces de una brutal expresión; y finalmente practicó el surrealismo, el arte de los volúmenes disgregados en la propia conciencia. Hay en su obra una dualidad entre fuerzas opresoras y estimulantes de la tierra y el sexo, de gran ternura maternal que nunca conoció. Su obsesión fue el hijo, imposibilitada para tenerlo, y uno de sus temas favoritos y persistentes, junto con el folclore y el popularismo como pretexto. En 1929 contrajo nupcias con el pintor Diego Rivera; se "descasó" en 1940 y se volvió a casar en 1941. Fue maestra de pintura en la Escuela de Artes Plásticas La Esmeralda de la Secretaría de Educación Pública y miembro del Seminario de Cultura Mexicana. En 1938 efectuó su primera exposición personal en la Galería Pulien de Nueva York. Exhibió trabajos en la Exposición de Arte Mexicano y en la Galería Pierre Cele, de París, y en numerosas ocasiones en México. De su obra sobresalen: *Mi nana y yo*, *Los habitantes de México*, *Autorretrato de tehuana*, *El nacimiento* y *Nueva York*. Museos célebres de Europa y Estados Unidos poseen cuadros suyos.

Bibliografía: 45 autorretratos de pintores mexicanos de los siglos XVII *al* XX *(1947); Alfredo Cardona Peña: Semblanzas mexicanas. Artistas y escritores del México actual (1955); Raúl Flores Guerrero: Cinco pintores mexicanos (1957).*

KAHLO, GUILLERMO. Nació en Baden-Baden, Alemania, en 1872; murió en la ciudad de México en 1941. Fotógrafo, en 1891, en compañía de los hermanos Diener, llegó a la capital del país; fundó la joyería La Perla, y trabajó en la cristalería Loeb y en la Casa Boker. Comisionado por José Yves Limantour, viajó por la República en los primeros años del siglo XX, fotografiando la arquitectura virreinal, civil y religiosa, y los principales edificios construidos durante los sucesivos gobiernos de Porfirio Díaz. Las placas fueron entregadas a la Dirección de Bienes Nacionales de la Secretaría de Hacienda y Crédito Público y ésta las envió posteriormente al archivo fotográfico del Instituto Nacional de Antropología e Historia, donde se conservan. En la obra *Iglesias de México*, por el Dr. Atl, publicada en seis volúmenes de 1924 a 1927, se contiene parte de la colección Kahlo. V. FOTOGRAFÍA.

KAHUM-KI. *Fourcraea cahum* Trel. Planta de la familia de las amarilidáceas (agaváceas), con aspecto de maguey. Tiene hojas arrosetadas, fibrosas, angostas y aplanadas, lustrosas, rígidas, lanceoladas, con el margen recto, provisto de dientes cortos y negruzcos, y una espina terminal aguda y amarillenta. Las flores son trímeras, con perianto acampanado constituido por seis pétalos verdes y otros tantos estambres con filamentos hinchados en la parte inferior; ovario ínfero, tricarpelar, trilocular, con muchos óvulos; estilo dilatado en la base, donde forman un triángulo, y estigma pequeño. Estas flores se agrupan en inflorescencias panniculares que producen bulbillos o brotes de plantas nuevas entremezcladas. El fruto es una cápsula trivalvar con numerosas semillas aplanadas. Se ha encontrado únicamente en el estado de Yucatán, donde también se conoce como *catana* y *cajum*.

KAISER, CHESTER CARL. Nació en Garland, Kansas, EUA, en 1908. Profesor de historia en la Universidad de Willamette, es autor de "J.W. Foster y el desarrollo económico de México" (1957) y "México en la Primera Conferencia Panamericana" (1961), en *Historia Mexicana*.

KAMPFER, RAÚL. Nació y murió en México, D.F. (1929-19 de mayo de 1987). Estudió en el Centro Experimental de Artes Cinematográficas de Roma y en el Centro Universitario de Estudios Cinematográficos de la Universidad Nacional Autónoma de México. Fue, además, coleccionista, experto en antigüedades mexicanas y africanas, restaurador de arte, joyero y director de teatro. Hizo los cortometrajes: *Preparatoria 100 años* (1967), *Fiesta de muertos* (1968), *Ana y Diana* (1970), *Mural efímero 1968* (1969) y *Energomex* (1975); y las películas: *Mictlán o la casa de los que ya no son* (1970, premiada en el Festival de Benalmadena, España), *El juego de Suzzanka* (1972), *El perro y la calentura* (1972), *Ora sí tenemos que ganar* (1978, por la que ganó cuatro Arieles) y *Parto solar cinco* (1986), entre otras. A su muerte preparaba la filmación de *La rebelión de los brujos*, en coproducción con España.

KAMPFNER, JUAN M. Nació en Mineral del Real del Monte, Hgo., el 4 de mayo de 1840; murió en la ciudad de México el 27 de noviembre de 1875. A los 17 años de edad se enroló en la brigada del general Antonio Carbajal, en defensa del régimen de Juárez, y participó en las acciones de Pachuca, Apan y Calpulalpan durante la Guerra de Tres Años (1858-1860). Luchó contra la Intervención Francesa, ya con el grado de coronel, en la brigada del general Miguel Negrete, y tomó parte en la batalla del 5 de mayo de 1862. Posteriormente combatió al lado de Felipe Berriozábal y de Porfirio Díaz, y llegó a ser general de auxiliares de la Columna de Vanguardia del Ejército de Oriente, en el sitio de Querétaro. Antes había sido inspector general de las fuerzas rurales y comandante del distrito de Pachuca, de la plaza de México y del Segundo Distrito del estado de México. Varias veces insistió ante el gobierno republicano para que esta última circunscripción militar se convirtiera en una entidad independiente. V. HIDALGO, ESTADO DE.

KAMPUCHEA, REPÚBLICA DE. Llamada Camboya antes de 1976, está situada en el extremo sureste de Asia, linda al norte con Laos, al este Vietnam, al sur con el golfo de Siam y al oeste con Tailandia. Tiene una superficie de 131 035 km^2 y una población de 7.1 millones de habitantes. Su capital es Phnon Penh; el idioma oficial, el khmer, aunque también se habla chino, vietnamita y francés; la moneda, el riel; y la religión mayoritaria, el budismo theravada. El país fue convertido en protectorado francés en 1863; los japoneses lo ocuparon durante la Segunda Guerra Mundial, y en 1945 Francia recuperó su dominio. Kampuchea proclamó la monarquía constitucional en 1947 y conquistó su soberanía por etapas, hasta que se independizó en 1953. A partir de ese momento tuvo varios tipos de gobierno, hasta que en 1979 el país fue ocupado por Vietnam y le impuso un régimen de corte socialista, al que se han opuesto algunos grupos que operan en la guerrilla o en el extranjero. Las relaciones diplomáticas entre México y Kampuchea se establecieron el 26 de septiembre de 1975.

K'AN-KOPTÉ. *Cordia dodecandra* D.C. Árbol de la familia de las borragináceas, que alcanza los 30 m de altura. Tiene hojas elípticas, muy ásperas, suborbiculares, ovales, oblongas o elípticas, de 6 a 13 cm de largo, redondeadas en la base y en el ápice. Las flores, anaranjadas, rojizas o amarillas, agrupadas en pequeñas inflorescencias cimosas, son gamopétalas y tubuloso-estrelladas, con cáliz de 1 a 1.5 cm de largo y corola de 5 cm, con 12 a 16 lóbulos. El fruto es una drupa comestible, ligeramente ácida, cimosa, amarillenta o verdosa, de unos 5 cm. Se desarrolla en las tierras calientes de Chiapas y Yucatán, donde también se cultiva con frecuencia, pues sus frutos pueden comerse frescos o preparados en dulce. La madera, de color tabaco con vetas negruzcas, es dura y pesada, y excelente para la fabricación de muebles y fustes de sillas de montar. Se le conoce también como *copté, siricote* y *koopté*.

KANIXTÉ. *Pouteria campechiana* (H.B.K.) Baehni. (igual que *Lucuma campechiana* H.B.K.). Árbol de la familia de las sapotáceas que alcanza los 30 m de altura, con tronco de 30 cm de diámetro y corteza gris oscura o pardusca, finamente fisurada. Las hojas son alternas, simples, de 20 a 23 cm de longitud, oblanceoladas, con el margen entero y el ápice subacuminado, levemente pubescentes cuando jóvenes y lisas cuando adultas, con peciolos de 1 a 2.5 mm de largo y siempre aglomeradas en la punta de las ramas. Las flores, pequeñas y fragantes, van agrupadas en inflorescencias discretas en las axilas de las hojas, con cinco sépalos verdes y otros tantos pétalos de tonalidad más suave, que forman una corola a manera de embudo; y tienen cinco estambres opuestos a los pétalos, ovario súpero de seis lóculos –donde se alojan sendos óvulos–, estilo grueso y estigma simple. Los frutos son bayas piriformes o subglobosas, carnosas, de 2 a 7 cm de largo y de 3 a 5 de ancho, con cáliz persistente, cáscara verde oscuro y pulpa amarilla, que produce un exudado blanco pegajoso, de sabor dulce, y que contiene de tres

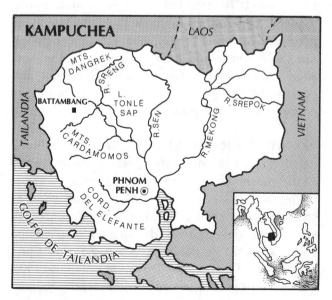

a cinco semillas ovoides, morenas, brillantes y de aproximadamente 2 cm de ancho por 4 de largo. Se desarrolla en las selvas perennifolias o subcaducifolias: en la vertiente del Golfo, desde el sureste de Veracruz hasta Campeche y Yucatán, y en la del Pacífico, de Nayarit a Chiapas. El fruto se conoce como *mamey de Campeche* –en la entidad homónima y en Yucatán–, *zapote amarillo*, *zapote mante* y *mante* –Veracruz y Chiapas–. La planta se conoce también como *cucumú*.

KANTONAK. Ciudad arqueológica que se encuentra en el valle de Puebla, cerca de Cuyoaco, pueblo en la carretera Oriental-Teziutlán. Tiene unos 5 km de diámetro de extensión y fue edificada sobre un pedregal. Parece que sus antiguos pobladores la abandonaron a consecuencia de explosiones telúricas que secaron el lago que la rodeaba. Se le concede una antigüedad superior a los 8000 años a.C.

KAPLAN, BERNICE ANTOVILLE. Nació en Nueva York, EUA, en 1928. Es maestra en artes (1948) y doctora en filosofía y letras (1953) por la Universidad de Chicago, y profesora de antropología en la Universidad Estatal de Wayne desde 1968. Ha investigado en México y en París. De sus estudios, sobresalen: "*The changing functions of the Huanancha dance in Paracho, Michoacan*", en *Journal of American Folklore* (1951); "*Ethnic identification in an indian-mestizo community*", en *Philos* (1953), y *Mechanization in Paracho: a craft community* (1960).

KAPLAN EFRON, MARCOS TEODORO. Nació en Buenos Aires, Argentina, el 12 de diciembre de 1928. Doctor en derecho y en ciencias sociales, ha sido profesor e investigador en las universidades de Buenos Aires, La Plata, Valparaíso, Santiago de Chile y Tulane (Nueva Orleans). Radica en México desde 1967; trabaja en la Coordinación de Humanidades y en la Facultad de Ciencias Políticas y Sociales de la Universidad Nacional Autónoma de México (UNAM). Es autor de unos 100 artículos en revistas especializadas, y de los libros: *Formación del Estado nacional en América Latina* (1969), *Gobierno peronista y política del petróleo en Argentina. 1946-1955* (1971), *Corporaciones públicas multinacionales para el desarrollo y la integración de la América Latina* (1972), *Petróleo, Estado y empresa en Argentina* (1972), *Modelos mundiales y participación social* (1974), *La ciencia en la sociedad y en la política* (1975), *Teoría política y realidad latinoamericana* (1976), *Derecho económico internacional: análisis jurídico de la Carta de los Derechos y Deberes Económicos de los Estados* (en colaboración con Jorge Castañeda, 1976), *Estado y sociedad* (1978, reimpresa en 1980 y 1983) y *La investigación latinoamericana en ciencias sociales* (1983). En 1988 preparaba dos obras más y continuaba impartiendo cátedra en la UNAM.

KASKA, FRANCISCO. Bibliófilo y farmacéutico austriaco (murió en 1907) que llegó a México en 1864 con Maximiliano y formó una valiosa biblioteca que posteriormente fue vendida en Berlín.

KASPÉ, VLADIMIR. Nació en Harbin, Rusia, en 1910. En 1926 se trasladó a París, donde se recibió de arquitecto (1935) en la Escuela de Bellas Artes, y en 1942 pasó a México y volvió a obtener el mismo título (1946) en la Universidad Nacional Autónoma de México. En 1953 adoptó la ciudadanía mexicana. Entre sus obras destacan las siguientes: Superservicio Lomas, Liceo Franco-Mexicano, Escuela de Economía en la Ciudad Universitaria, taller de reparación de motores de avión de Bristol de México, oficinas y bodegas de la Casa Martell, laboratorios Ingram y del Grupo Roussel, Instituto Francés de América Latina, oficinas centrales de Supermercados, Vinícola y Destilería de San José (Tequisquiapan), planta industrial Ransome (Naucalpan), instalaciones deportivas y edificios de departamentos. Desde 1939 ha colaborado en la revista *Arquitectura* como corresponsal, articulista y jefe de redacción.

KATÚN. Periodo formado por 20 *tunes* –un total de 7 200 días– del calendario maya. Como todos los periodos de éste, representaba a una deidad. Los katunes, designados con el nombre de su último día –*ahau* siempre, con un número de la serie 1 a 13– eran 13 y formaban el ciclo llamado *rueda de los katunes*. El katún formaba parte de la Cuenta Larga.

KEGEL, FEDERICO CARLOS. Nació en Lagos de Moreno, Jal., en 1855; murió en

Guadalajara, de la misma entidad, en 1907. Periodista y dramaturgo, escribió *En la hacienda* (Aguascalientes, 1908), zarzuela con música de Roberto Contreras, que fue llevada al cine en 1921; y *En el jardín*, comedia en verso estrenada al año siguiente de su muerte. Se le considera precursor de la literatura de la Revolución.

KELEMEN, PÁL. Nació en Budapest, Hungría, en 1894. Autor de *Battlefield of the gods, essays on mexican art history and exploration* (1937), *Baroque and rococo in Latin America* (1951) y *Medieval american art, masterpieces on the New World before Columbus* (1956).

KELLER, IGNACIO. Nació en Olmutz, Moravia, en 1702; murió en Santa María Suamca (Son.) en 1759. En 1718 ingresó a la Compañía de Jesús y llegó a Nueva España en 1729. Es considerado como destacado civilizador de los pimas, principalmente en Sonora. En 1743 encabezó una expedición que, partiendo de Suamca, tomó rumbo noroeste para marcar los primeros trazos de un camino directo Sonora-Nuevo México.

KELLER, JAIME. Nació en México, D.F., el 10 de noviembre de 1938. Ingeniero químico (1959) por la Universidad Nacional Autónoma de México (UNAM) y doctor en física (1971) por la de Bristol, Inglaterra, es profesor en la Facultad de Química de la UNAM (desde 1958) y fundador de las cátedras de física moderna, teoría del estado sólido, termodinámica estadística, química cuántica y fundamentos físicos de la fisicoquímica, entre otras; fundador y jefe del Departamento de Química Teórica en la misma institución y del Departamento de Física en la Escuela Nacional de Estudios Profesionales de Cuautitlán. En 1980 se le otorgó el Premio Nacional de Química Andrés Manuel del Río. Ha colaborado en varios libros de texto y publicado unos 50 trabajos en revistas especializadas.

KELLEY, FRANCIS KLEMENT. Autor norteamericano que publicó en 1939 el libro *México, el país de los altares ensangrentados*.

KELLEY, JOHN CHARLES. Nació en Texas, EUA, en 1913. Licenciado en artes por la Universidad de Nuevo México, y doctor en antropología por la de Harvard, ha sido director del Museo de la Universidad del Sur de Illinois (1950-1970), investigador de zonas arqueológicas en Sinaloa, Durango, Zacatecas, Chihuahua y Jalisco, principalmente, y el primero en ocupar la cátedra Alfonso Caso y Andrade del Centro Universitario de Profesores Visitantes de la Universidad Nacional Autónoma de México (1980). Es autor de los trabajos "Revisión de la secuencia arqueológica en Sinaloa, México" (1960), "Teotihuacan o Tenochtitlan: un enigma arqueológico en el Trópico de Cáncer" (1975), "Alta Vista, Chalchihuites. Un observatorio astronómico posible en el Trópico de Cáncer" (1977), "Simbiosis cultural y penetración de zona de la fluctuante frontera noroeste de gran parte de Mesoamérica" (1978), "Una reapreciación arqueológica del concepto Tula-Tolteca, visto desde Mesoamérica noroccidental" (1979), "Alta Vista, puerto de entrada en la frontera noroccidental de Mesoamérica" (1979) y "El centro ceremonial en la cultura Chalchihuites" (1980); y de los libros *Contacto precolombino con América nuclear* (1969), *Una introducción a la cerámica de la cultura Chalchihuites de Zacatecas y Durango, México* (1971) y *The north mexican frontier* (1971).

KELLY, DAVID HUMISTON. Nació en Albany, Nueva York, EUA, en 1924. Profesor de antropología en la Universidad de Nebraska. Autor de: *Historia prehispánica de Totonacapan* (1953), *Quetzalcoatl and his coyote origins* (1955), "*Calendars animals and deities*", en *Southwestern Journal of Anthropology* (1960); *Chart of a suggested alignment of the names of the lunar nights in Polinesia and of the daynames of Mesoamerica* (1960); y "*A history of the decipherment of maya script*", en *Anthropological Linguistics* (1962). Coautor de *New evidence for pre-ceramic maize on the coast of Peru* (1963).

KELLY, ISABEL. Nació en Santa Cruz, Cal., EUA, en 1906; murió en México, D.F., el 29 de diciembre de 1982. Maestra en artes (1927) y doctora en filosofía (1932) por la Universidad de California, hizo investigaciones antropológicas en 1929-1930, 1933-1936, 1939 y 1940. Fue becaria del Consejo Nacional de Investigación de EUA (1931-1932) y de la Fundación Guggenheim (1940-1943). Desde 1945 trabajó en México —excepto de 1957 a 1960, años en que estuvo en Bolivia y Pakistán–, al servicio, sucesivamente, del Instituto de Antropología Social (Institución Smithsoniana 1945-1950), del Instituto de Asuntos Interamericanos (1951-1957) y del Museo Estatal de Arizona (desde 1961). Empezó a publicar estudios en 1930. Los relativos a México son los siguientes: *"Excavations at Chametla, Sinaloa"*, en *Ibero-Americana* (núm. 14, 1938); *"The relationship between Tula and Sinaloa"*, en *Revista Mexicana de Estudios Antropológicos* (1941); *"Notes on a west coast survival of the ancient mexican ball game"*, en *Notes on middle american archaeology and ethnology* (núm. 26, 1943); *"Sweet corn in Jalisco"*, con Edgar Anderson, en *Annals of the Missouri Botanical Garden* (núm. 30, 1943); *"West Mexico and the Hohokam"*, en *El norte de México y el sur de Estados Unidos* (1944); *"Ixtle weaving in Chiquilistán, Jalisco"*, en *Notes on Middle...* (núm. 42, 1944); *"Worked gourds from Jalisco"*, en *Notes on Middle...* (núm. 43, 1944); *"Excavations at Culiacan, Sinaloa"*, en *Ibero-Americana* (núm. 25, 1945); *"The archaeology of the Autlan-Tuxcacuesco area of Jalisco"*, en *Ibero-Americana* (2 vols.; núms. 26 y 27, 1945 y 1949); *"An archaelogical reconnaissance of the west coast: Nayarit to Michoacan"*, en *XXVII Congreso Internacional de Americanistas*; *"Excavations at Apatzingan, Michoacan"*, en *Viking Fund Publications in Anthropology* (núm. 7, 1947); *"Ceramic provinces of northwest Mexico"*, en *El Occidente de México* (1948); *"The bottle gourd and Old World contacts"*, en *Homenaje al doctor Alfonso Caso* (1951); *"The Tajin totonac"*, en *Institute of Social Anthropology* (con Ángel Palerm; núm. 13, 1952); *"The modern totonacs"*, en *Revista Mexicana de Estudios Antropológicos* (núm. 13, 1952-1953); "El adiestramiento de parteras en México desde el punto de vista antropológico", en *América Indígena* (núm. 15, 1955); "Notas acerca del diseño de un hidrante", en *Ingeniería Sanitaria* (núm. 2, 1957); *"Mexican spiritualism"*, en *Alfred L. Kroeber: a memorial* (Berkeley, *Kroeber Anthropological Society Papers* núm. 25, 1961); *"Folk practices in north Mexico"*, en *Latin American Monographs* (núm. 2, 1965); *"World view of a highland-totonac pueblo"*, en *Summa Anthropologica en Homenaje a Robert J. Weitlaner* (1966); "Una relación cerámica entre Occidente y la Mesa Central", en *Boletín del INAH* (con B. de Torres; núm. 23, 1966); *"The totonac"*, en *Handbook of Middle American Indians*, (núm. 8, 1969) "Vasijas de Colima con boca de estribo", en *Boletín del INAH* (núm. 42, 1972), *Una vasija que sugiere relaciones entre Teotihuacan y Colima* (con Eduardo Matos Moctezuma; 1974); *Ceramic sequence in Colima. I. Capacha: a Preclassic complex* (1976), *Some coast mieok tals* (reimpresión del *Journal of California Anthropology*, 1978), *"Ceramic sequence in Colima"*, en *Anthropological Papers of the University of Arizona* (1980); y el libro *The hodges ruin a Hohokam community in the Tucson basin* (en colaboración con James E. Officer Emil W.; 1978).

KENDALL, GEORGE W. Nació en Mount Vernon, New Hampshire; murió en Post Oak Springs, ambas de Estados Unidos (1809-1867). Considerado como el primer corresponsal de guerra en el mundo. En 1841 se unió a la expedición texana que invadió Nuevo México, fue hecho prisionero por las fuerzas del gobernador Manuel Armijo, conducido a pie a la ciudad de México y encerrado en la prisión de Santiago Tlatelolco. En ese reclusorio contrajo la viruela; fue trasladado al Hospital de San Lázaro y liberado semanas después por la intervención del embajador norteamericano. Kendall marchó a Nueva Orleans y allí publicó, en el periódico *The Picayune*, en 1842, sus experiencias, compiladas a poco en el libro *The narrative of the Texas-Santa Fe expedition*. En 1846 volvió a México para reportear la invasión norteamericana; estuvo en múltiples batallas hasta que el 13 de septiembre de 1847 cayó herido cerca del Castillo de Chapultepec. Regresó a su país, se instaló en New Braunfels, Texas, y publicó sus experiencias en *The war between the United States and Mexico* (1851), que tiene ilustraciones de Carlos Nebel. En Veracruz, Kendall organizó un servicio de barcos de vapor que salían de Nueva Orleans para encontrar a los botes procedentes de México; cuando los vapores dotados de equipo de imprenta llegaban de vuelta a Nueva Orleans, las noticias estaban impresas antes de que llegaran los informes oficiales de guerra.

KENIA, REPÚBLICA DE. Situada en África centro oriental, con una superficie de 582 646 km^2; limita al norte con Etiopía, al noreste con Sudán, al sur con Tanzania, al sureste con el océano Índico (a lo largo de 400 km), al este con Somalia y

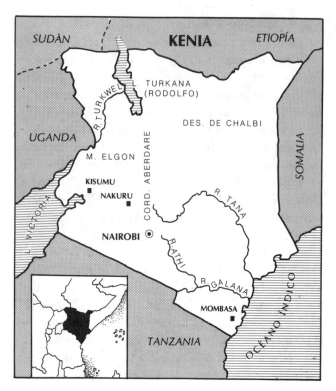

al oeste con Uganda. En Nairobi, su capital, vive 1 millón de personas, y en todo el país alrededor de 19 millones. Su composición étnica es kikuyu, luhya y kamba, de origen bantú, y luo, de origen sudanés. La lengua oficial es el inglés; sin embargo, el swahili o suahili es lengua franca. La mayoría de la población profesa religiones africanas; otro porcentaje, es islamita o cristiana. La moneda es el shilling. La vida política está dominada por la Unión Nacional Africana (KANU), único partido legal. El país obtuvo su independencia del Reino Unido el 15 de diciembre de 1963, ingresó a la Organización de las Naciones Unidas el día 16 siguiente y es miembro del Movimiento de Países No Alineados. México y la República de Kenia establecieron relaciones diplomáticas el 15 de marzo de 1975.

KENNEDY, DIANA. Nació en Gran Bretaña. Llegó a México en 1957 junto con su esposo, Paul Patrick Kennedy, corresponsal de *The New York Times*. Investigadora de la cocina mexicana, ha publicado cuatro libros bilingües (español e inglés) sobre el tema, por lo cual ha recibido el Premio Armando Farga y la condecoración Orden del Águila Azteca. Ha proyectado una casa ecológica, que construye en Zitácuaro, Mich., donde en la actualidad (1988) reside.

KENNELLY, ROBERT ANDREW. Nació en Jamestown, Dakota del Norte, EUA, en 1919. Profesor de ciencias sociales y de geografía en el *Long Beach State College*. Autor de "*The location of the mexican steel industry*", en *Revista Geográfica* (1955), y *The cattle feeding industry of the Imperial Valley* (1960).

KENT, DANIEL. Nació en Guadalajara, Jal., en 1950. Pintor, dibujante y escenógrafo, ha expuesto su obra en México y en España, realizó y ha hecho infinidad de viñetas para revistas literarias y varios diseños de escenografía y vestuario. Está incluido en el *International catalogue of modern art*, editado en Milán, Italia.

KENYON, ROBERT GORDON B. Nació en Peace Dale, Rhode Island, EUA, en 1914. Profesor de historia y ciencias sociales en el *Colorado State College*. Autor de "*Gabino Gainza and Central America's Independence from Spain*", en *The Americas* (1957); "*The sugar-cane cycle of Jose Luis do Rego*", en *The Americas* (1958); y "*Mexican influence in Central America, 1821-1823*", en *The Hispanic American Historical Review* (1961).

KÉRATRY, EMILIO. Escritor francés que vino con el ejército de Intervención. En 1867 dio a la prensa *Elevación y caída del emperador Maximiliano*, traducida al español por Hilarión Frías y Soto en 1870. En el mismo año publicó *La contraguerrilla francesa en México*, y en 1892, bajo el nombre de Ernesto Kératry, *El drama de Padilla, una rectificación histórica*. Hizo también un estudio sobre las finanzas de Juan B. Jecker y los préstamos mexicanos.

KER JOHNSON, ANITA. Nació en la ciudad de México en 1908. Bibliotecaria de la colección Tift de la Librería Hardin, en Georgia, EUA. Ha publicado *Mexican scientific periodicals* (1931) y *Mexican public documents* (1941). Coeditora de *Bibliography and Library Science* (1939-1941).

KERLEGAND FLORES, JOAQUÍN ZEFERINO. Nació en Tampico, Tamps., en 1838; murió en Ciudad Victoria, Tamps., en 1908. Estudió en Francia y de regreso a México, en 1861, organizó en Tampico un batallón de la Guardia Nacional. A las órdenes del general Desiderio Pavón, combatió contra la Intervención Francesa y el Imperio. Siendo ya general, estuvo en el sitio de Puebla, en 1867, al mando del Batallón Hidalgo de la División del Centro. Al triunfo de la República, fue comandante del Distrito Federal, de las zonas 5a. y 6a. y de la guarnición de Culiacán (1876); director de la prisión militar de Santiago Tlatelolco (1882), jefe de armas en Yucatán (1886), Sinaloa (1887) y Campeche (1888) y gobernador constitucional de este último estado (1889-1891) e interino de Tabasco (agosto a octubre de 1892), donde continuó como comandante (1893-1903), y director de la prisión militar de Belén en la ciudad de México (1904-1906).

KEY, HAROLD HAYDEN. Nació en Jacksboro, Texas, EUA, en 1914. Director del servicio de extensión del *Summer Institute of Linguistics and Wyeliffe Bible Translators Inc.* Coautor de *Vocabulario mexicano de la sierra zacapoaztla, Puebla* (1953) y *"The phonemes of sierra Nahuatl"*, en *International Journal of American Linguistics* (1953).

KEY, MARY RITCHIE. Nació en San Diego, Cal., EUA, en 1924. Profesora en el Instituto Católico de Lingüística, es coautora de *Vocabulario mexicano de la sierra Zacapoaztla, Puebla* (1953) y *"The phonemes of sierra Nahuatl"*, en *International Journal of American Linguistics* (1953).

KEYS ARENAS, GUILLERMO. Nació en San Luis Potosí, S.L.P., en 1929. Desde muy joven se dedicó al ballet y a la danza moderna. Actuó en Estados Unidos y Europa y dirigió varias compañías de danza. Entre sus coreografías, la más famosa es *El chueco.* En este ballet de Miguel Bernal Jiménez, estrenado en 1952, actuó también como protagonista. Desde 1978 dirige una compañía de danza y monta coreografías en Sidney, Australia, donde radicaba en 1988.

"KID AZTECA" (Luis Villanueva). Nació en la ciudad de México en 1913; falleció el 16 de marzo de 2002 en esta misma ciudad. En 1929 se inició como boxeador profesional en Laredo, Texas, como "Kid Chino". En 1932 conquistó el campeonato nacional que poseía David Velasco, categoría que conservó hasta 1947, cuando perdió contra Vicente Villacencio. Retirado desde 1955, fue uno de los pugilistas que alcanzó mayor popula-

ridad en el país. En 1988 entrenaba boxeadores en calidad de auxiliar. Murió en la pobreza.

KIDDER, ALFRED VINCENT. Nació en Marquette, Michigan, en 1885; murió en Cambridge, Massachusetts, ambas de Estados Unidos, en 1963. Fue bachiller (1908), maestro en artes (1912) y doctor en filosofía y letras (1914) por la Universidad de Harvard; profesor de arqueología en la Universidad de Texas; e investigador de la Institución Carnegie de Washington (1927-1950) y del Museo Peabody de Harvard (1931-1951). Exploró el área maya de Yucatán y, particularmente, la de Guatemala. Por sus trabajos se le premió con las medallas *Viking fund* (1946) y *Lucy Warton Drexey* (1950), y con el grado de doctor *Honoris Causa* por las universidades Nacional Autónoma de México (1951) y de San Carlos de Guatemala (1955). Escribió en abundancia sobre arqueología maya. En el *Annual Report* de la Institución Carnegie aparecen sus informes que abarcan 20 años, de 1931 a 1950. Sobresalen, además, referentes a la zona maya de México, las siguientes obras: *"The discovery of ruined maya cities"*, en *Science* (1929); *"Air exploration of the maya country"*, en *Pan American Union Bulletin* (1929); *"Five days over the maya country"* y *"The archaeological research and its ramifications"*, en *The Scientific Monthly* (1930); *"Maya studies"*, en *Year Book Carnegie Institution* (1930); *"Conference at Chichen-Itza"*, en *Science* (1930); *"La evolución de las investigaciones mayas"*, en *Actas de la Segunda Asamblea del Instituto Panamericano de Geografía e Historia* (1935); *"A program of maya research"*, en *Carnegie Institution. Special Publications* (1937); *Looking backward. A symposium on characteristics of american culture and its place in general culture* (1940); *Archaeological problems of the highland maya* (1940); *"Clay heads from Chiapas"*, *"Archaeological specimen from Yucatan and Guatemala"* y *"Spindle whorls from Chichen-Itza, Yucatan"*, en *Carnegie Institution notes on Middle American Archaeology and Ethnology* (1940, 1942 y 1943); y *"Discovery of Bonampak"*, en *American Anthropologist* (1950). En colaboración con E.H. Morris y otros, publicó *"The maya of the middle America"*, en *New Service Publication* (1931); y con J. Eric Thompson *"The correlation of maya and christian chronology"*, en *Carnegie Publications* (1938).

KIEL, LEOPOLDO. Nació en Chicontepec, Ver., en 1876; murió en la ciudad de México en 1943. Estudió en la Escuela Normal de Jalapa (1896-1900), bajo el magisterio de Enrique C. Rébsamen. Antes de graduarse, enseñó francés en la Escuela Nacional Preparatoria; después, metodología general en la Escuela Normal de México. Becado por la Secretaría de Instrucción Pública, llevó cursos en la Escuela Normal de Saint Cloud, en París, y en el Instituto de Psicología de la Universidad de Berlín (1901-1905). De regreso a México, fue nombrado jefe del Departamento Técnico de esa Secretaría, pero en 1915, huyendo de la Revolución, pasó a Cuba, donde como asesor del Ministerio de Educación Pública, fundó una escuela normal en cada una de las provincias de esa República. Regresó en 1924 a Jalapa, llamado para ser director general de Educación y jefe del Departamento Universitario del Estado de Veracruz. A partir de 1926, ocupó diversos puestos en la Secretaría de Educación Pública (SEP), entre otros, jefe del Departamento de Enseñanza Primaria y Normal, director del Museo Nacional de Arqueología, Historia y Etnografía, inspector general de Educación Federal y miembro del Cuerpo Consultivo. En 1935 abandonó el magisterio para ingresar al cuerpo consular: llevó los negocios de México en Trieste y en Colonia. Mientras trabajó en la SEP, implantó la coeducación, desde el jardín de niños hasta la secundaria. Entre sus más talentosos discípulos se cuentan Basilio Vadillo, Rafael Heliodoro Valle, Gregorio López y Fuentes, Agustín Loera y Chávez, José Ángel Ceniceros y Francisco González Guerrero. Escribió *Geografía del estado de Veracruz* (Jalapa, 1925), *Enseñanza de la geografía* (1927) y *Pedagogía de la escritura* (1929).

KIKAPÚES. Indios de la familia algonquiniana, inmigrados a México en 1850 y establecidos en la ranchería El Nacimiento, municipio de Múzquiz, Coah., en las estribaciones de la cordillera de Santa Rosa. El Censo de 1930 registró a 495 individuos mayores de cinco años, de los que 366 no hablaban sino su propio idioma. Los censos posteriores omiten toda referencia a ellos. Los antepasados de los kikapúes mexicanos procedieron de la región de los Grandes Lagos; en el siglo XIX se establecieron en Texas y después de la guerra de 1846-1847 solicitaron permiso para vivir en México. El presidente José Joaquín de Herrera les otorgó el permiso en 1850, a condición de que continuaran su lucha contra los apaches y comanches, en la cual se habían distinguido al punto de que el gobierno colonial premió con una medalla a su capitán Pemwetamwa.

Los kikapúes son altos, atléticos, de color castaño y pelo lacio, que dejan crecer y llevan peinado detrás de las orejas. Buenos jinetes y antiguamente dedicados a la caza, hoy practican la agricultura y las industrias domésticas. Algunos de ellos reciben regalías por conducto de sus parientes de Oklahoma, por la explotación de pozos petroleros en antiguos territorios suyos. Visten más bien a la usanza de los pieles rojas norteamericanos y calzan teguas bordadas, aunque también usan vestimenta común y corriente, para poder moverse con mayor facilidad a lo largo de la frontera.

Tienen prohibido ingerir licor en sus pueblos. Son generalmente monógamos, pero se permiten varias mujeres a los jefes o a los mejores cazadores. La madre aparece como jefe del hogar, aun para sus hijas ya casadas. El padre da instrucción a los

Distribución geográfica de los kikapúes

hijos cuando pasan de los 13 años y toman parte en las cacerías. El jefe es elegido y su posición es hasta cierto punto hereditaria, aun cuando no es necesariamente el hijo mayor el que sucede al padre. Un consejo de ancianos toma parte en la discusión y resolución de los problemas colectivos. El noviazgo se inicia cuando el pretendiente deja su caballo frente a la casa de la muchacha y ésta se encarga de cuidarlo. La pareja huye finalmente y a su regreso la comunidad finge no haberse dado cuenta de nada, pero festeja la boda con una comilona en la que no falta el *mapupe*, hecho de carne de venado seca y machacada, aderezada con huevo, chile, cebolla y otros ingredientes. Algunos matrimonios se arreglan con los padres de la muchacha en forma de trueque, dándole a cambio de ella animales, alimentos y dinero. Los kikapúes celebran los aniversarios luctuosos con la "Danza de la muerte", dirigida por una doncella e interpretada al compás de una música monótona y lúgubre.

Bibliografía: H. Espinosa Vela: *Los kikapoos en Indoamérica* (1938) y *Etnografía de Méxíco* (1957); *La tribu kikapú de Coahuila* (1945).

KIKI-CHAY.
Cnidoscolus chayamansa Mc-Vaugh. Arbusto o arbolito de la familia de las euforbiáceas, de 5 m de altura, con jugo lechoso, semejante a la chaya y otras especies urticantes del mismo género, conocidas comúnmente como *malas mujeres*. Tiene hojas alternas, grandes, con una o dos glándulas en el ápice del peciolo, truncado-cordadas, trilobuladas y ondulado-dentadas. Las flores son blancas y unisexuales: las masculinas, de 5 a 8 cm y con 10 estambres, y las femeninas, de aproximadamente 1 cm, con el ovario tricarpelar. El fruto es una cápsula con tres semillas. Las hojas tiernas, cocidas, son comestibles y más alimenticias que la col, por su mayor contenido en proteínas, glúcidos, hierro, calcio, fósforo y ácido ascórbico. Se encuentra en las tierras calientes del Sureste, particularmente en Chiapas y Yucatán, donde se cultiva con frecuencia. Se le conoce también como *chaya de Castilla* y *chaya mansa*.

KILAGAWA, TAMIJI.
Nació en Japón. Estudió pintura en Francia con Picasso. En México ha sido director de la última escuela al aire libre patrocinada por el municipio de Tasco. En sus exposiciones ha presentado pinturas con vistas de esa ciudad. Sus obras tienen un acento mexicano.

KINGSBOROUGH, CÓDICE.
También llamado *Memorial de los indios de Tepetlaoztoc al monarca español contra los encomenderos del pueblo*, fue pintado en 1554, a la acuarela sobre papel europeo, y se considera de carácter mixto por estar escrito con pictografías de tradición nahua, y a la vez con glosas en escritura latina en castellano del siglo XVI. Es un documento jurídico en el que se solicita al rey, a nombre del cacique, los principales y el común del pueblo de Tepetlaoztoc, una moderación de los tributos de encomienda. Se refiere a los pagos establecidos por el oidor Antonio Rodríguez de Quesada, quien tasó lo que esa localidad debía entregar al encomendero Gonzalo de Salazar en 1551. Constituye la parte indígena de una etapa del litigio entre el encomendero y la comunidad, iniciado tiempo antes debido a las cargas excesivas que exigía aquél a los indios: tributos anuales y otros eventuales fuera de tasación, y servicios cotidianos y personales. Para sustentar la demanda, se formulan en el *Códice* argumentos geográficos, históricos, económicos, sociales y jurídicos, fundados en la tradición indígena y en la legislación novohispana, que para mediados del siglo XVI ya incluía disposiciones normativas de la encomienda. El *Códice* incluye: dos mapas que muestran los límites y el ámbito geográfico del señorío de Tepetlaoztoc dentro del Acolhuacan, al noreste de Texcoco; los antecedentes históricos (la investidura del señor de Tepetlaoztoc por Nezahualcóyotl, quien le confirió la categoría de *tlatoani* del señorío; la fundación del pueblo por dos guerreros chichimecas; la genealogía y la relación de los 20 principales de la nobleza local); la historia de la encomienda, desde Hernán Cortés (1523-1525), Diego de Ocampo (1526), Miguel Díaz de Aux (1527) y Gonzalo de Salazar (1528-1554); las relaciones de los tributos anuales, semanales, diarios y eventuales, cuyos productos y cantidades se pintaron en detalle, al igual que la mano de obra prestada; las trasgresiones cometidas por los amos y sus mayordomos en agravio de la gente; las tasaciones efectuadas en 1544-1545 y la de 1551, consignadas en sendas láminas, con el dictamen de los jueces de establecer nuevos pagos; y la minuciosa enumeración de los tributos de servicio cotidiano

pagados a Gonzalo de Salazar a partir de 1528 y hasta el año en que fue pintado el *Códice*. En la última lámina sólo se escribió una glosa donde se expone la solicitud y se insiste en los argumentos expuestos que la sustentan. Se supone que el *Códice* se pintó en el propio pueblo de Tepetlaoztoc, y se presentó ante el Consejo de Indias en España, al trasladarse el litigio a la metrópoli. Pasó después a la Librería del Rey, donde permaneció hasta el siglo XIX, cuando fue sustraído de España y posteriormente vendido. Fue adquirido por Lord Kingsborough y permaneció entre los papeles inéditos de su colección, entre los cuales lo localizó el historiador Francisco del Paso y Troncoso, a cuya iniciativa se le asignó el título de *Códice Kingsborough* por acuerdo del XVIII Congreso Internacional de Americanistas efectuado en Londres en 1912. Con ese nombre fue publicado ese mismo año, en edición fototípica blanco y negro. En la actualidad, el *Códice Kingsborough* se encuentra en la sección de colecciones del Departamento de Etnografía (*Museum of Mankind*) dependiente del Museo Británico en Londres, bajo la signatura ADD MSS 13 964. Consta de 72 fojas (144 láminas) dispuestas en forma apaisada. El dibujo, de gran calidad, presenta influencia europea; sin embargo, es evidente la tradición pictórica del centro de México, ostensible en el trazo de la línea negra del contorno de las figuras, el colorido, la distribución del espacio y el sistema de escritura pictográfica. (*P.V.*)

KINGSBOROUGH, EDWARD KING. Vizconde de Kingsborough (1795-1837), publicó en 1831 una obra monumental: *Antiquities of Mexico*, en cuyos tres primeros tomos se dio a conocer un acervo de 15 códices pictográficos, obra del hombre prehispánico de México. Esta importante compilación, que comprende 565 láminas, fue dibujada y coloreada por el italiano Agostino Aglio a instancias y bajo la dirección del vizconde. No hay concordancia absoluta entre los dibujos y colores del artista y los hechos por los *tlacuilos* o escritores mesoamericanos. Los originales de estos códices, localizados en Francia, Italia, Austria, Alemania, Hungría y México, han ido perdiendo claridad con el uso, especialmente en los márgenes, haciéndose necesario acudir a la primera edición para reconstruir figuras y jeroglíficos que sin ella se hubieran perdido definitivamente, a pesar

de las excelentes reproducciones con que ahora se cuenta. Esta obra la hizo Kingsborough interesado en demostrar su teoría de que los antiguos habitantes de México descendían de las 10 tribus de Israel. A este tenor se ajustan las notas puestas por él a los códices *Mendocino*, *Telleriano-Remensis* y *Vaticano A*. Seis tomos más comprenden 119 láminas que reproducen dibujos de monumentos de la Nueva España hechos por M. Dupaix por orden del rey de España, muestras de escultura mexicana, y textos en español e inglés de distinguidos cronistas españoles y mexicanos: Sahagún, Torquemada, Alva Ixtlilxóchitl, Alvarado Tezozómoc y otros. Los dos últimos tomos se publicaron después de su muerte, acaecida en Dublín, su ciudad natal, a consecuencia de un tifo, adquirido por contagio en la cárcel de esa ciudad, donde fue internado por no haber podido pagar parte del papel y los grabados de su gran obra (27 de febrero de 1837). En su honor, el *Memorial de los indios de Tepetlaoztoc* lleva su nombre: *Códice Kingsborough*, que le fuera impuesto por el historiador Francisco del Paso y Troncoso en el XVIII Congreso Internacional de Americanistas (1912).

KINICH AHAU. (Señor con rostro de Sol, en maya.) Una de las advocaciones del dios Itzamná (véase), la deidad más compleja del panteón maya. En su condición de gran jefe, solucionó todos los problemas de los mayas e incluso distribuyó la tierra entre los pueblos y las familias. Se le considera hijo de Hunab Ku, creador de todo. Es un dios celeste, relacionado en especial con el Sol. Presidía los años *iz* y *muluk* y el mes *wo*. En las estelas y en el *Códice Dresden* se le representa como pequeño monstruo celeste (el Sol de mediodía). Según Cogolludo, su esposa era Ix Asal; y según J.E. Thompson, Ixchel.

KINO, FRANCISCO EUSEBIO. Nació en Segno, Tirol, en 1644; murió en Magdalena (Son.) en 1711. Estudió en la Universidad de Friburgo (1665), ingresó a la Compañía de Jesús en Landsberg y cursó teología, filosofía, matemáticas y geografía en la Universidad de Ingolstadt. Fue maestro en el Colegio de Hala, en el Tirol. En 1678 salió para América en compañía de otros jesuitas, pero tuvo que permanecer tres años en Sevilla. En 1681 hizo la travesía del Atlántico.

Tras una permanencia de dos años en la capital de la Nueva España, en 1683 viajó como cosmógrafo real y misionero en la expedición de Atondo y Antillón para descubrir y colonizar el norte del país. Esta vez y otra desembarcaron en diversos puntos de Baja California sin lograr resultados positivos. Kino insistió por su cuenta ante el virrey en la necesidad de colonizar esas regiones y en 1687 emprendió la exploración de los actuales territorios de Sonora, Sinaloa y Arizona (Pimería Alta). Realizó más de 40 viajes en 24 años. Fundó la red de misiones que constituyeron los núcleos originales de las más importantes poblaciones actuales. Introdujo la ganadería y enseñó a los naturales el cultivo de la tierra, creando una gran riqueza, con sólo su perseverancia e ingenio y el trabajo de los indios recién adoctrinados. El ganado caballar formó pronto grandes manadas salvajes que atrajeron a las tribus apaches, cuyas incursiones nunca pudieron ser dominadas, y quienes emplearon los caballos como medio de combate. Escribió vocabularios del guaycura, el nabe y el cochimi. Una relación de sus trabajos (1687-1710) lleva el título de *Favores celestiales* y fue publicada por el Archivo General de la Nación bajo el nombre de *Las misiones de Sonora y Sinaloa* (1913-1922). La Universidad Nacional Autónoma de México publicó, en 1959, su *Libra astronómica y filosófica.* Su estatua está colocada en el *Statuary Home* del Capitolio de Washington, pues se le considera como uno de los forjadores de la Unión Americana. Sus restos fueron hallados en Magdalena, Son., en 1966, por un grupo de investigadores mexicanos y norteamericanos.

KINSHALOV, R. y N. BELOV, A. Autores soviéticos del libro *Padenie Tenochtitlana* (Caída de Tenochtitlan) (Moscú, 1959).

KIRCHOFF, PAUL. Nació en Horste, Alemania, en 1900; murió en la ciudad de México en 1972. Estudió filosofía y letras en la Universidad de Berlín, especializándose en etnología americana (1927). Fue profesor asistente en el Museo de Etnografía de Berlín (1928-1934), y en el del Trocadero, en París (1933-1934). Llegó a México en 1937 y un año después fue cofundador de la Escuela Nacional de Antropología e Historia (1938), donde impartió el curso de etnología hasta su muerte. De 1952 hasta 1972 fue investi-gador de tiempo completo de la Sección de Antropología del Instituto de Investigaciones Históricas de la Universidad Nacional Autónoma de México. Es autor de: "Los tarascos y sus vecinos según las fuentes del siglo XVI", en *Congrés International des Américanistes* (1939); *Las tribus de Baja California y el libro de Baegert* (1942); "Distribución geográfica de elementos culturales atribuidos a los olmecas de las tradiciones" (1942), "Relaciones entre el área de los recolectores cazadores del norte de México y las áreas circunvecinas" (1943), "Los recolectores cazadores en el norte de México" (1943) y "Etnografía antigua" (1948), en *Sociedad Mexicana de Antropología. Reuniones de mesa redonda;* "Mesoamérica", en *Acta Americana. Revista de la Sociedad de Antropología y Geografía* (1943); "El papel de México en la América precolombina", "El problema del origen de la civilización mexicana" y "México y su influencia en el continente", en *El México prehispánico* (1946); "Las culturas del occidente de México a través de su arte", en *Arte prehistórico del occidente de México* (1946); "*Civilizing the chichimecas, a chapter on the culture history of ancient Mexico*", en *Latin American Studies* (Texas, 1948); "*The mexican calendar and the founding of Tenochtitlan-Tlatelolco*", en *Transactions of the New York Academy of Sciences* (Nueva York, 1950); *Los pueblos de la historia tolteca-chichimeca. Sus migraciones y parentescos* (1950); "El autor de la segunda parte de la *Crónica Mexicáyotl*", en *Homenaje a Alfonso Caso* (1951); "*Gatherers and farmers in the Greater Southwest. A problem in classification*", en *American Anthropologist* (Wisconsin, 1954); "Quetzalcóatl, Huémac y el fin de Tula", en *Cuadernos Americanos* (1955); y "Composición étnica y organización política de Chalco, según las *Relaciones* de Chimalpain", "Calendarios tenochca-tlatelolca y otros", "*Land tenure in ancient Mexico. A preliminary sketch*" y "La ruta de los tolteca-chichimecas entre Tula y Cholula", en *Miscelanea Paul Rivet Octogenaria Dicata* (1958); "Las dos rutas de los colhua entre Tula y Colhuacán", en *Revista Mexicana de Estudios Antropológicos* (1959).

KLEIN, HERBERT SANFORD. Nació en Nueva York, EUA, en 1936. Profesor de historia en la Universidad de Chicago, es autor de *The war of the castes in Chiapas, Mexico* (1960).

KNAPP, FRANK AVERILL. Nació en Wellington, Kansas, EUA, en 1922. Es bachiller en artes por la Universidad de Oklahoma (1943), maestro en artes (1949), doctor en filosofía y letras (1950) por la de Texas y profesor de historia en esta casa de estudios (1930-1951). Trabajó para el gobierno de su país (1952-1966) y luego se convirtió en investigador independiente. Es autor, entre otros estudios, de: *The life of Sebastian Lerdo de Tejada* (1951; ed. en español, 1962), "*Precursors of american investment in mexican railroads*", en *Pacific Historical Review* (1952); y "*Mexican fear of mexican destiny in California*", en *Essays in mexican history* (1958).

KNEELAND, CLARISSA A. Nació y murió en Estados Unidos (1884-1950). En 1894 llegó a Topolobampo, Sin., y durante 10 años vivió en la colonia socialista fundada en 1872 por Albert K. Owen. De regreso a su país formó una colección de cartas que narran sus experiencias en México –*Letters to Anita*– y cobró fama con su novela *The smuggler's island* que tiene como escenario ese puerto sinaloense. Dejó iniciada una obra donde describe la dolorosa historia del intento socialista. El escritor Mario Gil trata este tema en su obra *La conquista del valle del Fuerte* (1957).

KNIGGE, PETER. Nació en Holanda en 1936. En 1959 ganó un premio en Canadá con el diseño para un monumento en Vancouver. Ese mismo año llegó a México, donde completó su formación artística. Ha obtenido premios en la segunda y tercera bienales de Escultura organizadas por el Instituto Nacional de Bellas Artes.

KNOWLTON, CLARK S. Nació en Salt Lake City, Utah, EUA, en 1919. Profesor de sociología en el Western Texas College. Autor de *Sirios y libaneses* (1960), *Spanish-americans in New Mexico* (1961) y "*Patron-peon pattern among spanish-american's*, en *New Mexico in Social Force* (1962).

KOHUNLICH (Q.R.). Zona arqueológica maya situada a unos 65 km de Chetumal, por la carretera que va a Escárcega, Camp. Su nombre es una corrupción del inglés *Cohun Ridge*, que le fue dado por encontrarse en un denso bosque de palmas de corozo (*Orbignya cohune* Mart.). El núcleo principal del asentamiento prehispánico se configura de la siguiente manera: al oriente y poniente hay estructuras piramidales sobre lomas; al sur se localiza un gran conjunto de construcciones, asentado sobre una colina baja; y al norte se halla otra concentración de estructuras, cercanas a un arroyo estacional que va hacia una aguada. Las estructuras principales se agrupan alrededor de plazas rectangulares o cuadradas, lo cual ha permitido la nomenclatura de las construcciones; así, en la Plaza A se encuentra la estructura A-1, que es un basamento piramidal de cuatro cuerpos escalonados, con las esquinas redondeadas y remetidas, y una escalinata saliente, sin alfardas, en la parte central del lado poniente. Los cuerpos tienen molduras salientes y a cada lado de la escalera muestran grandes mascarones de estuco moldeado sobre piedra con la efigie del dios solar Kinich Ahau. En el lado poniente de la Plaza B, que es la más grande (90 m por lado) se levanta la estructura B-2, alta y voluminosa; en la Plaza C, la estructura C-1, o sea un juego de pelota con planta en I y banquetas inclinadas; y en la Plaza D, la estructura D-1, que fue seguramente una acrópolis, pues hay en ella una plataforma que soporta varios edificios, ordenados alrededor de una plazuela. Hasta 1987 sólo se había explorado estos vestigios.

KOLLONTAI, ALEXANDRA MIKHAILOVNA. Nació en 1872 en San Petersburgo, Rusia; murió en 1952 en Moscú, Unión Soviética. Fue la primera mujer en el mundo que desempeñó el cargo de embajadora, como representante de su país en Noruega (1923-1926) y luego en México (1926-1927), donde consiguió vender, por medio de exposiciones, artículos de lino y cuero, confitería y 16 películas. En 1946 el gobierno mexicano le otorgó la condecoración de la Orden del Águila Azteca.

KOLOKMAY. *Crataeva tapia* L. Árbol de la familia de las caparidáceas de 6 a 9 m de altura y ocasionalmente de 18, con la corteza morena grisácea, lisa y de olor desagradable. Las hojas alternas, caedizas, con el peciolo muy largo y palmeado-compuestas, presentan tres foliolos lisos, ovados o elípticos, delgados, acuminados o agudos y más pálidos en la parte inferior. Las flores son verdosas o purpúreas, con cuatro pétalos, y el fruto, largo, subgloboso y de 2 a 6 cm de diámetro. La corteza se usa en medicina popular como febrífugo, tónico, estomáquico y antidisentérico. Las raíces son muy ácidas y su jugo produce ámpulas en la piel. Las hojas se utilizan en cataplasmas. Se desarrolla en las tierras bajas y calientes, desde Tamaulipas a Sinaloa y, hacia el sur, hasta Yucatán. Se le conoce como *tres marías* –Yucatán–, *cascarón* –Tabasco–, *zapotillo amarillo* –Colima–, *perihuete* –Sinaloa– y *trompo* –Guerrero–.

KOLONITZ, PAULA. Nació en Austria hacia 1830. Condesa, formó parte del séquito de 85 personas que acompañó a Maximiliano y Carlota cuando viajaron de Miramar a México. Llegó al puerto de Veracruz el 28 de mayo de 1864 y salió por allí mismo el 17 de noviembre siguiente. De regreso a Europa publicó un libro que fue editado en alemán (Viena, 1867), italiano (Florencia, 1868) e inglés (Londres, 1868). Traducido del italiano por Neftalí Beltrán (véase), se publicó en México en 1984 con el título *Un viaje a México en 1864*. En los casi seis meses que estuvo en el país, concurrió a los paseos a Chapultepec, Tacubaya, al canal de La Viga, la Villa de Guadalupe, San Ángel, el manto de lava de El Pedregal, el convento del Desierto de los Leones, Pachuca, El Chico y Real del Monte. El libro contiene interesantes descripciones, no siempre justas, de esos lugares y su gente.

KONSCAG, FERNANDO. Nació en Croacia, villa de Verazdin (Yugoslavia), en 1703; se ignora el lugar y fecha de su muerte. Ingresó a la Compañía de Jesús en 1719. Llegó a Nueva España en 1730, destinándosele a la misión de San Ignacio, en Baja California, donde se instaló en 1732. Exploró el río Colorado en 1746, habiendo llegado a su desembocadura. Esta expedición demostró sin lugar a dudas que Baja California no era una isla. En compañía del capitán Fernando Rivera y Moncada, realizó otras expediciones por tierra en 1751 y 1753, fundando varias misiones. Escribió un *Diario* de su primera expedición o "entrada", como solía decirse (1746), con un mapa que se encuentra en el "Apéndice núm. 3" de las *Noticias de la California y de su conquista temporal y espiritual* de Miguel Venegas (1739), y otro *Diario* de la segunda expedición (1751),

que aparece impreso en la obra de José Ortega: *Apostólicos afanes de la Compañía de Jesús* (1754).

Bibliografía: Manuel Carrera Stampa: "Fuentes para el estudio del mundo indígena. Cultura del occidente, norte y noroeste del país", en *Memorias de la Academia Mexicana de la Historia correspondiente de la Real de Madrid* (1963).

KOOPE, CARLOS GUILLERMO. Cónsul prusiano (1777-1837) en México, autor de *Cartas a la patria* (1835), escritas entre octubre de 1829 y marzo de 1830, durante un viaje a México. Gracias a sus gestiones se estableció el servicio marítimo entre México y Alemania.

KOSTAKOVSKY, JACOBO. Nació en Odesa, Rusia, en 1893; murió en el D.F. en 1953. Estudió música en Viena, París y Alemania, como discípulo de Shönberg. En 1925 llegó a México y trabajó como director y maestro de violín y composición. Son suyos la ópera *El quinto sol azteca*, la sinfonía de *Clarín* y el poema sinfónico *Barricada*. Fue miembro activo del PCM y de la Liga de Escritores y Artistas Revolucionarios.

KOTSCHY, TEODORO. Nació en Ustron (Polonia) y murió en Viena (Austria) (1813-1866). Por muchos años fue curador del Museo Botánico de Viena, mostrando vivo interés por la flora mexicana. En 1852 publicó *Überblick der vegetation Mexico's*.

KRAUSS, MACRINA. Nació en Córdoba, Ver., en 1936. Se inició como actriz en los teatros Tea y Proa; representó pequeños papeles en el cine y se especializó en modelaje. Su figura inspiró cuadros de todos los estilos, desde académicos hasta abstraccionistas. Su trato con pintores despertó su vocación artística y finalmente se dedicó a la plástica. Ha expuesto desde 1953. Pinta retratos, flores, bodegones y paisajes, principalmente.

KRAUZE, ETHEL. Nació en México, D.F., el 14 de junio de 1954. Licenciada en lengua y literatura hispánicas por la Universidad Nacional Autónoma de México (UNAM), diplomada por la Alianza Francesa de París (1976) y becaria (1978) del Instituto Nacional de Bellas Artes, desde 1972 es guionista y productora de programas culturales en el Canal 11 de televisión; y desde 1982, conductora de talleres literarios en la UNAM, actividad que ha continuado en el Instituto de Seguridad y Servicios Sociales de los Trabajadores del Estado. Colabora en periódicos, especialmente en la sección cultural de *Excélsior*. En 1983 incursionó en el teatro, con el espectáculo "De mujer a mujer", como coautora y actriz; y en 1985 escribió, dirigió y actuó en *Nana María* (teatro en verso). Es autora de: *Intermedio para mujeres* (cuentos, 1982), *Niñas* (1982), *Poemas de mar y amor* (1982), *Para cantar* (1984), *Donde las cosas vuelan* (1985), *Fuegos y juegos* (1985), *Nana María* (1987) y *El lunes te amaré* (1987). En enero de 1988 tenía en prensa *Canciones de amor antiguo* y *Ha venido a buscarte*.

KRAUZE, HELEN. Nació en Bialistok, Polonia, en 1928. Naturalizada mexicana, es miembro de la Asociación de Damas Publicistas y del grupo de periodistas "20 mujeres y un hombre". Ha sido jefa de prensa de la embajada de Israel en México y de relaciones públicas del Instituto Psiquiátrico de México, corresponsal de la revista *Semana* (de Israel) y colaboradora de las revistas *Tribuna Israelita*, *Contenido*, *Kena*, *Claudia* y *Vuelta*, y del diario *Novedades*. En 1976 recibió el Premio Nacional de Periodismo, otorgado por la Unión de Voceadores de Periódicos.

KRAUZE KLEINBORT, ENRIQUE. Nació en México, D.F., el 16 de septiembre de 1947. Ingeniero industrial (1969) por la Universidad Nacional Autónoma de México y doctor en historia por El Colegio de México (1974), ha sido profesor e investigador en ambas instituciones, becario de la fundación Guggenheim (1979) y colaborador (desde 1977) de la revista *Vuelta*, de la que fue subdirector entre 1981 y 1996. Es coautor, con Jean Meyer y Cayetano Reyes de *Historia de la revolución Mexicana: periodo 1924-1928* y *Daniel Cosío Villegas: una biografía intelectual* (1980). Es autor, entre otras obras, de *Caudillos culturales en la Revolución Mexicana* (1976, Premio Magda Donato), *Por una democracia sin adjetivos* (1986) y *Biografía del poder*, en 8 tomos. Abrió su propia editorial, Clío, en la que se dedicó a difundir la historia de México a través de libros, fascículos y videos. Fue asesor en 1988 de la serie *Mexico,* producida por la PBS, la televisión pública de los Estados Unidos. Fue productor para Televisa de los encuentros *Vuelta: La experiencia de la libertad* (1990)

y *Los usos del pasado* (1993). En 1994 fue coautor de la serie *El vuelo del águila*, también para Televisa. En 1997 ingresó al consejo de administración de dicha empresa y ese mismo año la prestigiada editorial de Nueva York, Harper-Collins, publicó *Mexico: A Biography of Power. A History of Modern Mexico, 1810-1996.*

KRAUZE PACHT DE KOLTENIUK, ROSA. Nació en Wischkov, Polonia, el 3 de mayo de 1923. Licenciada, maestra y doctora en filosofía por la Universidad Nacional Autónoma de México (UNAM), llevó cursos de especialización en las universidades de Grenoble (Francia) y Berkeley (California). Ha sido profesora y asesora universitaria, y coordinadora de la revista *Deslinde* y de las publicaciones de la Facultad de Filosofía y Letras de la UNAM. Es autora de: *Antología filosófica de Antonio Caso* (1957), *La filosofía de Antonio Caso* (1961 y dos ediciones posteriores), *Introducción a la investigación filosófica* (1978) y *Ficción y verdad en literatura*. También ha publicado artículos en revistas especializadas.

KRETSCHMER SCHMIDT, ROBERTO. Nació en México, D.F., el 15 de abril de 1940. Médico cirujano (1963) por la Universidad Nacional Autónoma de México, especializado en pediatría y en inmunología en las de Tubinga (República Federal de Alemania) y Harvard, ha sido profesor universitario en México y en el extranjero, director de la División de Alergia e Inmunología del Departamento de Pediatría del Hospital Michael Reese y del Centro Médico de la Universidad de Chicago (1974-1978) y jefe de la sección (1968-1974) y director de la División de Inmunología (desde 1978) del Centro Médico Nacional. Ha publicado medio centenar de artículos científicos en revistas especializadas; es coautor de varios libros sobre su especialidad y autor de *Aspectos inmunológicos en el rechazo de los homotrasplantes*.

KRICKERBERG, WALTER. Nació en Schwiebus, Alemania, en 1885. Doctor en etnología por la Universidad de Berlín. Fue discípulo de Edward Seler, al lado de Walter Lehman y Theodor Wilhelm Danzel, jefe de la sección americana del Museo de Berlín y más tarde director del mismo. En diferentes ocasiones visitó México, dejando escritos, además de los compendios enciclopédicos publicados en las *Etnologías* de Berchan y de Bernatzik, las siguientes obras relativas a México: "*Die totonaken. Ein berstrag zur historischen ethnographie Mittelamerikas*", en *Baessler Archiv* (1925), traducidas como *Los totonacas* (1933); "*Aztek-kische tenopelplastik*", en *Die Woche* (1926); *Märchen der azteken und inkaperuaner, maya und huisca* (1928), *Das Mittelamerikanische ballspiel und seine religiose symbolik als paideuma* (1948), *Fels-plastik und fesbilder beiden kulturvolkern Alteamerikas* (1948), *Bauform und weltbold in alten Mexico paideuma* (1950), *Ancient America* (1950), *Altmexikanischer felsbilder: tribus* (1960) y *Ein aztekanischer steinschild des berliner museums* (1961).

KRIEGER, ALEX DONY. Nació en Duluth, Minesota, EUA, en 1911. Profesor de antropología en la Universidad de Washington, es autor de "*The travels of Alvar Nuñez Cabeza de Vaca in Texas and Mexico 1534-1536*", en *Homenaje a Pablo Martínez del Río* (1961); y "*Early man in the New World*", en *Prehistoric Man in the New World* (1964).

KROEBERG, ALFRED L. Nació en Hoboken, Nueva Jersey, en 1876; murió en Berkeley, Cal., EUA, en 1960. Estudió en la Universidad de Columbia, doctorándose en filosofía y letras (antropología) en 1899. Hizo expediciones a Nuevo México (1899-1901, 1915-1920), México (1924, 1930) y Perú (1925, 1927). Fue director del Museo Antropológico de la Universidad de California, y fundador y presidente de la revista *American Anthropologist*. Entre sus trabajos, tienen interés para México: "*Cultural relations between North and South America*", en *Congress of Americanists* (Nueva York, 1928); "*Native american population*", en *American Anthropologist* (1934); "*Anthropological research in Ibero-America and Anglo-America*", en *Congreso de Americanistas* (1939), y "*The present status of americanists problems*", en *The maya and their neighbors* (1940). Sus libros *Anthropology* (Berkeley, 1923; 2a. ed., 1948) y *The native of culture style and civilization* (Berkeley, 1957) han dejado una honda huella en los estudios antropológicos continentales.

KRUEGER, HILDE. Escritora alemana que publicó en 1948 el libro *Malinche or farewell to myths* (Malinche o adiós a los mitos).

KRUM-HELLER, A. Médico mexicano de finales del siglo XIX y principios del XX. En 1910, para la conmemoración del centenario de la Independencia, escribió una biografía de Alejandro de Humboldt, que la colonia alemana dedicó a México; hizo una investigación estadística de las personas que murieron de hambre en el periodo 1910-1914, y es autor de *La Ley del Karma y México, mi patria* (1917), que se tradujo al alemán como *El México de Carranza*.

KUBASCEK, ERIKA. Nació en Viena, Austria. Estudió en el Conservatorio de Música de esa ciudad, y después dirigió durante 10 años una de las 12 escuelas oficiales de aquel arte. Radicada en México desde 1962, fundó en 1966 un plantel análogo. A su actividad de educadora añade la de ser clavecinista y acompañante de cantantes e instrumentistas. Dirige el Coro Convivium Musicum, del cual es cofundadora.

KUBLI, LUCIANO. Nació en México, D.F., en 1906. Poeta y escritor, entre sus obras destacan: *Calles, el hombre y su gobierno* (1930), *Siete romances* (1933), *Sureste proletario* (1935), *Madre proletaria, madre campesina* (1936), *Retablo de una voz* (1943), *La paloma en el hombro* (30 poemas, 1943), *Golpe en el agua* (poemas a la irrigación mexicana, 1948) y *Cuauhtémoc, héroe a la altura del arte* (1950). Mas tarde fue profesor universitario hasta 1982 en que se retiró a la vida privada.

KUBLER, GEORGE ALEXANDER. Nació en Los Ángeles, Cal., EUA, en 1912. Doctor en filosofía con especialidad en historia del arte (1940) por la Universidad de Yale, ha sido antropólogo de la Institución Smithsoniana de Washington, comisionado en Perú (1948-1949), jefe de la misión sobre conservación y restauración de Cuzco, designado por la Organización de las Naciones Unidas para la Educación, la Ciencia y la Cultura (1951-1956), becario de la Fundación Guggenheim (1943-1957), editor en jefe de *Art Bulletin* (1945-1947) y profesor de historia del arte en la Universidad de Yale desde 1938. Es autor de: *The religious architecture of New Mexico in the colonial period and since the american ocupation* (1940), *Ucareo and The Escorial* (1942), "*The cycle of life and death in metropolitan sculpture*", en *Gazette des Beaux Arts* (París,

1943); *Mexican architecture of 16th. century* (2 vols., 1948); *The Louise and Walter Arensberg collection pre-columbian sculpture. Philadelphia Museum of Art* (1954); *"The design of space in maya architecture"*, en *Miscelanea Paul Rivet. Octogeneraria Diccata* (1958); *Architecture of Spain and Portugal* (1959); *"La función intelectual"*, en *El esplendor del México antiguo* (1959); y *Art and architecture of ancient America* (1962). En colaboración con otros autores, ha publicado: *"The Pomar Relacion"*, en *Tlalocan* (1944); *"The Tovar Calendar"*, en *Memoirs of the Connecticut Academy of Arts & Sciences* (1951); y *The Alan Würtzburger collection of pre-columbian art. The Baltimore Museum of Art* (1958).

KUHN, JOACHIM. Autor alemán que publicó en 1965 el libro *Das Ende des maximilianischen Kaisereiches in Mexico* (El fin del Imperio de Maximiliano en México).

KUKULKÁN. (Del maya *kukul*, pájaro, y *kan*, serpiente: pájaro-serpiente o serpiente emplumada.) Según la mitología del Altiplano, cuando Quetzalcóatl (véase) salió de Tula (año 895) se fue a la tierra de Tlapallan (el Sureste). En esa época también en la zona maya existía el culto a un personaje semejante, ya deificado, que cuando hombre condujo a los itzaes a la conquista de Chichén, e introdujo una religión que rechazaba los sacrificios humanos y aceptaba sólo el de aves, frutos y flores. Cuando gobernaba Chichén fundó otra ciudad, Mayapán, y después, al decir de landa, regresó por donde había venido. Esta figura sacerdotal y mítica se extendió por toda el área maya; entre los quichés y cakchiqueles se le denominaba Gucumatz, y entre los tzotziles, Cuchulchán. En otras crónicas al sacerdote llegado del norte se le llama Nacxit, o Tohil, en vez de topiltzin. Posteriormente, en el Altiplano y en la zona maya se le adoró como dios y se le identificó con el planeta Venus, atribuyéndole personalidad dual porque era estrella matutina y vespertina. Su símbolo fue una fantástica serpiente de cascabel cubierta de plumas preciosas, o sea su nahual, por lo que *cóatl* (serpiente, en náhuatl) significó "el otro yo", el gemelo, el "cuate". En el mes *zul* se hacía una fiesta en su honor en Mayapán, que más tarde se conservó en la provincia de Maní. Se creía que el dios bajaba a participar de los sacrificios que se

le hacían. Tanto en el Altiplano como en el Sureste, el sumo sacerdote del culto a Quetzalcóatl o Kukulkán, al salir de esas tierras prometió volver para imponer una religión incruenta. Este mito fue fatal para el reinado de Moctezuma II, pues cuando llegaron los españoles se creyó que era el retorno de Quetzalcóatl.

KUMATE, JESÚS. Nació en Mazatlán, Sin., el 12 de noviembre de 1924. Médico cirujano (1946) por la Escuela Médico Militar y doctor en ciencias (1950) por el Instituto Politécnico Nacional, especializado en inmunología, ha sido secretario general (1970-1972), vicepresidente (1975) y presidente (1976-1977) de la Academia Nacional de Medicina; profesor universitario, director general del Hospital Infantil de México (1979-1980), jefe del Departamento dé Inmunología del Centro Médico Nacional (1980-1982) y subsecretario de la Secretaría de Salud (1983-). Hasta 1987 había publicado 180 trabajos científicos. Miembro de El Colegio Nacional (desde 1974), es coautor de: *Diagnóstico en pediatría, Indicaciones e interpretación clínica de exámenes de laboratorio y gabinete, Gastroenterología básica y enfermedades hepáticas, La salud en México y la investigación clínica. Desafíos y oportunidades para el año 2000* y *Manual de infectología* (1985).

KUNKEL, JOHN HOWARD. Nació en Berlín, Alemania, en 1932. Profesor de sociología en la Universidad Estatal de Arizona. Autor de *"Economic autonomy and social change in mexican villages"*, en *Economic development and cultural change* (1961).

KURI ALDANA, MARIO. Nació en Tampico, Tamps., el 15 de agosto de 1931. Pianista y maestro en composición (1963) por la Escuela Nacional de Música de la Universidad Nacional Autónoma de México, recibiéndose con la tesis *Concepto mexicano de nacionalismo, partiendo de las características indígenas sobrevivientes*, con estudios de posgrado en el Instituto Torcuato di Tella de Buenos Aires, ha sido director de la Banda Sinfónica de la Secretaría de Educación Pública (1968), profesor en instituciones de enseñanza artística (desde 1970), director de la Orquesta de Cámara del Centro Libanés (desde 1971) e investigador del Fondo Nacional para el Desarrollo de la Danza Mexicana.

Es autor, entre otras, de las siguientes composiciones: *Sacrificio* (suite sinfónica, 1959), *Los cuatro Bacabs* (para doble orquesta de alientos, 1960), *Xilofonías* (para octeto de alientos y percusiones, 1963), *Concierto para nueve instrumentos* (1965), *Concertino mexicano* (para violín y cuerdas, 1974) y *Ce-Acatl* (poema sinfónico, 1976). También ha escrito obras de inspiración religiosa, en especial la *Misa maronita* (para coro mixto y órgano, en colaboración con Gonzalo Carrillo), y canciones del género popular: "María de Jesús" (primer premio en el concurso Juventino Rosas, 1968), "Rosas de ayer", "Quemándome" y "Página blanca".

KURI BREÑA, DANIEL. Nació en Zacatecas, Zac., el 12 de febrero de 1910. Abogado (1939) por la Universidad Nacional Autónoma de México, ha sido profesor en esta casa de estudios (1944-1977), primer rector del Instituto Tecnológico Autónomo de México (1946) y presidente de las asociaciones Fomento de Investigación y Cultura Superior (1959) y Patrocinadora de Investigaciones Culturales (1960). Hizo el estudio crítico de la obra *Oratio in laudem iurisprudentiae, habita pro studiorum initio...* de Juan Bautista Balli (1596), traducida al español por Gabriel Méndez Plancarte y publicada en 1953 con una nota biográfica escrita por Salvador Ugarte. Kuri Breña es autor de: *La esencia del derecho y los valores jurídicos: introducción al estudio filosófico del derecho* (1939 y 1978), *Los fines del derecho* (1944), *Hombre y política* (1945), *Amigos de papel* (1948), *Filosofía del derecho en la antigüedad cristiana* (1949, y cuatro ediciones posteriores), *La cantera que canta* (1956), *La moral y las profesiones* (1956), *La crítica de nuestro tiempo* (1963) y *El derecho internacional público* (1971). En 1985 se retiró a la vida privada.

KURI BREÑA, JOSÉ. Nació en Zacatecas, Zac., el 11 de abril de 1914. Estudió en la Escuela Nacional de Artes Plásticas. Ha realizado esculturas para instituciones bancarias y conjuntos habitacionales. Ha expuesto unas cien veces en México y el extranjero. Hay piezas suyas en el Bosque de Chapultepec y en museos nacionales.

KUTEYSCHIKOVA, N.V. Crítica literaria soviética, autora de *Meksikansky realistichesky roman XX vieka; sbornik statey* (La novela realista mexicana del siglo XX) (Moscú, 1960).

KUWAIT. Pequeño emirato situado en la costa noroeste del golfo Pérsico. Tiene una superficie de 17 818 km^2 y limita al norte y al oeste con Iraq, al sur con Arabia Saudita y al este con el golfo Pérsico. La capital, del mismo nombre, tiene alrededor de 200 mil habitantes, y todo el país poco más de millón y medio. El idioma oficial es el árabe. La mayoría de la población es musulmana. La moneda es el dinar kuwaití. Desde el siglo XIX, las tribus de la región fueron sometidas al protectorado inglés, hasta que el país se independizó en junio de 1961. Al año siguiente Kuwait se constituyó en monarquía parlamentaria. Kuwait es uno de los grandes productores mundiales de petróleo y miembro de la Organización de Países Exportadores de Petróleo. Por sus altos ingresos y su escasa población, es uno de los países con el ingreso *per cápita* más elevado del mundo. México y Kuwait establecieron relaciones diplomáticas el 23 de julio de 1975, y el 18 de enero del año siguiente el embajador mexicano Jorge Martín Rodríguez presentó sus credenciales. En 1976 se firmó en México el Convenio de Cooperación Económica entre ambos países, y se creó una comisión económica mixta. En diciembre de 1977 la *Kuwait Investment Company* otorgó un préstamo por 7 millones de dinares a Petróleos Mexicanos. Entre México y Kuwait ha existido un pequeño intercambio comercial.

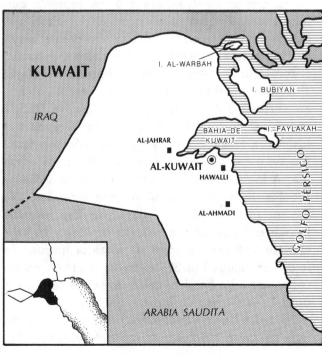

L

L. Decimotercera letra del alfabeto castellano, cuya forma escrita deriva directamente del latino. En otros alfabetos, la L ha tenido, o aún conserva, valor numeral, como es el caso del hebreo, cuya *lamed* equivale a 30, igual que la *lambda* griega, mientras la L latina, tiene valor de 50. Entre los escritores judeocristianos, la letra L recibió connotaciones religiosas: disciplina, corazón, látigo, castigo, y fue ligada, teológicamente, al tema de la retribución final.

LA BARCA, JAL. Ciudad cabecera del municipio del mismo nombre, está situada a 20° 16' 37" de latitud norte, 105° 33' de longitud oeste y 1 536 m sobre el nivel del mar, muy próxima a la desembocadura del río Lerma en el lago de Chapala. Su nombre le viene de que los primeros pobladores de Guadalajara, urgidos de contar con una ruta estable hacia el centro del país, dispusieron que en aquel paraje hubiera de modo permanente una barca para cruzar el río. Pronto se instalaron chozas en el embarcadero para el servicio "de petate y mesa" de los arrieros que hacían el comercio por el rumbo de Michoacán y el Bajío. Habiendo surgido ya ese pequeño asentamiento, en abril de 1553 la Audiencia de Nueva Galicia ordenó al cacique Simón Jorge de Verapaz que hiciese la traza y puebla de una villa con familias de otros pueblos ribereños y de tierra adentro. A la fundación se le puso el nombre de Santa Mónica de la Barca. Debido a que esta localidad fue un sitio donde los viajeros rendían jornada, la población creció con relativa rapidez y ya para el siglo XVII era cabecera de alcaldía mayor. Se le declaró ciudad el 27 de marzo de 1824, en recompensa a las heroicas acciones de sus habitantes durante la Guerra de Independencia.

Tiene La Barca varios sitios de interés: la parroquia de Santa Mónica, ricamente decorada; el Palacio Municipal (antiguas Casas Consistoriales), construido en el siglo XVII y varias veces modificado con posterioridad, cuyo portal frontero, de arquería, es uno de los más extensos del país; la capilla de San Nicolás Tolentino, edificada entre 1660 y 1667; la Plaza de Armas y su entorno peatonal; el malecón de Santa Mónica, frente al bosque de la Eucaliptera, a orillas del río; la zona arqueológica de Portezuelo, llamada Las Calles, con estructuras de mampostería seca aún sin explorar; y, sobre todo, la casa de La Moreña, ubicada en el costado sur del cuadrante principal. Esta finca fue una de las residencias de Francisco de Velarde, un rico y excéntrico estanciero cuya propiedad territorial iba desde Zamora hasta las inmediaciones de Guadalajara. Eran de oro la botonadura de sus vestidos, los puños de sus bastones y los tacones de sus zapatos, y aun las herraduras de sus caballos favoritos. Aunque elegante y pretensioso, era sin embargo, basto y lerdo, de modo que el pueblo lo apodó *el Burro de Oro*. Él mandó decorar su casa de La Barca con una serie de murales que en conjunto representan un paseo por el México de la época del segundo Imperio. Las principales escenas son la Plaza de Santo Domingo, los canales de Xochimilco (donde en una trajinera el mariscal Bazaine corteja a su prometida Josefa Peña de Azcárate), una fiesta criolla y un día de campo. En todas aparecen personajes de la alta sociedad y de las clases populares, con sus respectivos atuendos característicos, lo cual constituye un documento iconográfico inestimable. Estas pinturas fueron hechas por Gerardo Suárez, quien por esa época ayudó a Jacobo Gálvez en la decoración de la cúpula del Teatro Degollado de la capital jalisciense. Francisco de Velarde fue al fin fusilado en Zamora, Mich., el 15 de junio de 1867. Abandonada la casa, fue por mucho tiempo cantina, hasta que en años recientes adquirió la finca el gobierno del estado y la destinó a museo, previamente restaurada.

LA BARRE, WESTON. Nació en Union Town, Pennsylvania, EUA, en 1911. Bachiller en artes por la Universidad de Princeton (1933) y doctor en filosofía y letras por la de Yale (1937), es autor de *The peyote cult* (1960) y *The ghost dance* (1970). Enseña antropología en la Universidad de Duke.

LABASTIDA, FRANCISCO DE PAULA. Nació en Texcoco, México, en 1857; murió en Coyoacán, D.F., en 1908. Fue alumno del doctor Gabino Barreda en la Escuela Nacional Preparatoria, pero más tarde ingresó a la Congregación del Oratorio, donde llevó cursos de teología y se ordenó sacerdote en 1880. Fue brillante orador y una autoridad en ciencias naturales y literatura castellana. Enseñó física y química en el Seminario Conciliar de la ciudad de México y predicó habitualmente en la catedral metropolitana, de la que fue prebendado y canónigo. En dos ocasiones se le nombró prepósito –director– de la Congregación del Oratorio de la Casa Profesa. Perteneció a la Academia Mexicana de la Lengua. Escribió: "Estudio sobre el pronombre" (1896), "Oración pronunciada el 8 de marzo de 1896, en la inauguración de la catedral de San Luis Potosí, con motivo del jubileo episcopal del diocesario, Ilmo. Sr. Dr. y maestro D. Ignacio Montes de Oca y Obregón" (1896) y "Don Rafael Ángel de la Peña" (1898), publicados en *Memorias de la Academia Mexicana, correspondiente de la Española; y Lavalle. Libro de oraciones* (1898, con más de 12 ediciones).

Bibliografía: Alberto María Carreño: *La obra personal de los miembros de la Academia Mexicana, correspondiente de la Española* (1946).

LABASTIDA, HORACIO. Nació en Puebla, Pue., el 17 de enero de 1918. Se graduó de abogado en la Facultad de Derecho y Ciencias Sociales de la Universidad de Puebla (1942) e hizo cursos de especialización en la Facultad de Filosofía y Letras de la Universidad Nacional Autónoma de México (UNAM, 1952-1954) y en la de Berkeley, Cal., EUA (1963). En el curso de su carrera magisterial, ha sido director de la Escuela Preparatoria de la Universidad de Puebla (1945) y rector de

esa casa de estudios (1946-1950), en la cual fundó las facultades de Ciencias Físico-Matemáticas y de Medicina –incorporada al Hospital General–, el teatro y la pinacoteca, y reinstaló los laboratorios de física, química y fisiología; asesor de la rectoría (1951) y director de Difusión Cultural, de la *Revista de la Universidad de México* (1952), de Servicios Escolares (1953) y de Servicios Sociales (1954) de la UNAM. Profesor desde 1949, en 1954 fundó la cátedra de historia de la sociología en la Facultad de Ciencias Políticas y Sociales de la UNAM, donde ha presidido el seminario de ciencias sociales y es maestro e investigador de tiempo completo. Como abogado, ha sido actuario, secretario, juez y magistrado del Tribunal Superior de Justicia de Puebla. Ha sido también director general de información de las secretarías de Obras Públicas (1959-1963) y de Comunicaciones y Transportes (1966-1970) y consejero del Consejo Nacional de Ciencia y Tecnología, del Instituto Nacional Indigenista y de la Organización de las Naciones Unidas, adscrito a la Comisión Económica para América Latina. Fue también director general del Instituto de Estudios Políticos, Económicos y Sociales (IEPES) del Partido Revolucionario Institucional (1972-1975), diputado federal (1973-1976), senador de la República (1976-1982) y embajador de México en Nicaragua (1979-1980). En 1988, además de presidir su bufete, era miembro del consejo de la *Revista de Ciencias Políticas y Sociales* y dirigía por segunda vez la *Revista de la Universidad de México*. Tiene a su cargo, además, la colección Clásicos de la Historia de México, editada por el Fondo de Cultura Económica, y la Biblioteca Mexicana de Escritores Políticos (UNAM). Ha publicado numerosos ensayos sobre filosofía, sociología y economía en revistas especializadas y los siguientes libros e investigaciones: *Bases para un programa nacional de desarrollo de la comunidad en Costa Rica* (1963), *La educación en América Central, México y el Caribe* (1964), *Informe sobre la situación del Crefal* (1964), "Las luchas ideológicas en el siglo XIX y la Constitución de 1857", en *La Constitución y el pueblo* (1967), *Schopenhauer. La metafísica de la voluntad* (1968), *Aspectos sociales del desarrollo económico* (1970), *Banco de datos censales para el desarrollo social* (1972) y *Filosofía y política* (1987); y en colaboración con otros autores: *Bases para la planeación económica y social de México* (1961),

"Los grandes problemas de América Latina", en *La Iglesia, el subdesarrollo y la Revolución* (1968), "Sistema político y desarrollo social", en *Problemas nacionales* (1971), y "Estudios de los aspectos sociales en el desarrollo industrial", en *Ocho ensayos sobre asuntos sociales* (1972). Entre los libros que ha prologado se encuentran ediciones facsimilares de Manuel Payno, un estudio sobre Guillermo Prieto y obras de Juan de Palafox y Mendoza, José Joaquín Granados y Gálvez, Raymundo Lulio y Andrés Molina Enríquez.

LABASTIDA, JAIME. Nació en Los Mochis, Sin., el 15 de julio de 1939. Doctor en filosofía por la Universidad Nacional Autónoma de México, donde ha sido profesor desde 1970, se dio a conocer como poeta en el volumen colectivo *La espiga amotinada* (1960). Otro poemario suyo apareció en *Ocupación de la palabra* (1965). Desde entonces ha publicado los siguientes libros: *Producción, ciencia y sociedad: de Descartes a Marx* (1969), *El amor, el suelo y la muerte en la poesía mexicana* (1969), *A la intemperie* (1970), *Humboldt, ese desconocido* (1975), *Obsesiones con un tema obligado* (1975), *De las cuatro estaciones* (1981), *Marx, hoy* (1983), *Estética del peligro* (1986), *Plenitud del tiempo* (1986) y *Las aportaciones de Alejandro Humboldt a la antropología mexicana* (1986). Ha escrito prólogos a obras de Enrique González Rojo (padre), José Martí y Alejandro Humboldt. En 1981 obtuvo el premio nacional de poesía Ciudad de la Paz, y en 1984 el otorgado por el Club de Periodistas de México.

LABASTIDA OCHOA, FRANCISCO. Nació en Los Mochis, Sin., el 14 de agosto de 1942. Licenciado en Economía egresado de la UNAM en 1964, realizó estudios de posgrado en Evaluación de Proyectos, en México, y de planeación en la Comisión Económica para América Latina (CEPAL), en Santiago de Chile. Miembro del PRI desde 1964, ocupó diversos cargos en su partido y en la administración pública, entre ellos secretario de SEMIP (1982-1986) y obtuvo condecoraciones de los gobiernos de Brasil y Francia. Fue también gobernador de Sinaloa (1987-1992). El 23 de enero de 1995 fue designado Secretario de Agricultura, Ganadería y Desarrollo Rural por el presidente Ernesto Zedillo, función que desempeñó hasta el 3 de enero de 1998, cuando fue designado Secretario de Gobernación. En 1999, entre cuatro aspirantes, ganó la candidatura a la presidencia en lo que fueron las primeras elecciones democráticas internas del PRI para elegir al candidato.

En las elecciones presidenciales del 2 de julio del 2000, después de una reñida campaña electoral, perdió ante el candidato de la coalición Alianza por el Cambio (formado por el Partido Acción Nacional y el Partido Verde Ecologista de México), Vicente Fox Quesada.

LABASTIDA Y DÁVALOS, PELAGIO ANTONIO DE. Nació en Zamora, Mich., en 1816; murió en Oacalco, Mor., en 1891. En 1831 ingresó al Seminario de Morelia donde fue sucesivamente estudiante, catedrático y rector. En julio de 1855 fue consagrado obispo de Puebla. En diciembre siguiente estalló la insurrección de Antonio Haro y Tamariz, al grito de "Religión y Fueros". Derrotada ésta, el gobierno comprobó que los medios financieros fueron suministrados por la mitra poblana y ordenó que los bienes del obispado de Puebla en esa entidad, en Tlaxcala y en Veracruz, fueran confiscados y vendidos. Labastida se opuso a ello y fue desterrado en 1856. Fue arzobispo de México (1863-1891) y formó parte de la Regencia de Maximiliano, de la cual fue expulsado por sus diferencias con los franceses respecto a los derechos de la Iglesia (v. IGLESIA CATÓLICA e INTERVENCIÓN FRANCESA E IMPERIO). En 1867 salió para Roma; allá se enteró del triunfo de la República, y en 1871 se le permitió regresar al país.

LABAT, J. BAPTISTE. Nació y murió en Francia (1665-1738). Dominico, llegó a Nueva España en 1693 y hacia 1700 fundó el poblado de Tierra Baja en la isla de Guadalupe. En 1705 regresó a Francia y en 1725 publicó una compilación de datos históricos y económicos sobre México y América Central que se publicó en español como *Nuevo viaje a las islas de América*.

LABNÁ (Yuc.). (Del maya *lab*, viejo, arruinado, y *ná*, casa). Zona arqueológica situada a unos 28 km al suroeste de Oxkutzcab. La distribución de las estructuras es bastante irregular, aunque hay dos grandes grupos de construcciones unidas por un camino o *sacbé* de unos 17 km de largo por 6 m de ancho. El grupo del Palacio comprende varios edificios dispuestos en hileras, techados con bóveda, por lo general con la fachada decorada con columnillas y un friso con mascarones y grecas. Hacia el sur del Palacio se encuentra un basamento piramidal, llamado El Mirador, de 33 por 25 m en la base y una altura de 22, en el que hay un templo con tres cámaras y una crestería calada al frente. El edificio más representativo es El Arco, a cuyos lados se erigieron dos habitaciones con decoración típica del Puuc: paneles de celosía y cabañas, en el friso exterior; y grecas, columnillas y dados en línea diagonal, en el interior.

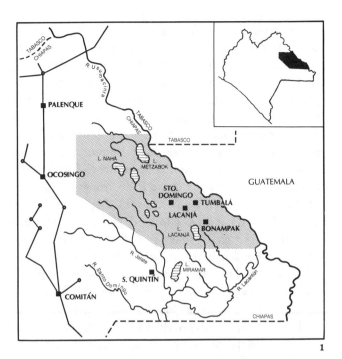

Distribución geográfica de los lacandones

LACANDONES. Grupo tribal de origen prehispánico. Sus miembros viven en pequeñas rancherías que se encuentran dispersas en la selva lacandona, la cual ocupa unos 10 mil kilómetros cuadrados en el noroeste del estado de Chiapas. Se dividen en tres grupos: el del norte, que es el mayor, situado a orillas de las lagunas de Nahá, Metzabok y Peljá; el de Lacanjá, cerca del sitio arqueológico de Bonampak; y el de San Quintín, en las inmediaciones del lago del mismo nombre. A causa de que las rancherías o caribales se encuentran bastante separados entre sí, los lacandones prefieren habitar en las márgenes de los ríos y arroyos que desembocan al río Usumacinta. El clima es lluvioso y cálido, con vegetación muy boscosa. La región está limitada por los ríos Santo Domingo, Jataté, Lacantún, Usumacinta y Choncoljá. El idioma lacandón forma parte del grupo maya-totonaco, de la familia mayanse (según la clasificación de Swadesh y Arana), y tiene similitud con el maya que se habla en Yucatán. Las diferencias dialectales entre los tres grupos mencionados, que datan de hace unos 300 años, a menudo impiden que se entiendan entre sí.

Historia. El término lacandón deriva de *lacam-tun* (gran peñón, en lengua ch'ol), utilizado por los españoles para llamar así a un grupo que habitaba la región. Después se extendió a los descendientes de éste y de los quejaches (de origen maya) que se habían refugiado en la selva huyendo de los españoles. Éstos penetraron por primera vez en la región en 1530. En 1564, fray Pedro Lorenzo logró congregar a un cierto número de lacandones en las reducciones de Ocosingo, Bachajón, Tila,

Tumbalá y Palenque. Otros permanecieron aislados en la isla Lacam-tun, desde donde invadían a menudo a los pueblos catequizados. Debido a esto, en 1586 una expedición militar atacó la isla. Los indígenas agredidos incendiaron su pueblo y se desbandaron por la selva. Desde entonces esta isla ha permanecido despoblada. La región quedó en paz por más de un siglo, hasta que en 1695 el presidente de la Capitanía General de Guatemala y algunos frailes lograron conquistar un poblado lacandón, al que llamaron Nuestra Señora de Dolores por el día en que lo ocuparon. Sin embargo, cinco años después lo abandonaron. Los españoles no volvieron a la región hasta 1790, en que el cura de Palenque fundó el pueblo de San José de Gracia Real, que también desaparecería al poco tiempo. Tras otro siglo de tranquilidad para los lacandones, hacia 1880 penetraron los monteros en busca de caoba, cedro y otras maderas preciosas. Junto con ellos se introdujeron enfermedades desconocidas en la zona, que causaron la muerte a muchos de sus pobladores. Después llegaron los chicleros y en años recientes los vendedores ambulantes, pero también otros grupos indígenas, principalmente tzeltales, tzotziles y ch'oles.

Organización social. Los caribales (rancherías) se integran por tres o cuatro familias extensas, que a su vez se componen de padres, hijos y parientes cercanos de cualquiera de los cónyuges. Cada familia habita en varios jacales de palma, alrededor de una ermita hecha del mismo material, en la cual se guardan los objetos sagrados y se practican los ritos ceremoniales. Los lacandones no tienden a formar comunidades; son más bien trashumantes. Entre ellos se practica la poligamia. Algunos varones tienen dos o tres esposas que comparten las labores domésticas. Los hombres más fuertes, de mayor edad y prestigio acaparan a las mujeres disponibles, aun a las de muy corta edad, dejando en soltería forzosa a los más jóvenes. El sistema patrilineal de organización familiar que existía hace tres o cuatro décadas casi ha desaparecido. Las costumbres matrimoniales son similares a las de los indios tzeltales y tzotziles: los trámites previos a la boda quedan a cargo de los padres del novio, quienes piden varias veces a la joven, en cuya casa se celebra al fin la ceremonia, al término de la cual el contrayente ingiere la comida que le preparó su reciente esposa. La pareja vive durante algún tiempo en la casa de los padres de la mujer (residencia matrilocal) y luego pasa a una choza construida en las cercanías de la casa de los padres del hombre (residencia patrilocal). El parto se lleva a efecto en el bosque, con ayuda del esposo. El periodo de lactancia dura por lo general tres años. Al parecer, las ceremonias mortuorias no tienen una significación relevante.

Formas de gobierno. Los lacandones no han podido ser absorbidos por el sistema político nacional. A causa de que su número se ha reducido a 300 individuos, las formas de gobierno tradicional casi han desaparecido, circunstancia a la que contribuye su dispersión. La única autoridad reconocida en cada caribal es el hombre de mayor edad; él norma la conducta de sus familiares en asuntos y prácticas de la vida diaria, y dirige el ritual de las ceremonias religiosas. Cada caribal es independiente y mantiene pocas relaciones con los demás.

Formas de subsistencia. La economía se sustenta en la producción de maíz. El método de cultivo es el de roza, tumba y quema, que comienza en la *yaxq'uin* (temporada de secas). Cada milpa —una hectárea— se usa durante cinco años, término en el cual se agota, y se abandona por una nueva; sin embargo, quedan en aquélla los árboles frutales (platanales, limoneros, papayos),

que siguen siendo explotados por su dueño. Con el maíz cosechado se hacen tortillas, atoles y tamales. El maíz lo cultivan los varones, y los frutales las mujeres. Además, se crían cerdos, pollos y guajolotes para la alimentación, perros para la caza, gatos para alejar los ratones, y abejas para obtener cera y miel, una para elaborar velas y otra para endulzar los atoles. También se domestican monos y otros animales silvestres. La pesca es una actividad habitual. En la caza, el arco y la flecha se han sustituido por armas de fuego.

Artesanías. Se manufacturan arcos y flechas muy vistosos; se decoran jícaras para tomar *balché* (jugo de corteza fermentada, de gran significación religiosa) y *pozol* (masa de maíz cocida); se tejen hamacas y redes; se hacen bolsas de piel de venado, lagarto y otros animales; y se elaboran flautas de carrizo y muñecas de barro o de madera. Estos artículos se llevan a vender a Ocosingo y San Cristóbal de Las Casas. Las canoas se labran ahuecando troncos de árbol.

Creencias y prácticas religiosas. Según Alfonso Villar Rojas (*Los lacandones: sus dioses, ritos y creencias religiosas*, 1968), "no existe ninguna otra región del área mayanse donde el sistema religioso se encuentre tan limpio de influencia cristiana como ésta de los lacandones". Parece ser que existe una correspondencia entre algunos dioses y ceremonias actuales con los que aparecen en los códices, libros del *Chilam Balam* (véase) y citas de los primeros cronistas. Todos los dioses que integran el panteón lacandón habitan dentro de la propia región, en cuevas, riscos y sobre todo en los viejos sitios arqueológicos. Esto significa que se encuentran al alcance inmediato de los seres vivientes y "casi forman parte de la familia humana; por lo menos parecen estar organizados de la misma manera y tener pasiones y costumbres similares". Todos los dioses son casados y tienen hijos, yernos, suegros y demás parientes. Cuenta una leyenda: "Antiguamente el dios Metzabok tenía su casa en el lugar llamado Dolores, cerca de Paraíso, donde habitan muchos ladinos; allí estaba también el santo de éstos, el cual tenía una esposa muy bonita. Un día Metzabok se raptó a la esposa y huyó hacia la laguna que ahora lleva su nombre. La suegra de Metzabok se enojó mucho, razón por la cual éste no pudo regresar más a esa su antigua casa. Con el correr del tiempo tuvo un hijo con la beldad raptada y, entonces, decidió hacer una visita a su suegra para apaciguarla; para esto le llevó abundantes regalos de tabaco y pieles de tigrillo, lo cual, unido al presente del nieto, le produjo gran contento. De todos modos, como ya se había acostumbrado a su nueva morada, Metzabok se quedó para siempre en la laguna que lleva su nombre".

La mayoría de los dioses del panteón lacandón tiene una representación material; el resto sólo existe en los cantos y en los mitos. La forma de representarlos consiste en modelar el rostro correspondiente en la parte exterior de los incensarios o braceros, los cuales tienen dos funciones: servir de ídolos y a la vez de recipientes para quemar el copal o incienso nativo. Cada rostro lleva el nombre del dios que representa y es guardado con devoción en la ermita familiar (oratorio de palmas). En cada caribal puede haber una, dos o más ermitas, de acuerdo con los grupos que allí vivan, y el número de ídolos o rostros divinos varía de acuerdo con la devoción del jefe de la familia. Las deidades representadas son servidores del dios de más alta jerarquía, el cual yace en el fondo de la vasija sagrada. Los dioses prenupciales son los cuatro hermanos Yanthó, Usukum, Nohoch-Chac-Yum (el principal) y Ú-yidzin, todos ellos asociados a un punto cardinal: Nohoch-Chac-Yum, al oriente; Yanthó, al norte, y los otros a rumbos difíciles de precisar. Su parentesco y distribución ha sugerido cierta correspondencia con los cuatro ídolos agrícolas de los mayas de Yucatán. Nohoch-Chac-Yum (Gran Chac Padre), es el regente supremo, también llamado Hach-Chac-Yum (Verdadero Chac Padre), creador del cielo y la Tierra, bajo cuyo poder están los otros dioses de los lacandones. Entre sus servidores, a los que se denomina genéricamente Yalankinku (posiblemente Ah-lakin-ku o dios del oriente), se encuentran el Sol, las constelaciones y el trueno. La relación del trueno con el oriente es reminiscencia de las antiguas tradiciones mayas. Nohoch-Chac-Yum se vincula con las primeras lluvias, procedentes del oriente, y se invoca como protector de la salud. Yanthó es el dios de mayor edad entre los hermanos, pero el segundo en la jerarquía divina. Se dice que tiene su residencia en lo alto de unos acantilados, muy al norte, lo cual concuerda con el punto cardinal que le corresponde. Equiparable al antiguo dios maya de los mercaderes, rige a los extranjeros, la civilización, el dinero y el comercio.

Usukum o Sukum-Yum (hermano mayor) vive en el interior de la Tierra, en una cueva. Es señor del inframundo y portador del Sol nocturno. Su servidor inmediato es Kisin, señor de los terremotos y de los espíritus malos, equivalente al demonio entre los mayas de Yucatán y los choles de Chiapas. Aunque Usukum no es especialmente malo, se le guarda cierto temor y se mantiene a distancia de los otros rostros divinos. En algunos lugares se le tiene fuera del templo, en una pequeña enramada, a donde le son llevadas sus ofrendas. Ú-yidzin es el hermano menor y su poder es siempre benévolo; reside en Yaxchilán, donde habitan otros dioses de importancia, entre ellos Kakoch, creador de la Tierra, el mar, el Sol y la flor de nardo *baknicté*, de la cual nacen los dioses primarios. Hay también diosas: Akná (la madre) es la principal, progenitora de la Luna, esposa de Kin, el Sol. Se le invoca como protectora de los partos y se le nombra también Ix-chel, considerada patrona de la medicina. Acan-Chob o Chihak-Chob, esposo de Akná, es uno de los dioses predilectos de los lacandones; se dice que habita en Yaxchilán, en unión de su consorte y de su hija Erthup (la más pequeña), también llamada U-pal (niña). Ix-dan-le-ox, esposa de Hachac-yum, es la creadora de las mujeres, del mundo femenino y del orden del mundo. En otros tiempos se la consideraba "diosa del viento del sur". Men-sabak (creador del hollín) es el dios de la lluvia, pues los lacandones creen que la precipitación pluvial es producida por una pólvora negra que los sirvientes de este dios riegan sobre las nubes. Al igual que los demás, este dios tiene esposa (Ah-ná-mensabak), una hija (Mulik-ná) y un hermano (Dzibané). Hapikern es una deidad maléfica que tiene forma de serpiente y se traga a los humanos absorbiéndolos con el aliento. Otros personajes del panteón lacandón y los fenómenos o actividades que rigen, son Tanupekcú (el trueno), Tanuhadzkú (los relámpagos), Kayum (el canto), Kak (el fuego), Danan-Kash (los montes) y Tzibaná (las artes gráficas).

Hasta fechas recientes los lacandones solían hacer peregrinaciones religiosas a la ciudad arqueológica de Yaxchilán (véase), en la frontera con Guatemala, donde aún quedan en pie algunas grandes esculturas de los antiguos dioses. Estos recorridos se hacían sobre todo por el grupo del norte, en una jornada de cinco días, por veredas "intransitables para la gente". En la actualidad, tienen en sus braceros piedrecitas de este lugar sagrado. La fiesta principal es la de renovación de los braceros, desde mediados de febrero hasta fines de marzo, periodo durante el cual se ofrendan pozol, balché y tamales a los viejos incensarios que van a desecharse. Todo este tiempo los hombres duermen en el templo y se abstienen de tener relaciones sexuales con sus mujeres. Otras ceremonias religiosas son de carácter agrícola o están relacionadas con las enfermedades; se realizan en el adoratorio y consisten en la quema del copal en un "fuego nuevo", rezos y ofrendas de comida y bebida.

Los problemas más relevantes de los lacandones son las enfermedades endémicas del aparato respiratorio y las infecciones gastrointestinales, el alto grado de analfabetismo y el escaso provecho que obtienen de sus abundantes recursos naturales, ya que las maderas, por ejemplo, son explotadas por compañías madereras sin que quede a los indígenas un beneficio apreciable.

LACAUD RODD, JULIO. Nació en Ruán, Francia, en 1879; murió en la ciudad de México en 1968. En 1895 llegó al país, en 1899 fundó el *Boletín Financiero y Minero* y luego la firma J. Lacaud y Cía., que en 1920 se convirtió en el Banco Francés, cerrado en 1923. Fue socio fundador y accionista de varias empresas como Carlos Trouyet, S.A., Banco Comercial Mexicano y Sanborn's Hermanos.

LACH, DAVID. Nació en México, D.F., el 26 de junio de 1949. Versátil y prolífico artista plástico, comenzó a exponer desde la década de 1970. Su obra incluye el mural *Quetzalcóatl* del Teatro San Rafael (1977); los de las estaciones del metro Terminal Aérea (1981) y Santa Anita (1982) y el vitral del CitiBank de Reforma (1998). Ha expuesto en el Instituto de Arte Contemporáneo, Londres (1977); Museo de Arte Moderno del D.F. (1980); Centro de Artes de Windsor (1984); el Banco Mundial, en Washington (1990); Martin Luther King Memorial Library de Washington (1992); Museo Casa Diego Rivera, en Guanajuato (1994), y el Museum of Fine Arts St. Petersburg, en Florida (1997), entre otros lugares.

LACHA ESCAMUDA. *Brevoortia patronus* Goode, de la familia Clupeidae, orden Clupeiformes. Pez cuya apariencia general recuerda a las sardinas, con las que está emparentado. Es de cuerpo comprimido y más bien alto, de cabeza grande y boca oblicua. La mandíbula inferior está incluída en la superior. Esta última es muy gruesa y larga; su extremo casi alcanza al margen posterior del ojo. A lo largo de la línea media del vientre presenta de 29 a 31 escudetes óseos, que forman una especie de quilla; y en la región dorsal, por delante de la aleta del mismo nombre, una doble hilera de escamas modificadas. La aleta dorsal es única, tiene su origen en la mitad del cuerpo y al igual que las demás está compuesta exclusivamente por radios. La anal es corta y posterior a la dorsal. La caudal es muy bifurcada, las pectorales se insertan por debajo de la línea media del cuerpo y las pélvicas, formadas por siete radios suaves de longitud semejante, se emplazan en posición abdominal. El cuerpo está cubierto por escamas cuyo margen posterior se asemeja a los dientes de un peine.

Una copiosa secreción de mucus hace a estos peces sumamente resbalosos. Son de color azul grisáceo oscuro en el dorso y dorado verdoso en los costados, con una gran mancha oscura por detrás de la cabeza, a veces seguida por otras más pequeñas. Las aletas son amarillentas y el margen de la caudal oscuro. Habita en el golfo de México, desde la bahía de Florida hasta el golfo de Campeche, generalmente en aguas poco profundas. Es una especie pelágica que forma grandes cardúmenes. Desova de octubre a marzo, y los jovenes penetran a los estuarios. Se alimenta de plancton en las aguas superficiales. Se pesca con redes de cerco, de arrastre o agalleras, y se vende fresco o enlatado. Su carne es un tanto grasosa. También se conoce como lacha al pez *Brevoortia gunteri* (Hildebrand), que se distribuye desde Luisiana hasta Campeche.

LACHICA, FEDERICO T. Nació en Nuevo Laredo, Tamps., en 1892; murió en la ciudad de México en 1954. Impulsor de la industria y las finanzas del país, dirigió, entre otras, la Cía. Fundidora de Fierro y Acero de Monterrey, Productos Alimenticios, Empacadora Búfalo y FYUSA.

LACUNZA, JOSÉ MARÍA. Nació en la ciudad de México en 1809; murió en La Habana,

Cuba, en 1869. Junto con su hermano Juan Nepomuceno, Manuel Tossiat Ferrer y Guillermo Prieto, formó parte del grupo que en 1836 fundó la Academia de San Juan de Letrán. En el tercer periodo de gobierno de José Joaquín de Herrera, Lacunza fue secretario de Relaciones Interiores y Exteriores, del 10 de mayo de 1849 al 15 de enero de 1851, y con Maximiliano, de Estado, del 3 de abril al 15 de mayo de 1867. Al triunfo de la República, Juárez lo desterró a La Habana.

LACUNZA, JUAN NEPOMUCENO. Nació y murió en la ciudad de México (1812-1843). Huérfano, quedó al cuidado de una tía que le supo dar una honrosa y distinguida carrera. Becado por el gobierno en el Colegio de San Juan de Letrán en 1826, se recibió de abogado en 1837. Fundó, junto con su hermano José María, la Academia de Letrán. Escribió poesías y dramas, que no fueron impresas y se han perdido. Publicó *Ocho días a Dios o sea una semana de ejercicios en la Casa Profesa* (1841).

LADILLA. *Phthirius pubis.* Insecto del orden Anoplura, parásito del hombre. Su cuerpo es corto y aplanado y sus patas terminan en uñas en forma de gancho, lo cual le permite sujetarse al pelo de su hospedero. Se aloja en la región púbica, las axilas y las cejas. Produce comezón e irritación, y al alimentarse de sangre puede provocar enfermedades secundarias. Otra especie del mismo género es *P. gorillae*, que se encuentra exclusivamente en los gorilas.

LADINO. Nombre que se aplica al habitante no aborigen de una comunidad indígena, especialmente en Chiapas, Tabasco y Campeche. W.R. Holland (*Medicina maya en los Altos de Chiapas*, 1963) ha observado que los ladinos son pequeños comerciantes que venden cigarros, dulces, alimentos en conserva, velas y bebidas gaseosas y otros artículos llevados en camión hasta el pueblo; y ocasionalmente, cuando disponen de recursos mayores, telas, ropa, herramientas agrícolas, petróleo, medicinas de patente y antibióticos. Otros tienen tierras y rebaños, que generalmente son trabajadas y cuidados por indígenas asalariados. Ladinos e indígenas mantienen relaciones interdependientes y complementarias. Los indígenas abastecen a los ladinos de alimento, materiales en bruto y trabajo de campo, a cambio de artículos manufacturados y aguardiente.

LADMAN, JERRY R. Nació en Sioux City, Iowa, EUA, en 1935. Bachiller en ciencias (1958) y doctor en filosofía y letras por la Universidad Estatal de Iowa (1968), enseña economía en la Universidad Estatal de Arizona. Autor de: *"Agriculture and the economics development of Mexico"*, en *Arizona Business Bulletin* (1968); y *La productividad de los créditos a corto plazo y el racionamiento externo del crédito a empresas agrícolas típicas en dos municipios mexicanos* (1969).

LADRÓN DE GUEVARA, ANTONIO. Nació en Castilla la Vieja, España en 1705; murió en Santiago de los Valles (Tamps.) en 1767. Pasó a Nueva España radicando en la ciudad de México hacia 1727. Dos años más tarde ocupó provisionalmente el puesto de juez eclesiástico en Monterrey; en 1733 fue procurador del Ayuntamiento de la ciudad; en 1735, capitán, procurador y teniente del alcalde mayor del valle de Huajuco, y en 1737 notario episcopal y público. Desde 1734 inició incursiones personales en el litoral de Tamaulipas y Texas. Nombrado sargento mayor, alcalde mayor y capitán de guerra en el valle de San Antonio de los Llanos en 1742, pacificó a los indios levantados en armas y formó parte de la expedición colonizadora de José de Escandón en 1749, siendo cofundador de la Villa de Cinco Señores o Nueva Santander, de la que fue capitán en ausencia de Escandón. De 1752 a 1761 participó en diversas excursiones, tanto en el litoral del Golfo como en el interior del reino de Nuevo León. En 1763 fue a España, consiguiendo el nombramiento de comandante del corregimiento de Santiago de los Valles, del que tomó posesión en 1764, permaneciendo en el cargo hasta su muerte. Escribió en 1739 *Noticias /de los poblados/ de que se componen/ el Nuevo Reyno/ de León,/ provincia de Coaguila,/ Nueva-Extremadura y la de Texas, Nueva Phili/ pinas: Despoblados que hay en sus cercanías y los indios que los habitan y causa de los pocos o ningunos aumentos. Dedicadas/ al excelentísimo señor D. Pedro/ de Castro, Figuerre y Salazar, duque de la Conquista,/ marqués de Gracia Real, etc... / por/*

don Antonio Ladrón de Guevara, vecino/ del Nuevo Reyno de León como práctico de lo que se/ contiene en este sucinto papel/ Año de MDCCXXXIX/. Es una obra rarísima, de la que sólo se conocen cuatro ejemplares. La volvieron a publicar José Porrúa Turanzas (1962) y Andrés Montemayor Hernández, con prólogo, un apéndice documental, un mapa de Nuevo León y una tabla con la vida y obra de Ladrón de Guevara y acontecimientos importantes en el reino de Nuevo León, Texas, Coahuila, Santander y Nueva España entre 1755 y 1767 (Monterrey, 1969).

LADRÓN DE GUEVARA, CARLOS MANUEL. Nació en Zongolica (Ver.) el 4 de noviembre de 1804; murió en San Cristóbal de las Casas, Chis., el 28 de agosto de 1869. Fue consagrado sacerdote en 1833 por el obispo Francisco Pablo Vázquez, quien también lo nombró fiscal del Tribunal de la Fe. Obtuvo el título de abogado en derecho civil y ejerció en el foro de Puebla. Fue cura interino de las parroquias de San Sebastián y San Marcos de Puebla y propietario de la de Amozoc, la que ganó en un concurso en 1840. En 1853 fue designado secretario de la Sagrada Mitra y fue también rector del Colegio Clerical y canónigo de la catedral. En 1861 salió exiliado del país. El papa Pío XI lo preconizó obispo de Chiapas el 19 de marzo de 1863 y recibió la plenitud del sacerdocio de manos de monseñor Colina el 8 de mayo de 1864, ya de vuelta en el país. Sin embargo, no llegó de inmediato a Chiapas debido a sus enfermedades y a la rebelión de los indios chamulas. Se presentó en su sede el 6 de agosto de 1869 y días después falleció.

LADRÓN DE GUEVARA, RAÚL. Nació en Naonilco, Ver., en 1934. Pianista (1962) por la Escuela de Música de la Universidad Veracruzana (UV), dirigió ese plantel de 1970 a 1976. Se perfeccionó en la Academia Chighiana de Siena, Italia. En México ha tocado numerosas veces como recitalista y con las principales orquestas. En 1977 fue solista de la Sinfónica de Westfalia. Con Armando Lavalle fundó en 1981 el Centro de Creación Musical de la UV y al año siguiente preparó la edición del album *44 Piezas para piano* de la Liga de Compositores de México, de la que forma parte. En 1987 era profesor de la Facultad de Música de la UV. Ha compuesto entre otras, las siguientes obras: *Preludios sinfónicos* para orquesta (1968), *Tres piezas* para orquesta de cuerdas (1977) y *Nocturno* para mezzosoprano y orquesta (1983).

LAFORA, NICOLÁS DE. Se supone que nació en España hacia 1730; se ignora el sitio y el año de su muerte. La última noticia que de él se tiene procede de 1789, año en que se le concedió pertenecer al Cuerpo de Ingenieros. Inició sus servicios en el ejército español en 1746 como cadete del Regimiento de Infantería de Galicia, donde obtuvo el grado de subteniente. Fue delineador (cartógrafo) del Cuerpo de Ingenieros. Participó en varias acciones de guerra en Italia, Orán y Portugal. En 1764 vino a Nueva España. En 1766 el virrey le mandó acompañar al marqués de Rubí en la inspección de los presidios (fuertes) internos, en cuya misión recorrieron la frontera, desde Altar, en el norte del golfo de California, hasta Nachitoches, en los límites de Luisiana, y la bahía del Espíritu Santo, en el golfo de México. Levantó un mapa de la frontera del Virreinato de la Nueva España (1777), que permanece inédito. Vuelto a la capital después de casi dos años, ejecutó algunas obras para contener la laguna de Texcoco. Posteriormente levantó el *Plano de la ciudad de México* y dirigió los trabajos de nivelación y empedrado de parte de ella. Fue a España en 1770, y se le nombró comandante de las fortificaciones de Alicante, y en 1774, siendo corregidor de Oaxaca, se le ascendió a teniente coronel de infantería. A él se debió la construcción de las casas del Ayuntamiento de esa ciudad. Escribió *Relación del viaje que hizo a los presidios internos en la frontera de la América septentrional perteneciente al rey de España* (1768), publicado con prólogo y notas por Vito Alessio Robles (1939). Hay otra edición con estudio preliminar de Mario Hernández y Sánchez Barba: "Viaje a los presidios de la América septentrional", en *Viajes por Norteamérica. Viajes y viajeros* (Madrid, 1958). La obra es importante porque da multitud de noticias históricas, etnológicas, demográficas y geográficas del norte del territorio, difíciles de obtener en otra fuente histórica.

LAFRAGUA, JOSÉ MARÍA. Nació en Puebla, Pue., en 1813; murió en la ciudad de México en 1875. En 1837 pasó a la capital del país como representante del Partido Federalista de su entidad. Fue tres veces ministro en otros tantos gobiernos: con Ignacio Comonfort, de Gobernación, del 13 de diciembre de 1855 al 31 de enero de 1857; con Benito Juárez, de Relaciones Exteriores, del 13 de junio al 18 de julio de 1872; y con Sebastián Lerdo de Tejada, la misma Secretaría, del 19 de julio de este último año al 15 de noviembre de 1875. En 1842 resultó electo diputado al Congreso Constituyente y luego sirvió como magistrado de la Suprema Corte de Justicia. Después de entregar la cartera de Gobernación a Ignacio de la Llave, Comonfort lo destinó a España como embajador, de donde regresó en 1861. Al triunfo de la República fue ministro de la Suprema Corte de Justicia y redactó los códigos Civil y de Procedimientos Civiles; en 1868 formó parte de la Comisión que redactó el Código Penal y ocupó la dirección de la Biblioteca Nacional. Junto con Casimiro Collado fundó en 1841 la publicación literaria y de crítica teatral *El Apuntador*; dejó inéditas sus *Memorias íntimas* y gran parte de su producción literaria fue publicada en los periódicos de la época; en 1832 editó *Netzula*, uno de los pocos ejemplares de novela corta situada en la época de Moctezuma; y formó una notable colección de impresos respecto de la historia política y literaria del país, que se encuentra en la Biblioteca Nacional bajo el nombre de Colección Lafragua.

LAGARDE Y VIGIL, FERNANDO. Nació en la ciudad de México en 1902; murió en Quito, Ecuador, en 1962. En 1926 ingresó al servicio exterior y sirvió en las misiones diplomáticas de México en Washington, Guatemala, Bruselas, La Haya, Buenos Aires, Río de Janeiro, La Habana, Caracas, La Paz y Quito. Fue presidente de la delegación mexicana ante el Comité Interamericano de Neutralidad, el Comité Jurídico Interamericano, la Conferencia Interamericana de Consolidación de la Paz y el Tercer Congreso Indigenista Interamericano.

LAGAR PONCE, LUIS. Nació en México, D.F., el 25 de mayo de 1964. Dramaturgo y compositor, ha actuado en algunas de sus obras; en teatro cultiva el género musical, para el cual ha escrito *Jaime, alma destrozada* y *El horizonte*, estrenada bajo la dirección de Guadalupe Legorreta.

LAGARRICA ATTIAS, ISABEL. Nació en México, D.F., el 4 de noviembre de 1943. Maestra (1968) por la Escuela de Antropología de la Universidad Veracruzana, llevó cursos adicionales en la Universidad de París y en la Nacional Autónoma de México. Ha sido coordinadora de los proyectos Marginalidad Indígena (1972-1979) y Etnopsiquiatría (desde 1979) y jefa e investigadora (1987-) del Departamento de Etnología y Antropología Social (1979-1981) del Instituto Nacional de Antropología e Historia. Es autora de: *Medicina tradicional y espiritismo* (1970; 2a. ed., 1975), *Ceremonias mortuorias entre los otomíes del norte del estado de México* (en colaboración, 1977) y *Otomíes del norte del estado de México. Una contribución al estudio de la marginalidad* (en colaboración, 1978); de los capítulos "Alumbrados de la Nueva España. Técnicas terapéuticas", en *Historia de la medicina en México*, y "Otomíes del norte del estado de México", en *Atlas etnográfico de México*; y de unos 20 artículos en revistas especializadas.

LAGARTIJAS. Con este nombre se conocen comúnmente gran cantidad de especies del suborden Lacertilia, orden Squamata, clase Reptilia. Las lagartijas y las serpientes son los grupos de reptiles más diversificados y ampliamente distribuidos. En México existen 326 especies agrupadas en 10 familias. Dentro del suborden Lacertilia están incluidos también el monstruo de gila y las iguanas, que son saurios de gran tamaño. Los lacertilios se diferencian de las serpientes por tener cuatro patas y cola bien desarrolladas, por la presencia de párpados móviles, por presentar las vértebras diferenciadas en regiones y por la articulación de la mandíbula, aunque existen varias especies de lagartijas que no poseen extremidades, al igual que las serpientes, pero sí todas las demás características de los lacertilios. En México existen cinco especies de éstas. Las lagartijas habitan tanto a nivel del mar como en las altas montañas, y en casi todos los tipos de vegetación y clima. En México se encuentran en todo el país, aun en las más lejanas islas, y son los reptiles más abundantes en cualquier región, incluyendo las zonas urbanas. Muchas lagartijas tienen la capacidad de desprender la cola a voluntad, modo de evitar la depredación, pues el atacante se distrae a causa de que aquélla continúa moviéndose por algún tiempo. Posteriormente, la lagartija regenera la cola, aunque generalmente ya no alcanza la longitud original. La mayoría de las lagartijas se alimentan de insectos, arañas y otros pequeños invertebrados; otras consumen plantas, otras comen pequeños ejemplares de su misma índole y algunas son completamente carnívoras (los varanos, que no existen en México). En este grupo de reptiles hay especies que se reproducen por huevos, los cuales son depositados en diversos sustratos (hojarascas, grietas, bajo troncos, etc.) e incubados por la temperatura ambiente. Algunas lagartijas hembras retienen los huevos dentro de su cuerpo hasta el nacimiento de las crías (ovovíparas) y otras especies son vivíparas. V. BASILISCO, CAMALEÓN, CANTIL DE TIERRA, CUIJA, CHINTETE, ESCORPIÓN, LEMANCTO, PASA-RÍOS y TURIPACHE.

LAGARTO. *Xanthoxylum microcarpum* Gris. Árbol de la familia de las rutáceas, de corteza cubierta de espinas, de 13 m de altura. Las hojas conjuntan de 10 a 30 foliolos oblongos u oblongo-lanceolados, cada uno de 3 a 9 cm de longitud. Las flores, pequeñas y blanquecinas, se dan agrupadas en inflorescencias terminales hasta de 15 cm. El fruto es un folículo de 5 mm. Como lagarto se conoce también *X. procerum* Donn, de la misma familia y de 20 m de altura, y la leguminosa *Acacia paniculata* Brand. Las tres especies vegetan principalmente en Puebla, Oaxaca, Veracruz, Tabasco y Chiapas.

LAGARTO. Palabra que se aplica erróneamente en México a los cocodrilos (véase). En castellano connota a los miembros del suborden Lacertilia, o sea a las lagartijas (véase).

LAGARTO. (Apellido de una familia de pintores miniaturistas.) Al final de la década de los ochentas del siglo XVI, se encontraba en la ciudad de Puebla, venido de España, el pintor miniaturista Luis Lagarto. Allí casó con Ana de la Paz, de quien tuvo seis hijos: Luis (1586), Mariana (1587), Andrés (1589), Francisco (1591), Esteban (1592) y Antonio (1595). La técnica de este artista era la florentina, caracterizada por un dibujo finísimo sobre fondo de oro bruñido, colorido de suaves y ricos matices y fantasiosa ornamentación de follajes, arabescos y figuras, todo lo cual adornaba las letras capitulares de las páginas de pergamino o de vitela de los grandes libros de rezos de los coros catedralicios. El 24 de mayo de 1600 firmó con el Cabildo de la catedral de Puebla un contrato para iluminar 103 páginas por el precio de 100 mil pesos. Estos libros son sin duda una de las obras más importantes en su género en todo el continente americano, no sólo por la perfección de su factura y por el magnífico estado de conservación de algunos, sino por su número. Sin embargo, muchos están destruidos y otros lamentablemente mutilados, pues hacia 1917 se vendieron varias capitulares, que algún guardián infiel había recortado en algunas tiendas de antigüedades de la ciudad de México. De Lagarto se conservan también una *Santa Catalina* (1609), en Arcos de la Frontera, Andalucía, España; el *Nacimiento de Jesús* (1610) y una *Inmaculada*, en el Museo Bello de Puebla; *La Anunciación* (1610) y *Santa Teresa* (1611), en la biblioteca de la Escuela Nacional de Artes Plásticas; y un *San Lorenzo* (1616) en poder de la familia poblana Pérez Salazar. Lagarto enseñó su arte a sus hijos, sobresaliendo Andrés, Francisco y su nieto Luis de la Vega Lagarto. Del primero se conoce una *Purísima* (1622), que perteneció a la colección Alcázar, ahora en el Museo Nacional de Historia; de Francisco, la iluminación del libro de Fernando Carrillo y Alonso Cepeda *Relación universal legítima* (1637); y de Luis de la Vega Lagarto, una santa y una *Concepción de María* en el Museo Bello de Puebla, y otra santa en la Escuela de Artes Plásticas.

Bibliografía: Francisco Pérez Salazar: *Historia de la pintura en Puebla* (1963); Manuel Toussaint: *Arte colonial en México* (1962).

LAGO GARCÍA, REGINA. Nació en Palencia, España, en 1899; murió en la ciudad de México en 1968. Hacia 1940 llegó al país y desde 1947 sirvió cátedras en la Universidad Autónoma de México . Autora de: *Las repúblicas juveniles, La práctica de las pruebas mentales y de instrucción, Cómo se mide la inteligencia infantil* y *Les dessins d'enfants et la guerre.*

LAGOS, LICIO. Nació en Cosamaloapan, Ver., el 17 de diciembre de 1902. Se graduó de abogado en la Escuela Nacional de Jurisprudencia en 1926. Participó en la fundación de la Academia Nacional de Historia y Geografía, de la Asociación Nacional de Abogados, de la Cámara Nacional de la Industria de Laboratorios Farmacéuticos y de los institutos mexicanos de Recursos Naturales Renovables y de Rehabilitación. Fue presidente de la Confederación de Cámaras Industriales (1952-1953), de la Barra Mexicana (1969-1970), de la *Inter-American Bar Association*, de la Comisión Interamericana de Arbitraje Comercial, de las secciones mexicanas del Consejo Interamericano de Comercio y Producción y del Comité Mexicano-Alemán de Hombres de Negocios, y del Instituto Mexicano-Yugoslavo de Relaciones Culturales. Es fundador y presidente de Syntex, y apoderado de Mexicana de Alcaloides, Establecimieatos Mexicanos Colliere, Johnson and Johnson de México, Productos Químicos Naturales. Boehringer Ingelheim Mexicana, Tenería Temola, Tenería Atmex, Casa Krupp, *Japan Airlines*, *Lufthansa* e Inmobiliaria Baze, entre otras. Es poseedor, además, de una de las más valiosas y extensas colecciones de pintura mexicana y de monedas de oro y plata. En 1988 se dedicaba al ejercicio de su profesión en forma independiente.

LAGOS CHÁZARO, FRANCISCO. Nació en Tlacotalpan, Ver., en 1878; murió en la ciudad de México en 1932. En 1909 se incorporó al movimiento antirreleccionista; en 1911 fue electo síndico del Ayuntamiento de Orizaba, y en 1913, presidente del Tribunal Superior de Justicia del estado de Coahuila. Se hizo cargo de la Presidencia de la República, por mandato de la Convención de Aguascalientes, del 10 de junio al 10 de octubre de 1915.

LAGOS DE MORENO, JAL. Ciudad cabecera del municipio jalisciense del mismo nombre. Está situada a 1 900 m sobre el nivel del mar y a los 21° 22' de latitud y 101° 56' de longitud. En 1990 tenía una población de 106 137 habitantes (municipio).

Lagos fue fundada el 31 de marzo de 1563. La provisión de la Real Audiencia de Nueva Galicia ordenó su establecimiento, el 15 de enero anterior, como Villa de Santa María de los Lagos, junto a unos lagos, cerca de un río, en un lugar llamado en lengua de indios Pechichitán, comarca poblada por tribus chichimecas. En 1530 había expedicionado el lugar, por órdenes de Nuño Beltrán de Guzmán, el capitán Pedro Alméndez Chirinos, a la cabeza de 800 españoles y mil mexicanos: descubrió las minas de Comanja, fundó allí un lugarejo y tocó Pechichitán. Algunos pueblos indios comenzaron a levantarse reclamando sus derechos y con el tránsito de españoles por sus tierras se tornaron agresivos, a tal grado que el virrey Antonio de Mendoza, por los años de 1541 a 1542 tuvo que visitar la región, de Comanja a cerro Gordo, con grandes fuerzas militares, tratando de apaciguar a los chichimecas sublevados en Xochipillan (Juchipila) y Mixtón. Los virreyes Martín Henríquez y Luis de Velasco hijo (éste en 1594) pidieron la dirección de los misioneros franciscanos y al fin se formalizó la reducción de los chichimecas, por medio de los indios tlaxcaltecas. Se escogió a éstos por hablar un idioma muy semejante al de los chichimecas y porque al entenderles todos sus modos, lograban convencerlos de que viviesen en poblaciones y recibiesen la religión cristiana. Para el efecto se trasladaron 400 familias tlaxcaltecas. De esa ascendencia son los habitantes de los tres pueblos –San Miguel de Buenavista, San Juan de la Laguna y Moya– que ciñeron la villa de los Lagos y la protegieron de los ataques chichimecas provenientes del oriente, del noreste y del norte. A Cristóbal de Oñate le dio Nuño de Guzmán la misión de proteger la nueva conquista y otras villas que con algunos españoles se habían fundado, con facultad de establecer otras en donde le pareciese más conveniente. Así, Oñate promovió la fundación de la villa de Lagos para que contuviera a los chichimecas, en la frontera de la sierra de Comanja. La finalidad que guió la fundación de la villa está definida en la leyenda que ciñe su escudo de armas: *Adversus Populos Xiconagui et Custique Fortitudo* (Fortaleza contra los pueblos de xiconaqui y custique), o sea punto fuerte militar en un cruce de caminos, baluarte protector de los viajeros y de las conductas de metales hacia México, procedentes de Zacatecas y real de Comanja. La importancia de los minerales de Zacatecas determinó la fundación de la villa de Lagos, según se desprende de una relación enviada al rey el 10 de febrero de 1563. La Real Audiencia de Nueva Galicia, ya trasladada a Guadalajara, dispuso que fuera su fundaɔr Hernando de Martel, alcalde mayor de los Llanos de Zacatecas, natural de Sevilla, quien cumplió su misión, acompañado de 63 familias venidas de Jerez y de Teocaltiche.

LAGOS

Cumplida su función original, muy otra habría de ser la verdadera misión de la villa. Durante la Colonia sus vecinos alternaron labores agrícolas con tareas de fomento de la ganadería. Las crónicas registran los extremos de su auge y estancamiento. Hacia 1604 Alonso de la Mota y Escobar hizo las siguientes observaciones: "El sitio de esta villa es el mejor de este reino; cae en la tierra llena y tiene dos ríos caudalosos por la parte del oriente, de que bebe todo el pueblo. Es de temple muy sano, fresco y apacible, aunque falto de leña por no tener en muchas leguas alrededor montaña. Hacia la parte sur hay unos grandes humedales y ciénegas que tiene todo el año mucho y buen pasto, donde traen los vecinos de esta villa los caballos y yeguas de su servicio y vaquerías. Y aunque es verdad que a los principios vivían los vecinos de granjería de solas labranzas de trigo y maipero, después comenzaron a poblar estancias de ganado vacuno y aprobó este género tan bien y multiplicóse tanto que el día de hoy se yerran más de veinte mil becerros; está el día tan subido de precio que vale un novillo cuarenta reales, no habiendo quien diera ayer veinticuatro. Han dejado los vecinos totalmente las labores, así por los daños que en ellas les hacían sus ganados, como por ocuparse en la cría y guarda de ellos, por serle como dicho es de tanto interés". En 1619 Lázaro de Arregui advirtió: "La villa de los Lagos tiene más de 30 vecinos españoles sin los que viven en estancias cerca della, y los más son hombres rricos y de muy saneadas haziendas... Era esta juridición mucho más larga aora quince años, ya se(a) estrechado porque en ella se descubrieron las minas de Sierra de Pinos y las de ramos, en que se han hecho dos alcaldías mayores..." En 1742 Alonso de la Mota Padilla informó: "Es una de las alcaldías mayores, de más renombre, así por tener en su territorio el real de las minas de Comanja, como por varias haciendas de labores y ganados, y por mantenerse sus habitantes con toda decencia". Y, de paso, señaló los términos de su jurisdicción: "Queda Lagos y su territorio al oriente de Guadalajara y se extiende con inclinación al norte, y parte términos con la Nueva España y obispado de Michoacán, quedando la raya divisoria a distancia de cuarenta leguas de Guadalajara..."

Al engrandecimiento y auge de la villa hubieron de seguir épocas de estancamiento y desmembración territorial. En su evolución material ha tenido periodos de prosperidad fundados en la explotación agrícola y ganadera, en el desarrollo transitorio de alguna industria –minera, de hilados y tejidos, harinera, fundidora de hierro, transformadora de productos derivados de la leche–; pero también etapas de letargo y abatimiento económico. Desde la Independencia hasta el establecimiento del ferrocarril fue centro de aprovisionamiento de los llamados trenes de carros, recuas y hatajos, los cuales dieron muy activa vida a la ciudad debido al consumo de pastura para los animales de carga y tiro, a las reparaciones de carros y diligencias, y al consumo obligado de arrieros, conductores y transeúntes; pero inaugurado el ferrocarril en 1882, se inició una de las más graves decadencias de la ciudad.

La villa de Lagos fue elevada a la categoría de alcaldía mayor en 1615. El título de ciudad le fue concedido el 27 de marzo de 1824, y el privilegio de que se denomine "de Moreno", honrando al caudillo insurgente Pedro Moreno, el 11 de abril de 1829. En tres ocasiones ha sido la capital del estado de Jalisco: del 4 al 28 de diciembre de 1831 y del 16 de abril al 11 de junio de 1915, por urgencias emanadas de la guerra o de la inestabilidad política, y la última –31 de marzo de 1963– por decreto especial del Congreso del estado, declarándola asiento de los Poderes durante 24 horas, como homenaje a su carácter cuatro veces centenario.

En Lagos anduvo, en 1808, el conspirador Miguel Hidalgo, cuando maduraba sus planes para dar el grito de Independencia en la feria de San Juan de los Lagos; de entre los vecinos acomodados de Lagos y su municipio surgieron Francisco Primo de Verdad y Ramos, el protomártir de la causa libertaria; Pedro Moreno, el héroe del fuerte El Sombrero; y Juan Pablo Anaya, hábil militar y negociador ante Estados Unidos para el logro de los planes de Independencia. En Lagos se firmaron los protocolos preliminares para la adhesión al Plan de Iguala –10 de agosto de 1823–, por medio de los cuales los estados de Jalisco y Zacatecas reconocieron al Congreso y al Supremo Gobierno de México "como centro de unión de todos los estados del Anáhuac". Más tarde, en 1848, al firmarse el Tratado de Guadalupe (v. FRONTERA CON ESTADOS UNIDOS), Celedonio Domenico Jarauta, de acuerdo con el general Mariano Paredes y Arrillaga, escogió Lagos para lanzar su Proclama y Programa Revolucionario desconociendo al gobierno de Manuel de la Peña, al que llamó traidor. El 16 de septiembre de 1855 se efectuaron los célebres Convenios de Lagos, en virtud de los cuales Ignacio Comonfort logró el enlace de sus fuerzas con las de Doblado, contribuyendo al éxito del Plan de Ayutla. En esta ciudad se operó el cambio de mando de los ejércitos de la Reforma cuando Jesús González Ortega e Ignacio Zaragoza sustituyeron a Santos Degollado. Y de allí salieron las fuerzas de Benito Juárez que habían de derrotar a Miramón en Silao, primero, y posteriormente en Calpulalpan.

Fueron diputados por Lagos al Congreso Constituyente de 1824 el general realista Cirilo Gómez Anaya, Pascual Aranda y el obispo Pedro Barajas; al de 1856-1857, los licenciados Albino Aranda y Mariano Torres Aranda, el doctor Jesús Anaya Hermosillo y Espiridión Moreno; y al de 1916-1917, el licenciado Francisco Martín del Campo.

Hubo en Lagos durante bastante tiempo una tendencia a independizarse de Jalisco y crear el Estado del Centro. Los vecinos se quejaban de haber sido siempre objeto de incomprensión de parte de las autoridades estatales. Debido a las figuras que Lagos ofrendó al movimiento libertario –Verdad y Ramos, Anaya y Moreno– la comunidad se acarreó la aversión de las autoridades coloniales: tanto el general José de la Cruz, comandante en jefe de los ejércitos de Nueva Galicia, como las demás autoridades españolas, tomaron muy en serio el "no economizaré los castigos" de Calleja y se propusieron infamar a la villa con toda clase de atentados. Especialmente violenta fue la conducta del comandante Hermenegildo Revueltas, quien no descansó hasta colocar en una picota la cabeza de Pedro Moreno. Posteriormente se exacerbó la pugna entre las autoridades locales y las del estado con motivo del control de los bienes del Liceo del padre Guerra. El primer movimiento separatista fue encabezado por el general Gómez Anaya el segundo, por el doctor Alejandro Martín del Campo. Consumada la Independencia, Gómez Anaya fue electo presidente de la primera Legislatura Constitucional y aprovechó la ocasión para hacer gestiones encaminadas a constituir el Estado del Centro, cuya capital había de ser Lagos.

La diputación de Aguascalientes ante el Congreso General propuso en 1857 que el cantón de Lagos pasara a formar parte de aquel estado. Como no prosperaron sus pretensiones, el 13 de noviembre de 1859 volvió a solicitar la agregación de por lo menos algunas haciendas del municipio de Lagos: Ledezma, Llano del Tecuán, Ciénega de Mata y de la Presa, pero el Ayuntamiento de Lagos, que estimaba que el entonces cantón "tenía y tiene mayores elementos que el estado de Aguascalientes", se opuso enérgicamente. De nuevo la diputación de Aguascalientes insistió, esta vez durante el Segundo Imperio, logrando que la prefectura política obtuviera del ministro de Gobierno, en oficio fechado el 6 de marzo de 1866, la siguiente circular: "El Gobierno de S.M. ha tenido a bien disponer que en el Departamento se establezca provisionalmente la siguiente división. Primer Distrito: Aguascalientes comprenderá el ex-partido del mismo nombre. Segundo Distrito: Lagos se formará con los partidos de Lagos, San Juan y Teocaltiche. Tercer Distrito: Tepatitlán comprenderá los ex-partidos de Tepatitlán, Cuquio y Zapotlanejo. Cuarto Distrito: La Barca comprenderá el ex-partido del mismo nombre. Quinto Distrito: Nochixtlán. Se formará con los ex-partidos de Nochixtlán, Juchipila y Calvillo. Sexto Distrito: Rincón de Romos. Lo comprenderán los ex-partidos de Rincón de Romos y Asientos". La respuesta no se hizo esperar. Todos los ayuntamientos afectados se unieron para protestar por el desmembramiento que se pretendía hacer a Jalisco y en virtud de ello se aplazó la ejecución de la circular. El epílogo del Segundo Imperio en 1867 frustró esta segregación.

Aparte Diego Romero, personaje pintoresco que existió antes de 1810 y que fue alcalde de la villa dando origen a diversas consejas sobre la población, la nómina de humanistas, jurisconsultos, historiadores, poetas y novelistas nacidos en Lagos demuestra que existió un auténtico ateneo de ciencias, artes, literatura y filosofía que ha dado a la ciudad un señalado lugar en la cultura jalisciense y, por ende, mexicana. Entre los ya desaparecidos: Primo de Verdad y Ramos, precursor, y Pedro Moreno y Juan Pablo Anaya, generales en la Guerra de Independencia; los frailes José Guerra, Francisco García Diego y José María Romo, insignes misioneros franciscanos; José Rosas Moreno, poeta, y Agustín Rivera y Aniceto Gómez, humanistas; Miguel Jerónimo, Isidro y Domingo González Sanromán, ilustres jesuitas; los obispos

Pedro Barajas, Ignacio Mateo Guerra, José María del Refugio Guerra y Juan Cayetano Portugal; el canónigo Manuel Alvarado; José Ana Gómez de Portugal y Miguel Leandro Guerra, benefactores de la población; Mariano Guerra, lectoral de la catedral de Guadalajara; Jesús Anaya Hermosillo, Albino Aranda, Espiridión Moreno y Mariano Torres Aranda, constituyentes en 1857; el dramaturgo Federico Carlos Kégel, los periodistas Fernando Nordesternau y Antonio Rivera de la Torre, el educador Alejandro Martín del Campo y el compositor Apolonio Moreno; Ruperto J. Aldana, Francisco Guerrero Ramírez, Bernardo Reina, José Becerra, José Villalobos Ortiz, Francisco González León y Antonio Moreno y Oviedo, precursores y poetas de la generación de 1903; el doctor Jesús Delgadillo Araujo, maestro de varias generaciones; el ingeniero Hermión Larios, petrógrafo y geólogo; Miguel Gómez, coleccionista y bibliófilo; Agustín Padilla Romo, profesor distinguido; Carlos González Peña, crítico literario y académico de la Lengua; Mariano Azuela, novelista; José de Jesús Pérez Sandi, erudito, y Antonio Gómez Anda, intérprete y compositor musical. (*A. de A.*).

LAGRANGE, DESIDERIO. Nació en Jura, Francia, en 1849; murió en Monterrey, N.L., en 1926. En 1875 fundó la Librería Central en la capital neolonesa; en 1878 adquirió el periódico *El Horario*; de 1880 a 1886 fundó y dirigió el primer diario regiomontano, *La Revista*; y en 1886, *El Espectador*.

LÁGRIMAS DE JOB. *Coix lachryma-jobi* L. Planta anual de la familia de las gramíneas, de 1 a 2 m de altura y tallo con apariencia articulada, semejante al bambú. Tiene hojas de 30 a 60 cm de largo y de 2 a 3 de ancho, con forma de espada y nervadura central prominente; e inflorescencias en espigas terminales, con flores femeninas en el centro y masculinas en la punta, simulando cuentas de collar. Es planta cultivada.

LAGUNA GARCÍA, JOSÉ. Nació en México, D.F., el 28 de febrero de 1921. Médico cirujano (1944) por la Universidad Nacional Autónoma de México (UNAM), posgraduado en bioquímica por las universidades de Harvard (1948) y de Aberdeen, Escocia (1950), ha sido profesor e investigador universitario (1949-1970), presidente de la Sociedad Mexicana de Bioquímica (1965-1967) y de la Academia Nacional de Medicina (1970), director de la Facultad de Medicina (1971-1975) y del Centro Universitario de Tecnología Educativa para la Salud de la UNAM (1980-1982), subsecretario y luego director de investigación y desarrollo de la Secretaría de Salud. Es autor de unos 50 trabajos científicos publicados en revistas especializadas y del libro *Bioquímica* (1981).

LAGUNAS, JUAN BAUTISTA DE. Nació en Castilla la Vieja, España, a mediados del siglo XV; murió en la ciudad de México en 1609. Hacia 1551 llegó al país e ingresó a la Orden de San Francisco. Comisionado a la provincia michoacana sirvió como predicador y guardián de San Francisco, en Guagangareo. Escribió *Arte y diccionario con otras obras en lengua michoacana* (publicada por Balli, 1574), reimpresa en Morelia en 1890 por el doctor Nicolás León. Esta obra, compendio de todos los verbos y nombres verbales que existían en aquella provincia, fue utilizada en las obras gramaticales de fray Diego de Basalenque y fray Manuel de San Juan Crisóstomo Nájera.

LAGUNES, MARÍA. Nació en Veracruz, Ver., en 1936. Estudió en la Escuela de Bellas Artes de ese puerto, en el Centro Superior de Artes Aplicadas en la ciudad de México, con los grabadores japoneses Yukio Fukasawa e Ismael Ishikawa, cerámica experimental con Juan Soriano, y escultura en París. En 1974 y de 1976 a 1978, fue invitada a participar en el Salón de Mayo del Museo de Arte Moderno de la capital francesa. Desde 1969 enseña dibujo y formas escultóricas en la Facultad de Arquitectura de la Universidad Nacional Autónoma de México. Su obra la divide en dos secciones: Las ciudades y el hombre y Las imágenes y el hombre. Trabaja principalmente la madera, el ónix y el bronce. Ha expuesto desde 1965 en el país y en el extranjero. Son obra suya el monumento a Rosario Castellanos en el Bosque de Chapultepec (1976) y un retrato en bronce de León Felipe.

LAGUNES TEJEDA, ÁNGEL. Nació en Piedras Negras, Ver., el 20 de marzo de 1943. Ingeniero y maestro en ciencias por la Escuela Nacional de Agricultura de Chapingo y doctor por la Universidad de California (Riverside), ha sido profesor e investigador universitario. Ha publicado, entre otros, los siguientes trabajos: "Manejo de insecticidas piretroides", "Clasificación de insecticidas de acuerdo a grupos toxicológicos", "Análisis toxicológico de áreas agrícolas" y "Proyecto sobre usos de extractos vegetales contra plagas de cultivos básicos".

LAGUNILLA, LA. Nombre de un afamado y popular conjunto de mercados dentro de la parte antigua de la capital de la República. En la ciudad prehispánica de México-Tenochtitlan, una entrada de las aguas del lago circundante formaba una laguneta o lagunilla de forma irregular, en cuyas riberas se encontraban los barrios de Nonoalco, Tolquechiuca, Acozac, Coahuatlán y Atezquepan, en la jurisdicción de Tlatelolco, y Atlampa, Teocaltitlan, Analpa, Copolco, Tlaquechiuhcan, Tetzcatzonco y Colhunatonco, pertenecientes al *campan* de Cuepopan o Tlaquechiuhchan. Esa parte del lago, que penetraba profundamente en la zona urbanizada y habitada de la ciudad, formaba, en cierto modo, el límite noroeste de Tenochtitlan y Tlatelolco, separados de la ciudad por la acequia de Tezontlali (actuales calles del Órgano y Granaditas), y comprendía, de norte a sur, de la calle de Pesado a la del insurgente Pedro Moreno; y de oeste a este, de Aldama a Comonfort. El barrio tenochca de Tetzcatzonco ("el espejito") y el tlatelolca de Atezcapan ("donde el agua se hace espejo", o sea La Lagunilla) limitaban con la acequia de Tezontlali, por donde una vez tomada la calzada de Tlacopac, penetraron por el oeste las fuerzas de Pedro de Alvarado durante el sitio de Tenochtitlan en 1521. Cortés lo hizo por el sur y el este con la mayoría de los bergantines, y Sandoval por el norte, rodeando así a la ciudad lacustre. Destruida ésta se levantó el plano o traza de la ciudad de México sobre el canevá de acequias y barrios existentes, quedando fuera de ella La Lagunilla, como parcialidad destinada a la habitación de los indígenas, al igual que todo el resto del área exterior, reservada en exclusiva a los españoles. Muchas décadas pasaron para que ese sitio fuera secándose, al ir bajando el nivel de las aguas circundantes, hasta convertirse en un área cenegosa. Así aparece representada en varios planos del siglo XVII, entre ellos en la hermosa

perspectiva de Juan Gómez de Trasmonte (*Forma y levantado de la ciudad de México*, 1628); y ya con unas cuantas construcciones, en los planos de Pedro de Arrieta y otros (1737), de Iniesta Bejarano-Alzate (1789), de Diego García Conde (1807) y en otros posteriores. Después de la transformación urbana que siguió a las Leyes de Reforma –apertura de nuevas calles y ampliación de las existentes a través de los conventos de religiosos y cegamiento de innumerables acequias- esa zona continuó siendo una barriada miserable y sucia, reducida hacia 1872, conforme al *Plano topográfico de la ciudad de México*, del ingeniero José C. Colmenero, a la plazuela y calle de La Lagunilla, entre la calle de Verdeja (7a. de Allende), callejón de la Vaquita, plazuela del Tequesquite y el callejón de La Lagunilla. Éste iba de la calle de Verdeja (6a. de Allende) a la 2a. de la Amargura (República de Honduras). En los planos posteriores la plazuela aparece unas veces con un jardín y otras vacía. Explícase esto por la falta de criterio urbanístico que ha caracterizado a las autoridades de la ciudad. No cabe duda que en ella se hacía algún tráfico comercial de viandas, semillas y legumbres, en puestos o "sombras", pues debido a su cercanía con el Estanco de Puros y Cigarros, o sea la fábrica de tabacos trasladada después a la Ciudadela, debió quedar la costumbre de hacer comercio público en ese sitio.

Todo ese rumbo fue poblándose densamente desde fines del siglo pasado y principios de éste, al formarse las colonias Guerrero y Santa María la Ribera, de tal suerte que en 1912 se hizo necesario construir un nuevo mercado anexo al de Santa Catalina. El Ayuntamiento compró para ese propósito la manzana inscrita en el callejón del Basilisco, la plazuela del Tequesquite, el callejón de las Papas y la 2a. calle de la Amargura, y confió la obra, terminada en 1913, a los ingenieros Miguel Ángel de Quevedo y Ernesto Canseco. El mercado estaba dedicado a la venta de legumbres, frutas, huevos y semillas, fundamentalmente, con secciones para aves de corral y pescado. A semejanza de todos los demás mercados estadinos, fueron estableciéndose sin orden ni concierto, en las calles circundantes y vecinas, puestos de madera con techos de lo mismo o de lámina, para la venta de legumbres, dulces, nieve, telas y efectos varios, dificultando el paso de vehículos hasta hacerlas prácticamente intransitables. Esta situación prevaleció hasta mediados de la década de los cincuentas, en que el Departamento del Distrito Federal construyó numerosos mercados para sustituir los viejos. Así el Nuevo Mercado de Santa Catarina, llamado por el vulgo de *La Lagunilla*, fue reemplazado por un conjunto de cuatro edificios: el primero para semillas, legumbres, frutas, pescado y aves, en la calle de Libertad y callejón de San Camilito (140 puestos); el segundo para ropa y telas, enmarcado por las calles de Rayón, Allende y Ecuador, y el callejón de la Vaquita (499 puestos); el tercero para muebles y varios, en las calles de Allende, Honduras y Paraguay (343 puestos), y el cuarto que constituye la zona de puestos, en Libertad y Comonfort. Cada uno dispone de comedor y guardería infantil. Si este conjunto surte prácticamente todo lo que se necesita en el hogar, los domingos se hace un *tianguis*, esto es, se improvisan "tablas" y puestos con techo o con "sombras" de manta a lo largo de la 7a. cuadra de Allende donde se expenden libros, frutas, dulces, nieve, joyería barata, hojalata, latón, bronce, animalitos y vajillas de vidrio soplado, flores de papel y de plástico, cinturones, carteras, monederos y otros artículos de cuero, juguetes de peluche, lámparas de cristal y de vidrio, guitarras; y en la ancha calle de Rayón, entre las de Allende y Comonfort, el más extraordinario *tianguis* de cosas usadas –compradas o robadas– que atrae a miles de curiosos, a compradores eventuales y, sobre todo, a conocedores de antigüedades y a turistas. Encuéntranse, y no baratos, multitud de objetos y chucherías: platones, platos y jarrones antiguos de cerámica y porcelana españoles, franceses e ingleses; candelabros y otros objetos de plata y bronce; candiles, búcaros y pisapapeles de cristal; muebles de varios estilos (Luis XV, colonial, chippendale), tapetes, cuchillería, armas viejas, fonógrafos, radios, teléfonos y plumas fuente ya en desuso; crisoles, pomos de cristal de botica y herramientas de todas clases; planchas de hierro, espuelas, estribos y arzones; monedas y billetes antiguos. Para el coleccionista avezado, tal vez, lo más atractivo sean los libros, las litografía y los grabados desconocidos o ya agotados; las piezas de cerámica y porcelana y de cristal cortado, los discos de música vernácula ya lejana (Marcos, Víctor, Peerles, Columbia, Recital), y las monedas y billetes de épocas pasadas.

Cada baratillero tiene su cédula de la Dirección General de Mercados del Departamento del Distrito Federal, que lo acredita como comerciante de La Lagunilla, y cuenta con un espacio de 2 m^2, aunque hay uno que otro, como Dávila Aranda y *El Cháchar* o *Chacharitas*, que ocupan más espacio. Este último, con fuerte capital, vende toda clase de antigüedades y chucherías, y es el personaje más popular de todo el inmenso conjunto de La Lagunilla.

Bibliografía: Archivo del Ex-Ayuntamiento de México: *Fincas de Mercados*, t. 3, núm. 1102, exp. 44: "Mercados. Se autoriza a la Comisión de Hacienda y Obras Públicas para concertar los contratos de compraventa de las casas ubicadas en la manzana que forman el callejón de las Papas, plazuela del Tequesquite, callejón del Basilisco y 2a. de la Amargura, para establecer el Nuevo Mercado de Santa Catarina", 103 fojas y planos; Manuel Carrera Stampa: *Planos de la ciudad de México (desde 1521 hasta nuestros días)* (1949); Hernán Cortés: *Cartas de relación*, nota preliminar de Manuel Alcalá (4a. ed., 1969); Jesús Galindo y Villa: *La ciudad de México* (1902); *Memoria del H. Ayuntamiento Constitucional de la Ciudad de México 1925* (1925); *La ciudad de México. Departamento del Distrito Federal 1952-1964* (1964).

LAINÉ, RAMÓN. Nació en Francia; murió en el puerto de Veracruz, a fines del siglo XIX. Fue director del periódico *El Progreso* (1870-1890). Catedrático del colegio de niños La Esperanza, fue el primero en introducir "la enseñanza por los ojos" de la señora Marie Pape Campertier y "la enseñanza de los jardines de la infancia" (*Kindergarten*) del alemán Federico Froebel. Fue, además, librero y editor de obras mexicanas.

LAINÉ ROIZ, JUAN. Nació en México, D.F., en 1883; murió en la misma ciudad el 20 de mayo de 1977. Estudió la primaria en el Colegio Católico de Capuchinas, en Puebla; se trasladó con su familia a la capital de la República (1900) y prosiguió sus estudios en la Escuela Nacional Preparatoria. Formaron parte de su generación, entre otros, Isidro Fabela, Antonio Caso, Nemesio García Naranjo, Alejandro Quijano y Genaro Fernández MacGregor. Se inició en los negocios con la familia Braniff y trabajó después con los Solórzano Sáenz y los Barroso. Su primera empresa se llamó Las Bodegas de Jerez, que sustituyó a las compañías vitivinícolas españolas hacia 1910. En 1927, a causa de la persecución religiosa, fue deportado a Estados Unidos, donde estableció en diversas ciudades de Texas, Nuevo México, Arizona y California, casas para sacerdotes y monjas exiliados. Vivió tres años en Laredo, regresando al país en 1930. Miembro de la Cruz Roja Mexicana desde 1914, fue su presidente en 1957. Pertenece a la Asociación Caballeros de Colón, de la cual fue directivo de 1918 a 1972, llegando a ser Gran Caballero, con régimen para la ciudad de México, y miembro del Consejo de Estado, con régimen nacional. En 1930 fundó en México el Consejo Interamericano de Escultismo (*boy scouts*), del que fue presidente honorario vitalicio, y el 20 de mayo de 1946 creó la Comisión Diocésana de Orden y Decoro, organismo que restauró y remodeló la vieja basílica de Guadalupe y la catedral de México. Con destino a la reconstrucción de ésta, tras el incendio de 1967, había reunido, a mediados de 1973, $12 millones. Lainé Roiz estuvo casado, en primeras nupcias, con la señora Marie Desormes, hija del francocanadiense que instaló las turbinas eléctricas de Necaxa. Perteneció a numerosas asociaciones culturales y a consejos de administración de empresas constructoras, de bienes raíces, bancarias y financieras, de los que se fue retirando a causa de su edad.

LAISNÉ DE VILLEVEQUE, ATANASIO GABRIEL. Nació en Nueva Orleans, EUA, en 1793; murió en el puerto de Veracruz en 1854. Estudió comercio y economía en su ciudad natal. Llegó a México en 1829, radicando en Acapulco y luego en la capital, como vicecónsul norteamericano (1830-1835). Tras una ausencia de dos años, volvió al país y viajó por los estados de Veracruz y Yucatán, que entonces comprendía a Campeche. Dejó escrito "Memorias sobre la conservación de los cereales en Yucatán", y varios "Informes" sobre las salinas y el cultivo del maíz y el tabaco, aparecidos en el *Registro Yucateco* (Mérida, 1846 y 1850 a 1852) y en *Las Mejoras Materiales* (Campeche, 1859); y "Reseña histórica sobre las fortificaciones de Campeche", en *La Alborada* (Campeche, 1874-1875).

LALANNE, JESÚS. Nació en Guanajuato, Gto., en 1838; murió en Tacubaya, D.F., en 1916. Egresó del Colegio Militar a los 24 años, con el grado de subteniente en el arma de artillería, y en breve militó contra la Intervención Francesa en el Ejército de Oriente, al mando del general Ignacio Zaragoza, en la batalla del 5 de mayo de 1862, y después bajo las órdenes de Jesús González Ortega. Más tarde peleó contra el Imperio de Maximiliano en las fuerzas del general Porfirio Díaz. Estuvo presente en los combates de Miahuatlán y La Carbonera (3 y 18 de octubre de 1866), en el sitio de Oaxaca (31 de octubre), y en el sitio y toma de Puebla (2 de abril de 1867), donde salió herido siendo ya general de brigada. Al triunfo de la República, fue comandante militar en la Huasteca (1868-1871) y en Tamaulipas (1873-1876). Formó parte de la organización de los tribunales militares (1880-1885), fue magistrado del Supremo Tribunal Militar y gobernador del estado de México. En 1913 se le concedió el grado de general de división. Escribió *Zaragoza y Puebla*, *Al Ejército Mexicano* (1895), *La defensa de la plaza de Puebla de Zaragoza en 1863. Parte general que dio al Supremo Gobierno el C. Jesús González Ortega* y *Estudio comparativo entre los sitios de Puebla, México y Zaragoza en España* (1904).

LALLEMAND, FEDERICO ANTONIO. Nació en Metz y murió en París, Francia (1774-1839). En 1817, a la cabeza de 350 oficiales y soldados franceses, intentó fundar en la provincia de Texas una colonia *Camp d'Asile*, lo cual fue impedido por las fuerzas del virrey Juan Ruiz de Apodaca; en 1818, sin embargo, él y 400 hombres crearon en la bahía de Galveston la colonia Libertad, formando una constitución de 140 artículos. La aventura fue efímera, pues nuevamente las fuerzas de Apodaca hicieron huir a Lallemand.

LALLY, FRANK EDWARD. Autor norteamericano que publicó en 1931 el libro *French opposition to the mexican politics* (La oposición francesa a la política mexicana).

LAMA, ADOLFO DE LA. Nació y murió en la ciudad de México (1870-1927). Fue cuatro veces secretario de Estado en el gobierno de Victoriano Huerta: de Fomento, del 8 de julio al 11 de agosto de 1913; de Justicia, del 15 de septiembre de 1913 al 14 de julio de 1914; de Hacienda, del 6 de octubre de 1913 al 9 de julio de 1914; y de

Gobernación, del 10 de febrero al 14 de julio de este último año.

LAMA, MANUEL. Nació y murió en Morelia, Mich.(1831-1891). Hizo sus estudios en el Colegio de San Nicolás de Hidalgo. Fue secretario general de gobierno en el periodo del general Epitacio Huerta, dos veces diputado al Congreso de la Unión, gobernador interino de su estado en 1873 y tres veces senador a partir de 1878. Se le considera el introductor del espiritismo en Michoacán.

LAMA GÓMEZ, GRACIELA DE LA. Nació en México, D.F., en 1933. Estudió filosofía (1954-1957) en la Universidad Nacional Autónoma de México (UNAM), sánscrito en El Colegio de México (1956-1959) y un posgrado de filosofía de la India en la Universidad de la Sorbona, en Francia (1960-1961). A su regreso a México, impartió clases en la UNAM (1966-1980), en la Universidad Iberoamericana (1969-1970) y en El Colegio de México (1961-1980), donde dirigió el Centro de Estudios de Asia y África y la revista del mismo. Ha sido investigadora de la Universidad de Madrás, en la India (1970-1971), miembro de la Comisión de Asuntos Internacionales del Partido Revolucionario Institucional, y embajadora de México en la India desde 1984. Es autora de *Miniatura de la India* (1979) y *Bibliografía afroasiática en español* (1981).

LAMA NORIEGA ZAPICO, MARTA DE LA. Nació en México, D.F., el 17 de julio de 1943. Profesora y periodista, ha sido productora de varios programas de televisión (*Sopa de letras, Anatomías y Sábados con Saldaña*, entre otros; 1972-1977), jefa de programas especiales de radio en la Dirección General de Radio y Cinematografía (1976-1977), y locutora y redactora en el noticiero nocturno de Radio ABC. En 1988 colaboraba en varios periódicos y revistas.

LAMAR, ADRIANA (Amparo Gutiérrez). Nació en Celaya, Gto., en 1908; murió en la ciudad de México en 1946. Actuó, entre otras, en las siguientes películas: *Sagrario, Irma la Mala, Chucho el roto, Mujeres de hoy* y *No matarás*.

LAMARQUE, LIBERTAD. Nació en Santa Fe, Argentina, el 25 de noviembre de 1912. Actriz y cantante, debutó en el teatro en 1922 y desde 1927 interpreta tangos. Se radicó en México en 1946; ese mismo año se incorporó al cine nacional en *Gran Casino*. Desde entonces ha protagonizado un centenar de películas, entre ellas: *Soledad* (1947), *La dama del vuelo* (1948), *Huellas de un pasado* (1950), *Las mujeres sin lágrimas* (1951), *Rostros olvidados* (1952), *Ansiedad* (1952), *Nunca es tarde para amar* (1952), *La infame* (1953), *La mujer X* (1954), *Bodas de oro* (1955), *La mujer que no tuvo infancia* (1957), *La cigüeña dijo sí* (1958), *Yo pecador* (1959), *El pecado de una madre* (1960), *El cielo y la tierra* (1962), *Los hijos que yo soñé* (1963) y *Arrullo de Dios* (1963). A partir de 1966, y todavía en 1988, aparece esporádicamente en programas de televisión.

LAMB, RUTH. Nació en San Luis Misuri, EUA, en 1917. Maestra en artes por la *Claremont Graduate School* (1937) y doctora en filosofía y letras por la Universidad del Sur de California (1943), enseña español y literatura hispanoamericana en el *Scripps College* y en la *Claremont Graduate School*. Autora de varias obras sobre literatura hispanoamericana, entre ellas *History of the mexican theatre* (1958, 1963) y *Latin America: cities and insights* (1963).

LAMBITYECO (Oax.). Zona arqueológica localizada a un lado de la carretera que va de la ciudad de Oaxaca a Mitla. Hay en ella numerosos montículos, de los cuales sólo dos o tres se han explorado. Una pequeña pirámide, que forma parte de un conjunto mayor, tiene una subestructura y una tumba. En la fachada de la tumba núm. 6 están esculpidos en alto relieve las caras y los nombres de las personas que allí vivían y fueron enterradas, a saber: el señor 1 "movimiento" y la señora 10 "caña". Muy cerca hay otra construcción reparada varias veces, debajo de la cual se halla la tumba núm. 2 y enfrente, dos espléndidas figuras en alto relieve, modeladas en estuco, que representan a Cocijo, el dios zapoteca de la lluvia. Hacia el norte de la zona, como a 150 m de la orilla de la carretera, se localiza la tumba núm. 11, que conserva pinturas murales. Se supone que el sitio fue ocupado principalmente del año 700 al 800 y que parte de los pobladores emigraron a Yagul, cuando este sitio estaba en auge.

LAMBORN, ROBERT H. Escritor norteamericano que vino a México con el ejército de Estados Unidos en 1847 y logró trasladar a su país una importante colección de pinturas de la época virreinal. En 1891 publicó en Nueva York la obra *Mexican painting and painters*, especie de catálogo de 77 obras, donadas después por él al Museo de Arte de Filadelfia.

LAMICQ, PEDRO. Luchó en favor de Francisco I. Madero y, a la muerte de éste, pasó desterrado a Cuba. Escribió: *Piedad para el indio, El abuso: sangre, sudor y cobre, El remedio: pan y libro* (1913), *Madero, por uno de sus íntimos, El dolor mexicano, Alegoría de la política criolla* (1919), *Los retóricos de la Revolución* (1932), *La porra* (1932) y *La parra, la perra y la porra.* Hizo el prólogo para la obra *Fray Bartolomé de las Casas* (1924) de Pedro de Alba.

LAMICQ Y DÍAZ, EDUARDO. Nació en la hacienda de Sauceda, Zac., en 1858; murió en la ciudad de México en 1930. Se graduó en la Escuela Nacional de Medicina en 1883. Escribió varios trabajos en *Revista Médica* y en *Crónica Médica Mexicana.* En 1898 publicó *Enfermedades del aparato digestivo*, con prólogo de Eduardo Liceaga. Compuso para la Escuela de Enfermería la *Guía de la enfermera* (1914). En el año de su muerte se editó *Régimen alimenticio natural de las enfermedades.*

LAMOTHE ARGUMEDO, RAFAEL. Nació en la ciudad de México en 1932. En 1951 completó el bachillerato de ciencias biológicas y en 1955 se incorporó a la Facultad de Ciencias de la Universidad Nacional Autónoma de México (UNAM); en 1963 obtuvo el título de biólogo y de 1961 a 1965 cursó los estudios correspondientes al doctorado. Desde 1964 sirve las cátedras de la especialidad. En 1972 fue profesor de asignatura "A" y jefe de los laboratorios de biología, hasta 1974, y desde ese año es profesor de asignatura "B". En 1958, siendo aún estudiante, formó parte del equipo de mexicanos que participó en el Año Geofísico Internacional y en la expedición científica de la UNAM a la isla Socorro en el archipiélago de las Revillagigedo. En 1960 se incorporó al Instituto de Biología, del que es investigador titular "B" de tiempo completo. Pertenece al comité editorial de los *Anales del Instituto de Biología* y fue editor de la serie Zoología (1970-1974). Ha publicado 93 trabajos científicos, principalmente sobre helmintología y parasitología, dirigido 26 tesis y asistido a cuatro congresos internacionales y a 25 nacionales. Ha descrito 27 especies nuevas de helmintos. Desde 1964 es miembro del Colegio de Biólogos, y desde 1984, investigador nacional. Ha publicado en la *Revista Mexicana de Historia Natural, Anales del Instituto de Biología, Biología Tropical* de Costa Rica, *Ibérica de Parasitología* de España, *Revista de Parasitología* de Italia, *Bulletin of Marine Science* de la Universidad de Miami, *Parazitologiacheskii Sbornik* de la URSS, *Neumología y Cirugía de Tórax, Journal of Parasitology* de EUA, *Boletín Chileno de Parasitología, Japanese Journal of Parasitology* y *Revista Universidad y Ciencia* de la Universidad Autónoma Juárez de Tabasco. Es autor del libro *Introducción a la biología de los platelmintos.*

LAMPART o LAMPORT, GUILLÉN. Nació en Werford, Irlanda, en 1615; murió en la ciudad de México en 1659. Estudió en Dublín con los jesuitas; en Londres con el herético Juan Gray; filosofía y matemáticas en Santiago de Galicia, y teología y derecho romano en El Escorial. Fue hecho prisionero por unos piratas ingleses, de los cuales pudo huir en Burdeos, de donde pasó a París y de allí a España. Sabía inglés, italiano, español, latín y griego; y tenía vastos conocimientos de los filósofos y poetas grecolatinos, de la Biblia y de teología. Llegó a Nueva España en 1640 como servidor del virrey marqués de Villena. Llevó una vida aventurera y anecdótica. Se hizo pasar por hijo de Felipe III y de una noble señora de Irlanda; se disfrazaba de fraile y recorría las poblaciones, granjeándose a la gente. Sabía imitar con perfección cualquier escritura; ayudado por un indio, habilísimo tallador de sellos, preparó un plan para deponer al virrey, adueñarse del poder e independizar la Colonia. Denunciado por el capitán Felipe Méndez en 1642, fue hecho prisionero y procesado por la Inquisición. Se encontró que había redactado cédulas, cartas y despachos para los miembros de la Real Audiencia, el duque de Braganza, el rey de Francia y el Papa. Durante su proceso (1642-1659) se defendió de modo brillante. Sin embargo, fue condenado a ser quemado vivo en solemne acto de fe, por ser "apóstata y sectario de Calvino, Huss, Wicleff y Lutero". La sentencia se ejecutó el 19 de noviembre de 1659.

Bibliografía: Luis González Obregón: *D. Guillén de Lampart: La Inquisición y la Independencia en el siglo* XVII (1908).

LAMPREAS. Peces ciclóstomos de la familia Petromizonidae, orden Petromizoniformes. Se trata de un grupo de peces muy primitivos, caracterizados por la ausencia de mandíbulas, escamas y huesos (el esqueleto es cartilaginoso). Son de cuerpo cilíndrico y anguiliforme, con varias aberturas branquiales laterales en la parte anterior y un solo orificio nasal, situado en la línea media dorsal de la cabeza, un poco adelante de los ojos. La boca se localiza al fondo de un embudo oral circular, provisto de dentículos y láminas córneas, cuyo número y disposición son de utilidad en el reconocimiento de las especies. Carecen de aletas pares (pectorales y pélvicas). Tienen dos aletas dorsales poco separadas, la primera originada aproximadamente a la mitad del cuerpo; la anal y la segunda dorsal confluyen con la caudal. Viven tanto en aguas dulces como salobres. Durante la primavera, los adultos maduros de las especies marinas remontan los ríos hasta alcanzar los cauces altos y cristalinos, donde ocurre el desove; los huevos originan una larva, llamada amoceto, que pasa varios años enterrada en el limo antes de sufrir la metamorfosis que la transformará en adulto, el cual emprenderá su regreso al mar. Los adultos son depredadores; el embudo bucal forma un disco adhesivo que sujeta firmemente a su presa (generalmente peces grandes), raspando sus tejidos con los dentículos y placas córneas y succionando su sangre. En contraste, cuando son amocetos se alimentan de detritos; las partículas alimenticias son seleccionadas en la faringe, semejante a una criba, y el resto es expulsado directamente a través de las aberturas branquiales. Algunas especies de lampreas se han adaptado por completo a las aguas dulces. Una estrategia común para lograrlo ha consistido en reducir la duración de la fase adulta al tiempo mínimo indispensable para lograr la reproducción. Como consecuencia de lo anterior, estas especies no se alimentan durante su etapa adulta, razón por la cual a la reproducción sigue la

muerte. Solamente dos especies del género *Tetrapleurodon* se desarrollan hasta la etapa adulta en las aguas dulces de México: *T. geminis* Álvarez, en el río Celio (Jácona, Mich.), cuyos adultos nunca rebasan los 15 cm y en esta etapa no se alimentan; y *T. spadiceus* (Bean), más grande que el anterior en los lagos de Chapala y Cuitzeo y en la cuenca del bajo río Lerma, cuyos adultos son ectoparásitos y pueden alcanzar los 30 cm de longitud.

LANCASTER JONES, ADOLFO. Nació en Guadalajara, Jal., a principios del siglo XIX; murió en la acción de La Quemada, S.L.P., en 1867. Fue médico cirujano y partero. Adherido a la causa republicana, tomó las armas contra los invasores franceses, bajo las órdenes del general Anacleto Herrera y Cairo, que actuaba al frente de una brigada destinada a prestar ayuda al general Mariano Escobedo. Participó en numerosos combates, pero al atacar Herrera y Cairo al brigadier conservador Severo del Castillo en La Quemada, S.L.P., el 4 de febrero de 1867, pereció al lado de su jefe.

LANCASTER JONES, ALFONSO. Nació en Guadalajara, Jal., en 1842; murió en la ciudad de México en 1903. Sirvió varios puestos en la administración local y fue senador por Jalisco y secretario de Justicia e Instrucción Pública del 1° de diciembre de 1876 al 15 de marzo de 1877, en el gobierno itinerante de José María Iglesias.

LANCASTER JONES Y MIJARES, ALBERTO. Nació y murió en Guadalajara, Jal. (1873-1958). Estudió en el Seminario Conciliar de San José (1885-1886), en el Liceo del estado (1887-1890) y en la Escuela de Ingeniería, recibiéndose de ingeniero topógrafo e hidromensor en 1895. De 1898 a 1900 hizo el estudio bacteriológico de los fermentos del mezcal, dirigido por correspondencia desde la cervecería de Carlsberg, Dinamarca, por el doctor Emil Haanse. En 1903 obtuvo diploma de ingeniero electricista de la escuela de Scranton, EUA. De 1896 a 1901 administró la hacienda de La Venta del Astillero. Siendo funcionario de la empresa Electra, colocó las vía férreas y los cables de los tranvías eléctricos de Guadalajara (1905-1911). A partir de 1911 administró las haciendas de Santa Cruz y El Cortijo, propiedad de su padre, donde construyó una planta hidroeléctrica, mejoró los trapiches, fundó el laboratorio químico para el control del azúcar y estableció servicios médicos gratuitos para los trabajadores. Enseñó física en la Escuela Normal Católica (1918-1930) y en la Salesiana (1931-1934), y toxicología en la de Farmacia de Jalisco (1932-1934). Al fundarse la Universidad de Occidente (1930-1933), impartió clases y luego fundó y dirigió la Facultad de Ciencias Químicas (1934-1938). Su laboratorio químico-farmacéutico particular estuvo al servicio de ese plantel por más de 15 años.

LANCIEGO Y EGUILAZ, JOSÉ DE. Nació en Viana, Navarra, España, en 1655; murió en la ciudad de Mexico en 1728. En 1670 ingresó a la Orden de San Benito. Felipe V lo presentó en 1711 para el arzobispado de México; llegó al país en 1713 y fue consagrado en 1714, manteniendo el cargo hasta su muerte. Financió gran parte de las obras del Colegio de Belén, cuidó de las capellanías y del culto a la Virgen de Guadalupe y en 1727 obtuvo la primera bula para la erección de su colegiata.

LANDA, ANTONIO. Nació hacia 1820 en Arandas, Jal., murió en Zacatecas. Zac., en 1858. Militó en las filas republicanas y conservadoras. Fue quien encabezó el pronunciamiento de la guarnición de Guadalajara el 13 de marzo de 1858, cuando el presidente Benito Juárez y sus ministros Manuel Ruiz, Melchor Ocampo, León Guzmán y Guillermo Prieto estuvieron a punto de morir asesinados en el Palacio de Gobierno. El general Juan Zuazua lo detuvo al ocupar Zacatecas y lo mandó fusilar, junto con otros jefes conservadores, el 30 de abril de 1858.

LANDA, DIEGO DE. Nació en Cifuentes, España, en 1524 o 1525; murió en Mérida de Yucatán el 29 de abril de 1579. Tomó el hábito franciscano en San Juan de los Reyes, Toledo, en 1541. Acompañó a fray Nicolás de Albalate a Yucatán, en 1549, y al llegar fue destinado a la misión de Izamal con el encargo de construir el edificio del convento, pues los frailes que atendían la misión habitaban en chozas de palma. De la nueva casa fue luego guardián, en 1553. Desempeñó también este oficio y el de definidor en el Convento Mayor de Mérida. Enviado a Guatemala como representante de los franciscanos de Yucatán ante el presidente de la Audiencia, a su regreso llevó consigo dos imágenes de la Inmaculada Concepción: una la dejó en el convento de Izamal y la otra en el de Mérida. La primera de ellas ha sido desde entonces objeto de gran veneración. En 1561 fue electo primer provincial de la recién creada provincia franciscana de San José, desmembrada de la del Santo Evangelio de México en 1559. En su carácter de juez eclesiástico, sin haberse establecido aún la diócesis yucateca, Landa se hizo cargo del proceso inquisitorial iniciado en mayo de 1562 contra los indígenas de Maní, quienes después de convertidos a la religión católica habían vuelto a la idolatría y a los sacrificios humanos. La investigación fue llevada a cabo con inusitada severidad, con ayuda del brazo seglar. Muchos indígenas fueron encorazados, azotados y trasquilados, y a varios se les impuso "sambenito" por algún tiempo. Movido por un celo sólo explicable en su época, ante la intensidad del retorno a la idolatría de tantos indios relapsos, destruyó numerosos códices y otros testimonios en piel de venado de la cultura maya prehispánica, ídolos de diversas formas y tamaños, y otros muchos objetos. Ocurría esto cuando en agosto de ese mismo año (1562) llegaba fray Francisco Toral a ocupar la sede episcopal, y entre éste y Landa surgió agria controversia por la forma en que el provincial había ejercido su jurisdicción eclesiástica. Llovieron acusaciones contra Landa y en 1563 partió para España a defenderse. Después de revisar su caso, el Consejo de Indias pasó el juicio al provincial franciscano de Castilla y en enero de 1569 quedó Landa formalmente absuelto de todos los cargos lanzados contra él. Al fallecer el obispo Toral, Felipe II promovió a Landa para la sede episcopal yucateca, de la que tomó posesión en octubre de 1573. Como obispo, se enfrentó abiertamente a los gobernadores y oficiales reales en defensa de los indios y en 1576 hizo viaje a México en conexión con una de esas disputas. A su regreso visitó Tabasco, donde sufrió gran disgusto y aflicción al enterarse de la extensión de la idolatría entre los indígenas de la región.

Tan pronto como llegó a Yucatán por primera vez, Landa comenzó a estudiar la lengua maya bajo la guía del maestro fray Luis de Villalpando. Hizo rápidos progresos y su interés acerca de la cultura maya, de la que posteriormente trató de hacer desaparecer muchos de sus testimonios, lo llevó a recoger numerosos datos y a escribir, durante su estancia en España su brillante *Relación de las cosas de Yucatán*, cuyo manuscrito, incompleto, fue descubierto en 1863 en la Academia de la Historia de Madrid, por el abate Carlos Esteban Brasseur de Bourbourg y publicado por primera vez por éste en París, en 1864, con el texto en español y su traducción al francés. La segunda edición fue hecha por Juan de Dios Rada y Delgado, en Madrid, en 1881. Posteriormente aparecieron la de 1900, en la propia capital española, en el tomo 13 de la Colección de Documentos inéditos relativos al descubrimiento, conquista y organización de las antiguas posesiones españolas; la francesa, editada en París (1928-1929) por Jean Genet, que quedó trunca por el suicidio del editor; la de William Gates, editada en Baltimore en 1937, en inglés; la de Alfredo Barrera Vázquez, editada en Mérida en 1938; la de Robredo (1938), editada por Héctor Pérez Martínez; la de Alfredo M. Tozzer, editada en inglés en Cambridge, Massachusetts (1941); la de Ángel María Garibay, publicada en México en 1959, y la de Y.R. Knórozov (Moscú-Leningrado), editada en ruso en 1955. Los restos de Landa, conservados en la iglesia parroquial de Cifuentes, su ciudad natal, fueron saqueados y desperdigados en 1937 durante la Guerra Civil Española. En Izamal, Yuc., el gobernador del estado, Carlos Loret de Mola, levantó un monumento de cuerpo entero a la memoria de Landa, en 1974, en el centro de la que desde entonces se llamó Plaza Cívica Fray Diego de Landa.

LANDA ÁBREGO, MARÍA ELENA. Nació en la ciudad de Puebla. Maestra en historia por la Facultad de Filosofía y Letras de la Universidad Nacional Autónoma de México y por la Escuela Normal Superior, ha enseñado antropología e historia de Mesoamérica en la Normal Superior Benaviste y en la Universidad de Wichita, EUA. Descubrió la tumba núm. 1 del Tepalcayo, en Totomihuacan, y la pirámide de Xacaltimalpa, en Telela; y ha hecho excavaciones y reconocimientos en Palo Gordo, Guatemala; en la Unidad Deportiva de Puebla y en Villa Nolasco, Atlixco. Ha publicado: *Síntesis náhuatl de la vida y de la muerte* e *Interpretación de la tumba núm. 2 de Totomihuacan*, publicados por el Centro de Estudios Históricos de Puebla; *Contribución al estudio de la formación*

cultural del valle poblano-tlaxcalteca (1962) y "La recreación como sistema para la readaptación", en el *Boletín Interamericano del Niño* (Montevideo). Tradujo *Pensamiento cosmológico de los antiguos mexicanos* de Jacques Soustelle.

LANDAU, MYRA. Nació en Bucarest, Rumania, en 1934. Vivió un tiempo en Brasil y en 1976 se naturalizó mexicana. Pintora autodidacta, ha mostrado su obra en poco más de 50 exposiciones colectivas y 20 individuales, en México y en el extranjero. Ha sido profesora en la Universidad Veracruzana e investigadora en el Instituto de Investigaciones Estéticas (desde 1975) y coordinadora de los talleres libres de artes plásticas (desde 1981) en la Universidad Nacional Autónoma de México.

LANDA VERDUGO, AGUSTÍN. Nació en la ciudad de México en 1923. Se graduó de arquitecto en la Universidad Nacional Autónoma de México en 1945. Enseñó presupuestos y especificaciones, organización de obras y composición en la Escuela Nacional de Arquitectura de 1945 a 1965. Entre otras obras, ha proyectado las unidades de habitación para el Instituto Mexicano del Seguro Social en Legaria y Tlatilco, D.F., y en Guaymas, Navojoa y Ciudad Obregón, Son.; para el Fondo de Operación y Descuento Bancario a la Vivienda, en Loma Hermosa y Cuitláhuac; y para instituciones privadas, en Jamaica y Xotepingo.

LANDA Y ESCANDÓN, GUILLERMO DE. Nació en la ciudad de México en 1848; murió en Cannes, Francia, en 1927. Por varios años estuvo en Europa, de donde regresó hacia 1876. A partir de 1878 fue varias veces senador por Morelos y Chihuahua. En 1900 fue presidente del Ayuntamiento de la ciudad de México y en 1903 gobernador del Distrito Federal. Presidió un grupo de amigos de Porfirio Díaz cuya función consistía en celebrar veladas literarias para exaltar la figura del presidente y organizar los festejos de su cumpleaños.

LANDERO, PEDRO TELMO. Nació en Guadalajara, Jal., el 27 de diciembre de 1917; murió en México, D.F., en enero de 1982. Ingeniero por la Universidad Nacional Autónoma de México, posgraduado en administración de empresas en la misma institución, fue director de construcciones del gobierno de Jalisco (1943-1946), diseñador de plantas agroindustriales, y director del Fondo Nacional de Fomento Industrial y del Fideicomiso de Frutas Cítricas y Tropicales (1974-1982).

LANDEROS, CARLOS. Nació en la ciudad de Aguascalientes. Estudió economía y filosofía y letras en la Universidad Nacional Autónoma de México, y asistió a cursos de periodismo, relaciones públicas y documentación en la Universidad de Madrid. Fue socio fundador del periódico *El Día* y colaborador de los diarios *Excélsior* y *Crucero* y de las revistas *Siempre!* y *La Capital*. Fue director de Prensa y Relaciones Públicas de la Dirección General de Educación Audiovisual de la Secretaría de Educación Pública y del municipio de Naucalpan de Juárez, y también ministro consejero de la embajada en Gran Bretaña y de la representación en Nueva York. En 1983 publicó *Los narcisos* (selección de entrevistas, crónicas y reportajes); en 1984 produjo la obra de teatro *Crímenes del corazón* (Premio Pulitzer); y en 1986 publicó *Los que son y los que fueron* y su primera novela, *El desamor* (escrita en 1966). En 1987 era subgerente de Comunicación Social de Petróleos Mexicanos.

LANDEROS GALLEGOS, RODOLFO. Nació en Calvillo, Ags., en 1931; falleció el 11 de octubre de 2001 en el D.F. Fue editor de *El Sol del Centro*, funcionario del departamento de prensa de las secretarías de agricultura y de industria y comercio, director de relaciones públicas de hacienda (1958-1976), director de prensa de la campaña presidencial de José López Portillo (1976), senador de la república (1976-1980), consejero de la Presidencia de la República (1977), secretario de prensa y publicidad del comité ejecutivo nacional del Partido Revolucionario Institucional (1978-1980) y gobernador de Aguascalientes (1980-1986).

LANDERO Y COS, FRANCISCO DE. Nació y murió en el puerto de Veracruz (1828-1900). En 1847 luchó contra la invasión norteamericana; en 1852 se encargó de la aduana marítima y de 1872 a 1876 fue gobernador de su estado. Durante su gestión se pagó la deuda pública, se expidieron leyes y reglamentos sobre instrucción obligatoria y gratuita, y se reformó el sistema hacendario. El presidente Manuel González le confió la Secretaría de Hacienda, cargo en el que estuvo del 1° de diciembre de 1880 al 19 de noviembre del año siguiente.

LANDERO Y COS, JOSÉ DE. Nació en Jalapa, Ver., en 1831; murió en la ciudad de México en 1912. Estudió en el extranjero y a su regreso se dedicó al comercio y a la minería. Fue director general de Minerales de Pachuca, regidor de la ciudad de Mexico y gobernador del estado de Hidalgo. Del 12 al 23 de mayo de 1887 ocupó la Secretaría de Hacienda, sucediendo a Justo Benítez y entregando el cargo a Matías Romero.

LANDESIO, EUGENIO. Nació en el pueblo de Altessano, Italia, en 1810; murió en París, Francia, en 1879. Estudió en Roma, al lado del pintor húngaro Carlos Markó, con quien se especializó en la pintura de paisaje. En 1855 llegó a México como profesor de la Academia de San Carlos, y allí formó la escuela de paisajistas mexicanos, entre los cuales sobresalió José María Velasco. Además de la cátedra de paisaje, impartió también la de perspectiva. Publicó varios trabajos: *Excursión a Cacahuamilpa* (1862), con vistas suyas y litografías de José María Velasco, *Cimientos del artista dibujante y pintor* (1866) y *La pintura general o de paisaje y la perspectiva en la Academia Nacional de San Carlos* (1867). Estas dos últimas obras fueron de gran interés para la formación artística de los alumnos de la Academia. Discípulos de Landesio fueron, además de Velasco, Luis Coto, José Jiménez, Javier Álvarez, Salvador Murillo y Gregorio Dumaine. Todos ellos se dedicaron a captar distintos aspectos del país, especialmente de los lugares más característicos y pintorescos cercanos a la ciudad de México, procurando casi siempre animarlos con figuras, por lo cual puede considerárseles también como costumbristas. Landesio regresó a Europa en 1877; en 1868 confió a Velasco la clase de perspectiva y en 1875 la de paisajes. Dejó en México obras de gran calidad: *Valle de México, La Hacienda de Matlala, La Hacienda de Rijo, La Hacienda de Colón, La garita de La Viga, Puente de Chimalistac* y su *Autorretrato*, realizado en 1873, en el cual, para mostrar su apego a México, se retrató portando un sarape.

LANDÍVAR, RAFAEL. Nació en Santiago de los Caballeros, Guatemala, en 1731; murió en Bolonia, Italia, en 1793. Estudió en el Colegio de San Borja (1738-1741) y se recibió de bachiller en filosofía (1746) y de doctor (1748) en la Universidad de San Carlos. Llegó a Nueva España en 1749. Ingresó a la Compañía de Jesús, en el Seminario de Tepotzotlán, en 1750. Se ordenó sacerdote en 1755. Enseñó retórica y poética en el Seminario de San Jerónimo de Puebla. Regresó a Guatemala en 1761, donde explicó filosofía en el Colegio de San Borja, del cual era rector cuando ocurrió la expulsión de los jesuitas en 1767. Residió en Bolonia como preceptor de la Casa de los condes de Albergartí. Fue entendido en astronomía, geografía, filosofía escolástica, latín y retórica y, a juicio de Marcelino Menéndez y Pelayo, "uno de los más excelentes poetas que en la latinidad moderna puedan encontrarse". Escribió *Rusticatio mexicana*, inspirada en parte en Virgilio y en el *Predium rusticum* del francés Jacques Vaniera. Es un largo poema, en hexámetros latinos, en 15 cantos y un apéndice. Es una vasta y primorosa pintura de la naturaleza y de la vida del campo en Nueva España y Guatemala. El poeta muestra los lagos mexicanos, la erupción del Jorullo, las cataratas de Guatemala, la campiña oaxaqueña, la producción de la grana y la púrpura, la elaboración del añil, las minas, el beneficio de la plata y del oro; describe el cultivo de la caña de azúcar y habla de las aves nativas –el guajolote, la paloma torcaz, la chachalaca, el tordo, el zopilote y el centzontle–. Por contraste, solicitan luego su atención las fieras de la selva americana. Y, al final, el poeta bucólico y naturalista cede el puesto al costumbrista para describir algunos juegos populares: peleas de gallos, corridas de toros, el palo ensebado, el juego de pelota. Termina con un apéndice sobre la Cruz de Tepic y concluye con una exhortación a la juventud mexicana que resulta de permanente actualidad:

Tú, empero a quien eleva
genio sutil sobre la plebe ruda,
de la vida anticuada te desnuda
y vístete el ropaje de la nueva.

Es Landívar fino poeta, de inspiración fresca y nueva; gran fantasía descriptiva y variedad de formas y recursos líricos. La *Rusticatio mexicana* se publicó en Italia (Módena, 1781; 2a. ed.; Bolonia, 1782). Fue traducida al castellano por el padre Federico Escobedo: *Geórgicas mexicanas* (1924) e Ignacio Loureda *Rusticación mexicana* (1924), con texto latino. Y una nueva versión, en prosa, por Octaviano Valdés: *Por los campos de México* (1942).

LANGAGNE, EDUARDO. Nació en México, D.F., el 21 de diciembre de 1952. Estudió odontología, música y lenguas, y se formó como poeta en diversos talleres literarios. Ha sido jefe de difusión de la Dirección de Promoción del Instituto Nacional de Bellas Artes; cofundador y coordinador de la colección Práctica de Vuelo, de la Delegación Venustiano Carranza, y asesor cultural del IX Congreso Forestal Mundial de la Organización de las Naciones Unidas para la Agricultura y la Alimentación. En 1979 se le otorgó el Premio Nacional de Letras Ramón López Velarde (Zacatecas) y en 1980 el de la Casa de las Américas (La Habana). Es coautor del cuadernillo *Tiene que haber olvido* y del libro *La realidad es increíble*. Ha publicado: *Donde habita el cangrejo* (1980), *Crónica de la conquista de la Nueva Extraña* (1981) y *Poemas para hacer una casa/Los abuelos tercos* (1982). Tradujo *El marinero* de Fernando Pessoa, y es cotraductor, antologador y presentador de *Pegaso herido*, *Voces de Bulgaria* (1985). La poesía de Langagne adopta las más diversas formas de la música y del juego. En sus libros, la muerte cobra sentido sólo en función de la vida.

LANGBERG, EMILIO. Nació en Suecia en 1815; murió en Guadalupe, Ures, Son., en 1866. En 1838 llegó al país y se sumó a las fuerzas santannistas con el grado de capitán; en 1845, con Paredes y Arrillaga, se pronunció en San Luis Potosí y al año siguiente intervino en el cuartelazo de Mariano Salas. En 1847 luchó contra los invasores norteamericanos, primero en La Angostura y luego en el valle de México. En 1848 pasó a Chihuahua como inspector de las colonias militares y formó parte del grupo comisionado para establecer la nueva línea divisoria de acuerdo con el Tratado de Guadalupe Hidalgo. En 1854 se sumó al Plan de Ayutla, sirvió a Comonfort y luego a los liberales. En 1864 se adhirió al Imperio y en 1865 fue comandante general de Sinaloa. Murió en combate contra los republicanos.

LANGENSCHEIDT OBREGÓN, ENRIQUE. Nació en Guanajuato en 1916; murió en un accidente de aviación cerca de Monterrey en 1969. Profesor de la Universidad Nacional Autónoma de México, entre sus trabajos publicados figuran *Almacenamiento de granos en la República Mexicana, Planeación de la cuenca lechera de Jiquilpan* y *Plantas deshidratadoras de leche.* Dejó inéditos estudios sobre el almacenamiento subterráneo de granos e investigaciones acerca de la habitación rural en Hawai, Japón, India y la cuenca del Nilo.

LANGMAN, IDA KAPLAN. Nació en Borzna, Rusia, en 1904. Autora de: *A selected guide to the literature on the flowering plants of Mexico* (1965); "*Mexican libraries move ahead*" en *International Institute of Education News Bulletin* (1960); y "*Travel and descriptive works prior to 1800: a useful guide for studies in mexican botany*", en *Revista Interamericana de Bibliografía* (1960).

LANGOSTA. Nombre que se aplica a las especies comprendidas en la familia Palinuridae. Habitan en aguas sublitorales de fondos rocosos, en muchos casos cubiertos de pastos marinos (*Thalassia*) y algas (*Macrocystis*) con abundancia de gusanos poliquetos, crustáceos, moluscos y otros organismos que le sirven de alimento; son omnívoras y a menudo adoptan el hábito carroñero. Su cuerpo es elongado, con un caparazón subcilíndrico muy espinoso; los ojos no se encuentran encerrados en órbitas; las antenas son robustas y terminan en un flagelo largo multiarticulado; ninguna de las patas caminadoras (pereiópodos) son quelados, salvo el último par de las hembras que es subquelado; el abdomen (cola) es grande y muy fuerte. La familia Palinuridae tiene en el mundo ocho géneros con alrededor de 35 especies; en México, únicamente a las especies del género *Panulirus* se les conoce como langostas. Su pesquería, en comparación con la de otros crustáceos, se encuentra entre los primeros lugares de la producción nacional: 1 126 t en el Pacífico durante 1985, solamente superada por la del camarón, y 702 t en el golfo de México y el Caribe, inferior a la del camarón y la jaiba, o sea un total de 1 828 t.

Ciclo de vida. Durante el apareamiento, el macho deposita el saco espermático en la parte ventral del cefalotórax de la hembra. Los huevos

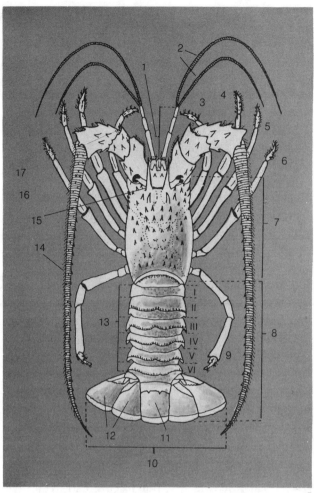

5

Esquema general de una langosta (vista dorsal): 1. pedúnculo antenular, 2. flagelo antenular, 3. primera pata, 4. segunda pata, 5. tercera pata, 6. cuarta pata, 7. caparazón, 8. abdomen (cola), 9. quinta pata, 10. cola de abanico, 11. telson, 12. urópodos, 13. somitas abdominales, 14. flagelo antenal, 15. cuernos frontales, 16. placa antenular, 17. ojo y 18. pedúnculo antenal

son fecundados cuando salen del gonoporo y pasan por el saco espermático; ya fertilizados, se adhieren a los pleopodos (apéndices del abdomen) por medio de una sustancia cementante. El número de huevecillos varía de 50 mil a más de 1 millón, dependiendo de la especie. El periodo de incubación tarda de tres a 10 semanas, tiempo durante el cual la hembra carga los huevos en el abdomen. Al término de este periodo, los huevecillos eclosionan en tres y cinco días, originando una larva llamada filosoma, que por seis a 11 meses pasa a formar parte del plancton (meroplancton); en ese tiempo la larva atraviesa por 11 estadios, en los que por medio de numerosas mudas desarrolla nuevas estructuras y aumenta de

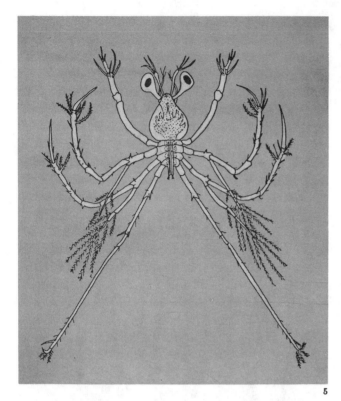

Larva philosoma *de una langosta*

gedo, Marías e Isabela, y vive en cuevas y grietas en aguas someras y de fuerte corriente. 5. *P. argus* (langosta del Caribe o cubana), habita en fondos rocosos y en áreas cubiertas de *Thalassia testudinum*, se distribuye de las Bermudas a Río de Janeiro, y se pesca en Quintana Roo y Yucatán. 6. *P. gutatus* (langosta moteada), habita entre rocas y corales de aguas poco profundas, se distribuye del sur de Florida a Brasil, y su pesca en México es ocasional. Y 7. *P. laevicauda* (langosta verde), vive asociada a los arrecifes de coral, se le encuentra en el mar Caribe y su captura es ocasional.

LANGOSTINO. Nombre común que reciben en México los camarones de agua dulce del género *Macrobrachium*. Estos crustáceos habitan en ríos de corrientes rápidas y ocasionalmente en aguas tranquilas de lagunas costeras. Son sumamente agresivos entre sí y con individuos de otras especies, por lo cual su cultivo presenta grandes limitaciones, pues son muy depredadores y comúnmente tienen hábitos caníbales. Su cuerpo está comprimido lateralmente, el caparazón lleva un rostro dentado en su porción anterior, los dos primeros pares de apéndices torácicos (pereiópodos) son quelados, casi siempre el segundo más grande y robusto que el primero, y el abdomen está bien desarrollado. Este género está representado en México por 11 especies, nueve de ellas con importancia económica. Se distribuyen en ambas vertientes, desde los 1 500 m de altitud hasta el

tamaño. En esta fase del ciclo, la larva puede ser arrastrada lejos de la costa por las corrientes. Al transcurrir los estadios de filosoma la larva se vuelve sensible a la luz, por lo cual cada vez vive a mayor profundidad. En el estadio XI, la larva muda y adquiere una forma transparente parecida al adulto, que es conocida como puerulus; en esta fase los jóvenes nadan o buscan corrientes que los acerquen a la costa, donde adquieren coloración y completan su desarrollo en un lapso de dos a cuatro años. Al aproximarse a la talla adulta, los jóvenes migran hacia las aguas profundas (unos 30 m) y se incorporan a las poblaciones maduras.

Las principales especies conocidas en México son: 1. *Panulirus interruptus* (langosta de California), habita en zonas rocosas con vegetación dominante de algas gigantes (*Macrocystis pirifera*) y se distribuye de San Luis Obispo a bahía Magdalena. 2. *P. gracilis* (langosta verde o de playa), habita en zonas arenosas con cascajo, desde Mazatlán hasta Perú y se pesca en Michoacán, Guerrero y Oaxaca. 3. *P. inflatus* (langosta azul de roca), habita en fondos rocosos, desde la península de Baja California hasta Puerto Ángel, Oax., y se pesca en Sinaloa. 4. *P. penicillatus* (langosta de isla Socorro), se distribuye en las islas Revillagi-

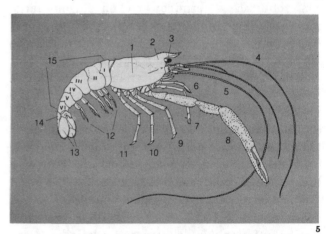

Esquema general de un langostino (vista lateral): 1. caparazón, 2. rostro, 3. ojo, 4. anténulas, 5. antena, 6. tercer maxilípedo, 7. primera pata, 8. segunda pata, 9. tercera pata, 10. cuarta pata, 11. quinta pata, 12. pleópodos, 13. urópodos, 14. telson y 15. somitas abdominales

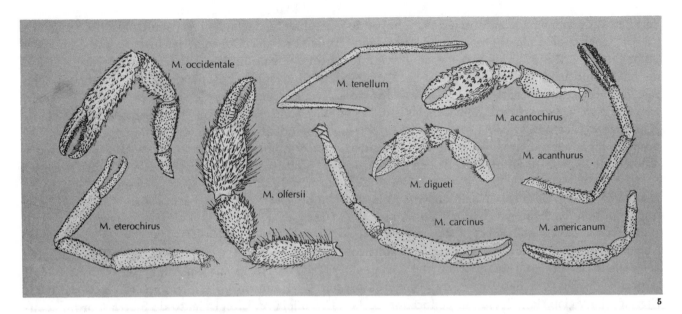

Esquema de las segundas patas en las nueve especies comerciales de langostino en México

nivel del mar. En la del Pacífico habitan *M. tenellum*, *M. americanum*, *M. digueti*, *M. acantochirus*, *M. olfersii* y *M. occidentale*, de las cuales se capturaron 763 t en 1985, principalmente en Nayarit y Guerrero. En la vertiente del golfo de México se encuentran *M. acanthorus*, *M. carcinus*, *M. olfersil* y *M. heterochirus*; su captura en aquel año fue de 2 552 t, sobre todo en Veracruz, Tamaulipas y Tabasco. Las dos especies restantes, *M. villalobosi* y *M. acherontium.*, son troglobias, o sea que pasan todo su ciclo de vida en grutas con ríos subterráneos. Debido a su tamaño y a lo reducido de sus poblaciones, no presentan importancia comercial. El ciclo de vida de los langostinos es muy particular pues requieren de cierta salinidad en los estados larvario y prejuvenil, por cuya razón las hembras, después de la cópula, viajan río abajo hasta llegar a los esteros y lagunas costeras, donde eclosionan los huevecillos y se desarrollan 12 estadios larvarios y juveniles. Al cabo de este proceso, regresan a las aguas dulces de los ríos.

LANNING, JOHN TATE. Nació en Linwood, Carolina del Norte, EUA, en 1902. Profesor de historia en la Universidad de Duke. Ha publicado *The diplomatic history of Georgia. A study of the epoch of Jenkin's era* (1936), *Academic culture in the spanish colonies* (1940), *Reales Cédulas de la Real y Pontificia Universidad de México, 1551 a 1816* (1946) y diversos estudios en *The Hispanic American Historical Review.*

LANSING, MARION FLORENCE. Autora norteamericana que escribió en 1941 el libro *Liberators and heroes of Mexico and Central America* (Libertadores y héroes de México y de la América Central).

LANTÉN. *Plantago major* L. Planta herbácea de la familia de las plantagináceas, de aproximadamente 20 cm de altura. Tiene hojas enteras, agrupadas en rosetas basilares, con lámina ancha y de forma oval. Las inflorescencias, en espigas largas, van situadas en el extremo de un escapo o pedicelo de 10 a 15 cm de largo. Las flores son pequeñas y hermafroditas, con cáliz de cuatro sépalos, de aspecto escamoso; corola gamopétala de cuatro divisiones e igual número de estambres, y ovario de dos a cuatro cavidades y de uno o más óvulos. El fruto es una cápsula que se abre en una hendidura transversal. El cocimiento de las hojas se utiliza en medicina popular para curar la diarrea; en buches, contra las úlceras de la boca, y mezclado con agua de rosas, contra la irritación e inflamación de los ojos. Con el mismo nombre se conoce también a *P. hirtella*, de 15 cm de altura. Ambas vegetan en lugares húmedos: en el valle de México, en las delegaciones de Tláhuac (Míxquic), Xochimilco, Cuajimalpa (Desierto de los Leones) y La Magdalena Contreras.

LANTRISCO. *Forestiera duranguensis* Standl. Arbusto de la familia de las oleáceas, de 2 a 2.5 m de altura, de ramas cortas y macizas, y hojas de peciolo corto, oblongo-angostas u oblanceolado-oblongas, de 1.2 a 3 cm de largo y de 4 a 7 mm de ancho, obtusas, atenuadas en la base, enteras, coriáceas, pubescentes en el envés y lisas o casi lisas en el haz. Las inflorescencias son fasciculadas o racemosas, con flores pequeñas, verdosas, polígamas o dioicas. El fruto es una drupa oblonga de 7 a 8 mm. Sólo se localiza en Durango.

LANUZA, AGUSTÍN. Nació en Guanajuato, Gto., en 1870; murió en la ciudad de México en 1936. Se recibió de abogado (1894) en la Escuela Nacional de Jurisprudencia. Fue jefe político de Valle de Santiago y magistrado del Tribunal Superior de Justicia del estado de Guanajuato. Ejerció el magisterio. Profundo conocedor de la historia local, dejó escritos importantes estudios, entre los que sobresalen: *Romances, tradiciones y leyendas guanajuatenses, Casa y edificios históricos de la ciudad de Guanajuato, Guanajuato gráfico e histórico, Historia del estado de Guanajuato y Ensayo de bibliografía guanajuatense*; y las poesías *La madre tierra* y *Los cien poemas de las montañas.*

LANZ, JOSÉ. Nació en Valladolid (hoy Morelia) en 1780; murió en Francia. A los diez años fue llevado a España por sus padres. Al quedar huérfano, se trasladó a París, donde cursó la carrera de ingeniero mientras trabajaba en una fábrica. Regresó a España, participó en el levantamiento de la carta general de la Península, intentó sin éxito fundar una escuela de mecánica en Madrid y durante la invasión napoleónica (1808) sirvió a José Bonaparte. A la caída de éste, huyó a Francia y después, en 1815, a Londres. Allí conoció a Bernardino Rivadavia, caudillo de la insurgencia de la Argentina, con quien viajó a su país. En Buenos Aires dirigió una escuela de matemáticas. Regresó más tarde a Francia. En 1823 trabajaba en una fábrica de relojes.

LANZ, MANUEL A. Nació y murió en Campeche, Camp. (1852-1911). Hizo sus estudios en el Liceo de San José y en el Instituto de Ciencias y Artes de ese puerto, graduándose de farmacéutico en 1876. Instaló la farmacia La Luz, famosa porque sirvió de sitio de tertulia a los políticos, literatos y artistas más prominentes del puerto. Fue vocal de la Junta de Sanidad, presidente de la Junta Facultativa de Farmacia, miembro del Consejo de Instrucción Pública y profesor de química y de farmacia en el Instituto. Escribió sobre botánica, farmacia e historia en diversos periódicos de su época, particularmente en *La Alborada*. Son importantes sus artículos: "Movimiento político de la Península, conocido con el nombre de San Juan de Dios", "Juárez y el Instituto Campechano", "Historia del Hospital de San Juan de Dios" y "Compendio histórico de Campeche". Dio a la prensa *Justo Sierra O'Reilly* (Campeche, 1903).

LANZAGORTA INCHAURRERI, FRANCISCO. Nació en San Miguel el Grande (Gto.) en 1791; murió en Chihuahua (Chih.) en 1811. Era oficial del Regimiento de Sierra Gorda, acantonado cerca de Querétaro, cuando se unió al movimiento de Independencia. Tomó la plaza de San Luis Potosí, liberó a los presos, formó con ellos un regimiento y el 10 de noviembre de 1810 proclamó en aquella ciudad la Independencia, junto con los religiosos Luis Herrera y Juan Villerías. Mandaba las tropas presidenciales cuando fue aprehendido en el cerro del Prendimiento y, tras sumarísimo juicio, fue pasado por las armas.

LANZAGORTA UNAMUNO, EMILIO. Nació en Zalla, España, en 1897; murió en la ciudad de México en 1965. Muy joven llegó al país y se dedicó al comercio y a la industria. Fue fundador de los colegios Tepeyac y Guadalupe y de las empresas Seguros Tepeyac, Mueller Brass de México y Casa Lanca, y director de Harris de México, Termoasbestos, Asbestos de México, Barras y Perfiles e Inmobiliaria Paje.

LANZ DURET, MIGUEL. Nació en Campeche, Camp., en 1878; murió en la ciudad de México en 1940. Fue presidente de la Barra Mexicana de Abogados, catedrático de derecho constitucional en la Escuela Nacional de Jurisprudencia y, desde 1922, presidente de la Compañía Periodística Nacional, propietaria de *El Universal* y *El Universal Gráfico*. Escribió *Tratado de derecho constitucional mexicano* y *Consideraciones sobre la realidad política de nuestro régimen.*

LANZ MARGALLI, LUIS FELIPE. Nació en Villahermosa, Tab., en 1906; murió en la ciudad de México en 1961. En 1940 obtuvo la maestría en ciencias geográficas, en 1941 la licenciatura en economía, en 1942 el doctorado en ciencias geográficas y en 1954 el de letras. Sirvió cátedras en las escuelas de Economía y Superior de Ciencias Económicas y en la Facultad de Filosofía y Letras de la Universidad Nacional Autónoma de México. Escribió: *Efemérides de Tabasco* (1933), *El frente del Sureste* y *Tabasco a través del tiempo* (1934) y *Ensayo geofísico del estado de Tabasco* (1939). Dejó inéditas *Geografía general de Tabasco* y *Bibliografía mexicana del siglo* XIX.

LAOS, REPÚBLICA DEMOCRÁTICA POPULAR DE. Situado en el sureste de Asia, es un país mediterráneo; tiene 236 800 km^2 de extensión y limita al norte con Birmania, China y Vietnam, al este con Vietnam, al sur con Kampuchea y por este rumbo y el oeste con Tailandia. Su capital, Vientiane, sobrepasa los 200 mil habitantes, y todo el país tiene cerca de 5 millones. El idioma oficial es el laotano; la religión, el budismo, y la moneda, el kip. Laos fue convertido en protectorado francés a fines del siglo XIX, y los japoneses lo ocuparon durante la Segunda Guerra Mundial. Después de la derrota de Japón, los franceses si-

guieron interviniendo en el país hasta que se independizó a fines de 1954. Al igual que toda Indochina, después de su independencia Laos sufrió la pugna interna entre los diversos grupos políticos que se disputaban el poder, así como la injerencia de las potencias que habían entrado en conflicto en Vietnam. La lucha interior se resolvió a favor de los revolucionarios en diciembre de 1975, fecha en que se proclamó la República Democrática Popular y la dirección del Partido Popular Revolucionario. Laos asumió entonces un régimen de gobierno socialista. México estableció relaciones diplomáticas con Laos el 9 de septiembre de 1976; la representación diplomática mexicana está en Hanoi, Vietnam.

LA PAZ, B.C.S. Ciudad capital del estado de Baja California Sur y cabecera del municipio de La Paz, está situada a 24° 09' 41" de latitud norte, 110° 18' 50" de longitud oeste y 10 m sobre el nivel del mar, en el fondo y margen meridional de su mismo nombre, en el litoral del golfo de Cortés. El primer español que estuvo en ese sitio, entonces ocupado por los indios guaycuras, fue Ortún Jiménez, en 1534. Hernán Cortés llegó a esa ensenada el 3 de mayo de 1535 y la llamó bahía de la Santa Cruz. Sebastián Vizcaíno, en 1596, encontró sosegados a los aborígenes y en calma el tiempo, y le dio el nombre de La Paz, que ha perdurado. También arribaron a esas playas, en el siglo XVII, el padre jesuita Eusebio Francisco Kino y el almirante Isidro de Atondo y Antillón. Durante casi dos siglos no pudo hacerse allí ninguna fundación, hasta que el 13 de noviembre de 1720 los padres Juan de Ugarte, Jaime Bravo y Clemente Guillén, de la Compañía de Jesús, lograron establecer la misión de Nuestra Señora del Pilar, en la que después trabajaron los religiosos Guillermo Gordon y Segismundo Taraval; pero a causa de una gran rebelión indígena, la conversión tuvo que abandonarse en 1735. En el resto del siglo XVIII, sólo de mayo a octubre, en la temporada del buceo de perlas, los armadores montaban sus barracas en la playa y en torno a ellas los buzos disponían sus aduares. Estos campamentos ocasionales daban cierta animación a las despobladas costas. Una vez consumada la Independencia y erigido el territorio de Baja California, la capital se instaló en Loreto, pero en 1829 un terremoto destruyó esta localidad y el gobernador José Ma-

LA PAZ

riano Monterde trasladó la sede de los poderes primero al mineral de San Antonio y luego a La Paz, en 1830, que entonces tenía una población de 400 personas. Para 1857 el número de vecinos era ya de 1 274, gracias sobre todo a la pesquería de la concha perla (v. BAJA CALIFORNIA Y BAJA CALIFORNIA SUR, ESTADO DE. *Pesca*). Abandonada casi del todo esta actividad, el crecimiento demográfico fue muy lento, de 5 mil habitantes en 1900 a 10 401 en 1940. Esta duplicación, que tardó 40 años en consumarse, iba a ocurrir cada década a partir de 1950. Este año había 13 081 habitantes, 24 253 en 1960, 46 011 en 1970 y 91 453 en 1980. A este fenómeno contribuyeron cuatro hechos fundamentales: la colonización del interior de la Península, el servicio regular de transporte marítimo (v. MARINA. *Transbordadores*) iniciado en 1964, la terminación de la carretera Transpeninsular, en 1973, y la erección de Baja California Sur en estado de la República, el 8 de octubre de 1974. La Paz dispone de todas las demás comunicaciones y es zona libre aduanera. Ahí se han concentrado, principalmente a lo largo del malecón Álvaro Obregón, decenas de comercios de artículos importados y de productos artesanales mexicanos, unos y otros muy atractivos para el turismo, que se ha ido incrementando en gran escala. Otros sitios de interés son el Museo del Estado, el Centro de Arte Regional, la Casa de las Artesanías, el mercado y los parques Revolución y Cuauhtémoc. La pesca y los deportes acuáticos son las actividades preferidas por los visitantes. Los transbordadores, procedentes de Mazatlán, Guaymas y Puerto Vallarta, no entran al puerto de La Paz porque el canal de acceso no ofrece las seguridades necesarias, sino que atracan en el embarcadero de Pichilingue, a 18 km del muelle fiscal, en una rada que forman la costa de la Península y la isla de San Juan Nepomuceno. Las instituciones de enseñanza superior son la Universidad Autónoma de Baja California Sur, el Instituto Tecnológico de La Paz, el Centro Interdisciplinario de Ciencias Marítimas, dependiente del Instituto Politécnico Nacional, y una unidad de la Universidad Pedagógica Nacional. La ciudad es, además, sede del Vicariato Apostólico de La Paz (véase).

El municipio de La Paz tiene una superficie de 20 275 km^2 y linda al norte con el de Comondú, al este con el golfo de California, al sur con la municipalidad de Los Cabos y al oeste con el

océano Pacífico. En 1980 tenía una población de 130 427 habitantes. El territorio es árido, aunque con algunos valles fértiles, y en su mayoría está ocupado por la cordillera peninsular. Se produce trigo, maíz, caña de azúcar, vid, naranja y limón, en pequeña escala, y hay hatos de vacuno, porcino y caprino. A unos 48 km al sur de La Paz se encuentra el antiguo pueblo de El Triunfo, que gracias a la explotación de las minas de oro y plata llegó a tener 10 mil habitantes a fines del siglo XIX. Hoy sólo quedan las ruinas de la fundición, muchas casas abandonadas y unas 200 personas, entre ellas la señora Eva Beltrán, quien dirige un taller para la manufactura de objetos a partir de la fibra de los cogoyos de palma. Bajo su dirección, unas 15 jóvenes elaboran bolsas de mano, sombreros, floreros, abanicos, cubreasientos, alhajeros, cajas y juguetes que expenden a los turistas. Esta artesanía fue desarrollada originalmente por Samuel Hayward, un laborioso chileno de ascendencia inglesa que llegó a El Triunfo en 1918, formó ahí una familia y, a falta de expectativas en las minas, ensayó varias manualidades para poder sobrevivir. Más adelante, siguiendo la carretera que conduce a San José del Cabo, se halla la localidad de San Antonio, donde perdura un templo construido en el siglo XVIII por los frailes dominicos. Las viejas instalaciones para fundir metales, situadas al norte de la población, son vestigio de la principal actividad económica anterior; en la actualidad los vecinos se dedican a la ganadería, al cultivo de huertos familiares y a ensamblar aparatos de radio en una planta maquiladora. San Bartolo es otra comunidad, acaso de 500 habitantes, notable por sus huertos de árboles frutales (naranjos, mangos, aguacates, guayabos) y la producción doméstica de jaleas, mermeladas y ates. En el tramo en que la carretera se acerca al mar, se construyeron desde hace tiempo hoteles de lujo (Mesa del Pescadero, Bahía de Palmas y Punta Dorada, entre otros) a los que llegan principalmente extranjeros a bordo de yates o de avionetas.

Véase: Jesús Castro Agúndez: *El estado de Baja California Sur* (1975).

LA PAZ, VICARIATO APOSTÓLICO DE.
Paciensis in California Inferiori, sufragáneo de la

LA PAZ

arquidiócesis de Hermosillo. Se erigió por bula *Qui Arcana* del papa Pío XII del 13 de julio de 1957, ejecutada por el delegado apostólico Luis Raimondi el 8 de junio de 1958. Su sede es La Paz, B.C.S.; y su extensión, 72 465 km^2 del estado de Baja California Sur. Tiene 22 parroquias, 38 sacerdotes, en su mayoría regulares, 34 religiosos, 121 religiosas y una población de 215 418 habitantes, de los cuales 209 386 son católicos. Vicarios apostólicos: 1. Juan Giordani (1958-1975), y 2. Gilberto Valbuena Sánchez (1976-). El vicariato apostólico limita con las circunscripciones eclesiásticas de Mexicali y Tijuana, pertenece a la región pastoral del Noroeste y depende de la Sagrada Congregación para la Evangelización de los Pueblos. Comprende el estado de Baja California Sur (véase), erigido el 3 de octubre de 1974 por el Congreso de la Unión. Su capital es la ciudad de La Paz. La entidad está bien comunicada por carreteras, especialmente por la Transpeninsular. Por mar se cuenta con transbordadores y embarcaciones privadas; y varias líneas aéreas operan con regularidad. Se produce algodón, cártamo, frijol, maíz, sandía, sorgo y trigo. El mayor volumen de producción procede de las zonas irrigadas del valle de Santo Domingo y del sur de La Paz. En los otros sitios las labores son de temporal, en áreas de precipitación muy baja, por lo cual se cultivan el olivo y el dátil (Loreto, Comondú, Mulegé, San José de Magdalena, San José de Gracia y San Ignacio). Además del Distrito de Riego núm. 66, en el valle de Santo Domingo existen otras pequeñas zonas de riego que son: en el norte, El Vizcaíno; y en el sur, La Paz y sus alrededores, Los Planes, El Carrizal, Todos Santos, Pescadero, San José del Cabo y Santiago, donde se produce algodón, trigo, mango, aguacate, betabel, caña de azúcar, alfalfa, maíz, frijol y papaya. El estado dispone de ganado vacuno, porcino, lanar y caprino; además se crían aves.

Las aguas que rodean la Península parecen ser las más ricas del país en recursos piscícolas. Según Ray Cannon (*The sea of Cortes*), se han encontrado 650 variedades de peces, aunque no todos comestibles, a menos de 200 brazas de profundidad. Tal riqueza de debe a la abundancia de nutrientes. Hay, además, grandes mantos de sargazo gigante y poblaciones de algas arraigadas cerca de las rompientes. Se capturan principalmente sardina, atún, barrilete, tiburón, langosta, camarón verde y de otra especies; y se produce harina de pescado. Existen diversas plantas industriales procesadoras y enlatadoras de estos productos en la región. Los sitios pesqueros se localizan en Bahía de Tortugas, Punta Abreojos, San Carlos, puerto Adolfo López Mateos, cabo San Lucas, Punta Lobos, Todos Santos, La Paz y Loreto. En la bahía de La Paz y en las cercanías de las islas de Espíritu Santo, El Pardito, San José, Cerralvo y San Francisquito, al igual que frente a Loreto y en la punta suroeste de la isla de El Carmen se realiza el buceo en busca de perlas, aunque ocasionalmente. La Península cuenta con recursos mineros: cobre, manganeso, plata y oro, explotados por diversas compañías; también se explotan yeso y sal. Los principales centros comerciales son La Paz, Villa Constitución y Santa Rosalía.

Historia. Los primeros pobladores de la península de Baja California fueron los indígenas pericúes, en el extremo sur; los guaycuras, desde la región de Todos Santos y San Antonio hasta Loreto; y los cochimíes, en el resto. El primer español que llegó al lugar donde hoy se encuentra La Paz fue Fortún Jiménez, en 1533. Hernán Cortés arribó al "puerto y baya de Santa Cruz" (actual bahía de La Paz) el 3 de mayo de 1535 y fundó una colonia que desapareció pronto. Fue hasta 1697 cuando se logró iniciar realmente la conquista de California. Habían explorado la región Francisco de Ulloa (1539 y 1540), Juan Rodríguez Cabrillo (1542), Sebastián Vizcaíno (1596) e Isidro de Antondo y Antillón (1638), a quien acompañó el padre jesuita Eusebio Francisco Kino (véase).

La evangelización fue iniciada por los misioneros jesuitas Francisco Eusebio Kino y Juan María Salvatierra. Los religiosos de la Compañía de Jesús estuvieron en la Península 70 años y fundaron las siguientes 17 misiones: 1. Loreto, establecida por el padre Salvatierra el 25 de octubre de 1697, con una visita en San Juan Londó; la iglesia actual y la casa misión fueron edificadas posteriormente, durante la estancia en Loreto del padre Jaime Bravo. 2. San Javier, erigida el 1° de noviembre de 1699 en el lugar explorado previamente por el padre Francisco María Píccolo y en presencia del padre Salvatierra; la estableció y organizó el padre Juan Ugarte, quien trabajó en ella desde 1701 hasta su muerte en 1730. 3. San Juan Bautista Ligüí o Malibat, fundada por el padre Pedro Ugarte en 1705; él construyó casa e iglesia –de las que quedan ruinas– donde permaneció hasta 1709, en que por enfermedad fue sustituido por el padre Clemente Guillén. 4. Santa Rosalía de Mulegé; la estableció el padre Manuel Basaldúa en 1705 y un año después fue sucedido por el padre Píccolo. 5. Comondú se fundó en 1708 en el sitio indicado por los padres Salvatierra y Juan Ugarte; el padre Julián Mayorga construyó casa e iglesia, y duró al frente de la misión hasta 1736, en que falleció; la iglesia grande de tres naves fue obra del padre Francisco Inama. 6. La Purísima, erigida en 1722, estuvo dirigida por el padre Nicolás Tamaral y desde 1734 por el padre Jacobo Druet. 7. La Paz: el padre Jaime Bravo la fundó en 1720, estuvo en ella ocho años y construyó la casa y la iglesia, mientras evangelizaba a los indígenas. 8. Guadalupe: el padre alemán Everardo Helen la instaló en plena Sierra, en 1720, y trabajó en ella 15 años; hoy sólo quedan ruinas. 9. Los Dolores del Sur: establecida por el padre Clemente Guillén en agosto de 1721, a mitad del camino entre Loreto y La Paz, en la costa del Golfo, sirvió de asilo a los misioneros durante la rebelión de los pericúes en 1734. 10. Santiago: la creó el padre Ignacio María Nápoli en 1721, en el puerto de Las Palmas, en la costa del Golfo, dos años más tarde la trasladó tierra adentro y construyó una iglesia dedicada a Santiago Apóstol; dirigió la misión hasta 1726 y fue sucedido por el padre Lorenzo Carranco. 11. San Ignacio: proyectada desde 1706, fue establecida hasta 1728 por el padre Juan Bautista Luyando, y llegó a ser la más floreciente de California; en ella trabajaron los misioneros Sebastián Sistiaga y Fernando Consag. 12. San José del Cabo: se le puso el nombre del patriarca porque fue José la Fuente Peña y Castrejón, marqués de Villapuente, quien la dotó de recursos; la fundó el padre Nicolás Tamaral en 1730, primero en Cabo San Lucas y luego en el sitio que juzgó más adecuado; Tamaral murió a manos de los aborígenes el 3 de octubre de 1734. 13. Todos Santos: la erigió el padre italiano Sigismundo Taraval, un año antes de que los pericúes del sur se rebelaran casi simultáneamente en Santiago y San José del Cabo; en aquella conversión fue martirizado el padre Carranco a flechazos, palos y pedradas; luego los indígenas quemaron su cadáver, la iglesia y la misión, el 1° de octubre; el día 3 llegaron a San José del Cabo y mataron al padre Tamaral; la rebelión se propagó a otras misiones del sur y sólo fue reprimida hasta que el gobernador de Sinaloa estableció nuevos presidios. 14. San Luis Gonzaga: empezó a establecerse en 1737 bajo la guía del padre Lamberto Hostell, quien residía en la misión de los Dolores, y en 1746 se le asignó como misionero de planta al padre Juan Javier Pischoff. En esta misión, que fue la más pobre y aislada de cuantas los jesuitas fundaron en la Península, estuvo 17 años el padre Juan Jacobo Baegert, autor de *Noticia de la península americana de California*. 15. Santa Gertrudis: fue fundada en 1752 por el padre Jorge Retz. 16. San Borja: aunque abierta oficialmente en 1762, ya había iniciado la evangelización el padre Retz, quien inclusive levantó los edificios; el padre Wenceslao Link, destinado a esa misión en 1762, ordenó la ampliación de la iglesia. 17. Santa María: fue fundada por el padre Victoriano Arnés en el año de 1766.

La población indígena de la Península, que quizá llegaba a 50 mil habitantes en el siglo XVII, era de sólo 20 mil a mediados del XVIII. Los jesuitas formaron unos 20 pueblos que aún se reconocen por sus iglesias bien construidas y muchos aun por sus nombres religiosos. La extrema penuria de los indios y la creciente dificultad para obtener la ayuda de los monarcas españoles, inspiraron al padre Salvatierra el plan de reunir un capital con qué sostener las misiones. Ayudado por los jesuitas del interior de México y autorizado por los gobernantes del virreinato, comenzó a reunir el Fondo Piadoso de las Californias (véase), que con el último donativo de una dama de Guadalajara, Josefa Paula de Argüelles, llegó a 1 257 000 pesos en 1765. Ya no disfrutaron de esos recursos los jesuitas, expulsados en 1767, sino los dominicos y los franciscanos que los reemplazaron. Al separarse en México la Iglesia del Estado, y sobre todo al pasar la Alta California a Estados Unidos, el destino de aquella cantidad y de sus intereses suscitó un grave conflicto internacional. En el momento de la expulsión de los jesuitas, 16 misioneros y un hermano coadjutor atendían unas 18 cabeceras y a unos cuantos millares de indígenas, pues la población había bajado considerablemente. V. JESUITAS.

LA PAZ

Los religiosos de la Compañía salieron de Loreto el 3 de febrero de 1768 para México, Veracruz y España. Entonces se hicieron cargo de las misiones de California los franciscanos del Colegio de San Fernando, al frente de los cuales llegó fray Junípero Serra, el 1° de abril de 1768. En pocos días se distribuyeron en las 14 casas vacantes. En noviembre de ese mismo año el rey decretó que se dividiera la Península entre franciscanos y dominicos, y que se les confiaran a éstos algunas conversiones. Los franciscanos cedieron todas las misiones de la Península, para encargarse ellos únicamente de la Alta California, donde fray Junípero ya había iniciado su obra. En 1772 se firmó en México un concordato entre franciscanos y dominicos, y en octubre del mismo año 10 padres predicadores llegaron a Loreto. Otros arribaron en mayo de 1773. El 13 de julio siguiente, fray Francisco Palou entregó la última misión, la de San Fernando Velicatá. Durante esos años se deterioró bastante el trabajo misionero y empezó la decadencia económica. La época de los dominicos (1773 a 1854) empezó sin mucho brío; seguían las dificultades con las autoridades civiles y con el tiempo el pleito degeneró en intrigas. Los dominicos establecieron en las márgenes del arroyo Viñatacot (Rosario) una nueva misión, que perduró hasta 1802, en que la cambiaron a un punto cercano a la playa; la segunda fundada por ellos fue la de San Vicente Ferrer, en 1780, a la que siguieron Santo Domingo, en 1785; San Miguel de Encino, el 28 de marzo de 1787, establecida por el padre Luis Sales; Santo Tomás de Aquino, el 24 de abril de 1791, a cargo del vicario provincial Juan Crisóstomo Gómez y de José Loriente; San Pedro Mártir, hacia el rumbo del río Colorado; y Catalina Virgen y Mártir, el 12 de noviembre de 1797. La de Guadalupe se erigió en 1834 por el padre Félix Caballero. El censo formado en 1793 por el virrey conde de Revillagigedo registró 12 666 habitantes para las dos Californias y 18 misiones sólo en la Baja; 13 de los jesuitas y cinco de los predicadores. En 1805, el Tribunal del Consulado atribuyó a Baja California 9 mil habitantes (4 mil indios bravos y 5 mil reducidos a 16 misiones, ya en decadencia). Posteriores informes registran menor población en la Península. En 1853 salió el último presidente de las misiones, el padre Gabriel González, cuando llegó el vicario que representaba al obispo de Sonora.

Organización eclesiástica de la Península a partir de 1855. El papa Pío IX creó el vicariato apostólico de Baja California en 1855, y el 25 de marzo siguiente se designó vicario capitular al obispo de Anastasiópolis, Juan Francisco Escalante y Moreno, quien desde junio de 1854 había llegado al entonces territorio. Él fue quien organizó la sede episcopal en La Paz y mandó que se llevaran con diligencia los libros de gobierno. Durante su administración se construyó la iglesia de Mulegé, cuya primera piedra se puso el 25 de junio de 1854. Visitó varias veces las misiones y las proveyó con sacerdotes de Sonora, entre ellos los padres Félix Migorel, Mariano Carlón, Anastasio López, Trinidad Cortés y Esteban Mir. El padre Carlón residió en La Paz 39 años y el padre López en San Antonio, pero desde ahí se desplazaba para atender el territorio. La falta de sacerdotes en muchos poblados era ostensible.

El obispo Escalante propició la construcción de la iglesia de cabo San Lucas, y de las capillas del Rosario y de los camposantos de La Candelaria, Todos Santos y el Carrizal; el 31 de agosto de 1859 dio licencia para que se edificara otra en el pueblo de San Miguel de Comondú, y el 6 de octubre de 1861 inició la obra de la actual catedral del vicariato. Escalante murió el 6 de abril de 1872 y fue sepultado a un lado del altar mayor de su sede. Lo sucedió el carmelita Ramón María de San José, quien llegó a La Paz el 17 de marzo de 1875 y se retiró el 1° de noviembre de 1876. En esos dos años consagró a tres sacerdotes, que trabajaron en la Península por algunos años: Gregorio Ramírez, en Comondú y Loreto, hasta 1880; José María Esparza, en La Paz y Todos Santos, hasta 1881; y Guadalupe Díaz, en San Antonio y San José del Cabo, hasta 1884. En noviembre de 1879, la Santa Sede encomendó el vicariato al arzobispado de Guadalajara, y en 1880 nombró vicario apostólico a fray Buenaventura del Purísimo Corazón de María Portillo y Tejeda, quien arribó a La Paz el 14 de febrero de 1881 en compañía de cinco seminaristas teólogos, cuatro de los cuales fueron consagrados sacerdotes ocho meses después. En febrero de 1883, trasladado el obispo Portillo y Tejeda a la diócesis de Chilapa, quedó encargado del vicariato el padre Anastasio López y Baja California pasó a depender del obispado de Sonora. Ese año se nombró cura de La Paz al presbítero Saturnino Campoy, quien el 29 de diciembre de 1896 entregó los libros parroquiales, el archivo, la iglesia y la casa cural al padre Louis Pettinelli, designado *vicario pro tempore* del territorio. Este sacerdote pertenecía al Instituto de los Santos Apóstoles Pedro y Pablo, fundado en Roma por orden del papa Pío IX en 1868. No se trataba de una congregación religiosa, sino de un instituto al servicio de la Congregación de *Propaganda Fide*. De este organismo pasaron a Baja California los padres Tito Alessandri Regoli, Juan Rossi, Domingo Scarpeta, Adrián Calcaterra, Pedro Colli Franzoni, Francisco Milesi, Severo Aloera, César Castaldi, José Cotta, Humberto Bacigalupe, Celestino Crisciotti y José Marsiliani, bajo cuya administración estuvo el vicariato desde 1895 hasta 1917, en que la Constitución prohibió a los sacerdotes extranjeros ejercer en territorio mexicano. El único que se quedó fue el padre César Castaldi, en Mulegé, donde trabajó por 42 años; murió en La Paz en 1946. De 1918 a 1921, fecha en que el papa Benedicto XV nombró vicario apostólico al padre Silvino Ramírez, atendieron la Península algunos sacerdotes de la arquidiócesis de Guadalajara. Ramírez murió en La Paz misteriosa y prematuramente, el 15 de septiembre de 1922. Para esa fecha y por razones inexplicables, se habían retirado del territorio casi todos los ministros del culto católico. Sólo permaneció el padre Alejandro Ramírez, quien tuvo que atender las misiones, pero él también se marchó por enfermedad en 1939. Entonces, monseñor Narciso Aviña, del arzobispado de Guadalajara, rigió la misión con el título de vicario capitular, pero solamente por pocos meses, pues a fines de ese año la Santa Sede confió el vicariato a los padres misioneros del Espíritu Santo y nombró administrador apostólico a Felipe Torres Hurtado, quien llegó a La Paz el 12 de diciembre. Estos religiosos trabajaron hasta 1948, y restauraron templos y casas curales. Los padres Guadalupe y Agustín Álvarez organizaron los grupos guadalupanos y el segundo comenzó la construcción del actual santuario de Nuestra Señora de Guadalupe en La Paz. Desde su llegada, Torres Hurtado trasladó su sede a Ensenada, y en octubre de 1947 solicitó de la Santa Sede la intervención de un instituto misionero para atender la parte sur de la Península. En respuesta, el papa Pío XII envió a los misioneros combonianos, quienes llegaron a La Paz el 29 de febrero de 1948 y comenzaron a trabajar bajo la dirección del ordinario de Tijuana. En 1949, sucedió a Torres el obispo Alfredo Galindo Mendoza, y en 1957 la Santa Sede desmembró del vicariato la parte sur de la Península y erigió la prefectura apostólica. El primer titular fue Juan Giordani Nana. Los combonianos han construido iglesias en La Paz, Valle de Santo Domingo, la Costa, el Vizcaíno, Los Planes y Todos Santos. El 11 de marzo de 1976, la prefectura de La Paz fue erigida en vicariato apostólico y el papa Paulo VI confió su gobierno al obispo Gilberto Valbuena Sánchez.

La catedral. La empezó a construir el obispo Juan Francisco Escalante y Moreno, el 6 de octubre de 1861. Tiene fachada de cantera roja, de dos cuerpos. A los lados de la puerta central se colocaron un rostro de Cristo y una imagen de la Virgen de Guadalupe, y arriba, la figura de un angelito. El segundo cuerpo tiene dos ventanas rectangulares y al centro un óculo. Más arriba están el reloj y una cruz de hierro. Tiene dos torres, construidas en época posterior. La planta asume la forma de cruz latina. En el retablo del presbiterio se hallan las imágenes de Nuestra Señora de la Paz, San Pedro Apóstol y San José con el Niño Jesús. En el altar principal, sostenido por dos ángeles de bronce, hay un crucifijo; y en los laterales, las imágenes de la Virgen de Guadalupe (en pintura), San Antonio de Padua y San Francisco de Asís, en el derecho; y el Sagrado Corazón, San Juan Bautista y Santa Lucía, todas de bulto, en el izquierdo.

LAPÓN. Nombre que se aplica en el litoral del Pacífico de México a varias especies de peces del género *Prionotus*. V. ANGELITO.

LA QUEMADA. Ciudad arqueológica amurallada, en el actual estado de Zacatecas, que sirvió de fortaleza para contener el avance de los nómadas del norte sobre Mesoamérica, construida quizás por los teotihuacanos para defensa de su imperio, según lo muestran las estructuras de adobe que se encuentran bajo las actuales de argamasa y piedras lajas. El arqueólogo Leopoldo Batres inició las obras de restauración de esa ciudad a principios del siglo XX. Muestra una esbelta pirámide, patios ceremoniales con pequeñas pirámides centrales y restos de edificios con amplios pórticos, columnas y patios interiores, como la llamada Sala Hipóstila. A un lado de la pirámide principal se ven los restos de una muy ancha escalinata de angostos escalones que trepa por el empinado muro hasta alcanzar los pasillos superiores que conducen a los patios ceremoniales de la cumbre. Esta fortaleza está construida en un monte cortado a pico en casi todo su contorno, excepto por el lado en que una pendiente de suave declive tiene una gruesa muralla. Su nombre real es el de *Tuitlan, Teutlan* o *Teúl*, según se le nombra en la *Crónica* de Tello, confundiéndola con otra ciudad semejante, de menor importancia, llamada ahora El Teúl de González Ortega, en el mismo estado. A la llegada de los españoles la ciudad estaba íntegra y sus moradores huyeron al acercarse las tropas conquistadoras dejando todas sus pertenencias. Los soldados mexicas, que con otros indígenas llevaban los españoles, tomaron venganza de este lugar al que nunca pudieron conquistar por formar parte del imperio del occidente de México, quemándola contra la voluntad de los españoles, de donde, sin duda, tomó el nombre de La Quemada. Se dice que por esta ciudad pasaron parte de los mexicas en su peregrinación rumbo al valle de México, y que por eso sus edificios tienen semejanza con los de la gran Tenochtitlan, por lo que también se le ha llamado Chicomóztoc sin otro fundamento. Los muros muestran en sus cimientos los restos del chapeo de lajas verticales que tuvieron por cubierta, y éstas a su vez estuvieron enjarradas de barro y pintadas de blanco, por lo que el aspecto de esta ciudad debió ser magnífico. Del pie de sus muros parten anchas calzadas en forma radial que avanzan por varios kilómetros y cuyos relieves pueden notarse entre la maleza y los nopales de la llanura que la rodea.

LARA, AGUSTÍN. Nació en México, D.F., el 30 de octubre de 1897, aunque él declaraba que fue en Tlacotalpan, Ver.; murió en aquella ciudad el 6 de noviembre de 1970. Ingresó al Colegio Militar y a poco lo abandonó para alistarse en la guardia personal del general Francisco Villa: tenía entonces 15 años de edad y el grado de teniente. De 1920 a 1929 tocaba el piano en reuniones sociales, en cabarés, cantinas, cafés y salas de cine mudo. Se dio a conocer como compositor hacia 1928, con el bolero "Imposible". Formó parte del primer grupo de artistas de la radiodifusora XEW. Su primera orquesta, El Son Marabú, tenía como cancionistas a *Toña la Negra* y Ana María Fernández. Su programa se llamaba *La hora azul*. Compuso cerca de 700 melodías y la opereta *El pájaro de oro*, estrenada en el Teatro Margo en 1946; intervino en 30 películas y fue objeto de varios homenajes, destacando los de 1953 y 1969, efectuados en el Palacio de Bellas Artes. Lara representa la transición de la danza mexicana al bolero de origen cubano, al que dio un estilo muy personal. Durante muchos años todo México cantó sus canciones, muchas de ellas de éxito internacional. De su vasta producción sobresalen: "Rosa", "Adiós Nicanor", "Clavel sevillano", "Granada", "Como dos puñales", "Hastío", "Mujer", "Santa", "Talismán", "Tus pupilas", "Fermín", "Lamento jarocho", "Noche criolla", "Palmera", "Farolito", "Oración caribe", "Rival", "Veracruz", "Solamente una vez", "Silverio" y "Madrid". En 1945 casó con María Félix y entonces compuso "María bonita". Fue presidente vitalicio de la Sociedad de Autores y Compositores de Música. Sus restos yacen en la Rotonda de los Hombres Ilustres.

Véase: Paco Ignacio Taibo I: *Agustín Lara* (1985).

LARA, DOMINGO DE. Nació en España, en fecha que se ignora; murió en Chiapas, en 1572. Ingresó en la Orden de Santo Domingo, en el convento de San Esteban de Salamanca, y pasó a América con el obispo de Chiapas fray Bartolomé de las Casas. Llegó a Ciudad Real (San Cristóbal de las Casas) el 14 de marzo de 1545. Se dedicó a evangelizar a los indígenas y en 1556 se le confió la dirección de la provincia de San Vicente de Chiapas, que había sido fundada por fray Pedro de Angulo y otros religiosos en 1551. Al morir el obispo Tomás Casillas, también de la Orden de Predicadores, en 1568, fray Domingo fue presentado para sucederlo, pero murió sin ser confirmado. Escribió *Vocabulario de la lengua de los indios de Chiapas*.

LARA, JOSÉ MARIANO. Nació y murió probablemente en la ciudad de México (1800-1892). Notable impresor, su taller se hallaba en Palma núm. 4, en la capital del país, donde hacía libros y calendarios, principalmente. En 1839 editó el *Primer Calendario* y en 1843 *Pablo y Virginia*. Fue del dominio público su rivalidad con el también impresor Ignacio Cumplido; cuando éste publicó *El Gallo Pitagórico*, aquél sacó las obras completas de Larra. De Lucas Alamán imprimió *Disertaciones sobre la historia de la República de México* (1844-1849) e *Historia de México* (1849-1852); del ingeniero Antonio García Cubas, *Ironías de la vida* y *Atlas geográfico, estadístico e histórico de la República Mexicana* (1859); y en 1848, en Querétaro, el *Tratado de paz* entre México y Estados Unidos.

LARA, NICOLÁS DE. Nació en Mérida, Yuc., en 1751; murió en la ciudad de México en 1808. Bachiller, estudió además derecho civil y canónico, y llegó a ser prestigioso orador sagrado. En 1733 el obispo de Yucatán, Antonio Caballero y Góngora, lo nombró maestro de sus familiares, lo consagró sacerdote y le confió importantes tareas, entre otras la rectoría del Seminario Conciliar (1780). El siguiente prelado, fray Luis de Piña y Mazo, lo nombró visitador general del Petén y catedrático de prima de teología (1782), pero entró con él en conflicto, por lo cual los alumnos de Lara le promovieron varios motines. Perseguido, se trasladó a México. Tomó el hábito de San Agustín en el noviciado de Chalma (1787) y en el acto de su profesión, el 12 de mayo de 1788, en el templo de San Agustín de Mexico, pletórico de seglares y religiosos, fray Manuel Filiberto presentó una violenta protesta, de tal suerte que Lara hubo de volver a Yucatán para dar una satisfacción al obispo. De regreso a la capital, se dedicó a la oratoria sagrada, fue secretario de la provincia y lector de teología en el Colegio de San Pablo. Escribió: *Devocionario de San Agustín, doctor de la Iglesia* (1789; 2a. ed., 1801), *Elogio del apóstol y evangelista S. Juan, patrono de los escribanos de México* (1814), y muchas alegaciones y defensas jurídicas, de 1785 a 1790, publicadas en hojas sueltas, que fueron muy apreciadas por los letrados de su época.

LARA CASTILLA, ALFONSO. Nació en Torreón, Coah., el 17 de marzo de 1940. Licenciado (1961) en administración de empresas por el Instituto Tecnológico y de Estudios Superiores de Monterrey (ITESM) y doctor en la misma especialidad (1971) por el Instituto Politécnico Nacional, especializado en sicología, sociología y antropología, ha sido profesor e investigador en el ITESM (1963-1969) y director del Centro Internacional Interdisciplinario (1972-1977), del Consejo Nacional de

Educación Profesional (Conalep) y de varias asociaciones de empresarios. En 1988 era ejecutivo en una empresa privada e impartía cursos de capacitación. Ha publicado: *La búsqueda* (1978 y 26 ediciones más), *Mujer, lucha por tu libertad* (1983), *Vive* (1984), *Vuela tu libertad* (1986) y *Vuelve, maestro, vuelve* (1988). Ese último año tenía en prensa: *Cuentos infantiles, La constelación azul, El país de los niños felices, ¡Ola! Conquista tu espacio interior* y *Canta al partir*, este último dedicado a los ancianos. Algunas de sus obras han sido reimpresas en España y Chile.

LARA GALLARDO, ALFONSO DE. Nació en Guadalajara, Jal., en 1922. Pintor autodidacta, expuso por vez primera en forma individual en 1957, y desde entonces otras 27 veces en Guadalajara, Lagos de Moreno, Aguascalientes, Nueva York, Madrid y Amberes; y en muestras colectivas, en 29 ocasiones. De 1961 a 1963 estuvo en España pintando en talleres de reconocidos maestros, haciendo réplicas en los museos Del Prado y Arte Moderno de Madrid, y tomando apuntes en Toledo, Castilla y Galicia, en compañía del acuarelista Robert Gartland. En 1963 fue invitado a impartir clases en la Escuela de Artes Plásticas de la Universidad de Guadalajara, cuya secretaría desempeñó de 1980 a 1983. Ha dejado testimonios pictóricos de sus viajes a Israel (1971), España (1978), la URSS (1979), Bélgica (1986) y el camino de Santiago a través de Francia (1986). En Guadalajara ha realizado pinturas murales y de caballete para los templos del Calvario y de Nuestra Señora del Sagrario, la Casa Jalisco (residencia del gobernador), el Centro de Arte Moderno y la hacienda La Mora. Ha ilustrado libros de poesía, historia, novela, cuento y crónica de fray Asinillo, Juan López, Luis Sandoval Godoy, Ramón Mata, Alfonso de Alba, Enrique González Martínez, José Parres Arias, Guillermo García Oropeza, Agustín Yáñez y Ramón Rubín. Desde 1955 colabora en el diario *El Informador*. Se le han otorgado los premios Jalisco (1959 y 1966) y en Madrid los del Colegio Mayor de Guadalupe, el Mariano Fortuny y el del Salón de Otoño.

LARA PARDO, LUIS. Nació y murió en la ciudad de México (1873-1959). Fue redactor de los diarios capitalinos *El Imparcial* y *El Mundo Ilustrado*, corresponsal en Francia de *Excélsior*, de

1919 a 1921, y jefe de redacción del periódico *La Prensa* de Nueva York. Junto con Alberto Leduc y Carlos Roumagnac, formó el *Diccionario de geografía, historia y biografía mexicanas*, impreso en París, por la casa de Bouret, en 1910. En cierto modo, esta obra es un resumen o compendio del *Diccionario geográfico, histórico y biográfico de los Estados Unidos Mexicanos* de Antonio García Cubas, impreso en México de 1888 a 1891. También son suyas: *De Porfirio Díaz a Francisco Madero* (Nueva York, 1912), *La sucesión presidencal de 1911* (Nueva York, 1912), *Madero (esbozo político)* y *La prostitución en México*.

LARA ZAVALA, HERNÁN. Nació en México, D.F., el 28 de febrero de 1946. Cursó ingeniería industrial y lengua y literatura modernas en la Universidad Nacional Autónoma de México (UNAM), carreras que concluyó en forma simultánea en 1974. Pronto lo dominó el gusto por las letras y abandonó el área técnica. Su tesis de maestría versó sobre *Las novelas intercaladas en "El Quijote"* (1977). Tras un posgrado (1979-1980) en la *University of East-Anglia* de Inglaterra, ha ejercido la docencia y desempeñado puestos administrativos en la Facultad de Filosofía y Letras de la UNAM. Coordina el taller de narrativa del Instituto Nacional de Bellas Artes en Cuernavaca, Mor. Su libro de relatos *De Zitilchén* (1981) obtuvo mención en el Concurso Hispanoamericano de Cuento organizado por la Casa de la Cultura de Campeche (1978). En 1987 apareció su segundo libro de cuentos, *El mismo cielo*. Su narrativa destaca por el estilo directo, sin ser por ello de un lenguaje lacónico o de escasa profundidad.

LARDIZÁBAL Y ELORZA, JUAN ANTONIO. Nació en la villa de Segura, Guipuzcoa, España, en la segunda mitad del siglo XVII; murió en Puebla, Pue., en 1733. En su país fue colegial mayor de San Bartolomé, catedrático de la Universidad de Salamanca y canónigo magistral. En 1722 fue electo obispo de Puebla, y entró a gobernar el 11 de octubre del año siguiente. Erigió el hospicio de misioneros de *Propaganda Fide* (hoy San Aparicio), sostuvo la casa de ejercicios del Colegio del Espíritu Santo y reunió la documentación sobre las virtudes del obispo Palafox, su antecesor, la cual remitió a Roma. Escribió varios pastorales y edictos, y siendo magistral de Salamanca, publicó *Vida y virtudes del P. Gerónimo Dutari, de la Compañía de Jesús* (1720).

LARDIZÁBAL Y URIBE, MANUEL. Nació en la hacienda de San Juan del Molino (Tlax.) en 1739; murió en Madrid en 1820. Estudió en el Colegio de San Ildefonso de México y en la Universidad de Valladolid, España. Sirvió a Fernando VII. Formó parte del grupo que redactó el Nuevo Código Criminal y fue oidor de la Cancillería de Granada y fiscal de la Sala de Alcaldes de la Corte y del Supremo Consejo de Castilla. Se le considera el primer penalista de la América española. En 1782 escribió *Discursos sobre las penas contraídas o las leyes criminales de España*, y poco después, *Discurso preliminar sobre el Fuero Juzgo*.

LARDIZÁBAL Y URIBE, MIGUEL. Nació en la hacienda de San Juan del Molino (Tlax.) en 1744; murió en Pamplona, España, en 1816. Estudió en el Seminario Palafoxiano de Puebla y en 1761 pasó a España e ingresó en la Universidad de Valladolid. Tomó parte en la fijación de límites entre Francia y España, y fue representante de Nueva España en las Cortes de Cádiz, cuya legalidad objetó en 1811, por lo cual fue procesado y condenado a muerte, aunque a la postre se le conmutó esa pena por la de destierro en Inglaterra. Regresó a España en 1814 y tuvo el cargo de ministro universal de Indias.

LARES, TEODOSIO. Nació en Asientos de Ibarra (Ags.), en 1806; murió en la ciudad de México en 1870. En 1847 se aprobó una ley, redactada por él, de represión a la libertad de imprenta. En el gobierno conservador de Miguel Miramón ocupó las carteras de Relaciones Exteriores y de Justicia y Negocios Eclesiásticos, del 18 de agosto al 24 de diciembre de 1860. El 8 de julio de 1863 entró a formar parte de la Junta de Notables que acordó la forma de gobierno monárquico; colaboró en el Poder Ejecutivo, luego en la Regencia del Imperio y, al establecerse éste, ocupó la presidencia del Consejo de Ministros y la cartera de Justicia, e interinamente la de Negocios Eclesiásticos, a partir del 27 de agosto de 1866. Al año siguiente presidió la junta de 35 notables que pidió a Maximiliano que permaneciera en México; se opuso a Bazaine, quien recomendaba la abdicación, y marchó a Querétaro con la intención de tomar personalmente el mando del ejército. A la caída del Imperio estuvo exiliado en La Habana.

LARGONCILLO. *Acacia constricta* Benth. Arbusto de la familia de las leguminosas, de 1 a 6 m de altura, de ramas moreno rojizas, armadas con espinas de 1 a 2.5 cm; hojas compuestas, con foliolos de 2 a 3 mm; flores amarillas y de olor agradable, y fruto de 6 a 12 cm de largo por 3 a 4 mm de ancho, constreñido entre las semillas. Está ampliamente distribuido de Sonora a Tamaulipas y de Zacatecas a Puebla. En las planicies secas y en las laderas de los cerros, forma a menudo espesos matorrales.

LARIOS, DANIEL. Nació en Lagos de Moreno (Jal.), en la segunda mitad del siglo XVIII; murió en Colima, Col., en 1858. En 1857 fue electo diputado al Congreso de la Unión y cobró fama por sus intervenciones parlamentarias en contra del golpe de Estado de Ignacio Comonfort y Félix Zuloaga. De regreso a la capital tapatía, en marzo de 1858, se unió a las fuerzas liberales del general Contreras Medellín, que abandonaron Guadalajara al aceptar la capitulación del general Parrodi. Fue secretario particular del general Santos Degollado y secretario de Gobierno de Colima cuando Contreras Medellín asumió el poder. Larios fue fusilado por órdenes de Miramón y el 1° de julio de 1859 el Congreso local lo declaró Benemérito del Estado.

LARIOS, FELIPE. Nació y murió en la ciudad de México (1817-1875). Se inició con el maestro de capilla Eduardo Campuzano, estudió solfeo y música con Mariano Malpica y armonía, contrapunto y orquestación con José Antonio Gómez. En 1836 formó parte de la Orquesta de la Colegiata de Guadalupe, de la que más tarde fue su director. En 1866, al fundarse el Conservatorio de Música, fue nombrado catedrático de armonía, hasta 1869 en que le sucedió su discípulo Melesio Morales. Escribió un *Método de armonía teórico-práctico*, dos *Misas*, varios responsarios, himnos, salves, oberturas y el vals *El mexicano*, estrenado en 1869 en el Teatro Iturbide.

LARIOS, IGNACIO. Nació en Acatlán de Juárez, Jal., el 11 de junio de 1907; murió en Tacubaya, D.F., el 4 de abril de 1982. Médico cirujano y biólogo por la Universidad Nacional Autónoma de México (UNAM), fue profesor en la Escuela Preparatoria e investigador del Instituto de Biología de la UNAM, socio fundador de la Sociedad Mexicana de Anatomía y médico de los hospitales General y de Tuberculosis de Huipulco. Fundó la Editorial Latinoamericana Larios y un laboratorio de medicamentos. Publicó numerosos estudios científicos sobre parásitos del hombre, del ganado y de las aves acuáticas migratorias, destacando entre ellos *Ciclo evolutivo del Echinostoma revolutum y su parasitismo en el hombre* (1940). Es autor y coautor de varios libros, entre ellos: *Citología e histología vegetales* (1940), *Anatomía humana* (1945), *Tratado elemental de botánica* (1947), *Biología contemporánea y Compendio de fisiología vegetal*. La *Oxford University Press* publicó obras suyas en Gran Bretaña, India, Pakistán y Estados Unidos, sobresaliendo en este país *Select guide to the literature on the flowering plants of Mexico*, con Kaplan y Laugman.

LARIOS, JUAN. Nació en Sayula (Jal.), en 1636; murió en las misiones de Coahuila en 1675. En 1651 ingresó a la Orden de San Francisco; fue predicador en Guadalajara y guardián en Amecueca y Atoyac. En 1673 pasó a la provincia de la Nueva Vizcaya. En 1674 fundó Nuestra Señora de Guadalupe de Nueva Extremadura, el presidio de San Francisco de Coahuila y los pueblos de San Miguel de Luna y San Francisco de Tlaxcala. La primera población casi fue abandonada en virtud de las disputas de jurisdicción entre Nueva Vizcaya, Nuevo León y la Audiencia de Guadalajara, hasta que el general Alonso de León la reconstruyó en 1689 y le cambió su nombre por el de Santiago de Monclova. Larios se opuso a que llegaran a la provincia conquistadores, soldados y vecinos españoles, para evitar que explotaran a los indígenas; puso fin a las encomiendas en Coahuila, y prohibió la caza de los cíbolos. Ha merecido que se le considere como el fundador de Coahuila.

LARIOS TORRES, HERMIÓN. Nació en Lagos de Moreno, Jal., en 1886; murió en la ciudad de México en 1953. Fue mineralogista, petrógrafo y constructor del evaporador solar llamado El Caracol, para la industrialización de las sales del lago de Texcoco. Publicó varios estudios sobre geoquímica.

LARIOS PÉREZ, JOSÉ TRINIDAD. Nació en Teocaltiche, Jal., en 1882; murió en Guadalajara, de la misma entidad, en 1963. Fue consagrado el 11 de mayo de 1906. Ejerció su ministerio en la parroquia de Ocotlán y en la de Mexicalcingo en Guadalajara. El 21 de julio de 1914 lo tomaron preso y lo incomunicaron durante 10 días. Fue profesor en el Seminario (1912) y en varios colegios católicos. Desde 1930 tuvo a su cargo los archivos del arzobispado. Publicó: *Guadalajara de Indias, Cosas neogallegas, Historia de modismos y refranes mexicanos. Origen y filosofía de algunos modismos, proverbios y refranes de uso común en la República Mexicana y en particular en el estado de Jalisco* (1921) y *Breve historia de la Santísima Virgen de Zapopan* (1921).

LARQUE-SAAVEDRA, FRANCISCO A. Nació en Texcoco, Méx., el 7 de marzo de 1948. Biólogo por la Universidad Nacional Autónoma de México, maestro en ciencias por la Escuela Nacional de Agricultura de Chapingo y doctor en fisiología vegetal por la Universidad de Londres, es profesor e investigador universitario, y autor de *El agua en las plantas. Fisiología vegetal experimental* (1980) y *El transplante de maíz y frijol. Una posibilidad para las zonas agrícolas temporaleras* (1981).

LARRAÍNZAR, FEDERICO. Nació en San Cristóbal de las Casas, Chis., en 1835; murió en Berlín, Alemania, en 1898. Sirvió en la diplomacia y fue encargado de negocios de México en Alemania. Escribió *Nociones de derecho jurisdiccional internacional* (1873), *Los consulados* (1874), *Carta sobre los últimos sucesos de Centroamérica y La Revolución de Guatemala.*

LARRAÍNZAR, MANUEL. Nació y murió en San Cristóbal de las Casas, Chis. (1809-1884). Se recibió de abogado en 1832 en el Colegio de San Ildefonso de la ciudad de México. De regreso a su entidad fue magistrado de la Suprema Corte del estado (1834), diputado al Congreso General (1841), senador (1845) y comisionado por Santa Anna para escribir una historia de Texas (enero de 1847). Ingresó al servicio exterior (1852), representando a México en Estados Unidos y, más tarde, en Roma, cerca de la corte pontificia. Suprimida la legación ante la Santa Sede al triunfo de la Revolución de Ayutla, viajó por Italia, Suiza, Alemania, Bélgica, Francia e Inglaterra, hasta el 3 de mayo de 1857, en que regresó a México. Fue presidente del Consejo de Estado (1858), ministro de Justicia y Negocios Eclesiásticos en el gobierno conservador de Miguel Miramón (14 de febrero al 6 de junio de 1859), y procurador general de Justicia. Al triunfo de los liberales, en 1861, permaneció oculto, y a partir de 1863 sirvió a la Intervención Francesa y al Imperio. Fue miembro de la Junta de Notables, magistrado del Tribunal Supremo, consejero de Estado y enviado extraordinario y ministro plenipotenciario en Rusia, Dinamarca y Suecia. Defendió brillantemente los derechos del país respecto del distrito del Soconusco, incorporado a México por decreto del 11 de septiembre de 1841, y se opuso a la apertura de un canal interoceánico en el istmo de Tehuantepec. Es autor de: *Biografía de fray Bartolomé de las Casas* (1837), *Noticia histórica sobre el Soconusco y su incorporación a la República Mexicana, la cuestión de Tehuantepec* (1852), *Informe presentado a la Sociedad de Geografía y Estadística sobre la obra del abate Bourbourg, intitulada...* (1875-1878), *Algunas ideas sobre la historia y sobre la manera de escribir la de México, sobre todo la contemporánea desde la declaración de la Independencia en 1821 hasta nuestros días, Chiapas y Soconusco, con motivo de la cuestión de límites entre México y Guatemala* (1843), *Vía de comunicación interoceánica por el istmo de Tehuantepec* (1877) y, su obra principal en seis volúmenes, *Estudios sobre la historia de América, sus ruinas y sus antigüedades, comparadas con lo más notable que se conoce del otro continente, en los tiempos más remotos, y sobre el origen de sus habitantes.*

LARRAÍNZAR, MARÍA ERNESTINA. Nació en Roma, Italia, en 1854; murió en la ciudad de México en 1925. Hija del licenciado Manuel Larraínzar. En 1868 llegó al país y en 1885 fundó la congregación Hijas del Calvario, que recibió aprobación laudatoria en 1891, la definitiva en 1909 y la revisión de las autoridades del país en 1924. Este instituto cuenta con 58 casas: 15 en México, cinco en Cuba, siete en España, 23 en Italia, una en Jerusalén, y siete en Rodesia, con un total de 510 religiosas. La primera fundación se hizo en la Villa de Guadalupe, en 1891; la segunda en Toluca, en 1892; en 1893 la de Oaxaca, y en 1895 la de Jalapa; en 1900 la de Roma; hacia 1924 las de Cuba, España e Italia; y antes, en 1921, la de Jerusalén. En colaboración con su hermana Enriqueta, María Ernestina Larraínzar escribió: *Horas serias en la vida* (1879), *Misterios del corazón* (1881), *Sonrisas y lágrimas* (1883) y *Viajes a varias partes de Europa* (1880-1885).

LARRALDE, ELSA. Contemporánea. Fue organizadora, directora y actriz del Teatro de Monterrey. Trabajó como directora técnica de la compañía de Alla Nazimova y de Romney Brent. En 1938 publicó su ensayo "Teatro mexicano vs. teatro internacional", en *Letras de México* (núm. 26). Ha escrito innumerables guiones para comedias musicales y, en colaboración con Romney Brent, la obra teatral *La austriaca*. Tradujo *La familia Barret* de Rudolf Besier y *La noche en Taos* de Maxwell Anderson. Sus dramas originales son *La corregidora* y *Mañana será otro día*.

LARRAÑAGA, BRUNO FRANCISCO. Nació en Zacatecas (Zac.); murió en la misma ciudad en 1816. Fue secretario de Antonio Macaruya Minguilla de Aguilanin, obispo de la Nueva Vizcaya (hoy Durango) y tesorero mayor de la ciudad de México. Dejó escrito: *La América socorrida en el gobierno del Exmo. Sr. virrey conde de Gálvez* (1786), *Prospecto de una Eneida apostólica* (1788), *Apología de la Margileida y su prospecto y satisfacción de las notas de la Gaceta de Literatura* (1789) y *Poema heroico en celebridad de la colocación de la estatua ecuestre colosal de bronce de Carlos IV en la plaza de México* (1804).

LARREY RITZINGER, TEODORO. Nació en Charcas, S.L.P., en 1871; murió en la ciudad de México en 1954. En 1888 se inició como trabajador ferrocarrilero; el 28 de agosto de 1900 fundó en Puebla la Unión de Mecánicos Mexicana, antecedente de la Gran Liga de Empleados de Ferrocarriles, de la Alianza de Ferrocarrileros Mexicanos, de la Federación de Sociedades Gremiales Ferrocarrileras y del actual Sindicato de Trabajadores Ferrocarrileros. En agosto de 1950, al cumplirse el quincuagésimo aniversario de la Unión, se develó en la ciudad de Puebla un monumento a su memoria.

LARROSA, VERA. Nació en México, D.F., el 8 de diciembre de 1956. Bailarina, actriz y poetisa, trabajó en múltiples escenificaciones universitarias y en *Lástima que sea puta* de John Ford, *Las amargas lágrimas de Petra von Kant* de Fassbinder y *Tamara* de John Krizancy y Richard Rose. Fundó la academia de danza Jitanjáfora. Uno de sus poemas está incluido en *Asamblea de poetas jóvenes de México* (1980).

LARROYO, FRANCISCO (Francisco Luna Arroyo). Nació en México, D.F., en 1912; murió en la misma ciudad el 10 de junio de 1981. Profesor normalista (1930), maestro en filosofía (1934) y en pedagogía (1935) y doctor en esta disciplina (1936) por la Universidad Nacional Autónoma de México (UNAM), enseñó materias de su especialidad desde 1934 hasta 1978. Entre otros cargos académicos, fue coordinador de los institutos de Humanidades (1942), director de la Facultad de Filosofía y Letras (1958-1966), y presidente de la comisión docente del Consejo Universitario de la UNAM (1958-1964); director del Instituto Nacional de Pedagogía (1945-1948) y de Enseñanza Normal de la Secretaría de Educación Pública (1946-1948), y presidente de la Comisión Nacional de Libros de Texto Gratuitos (1948-1956). De 1963 a 1968 presidió la Federación Internacional de las Sociedades de Filosofía, cuya presidencia honoraria desempeñó desde entonces hasta su muerte. En 1934 publicó *Los principios de la ética social*, primer libro que ofreció un fundamento neokantiano de la moral, y en 1937 fundó el Círculo de Amigos de la Filosofía Crítica, junto con Guillermo Héctor Rodríguez, Miguel Bueno, Juan Manuel Terán y Edmundo Escobar (v. FILOSOFÍA), y la *Gaceta Filosófica de los Neokantianos*. En 1948 fue delegado de México a la conferencia general de la Organización de las Naciones Unidas para la Educación, la Ciencia y la Cultura en París. Escribió además: *La filosofía del los valores* (1936), *El mundo del socialismo* (1937), *El romanticismo filosófico* (1941), *Teoría y práctica de la escuela de bachilleres* (con Miguel A. Cevallos, 1942), *Historia de la filosofía en Norteamérica* (1946), *Historia comparada de la educación en México* (1947), *El existencialismo. Sus fuentes y direcciones* (1951),

Historia general de la pedagogía: especial consideración de Iberoamérica (1953), *La lógica de las ciencias* (1956), *Lecciones de lógica y ética* (1957), *Vida y profesión del pedagogo* (1958), *la filosofía americana. Su razón y sinrazón de ser* (1958), *Pedagogía de la enseñanza superior* (1959), *Tipos históricos de filosofar en América* (1959), *La filosofía de la educación en Latinoamérica* (1961), *La antropología concreta* (1963), *Psicología integral* (1964), *Fundamentos de la educación* (en colaboración, 1966), *Historia de las doctrinas filosóficas en Latinoamérica* (1968), *El positivismo lógico. Pro y contra* (1968), *Sistema e historia de las doctrinas filosóficas* (con Edmundo Escobar, 1968), *Didáctica general contemporánea* (1970), *Lógica y metodología de las ciencias: exposición programada* (con Alfonso Juárez, 1972), *Sistema de la filosofía de la educación* (con Edmundo Escobar, 1973), *Filosofía de las matemáticas* (1976), *La filosofía Iberoamericana* (1977) y *Diccionario Porrúa de pedagogía y ciencias de la educación* (1982).

Asimismo, hizo la introducción, el prólogo y las notas a muchas obras, entre ellas: *Metafísica y Tratado de lógica* de Aristóteles (1969), *Novum organum* de Francis Bacon (1975), *La filosofía positiva* de Augusto Comte (1979), *Discurso del método* de René Descartes (1971), *Enciclopedia de las ciencias filosóficas* de Hegel (1971), *Teoría del conocimiento* de Juan Hessen (1980), *Diálogos* de Platón (1975), *Tratado de la naturaleza humana* de David Hume (1977), *Crítica de la razón pura* (1972), *Fundamentación de la metafísica de las costumbres* (1972) y *Prolegómenos a toda metafísica del porvenir* de Emmanuel Kant (1973), *Obras completas* de Samuel Ramos (1975), *Temas y sugerencias pedagógicas* de Juvencio López Vázquez (1977) y *Ética* de Benedicto Spinosa (1977). Es también autor de la traducción de obras de temas filosóficos y científicos. Algunas de sus publicaciones habían alcanzado hasta 20 ediciones en 1988.

LARTIGUE, AURELIO. Nació en Galeana, N.L., el 27 de julio de 1858; murió en Monterrey, de la misma entidad, el 10 de julio de 1937. Ocupó diversos empleos oficiales y fue diputado local en 1899. Publicó poemas en *La Defensa* y *El Pueblo.* Es autor de *Biografía del general Bernardo Reyes* (1901) y *Observaciones y enmiendas a la geografía y estadística del estado de Nuevo León de Alfonso L. Velasco.*

LASCURÁIN, ROMÁN S. DE. Nació en Veracruz, Ver., hacia 1826; murió en la ciudad de México después de 1888. Hizo sus estudios en Alemania y Estados Unidos. En 1876 fue regidor del Ayuntamiento de la capital del país, cargo que volvió a ocupar en 1883 y 1884; en 1887, al segregarse la Beneficencia Pública del Ayuntamiento, Lascuráin encabezó la comisión rectora de esa institución, a la vez que dirigía el Hospicio de Pobres, hasta que la Secretaría de Gobernación se hizo cargo de ambos establecimientos. Fue también director de la Escuela de Artes y Oficios para Mujeres y de la Escuela de Bellas Artes, y diputado federal en 1888 por el estado de Campeche.

LASCURÁIN DE RETANA, PEDRO BAUTISTA. Nació en Mendaró, Guipuzcoa, España, en 1674; murió en el estado de Guanajuato en 1744. En Nueva España se dedicó con éxito a la minería. En 1728 se trasladó a Valle de Santiago y adquirió las haciendas de Parangueo, Quiriceo, Cerritos y La Iglesia. Fundó, con sus recursos, varias misiones religiosas de jesuitas y el Colegio de la Purísima, antecesor del Colegio del Estado de Guanajuato.

LASCURÁIN PAREDES, PEDRO. Nació y murió en la ciudad de México (1856-1952). En 1880 se tituló de abogado; en 1910, al triunfo de la Revolución, fue síndico y presidente del Ayuntamiento de la capital del país, y dos veces secretario de Relaciones Exteriores en el gobierno de Francisco I. Madero: del 10 de abril al 4 de diciembre de 1912, y del 15 de enero al 18 de febrero de 1913. En este último día, Victoriano Huerta y Félix Díaz firmaron el Pacto de la Ciudadela, según el cual el primero asumiría el Poder Ejecutivo. El día 14 renunciaron Madero y Pino Suárez, y para cubrir los trámites legales, se confirió el cargo de presidente al licenciado Pedro Lascuráin. Éste duró en el poder sólo 45 minutos, tiempo suficiente para rendir la protesta, nombrar secretario de Gobernación a Huerta y renunciar en seguida. Fue catedrático y director de la Escuela Libre de Derecho, y autor de tratados sobre derecho civil y mercantil.

LAS FLORES. Sitio arqueológico localizado en Colonia de las Flores, en Tampico, Tamps. Fue explorado bajo los auspicios del Instituto Nacional de Antropología e Historia y el Museo Americano de Historia Natural de Nueva York, en 1941-1942, por los arqueólogos G.F. Ekholm y W. Du Solier. El montículo principal encierra un monumento redondo con una serie de estructuras superpuestas con núcleo de tierra y cubiertas con estuco de cal. Tiene 11 escaleras superpuestas, casi todas limitadas por alfardas. Las primeras estructuras sostuvieron un adoratorio redondo y la última uno cuadrangular con un pórtico de tres accesos.

LASSAGA, JUAN LUCAS DE. Murió en 1786. Dueño de minas en Mazapil (Zac.), promovió la creación del Real Tribunal de Minería (1777) y de la escuela que no llegó a fundarse sino hasta 1792, después de su muerte. V. INGENIERÍA y MINERÍA.

LASTRA, ENA. Nació en Zapata, Tab., el 21 de febrero de 1948. Estudió letras hispánicas en la Universidad Nacional Autónoma de México. En 1987 era miembro del consejo de redacción de la revista *Cartapacios*. Ha colaborado en las publicaciones *Casa del Tiempo* y *Punto*. Su primer libro de poemas es *Fabulaciones* (1986).

LASUÉN, FERMÍN FRANCISCO DE. Nació en Vitoria, España, el 7 de junio de 1736; murió en la misión de San Carlos Borromeo, en Carmel, California, el 26 de junio de 1803. Viajó a Veracruz en 1759; entró en el Colegio de San Fernando en la ciudad de México y fue ordenado sacerdote en 1761. De 1762 a 1767 sirvió en las misiones de la sierra Gorda, y luego en la de San Francisco de Borja hasta 1773, año en que fue invitado por Francisco Palou a trabajar en la Alta California. El padre Lasuén llegó a San Diego el 30 de agosto de 1773. Sirvió en la misión de San Gabriel de octubre de 1773 a junio de 1775. De allí viajó a Monterrey, donde fue capellán personal de Fernando Rivera y Moncada, gobernador de la Alta California. En agosto de 1775, Junípero Serra nombró a Lasuén misionero encargado de establecer, con la ayuda de Gregorio Amurrio, una nueva conversión en San Juan Capistrano. El 30 de octubre de ese año Lasuén empezó la obra, pero tuvo que abandonar el proyecto porque fue enviado a San Diego para sustituir a fray Luis Jayme, quien había sido asesinado por los indios de esa región. Lasuén sirvió en San Diego hasta el 11 de octubre de 1785, en que fue nombrado padre presidente de las misiones de la Alta California, a la muerte de Junípero Serra. Durante 18 años trabajó fuera de la misión de San Carlos, en Monterrey, para continuar con la tradición de Serra. Lasuén logró fundar otras nueve misiones, puso en marcha programas de agricultura y educación para los indios, y dirigió la reconstrucción de los primitivos nueve centros de conversión.

LATAPÍ, EUGENIO. Nació en Texcoco, Méx., el 18 de julio de 1868; murió en México, D.F., el 21 de noviembre de 1944. Médico cirujano (1893) por la Escuela Nacional de Medicina, se especializó en dermatología en los hospitales de la Rochefoucauld de San Luis y Broca, en París. A su regreso, instaló su consultorio particular en la calle de San Felipe Neri núm. 106, donde adquirió fama y prestigio. En 1898 se le nombró profesor de fisiología, de medicina doméstica y de higiene escolar en la Escuela Normal, donde al correr de los años impartió la cátedra de antropología pedagógica y fundó la Inspección Médica Escolar y más tarde las policlínicas escolares. En 1903 enseñaba acústica en el Conservatorio Nacional de Música. De 1904 a 1910 fue miembro del Consejo Superior de Educación Pública y al él se debe la creación, en 1905, de la cédula sanitaria, antecedente de la tarjeta de salud. Se preocupó especialmente por la higiene escolar; entre sus contribuciones en este campo sobresalen sus trabajos *Desviaciones del raquis observadas en los niños de nuestras escuelas*, *Observaciones antropométricas tomadas en la Escuela Normal* y *Medios de evitar el contagio de los niños que asisten a la escuela*. En 1925 fundó una policlínica para evitar la diseminación de las enfermedades trasmisibles entre los escolares. Ese mismo año empezó a enseñar dermatología en la Facultad de Graduados de la Universidad de México, y desde 1936 fue presidente honorario de la Sociedad Mexicana de Dermatología. En 1954 se inauguró la Policlínica Escolar Dr. Eugenio Latapí, en la calle de Guatemala núm. 62 de la ciudad de México, como un justo homenaje a su memoria.

LATAPÍ, FERNANDO. Nació en México, D.F., el 11 de octubre de 1902. Se graduó de médico cirujano (1928) y de higienista y dermatólogo (1930) en la Universidad Nacional Autónoma de México (UNAM). En 1932 fundó la Escuela Dermatológica Mexicana, cuyo ideario comprende: tendencia a la medicina integral, menos exámenes innecesarios, más atención a los problemas sicosomáticos, menos dietas y medicamentos agresivos, atención especial a las enfermedades médico-sociales como la lepra, la tuberculosis, la sífilis, las micosis y los tumores de la piel y espíritu abierto a las aportaciones de todo el mundo. En 1936 participó en la constitución de la Sociedad Mexicana de Dermatología, de la cual es secretario perpetuo, y desde 1937 es director del Centro Dermatológico Pascua, fundado por él y sostenido por la Secretaría de Salud y la Asociación Mexicana Contra la Lepra. Ha sido, además, jefe del Servicio de Dermatología del Hospital General (1947-1972) y jefe de clínica de éste (1939-1973); consejero (1972-1973) y profesor titular de dermatología de la Facultad de Medicina de la UNAM (1940-1972), fundador y presidente de la Asociación Mexicana de Acción Contra la Lepra (1948), presidente del Tercer Congreso Ibero-Latinoamericano de Dermatología (México, 1956), jefe del Programa para el Control de las Enfermedades Crónicas de la Piel (1960-1962) y presidente del Primer Congreso Mexicano de Dermatología (1961), del XI Congreso Internacional de Lepra (1977). Ha enseñado materias de su especialidad en el Instituto Politécnico Nacional, el Instituto de Seguridad y Servicios Sociales de los Trabajadores del Estado, el Instituto Mexicano del Seguro Social (IMSS), el Hospital Militar y en varias instituciones privadas. Ha puesto en práctica nuevos procedimientos y técnicas para curar el mal del pinto y la lepra, restituyendo al enfermo a la sociedad de la cual se encontraba segregado (v. LEPRA). Ha escrito más de 500 trabajos, entre los que sobresalen: "Manifestaciones tempranas de la lepra" (1939), "Sobre lesiones iniciales del mal del pinto" (1940), "Lepra lazarina en México" (1948), "La lepra manchada de Lucio" (1948), "Lepromatosis difusa. Aspectos clínicos e histopatológicos" (1956), "La lepra ayer y hoy" (1958), "Programas para el control de las enfermedades crónicas de la piel (lepra)", en *Salud Pública de México* (1960); "La lepra en México. Epidemiología y programa actual de control" (1964) y "Diagnóstico del primer caso de Coccidioidomicosis en México". Ha escrito, además: *Estudios*

epidemiológicos y clínicos sobre los micetomas en México (1961); el capítulo sobre "Micetomas" en el *Handbuch der Haut und Geschlechts-krankheiten* de Alemania (1962); "Lepra. Breve información para el médico general", en *Dermatología clínica* de J.L. Cortés (1962); e "Historia de la dermatología en México", en *Libro conmemorativo del Primer Centenario de la Academia Nacional de Medicina* (t. II, 1964). En 1972 recibió el premio *Summa cum laude* por sus 25 años de servicio en el IMSS. En 1988, ya retirado de las actividades académicas, atendía en su consultorio y clínica particulares. Murió el 28 de octubre de 1989.

LATAPÍ SARRE, PABLO. Nació en México, D.F., el 19 de abril de 1927. Licenciado en humanidades (1947) por el Instituto Libre de Estudios Superiores, maestro en filosofía (1951), por el *Ysleta College* de El Paso, Texas, y en teología (1957) por el Instituto Libre de Filosofía, y doctor por las universidades de Hamburgo (1959) y Munich (1963). Fundó el Centro de Estudios Educativos (1963) y ha desempeñado puestos en instituciones nacionales e internacionales. Fue miembro de la Junta Directiva de la Universidad Autónoma Metropolitana y de la Comisión del Gobierno de México ante la Organización de las Naciones Unidas para la Educación, la Ciencia y la Cultura, y coordinador de asesores del secretario de Educación Pública (1978-1982). Es autor de 20 folletos publicados por la Comunidad Económica Europea y de los siguientes libros: *La educación en el desarrollo económico nacional* (1964), *Diagnóstico educativo nacional* (1964), *Educación nacional y opinión pública* (1967), *La educación en México* (1968), *Estudio de los colegios de la Compañía de Jesús en México* (1968), *Mitos y verdades de la educación mexicana* (1973), *Política educativa y valores nacionales* (1979) y *Análisis de un sexenio de la educación en México* (1980), y de algunos otros trabajos realizados en colaboración. Ha publicado numerosos artículos en revistas especializadas de México y el extranjero, en el periódico *Excélsior* y en la revista *Proceso*.

LATIFUNDISMO. V. HACIENDAS.

LATRILLE, CARLOS FERNANDO (Conde de Lorencez). Nació en París en 1814; murió en Loos, Bas Pirinées, Francia, en 1892. Egresado de la Academia Militar de Saint Cyr, participó en la Guerra de Crimea (1853-1856), donde obtuvo el grado de general de brigada. Llegó a México al mando del cuerpo expedicionario francés que formó parte de la expedición tripartita de enero de 1862 y que invadió el país cuando las fuerzas españolas e inglesas rompieron aquella alianza (v. INTERVENCIÓN FRANCESA E IMPERIO). Lorencez comandó 5 550 soldados franceses y unos 2 mil mexicanos que se le unieron. Su campaña militar fue muy breve: tras de una escaramuza en El Fortín (19 de abril) y de arrollar a las tropas del general Ignacio Zaragoza en Acultzingo (28 de abril), fue derrotado en Puebla (5 de mayo) por 4 800 hombres al mando de aquel general. Al no poder tomar esa plaza, quiso volver a Veracruz, pero se detuvo en Orizaba, donde sorprendió a la división del general Jesús González Ortega (cerro Del Borrego, 14 de junio), logrando frustrar el cerco que Zaragoza intentaba ponerle. Suplido en el mando por el general Elías Federico Forey, Lorencez regresó a Francia el 21 de septiembre. Más tarde tomó parte en la Guerra Franco-Prusiana (1870-1871), siendo apresado en Metz, ciudad que capituló el 27 de octubre de 1870 ante el conde Helmuth von Molke, jefe de los ejércitos germanos, que le puso sitio. Internado con otros prisioneros en Alemania, volvió a su país en 1872.

LATROBE, CHARLES JOSEPH. Viajero inglés (1801-1875), es autor de *The rambler in Mexico* (El vago en México), publicado en Nueva York en 1836, en cuyas páginas llama a la capital Ciudad de los Palacios, frase atribuida, erróneamente, a Alejandro de Humboldt.

LAUBSCHER, ENRIQUE. Nació en Wachenheim, Baviera, Alemania, el 28 de agosto de 1837; murió en la ciudad de México el 6 de noviembre de 1890. Se graduó de profesor en la Escuela Normal de Kaiserslautern, bajo la dirección de Federico Froebel. No se conocen con precisión las circunstancias en que pasó a México. El 3 de octubre de 1871 contrajo matrimonio con Guadalupe Tenorio en Santiago Tuxtla, Ver. Se sabe que estuvo en Sihuapan, en una colonia alemana dedicada al cultivo del tabaco. En 1879 colaboraba en las escuelas Esperanza y San Jerónimo, en Santiago, y empezaba a escribir en *La Enseñanza Objetiva* de Veracruz. En 1890 aparecieron sus obras *La*

hoja de doblar de Froebel, editada por Matías Rebolledo en su imprenta de Coatepec, y *Guía del maestro de aritmética para los pequeños, según el sistema Duncker*. En 1881, Laubscher se mudó a Alvarado y se hizo cargo de la primaria superior: implantó el fonetismo, enseñó simultáneamente la lectura y la escritura, utilizó objetos en las clases de aritmética, acabó con el aprendizaje de memoria y creó un grupo de jardín de niños, el primero en el país. Estas experiencias las conoció el gobernador Apolinar Castillo, quien pidió a Laubscher que organizara en Orizaba la Escuela Modelo, inaugurada el 5 de febrero de 1883. Ese año, Laubscher fundó la revista pedagógica *El Maestro de Escuela*, y en 1885 asumió la dirección de la Academia Normal (para maestros), donde colaboró con él Enrique C. Rébsamen. De estas publicaciones y planteles irradiaron a todo el país los métodos modernos de enseñanza. A solicitud de las autoridades, Laubscher intervino en el proyecto para crear la Escuela Normal de México y dirigió la Escuela Práctica anexa a ésta, y estuvo en Jalisco y en Chihuahua desempeñando tareas de organización educativa. De su vasta obra escrita sobresalen: *El noveno don de Froebel*, *Geometría práctica*, *Heurística prosaica*, *Geografía*, *El por qué y el porque* (ciencias naturales), *Curso de moral* y *Escribe y lee*; y sus traducciones de *El primer año del idioma francés* de A.F. Louvier, *Inglés* y *Un libro de lectura* de Alberto Haesters.

Fuente: Ángel J. Hermida Ruiz: "Maestro Enrique Laubscher", en *Diario Xalapa* (5 de febrero de 1983).

LAUCHLIN, ROBERT MUODY. Nació en Princeton, Nueva Jersey, EUA, en 1934. Maestro en artes (1959) y doctor en filosofía y letras (1963) por la Universidad de Harvard, y conservador asociado del área de etnología mesoamericana en la Institución Smithsoniana de Washington (1962), es autor de "El símbolo de la flor en la religión de Zinacantán", en *Estudios de cultura maya* (1962); "Oficio de tinieblas: cómo el zinanteco adivina sus sueños", en *Los zinacantecos* (1966); y *"The tzotzil"*, en *Handbook of Middle American Indians* (1969).

LAUD, CÓDICE. Se conserva en la Biblioteca Bodleiana de la Universidad de Oxford, Inglaterra (B.65 Mr. Laud Misc. 678, Cat. M. Angl.

546). Perteneció a William Laud, arzobispo de Canterbury (1573-1645). Se supone que se lo obsequió el rey Carlos I, cuando éste visitó España como príncipe de Gales. Es posthispánico, quizá de la región cholulteca, de la Mixtequilla (cultura Puebla-Tlaxcala) o de los olmecas antiguos. C.A. Burland le atribuye parentesco cuicateco o zapoteco, y señala la gran semejanza que tiene con los códices *Vaticano B. 3373* y *Borgia*. Su carácter es astronómico-calendárico y mitológico. Tiene forma de biombo y está pintado sobre piel de venado (396 × 16.5 cm). Es un *tonalámatl* que registra en sus cuadretes o secciones la cuenta de los días; o un *tonalpohualli* en relación con funciones rituales. Es de hermoso colorido, cálido y brillante. Lo han publicado lord Kingsborough, defectuosamente; Carlos Martínez Marín: *Códice Laud* (1961), en blanco y negro; C.A. Burland: *True color facsimile-edition of M.S. Laud Misc. 678 of the Bodleian Library. Oxford. Introduction by...* (Graz, Austria, 1964); y José Corona Núñez: *Antigüedades de México* (t. III, 1964).

LAUREL, BARTOLOMÉ. Nació en la ciudad de México en la segunda mitad del siglo XVI; murió en Nagasaki, Japón, en 1627. Tomó el hábito de San Francisco, pasó a las misiones de Filipinas y en 1618 a Japón, siguiendo el ejemplo de Felipe de Jesús. Fue martirizado y muerto en Nagasaki en 1627. El 17 de agosto de 1867 lo beatificó el papa Pío IX. En el templo denominado San José *El Ranchito*, en Toluca, se conserva un óleo del pintor N. Dictarelli, llevado de Italia, que representa a los beatos Bartolomé Laurel y Bartolomé Gutiérrez (sacerdote agustino) a los lados de San Felipe de Jesús. La glorificación de los tres mártires mexicanos en el Lejano Oriente se indica con un hacha, una tea y un alfanje.

LAUREL ROSA. *Nerium oleander* L. Arbusto o árbol pequeño, perenne, de la familia de las apocináceas, ampliamente cultivado como planta de ornato. Las hojas son opuestas o se hallan en verticilios de tres, bastante gruesas, coriáceas y de bordes lisos. Las flores se hallan dispuestas en vistosas cimas terminales; la corola tiene forma de embudo y posee cinco lóbulos ligeramente torcidos hacia la derecha. Hay variedades simples y dobles y de color blanco, rojo, rosado o púrpura. Es originario del sur de Europa y del norte de África.

Se le cultiva en regiones tropicales y subtropicales, y posee un látex lechoso altamente venenoso.

LAURENCIO, JUAN FLORENCIO. Nació en Paracuellos, España, en 1562; murió en México en 1623. En 1577 ingresó a la Compañía de Jesús y en 1588 llegó al país; en 1622 fue rector de la Casa Profesa y en 1609, en compañía de González de Herrera, tomó parte en la pacificación de los negros, ordenada por el virrey Luis de Velasco, hijo.

LAVALLE GARCÍA, ARMANDO. Nació en Ocotlán, Jal. Estudió con Silvestre Revueltas, Miguel Bernal Jiménez y Rodolfo Halffter. Ha sido subdirector y luego titular de la Sinfónica de Xalapa, catedrático de la Universidad Veracruzana (UV), subdirector de las sinfónicas del Instituto Politécnico Nacional y del Estado de México. En calidad de director invitado, en 1973 llevó en gira a la Sinfónica Nacional por el sureste del país y por Guatemala. En 1979 fue distinguido con el Águila de Tlatelolco por su labor como compositor y su aportación a la cultura. Fundó el Centro de Creación Musical en la UV, y ha sido catedrático en la Escuela Superior de Música. Ha compuesto música de cámara, sinfónica, coral y para ballet. Es autor de: el poema *Mi viaje* (1950); del *Adagio para cuerdas* (1956); tres ballets (1957, 1958 y 1959); los conciertos para viola (1966) y para clarinete (1976); del *Homenaje a Silvestre Revueltas* (1979); la *Suite latinoamericana* (1979); tres cuartetos de cuerdas (1977, 1978, 1981); del concierto para tuba y guitarra (1982), y numerosas obras para guitarra, voz, coro y orquesta.

LAVALLE URBINA, MARÍA. Nació en Campeche, Camp., en 1908; murió el 23 de abril de 1996. Profesora por la Escuela Normal de Campeche y licenciada por la Escuela de Leyes del Instituto Superior de Campeche, dirigió una primaria en su ciudad natal y en 1945 se mudó a la capital. Ha sido magistrada en el Tribunal Superior de Justicia del Distrito y Territorios Federales (1947-1963), jefa del Departamento de Prevención Social de la Secretaría de Gobernación (1954-1964), presidenta de la Alianza de Mujeres de México (desde 1954), representante de México ante la Comisión de la Condición Jurídica y Social de la Mujer de la Organización de las

Naciones Unidas (ONU, 1957-1968), presidenta de la Academia Mexicana de la Educación (1958-1959) y de la Asociación Nacional de Abogados (1960); senadora de la República (1964-1970) y presidenta de la Cámara Alta (diciembre de 1965), cargo que ocupó por vez primera una mujer en México; directora nacional juvenil del Comité Ejecutivo Nacional del Partido Revolucionario Institucional (1965-1971), directora del Registro Civil (1970-1976), subsecretaria de enseñanza básica de la Secretaría de Educación Pública (1976-1980) y asesora en esta dependencia. Es autora de *Delincuencia infantil* (1945), *Delincuencia de los menores* (1949) y *Situación jurídica de la mujer mexicana* (1953). En 1963 fue declarada Mujer del Año. Representó a México en unas cuarenta reuniones internacionales, y recibió varias distinciones, entre ellas el premio de la ONU por servicios eminentes prestados a la causa de los derechos humanos (único galardón otorgado a una mujer hasta diciembre de 1973) y la Medalla Belisario Domínguez (1985). Murió en 1996.

LAVA PLATO. *Solanum diversifolium* Schlecht. Arbusto de la familia de las solanáceas, de 1 a 3 m de altura, con ramas cubiertas por numerosos pelos estrellados y a veces algunas espinas cortas; las hojas ovado-oblongas o ampliamente ovadas, de 18 cm de largo como máximo, agudas u obtusas, de bordes sinuado-lobados y a veces enteros. Las inflorescencias son cimas con pocas o numerosas flores blancas o azulosas de 12 a 16 mm. El fruto mide de 1 a 1.5 cm de diámetro. Se distribuye en Baja California, de Sinaloa a Tamaulipas y en Veracruz y Oaxaca, principalmente.

LAVAT, JUAN. Nació en la hacienda de Cedros, S.L.P. en 1857; murió en Guadalajara, Jal., en 1911. Estudió en las escuelas nacionales Preparatoria y de Jurisprudencia. La muerte de su padre lo obligó a cortar su carrera de abogado. En 1883 financió a Victoriano Agüeros en la fundación del diario *El Tiempo*. En Guadalajara fue secretario del gobernador Luis C. Curiel, director de la Escuela de Artes y Oficios, subdirector del Liceo de Varones y profesor de sicología, castellano, literatura, francés y teneduría de libros. Fue un ameno conversador. Escribió *Natalia* (1892).

LAVEAGA, GERARDO. Nació en México, D.F., el 5 de febrero de 1963. Estudió en la Escuela Libre de Derecho, donde dirigió la revista *Pandecta*. Coordinó la antología *Juventud en la paz* (1986). Ha publicado las novelas *La fuente de la eterna juventud* (1985) y *Valeria* (1987), y el drama en tres actos *Los hombres que no querían redención* (1987).

LA VENTA (Tab.). Zona arqueológica situada entre el río Tonalá y su afluente el Blasillo, en lo que fue una isla, en el norte del estado de Tabasco. En la actualidad, el lugar está rodeado por un pantano. La exploración principal de este sitio la realizó el norteamericano Matthew W. Stirling en 1939-1940. Hay allí vestigios de dos culturas con diferente grado de desarrollo: la aldeana (de 1400 a 1200 a.C.), que fue un complejo cultural neolítico, y la correspondiente al primer Estado mesoamericano (de 1200 a 400 a.C.), que se extendió por la costa tabasqueña y penetró al centro, sur y sureste de Mesoamérica. En la zona se han encontrado monolitos: altares labrados en grandes bloques rectangulares, que representan individuos o deidades saliendo de las fauces del monstruo de la tierra, llevando niños en sus brazos; cabezas colosales, cuya interpretación ha sido muy discutida, pues hay quienes aseguran que se trata de *chaneques* (espíritus de las aguas), mientras otros sostienen que son jugadores de pelota sobresalientes, decapitados por algún motivo. La talla de estas piezas es excelente y reproduce el tipo físico de los nativos de la región. Se han hallado también estelas monumentales y tumbas formadas por columnas basálticas megalíticas. Abundan las ofrendas a las deidades subterráneas: mosaicos de piedras verdosas que formaban pisos enteros, figuras enigmáticas, o una o 12 hachas de piedra verde colocadas en forma de cruz, con dibujos esgrafiados. De la tumba megalítica más grande salieron restos de una pareja joven y dos esculturillas de piedra: una representa a una mujer con un espejo pequeño colgado del cuello, y la otra a un sacerdote emasculado, rapado y con deformación craneana. Característica de la arquitectura de La Venta es la construcción de grandes plataformas de adobe, en las que se levantaron habitaciones, templos y otros edificios, por lo cual Stirling habló de "acrópolis". Otro detalle, único en Mesoamérica, fue la costumbre olmeca de ocultar pisos de tierra de colores en el interior de los basamentos, a manera de ofrendas a los dioses de la Tierra. Lo más frecuente en la escultura fue la figura humana, pero también los rasgos felinos y las representaciones de serpientes y de otros animales, entre ellos el murciélago-vampiro. Es notable la Estela 19, en la que aparece un sacerdote con una bolsa de copal para propiciar a las deidades, envuelto por una figura serpentina con crótalos. Esta imagen debió tener un profundo sentido mágico religioso, pues se mantuvo hasta el momento de la Conquista española, por ejemplo en la lámina 17 (trecena *Ce Atl*) del *tonalámatl* del *Códice borbónico*. En las abundantes figurillas de jadeíta y serpentina de La Venta, se revela que sólo alcanzaban la dignidad del sacerdocio quienes pasaban las pruebas físicas de la emasculación, la deformación craneal tubular erecta y la depilación del cuerpo incluyendo la cabeza. V. OLMECAS.

LAVÍN, JOSÉ DOMINGO. Nació en Ciudad Victoria, Tamps., en 1895; murió en la ciudad de México en 1969. Fundó la Financiera de las Industrias de Transformación, presidió la Cámara Nacional de la Industria de la Transformación y los consejos de varias empresas, entre ellas Inversiones y Participaciones, Envases Metálicos y Velomóvil. Se distinguió por sus polémicas en defensa de la riqueza nacional del subsuelo y en favor de la reglamentación de las inversiones extranjeras. Escribió: *Petróleo, Inversiones extranjeras, En la brecha mexicana* y *Geografía de tres dimensiones*.

LAVÍN, SANTIAGO. Nació en Aedo, Santander, España, en 1834; murió en la ciudad de México en 1894. Llegado al país se dedicó a los negocios, principalmente en la comarca lagunera de Durango. En 1880 poseía la finca Perímetro Lavín, de 16 mil hectáreas regadas por el río Nazas. Participó en la fundación de la ciudad Gómez Palacio, a la que donó gratuitamente los terrenos necesarios, a condición de que llevara por nombre los dos apellidos de su amigo Francisco, quien fuera gobernador de la entidad del 2 de diciembre de 1867 al 30 de septiembre de 1868, prominente juarista y jefe de la Comisión Mixta de Reclamaciones de México a Estados Unidos.

LAVISTA, MARIO. Nació en México, D.F., en 1943. Estudió en el Conservatorio Nacional de Música con Carlos Chávez y Héctor Quintanar, en el Taller de Composición y Análisis con Rodolfo Halffter, y en París con Jean Etienne Marie, en la *Schola Cantorum*, donde además tomó lecciones con Iannis Xenakis y Henri Pousseur (1967 a 1969). También recibió enseñanzas de Stockhausen en la Escuela de Música del Rhín en Colonia, en 1968, y asistió a los cursos internacionales de Música Nueva de Darmstadt, Alemania. Desde 1969 es profesor en el Conservatorio Nacional. Fundó el grupo Quanta en 1970, se integró al Laboratorio de Música Electrónica en 1971 y un año más tarde trabajó en el Laboratorio de Música Electrónica de la Radio y Televisión Japonesa. De 1974 a 1975 fue jefe del Departamento de Música de la Universidad Nacional Autónoma de México. Ha dirigido las revistas *Talea* y *Pauta*. Investiga las posibilidades técnicas y expresivas que ofrecen los instrumentos tradicionales, tendencia que se manifiesta en muchas de sus obras. Entre éstas destacan: *Diacronía* para cuarteto de cuerdas (1969), *Cluster* para cualquier número de pianos (1973), *Diálogos* para violín y piano (1974), *Lyhannh* (1976) y *Ficciones* (1980) para orquesta, todas ellas grabadas.

LAVISTA, PAULINA. Nació en México, D.F., el 18 de junio de 1945. Estudió en el Centro Universitario de Estudios Cinematográficos de la Universidad Nacional Autónoma de México (UNAM), sin embargo, como fotógrafa es autodidacta. Especializada en fotografía artística, ha realizado trabajos para revistas, registrado las actividades teatrales de la UNAM, y participado en exposiciones colectivas como La Creación Femenina en México (Berlín, 1981). Entre sus muestras individuales sobresalen: Photemas (Palacio de Bellas Artes, 1970), Un Día en Tepito (Casa del Lago, 1975) y Sujeto, Verbo y Complemento (Museo de Arte Moderno, 1981). Ha ilustrado los libros: *Pedro Cervantes* de Raquel Tibol (1974), *José Gorostiza* (1974), *Los paseos de la ciudad de México* de Salvador Novo (1974) y *El arte en la cocina mexicana* de Martha Chapa (1985), entre otros.

LAVISTA, RAÚL. Nació en México, D.F., el 31 de octubre de 1913; murió en la misma ciudad el 19 de octubre de 1980. Aprendió a tocar el piano desde los seis años de edad. Ingresó en la Facultad de Música de la Universidad Nacional Autónoma de México en 1930. Se distinguió como compositor de música de fondo para películas. Escribió para el cine unas 350 partituras, la primera de ellas *A la orilla de un palmar* (1937). Otras de las cintas en que intervino son: *Ahí está el detalle, Ay, qué tiempos señor don Simón, Guadalupe la chinaca, Corazón de niño, El circo trágico, Cuando los hijos se van, El hijo de Cruz Diablo* y *Fantasma de noche*. Fue miembro fundador de la Sociedad de Autores y Compositores de Música y de la sección de compositores del Sindicato de Trabajadores de la Producción Cinematográfica. Recibió premios internacionales y nacionales por su labor como compositor.

LAVISTA REBOLLAR, RAFAEL. Nació en Durango, Dgo., en 1839; murió en la ciudad de México en 1900. En 1862 ocupó la jefatura del servicio de cirugía mayor en el Hospital de San Andrés –hoy Hospital General–, donde introdujo novedosas técnicas, siendo su director en 1874. Escribió múltiples artículos publicados principalmente en la *Gaceta Médica*, entre ellos "El esfigmógrafo" (1867), "Sífilis vacunal" (1868) y "Memoria sobre la coxalgia" (1874).

LAVRETSKY, I.R. Autor soviético del libro *Pancho Villa* (Moscú, 1962).

LAWRENCE, DAVID. Autor norteamericano que publicó en 1910 el libro *The truth about Mexico...* (La verdad acerca de México...).

LAWRENCE, DAVID HERBERT. Autor inglés (1885-1930) de *Mornings in Mexico* (Mañanas en México), publicado en 1927.

LAYSECA Y ALVARADO, ANTONIO DE. Nació en Madrid y murió en Sevilla, ambas de España (1638-1688). Era almirante de la flota que hacía la carrera de Cádiz a Nueva España. El 18 de diciembre de 1677 fue nombrado gobernador y capitán general de Yucatán, cargo del cual lo suspendió la Audiencia el 20 de febrero de 1679, pero volvió a sus funciones a partir de 1680 hasta el 24 de julio de 1683.

LAZAR. La suerte de lazar, o sea atrapar al animal por medio de un lazo, es la más útil, meritoria y aun artística de cuantas ejecutan vaqueros y charros. Sus modalidades consisten en *cabecear, manganear* y *pialar*, lo cual significa, respectivamente, lazar a los animales por la cabeza o los cuernos, por las manos y por las patas. La faena de *cabecear* o *gañotear* se emplea únicamente para sujetar a las bestias, y las de *manganear* y *pialar* o *apealar* para derribarlas. De la de *manganear*, a caballo o a pie, se ha hecho un arte *sui géneris*, creándose el procedimiento del *floreo*, que consiste en hacer girar el lazo, ya lanzado, en torno del ejecutante, de modo que describa figuras más o menos circulares, que a veces son filigranas, para después, sin perder el efecto, arrojarlo a las extremidades del caballo y enlazarlo, pues tal es la finalidad del ejercicio.

Bibliografía: J. Álvarez del Castillo: *Historia de la charrería* (1941); Carlos Rincón Gallardo y Romero de Terreros: *El libro del charro mexicano* (3a. ed., 1960).

LAZCANO, FRANCISCO JAVIER. Nació en Puebla (Pue.), en 1702; murió en la ciudad de México en 1762. En 1717 ingresó a la Compañía de Jesús. Sirvió cátedras en los colegios de San Pedro y San Pablo de México y de San Ildefonso de Puebla, y a partir de 1738 en la Real y Pontificia Universidad. Escribió: *Cosas morales y jurídicas, Vida ejemplar y virtudes heroicas del P. Juan Antonio de Oviedo* (1760), que tiene el carácter de crónica de su provincia en esa época, *Zodiaco guadalupano* y *Catecismo diario*.

LAZCANO, JUAN. Nació en 1663 en San Luis Potosí (S.L.P.); murió en la misma ciudad hacia 1720. Tomó el hábito en Zacatecas y en 1686 fue nombrado provincial de su Orden. Visitó todos los conventos de su extensa provincia, caminando para ello más de 12 mil kilómetros en tierras peligrosas y climas diversos. Construyó la torre del convento de San Francisco de Zacatecas; arregló los archivos de su provincia, y una vez concluida su prelacía, se retiró al convento de San Luis Potosí. Escribió *Directorio moral* y un *Extracto* de los papeles que aún se conservan en el convento de San Francisco, tan útiles que sin ellos no habría escrito su *Crónica* el P. Arlegui, según él mismo lo manifiesta.

LAZCARRO TOQUERO, JOSÉ. Nació en Puebla, Pue., en 1941. Estudió en la Escuela Nacional de Artes Plásticas y continuó su formación en Estados Unidos. Formó parte del equipo de pintores del organismo Promoción Internacional de Cultura (1964) y, junto con Rafael Zepeda, Valdemar Luna y Eduardo Zamora, organizó un grupo de experimentación plástica que presentó en el extranjero 30 muestras mexicanas de pintura y grabado. Fue maestro en el Molino de Santo Domingo (1976-1979) y en la Escuela de Pintura y Escultura La Esmeralda. A partir de 1980 tomó a su cargo los talleres de la Universidad de las Américas. Ha participado en numerosas exposiciones individuales y colectivas. Ha trabajado y experimentado diversas técnicas: fotomecánica, fibra de vidrio y rayos láser; su temática oscila entre lo figurativo y lo abstracto.

LAZESKI, BORKO. Nació en Prilep, Yugoslavia, en 1917. Pintor muralista, ha realizado dos obras en la ciudad de México, una en 1983, en el edificio del Centro de Estudios Económicos y Sociales del Tercer Mundo, en San Jerónimo; y otra en 1985, en el Museo Tecnológico de la Comisión Federal de Electricidad. En ésta, de 10.5 m de largo por 3.5 de altura, representó cien figuras humanas. Ambos murales, de formas cubistas y realizados al fresco, se refieren al proceso histórico de México y Yugoslavia a partir de los ideales revolucionarios y pacifistas.

LAZO, AGUSTÍN. Nació en México, D.F., en 1898; murió en la misma ciudad en 1971. Fue discípulo de Saturnino Herrán y Alfredo Ramos Martínez en la Academia de San Carlos. Se especializó en París como escenógrafo, en el taller de Charles Dullin (1928-1930). Aun cuando como pintor se mantuvo alejado de la escuela muralista mexicana y tuvo gran contacto con el arte europeo, pues le tocó asistir al momento en que el surrealismo tomaba teoría y forma en París, su obra tiene un marcado carácter nacional. Sus pinturas, de líneas simples y técnica cercana al puntillismo, están tratadas con un realismo poético, cayendo a veces en el campo del surrealismo. Fue un excelente diseñador de escenarios, para los cuales produjo una interesante serie de composiciones con sus respectivos vestuarios de acertada estilización. Hizo diseños para los teatros Orientación y De México, del entonces Departamento de Bellas Artes, y tradujo obras de Giraudoux, Pirandello, San Secondo y Bontepelli, a menudo en colaboración con Xavier Villaurrutia. Son notables sus acuarelas y dibujos a pluma. Expuso en México, París y Nueva York. El Museo de Arte Moderno de la ciudad de México posee de él dos bellos cuadros: *En la escuela* y *Mujeres con una jaula*. Escribió "Reseña sobre actividades surrealistas", en *Cuadernos de Arte* (núm. 3). En 1946 derivó al teatro con *Segundo Imperio*, que trata el drama de Carlota y Maximiliano; después hizo *La huella* (1947), *La mulata de Córdoba* (ópera, 1948, con música de Pablo Moncayo) y *El caso de don Juan Manuel* (1948), versión dramática de la leyenda de un personaje de la Colonia.

LAZO, RINA. Nació en Guatemala. Estudió en la Escuela de Bellas Artes de su país y continuó su formación en México. Egresó de la Escuela de Pintura y Escultura La Esmeralda en 1954. Pintora, desde 1947 fue ayudante de Diego Rivera, con quien colaboró en los murales del hotel Del Prado, el cárcamo de Dolores, el estadio de Ciudad Universitaria y el Hospital de la Raza. Participó en la realización del cuadro mural *La gloriosa victoria*, que trata de la agresión al gobierno del presidente Árbenz, y pintó *Venceremos*, que representa la lucha de los pueblos del Tercer Mundo (Museo de Toluca). Fue encarcelada en ocasión del movimiento estudiantil de 1968. Se inició en el grabado al lado de Arturo García Bustos, con quien contrajo matrimonio. Ha sido maestra en distintas instituciones, y ha recibido, entre otros, el primer premio de grabado en el Festival Mundial de la Juventud (Bucarest, 1963). Entre sus obras se encuentran: *Tierra fértil* (Guatemala, 1954); en colaboración con García Bustos, los murales *La lucha de los campesinos por la creación de la cooperativa cañera*, *Hidalgo enseña a los campesinos las ideas de libertad* y *El fusilamiento de José María Morelos*, los tres en 1959; la réplica de las pinturas de Bonampak para el Museo Nacional de Antropología; y las ilustraciones del libro *Pinturas rupestres de Baja California Sur* de Francisco González Rul y Miguel Ángel Asturias. Su expresión ha sido tan múltiple como su temática: cuestiones políticas, naturalezas muertas, retratos, paisajes y figura humana.

LAZO BARREIRO, CARLOS. Nació en la ciudad de México en 1917; murió en un acci-

LAZO

dente de aviación, en el lago de Texcoco, en 1955. Estudió preparatoria en el Colegio Francés Morelos y arquitectura en la Universidad Nacional Autónoma de México. Se graduó en 1939, con la tesis *Planificación y arquitectura rural en México*. Antes, a los 20 años de edad, edificó en Acapulco el hotel La Marina. Estudió urbanismo en Estados Unidos (beca Delano Aldrich, 1941-1942) y publicó, a su regreso a México, la revista *Construcción* (1943). Participó en la formulación del programa de gobierno del presidente Miguel Alemán y fue nombrado por él, sucesivamente, oficial mayor de Bienes Nacionales (1947), consejero de la Presidencia de la República (1949) y gerente general del proyecto de construcción de Ciudad Universitaria (1950), magna obra que realizó, rodeado de un brillante equipo de jóvenes técnicos, en el plazo de 24 meses. En diciembre de 1952 pasó a dirigir la Secretaría de Comunicaciones y Obras Públicas en el gobierno del presidente Adolfo Ruiz Cortines. Hizo posible la construcción del Centro SCOP y formuló un vasto plan nacional de comunicaciones con base en ejes y circuitos. A él se deben la planificación regional y urbana de Monterrey, Ensenada y Tlalnepantla, el plano regulador de Acapulco y la construcción del viaducto Miguel Alemán en la capital. Fue presidente de la Sociedad de Arquitectos Mexicanos (1951) y presidió el VIII Congreso Panamericano de Arquitectos (México, 1952) y el Congreso Extraordinario de Carreteras (Washington, 1953). Dejó escritos: *Planificación regional y urbana del puerto de Tampico*, *Programa de gobierno*, *Pensamiento y destino de la Ciudad Universitaria de México*, varios capítulos en las *Memorias de la Secretaría de Comunicaciones* y artículos en la revista *Espacios* y en diarios y revistas de la capital.

LAZO DE LA VEGA, JOSÉ MARÍA. Nació en 1720 en Veracruz, (Ver.); murió en 1790 en la misma ciudad. Estudió en el Colegio de San Ignacio de Puebla, luego en el de San Ildefonso de México y por último en la Real y Pontificia Universidad, donde se doctoró en teología. Regresó a Veracruz y sirvió como juez eclesiástico, cura párroco y comisario calificador de la Inquisición. Entre sus obras figuran: *Gran padre y doctor de la Iglesia, San Agustín* (1781) y *El príncipe amable* (1787).

LAZO DE LA VEGA, LUIS. Nació a fines del siglo XVI; murió a mediados del siglo XVII. En 1623 aparece matriculado en la Real y Pontificia Universidad de México. En 1647 era capellán del santuario de Nuestra Señora de Guadalupe y vicario de su jurisdicción. Labró a costa de los indios la capilla del Pocito, que era un baño público casi al aire libre. Practicó visitas hechas a nombre de los arzobispos de México, de 1648 a 1653, "predicando a los indios en su lengua muy buena doctrina". Después de 10 años de trabajo, fue nombrado canónigo de la catedral de México. Escribió un libro en náhuatl, hoy extremadamente raro, en el que hace historia de la Virgen de Guadalupe: *Huei Tlamahuicoltica omonexiti in ilhuicactlatoca Santa María, i o Tlaconantzin Guadalupe in Nican Huei Altepenahvac México Itocayocan Tepeyacac* (1649), del cual Lorenzo Boturini, el célebre viajero y coleccionista de libros y antigüedades, poseyó un ejemplar y mandó hacer la traducción (incompleta) que se conserva en la Biblioteca Nacional de París. Fue publicada, a partir de la copia existente en el archivo de la Colegiata de Guadalupe por el doctor Fortino Hipólito Vera, con el título de *Milagro de la Virgen del Tepeyac, por Antonio Valeriano, alumno y catedrático del colegio de Santiago Tlatelolco el año de 1554, con un prólogo del Ilmo. Sr. obispo de Cuernavaca...* (Puebla, 1895). V. GUADALUPE, VIRGEN DE.

Bibliografía: Luis Lasso de la Vega: Academia Mexicana de Santa María de Guadalupe, *Huei Tlamahuicoltica... Libro en lengua mexicana, que el... hizo imprimir en México el año de 1649 ahora traducido y anotado por el Lic. Primo Feliciano Velázquez. Lleva un prólogo del Pbro. don Jesús Gutiérrez, secretario de la Academia* (1926).

LAZO PINO, CARLOS M. Nació y murió en la ciudad de México (1871-1952). Estudió con los padres jesuitas y en la Escuela Nacional Preparatoria, graduándose en 1900 en la Escuela Nacional de Arquitectura. Viajó largamente por el extranjero y obtuvo el doctorado en ciencias en la Universidad de París, donde fue discípulo de Salomón Reinach. Cuando regresó a México (1912) trajo consigo las numerosas copias de esculturas clásicas –tomadas de los museos del Louvre, del Vaticano y de Florencia– que adornan el patio cubierto de la Escuela de Bellas Artes

(Academia de San Carlos). Impartió durante 40 años la clase de historia del arte en las escuelas de Arquitectura y de Altos Estudios (hoy de Filosofía y Letras) e implantó un nuevo sistema para la enseñanza del dibujo en las secundarias. Como decano, ocupó varias veces el puesto de director de la Escuela Nacional de Arquitectura. Para explicar sus cátedras de arte utilizó proyecciones, adelantándose a los actuales métodos audiovisuales. Fue un austero y docto maestro de numerosas generaciones.

LEA, HENRY CHARLES. Nació y murió en Filadelfia, EUA (1825-1909). Hurgó en archivos españoles y franceses. Escribió muchas obras, de las cuales sobresalen *A history of the Inquisition of the middle ages* (3 vols., 1888), *A history of the Inquisition of Spain* (4 vols., 1906-1907) y *The Inquisition in the Spain dependencies* (1909).

LEAL, ABELARDO. Nació en Monterrey, N.L., en 1922. Licenciado en derecho (1945) por la Universidad de Nuevo León, se dedicó a las letras. En su ciudad natal fundó la escuela de periodismo del matunino *El Norte*, en el cual desempeñó los puestos de editor, subdirector y presidente. Es autor de *Yo quiero ser presidente* (novela escrita en verso, 1964), *La protesta* (comedia musical), *La calle Libertad* y *La mesa 13*.

LEAL, EMILIO R. Nació en Aguascalientes, Ags., hacia 1849; murió en la ciudad de México en 1884. En 1872 fundó en León, Gto., el semanario de ciencia y literatura *La Aurora Literaria*, y en 1878, en Teocaltiche, Jal., el periódico *La Alianza de los Pueblos*. En 1879 se radicó en la capital del país. Su drama histórico *Cristóbal Colón* se estrenó en 1884 en el Teatro Manuel Doblado; y en el de León, *El infierno del hogar*, el 23 de noviembre de 1882. Escribió también los dramas *Las tempestades del genio* y *Vasco Núñez de Balboa*, y las novelas *La fe perdida* y *Memorias de una alma triste*. Murió ahogado en la inundación que sufrió la ciudad de México la noche del 18 de junio de 1884.

LEAL, FERNANDO. Nació y murió en la ciudad de México (1900-1964). Estudió en la Academia de San Carlos y en la Escuela al Aire Libre de Coyoacán, de la que fue después director. Fue uno de los iniciadores de la pintura mural del siglo XX en México, ensayando distintas técnicas. Sus temas fueron, básicamente, tradiciones populares y escenas con personajes bíblicos. En sus primeras obras de caballete se nota la influencia de Saturnino Herrán. Su primer mural, *La fiesta del Señor de Chalma* (1922-1923), fue pintado a la encáustica en el cubo de la escalera del patio grande de la Escuela Nacional Preparatoria. Se nota ya en él el estilo naturalista del pintor, con simplificación de formas, a la manera posimpresionista. En 1927 pintó en el Departamento de Salubridad varios murales que han sido destruidos; y en 1935 realizó otros en el aula máxima del Instituto Nacional de Panamá, con el tema *Neptuno encadenado*, donde hizo crítica del imperialismo. Una de sus obras más conocidas es el mural pintado al fresco (1931-1933) en el Anfiteatro Bolívar, compuesto con escenas de la vida del Libertador. Practicó también con éxito el grabado en madera. Tomó parte en las exposiciones del grupo revolucionario 30-30, que hacia 1929 contribuyó al conocimiento del arte contemporáneo. En 1943 pintó dos tableros en la estación del ferrocarril en San Luis Potosí: *El triunfo de la locomotora* y *La edad de la máquina*. En esa misma ciudad, en la iglesia de San Juan de Dios (Santo Domingo), realizó una pintura sobre el arco triunfal de la nave: *La protección de la Virgen a Santo Domingo*. De 1949 son los siete murales de la capilla del Tepeyac, en la Villa de Guadalupe, pintados al fresco, donde narra la historia de las apariciones de la Virgen. En el Museo de Arte Moderno se encuentran otras obras suyas: *El hombre de la tuna* y *Campesinos con sarape*. En 1952 publicó *El derecho de la cultura*. Dejó inconclusa una historia de la Academia de San Carlos.

LEAL, LUIS. Nació en Linares, N.L., el 17 de septiembre de 1907. Maestro (1941) y doctor en letras (1950) por la Universidad de Chicago, ha impartido en instituciones de Estados Unidos cursos de literatura hispanoamericana y mexicana, a partir de 1942. Ha publicado los siguientes libros: *México, civilizaciones y culturas* (1955), *Breve historia del cuento mexicano* (1958), *La Revolución y las letras* (en colaboración con Edmundo Valadés, 1960), *Mariano Azuela, vida y obra* (1961), *Historia del cuento hispanoamericano* (1966), *Panorama* *de la literatura mexicana actual* (1968), *Breve historia de la literatura hispanoamericana* (1971), *Corridos y canciones de Aztlán* (1980), *Juan Rulfo* (1983) y *Aztlán y México: perfiles literarios e históricos* (1985).

LEAL CORTÉS, ALFREDO. Nació en Guadalajara, Jal., en 1931. Formó parte del grupo de escritores que se reunió alrededor de la revista *Ariel* (1949-1953). Ya en la ciudad de México, dirigió en compañía de Emmanuel Carballo el suplemento "Artes, Letras y Ciencias" de *Ovaciones*, periódico cuya edición vespertina dirigía en 1987. En 1965 dio a conocer su crónica novelada *Desde el río.* Con frecuencia ha desempeñado trabajos de índole política.

LEAL DUK, LUISA MARÍA. Nació en Tierra Blanca, Ver., en 1943. Licenciada en derecho por la Universidad Nacional Autónoma de México (1964), se especializó en administración tributaria en Argentina (1966). Ha sido asesora del administrador general de Impuestos (1970), de los subsecretarios de Industria (1971) y de Industria Paraestatal (1980) y de los secretarios de Gobernación (1974) y de Trabajo y Previsión Social (1980-1983); subsecretaria del Consejo Nacional de Población y de la Secretaría de Gobernación, directora de Política de Ingresos no Tributarios (1977), colaboradora en el proyecto de Puertos Industriales (1979) y embajadora en Costa Rica (desde 1984). Es autora de *El problema del aborto en México* (1980).

LEBRANCHA. *Mugil curema* Valenciennes, de la familia Mugilidae, orden Perciformes, también conocido con los nombres de *lisa*, *lisa hembra* o *lisa blanca.* Pez que se distingue de la lisa común por las siguientes características: ausencia de una protuberancia central en el labio inferior; origen de la primera aleta dorsal justo en la mitad del cuerpo; aletas pectorales comparativamente más largas, anal con nueve radios suaves, caudal bifurcada, anal y segunda dorsal y densamente cubiertas por escamas; y costados de color plateado uniforme, con una mancha dorada sobre el opérculo y otra, negra y pequeña, en la base de la aleta pectoral. Comparte con la lisa el área de distribución y los hábitos de vida; la mayoría de las veces se pescan simultáneamente.

La producción de lebrancha fue de 4 mil toneladas en 1983. V. LISA.

LEBRIJA, MIGUEL. Nació en la ciudad de México en 1886; murió en París, Francia, en 1913. En 1909 construyó un planeador que, tirado por un automóvil, logró elevarse en terrenos de la hacienda de San Juan de Dios, en Tlalpan. Marchó a Europa y trajo el globo cautivo *Ciudad de México*, que inauguró el 15 de abril de 1910 en el antiguo Hospicio de Pobres, frente a lo que fue el hotel Regis (hoy plaza de La Solidaridad) de la capital del país. El 3 de agosto de 1912 voló a 300 m de altura sobre el valle de México, emulando las hazañas de Alberto Braniff, Simón Garros, René Barried y Simón Audenard. Daba servicio diario al público mediante cuota. Fue el primer mexicano que voló sobre la catedral metropolitana. El 17 de julio de 1913 fue comisionado a Francia como jefe mayor de la aviación, para estudiar la compra de algunos aparatos para el Ejército Nacional.

LECHE MARÍA. *Trophis racemosa* (L.) Urb. Árbol de la familia de las moráceas, de 15 m de altura máxima, con corteza de color moreno y tronco de 35 a 40 cm de diámetro. Las hojas, con peciolos cortos, ligeramente acuminadas, son coriáceas y a veces muy ásperas, con bordes enteros y lámina que varía de oblonga a oval y de 8 a 15 cm de largo. Las flores, verdes y dioicas, se hallan dispuestas en espigas, racimos o panículas. El fruto es pequeño, casi esférico, con mesocarpio muy delgado y con una semilla bastante grande. El follaje se utiliza como forraje; el fruto es comestible y la corteza, que contiene tanino, se emplea como astringente. Se distribuye desde Sinaloa a Tamaulipas, y en Veracruz, Oaxaca y Tabasco.

LECHE Y SUS DERIVADOS. La leche es una mezcla compleja que consiste en una emulsión de grasa y una dispersión coloidal de proteínas, junto con el azúcar (lactosa) en disolución. Además contiene minerales –entre ellos calcio y fósforo–, vitaminas, enzimas y varios compuestos orgánicos secundarios, como el ácido cítrico (FAO, 1972). Puede consumirse en la forma en que se obtiene directamente de la vaca, o utilizarse como materia prima en la producción

LECHE

de lácteos y sus derivados, o de otros alimentos, e incluso en la obtención de productos industriales no alimentarios. Las actividades relacionadas con estos procesos se conocen como "sistema agroindustrial leche", el cual comprende las siguientes fases: producción primaria, comercialización, transformación, distribución y consumo. En este sistema predominan las grandes empresas, excepto en la producción primaria, donde todavía existen pequeños ganaderos o ejidatarios que operan de manera familiar, aunque la compra de las materias primas, el ganado y otros insumos, y la venta del lácteo están sujetos a las normas del mercado. Las empresas emplean grandes inversiones, tecnología moderna y maquinaria compleja, indispensables para incorporar los adelantos en alimentos balanceados, veterinaria, zootecnia, bacteriología y procesos químicos. La introducción de estas innovaciones obedece a la necesidad de reducir los costos para aumentar la rentabilidad del capital. Esto ha provocado una intensa competencia y la continua aparición en el mercado de nuevos productos lácteos que a menudo no representan mejorías en cuanto a perdurabilidad y capacidad nutritiva, pero sí son mucho más caros para los consumidores y más redituables para los fabricantes. Por su tipo, los productos lácteos pueden agruparse en: 1. leches no modificadas: cruda, pasteurizada y esterilizada; 2. leches industrializadas: condensada, evaporada, en polvo y fermentada o acidificada, incluyendo las medicamentosas, aromatizadas, maternizadas y descremadas; y 3. derivados: crema, mantequilla, queso, caseína y subproductos de los sueros (lactosa, ácido láctico, requesón, concentrado proteínico, productos vitaminados, entre otros).

Consumo y nutrición. En México la leche que se consume es de vaca en su gran mayoría; sin embargo, se aprecia también la de cabra, en poblaciones de escasos recursos. La leche de vaca es un alimento con alto nivel nutritivo, fundamental en el desarrollo del ser humano. Sus características alimenticias la hacen necesaria en la dieta infantil, tanto en la crianza de lactantes (después de la alimentación materna), como en la dieta mixta de los infantes, para apoyar su crecimiento. Su ingestión también es recomendable en las madres gestantes o en periodo de lactancia, y en los ancianos. En consecuencia, se le considera un producto básico. Además,

constituye una parte importante del gasto en alimentos que realiza la población trabajadora, especialmente urbana. Como "bien salario" es una de las fuentes más baratas en proteína animal (INL, 1980). En la dieta de los mexicanos existen graves carencias, entre ellas un bajo consumo de leche por persona y una distribución irracional de ese producto. Según el Instituto Nacional de la Leche (INL, 1980), el consumo promedio es de 340 ml por persona al día, frente al medio litro que recomienda como deseable la Organización de las Naciones Unidas para la Agricultura y la Alimentación (FAO). Aparte la insuficiente oferta de este alimento, a pesar del aumento en las importaciones (v. cuadro 1) la desigualdad en el ingreso de las familias se expresa en la inequitativa distribución de este producto. El Instituto Nacional de la Nutrición recomienda los siguientes consumos mínimos diarios, segun los intervalos de edad que se indican: hasta un año, un litro; de uno a seis años, tres cuartos de litro; de siete a 14 años, medio litro; y de 15 años en adelante, un cuarto de litro, aunque los adultos pueden prescindir de él. Sin embargo, alrededor del 40% de la población no toma leche y los adultos consumen hasta el 65% del total disponible. Además, el 70% del producto se distribuye en las ciudades, en detrimento de los habitantes de las zonas rurales.

Cuadro 1

OFERTA DE LECHE EN MÉXICO, 1970-1985
(millones de litros)

Año	Producción	Importación	Oferta total
1970	4 483.0	368.0	4 851.0
1971	4 694.1	384.0	5 078.1
1972	4 915.2	390.4	5 305.6
1973	5 225.3	434.8	5 660.1
1974	5 500.0	968.8	6 468.8
1975	5 808.8	147.2	5 956.0
1976	5 907.3	506.9	6 414.2
1977	6 180.9	775.0	6 955.9
1978	6 509.4	758.9	7 268.3
1979	6 641.9	784.8	7 426.7
1980	6 741.5	809.7	7 551.2
1981	6 856.4	834.0	7 690.4
1982	6 923.6	857.3	7 780.9
1983	6 768.4	968.2	7 736.6
1984	7 009.7	1 040.0	8 049.7
1985	7 173.0	1 340.0	8 513.0

Fuente: SARH, Subsecretaría de Ganadería, INL y LICONSA. 1985, cifras preliminares.

LECHE

Las principales formas en que se consumen los productos lácteos son: 1. leches higienizadas: pasteurizada y rehidratada; y 2. leche bronca o fresca sin ningún control sanitario. La preferencia del consumidor por estas presentaciones se debe a los precios más bajos, a la accesibilidad de la leche bronca en zonas marginales y a los hábitos de consumo. La leche industrializada y sus derivados se consumen en proporción directa con el ingreso familiar. Los quesos y requesones de elaboración artesanal son los únicos derivados lácteos al alcance de las familias pobres. Las leches en polvo para niños, a su vez, llegan a los grupos de ingresos bajos porque en algunos casos constituyen una prestación social.

Antecedentes. La leche de vaca se desconocía en el periodo prehispánico. Los colonizadores introdujeron el ganado vacuno en México. Hasta la época porfirista, la ganadería lechera se explotó espontáneamente y la mayoría de las haciendas utilizaban procedimientos atrasados. No obstante, en ese tiempo hubo un cierto progreso; en la hacienda de Lechería, por ejemplo, se emplearon máquinas (descremadoras, batidoras, lavadora de mantequilla y cilindros para prensarla) movidas por un motor de vapor, cuyo combustible eran elotes y pencas de maíz (López Rosado, 1968). Más tarde el Estado impulsó programas agropecuarios especiales para la producción de leche: crédito para el mejoramiento de instalaciones y de ganado, servicios sanitarios y estímulo a la instalación de empresas industrializadoras (Loredo Goytortúa, 1960). Surgieron así plantas productoras de leche evaporada, condensada y en polvo. La primera fue Productos Nestlé, en Ocotlán, Jal. (1935), seguida por otra de la misma firma en Lagos de Moreno (1944) y por Productos Lácteos Mexicanos, filial de *Carnation, Co.*, en Querétaro (1948). Sin embargo, la ordeña se realizaba todavía a mano, casi sin ninguna medida higiénica. En los años cincuentas, el Fondo de Garantía y Fomento para la Agricultura, Ganadería y Avicultura apoyó la producción primaria de leche, la estabulación del ganado y el proceso de pasteurización.

La producción primaria de leche ha mostrado un comportamiento irregular: creció de 1970 a 1982, disminuyó 2.24% en 1983 y se recuperó 3.6% en 1984 y 2.3 en 1985. Esto se debió a las bajas en el hato lechero y a la elevación de los costos de reposición de las vacas especializadas que se importan. La ganadería lechera se integra con 5.2 millones de animales, 17.4% del sistema de explotación especializado, y 82.6 de ganado común. De los 6 600 millones de litros producidos en 1983, 54.3% corresponde al primer grupo y 45.7 al segundo. Hasta 1980 el hato lechero había ido aumentando de manera discreta, pero en 1981 se redujo de 5.5 a 5.2 millones de vacas; en 1983 mantuvo esa tendencia a la baja y en los siguientes años empezó a recuperarse, aunque sin alcanzar el nivel de 1981. El ganado especializado ha sido el más afectado: su número disminuyó de 1 030 000 ejemplares en 1979 a 900 mil en 1981 y 880 mil en 1983. Se trata de animales estabulados, alimentados a base de concentrados y manejados con maquinaria e instrumentos modernos, cuya operación requiere importar semovientes de reposición, semen y otros insumos. En 1983 la producción media anual por vaca especializada fue de 4 138 L en periodo de lactancia de 210 a 305 días, cuando el promedio en todo el hato lechero fue de 1 327 L. A la ganadería común corresponden 4.2 millones de vacas, cuya ordeña es básicamente estacional, con un rendimiento promedio de 734 L en un periodo de lactancia. Hay dos formas de explotación: semiestabulada y de libre pastoreo. La primera tiene cierto grado de tecnificación en el manejo y la alimentación, aunque la ordeña es principalmente manual. El producto se destina al consumo directo (leche fresca o bronca), a la producción artesanal de queso y crema, y a las plantas industriales. La explotación de libre pastoreo, con ganado de doble propósito, se orienta en primer lugar a la producción de carne, y adicionalmente a la de leche. Sus costos y sus rendimientos son los más bajos. Se practica en sitios de difícil acceso y origina una mayor participación de intermediarios. El resultado de todo esto es una insuficiente producción de leche, fundada en una estructura bipolar: por una parte, un sistema dependiente del exterior en insumos, equipos y financiamiento, que aporta más de la mitad de la producción; y por otra, un conjunto disperso de explotaciones de rendimiento estacional y baja productividad; el primero enfrenta problemas de rentabilidad y, el segundo, dificultades de manejo y sanidad.

En vista de que es insuficiente e ineficiente la actividad pecuaria, se ha tenido que recurrir a la importación de leche en polvo. El Estado, por

LECHE

conducto de la Compañía Nacional de Subsistencias Populares, es el único que puede adquirirla en el exterior, para rehidratarla (un 70%) o venderla a las empresas industrializadoras. Aunque la leche rehidratada se destina a los sectores populares, únicamente se vende en Guadalajara, Monterrey, Oaxaca, Mérida y la ciudad de México.

La industria comprende las siguientes líneas de producción: 1. pasteurización, rehidratación, homogeneización y embotellado; 2. leches industriales: condensada, evaporada y en polvo; 3. elaboración de derivados: crema, queso y mantequilla; y 4. alimentos que utilizan la leche como materia prima: yogurts, cajetas, flanes, gelatinas y similares. Este conjunto de bienes mantuvo un ritmo de crecimiento sostenido hasta 1981 y declinó 4.5% en 1982. Tomando como base los datos del producto interno bruto a precios de 1970 (v. cuadro 2), la rama de lácteos mantuvo de 1970 a 1982 una participación constante de alrededor de 1.55% en la producción manufacturera, y su contribución a la de alimentos pasó de 7.24 en aquel año a 8.45 en éste, lo cual revela una situación de estancamiento. A causa de que no hay una integración vertical en los procesos productivos, cada una de las líneas de actividad se comporta de manera autónoma.

Leche pasteurizada, homogeneizada y embotellada. La pasteurización consiste en un proceso de calentamiento de la leche hasta la temperatura adecuada para eliminar gérmenes patógenos. La temperatura puede ser baja (62°C durante 30 minutos) o alta (72°C durante 15 segundos) para luego enfriarse rápidamente. Gran parte de las leches pasteurizadas se homogeneízan, o sea que las gotas de grasa se separan y se hacen más pequeñas para que la nata o crema quede distribuida de manera regular en todo el líquido. El envasado se hace en cajas de cartón, bolsas de plástico o botellas de cristal limpias de gérmenes, que se tapan o cierran herméticamente. El equipo que se emplea en estas tres operaciones es en su mayor parte automatizado y requiere de mantenimiento especial y cuidado sanitario estricto. La maquinaria de pasteurización y la de envasado son importadas. Esta actividad ha operado con recursos privados nacionales, aunque durante algún tiempo hubo cierta participación de capital extranjero, posteriormente orientado a la producción de derivados. En años recientes se incorporó a esta industria el Estado; en 1987 contaba con seis pasteurizadoras y 22 centros de acopio.

El volumen de leche pasteurizada mantuvo un ritmo de crecimiento regular de 1970 a 1978, decayó en 1979, reaccionó en 1982, registró una baja en 1983 y al parecer inició una franca recuperación en 1984. En esos 15 años el número de plantas disminuyó de 148 a 81, lo cual revela una tendencia a la concentración de la industria. En 1970, cuatro establecimientos procesaban el 34.4% de la

Cuadro 2

PRODUCTO INTERNO BRUTO DE LA INDUSTRIA MANUFACTURERA, DE LAS INDUSTRIAS DE ALIMENTOS, Y DE LECHE Y DERIVADOS

Año	Manufacturas			Industria de alimentos[1]			Leche, crema, mantequilla y queso			Otros productos lácteos		
	I	II	Variación anual %	I	II	Variación anual %	I	II	Variación anual %	I	II	Variación anual %
1970	105 203	105 203	–	21 327	21 327	–	1 545	1 545	–	93	93	–
1971	115 847	109 265	3.9	25 044	22 296	4.5	1 873	1 780	15.2	84	99	6.5
1972	132 310	119 967	9.8	27 127	23 369	4.8	2 240	2 029	14.0	115	115	16.2
1973	160 989	132 552	10.5	32 843	25 125	7.5	2 449	2 148	5.9	117	120	4.4
1974	212 377	140 963	6.3	44 167	26 227	4.4	3 154	2 358	9.8	186	125	4.2
1975	252 755	148 058	5.0	52 089	27 619	5.3	4 357	2 390	1.4	229	141	12.8
1976	310 395	155 517	5.0	63 555	28 965	-1.8	4 624	2 536	6.1	339	154	9.2
1977	433 275	161 037	3.5	92 225	29 668	9.4	11 023	2 726	1.1	501	162	5.2
1978	540 798	176 817	9.8	106 730	31 283	5.4	13 302	2 937	7.8	735	178	9.9
1979	714 613	195 614	10.6	119 959	32 889	5.1	12 593	2 964	0.9	1 000	204	14.6
1980	985 013	209 682	7.2	160 573	34 716	5.6	16 663	2 969	0.2	1 468	223	9.3
1981	1 311 493	224 326	7.0	206 201	36 652	5.6	21 869	3 107	4.7	2 202	243	9.0
1982	2 000 786	217 852	-2.9	327 504	38 469	5.0	36 320	3 252	4.7	3 513	232	-4.5

(I) Millones de pesos a precios corrientes y (II) a precios de 1970.
[1] Incluye matanza de ganado.
Fuente: INEGI: *El sector alimentario en México* (1982).

LECHE

leche parteurizada; y en 1983, el 15% de las plantas, que corresponde a cinco empresas, produjeron el 67.5% del total. Tres de las más importantes empresas están integradas a la producción primaria: Pasteurizadora La Laguna (Lala), Ganaderos Productores de Leche Pura (Alpura) y Complejo Agropecuario Industrial de Tizayuca, Hgo. (Boreal). Esto ha supuesto el empleo de cierta tecnología en materia de genética, manejo de ganado, alimentación, cuidados sanitarios y mayor productividad.

Leche rehidratada. Se obtiene de la hidratación de la leche en polvo, pudiendo utilizarse entera o semidescremada. Las grasas faltantes se restituyen con grasa vegetal, en cuyo caso se denomina reconstituida. Desde 1980, el Estado elabora, distribuye y vende leche reconstituida, utilizando como materias primas leche en polvo de importación y grasa vegetal. Estas labores las realiza Leche Industrializada Conasupo (Liconsa). En 1984 se creó la tarjeta de dotación unifamiliar con el objeto de que este alimento llegue a los niños de familias de escasos recursos, a un precio inferior al de su costo de producción. Liconsa cuenta con seis plantas rehidratadoras, dos de alta capacidad en el área metropolitana de la ciudad de México y las demás en Oaxaca, Monterrey, Guadalajara y Mérida.

Leches industrializadas. La evaporada es la que pierde el agua por calentamiento hasta una concentración del 50%; luego puede o no homogeneizarse; si se envasa en latas se esteriliza, y si es en cajas de cartón se somete a una pasteurización de alta y rápida temperatura; resulta así entera o semidescremada, vitaminada y proteinada. La condensada recibe el mismo tratamiento, pero se le agrega azúcar, lo cual evita la esterilización posterior, pues con esa adición se crea en el medio una presión osmótica elevada, que impide el desarrollo de microorganismos. La leche en polvo –entera, semidescremada o descremada– se obtiene por la evaporación del agua. Estas leches pueden conservarse sin refrigeración, aunque las dos primeras tienen una durabilidad de tres meses, pero una vez abierto el empaque deben refrigerarse. La presentada en polvo se emplea en la fabricación de helados, pastas alimenticias, pastelería, pan, quesos, dulces y yogurt. En 1980 había 11 establecimientos en la rama de leches industrializadas. La condensada la produce únicamente la compañía Nestle, filial de Nestlé Alimentaria, de capital suizo; la evaporada la elabora Carnation de México, filial de *Carnation Co.* de Estados Unidos, que desde 1984 fue adquirida por Nestlé Alimentaria; la leche en polvo entera y descremada es fabricada por la Nestlé (97% del total hasta 1981) y Liconsa; y la maternizada, la Nestlé, *Weyth Vales, Mead Johnson* y Liconsa. Esta empresa paraestatal produce leches industrializadas desde 1976, año

GANADERÍA LECHERA NACIONAL. INVENTARIO Y PRODUCCIÓN, 1972-1983.

Año	Ganadería especializada (1)			No especializada (2)			Total		
	Inventario	Rendimiento (3)	Producción (miles de litros)	Inventario	Rendimiento (3)	Producción (miles de litros)	Inventario	Rendimiento (3)	Producción (miles de litros)
1972	894 668	3 076	2 751 979	3 754 843	576	2 163 220	4 649 511	1 057	4 915 199
1973	920 630	3 208	2 953 400	3 906 094	582	2 271 944	4 826 724	1 083	5 225 344
1974	951 119	3 365	3 200 857	3 999 951	587	2 349 579	4 951 070	1 121	5 550 436
1975	980 408	3 448	3 380 567	4 090 926	594	2 428 221	5 071 334	1 145	5 808 788
1976	984 650	3 500	3 445 902	4 165 227	590	2 461 446	5 149 877	1 147	5 907 348
1977	1 009 300	3 572	3 604 865	4 392 019	587	2 576 081	5 401 319	1 144	6 180 946
1978	1 037 893	3 637	3 775 257	4 497 018	608	2 734 342	5 534 911	1 176	6 509 599
1979	909 334	3 902	3 548 553	4 616 027	670	3 093 350	5 525 361	1 202	6 641 903
1980	923 236	4 077	3 764 225	4 624 050	644	2 977 319	5 547 286	1 215	6 741 544
1981	915 320	4 143	3 792 311	4 271 099	717	3 064 104	5 186 419	1 322	6 856 415
1982	911 368	4 148	3 780 562	4 335 282	725	3 143 046	5 246 650	1 320	6 923 608
1983	888 362	4 138	3 675 821	4 212 490	734	3 092 581	5 100 852	1 327	6 768 402
1984	–	–	–	–	–	–	5 168 867	1 356	7 009 700
1985	–	–	–	–	–	–	5 160 091	1 390	7 172 955

(1) Se considera a todos los vientres cuya función zootécnica está orientada a la producción de leche.
(2) Se considera a todos los vientres cuya función zootécnica está encaminada a la produdción de carne/leche o doble propósito.
(3) Litros vaca/año.
Fuente: SARH: *Compendio histórico. Estadística del Subsector Pecuario.*

LECHÓN–LECHUGA

en que contribuyó con el 8.3% del total; en 1985, en cambio, aportó el 39.3%.

Derivados lácteos. La producción de crema, queso y mantequilla equivalió en 1975 a 2 109 millones de litros de leche; de 1976 a 1983, a una cantidad entre 1 300 a 1 600 millones; y en 1985, a 1 762 millones. Según el censo industrial de 1975 (último disponible), el 93% de los establecimientos de este subsistema contribuía con el 18% de la producción; y el 1.9, con el 52.5. Las principales empresas son Productos de Leche (Prolesa), Holstein, El Sauz, Chipilo, Kraft, General Foods de México, Industrias Alimenticias Club y Productos de Leche Nochebuena. A excepción de esta última, todas las demás son subsidiarias de *Kraft Corporation*, Compañía Americana Borden y Nestlé Alimentaria. Hacia 1979 aumentaron la inversión, el número de empresas y el personal empleado en esta actividad, debido a la posibilidad de obtener una mayor rentabilidad, pues operan en un mercado libre de control de precios y pueden conseguir más fácilmente la materia prima porque pagan mejores precios a los productores. La vinculación de los fabricantes con las fuentes de abastecimiento se presenta según el tipo de tecnología empleada y la escala de producción. En el caso de altos volúmenes, la leche fresca se adquiere de las pequeñas y medianas explotaciones, y se tiene acceso a la leche en polvo; y en los establecimientos de tipo familiar, son los mismos productores quienes, al no venderla como fluido, la utilizan en la elaboración de quesos frescos y cremas, lo cual asegura un lapso más amplio de conservación y la venta en mercados próximos. (*M. del C. del V.*).

LECHÓN. *Sapium macrocarpum* Muell. Árbol de la familia de las euforbiáceas, de 4.5 a 9 m de altura. Tiene hojas alternas, pecioladas, agudas u obtusas, con peciolos largos, y glándulas grandes de forma cónica o cilíndrica en la base de aquéllas, de 7 a 15 cm de largo y de 2 a 4 de ancho. El fruto es una cápsula en la cual las semillas –de casi 1 cm de longitud– persisten aun después de la dehiscencia. El látex es cáustico y causa inflamación al contacto con la piel. Se ha registrado en Guanajuato y Morelos.

LECHUCILLA LLANERA. *Athene cunicularia*, orden Strigiformes, familia Strigidae. Ave de largas patas que en estado adulto tiene el dorso pardo rojizo, manchado de blanco; el pecho y la garganta, blancos, separados por una banda oscura; las partes inferiores del mismo color, con barras pardo amarillentas, salpicadas con manchas pardo rojizas; el iris amarillo y las patas gris verdoso. Vive en toda la República y en casi todas las islas del Pacífico, en lugares llanos y en praderas; por lo general habita en cuevas o agujeros, usualmente en algún tronco o eminencia. Es activa tanto de noche como de día y se alimenta principalmente de roedores y de algunos insectos.

LECHUCITA CABEZONA. *Aegolius acadicus*, orden Strigiformes, familia Strigidae. Ave de 17 a 20 cm; pardo rojiza, con el disco facial, la frente, la parte posterior del cuello y las plumas primarias y escapulares manchadas de blanco. Las de la cola son pardo oscuro, con tres barras delgadas y la punta blancas al igual que las partes inferiores, aunque éstas entreveradas de rojo. Las patas y los dedos llevan plumas. El iris es amarillo limón. Se distribuye en las zonas boscosas de las montañas de México, desde el norte hasta Oaxaca y Veracruz.

LECHUGA. *Lactuca sativa* L. Planta herbácea de la familia de las compuestas, con raíz principal consistente y carnosa, y tallo corto, siempre oculto dentro del suelo. Las hojas, comestibles, se dan agrupadas en rosetas. Se desarrolla de modo preferente en lugares sin sombra; impide el crecimiento y la competencia de otras plantas, y se apega estrechamente al suelo. El estípite floral nace del ápice del rizoma, parece elevarse del centro de la roseta, tiene vasos lactíferos, es hueco y presenta una sola inflorescencia terminal en capítulo. Las flores son liguladas y sin brácteas; cada una se forma de un corto tubo corolíneo y de un pétalo lingüiforme, de color amarillo. Los frutos son aquenios, se dan al final de largos apéndices y presentan una corona de delgadas cerdas extendidas que forman una especie de paracaídas que ayuda a la propagación. Es originaria de Asia Menor y se cultiva en hortalizas. Sirve para ensaladas; en medicina popular se receta como calmante nervioso. Dentro de las muchas variedades hortícolas, destacan tres tipos: *crispa*, de hojas sueltas; *capitata*, de cuerpo casi redondo; y *cos*, de hojas semicerradas. Se conoce también como lechuga o *lechuga de agua* a la *Pistia* *stratioides* L., planta acuática de la familia de las aráceas. En 1984 se cosecharon 4 960 ha de las 5 218 sembradas de lechuga, y se produjeron 98 120 t con un valor de $1 854 millones.

LECHUGUILLA. *Agave lechuguilla* Torr. Planta suculenta, xerófila, perenne, de la familia de las agaváceas, de 50 a 70 cm de altura. Las raíces, largas y delgadas, parten de un rizoma grueso del que nace también un tallo corto, llamado cabeza, que lleva generalmente de 30 a 36 hojas dispuestas en roseta –como el maguey–, de 60 cm de largo, carnosas y gruesas, algo cóncavas hacia adentro, con la base o concha ensanchada, los bordes provistos de espinas grises ganchudas, y el ápice culminado por una púa morena, fuerte y aguda. Florea sólo una vez, a los seis u ocho años de vida, en un tallo –garrocha– que alcanza 3 m de altura y 5 cm de diámetro. Las flores son verdosas, con tintes rojizos; y los frutos, vivíparos, o sea que caen al suelo y enraizan sin que intervengan las semillas como medio de propagación. Aparte la *A. lechuguilla* Torr., se conocen otras 13 especies: *A. shrevi* Gentry, *A. bovicornuta* Gentry, *A. lophantha* Schiede., *A. mescal* Kich., *A. obscura* Schiede., *Hechtia stenopetala* Klotzch., *Hieracium mexicanum* Less., *H. praemorsiforme* Schl., *Pistia stratioides* L., *Senecio vulneraria* D.C., *Solidago mexicana* L., *S. velutina* D.C., y *Sonchus oleraceus* L. La *A. lechuguilla* se halla silvestre en los estados de San Luis Potosí, Coahuila, Chihuahua, Durango, Zacatecas, Nuevo León y Tamaulipas, en lugares áridos, principalmente en las lomas pedregosas, formando grupos extensos y tupidos, en promedio de 21 mil ejemplares por hectárea. Se le explota principalmente para utilizar la fibra cuya resistencia a la tensión es superior a la del henequén. Sirve para hacer lazos, cables, costales, útiles para arriería, tapetes y alfombras. Algunos de estos productos se hacen a mano o con instrumentos rudimentarios, pero generalmente se prefiere entregar la materia prima a las fábricas donde se explota industrialmente.

LECHUZA COMÚN. *Tyto alba*, orden Strigiformes, familia Tytonidae. Presenta en las partes superiores un color ocre, moteado y rayado de gris y blanco; las partes inferiores son blancas, con motas finas oscuras; la cara es blanca, enmarcada en un disco facial en forma de corazón; los ojos son pequeños y negros; y las patas largas, emplumadas hasta los tarsos. Es muy común en todo el país; habita en gran variedad de ambientes; puede observársele refugiada en cuevas, edificios viejos e iglesias. Se alimenta de roedores, aves pequeñas y reptiles.

LECHUZA DE CUERNOS CORTOS. *Assio flammeus flammeus*, orden Strigiformes, familia Strigidae. Debe su nombre a que sus mechones de plumas (cuernos) son poco notables. El color del cuerpo es esencialmente leonado, más pálido en las partes inferiores, con rayas de color pardo oscuro; las plumas primarias y la cola presentan barras oscuras. Las patas y los dedos llevan plumas. El iris es amarillo y los ojos van rodeados de negro. Vive en toda la República, salvo en la península de Yucatán. Prefiere las praderas y lugares pantanosos, se alimenta de roedores y es de hábitos diurnos.

LECHUZÓN. *Strix fulvescens*, orden Strigiformes, familia Strigidae. Ave que llega a medir hasta 44 cm. Es una de las especies de lechuzas más grandes que viven en México. El adulto es pardo rojizo, con barras, y de cara grisácea; las regiones inferiores son pardo amarillento, con franjas café rojizo en el pecho y en el resto del cuerpo; las patas y el pico, amarillos, y el iris negro. Vive principalmente en los bosques húmedos de las regiones montañosas de Oaxaca (Totontepec) y Chiapas (volcán de Tacaná). Es de hábitos nocturnos, se alimenta de roedores e insectos y prefiere durante el día las copas de los grandes árboles.

LECTA. *Piscidia carthagenensis* Jacq. (igual que *P. americana* Sessé y Moc.). Árbol de hasta 15 m de atura de la familia de las leguminosas, de tallos pulverulentos y glabrescentes cuando jóvenes y de estípulas oblicuamente ovadas, de 3 a 5 mm de diámetro. Las hojas conjuntan de cinco a 15 foliolos con lámina ovada u obovada a elíptica, que miden hasta 20 cm de largo y de 2 a 10 de ancho. Las flores, rosadas, de 13 a 18 mm de extensión, son pubescentes en la epidermis exterior y presentan cálices de 5 a 8 mm, y lóbulos de uno a dos. El fruto, de 3 a 11 cm de largo, contiene semillas marrón rojizas de 5 a 8 mm de longitud y de 3 a 4 de ancho. Es originario de México y vegeta en lugares secos, desde 50 hasta mil metros de altitud. Es venenoso, por lo que los indígenas usan su jugo para intoxicar peces y facilitar la pesca. Se conoce también como *cahuirica, frijolillo, matapez y tatzungo*.

LEDESMA, BARTOLOMÉ DE. Nació en Niera, Salamanca, España, hacia 1525; murió en Oaxaca (Oax.) en 1604. Dominico, en 1543 ingresó a la Orden de Predicadores y en 1551 llegó a Nueva España acompañando a fray Alonso de Montúfar, arzobispo de México. De los 22 años que Montúfar gobernó la arquidiócesis, Ledesma la dirigió 11 en su nombre. Sirvió cátedras en la Real y Pontificia Universidad de México y en 1580 pasó al Perú como confesor del virrey Martín Enríquez. Fue catedrático de la Mayor Casa de Estudios limeña; declinó la propuesta para la mitra de Panamá, pero aceptó la de Oaxaca, que administró de 1583 a 1604. Amplió el Colegio de San Bartolomé e instituyó una cantidad para que se repartieran víveres diariamente a los necesitados, en el convento de Santo Domingo. En 1566 publicó *De septem novae legis sacramentis summarium*.

LEDESMA, JOSÉ GUADALUPE. Nació en Jacala (Hgo.) en la primera mitad del siglo XIX; murió ahí mismo en julio de 1861. Militante liberal, al frente de muy pocos hombres defendió esa localidad contra las fuerzas conservadoras de Tomás Mejía. La superioridad numérica del enemigo se impuso a la postre y él cayó en esa acción de guerra. En su honor, Jacala se llama de Ledesma.

LEDESMA, PEDRO DE. Nació en España; murió en la ciudad de México entre 1579 y 1581. Llegó a Nueva España en el viaje de Pánfilo de Narváez, con órdenes del gobernador de Cuba, Diego Velázquez, de someter a su jurisdicción a Hernán Cortés y a los suyos. Vencido por éste, se unió a su tropa y participó en numerosas acciones de guerra contra los indios, estando presente en el sitio y toma de México-Tenochtitlan (13 de agosto de 1521). Fue encomendero y alcalde mayor de varias poblaciones. Cultivó añil en compañía de Martín Cortés, marqués del valle de Oaxaca, en Yautepec, Mor., pero hacia 1570 abandonó esa actividad porque la producción de esa materia

tintórea era un monopolio de la Corona. Fue de los pocos conquistadores que se preocuparon por hacer prosperar al país. En este sentido, escribió unos *Memoriales* al rey de España en 1561 y 1563, en los cuales expuso la conveniencia de reglamentar la salida de metal amonedado, para evitar el acaparamiento y su devaluación; introducir nuevos cultivos como el olivo, la morera y el gusano de seda, el lino y el añil; desecar el lago de Texcoco con fines ganaderos, y exportar a la metrópoli las pieles del ganado que consumía la ciudad de México.

Bilbiografía: Francisco del Paso y Troncoso: *Epistolario de la Nueva España 1505-1818* (18 vols., 1939-1942).

LEDEZMA, CLEMENTE DE. Nació y murió en la ciudad de México (mediados del siglo XVII-hacia 1710). Ingresó al convento de San Francisco de México; fue visitador de la provincia de Michoacán y a partir del 24 de abril de 1694, provincial de la del Santo Evangelio. Escribió: *Vida espiritual común del Tercer Orden de San Francisco* (1689) y *Excelencias del Tercer Orden de San Francisco y constituciones del de la ciudad de la Puebla de los Ángeles* (1705).

LEDESMA, LUIS G. Nació en Fresnillo, Zac., en 1847; murió en Aguascalientes, Ags., en 1922. Colaboró en varias publicaciones de carácter literario; en 1907 dirigió *El Filomático de Zacatecas* y perteneció a la Sociedad Gris, grupo de escritores e intelectuales zacatecanos. Escribió con el seudónimo de *Samuel*. Dejó *Amor y locura*, libro de poemas.

LEDUC, ALBERTO. Nació en Querétaro, Qro., en 1867; murió en la ciudad de México en 1908. Tras varios años de servir en el cañonero *Independencia*, pasó a la capital del país y trabajó en *El Universal, El Nacional, El Noticioso, El País* y *Artes y Letras*. Junto con Luis Lara Pardo y Carlos Roumagnac, formó el *Diccionario de geografía, historia y biografía mexicanas*, impreso en París por la casa de Bouret en 1910. Es autor de *María del Consuelo* (1894), *Un calvario* (1894), *Ángela Lorenzana* (1896) y *Biografías sentimentales* (1898). La mayor parte de sus cuentos se publicaron en la *Revista Moderna*, destacando "Fragatita" (1896).

LEDUC, RENATO. Nació en Tlalpan, D.F., el 15 de noviembre de 1897; murió en Tepepan, D.F., el 2 de agosto de 1986. Cursó la primaria en la escuela Carlos María Bustamante; trabajó un año de mozo en *The Mexican Light and Power* (llamada después de su nacionalización Compañía de Luz y Fuerza) y consiguió una beca para adiestrarse como telegrafista. Seducido por la pujanza carismática de Pancho Villa, se incorporó con ese oficio a la revolución del norte. Cuando la lucha armada llegó a su fin, regresó a la ciudad de México para estudiar jurisprudencia en la Universidad de México (1929-1930). Un funcionario de Hacienda lo envió en una comisión consular a París, donde vivió 13 años. En 1943, a su regreso, se inició en el periodismo, la profesión de Alberto Leduc, su padre. Posteriormente fue supervisor cinematográfico en la Secretaría de Gobernación. Dirigió la revista *Momento de México* y colaboró en *Letras de México*. En *Excélsior* fue famosa su columna "Banqueta", de donde resultó después el libro homónimo. Luego colaboró en *Siempre!*, *Política* y *El Sol de México*. En 1977 recibió el Premio Nacional de Periodismo. Comenzó a escribir versos a los 22 años de edad; en 1929 publicó *El aula, etcétera...*, y después *Unos cuantos sonetos* (1932), *Los banquetes* (relato, 1932), *Algunos poemas deliberadamente románticos* (1933), *Sonetos* (1933), *Poemas del mar Caribe* (1933), *Prometeo mal encadenado* (1934), *Glosas* (anticipo, 1935), *Breve glosa al Libro del buen amor* (1939), *Odiseo* (1940), *El corsario beige* (novela, 1940), *Versos y poemas* (1940), *Poemas desde París* (1942), *Antología de Renato Leduc* (1948), *XV fabulillas de animales, niños y espantos* (1957), *Banqueta* (1961), *Catorce poemas burocráticos y un corrido reaccionario, para solaz y esparcimiento de las clases débiles* (1963), *Fábulas y poemas* (1966), *Prometeo, La Odisea, Euclidiana* (1968), *Historia de lo inmediato* (1976), *Poesía y prosa* (1979) y *Los diablos del petróleo* (1983). También compuso la obra dramática *El Prometeo sifilítico*. Renato Leduc fue un poeta popular por excelencia, cuya obra se conoce principalmente por tradición oral. Su soneto "Sabia virtud de conocer el tiempo" ha pasado de hecho al dominio público.

LEE, LAWRENCE D. Nació en Omaha, Nebraska, EUA, en 1927. Doctor en leyes por la Universidad de Harvard (1965), enseña en la Escuela de Derecho de la Universidad Metodista del Sur (1965). Autor de: *Financing urban development in Mexico city: a care study of property tax, land use, housing and urban planning* (1967).

LEE BENSON, NETTIE. Nació en Arcadia, Texas, EUA. Bibliotecaria de la Universidad de Texas (Austin). Ha publicado *La diputación provincial y el federalismo mexicano* (1955). Tradujo al inglés *Informe de Ramos Arizpe a las Cortes* (1950) y *Estados Unidos contra Porfirio Díaz* de Daniel Cosío Villegas (1963).

LEE STANSIFER, CHARLES. Nació en Garden City, Kansas, EUA, en 1930. Profesor de historia en la Universidad de Kansas. Autor de "*Cumulative index to the volumes XXXVI-XLV, 1949-1959*", en *The Mississippi Valley Historical Review* (1961), y "*Mexican foreign policy in the United Nations: The advocacy of moderation in an era of revolution*", en *Southwestern Social Science Quarterly* (1963).

LEGAZPI Y VELASCO, GARCÍA DE. Nació en la ciudad de México en 1643; murió en territorio de Michoacán en 1706. Ocupó un curato en San Luis Potosí y fue tesorero y arcediano de la catedral metropolitana. El 22 de diciembre de 1692 tomó posesión del obispado de Durango, donde principió y dejó bastante adelantadas las obras de la catedral, de modo que para 1699 se hallaban concluidas nueve bóvedas. En 1700 pasó a ocupar la mitra de Michoacán y en 1704 fue promovido a la de Puebla, cargo que no llegó a ocupar.

LEGIONARIOS DE CRISTO, MISIONEROS DEL SAGRADO CORAZÓN DE JESÚS Y LA VIRGEN DE LOS DOLORES. Congregación clerical de derecho pontificio fundada en la ciudad de México en 1941 por el sacerdote Marcial Maciel, su finalidad es "implantar el Reino de Dios en el mundo conforme la justicia y caridad cristianas lo exigen". Fue erigida como congregación religiosa y aprobada por el obispo de Cuernavaca, Alfonso Espino y Silva, el 13 de junio de 1948. Recibió el *decretum laudis* el 6 de febrero de 1965. La idea de fundar el instituto la concibió Maciel en 1936, cuando era estudiante en el Seminario de Veracruz. Los primeros adeptos fueron condiscípulos suyos en ese plantel y en el de Montezuma, en Nuevo México, EUA. El 26 de noviembre de 1944 Maciel fue consagrado sacerdote y desde entonces fue él el capellán de los Legionarios. En 1949 se inauguró la casa general en Roma, y en ella el Centro de Estudios Superiores; en 1954, el primer centro apostólico en la ciudad de México, el Instituto Cumbres; y en 1964 la Universidad Anáhuac, también en la capital de la República, para la formación de 10 mil estudiantes en los departamentos de ciencias filosóficas, económicas, políticas y sociales, físicas, químicas, matemáticas y naturales, y en las facultades de Medicina e Ingeniería. En 1958 los Legionarios de Cristo erigieron la iglesia de Nuestra Señora de Guadalupe en Roma, que financiaron por ellos mismos, con la cooperación de otros fieles católicos. Ese mismo año abrieron la nueva sede del noviciado y juniorado en Salamanca, España; en 1960, el noviciado de Irlanda; en 1965, el de Estados Unidos, primero en Woodmont y luego en Orange, Conn., y por estos mismos años, los centros de apostolado y educación en Saltillo, Monterrey, el Distrito Federal, Barcelona y Madrid en España. Surgieron también clubes de animación cristiana para la juventud, escuelas de artes y oficios, y centros de reflexión en México, Irlanda, Estados Unidos, España e Italia. En 1968-1969 se realizó el primer capítulo y en él salió confirmado superior general el padre Maciel. En 1965 el Instituto recibió el encargo de la Santa Sede de administrar la recién erigida prelatura de Chetumal (véase), correspondiente al estado de Quintana Roo, cuyo primer obispo-prelado es Jorge Bernal Vargas, uno de los primeros miembros del instituto. En 1980 éste contaba con 47 casas en varios países y 761 legionarios, de los cuales 112 eran sacerdotes.

LEGORRETA, GUADALUPE. Nació en México, D.F., el 17 de noviembre de 1954. Estudió en la Facultad de Filosofía y Letras de la Universidad Nacional Autónoma de México. Actriz, trabajó en *Los sueños de Quevedo*, bajo la dirección de Miguel Sabido, y ha dirigido *El malentendido* de Camus, *Aniversario* de Chéjov, *María o la sumisión* de Tomás Espinosa y *Pinocho* de Carlo Collodi. En 1987 enseñaba teatro en la Escuela Bertha Von Glümer y en la Universidad Simón Bolívar.

LEGORRETA CHAUVET, AGUSTÍN FRANCISCO. Nació en México, D.F., el 2 de septiembre de 1935. Licenciado en relaciones industriales (1957) por la Universidad Iberoamericana, trabajó en Financiera Banamex y en el Banco Nacional de México, donde fue gerente del Departamento de Organización, subdirector de Métodos y Sistemas, director divisional, director, director general (1970) y presidente del Consejo de Administración (1972-1982). Presidió la Asociación de Banqueros de México (1973-1974), el Consejo Empresarial Mexicano para Asuntos Internacionales (1974-1979) y el Consejo Mexicano de Hombres de Negocios (1980-1981). A partir de 1982 es presidente de Arrendadora INCI, Casa de Bolsa Inverlat, *Factoring Inlat* y Seguros América, y desde junio de 1987, del Consejo Coordinador Empresarial.

LEGORRETA GARCÍA, LUIS GONZAGA. Nació en Zamora, Mich., el 30 de enero de 1898; murió en la ciudad de México el 2 de agosto de 1986. Estudió en el Instituto Científico de México hasta 1911, en que el plantel fue cerrado por la Revolución. En febrero de 1913 entró al Banco Nacional de México, donde fue secretario (1922), subdirector (1926), director general (1933-1952), vicepresidente y consejero delegado (1952-1958), presidente del Consejo de Administración (1958-1970) y presidente de honor (1970-1982). Presidió también Celanese Mexicana e Industria Eléctrica de México. Al fallecer era consejero de la Cervecería Modelo y presidente de la Fundación Mier y Pesado, institución de beneficencia.

LEGORRETA LÓPEZ GUERRERO, AGUSTÍN. Nació en México, D.F., el 19 de marzo de 1912; murió en la misma ciudad el 3 de julio de 1972. Estudió en la *Newman School* de Lakewood, Nueva Jersey, en la Universidad de Columbia y en la Escuela de Altos Estudios Comerciales de París. Ingresó al Banco Nacional de México el 6 de diciembre de 1931, y en el Departamento de Organización fomentó el ahorro de la creciente clase media; ocupó la subdirección del sistema (agosto de 1943), impulsando la fundación de sucursales en la capital y en la provincia; desempeñó la dirección general (a partir de 1952) y el 18 de marzo de 1970 se le eligió presidente del

LEGORRETA–LEHMANN

Consejo de Administración, al que luego ingresaron, a instancias suyas, prominentes industriales del interior del país. Apoyó las propuestas de restauración de edificios valiosos, como el que alberga la oficina central, la casa del conde de San Mateo de Valparaíso, y el Palacio de Iturbide, sede de la Financiera Banamex (v. GUERRERO Y TORRES, FRANCISCO) y se distinguió por la compra de valiosas obras de arte que ornan esos edificios. Fue presidente de las sociedades Camino Real, Minera San Noé, Fertilizantes Fosfatados Mexicanos, Financiera Banamex, hotel Alameda, y Sorger; vicepresidente de Teléfonos de México y miembro de los consejos de administración de Azufrera Panamericana, Celanese Mexicana, Fábricas de Papel San Rafael y Anexas, Fundidora de Fierro y Acero de Monterrey, *Eastern Air Lines* e Industria Eléctrica de México.

LEGORRETA VILCHIS, RICARDO. Nació en México, D.F., en 1931. Hizo sus estudios profesionales en la Universidad Nacional Autónoma de México (1948-1952) y obtuvo su título de arquitecto en 1953. En el periodo 1955-1960, asociado con José Villagrán García, realizó las siguientes obras en la ciudad de México: Rastro, Escuela Cumbres, dos mercados, los hoteles María Isabel y Alameda, el auditorio del Centro Médico, el edificio de oficinas de Paseo de la Reforma núm. 35 y de la Compañía General de Seguros América. En 1963 fundó Legorreta Arquitectos, junto con Carlos Hernández, Ramiro Alatorre y Noé Castro. Desde entonces han hecho las ampliaciones de IEM Westinghouse, Fábricas Auto-Mex (oficinas en México), los laboratorios Abbot y Merck, Sharp & Dohme, y los hoteles Alameda y Camino Real; y proyectado y dirigido los edificios de Fábricas Auto-Mex (Toluca) y Smith Kline y French (1963-1964); *Chicago Molding Co.*, Tremec (Querétaro) y hotel Camino Real (Ciudad Juárez, 1964-1965); Laboratorios Merrell National, Colegio Vallarta, John Deere (oficinas y almacenes), Square D de México y Nissan Mexicana (Cuernavaca, 1966); Escuela Cedros, Thompson Ramco (Cuernavaca) y Motores Perkins (Toluca, 1967); Auto-Mex (planta de ensamble, Toluca), Hotel Camino Real (ciudad de México) y oficinas de Celanese Mexicana (ciudad de México, en colaboración con Roberto Jean, 1968); IEM Westinghouse (planta para aparatos domésticos, 1969);

Escuela Pedro de Gante (Tulancingo, 1970); Hotel Hacienda, en Cabo San Lucas (1972); Planta IBM en Guadalajara, hotel Camino Real de Cancún y Laboratorios Kodak del D.F. (1975); Conjunto El Rosario del Instituto del Fondo Nacional para la Vivienda de los Trabajadores, y oficinas de Seguros América (1976); remodelación del hotel Las Brisas en Acapulco y diseño urbano de La Estadía en el estado de México (1978); Lomas Sporting Club en la ciudad de México (1980); hotel Camino Real de Ixtapa (1981); oficinas del Banco Nacional de México en Monterrey (1982) y diseño urbano de ciudad Jurica, Qro. (1982); Fábrica Renault en Gómez Palacio, Dgo. (1984); plan rector de Valle de Bravo y del *Westlake Park* en Dallas, Tex., EUA (en colaboración, 1985); casa de visitas de Fondo Nacional de Fomento al Turismo en Huatulco y oficinas del Banco Nacional de México en Tlalnepantla (1987). Al arquitecto Legorreta se debe la excelente reconstrucción y adaptación del antiguo Palacio de Iturbide. V. GUERRERO Y TORRES, FRANCISCO.

LEHMANN, WALTER. Nació en Munich en 1878; murió en Berlín en 1939, ambas de Alemania. Se doctoró en lingüística y etnología. Fue, junto con Theodor Wilhelm Danzel y Walter Krickeberg, discípulo de Edward Seler. Fue director del Museo Etnológico de Berlín. Su biblioteca, rica en reproducciones de códices, manuscritos y grabados antiguos, y su enorme archivo fotográfico se conservan en la Biblioteca Iberoamericana de Berlín-Lanknitz, donde la Colección Walter Lehmann dispone de dos salas independientes. Publicó estudios de diversa índole sobre Perú, Centroamérica y México; concernientes a éste, sobresalen: *"Einige Fragmente mexikanischer Bilderhandschriften"*, en *Congrés International des Américanistes* (Stutgart, 1904); *"Über Taraskische Bilderschriften"*, en *Globus* (Berlín, 1904); *"Les peintures mixteco-zapotéques et quelques documents apparentés"*, en *Journal de la Societé des Américanistes de Paris* (1905), editada en castellano por Vargas Rea (1946 y 1948); *Ergebrusse und Aufgaben der mexikanistischen Forschung* (Berlín, 1907); *Der sogennte Kalender Ixtlilxochitls. Ein Beitrag zur Kenntnis der achten Jahresfeste der Mexikaner* (Berlín, 1908); *"Inhaltsverzeuchnis zum Selerschen Kommentar des Codex Borgia"* (Berlín, 1909), publicada en castellano (1965); *Franco Ximénez: Der Kalendar der Quiché-Indianer. Ein Kapitel aus dem unveroffentlichen Manuskriptwerk des Padre Ximénez über die Geschichte von Chiapas und Guatemala* (Berlín, 1911), cuya traducción castellana se publicó en *Ethnos. Revista dedicada al estudio y mejoría de la población indígena de México* (1925); "*Arte messicana*", en *La Crítica Artística* (Roma, 1922); "*Les anciens calendiers des mexicains et des mayas*", en *Les Études Atlántéennes* (París, 1927); *Mexic. I. Facssimileausgabe der Mexikanischen bilderhandschrift der National-Bibliotek und Wien. Eingeleitet durch Walter Lehmann und Ottmar Smital* (Viena, 1929); *Kommentar zur Wiener mexikanischer Bilderhandschrift* (Viena, 1931); "*Altmexikanische Kalenderweisheit*" en *Die Gartenlaube* (Berlín, 1932); "La antigüedad histórica de las grandes culturas mexicanas y el problema de su contacto en las grandes culturas peruanas", en *México Antiguo* (1936-1939); *Die Geschichte der Konigreiche von Colhuacan und Mexico* (Stutgart-Berlín, 1938), y la obra póstuma terminada por su discípulo Gert Kutscher: *Das "Memorial breve acerca de la fundación de la ciudad de Colhuacan" und weitere angeirvalte Teile aus den "diferentes historias originales"* (*Ms. Mexicain no. 74 des Bibliothéque Nationale. Paris*) (Berlín, 1958).

Bibliografía: Walter Lehmann: "Bibliografía", en *Boletín Bibliográfico de Antropología Americana* (1939).

LEHMANN FEITLER, PEDRO ALBERTO. Nació en México, D.F., el 1° de septiembre de 1934. Químico y doctor en química farmacéutica por la Universidad de California (EUA), ha sido profesor en instituciones de enseñanza superior en México y el extranjero. En colaboración con otros autores, ha publicado: *Proceeding of the First International Pharmacological Meeting* (2 vols., 1963), *Introducción a las ciencias naturales. Primer grado* (1975), *Introducción a las ciencias naturales. Tercer grado* (1976), *Introducción a la toxicología general* (1978), *Receptors and recognition* (1978), *Third European Simposium on Chemical Structure-Biological Activity* (Budapest, 1979) y *Tópicos modernos de estereoquímica* (1981). También ha publicado en revistas especializadas.

LEHONOR ARROYO, IGNACIO. Nació en Perote, Ver., el 17 de junio de 1907. Fue consagrado sacerdote en Roma, el 29 de diciembre de 1929, y en 1931 obtuvo el doctorado en teología por la Universidad Gregoriana. De regreso a México, enseñó filosofía, hasta 1934, en que pasó a Córdoba como encargado de la parroquia, de la que salió a misionar en el estado de Tabasco, carente de sacerdotes, en el periodo de gobierno de Tomás Garrido Canabal. Nuevamente en Veracruz, fue canónigo honorario (desde 1945), párroco de Córdoba (hasta 1949) y del Sagrario, en Jalapa, y canónigo de coro. El 15 de enero de 1963 fue preconizado obispo de Tuxpan por el papa Juan XXIII. Recibió la plenitud del sacerdocio el 25 de marzo siguiente. Ya obispo, por encargo del Espicopado Mexicano, fue director de las escuelas radiofónicas de Huayacocotla. Tomó posesión de la diócesis el 24 de marzo de 1963 y la gobernó hasta septiembre de 1982, fecha en que renunció.

LEIGHT, HUGO. Nació y murió en Berlín, Alemania (1885-1952). Desde joven pasó a México y se radicó en Puebla. Dirigió el Colegio de la Colonia Alemana y la Biblioteca Palafoxiana, en Puebla, donde también colaboró en periódicos y revistas. Es autor de la notable obra *Las calles de Puebla. Estudio histórico* (1934).

LEIVA, RAÚL. Nació en la ciudad de Guatemala, Guatemala, en 1916; murió en México, D.F., en 1975. Radicado en México desde 1954, colaboró en casi todas las revistas literarias de los años cincuentas y sesentas. En 1963 ganó el primer premio en el Concurso Internacional de Crítica Literaria organizado por el Fondo de Cultura Económica. Su obra poética comprende: *Angustia* (1942), *En el pecado* (1943), *Sonetos de amor y muerte* (1944), *Noah o el ángel* (1946), *El deseo* (1947), *Sueño de la muerte* (1950), *Oda a Guatemala y otros poemas* (1953), *Danza para Cuauhtémoc* (1955), *Nunca el olvido* (1957), *Águila oscura* (1959), *Eternidad tu nombre* (1962), *Palenque* (1962) y *La serpiente emplumada* (1965). En 1959 publicó el estudio *Imagen de la poesía mexicana contemporánea*. En 1971 se dedicó al estudio de la prosa de Ramón López Velarde, y en 1975 a la obra de Sor Juana Inés de la Cruz.

LEJARZAL, PEDRO IGNACIO. Nació y murió en Guanajuato, Gto. (1797-1862). Trabajó como ensayador para varias compañías mineras de Guanajuato. Fue catedrático de mineralogía y matemáticas en el Instituto Científico y Literario del Estado. Dejó escritos varios trabajos sobre amalgamación y leyes de metales, con observaciones efectuadas en minerales extraídos de las minas de esa región.

LEJEUNE, LOUIS. Escritor y minero francés que escribió *Au Mexique* (París, 1892), *Sierras mexicaines* (1908) y *Terres mexicaines* (1912).

LEMACTO. *Laemanctus serratus*, lagartija arborícola de color verde amarillento, cabeza azulosa y garganta crema, con varias rayas oscuras transversales en la superficie dorsal. La cabeza es ancha, con una prolongación en la nuca que forma una especie de yelmo aserrado en los bordes. Presenta una cresta dentada que recorre longitudinalmente el cuerpo en la región vertebral. La cola mide un poco más del doble de la longitud del cuerpo. Habita en selvas y bosques húmedos de los estados de la vertiente del Golfo, Chiapas y la península de Yucatán.

2. *L. longipes* se distingue de la especie anterior porque no presenta los bordes aserrados en el "casco" ni tampoco la cresta dorsal. Las hembras ponen de cuatro a seis huevos entre mayo y junio, que depositan en un pequeño agujero cavado en el suelo; el periodo de incubación es de aproximadamente uno y medio meses. Ésta, al igual que *L. serratus*, es una especie insectívora. Habita en bosques húmedos de los estados de Veracruz, Oaxaca, Tabasco y Chiapas.

LEMERCIER, GREGORIO (José de Lemercier). Nació en Lieja, Bélgica, el 12 de diciembre de 1912; murió en Cuernavaca, Mor., el 28 de diciembre de 1987. Inició los estudios de teología en la Universidad de Lovaina (1928) y en 1932 ingresó en la Orden de San Benito (v. BENEDICTINOS) en la abadía de Mont César. Fue ordenado sacerdote el 18 de abril de 1938. Al estallar la Segunda Guerra Mundial (1939) se incorporó como capellán del ejército belga; cayó prisionero y fue liberado en 1941. En 1942 intentó, sin conseguirlo, abrir un monasterio en Guaymas, Son., y en 1964 fundó el de Monte Casino en terrenos de Huitzilac, Mor., el cual trasladó en 1950 a Santa María Ahuacatitlán con el nombre de Santa María

de la Resurrección. En él impuso la regla benedictina primitiva y celebró la primera misa *Coram populo* (de cara al pueblo) y en español, anticipándose a las reformas del Concilio Vaticano II. En 1959 el monasterio fue erigido en priorato conventual. En 1962 fue designado asesor teológico del obispo Méndez Arceo y como tal participó en el Concilio. En 1959, Lemercier había iniciado entre los miembros de su comunidad la terapia voluntaria del sicoanálisis, como recurso para el discernimiento de la vocación religiosa y sacerdotal. En 1966 creó el Centro de Psicoanálisis Emaús, con el auxilio de Frida Zmud y Gustavo Quevedo; estableció talleres de carpintería, serigrafía, herrería y platería destinados a elaborar objetos para el culto, y el 12 de junio siguiente renunció a la vida religiosa y al sacerdocio institucionales. El 1° de agosto de ese año se clausuró el monasterio y los 24 monjes se dispersaron. El Centro Emaús, a su vez, se extinguió en 1979 y la mayor parte de sus instalaciones fueron cedidas a los religiosos capuchinos en 1985.

LEMUS, GEORGE. Nació en Del Río, Texas, EUA, en 1928. Maestro en artes (1952) y doctor en filosofía y letras (1963) por la Universidad de Texas, enseña español en el *San Diego State College* (desde 1968). Es autor de *Pedagogía mexicana y norteamericana comparada* (1962) y *Francisco Bulnes: su vida y sus obras* (1965).

LEMUS OLAÑETA, FRANCISCO DE P. Nació en Pátzcuaro, Mich., el 3 de abril de 1846; murió en Morelia, de la misma entidad, en la segunda década del siglo xx. Estudió en el Colegio de Infantes de Morelia (1854-1859), bajo la guía de Benito Ortiz, maestro de capilla de la catedral, y piano en la ciudad de México (1859-1862). Hasta 1889 residió alternadamente en Morelia y en Celaya; en aquella ciudad fue organista en las capillas de Carmelitas y la Soterraña y en la catedral, y en ésta, en el templo del Carmen. En 1887 compuso la zarzuela *La gracia divina* y su primer *Mes de María*; en 1890 fundó la Sociedad Filarmónica del Sagrado Corazón de Jesús; en 1894 ganó el concurso convocado por el periódico *El Mundo* con la zarzuela *Sobre el océano*; y en 1896 aprendió tipografía musical y puso un taller para editar música, empezando por la propia, entre ella un *Canto llano* y su segundo *Mes de*

María, que todavía se ejecuta y canta en muchas iglesias de la República.

LENGUA DE PÁJARO. *Polygonum aviculare* L.

Hierba rastrera de la familia de las poligonáceas, de tallos angulares y engrosados en los nudos de donde parten las hojas. Éstas son alternas, simples, pequeñas y de color azúl grisáceo. Las flores, aún más pequeñas, son verdosas y con márgenes rosados. El fruto es una nuez comprimida, con una sola cavidad y una semilla. Es común en toda la República.

LENGUA DE PERICO. *Gliricidia sepium* (Jacq.) Steud.

Árbol de la familia de las leguminosas, cuya altura varía de 3 a 9 m. El tallo es normalmente corto y torcido, y la corteza, grisácea, lisa o con fisuras poco profundas. Las hojas son compuestas, con foliolos ovados o elípticos de 3.5 a 6.5 cm de longitud, agudos, verdes en el haz, pálidos en el envés, y normalmente con manchas broncíneas. Las flores, rosado brillantes, se dan dispuestas en racimos axilares y miden 2.5 cm. El fruto es una vaina larga y aplanada de 1.5 cm de ancho. La albura es amarillenta y cambia a moreno rojiza cuando se expone al Sol, y el duramen, más oscuro que ésta, está matizado con rojo. Se usa para formar setos y es el preferido para dar sombra al cacao y a los cafetos. Las hojas, al igual que otras partes de la planta, son venenosas; las semillas y la corteza, pulverizadas y mezcladas con arroz, se emplean para envenenar ratas y otros roedores. Se le conoce también como *madre del cacao*.

LENGUA DE VACA.

Con este nombre se conocen varias especies del género *Rumex*. Son hierbas perennes, a veces muy robustas, con fuertes y bien desarrolladas raíces y hojas simples, basales, extensas, pecioladas, ovadas, aflechadas o lanceoladas. Sus numerosas flores están dispuestas en panículas: las masculinas con seis a ocho estambres y las femeninas con dos a tres estilos cortos y estigmas en penacho. El fruto es una nuez comprimida o tricuetra. Pertenecen a la familia de las poligonáceas. En el valle de México son comunes las siguientes especies: *Rumex crispus* L., de 40 a 50 cm de altura, cuyas hojas son elíptico-lanceoladas y de hasta 35 cm de longitud.

2. *R. pulcher* L., de 40 a 50 cm y hojas de 4 cm.

3. *R. hymenosepalus*, perenne, hasta de 1 m de altura, robusta, con raíces gruesas y tuberosas de las que se extrae tanino, y hojas anchas, lanceoladas, de 30 cm.

4. *R. maritimus* L., de 40 a 70 cm, de hojas hasta de 18 cm de largo y 3.5 de ancho, las superiores más pequeñas y acintadas.

5. *R. obtusifolius* L., de 40 a 70 cm, con hojas inferiores grandes, anchas, ovado-lanceoladas, de 16 cm de largo por 7 a 8 de ancho con la base cordada, y hojas superiores pequeñas y elíptico-lanceoladas.

LENGUADO.

Nombre que se aplica a varias especies de peces planos, principalmente a los de la familia Bothidae, orden Pleuronectiformes. Son de cuerpo oblongo y muy comprimido, con ambos ojos situados en el lado izquierdo de la cabeza, con la boca oblicua, asimétrica, y la mandíbula inferior un tanto prominente. El margen del preopérculo es libre y se distingue fácilmente. La aleta dorsal, única y larga, se origina arriba o por delante del ojo superior; la anal es también larga. La caudal es doble truncada y está separada de las dos anteriores. Las aletas pectorales están generalmente bien desarrolladas en ambos lados del cuerpo. Las pélvicas son yugulares y en algunas especies la aleta emplazada en el lado oculado es más grande. Poseen una línea lateral que describe un arco por encima de las pectorales y en ocasiones falta en el lado ciego. El lado oculado es de color pardo, a menudo con manchas o lunares contrastantes. El lado ciego es generalmente pálido. Son animales de hábitos sedentarios, que descansan en los fondos blandos sobre su costado ciego, por lo general parcial o totalmente enterrados en la arena o el limo. Poseen la facultad de cambiar rápidamente de coloración para confundirse con el fondo, lo cual les permite ocultarse de sus enemigos naturales y a la vez sorprender a sus presas, ya que son hábiles depredadores de peces. Rasgo notable de su biología es que los alevines, al nacer, son de hábitos pelágicos, nadan en posición vertical y sus ojos tienen una disposición convencional, pero a medida que se desarrollan, uno de los ojos emigra gradualmente al lado opuesto de la cabeza para quedar por encima del otro; es entonces cuando adquiere la postura y los hábitos sedentarios, característica de los adultos. La mayoría de los lenguados son comestibles, pero sólo se aprovechan las especies de gran talla. Entre éstas, el lenguado de California *Paralichthys californicus* (Ayres) es la especie más importante en aguas mexicanas. Se distribuye desde Klamath River, Cal., EUA, hasta bahía Magdalena y las costas del golfo de California. Llega a medir 1.6 m, con un peso de 20 o 30 kg. Su carne es de excelente calidad y muy fácil de filetear. Otras especies comerciales de lenguado son *Hippoglossina stomata* y *P. lethostigma*; se pescan con trampas, redes de arrastre, chinchorros playeros y diversos tipos de anzuelos. La producción mexicana de lenguado fue de 1 662 t en 1981.

2. El nombre de lenguado también se aplica a los peces de las familias Cynoglossidae (v. LENGÜITA), Pleuronectidae y Soleidae, las dos últimas oculadas a la derecha.

LENGUAS INDÍGENAS. Existen actualmente en México unas 60 o 70 lenguas indígenas a las que se llama popularmente dialectos, lo cual es erróneo. El 9% de la población que tenía cinco años o más (edad fijada según convenciones internacionales) en la fecha del levantamiento del censo de 1980, hablaba alguna lengua aborigen, o sea 5.2 millones de personas; pero si se incluye una parte de la población menor de cinco años, que ya ha adquirido básicamente su idioma materno, había no menos de 6 millones, de modo que para 1986 debían ser aproximadamente 7 millones, número equivalente al total de habitantes de 10 estados de la República: Aguascalientes, Baja California Sur, Campeche, Colima, Morelos, Nayarit, Querétaro, Quintana Roo, Tlaxcala y Tabasco. Los hablantes de lenguas indígenas representan una proporción cada vez menor de la población del país: 14.4% en 1940, 10.4% en 1960 y 9% en 1980. Antes de la Conquista eran el 100% pero fueron disminuyendo hasta las cifras actuales, en un proceso histórico que se inició con los primeros contactos hispano-indígenas.

Historia. Las técnicas de la lingüística comparada y de la reconstrucción de lenguas permiten saber que varios idiomas actuales resultan de la diversificación de una lengua antigua y, a la vez, revelan cómo era ésta. Por ejemplo: al comparar el español, el francés, el rumano y varios otros, se encuentran correspondencias regulares en fonología, reglas gramaticales y vocabulario, indicadoras de que todos ellos derivan de una lengua que no se habla más (en este caso, el latín vulgar), y de cómo era este idioma, del que existen pocos testimonios. De igual manera, la comparación del otomí, el mazahua, el matlatzinca, el ocuilteco, el pame del norte, el pame del sur y el chichimeca jonás, muestra que son producto de la diversificación de una lengua antigua (denominada otopame), y al mismo tiempo indica que los dos primeros están más íntimamente relacionados entre sí, de modo semejante a como las otras lenguas comparadas forman diversas agrupaciones; esto es, que el otopame se diferenció primero en tres o cuatro (una de ellas la "lengua madre", antecesora del otomí y el mazahua) y que éstas se diversificaron a su vez más tarde. Siguiendo el mismo procedimiento con los demás idiomas del país, pueden reconocerse varias familias, algunas de ellas divididas en ramas, grupos y subgrupos. Gracias al método llamado glotocronología, puede saberse en qué momento era uno solo el idioma que, al diferenciarse paulatinamente, dio como resultado la red que constituye cada una de las familias lingüísticas actuales, y gracias a que el vocabulario de un idioma es el "catálogo" de lo que una sociedad conoce (su medio ambiente, sus técnicas de subsistencia, sus instituciones), es posible ubicar geográficamente, de manera aproximada, a cada una de esas "lenguas madres". Sin embargo, mientras más se remonta la investigación hacia el pasado, menos detallados y precisos serán los datos. Sería muy aventurado decir qué idioma hablaba el Hombre de Tepexpan, o si se entendía con los cazadores prehistóricos del valle de Tehuacán; lo que sí puede asegurarse es que el sentido general del poblamiento americano, de norte a sur, hacía que en el actual territorio mexicano hubiera varias de las antiguas lenguas antecesoras de los idiomas que hoy se hablan en Suramérica (tal vez la remota relación entre el tarasco y las lenguas quechuanas date de entonces), así como que los idiomas antepasados de varias de las familias lingüísticas del México actual estaban al norte, en lo que hoy son Canadá y Estados Unidos. En lo que ahora es México, habrían existido solamente los antepasados de algunas de las familias de más antiguas raíces, tal vez de la otopame, de la oaxaqueña y de la mangueña, que entonces no se habrían diferenciado, sino que serían un solo idioma que con el tiempo dio origen a las familias lingüísticas mencionadas y a otras, como la tlapanecana, que se agrupan con las anteriores en un gran *filum* otomangue.

Para el periodo de los primeros asentamientos de cultivadores –es decir, los inicios del desarrollo cultural mesoamericano–, se puede estar razonablemente seguro de que se encontraban en esta área varias de las familias lingüísticas que ahora existen, entre ellas la maya, la oaxaqueña, la chinanteca y, tal vez, parte de la otopame. La sedentarización que acompañó al cultivo produjo una gran fragmentación lingüística, primero en variantes regionales y aun locales (es decir, en dialectos distintos pero mutuamente inteligibles) que más tarde, al aumentar la diferenciación –en parte en función del tiempo y en parte por la desaparición de dialectos intermedios– llegaron a ser lenguas distintas, es decir, formas de hablar, cuyos hablantes ya no podían entender. Sin embargo, hay indicios de que estas familias no ocupaban las regiones donde se localizaron posteriormente, sino otras, por lo general más al norte.

Cuando aparecieron los grandes centros ceremoniales más tempranos, como el de La Venta, cerca del año 1500 a.C., la mayor parte de las familias lingüísticas se encontraban en regiones muy similares a las que ocupaban a la llegada de los españoles, aunque había diferencias importantes: la familia maya parece que no había llegado todavía a las tierras altas de Chiapas y Guatemala, si bien ocupaba ya las tierras bajas (inclusive una buena porción de lo que ahora son el sur de Veracruz y el oriente de Tabasco), zona que compartía con hablantes de lenguas de la familia mixeana o zoqueana; la familia oaxaqueña parece que se había extendido por buena parte del actual estado de Puebla, hasta las inmediaciones de Tlaxcala, y así sucesivamente. La diferencia más notable consiste en la ausencia total, en territorio mesoamericano, de lenguas de la familia yutoazteca, las cuales apenas ocuparían las sierras de Sonora y Chihuahua y las zonas aledañas, formando una cuña entre idiomas hokano-coahuiltecos al este y al oeste. Probablemente mil años más tarde apareció en Mesoamérica la familia yutoazteca. Parece haber avanzado por la sierra Madre Occidental y por las tierras vecinas, desplazando lenguas emparentadas con el tarasco, del mismo modo que debió reemplazar en las llanuras interserranas del norte a otros grupos de nómadas cazadores y recolec-

tores. En el resto de Mesoamérica, las demás familias debieron ocupar, en términos generales, las áreas donde se asentaron después; sin embargo, las lenguas componentes de esas familias (lenguas antiguas, antecesoras de las actuales) sufrieron algunos reacomodos, según lo atestiguan las relaciones entre ellas si se les compara con sus ubicaciones geográficas actuales.

Durante el periodo Clásico Temprano, el surgimiento de señoríos de gran influencia contribuyó a fijar a las familias lingüísticas en los territorios donde se les conoció mucho más tarde. Aunque hubo cambios posteriores, éstos no son por lo común muy notables, si bien no carecen de importancia. Por otra parte, las lenguas hegemónicas de los señoríos se extendieron a costa de las hablas locales, a muchas de las cuales hicieron desaparecer, marcando más las diferencias entre los idiomas subsistentes. El fenómeno es similar al de la extensión del castellano en España, a raíz de la Reconquista, a expensas de formas regionales como el leonés, el aragonés o las mozárabes. El auge del intercambio comercial favoreció el uso de lenguas francas –aquellas que emplean para comunicarse entre sí pueblos que hablan idiomas distintos, como se usó en la Edad Media el latín, o el francés hasta principios de este siglo, o actualmente el inglés–, lo que llevó a la coexistencia de dos o más idiomas igualmente vigorosos en ciertas regiones: en el centro de México (por lo menos en lo que hoy es el Distrito Federal y los estados de México y Morelos) se hablaban lenguas de la familia otopame y de la yutoazteca; esta última se superponía a la oaxaqueña en buena parte del actual estado de Puebla, posiblemente hasta Tlaxcala; en el istmo de Tehuantepec se hablaban lenguas de la familia mixeana, que en la vertiente de esta región, sobre el golfo de México, se entremezclaban con idiomas yutoaztecas, y al oriente del Istmo con lenguas de la familia maya, y aun es posible que en algunos puntos coexistieran las tres. En la sierra Madre Oriental, entre lo que hoy es el norte de Puebla y Veracruz, privaba la familia totonaca, que se extendía a los llanos interiores, donde también había hablantes de lenguas yutoaztecas, y hacia el oriente de la sierra coexistía con idiomas de una rama (la huasteca) de la familia maya. La crisis mesoamericana, entre los años 700 y 1000, provocó nuevos reacomodos. De esta época debe proceder la presencia en Cen-

LENGUAS

troamérica de un miembro de la familia yutoazteca (el pipil, variante del náhuatl), que separa los idiomas mayas pocomam y poconchi y forma islotes hasta Nicaragua. También en ese tiempo, un idioma huastecano (el cotoque o chicomulteco) se desplazó desde su ubicación original, al sur del huasteco, hasta Chiapas.

Durante el periodo Posclásico ocurrieron nuevos reajustes, en especial originados en la existencia de señoríos que impusieron lenguas hegemónicas en perjuicio de varios de los idiomas locales, algunos de ellos en uso hasta el momento de la Conquista (por ejemplo, en partes de Jalisco, Michoacán y Guerrero) y de los cuales sólo quedó su nombre. Así, a lo largo de milenios se diversificaron los idiomas aborígenes y llegaron a tener la ubicación que se conoce para Mesoamérica en el siglo XVI, y un poco más tarde –conforme avanzaron la Conquista y la colonización–, para las tierras de los chichimecas nómadas, localizadas al norte de Mesoamérica.

Al arribo de los españoles había tres lenguas francas: el maya en la península de Yucatán, el tarasco en el reino de Michoacán y el mexicano en "todo este reino de la Nueva España", es decir, en el resto de Mesoamérica. Ante esta situación los conquistadores decidieron, en un principio, emplear el náhuatl como idioma hegemónico, pues facilitaba llevar la administración civil y religiosa en una lengua que conocía la mayor parte de los nuevos súbditos, aunque no fuera la suya propia. También contribuyeron los europeos a la expansión del náhuatl y del otomí hacia las regiones norteñas, donde sólo se hablaban las lenguas de los chichimecas, pues tuvieron como aliados a indios náhuas (tlaxcaltecas, por ejemplo) y otomíes que también sirvieron como colonos, de quienes los bárbaros recién sometidos podían aprender las técnicas del cultivo y las prácticas de la vida sedentaria. Pronto, sin embargo, el español comenzó a desplazar al mexicano como lengua de dominación.

Durante los tres siglos de la Colonia se desarrolló, al menos en teoría, una pugna entre el castellano y los idiomas aborígenes. Los misioneros preferían con frecuencia emplear las lenguas de sus feligreses en la administración de los sacramentos; a ello se debe que escribieran un gran número de obras sobre idiomas indígenas (vocabularios o diccionarios, artes o gramáticas), o bien, redacta-dos en ellas, confesionarios y sermonarios. La Corona se inclinaba más por el empleo del español, proféticamente preconizado por Nebrija como lengua del nuevo imperio, aunque no desatendía del todo las recomendaciones de los evangelizadores. En la práctica, el castellano fue imponiéndose cada vez más, pero todavía al iniciarse la Guerra de Independencia eran mucho más numerosos quienes hablaban lenguas indígenas que aquéllos que usaban el castellano.

La prolongada lucha por la Independencia política (1810-1821) hizo que se desplazaran de un lado a otro los combatientes indígenas, quienes así se vieron obligados a usar el castellano como lengua de comunicación, con el consecuente abandono, en muchos casos, de su lengua materna. Menos severos, pero en el mismo sentido, fueron los efectos de la frecuente inestabilidad del país durante los siguientes 50 años. El gran número de hablantes, la elevada proporción de monolingües, el hecho de que muchas de las comunidades vivieran prácticamente aisladas y el que todavía fueran relativamente recientes las gramáticas de lenguas indias, escritas en el siglo XVIII, hacía que no se viera con tanto desprecio el ser indio o el hablar una lengua aborigen. La desaparición de los bienes comunales, la creación de grandes latifundios y la consecuente proletarización de los indígenas fue lo que hizo ver cada vez con mayor desprecio a quienes hablaban las lenguas nativas, y a estas mismas como señal de que se era indio, pues si éstos habían sido explotados desde el momento de la Conquista, tal situación se agravó cuando pasaron a ser peones acasillados. De este tiempo procede la costumbre de llamar "dialectos" a los idiomas nativos. Durante la Colonia se les llamaba "lenguas" (*Arte de la lengua matlatzinca*, por ejemplo), y no faltan menciones acerca de su riqueza de expresión, "comparable a la de la lengua latina o la griega"; pero desde fines del siglo XIX la mayoría de la población mestiza consideraba que el habla de seres "inferiores" era igualmente inferior, sin gramática ni literatura, menos capaz que el español y no propiamente una lengua, sino una forma de expresión imperfecta a la que se llamó "dialecto", con sentido peyorativo. Los mismos hablantes de lenguas indígenas procuraron ocultarlo, actitud que prevalece todavía en muchas partes.

LENGUAS

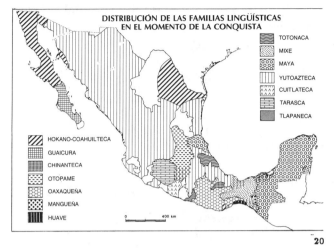

DISTRIBUCIÓN DE LAS FAMILIAS LINGÜÍSTICAS
EN EL MOMENTO DE LA CONQUISTA

TOTONACA
MIXE
MAYA
YUTOAZTECA
CUITLATECA
TARASCA
TLAPANECA

HOKANO-COAHUILTECA
GUAICURA
CHINANTECA
OTOPAME
OAXAQUEÑA
MANGUEÑA
HUAVE

0   400 km

20

Los gobiernos posteriores a la Revolución de 1910 han reconocido los derechos de los campesinos, cuya mayoría es indígena, y han creado instituciones especialmente destinadas a la atención de las minorías étnicas de raíz prehispánica: en el pasado, la Dirección de Antropología y el Departamento de Asuntos Indígenas; y ahora, el Instituto Nacional Indigenista y la Dirección de Educación Indígena. Sin embargo, en un principio seguía tan viva la idea de que la lengua y la cultura indias constituían un obstáculo, que se procuró desterrar los idiomas nativos proscribiendo su empleo por los educandos, incluso en los momentos de descanso o "recreo" en las escuelas. Hacia 1960 la Secretaría de Educación Pública adoptó por fin la idea que educadores, lingüistas y antropólogos habían venido defendiendo: 1. los idiomas aborígenes son patrimonio de sus hablantes y de la humanidad, por lo cual deben conservarse, y 2. la educación debe impartirse en la lengua materna, tanto por razones pedagógicas cuanto por respeto a los hablantes de lenguas minoritarias.

En la práctica, únicamente se llegó a alfabetizar en lengua materna, lo que ha tenido el efecto de demostrar que el idioma nativo "no sirve ni siquiera para la escuela". Se ha producido así en muchos grupos un efecto contrario al esperado: en lugar de conservarse, las lenguas indígenas se han perdido aceleradamente. Sólo en los años más recientes ha comenzado a practicarse una educación bilingüe y bicultural, con libros de texto escritos en las lenguas nativas. Este reconocimiento oficial de la importancia de los idiomas aborígenes ha correspondido, en algunos grupos étnicos, a una revalorización de la propia lengua, pues ya no se niegan a hablarla y ocasionalmente comienzan a desarrollar una literatura propia, como sucede con el zapoteco del Istmo, el náhuatl y el maya.

La riqueza lingüística. Se conocen unos 170 nombres de hablas que había en México en el momento de la Conquista. A causa de que han desparecido unas 110, algunas sin dejar nada más que su nombre, es imposible en muchos casos saber si se trataba de lenguas distintas o de variantes regionales o locales –es decir, de dialectos, en sentido propio–; pero en otros casos hay indicios suficientes para decidir en uno u otro sentido. Por ejemplo, el zoe y el hío (y algún otro) parecen haber sido variantes del tarahumara, como lo es el varohío, todavía vivo; matlame sería lo mismo que matlatzinca; probablemente eran cahita (conocido actualmente con los nombres de yaqui y mayo) el cinaloa, el tehueco, el vacoregue y el ahome. Por el contrario, el zapoteco (tal vez lo mismo que el zapotlaneco), que se hablaba en Jalisco, debió ser completamente distinto al zapoteco (varios idiomas en realidad) de Oaxaca, igual que fueron diferentes el mazateco de Tabasco y el de Oaxaca.

Cuando Manuel Orozco y Berra publicó su *Geografía de las lenguas y carta etnográfica de México* (1864), se guió por los nombres de las hablas, confesando no ser filólogo; las ubicaciones que constan en este trabajo pionero han requerido pocas correcciones, no así la clasificación. La obra de Francisco Pimentel, *Cuadro descriptivo y comparativo de las lenguas indígenas de México* (1874-1875), es un avance notable, pero se basa casi exclusivamente en fuentes escritas por los misioneros, reproduce las ortografías por ellos inventadas, y utiliza muy pocas palabras "demostrativas" del parentesco o relación entre las lenguas, como era común hacerlo en ese tiempo. Francisco Belmar recopiló entre hablantes nativos la información sobre varias lenguas de Oaxaca (trabajos publicados en la última década del siglo XIX y primeros años del siglo XX) y pudo así corregir afirmaciones erróneas –algunas antiguas, otras debidas a la investigación todavía incipiente de nacionales y extranjeros– sobre los idiomas de ese estado, pero al extender sus comparaciones a otros idiomas se apoyó en materiales que no recogió él mismo y sus conclusiones son a veces equivocadas. Nicolás León publicó en el primer cuarto del siglo XX varias versiones de su clasificación, *Fa-*

LENGUAS

milias lingüísticas de México, en la que recoge los resultados de su propio trabajo, de los estudios extranjeros y de los que se hacían en el país, y de esa manera fue acercándose a una clasificación moderna. Este periodo culminó con el mapa *Distribución prehispánica de las lenguas indígenas de México* (1936, reditado con ligeras correcciones en 1939), que se debe a Miguel Othón de Mendizábal y Wigberto Jiménez Moreno.

A partir de 1940, pero sobre todo desde 1950, se intensificó la investigación sobre las relaciones genéticas de las lenguas de México. Por una parte se recurrió con más frecuencia y sistemáticamente al método comparativo y a la reconstrucción lingüística, con lo cual se logró precisar las características de las lenguas antiguas (protolenguas), de las que derivaron los idiomas actuales, y reconstruir con bastante detalle el proceso de cambio y diversificación que condujo a las lenguas actuales, pasando por los idiomas intermedios en el tiempo. Por otra parte, la vuelta al país de Mauricio Swadesh, creador de la glotocronología, propició que sus discípulos contribuyeran al desarrollo de este método y que, junto con él, lo aplicaran profusamente para precisar las fechas de los cambios y diversificaciones conocidos por medio del método comparativo. Ejemplos de esas contribuciones abundantes, complementarias entre sí, son la clasificación glotocronológica de la familia otopame, hecha por Manrique, y el trabajo de reconstrucción que Bartholomew hizo de la misma familia. La investigación ha proseguido. Constantemente se despejan incógnitas, pero todavía subsisten otras y sobre éstas hay desacuerdos entre los especialistas. En algunos casos puede acopiarse nuevo material de lenguas vivas, pero en muchos otros ello no es posible porque se trata de lenguas extinguidas, de las que se conocen no más de media docena de palabras, cuyo registro no es muy confiable. En 1985, un grupo de investigadores del Departamento de Lingüística del Instituto Nacional de Antropología e Historia preparó para el *Atlas de las lenguas de México* una clasificación que toma en cuenta todos los trabajos anteriores e incorpora estudios propios; el resultado –que se presenta en seguida, ligeramente modificado– no es absolutamente homogéneo porque algunos de los autores prefirieron ser cautos cuando había opiniones distintas, pero probablemente es la clasificación más confiable hasta ahora.

Clasificación de las lenguas indígenas del México moderno

I. *Familia hokano-coahuilteca*
    Subfamilia yumana de Baja California
        paipai
        kiliwa
        cucapá
        cochimí
    Subfamilia seri
        seri
    Subfamilia tequistlateca
        tequistlateca o chontal de Oaxaca

II. *Familia chinanteca*
    Grupo del ojiteco
        chinanteco de Ojitlán
        chinanteco de Usila
    Grupo de Quiotepec
        chinanteco de Quiotepec
        chinanteco de Yolox
    Grupo de Palantla
        chinanteco de Palantla
        chinanteco de Valle Nacional
    Grupo de Lalana
        chinanteco de Lalana
        chinanteco de Latani
        chinanteco de Petlapa

III. *Familia otopame*
    Subfamilia pame
        pame del norte
        pame del sur
    Subfamilia chichimeca
        chichimeca jonaz
    Subfamilia otomiana
        otomí
        mazahua
    Subfamilia matlatzincana
        matlatzinca
        ocuilteco

IV. *Familia oaxaqueña*
    Subfamilia zapotecana
        Grupo serrano del norte
           zapoteco de Villalta
           zapoteco vijano
           zapoteco del rincón
        Grupo de los valles centrales y el Istmo
           zapoteco vallista
           tehuano
        Grupo de las sierras del sur
           zapoteco de Cuixtla
           solteco
        Grupo Chatino y papabuco
           chatino
           papabuco

LENGUAS

Subfamilia mixtecana
  Grupo mixteco
    Subgrupo mixteco
      mixteco de la costa
      mixteco de la Mixteca Alta
      mixteco de la Mixteca Baja
      mixteco de la zona mazateca
      mixteco de Puebla
    Subgrupo cuicateco
      cuicateco
    Subgrupo trique
      trique
  Grupo amuzgo
    amuzgo
Subfamilia mazatecana
    mazateco
    chocho o popoloca
    ixcateco

(V. *Familia mangueña*)
    (chiapaneco)

VI. *Familia huave*
    huave

VII. *Familia tlapaneca*
    tlapaneca

VIII. *Familia totonaca*
    totonaca
    tepehua

IX. *Familia mize*
    mixe
    zoque
    popoluca

X. *Familia maya*
  Grupo inik
    huasteco
  Grupo winik
    Subgrupo yaxqué
      maya peninsular (conocido como
      "yucateco" y "lacandón")
    Subgrupo yaxché
      chol
      chontal
      tzeltal
      tzotzil
      tojolabal
    Subgrupo raxché
      mame
      teco
    Subgrupo motocintleco
      motocintleco

XI. *Familia yutoazteca*
  Grupo sonorense
    Subgrupo pimano
      pima alto
      tepehuán o tepecano

    Subgrupo tarahumara-cahita
      tarahumara-varohio
      cahita (conocido como "yaqui" y "mayo")
    Subgrupo cora-huichol
      cora
      huichol
  Grupo aztecano
      náhuatl (conocido como "náhuatl",
      "azteca", "mexicano" o mexicanero")

(XII. *Familia cuitlateca*)
    (cuitlateca)

XIII. *Familia tarasca*
    tarasco o purhépecha

XIV. *Familia algonquina*
    kikapú

Esta clasificación comprende solamente lenguas que se hablan o se hablaron hasta hace muy poco tiempo (éstas figuran entre paréntesis) en México, y omite idiomas genéticamente emparentados que existen o existieron en países vecinos y que, ocasionalmente, podrían hacer más clara la clasificación; por ejemplo, no se incluyeron todas las subfamilias de la familia yutoazteca en Estados Unidos, ni las lenguas de la familia maya que se hablan en Guatemala y Belice. Igualmente se suprimieron las lenguas desaparecidas en México durante la Colonia, porque para la mayoría su ubicación en la tabla es incierta debido a lo poco que se conoce de ellas. Por el contrario, se incluyó el kikapú, idioma algonquino que ingresó a México a mediados del siglo XIX. Sin embargo, las diferencias en las subdivisiones de las familias lingüísticas no se deben tanto a las ausencias señaladas sino a la distinta antigüedad de las familias y a los incidentes de su desarrollo histórico, y en menor grado al desconocimiento de todas las formas de habla en la República. En efecto, ninguna familia tiene toda la escala de subdivisiones: subfamilias, grupos, subgrupos y lenguas. No hay un uso uniforme de los términos de la taxonomía lingüística; lo mismo se llama "familia" al gran complejo indoeuropeo que a una de sus subdivisiones (por ejemplo "familia eslava" o "familia romance"); o, refiriéndose a las lenguas aborígenes de México, lo mismo se ha hablado de una "familia otomangue" (ahora se prefiere llamarla "tronco" o *filum*) que de la "familia otopame" –que sería parte de la otomangue–, o se han empleado diferentes designaciones para una misma unidad taxonómica: subfamilia, rama o grupo sonorense de la familia yutoazteca. En este artículo se ha preferido uniformar los nombres de aquellas unidades que presentan aproximadamente el mismo grado de diversificación, en virtud de la fecha probable en que se inició el fenómeno: familia, entre 3000 y 2000 a.C. (sin tomar en cuenta posibles agrupaciones más amplias); subfamilia, entre 2000 y 1000 a.C.; grupo, entre 1000 a.C. y el principio de esta era; y subgrupo, entre el límite anterior y el siglo X. De esta manera, los nombres de las unidades taxonómicas y una ojeada a la tabla de clasificación permiten hacer correlaciones con la información arqueológica, y al mismo tiempo comparar la complejidad relativa de cada una de las familias lingüísticas; así, por ejemplo, la familia oaxaqueña es mucho más compleja que la huave, pues dentro de la primera se distinguen subfamilias, grupos, subgrupos y lenguas, mientras que la segunda comprende una sola lengua; de manera similar, los siete idiomas de la familia otomiana están en general más diversificados (cuatro subfamilias) que la familia maya, que tiene dos grupos (más próximos entre sí que las subfamilias) y numerosos subgrupos que abarcan las 10 lenguas que se hablan en México.

Las lenguas indígenas que aparecen en la tabla de clasificación son distintas a pesar de que a veces se les conozca con un solo nombre. Así, son diferentes el zapoteco de Villalta, el zapoteco vijano y el zapoteco del rincón (y probablemente el de Caxonos), aunque a todos se les llame "zapoteco" y se hablen en la sierra norte de Oaxaca. Por el contrario, hay lenguas cuyas variantes (dialectos) se conocen con nombres distintos; por ejemplo, yaqui y mayo, o maya y lacandón, lo cual equivale a denominar jarocho, sonorense y boxito a las variedades del español que se hablan en Veracruz, Sonora y Yucatán. El español, el catalán y el portugués forman el subgrupo hispánico (del grupo occidental de la familia romance), comparable con el subgrupo yaxché (del grupo winik de la familia maya). El grupo occidental (en el que además del hispánico están el gálico y otros) es diferente del grupo oriental, del que forma parte la lengua rumana; de manera similar, el grupo inik (con una sola lengua) es diferente al grupo winik (con varios subgrupos y más lenguas), o a la familia yutoazteca, que comprende los grupos sonorense y aztecano. Otra similitud hay en los ejemplos que se han elegido,

pues ni la familia maya, ni la parte de la yutoazteca que aparece en la tabla, ni la romance, tienen subfamilias entre los grupos y las familias; es posible que haya habido antiguas lenguas que desaparecieran sin dejar descendientes, como lo hicieron el osco y el umbro, idiomas que eran muy cercanos al latín, o que la expansión de las lenguas "imperiales" haya extinguido a esos descendientes. Cada una de las familias de la tabla es comparable a la familia romance en el sentido de que forma una unidad, de que es producto de la diversificación de un idioma antiguo y de que con ninguna otra familia lingüística está cercanamente emparentada.

Para los fines de la historia cultural y de los estudios etnológicos y arqueológicos, no parece muy útil remontarse más atrás que 3000 a.C.; sin embargo, puesto que se han reconocido remotas relaciones genéticas entre algunas familias, deben formularse algunas observaciones. En la literatura antropológica es tradicional el nombre "familia otomangue" (derivado de los nombres de las lenguas extremas de la misma: otomí y mangue), que comprendería con seguridad las que en este artículo son las familias otopame, oaxaqueña y mangueña (III a V); menos segura sería la inclusión del chinanteco (en realidad toda una familia, la II) y del huave; ciertamente las cinco familias están relacionadas, como también está emparentada la tlapaneca, por lo que todas ellas formarían parte de un conjunto más amplio que podría llamarse *filum*; pero entonces surge el problema que suscitan los fuertes indicios de relaciones con otras unidades. Este *filum* sería comparable a la relación que algunos especialistas advierten entre la familia romance y la céltica o, tal vez, con el indoeuropeo en su conjunto. Una relación similar se ha señalado entre las familias maya, mixe y totonaca (VIII a X), pero ahora se duda de que sea real; también se ha propuesto un parentesco remoto entre las familias yutoazteca y cuitlateca (XI y XII), todavía no probada. Suponiendo que se demostraran plenamente las relaciones entre las familias mencionadas, aún quedarían cinco o seis filumes sin ninguna relación entre sí, lo cual quiere decir que entre algunas de las lenguas que aparecen enlistadas en la tabla no hay ninguna relación, y que son tan diferentes como pueden serlo idiomas de África tomados al azar, del Lejano Oriente y de Europa. México

LENGUAS

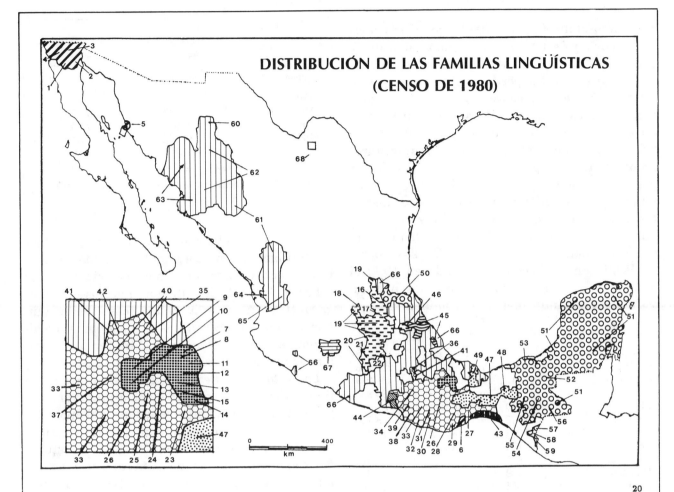

DISTRIBUCIÓN DE LAS FAMILIAS LINGÜÍSTICAS (CENSO DE 1980)

20

Lenguas indígenas del México moderno: 1. paipai, 2. kiliwa, 3. cucapá, 4. cochimi, 5. seri, 6. tequistlateca o chontal de Oaxaca, 7. chinanteco de Ojitlán, 8. chinanteco de Usila, 9. chinanteco de Quiotepec, 10. chinanteco de Yolox, 11. chinanteco de Palantla, 12. chinanteco de Valle Nacional, 13. chinanteco de Lalana, 14. chinanteco de Latani, 15. chinanteco de Petlapa, 16. pame del norte, 17. pame del sur, 18. chichimeca jonaz, 19. otomí, 20. mazahua, 21. matlatzinca, 22. ocuilteco, 23. zapoteco de Villalta, 24. zapoteco vijano, 25. zapoteco del rincón, 26. zapoteco vallista, 27. tehuano, 28. zapoteco de Cuixtla, 29. solteco, 30. chatino, 31. papabuco, 32. mixteco de la costa, 33. mixteco de la Mixteca Alta, 34. mixteco de la Mixteca Baja, 35. mixteco de la zona mazateca, 36. mixteco de Puebla, 37. cuicateco, 38. trique, 39. amuzgo, 40. mazateco, 41. chocho o popoloca, 42. ixcateco, 43. huave, 44. tlapaneca, 45. totonaca, 46. tepehua, 47. mixe, 48. zoque, 49. popoluca, 50. huasteco, 51. maya peninsular (conocido como "yucateco" y "lacandón"), 52. ch*"ol, 53. chontal, 54. tzeltal, 55. tzotzil, 56. tojolabal, 57. mame, 58. teco, 59. motocintleco, 60. pima alto, 61. tepehuán o tepecano, 62. tarahumara-varohio, 63. cahita (conocido como "yaqui" y "mayo"), 64. cora, 65. huichol, 66. náhuatl (conocido como "náhuatl", "azteca", "mexicano" o "mexicanero"), 67. tarasco o purhépecha y 68. kikapú

tiene en su territorio una riqueza y variedad de formas lingüísticas como en pocas partes del mundo se encuentran.

Hablantes de lenguas indígenas. La importancia de un idioma no radica en el número de sus hablantes, sino en que es un ejemplar único e irremplazable de la gran variedad del lenguaje humano, y en que constituye una parte del ser individual y colectivo de una comunidad, igual que sus demás hábitos culturales. Por eso es tan lamentable la pérdida de un idioma, equiparable a un etnocidio, aunque pueda no ser intencional. En la tabla de clasificación figuran dos lenguas cuya desaparición es reciente; con ellas se perdieron los representantes de dos familias lingüísticas: la última hablante de chiapaneco (de la familia

LENGUAS

mangueña) falleció hacia 1940, y lo mismo sucedió alrededor de 1980 con la última hablante de cuitlateco. Hacia mediados de los años ochenta se agregaron a estas pérdidas el pame del sur.

La recopilación y concentración de los datos censales presentan múltiples problemas, entre otros la negación de que se habla un idioma nativo, la posible confusión de nombres similares (maya y mayo), tepehua y tepehuán, popoloca y popoluca, pame y mame, etc.), la separación de una misma lengua porque lleva nombres distintos (náhuatl o mexicano, yaqui o mayo, etc.) y la dificultad para obtener en un solo día la información correspondiente. Según el XI Censo General de Población y Vivienda realizado en 1990 el número de personas de cinco años o más, hablantes de lenguas indígenas, era el siguiente:

Año del censo	Población de 5 años o más que hablaba lengua indígena	Porcentaje que representaba de la población total
1900	1 794 293	15.4
1921	2 868 892	15.1
1940	2 490 909	14.4
1960	3 030 254	10.4
1980	5 181 038	9.0
1990	5 282 347	7.5

Fuente: Censos Generales de Población y Vivienda, 1990.

Amuzgo	28 228	Náhuatl	1 197 328
Chatino	28 987	Otomí	280 238
Chinanteco	103 942	Popoluca	31 079
Chocho	12 553	Purépecha	94 835
Chol	128 240	Tarahumara	54 431
Chontal	23 779	Tepehua	8 702
Chontal de Tabasco	10 256	Tepehuán	18 469
Cora	11 923	Tlapaneco	68 483
Cuicateco	12 677	Tojolabal	36 011
Huasteco	120 739	Totonaco	207 876
Huave	11 955	Trique	14 981
Huichol	19 363	Tzeltzal	261 084
Kanjobal	14 325	Tzoltzil	229 203
Mame	13 168	Yaqui	10 984
Maya	713 520	Zapoteco	380 690
Mayo	37 410	Zapoteco sureño	16 530
Mazahua	127 826	Zoque	43 160
Mazateco	168 374	Otras lenguas	36 330
Mixe	95 264	No especificado	225 860

En el censo, el "zapoteco", que comprende al menos siete idiomas distintos, está registrado como dos lenguas, mientras que en el pasado se registraba como una. Las lenguas asentadas cuentan desde unos cuantos cientos de hablantes —cuando eran menos se les englobó en "otras lenguas"— hasta más de un millón y un tercio. Las habladas por mayor número de personas (náhuatl, maya, zapoteco y mixteco) comprenden más de la mitad de la población que habla una lengua indígena, y los 30 idiomas de la lista con menor número de hablantes suman apenas la décima parte, muchos de ellos en peligro de desaparecer. En términos generales, sobre todo para las lenguas con más hablantes, su proporción

respecto a la población total del país declina paulatinamente, pero aumenta en números absolutos, lo cual —aunado a la conciencia creciente sobre el valor de los idiomas nativos— parece garantizar su supervivencia y acaso también un florecimiento literario. Las cifras globales de algunos censos muestran esta clara tendencia, según se anota en el cuadro correpondiente. (*L.M.*)

Los estudiosos de las lenguas indígenas. La lingüística (véase) es una ciencia relativamente joven, pues su edad no alcanza los 200 años. Sin embargo, el que hasta el siglo XIX no existiera una disciplina especialmente dedicada al estudio del lenguaje humano en general como de las lenguas en particular, no fue obstáculo para que muchos estudiosos, de diferentes medios intelectuales y con los más variados propósitos, abordaran desde antiguo el estudio de cuestiones lingüísticas. Desde principios del siglo XVI, las lenguas indígenas han venido siendo objeto de una atención muy similar a la que les otorga la lingüística actual. El descubrimiento de América y la consiguiente dominación de las naciones que existían en este continente, propició que los europeos se interesaran por conocer los idiomas de los pueblos aborígenes. Los primeros acercamientos se explican por razones eminentemente prácticas: utilizar esas lenguas para lograr, por una parte, la cristianización de los indios y, por otra, su castellanización lingüística y cultural. La evangelización de los nuevos súbditos del imperio español recayó sobre los religiosos misioneros (franciscanos, dominicos, agustinos y jesuitas). En México hubo también cierto interés por las lenguas mismas, que podría calificarse de científico. De esto dan testimonio gran cantidad de fuentes (históricas, lingüísticas, etnográficas) que proceden no sólo de los misioneros religio-

LENGUAS

sos sino de los mismos indígenas preparados por ellos. En el transcurso de los siglos XVI al XVIII, por ejemplo, se redactaron no menos de 25 estudios de carácter gramatical y lexicográfico sobre el náhuatl o mexicano. Cada uno de los estudiosos que incursionaba en ese terreno, lo hacía convencido de aportar algo nuevo y útil al conocimiento de la materia. Desde finales del siglo XVIII, sobre todo en la primera mitad del XIX, se observa una sensible disminución en la cantidad y calidad de esos estudios. Este decaimiento duró poco, pues nuevos estudiosos retomaron y reorientaron la investigación. Manuel Orozco y Berra, Francisco Pimentel, Antonio Peñafiel, Joaquín García Icazbalceta, Francisco Belmar, Cecilio Robelo, Eustaquio Buelna y otros unieron sus esfuerzos a los de muchos extranjeros interesados en un mejor y más actual conocimiento de las lenguas indígenas de México. Entre estos últimos merecen mención especial Wilhelm von Humboldt, Charles-Etiénne Brasseur de Bourbourg, Rémi Siméon, Hyacinthe de Charencey, Raoul de la Grasserie, Bernardino Biondelli, Silvio Enea Piccolimini, Daniel Brinton, Tomas S. Denison, Johann C. Buschmann y Eduard Seler.

A continuación se mencionan los trabajos más antiguos y representativos que se han hecho sobre muchas de estas lenguas, incluyendo los anónimos:

Cahita (yaqui y mayo)

1737. Tomás Basilio: *Arte de la lengua cahita conforme a las reglas de muchos peritos en ella. Compuesto por un padre de la Compañía de Jesús, missionero de más de treinta años en la provincia de Cynaloa. Año de 1737.* En la obra no aparece el nombre del autor, pero es casi seguro que haya sido redactada por el padre Tomás Basilio (1582?-1654) y publicada tal vez póstumamente. Reimpresa por Eustaquio Buelna con el título *Arte de la lengua cahita por un padre de la Compañía de Jesús* (1890).

Coahuilteco

1732. Gabriel de Vergara: *Cuadernillo de la lengua de los indios pajalates.* Fue reproducido facsimilarmente con el título *El cuadernillo de la lengua de los indios pajalates (1732) por fray Gabriel de Vergara, y el*

Confesionario de indios en lengua coahuilteca, en Publicaciones del Instituto Tecnológico y de Estudios Superiores de Monterrey, serie Historia (Monterrey, 1965).

Cora

1732. José Ortega: *Vocabulario en lengua castellana y cora*. Fue reimpreso en el *Boletín de la Sociedad Mexicana de Greografía y Estadística* (1a. ép.; t. VIII, 1860). Después se reimprimió en Tepic (1888).

Chiapaneco

1691. Juan de Albornoz: *Arte de la lengua chiapaneca*. El manuscrito original se encuentra en la Biblioteca Nacional de París. Alhponse L. Pinart lo publicó por primera vez en la *Bibliothèque de Linguistique et d'Ethnographie Américaines* (vol. 1; París, 1875).

Eudeve (o dohema, eudeva, hegue, heve)

Sin fecha. Anónimo: *Arte, cartilla y vocabulario de la lengua heve, dohema o eudeva*. Obra escrita en el siglo XVI por un padre de la Compañía de Jesús. El original, manuscrito, se encuentra en la colección Buckingham Smith de la *New York Historical Society Library*. El Instituto de Investigaciones Filológicas de la UNAM publicó por primera vez esta obra, con estudio introductorio de C.W. Pennington (1981).

Sin fecha. Balthasar Xavier Loaysa: *Arte de la lengua hegue*. Obra inédita, el manuscrito original se encuentra en la Biblioteca Nacional de París. Fue redactado en la segunda mitad del siglo XVII.

Sin fecha. Adán Gilg: *Vocabulario de la lengua eudeve, pima y seri*. Obra inédita, redactada a finales del siglo XVII o principios del XVIII.

Huasteco

1767. Carlos de Tapia Zenteno: *Noticia de la lengua huasteca*. Obra impresa en México en la *Bibliotheca Mexicana*; reimpresa por la UNAM (1985), con amplio estudio introductorio por René Acuña.

Mame

1644. Diego de Reynoso: *Arte y vocabulario en lengua mame*. Reimpresa en París (1896), por el conde Hyacinthe de Charencey, quien también publicó separadamente el *Vocabulario*, en las *Actes de la Société Philologique* (vol. 25; París, 1897). El *Vocabulario* fue reimpreso por Alberto María Carreño (1916).

Matlatzinga (matlaltzinga o pirinda)

1638. Miguel Guevara: *Arte doctrinal y modo de aprender la lengua matlatzinga*. Reimpreso en el *Boletín de la Sociedad Mexicana de Geografía y Estadística* (1a. ép.; t. IX, 1862).

1642. Diego de Basalenque: *Arte y vocabulario de la lengua matlaltzinga*. Impreso por primera vez en la *Biblioteca Enciclopédica del Estado de México* (vol. XXXIII, 1975), con estudio preliminar por Leonardo Manrique.

1642. Diego de Basalenque: *Vocabulario de la lengua castellana vuelto a la matlaltzinga*. Se imprimió por primera vez en la *Biblioteca Enciclopédica del Estado de México* (vol. XXXIV, 1975), con introducción y notas por Leonardo Manrique.

Maya

Hacia 1577. Anónimo: *Diccionario de Motul* (maya-español y español-maya). El manuscrito original se encuentra en la colección de la *John Carter Brown Library*, de Providence, Rhode Island. Juan Martínez Hernández editó la parte maya-español (1929).

1620. Juan Coronel: *Arte de la lengua maya recopilado y enmendado por...* Reimpreso por Juan Martínez Hernández en el *Diccionario de Motul* (Mérida, 1929).

Hacia 1625. Anónimo: *Bocabulario de Mayathan por su abecedario*. Más conocido como el *Wiener Lexikon* o *Vocabulario de Viena*, el manuscrito original se encuentra en la *Österreichischen Nationalbibliotek* de Viena, Austria. Se editó facsimilarmente en la *Bibliotheca Linguistica Americana* (vol. I; Graz, Austria, 1972).

1632. Anónimo: *Vocabulario muy copioso en lengua española y maya de Yucatán*. Más conocido como *Diccionario Solana*, el manuscrito original se encuentra en la Biblioteca *Brigham Young* de Provo, Utah.

1684. Gabriel de San Buenaventura: *Arte de la lengua maya*. Reimpreso por Joaquín García Icazbalceta (1888).

1690. Anónimo: *Vocabulario de la lengua maya que comienza en romance, compuesto de varios autores de esta lengua*. Más conocido como *Diccionario de Ticul*, fue copiado de un manuscrito inédito, hoy perdido, por Juan Pío Pérez, y publicado en su *Coordinación Alfabética de las Voces del Idioma Maya* (Mérida, 1898).

Sin fecha. Anónimo: *Diccionario de San Francisco*. Sólo se conoce la copia que hizo Juan Pío Pérez de un manuscrito del siglo XVII, hoy perdido; esa copia fue editada en la *Bibliotheca Linguistica Americana* (vol. II; Graz, Austria, 1976).

1746. Pedro Beltrán de Santa Rosa: *Arte del idioma maya reducido a sucintas reglas, y semilexicon yucateco*. Reimpreso en Mérida (1859).

Mazahua

1637. Diego de Nágera Yanguas: *Doctrina y enseñanza en la lengua mazahua*. Reimpresa en la *Biblioteca Enciclopédica del Estado de México* (vol. XVIII, 1970).

Mexicano o náhuatl

1547. Andrés de Olmos: *Arte para aprender la lengua mexicana*. Se imprimió por primera vez en París

(1875), por Rémi Siméon; en México, en la *Colección de Gramáticas de la Lengua Mexicana*, suplemento de *Anales del Museo Nacional de México* (1a. ép.; t. III, 1885-1886). E. Aviña Levy reimprimió facsimilarmente la edición de Rémi Siméon (1972), con un estudio introductorio de Miguel León-Portilla; la reimpresión se hizo en Guadalajara.

Hacia 1550. Andrés de Olmos: *Vocabulario mexicano.* Manuscrito inédito que se encuentra en la colección del *Middle American Research Institute* de la Universidad de Tulane, Nueva Orleans.

1555. Alonso de Molina: *Vocabulario en lengua castellana y mexicana y castellana.* Ha sido reimpreso varias veces (México, 1571 y 1970; Leipzig, 1880; Puebla, 1910; Madrid, 1944).

1571. Alonso de Molina: *Arte de la lengua mexicana.* Reimpreso en la *Colección de Gramáticas de la Lengua Mexicana* (vol. I, 1885), suplemento de *Anales del Museo Nacional de México* (1a. ép., t. IV; México, 1885-1886). En Madrid se publicó una edición facsimilar en las Ediciones de Cultura Hispánica (1945). La Universidad de Michigan publicó una traducción al inglés realizada por Kenneth C. Hill: *Grammar of the mexican (nahuatl) language (1571), by Alonso de Molina* (Ann Arbor, *Papers of Linguistics* I, Michigan, 1975).

1595. Antonio del Rincón: *Arte mexicana.* Reimpresa en la *Colección de Gramáticas de la Lengua Mexicana* (vol. I), suplemento de *Anales del Museo Nacional de México* (1a. ép.; t. IV, 1888-1889).

1611. Pedro de Arenas: *Vocabulario manual de las lenguas mexicana y castellana.* Fue muchas veces reimpresa durante la época colonial, y vuelta a imprimir facsimilarmente por la Universidad Nacional Autónoma de México, con un amplio estudio introductorio por Ascensión H. de León-Portilla.

1642. Diego de Galdo Guzmán: *Arte mexicano.* Reimpreso en la *Colección de Gramáticas de la Lengua Mexicana* (vol. I), suplemento de *Anales del Museo Nacional de México* (1a. ép.; t. IV, 1890).

1645. García Sarmiento de Sotomayor: *Arte de la lengua mexicana. Libro primero, de los nombres, pronombres y preposiciones.*

1645. Horacio Carochi: *Arte de la lengua mexicana con la declaración de los adverbios della.* Reimpresa en la *Colección de Gramáticas de la Lengua Mexicana* (1673), suplemento de *Anales del Museo Nacional de México* (1a. ép.; t. V, 1892); y reimpresa facsimilarmente por la Universidad Nacional Autónoma de México (1983), con estudio introductorio y notas de Miguel León-Portilla.

1673. Agustín de Vetancurt: *Arte de la lengua mexicana.* Reimpreso en la *Colección de Gramáticas de la Lengua Mexicana*, suplemento de *Anales del Museo Nacional de México* (1901).

1683. Balthazar del Castillo: *Cartilla mayor en lengua mexicana, latina y castellana.*

1689. Antonio Vázquez Gastelu: *Arte de la lengua mexicana* (Puebla, 1689). Reimpreso en la *Colección de Gramáticas de la Lengua Mexicana*, suplemento de *Anales del Museo Nacional de México* (1a. ép., vol. III; t. I, 1885).

1692. Juan Guerra: *Arte de la lengua mexicana según la acostumbran hablar los indios en todo el obispado de Guadiana y del Mechuacan.* Reimpreso por Alberto Santoscoy (Guadalajara, 1900).

1713. Manuel Pérez: *Arte del idioma mexicano.*

1714. Manuel Pérez: *Cartilla mayor en lengua castellana, latina y mexicana.*

1717. Francisco de Ávila: *Arte de la lengua mexicana y breves pláticas de nuestra santa fe católica.*

1753. Carlos de Tapia Zenteno: *Arte novissima de la lengua mexicana.* Reimpreso en la *Colección de Gramáticas de la Lengua Mexicana*, suplemento de *Anales del Museo Nacional de México* (1a. ép.; t. III, 1885); y reproducida facsimilarmente por E. Aviña Levy (Guadalajara, 1969).

1754. José Agustín de Aldama y Guevara: *Arte de la lengua mexicana.*

1759. Ignacio Paredes: *Compendio del arte de la lengua mexicana del P. Horacio Carochi... Dispuesto con brevedad, claridad y propiedad por...* Imprenta de la Bibliotheca Mexicana (1759); Reimpreso facsimilarmente por César Macazaga Ordoño (1979).

1765. Gerónimo Tomás de Aquino Cortés y Zedeño: *Arte, vocabulario y confesionario en el idioma mexicano, como se usa en el obispado de Guadalajara.* Impreso en Puebla (1765).

1778. Francisco X. Araoz: *Vocabulario mexicano.* Manuscrito inédito de la colección W.E. Gates.

Sin fecha. Francisco Xavier Clavijero: *Reglas de la lengua mexicana con un vocabulario.* Redactadas antes de 1787. Impresas por primera vez por la Universidad Nacional Autónoma de México (1974).

Sin fecha. Joseph de Carranza: *Arte donde se contienen todos aquellos rudimentos y principios preceptivos que conducen a la lengua mexicana.* Redactado a finales del siglo XVIII; impreso por primera vez en la *Colección de Gramáticas de la Lengua Mexicana*, suplemento de *Anales del Museo Nacional de México* (1a. ép.; t. VII, 1900).

Mixe

1729. Agustín de Quintana: *Arte de la lengua mixe* (Puebla, 1729). Reimpreso por Francisco Belmar (Oaxaca, 1891).

1733. Agustín de Quintana: *Confessionario en lengua mixe, con... un compendio de voces mixes, para enseñarse a pronunciar dicha lengua* (Puebla, 1733). Reimpreso por H. de Charencey, en las *Actes de* la *société Philologique* (vol. XVIII; París, 1890); lo reimprimió separadamente el mismo año en Alençon.

Mixteco

1593. Francisco de Alvarado: *Vocabulario en lengua mixteca.*

1593. Antonio de los Reyes: *Arte de la lengua mixteca.* Reimpreso en Puebla (1750), Alençon (1889), y México (1953).

Ópata

1702. Natal Lombardo: *Arte de la lengua tequima vulgarmente llamada ópata.*

Sin fecha. Francisco Antonio Pimentel: *Vocabulario manual de la lengua ópata.* Impreso en el *Boletín de la Sociedad Mexicana de Geografía y Estadística* (t. X, 1863).

Otomí

Sin fecha. Pedro de Cárceres: *Arte de la lengua othomi.* Obra redactada en el siglo XVI, impresa por primera vez por el *Boletín Bibliográfico Mexicano* (vol. 6, 1907).

1605. Alonzo Urbano: *Arte breve de la lengua otomí.* Manuscrito inédito, se encuentra en la Biblioteca Nacional de París.

Hacia 1645. Horacio Carochi: *Vocabulario otomí.* Manuscrito inédito, se encuentra en la Colección de Manuscritos de Lenguas Indígenas de la Biblioteca Nacional de México.

1731. Francisco Haedo o Ahedo: *Gramática de la lengua othomi y método para confesar a los indios en ella* (1731); probablemente es una segunda edición.

1767. Luis de Neve y Molina: *Reglas de orthographia, diccionario y arte del idioma othomi.* Reimpresa en México (1863); en Roma, traducida al italiano por el conde Silvio Enea Piccolimini (1841); y en París, en la *Revue Orientale et Américaine* (t. 8, 1863).

Hacia 1770. Anónimo: *Luces del otomí o gramática del idioma que hablan los indios otomíes en la República Mexicana, compuesto por un padre de la Compañía de Jesús.* Impreso por primera vez por Eustaquio Buelna (1893).

1766. Juan Guadalupe Soriano: *Dificil tratado del arte y union de los ydiomas othomii y pamee...* Obra inédita cuyo original, hoy perdido, formaba parte de la colección de Francisco Pimentel. Leonardo Manrique se sirvió de una copia mecanoescrita, propiedad de Francisco de la Maza, para su estudio: "Dos gramáticas pames del siglo XVIII", en *Anales del Instituto Nacional de Antropología e Historia* (t. XI; núm. 40, 1960).

Pame

1766. Juan Guadalupe Soriano: *Dificil tratado del arte y union de los ydiomas othomii y pamee...* (*Idem.*).

Sin fecha. Francisco Valle: *Quaderno de algunas reglas y apuntes sobre el idioma pame...* Trabajo redactado a finales del siglo XVIII; el manuscrito original se encuentra en el Archivo Histórico de Madrid; el conde de La Viñaza lo reprodujo en su *Bibliografía española de lenguas indígenas de América* (Madrid, 1892). En México ha sido impreso dos veces (1925 y 1952).

Popoloca (chuchón o chocho)

1580. Bartolomé Roldán: *Cartilla y doctrina cristiana por manera de diálogo, traducida, compuesta, ordenada y romanzada en la lengua chuchona del pueblo de Tepexic de la Seda.* Reimpresa por H. de Charencey (París, 1897).

Tarahumara

Sin fecha. Jerónimo de Figueroa: *Arte y copioso vocabulario de las lenguas tepehuana y tarahumara.* Manuscrito inédito; Figueroa vivió entre 1604 y 1683.

1683. Thomas de Guadalaxara: *Compendio del arte de la lengua de los tarahumares, y guazapares* (Puebla, 1683).

Tarasco

1558. Maturino Gilberti: *Arte de la lengua tarasca o de Michuacan.* Reimpreso por Nicolás León (1898).

1559. Maturino Gilberti: *Vocabulario en lengua de Mechuacan* y *Vocabulario en lengua castellana y mechuacana.* Reimpreso por Antonio Peñafiel con el título de *Diccionario de la lengua tarasca o de Michuacán* (1901).

1574. Juan Bautista de Lagunas: *Arte y diccionario con otras obras en lengua michuacana.* Reimpreso por Nicolás León como suplemento a los *Anales del Museo Michoacano* (t. I, vol. III; Morelia, 1890).

1714. Diego de Basalenque: *Arte y vocabulario de la lengua tarasca* (1714). La obra data de mediados del siglo XVII; fue reimpresa por Antonio Peñafiel (1886).

Tepehuán

Sin fecha. Jerónimo de Figueroa: *Arte y copioso vocabulario de las lenguas tepehuana y tarahumara.* Obra inédita de mediados del siglo XVII.

1743. Benito Rinaldini o Rinaldi: *Arte de la lengua tepeguana* (1743).

Totonaco

1753. José Zambrano Bonilla: *Arte de la lengua totonaca conforme a el Arte de Antonio de Nebrija* (Puebla, 1753).

Tzeltal

1571. Fray Domingo de Ara, Lara o Hara: *Vocabulario en lengua tzeldal.* Obra inédita; el manuscrito original, o tal vez una copia posterior, se encuentra en la Biblioteca de la Universidad de Pennsylvania; fue objeto de varias copias, entre otras, la que hizo Alonso de Guzmán (1620).

Tzotzil o tzotzlem

1688. Juan de Rodaz: *Arte de la lengua tzotzlem o tzinacanteca...* Obra que circuló ampliamente en copias manuscritas; H. de Charencey la imprimió en Francia dos veces (1876 y 1883).

Sin fecha. Fray Manuel Hidalgo: *Vocabulario de la lengua tzotzil.* Manuscrito que formó parte de la colección del abate Brasseur de Bourbourg, impreso por H. de Charencey en las *Mémoires de l'Académie Nationale des Sciences, Arts et Belles-lettres de Caen* (1885).

Zapoteco

1578. Juan de Córdoba: *Arte de la lengua zapoteca.* Reimpreso por Nicolás León (Morelia, 1886).

1578. Juan de Córdoba: *Vocabulario castellano-zapoteco.* Reproducido facsimilarmente (1942), con estudio introductorio y notas por Wigberto Jiménez Moreno.

1700. Gaspar de los Reyes: *Gramática de las lenguas zapoteca serrana y zapoteca del valle.* Reimpresa por Francisco Belmar (Oaxaca, 1891).

1793. Anónimo: *Reglas más comunes del arte del idioma zapoteco del valle con una lista de los nombres más usuales.* Manuscrito de 149 hojas, terminado de redactar en San Martín Ticalxete en 1793; el original se encontraba en la colección de Daniel Brinton. (*I.G.B.*).

LENGÜITA. Nombre que se aplica a varias especies de peces del género *Symphurus*, familia Cynoglossidae, orden Pleuronectiformes. Son un tipo de lenguados oculados del lado izquierdo, de cuerpo lanceolado y muy comprimido, boca y ojos pequeños, y margen preopercular cubierto por piel y escamas. Las aletas dorsal y anal son muy largas, están formadas exclusivamente por radios y confluyen con la aleta caudal. La única aleta pélvica, ubicada en la línea media del cuerpo, se continúa en una membrana ligeramente escotada con la aleta anal. Carecen de aletas pectorales y de línea lateral en ambos lados del cuerpo. Éste se halla completamente cubierto de escamas pequeñas y ásperas al tacto, incluyendo la cabeza. El lado ciego es blanquecino y el oculado generalmente pardo, cubierto de manchas o barras de diseño sumamente variable, aun entre individuos de la misma especie. Viven en aguas someras, sobre fondos fangosos. Se alimentan de diversos invertebrados, principalmente cangrejos pequeños y gusanos. Se distribuyen en ambas costas de América. Aunque son comestibles, su pequeño tamaño (máximo 20 cm) no los hace especialmente atractivos para el consumo humano. Se pescan incidentalmente con redes de arrastre. También se les conoce con el nombre de *lengua de vaca* (véase), o simplemente *lengua.*

LENTEJA. *Lens culinaris* Medic. (igual que *L. esculenta* Moench.). Hierba anual de la familia de las leguminosas, de tallo delicado y estriado, de 20 a 45 cm de altura y ligeramente pubescente. Las hojas tienen de cuatro a siete pares de foliolos alternos, oblongo-elípticos o linear-oblongos, cuneados en la base, a veces mucronados o truncado-cuspidados en la región apical, de 1 a 1.7 cm de longitud y con un par de estípulas lanceoladas. Las flores, blancas o azul pálido, de 5 a 10 mm de diámetro cada una, se dan solitarias o en racimos pedunculados de 2 a 6 cm. El fruto es una vaina oval-oblonga, comprimida, ancha, pajiza, bivalva, de 1 a 2 cm de largo y casi otro tanto de ancho. Contiene dos semillas de color pardo-verdoso o castaño. Éstas, de tamaño variable –de 3 a 9 mm–, son discoidales y convexas en ambos lados, muy nutritivas y reciben el mismo nombre vernáculo que la planta. Se conocen dos subespecies que comprenden múltiples variedades hortícolas: *L. culinaris macrosperma* (Baumg.) Bar. –lentejón–, con semillas de 6 a 9 mm de diámetro; y *L. culinaris microsperma* (Baumg.) Bar., con semillas de 3 a 6 mm. Es originaria del sureste asiático y fue traída a México por los conquistadores españoles. En 1984 se cosecharon en el país 21 059 ha de lenteja y se produjeron 19 389 t con un valor de $2 315 millones.

LENZ ADOLF, ALBERTO. Nació en Wehr, Alemania, en 1867; murió en San Ángel, D.F., en 1951. En Sarriéres, Suiza, y en varias fábricas en Alemania, aprendió el oficio de la manufactura del papel. En 1890 pasó a México y participó en la instalación y en la dirección técnica de la Fábrica de Papel San Rafael (1890-1899). Como director construyó y estuvo al frente de la Fábrica de Papel El Progreso Industrial (1900-1905). En 1905 adquirió los terrenos y el edificio, semidestruido por un incendio, del antiguo Molino de Miraflores, llamado de Nuestra Señora de Loreto, en San Ángel, D.F., donde habían funcionado una fábrica de hilados y tejidos, y otra de papel, ésta ya paralizada, aprovechando las aguas del río La Magdalena. Lenz fundó allí la Fábrica de Papel Loreto. En 1910 creó la Compañía Mexicana de Bolsas de Papel, y en 1924 compró la Fábrica de Papel Peña Pobre, en Tlalpan. Pudo así constituir (1929) la Sociedad de Fábricas de Papel Loreto y Peña Pobre, de la que fue presidente hasta su muerte. En 1942 construyó en terrenos de Peña Pobre una fábrica de celulosa al sulfato, primera en México y en América Latina. Destacó su actuación en pro del bosque, llevando a cabo extensas forestaciones y reforestaciones en los predios La Venta y Zacayuca, en el Distrito Federal, así como en otros en la sierra del Ajusco y en el estado de México, labor que mereció las medallas de plata y de oro del Mérito Forestal, distinciones conferidas, respectivamente, por los presidentes Manuel Ávila Camacho y Miguel Alemán. Fue miembro de diversas sociedades científicas y forestales.

LENZ HAUSER, HANS. Nació en la ciudad de México en 1903. Estudió en el Colegio Alemán y en la Escuela de Comercio. A partir de 1946 y hasta 1970 fue gerente general, y de 1952 a 1975 también presidente del consejo de administración de las fábricas de papel Loreto y Peña Pobre. Fue consejero propietario, además, del Banco de Londres y México y de Banca Serfin, de la Financiera Banamex, de la fábrica de loza El Ánfora, de la Fábrica de Papel Finess, de Finess de México y de Papelera Morelos en Tlaxcala. Pertenece a sociedades científicas y a asociaciones benéficas. Acucioso investigador, ha escrito: *La industria papelera en México* (en colaboración, 1940), *El bosque y la conservación del suelo* (en colaboración, 1948), *El papel indígena mexicano* (1950, con cuatro ediciones), *Mexican native paper* (1951), *Loreto, historia y evolución de una fábrica de papel* (1957), *El papel en la época colonial de México* (1965), *Hojas de un diario* (1976; 2a. ed., 1985), *Cosas del papel en Mesoamérica* (1984), *Ensayo de una historia del papel en México y cosas relacionadas* (1987), así como diversos opúsculos. Se le han otorgado múltiples reconocimientos, entre otros las medallas al Mérito Forestal, conferida por el presidente Adolfo López Mateos (1959), y las de oro de la Cámara Nacional de las Industrias de la Silvicultura (1970) y de la

Asociación Mexicana de Técnicos de las Industrias de la Celulosa y del Papel (1975).

LEÑERO, VICENTE. Nació en Guadalajara, Jal., el 9 de junio de 1933. Estudió la carrera de ingeniería en la Universidad Nacional Autónoma de México y la de periodismo en la escuela Carlos Septién García. Fue becado a España, en 1956, por el Instituto de Cultura Hispánica, y más tarde por el Centro Mexicano de Escritores (1961-1962 y 1963-1964) y la Fundación Guggenheim (1967-1968). Dirigió *Claudia* (1969-1972) y *Revista de Revistas* (1972-1976) y es subdirector de *Proceso*. Ha publicado novelas: *La voz adolorida* (1961), *Los albañiles* (Premio Biblioteca Breve de Seix Barral, 1963), *Estudio Q* (1965), *El garabato* (1967), *Redil de ovejas* (1972), *A fuerza de palabras* (1976), *Los periodistas* (1978), *El evangelio de Lucas Gavilán* (1979) y *La gota de agua* (1983); cuentos y textos varios: *La polvareda y otros cuentos* (1959), *La Zona Rosa y otros reportajes* (1968), *Autobiografía* (1968), *Viaje a Cuba* (1975), *Cajón de sastre* (1981) y *Justos por pecadores* (tres guiones cinematográficos, 1982); y obras dramáticas: *Teatro documental de Vicente Leñero* (1981), que contiene "Pueblo rechazado", "Compañero" y "El juicio"; y *Teatro completo*, tomo I (1982), que incluye las piezas anteriores y "Martirio de Morelos", y tomo II, que comprende "Los albañiles", "La carga", "Los hijos de Sánchez", "Las noches blancas", "La mudanza", "Alicia, tal vez" y "La visita del ángel". Su aportación más reciente es "¡Pelearán a diez rounds!" (1985). A sus preocupaciones de contenido histórico e ideológico, Leñero añade su gran preocupación por la forma.

LEÑERO RUIZ, AGUSTÍN. Nació en Villamar, Mich., el 5 de diciembre de 1904; murió en México, D.F., el 16 de enero de 1987. Licenciado en derecho (1926) por la Universidad de Guadalajara, fue profesor en la Nicolaita (1927-1930), presidente del Supremo Tribunal de Justicia (1928-1929) y secretario general de gobierno en Michoacán (1929-1930); director del departamento legal del Partido Nacional Revolucionario (actual PRI, 1930-1931) y diputado federal (1932-1934); cónsul general en París (1935-1937) y embajador en Checoslovaquia (1937-1938); fundador y jefe del departamento jurídico de Petróleos Mexicanos, en cuyo carácter intervino en las negociaciones con las 21 compañías petroleras recién expropiadas (1938), secretario particular del presidente Lázaro Cárdenas (1939-1940) y embajador en Argentina (1940-1942), Suecia y Finlandia (1958-1962), y Costa Rica (1963-1971). En 1972 se jubiló en la diplomacia y se retiró a la vida privada.

LEÑERO RUIZ, RUBÉN. Nació en Guarachita (Villamar), Mich., en 1902; murió en la ciudad de México en 1942. Obtuvo su título de médico en 1927 en la Universidad de Guadalajara. Dirigió el Hospital Civil de Morelia y la Cruz Verde de México, habiendo iniciado la construcción del hospital central de ésta, que hoy lleva su nombre. Fue también director del Hospital Juárez y sirvió cátedras en la Facultad de Medicina de la Universidad Nacional Autónoma de México. En 1924 recibió el primer premio en los Juegos Florales de la Universidad de Michoacán con su libro *Orquídeas*.

LEÓN, ALONSO DE. Nació en 1637 en León, España; murió en Monclova (Coah.), en 1691. Hijo del capitán del mismo nombre, fue soldado valiente y conquistador de grandes zonas norteñas. Nombrado gobernador de Coahuila, hizo la fundación definitiva de Santiago de la Monclova en 1689, en el sitio del primer establecimiento. Recibió el encargo de explorar las costas del golfo de México y las tierras del interior donde estaban establecidos los franceses. Después de grandes penalidades llegó con su gente a la bahía de San Luis, llamada así por los franceses, y de San Bernardo del Espíritu Santo por los españoles. Encontró que los indios habían destruido todas las instalaciones. En el trayecto halló numerosas tribus indígenas, entre ellas los arsináis, de los que se sabe poco. Volvió a Coahuila y llegó a la capital a dar cuenta al virrey y éste le ordenó regresar a Texas para colonizarla, prometiéndole enviar tropas y artesanos, misioneros y víveres. Partió a Texas en 1690 y llegó de nuevo a la bahía del Espíritu Santo. Estando allí, le llegó el refuerzo del virrey conde de Gálvez, habiendo fundado la misión de San Francisco de las Texas, en las márgenes del río Neches (1690). Murió poco tiempo después. Escribió *Relación y discursos del descubrimiento, población, pacificación de este Nuevo Reino de León*, que perteneció al bibliófilo Vicente de Paula Andrade, actualmente; se ignora su paradero. Genaro García lo publicó con el título de *Historia de Nuevo León, con noticias de Coahuila, Texas y Nuevo México. Por el Cap. Alonso de León, un anónimo y el general Sánchez de Zamora* (1909). Su relato es objetivo, escrito llanamente. Pertenece León al grupo de soldados-cronistas que dejaron escritos o narraciones de lo que vieron, sintieron y actuaron. Proporciona noticias sobre indígenas de Coahuila y Texas, entre otros los huachichiles, coahuiltecos, tobosos, cochos y zacatecos. El autor observa que estas tribus belicosas se distinguían por su habilidad para formar fuertes grupos o núcleos poderosos que se unían, a la manera de una federación embrionaria, para defenderse del hombre blanco intruso. Esta es una de las pocas fuentes con que se cuenta para reconstruir la historia de Nuevo León, Coahuila y Texas.

LEÓN, ANTONIO. Nació en Huajuapan de León (Oax), en 1794; murió en la ciudad de México en 1847. En 1821 se adhirió al movimiento insurgente y obtuvo triunfos relevantes en las cercanías de su pueblo natal, en Yanhuitlán y en el istmo de Tehuantepec. Combatió al Imperio de Iturbide y fue comandante general de Oaxaca y diputado al Congreso Constituyente de 1824. De 1834 a 1837 pacificó a los rebeldes de la Mixteca; en 1838 pasó a Chiapas, y con el cargo de comandante general al desintegrarse la Unión Centroamericana, tuvo destacada intervención en la anexión del Soconusco, cuyo decreto fue firmado el 11 de septiembre de 1841. Su apellido fue agregado al nombre de Villa Huajuapan. En 1847, en la batalla del Molino del Rey, fue herido y murió horas después.

LEÓN, DIÓCESIS DE. (*Leonensis.*) Sufragánea de la arquidiócesis de Morelia, se erigió por la bula *Gravissimum sollicitudinis* de Pío IX, del 26 de enero de 1863, ejecutada por el canónigo José Guadalupe Romero el 14 de febrero del año siguiente. Su titular es Nuestra Señora de la Luz; su sede, la ciudad de León; y su territorio, 9 620 km^2 (oeste del estado de Guanajuato y una pequeña porción del de Jalisco). Tiene seminarios mayor y menor, 75 parroquias, 446 sacerdotes diocesanos, 168 sacerdotes regulares, 284 religiosos, 1 032 religiosas y una población de 1.25 millones de habitantes, de los cuales 1.2 millones son católicos. *Obispos:* 1. José María de Jesús Díez de Sollano y Dávalos (1864-1881), 2. Tomás Barón Morales (1883-1898), 3. Santiago de la Garza Zambrano (1898-1900), 4. Leopoldo Ruiz de Flores (1900-1907), 5. José Mora y del Río (1907-1908), 6. Emeterio Valverde Téllez (1909-1948), 7. Manuel Martín del Campo y Padilla (1948-1965) y 8. Anselmo Zarza Bernal (1966-). La diócesis de León limita con las siguientes circunscripciones eclesiásticas: Aguascalientes, Celaya, Morelia, San Luis Potosí y San Juan de los Lagos; y pertenece a la región pastoral del Bajío. Además de la municipalidad de León, comprende las siguientes: Atarjea, Ciudad Manuel Doblado, Cuerámaro, Doctor Mora, Guanajuato, Irapuato, Ocampo, Pueblo Nuevo, Purísima del Rincón, Romita, San Felipe, San Francisco del Rincón, San José Iturbide, Santa Catarina, Silao, Tierrablanca, Victoria y Xichú, todas de Guanajuato, y parte del de Lagos de Moreno (la parroquia de Comanja), en Jalisco.

En el territorio de la diócesis se encuentra la sierra de Guanajuato, que enlaza, con distintos nombres, al oriente, con el macizo de la sierra Gorda, y en sentido opuesto con la de Comanja, notable por sus elevaciones –La Giganta, de 2 936 m sobre el nivel del mar; los Llanitos, de 3 360; El Cubilete, de 2 775, y Calzones, de 2 980– y por las intrusiones de magma de rocas mesozoicas del cretácico superior, en cuyas zonas de contacto se formaron las vetas de oro y plata, y otras formas de mineralización que han dado fama al estado. La diócesis comprende también parte de las extensas planicies del Bajío, y está cruzada por los ríos Guanajuato, Turbio (que vierten sus aguas al Lerma), de la Llave y de la Lama.

El primer obispo inauguró el Seminario Conciliar (24 de mayo de 1864) y decretó la erección del Cabildo eclesiástico (1° de febrero de 1865); consiguió que las Hermanas de la Caridad atendieran a los enfermos del hospital; erigió las parroquias de San Miguel y Purísima de Cuecillo, en la ciudad sede, y siete en el interior; terminó la obra arquitectónica y el decorado de la catedral, que consagró el 16 de marzo de 1866; impulsó la construcción de otras iglesias y capillas y la apertura de escuelas, fundó la Academia Filosófico-Teológica de Santo Tomás de Aquino (1880) y murió en 1881. El segundo obispo reformó el plan

de estudios y el edificio del Seminario Conciliar; embelleció la catedral; organizó la ayuda a los damnificados por la inundación del 18 al 19 de junio de 1888, que destruyó casi 2 mil casas en León, arrojó 1 500 víctimas y dejó a 5 mil personas en la miseria; tomó parte muy activa en la construcción de las casas de la colonia Guadalupe y las repartió entre los pobres; mandó hacer a sus expensas el puente sobre el río León, para comunicar la ciudad con el barrio del Cuecillo; estableció varios comedores públicos y un dispensario médico, y murió el 13 de enero de 1898. El tercer obispo dio gran impulso a la educación, costeó la fábrica del Instituto Sollano que dirigieron los Hermanos Maristas de la Enseñanza, y el 27 de abril de 1900 fue trasladado a la diócesis de Linares. El cuarto obispo reformó los reglamentos y perfeccionó el plan de estudios del Seminario Diocesano; impulsó la catequesis; abrió escuelas y colegios católicos; celebró el Primer Sínodo Diocesano de León (10 al 12 de febrero de 1903); transformó el interior de la catedral: mandó levantar el arco toral para que tuviera la amplitud de los cuatro esbeltos arcos que sostienen la cúpula, cambió el altar por el que perdura, hizo labrar la sillería de los canónigos, dotó a la iglesia de un nuevo órgano, y dispuso decorar el templo, pintar cuadros históricos y colocar vitrales en las ventanas; promovió la coronación de la Madre Santísima de la Luz (8 de octubre de 1902) y en su tiempo se hicieron mejoras al Instituto Sollano y al Colegio Teresiano de la ciudad de León. El quinto obispo gobernó poco tiempo; durante su episcopado se coronó la antigua imagen de la Virgen del Patrocinio de Guanajuato (31 de mayo de 1908) y se celebró la Semana Agrícola de León. El sexto obispo convirtió en Seminario menor el Colegio del Divino Salvador de San Francisco del Rincón; restableció en el Seminario Conciliar la Academia Filosófico-Teológica de Santo Tomás de Aquino (1910); restauró la Escuela de Música Sagrada (1929-1941); impartió clases de oratoria y propició las celebraciones literarias anuales del doctor Angélico y las ocasionales de Díez de Sollano, Munguía y Balmes. En su tiempo recibieron la consagración sacerdotal 175 candidatos; se estableció la Escuela de María Inmaculada para estudios preparatorios y comerciales (suprimida en 1914) y en la década de los veintes volvió la inquietud a Guanajuato y a la diócesis con motivo de la Rebelión Cristera

LEÓN

(v. GUERRA CIVIL). El 28 de septiembre de 1926, un grupo de católicos, encabezado por Luis Navarro Origel, se levantó en Pénjamo y sostuvo encuentros con las fuerzas del general Amarillas en Cuerámaro y Bajaras; después se retiró a la cañada del Durazno, en las faldas del cerro de Tancítaro, en espera de la sublevación general. Ésta ocurrió el 1° de enero de 1927 en Jalisco, Colima, Zacatecas y Michoacán. En el estado de Guanajuato, sólo 125 hombres tomaron las armas en Jalpa de Cánovas, al mando de Víctor López, Agustín Gutiérrez y Severiano Gallegos. Unidos a los sublevados de San Diego de Alejandría, tomaron San Francisco del Rincón, se refugiaron luego en la sierra, se adhirieron al cabecilla Miguel Hernández, en los Altos, y el 11 de marzo se apoderaron de la ciudad de donde habían salido dos meses antes. El movimiento ideológico confesional lo encabezaba en León el seglar José Valencia Gallardo, editor, sucesivamente, de los periódicos *Lumen*, *Argos* y *La Voz del Pueblo*, desde cuyas columnas llamó al boicot y a la lucha contra el gobierno.

El 3 de enero de 1927 los miembros de la Asociación Católica de la Juventud Mexicana (véase), comandados por Ezequiel Gómez, Salvador Vargas y Nicolás Navarro, trataron de someter a la guarnición militar de esa ciudad, pero fueron detenidos, torturados y muertos por orden del presidente municipal Ramón Velarde. La Rebelión Cristera no llegó a tener en Guanajuato ni la fuerza, ni la violencia que alcanzó en otras entidades. En 1927 sólo operaban las partidas de Loreto Morales, Refugio Ávila y Fortino Sánchez por el rumbo de San Miguel de Allende; los capitanes Gallegos y Rendón, en el cerro del Cubilete; Lunde, en Irapuato, y Rodríguez y Guzmán, en las inmediaciones de San Francisco del Rincón. Hacia fines de 1928 eran jefes del movimiento José Posada (alias *Pedro Ortiz*), en Guanajuato, y el presbítero José Isabel Salinas (alias *José Claro de Anda*), en Ocampo, San Felipe, León, Silao y Pénjamo. Después de la derrota del general José Gonzalo Escobar, en marzo de 1929, principal actor de la penúltima asonada militar, a quien se habían unido los cristeros, la rebelión empezó a decaer, y el 21 de junio siguiente el gobierno de México y el Episcopado concertaron la paz. Durante el conflicto desaparecieron

el Instituto Cardenal Mercier y la Academia Comercial Antonio Alzate, que se habían fundado en 1919. De 1926 a 1929, periodo de la lucha armada, el obispo Valverde pasó a Roma como secretario de la Comisión Episcopal Mexicana que informaba a la Santa Sede sobre la situación religiosa en México, y a la vez trasmitía al clero nacional las resoluciones de aquélla.

El obispo Valverde y Téllez promovió los siguientes congresos: Catequístico Diocesano (1919) e Interparroquial Catequístico (Irapuato, 1922), Diocesano (1938), Misional (1939), Interparroquial (San Felipe, 1941) y Eucarístico Guadalupano (Guanajuato, 1945). Terminado el conflicto religioso, intensificó y dio esplendor al culto con las celebraciones anuales y las centenarias de la Madre Santísima de la Luz; las jubilares de la diócesis, de la catedral y del Seminario Conciliar; las seis coronaciones de imágenes de la Virgen María, y en forma especial con la inauguración del monumento a Cristo Rey (v. CUBILETE, CERRO o MONTE DEL). Valverde murió en León el 26 de diciembre de 1948 y fue sucedido por Manuel Martín del Campo y Padilla, quien fue trasladado a Morelia en 1965. El obispo Zarza Bernal tomó posesión de la diócesis en enero de 1966.

La catedral. El edificio comenzó a construirse en 1760. Se le denominó Nueva Compañía porque sus iniciadores fueron los jesuitas, a cuya expulsión del país, en 1767, los muros del templo tenían una altura de 8 m. Así perduró hasta 1798, cuando el Ayuntamiento de la ciudad se propuso continuarla con la autorización del obispo de Michoacán, fray Antonio de San Miguel, pero la obra fue nuevamente interrumpida por los acontecimientos de 1810. Se prosiguió la construcción en 1825 y el 3 de mayo de 1833 se colocó la clave del arco correspondiente a la bóveda del presbiterio, la cual quedó terminada cuatro años después. Una vez más se suspendió la obra y en 1842 el Ayuntamiento creó una comisión para continuarla. Especial labor desempeñó en estos trabajos José Ignacio Aguado, párroco de León, muerto el 13 de noviembre de 1854. En 1856 se integró una nueva junta (Antonio Escamilla, José María Ruiz y Benigno Couto), que en nueve años concluyó todas las bóvedas, el tambor de la cúpula mayor y el primer cuerpo de la torre del lado occidental. En este estado recibió su catedral el primer obispo, quien la consagró aún sin terminar el 16 de marzo de 1866 y trasladó a ella la imagen de la Madre Santísima de La Luz, declarada patrona de los leonenses en 1849. El 5 de agosto de 1865 se colocó la cruz de la cúpula mayor. En 1878 ya se erguían las torres, en 1880 se acabó el atrio, espléndidamente ornamentado, y en 1885 se bendijo la sacristía, con lo cual se concluyó el edificio, sólo que desde ese año se inició la reparación que terminó en 1889, en que fue nuevamente consagrado, el 6 de octubre. Se añadieron luego la capilla neomudéjar de San José (1891-1893) y la de La Soledad (1895), se transformó el altar mayor y se hicieron otras obras hasta quedar con el aspecto que tenía en 1902, al coronarse la imagen mariana. La iglesia fue elevada a basílica por el papa Benedicto XV, por breve del 5 de agosto de 1920. En 1925 se colocaron en la parte inferior de los coros canonicales dos bustos de mármol de Carrara, sobre pedestales del mismo material, que representan a los pontífices Pío IX y Benedicto XV. En 1961 se recubrió la cúpula con mosaico veneciano, gracias a una donación del Gremio de Fabricantes de Calzado de León. En la capilla de Nuestra Señora de La Soledad se conservan tres urnas que contienen las reliquias de los mártires San Donato, Santa Clementina y San Fulgente.

Además de los cuadros murales y pinturas existentes en el cuerpo de la iglesia, se encuentran: 1. la imagen de la Madre Santísima de la Luz, de autor anónimo, que perteneció a la Antigua Compañía, regalo de Pedro Montes de Oca, conocida con el nombre de La Peregrina; se guarda en un altar especial en la capilla de San José; 2. catorce óvalos con pasajes de la infancia de la Santísima Virgen y de Jesucristo; pertenecieron a la Antigua Compañía y fueron donados por Ramón Montes de Oca; son de autor anónimo y se hallan en la sacristía; 3. los cuatro evangelistas, en las pechinas, obra de Candelario Rivas, pintor zacatecano; 4. las pinturas de la Santísima Trinidad, Nuestra Señora del Carmen y Nuestra Señora del Rosario, en la sacristía, mandadas pintar por el obispo Díez de Sollano para adornar el primitivo camarín; 5. los cuadros *Declaración dogmática de la Inmaculada Concepción*, *Disputa de los doctores*, y *Jesús y los niños*, también en la sacristía, del pincel de Francisco Serratos; el primero es copia de un pequeño lienzo que se llevó de Roma a la sacristía del templo de Nuestra Señora de Lourdes, en León; y en el segundo está el autorretrato del pintor, según testimonio del licenciado José María Yáñez, quien lo conoció; 6. siete magníficos gobelinos italianos de gran tamaño, también en la sacristía, firmados por A. Monacelli, que fueron comprados en Roma por el obispo Ruiz y Flores; en ellos se representa a Jesús Crucificado, el apóstol San Pedro, la Virgen de Guadalupe, la Asunción de la Virgen, la Inmaculada Concepción, Nuestra Señora del Rosario y San José.

De las dos joyas de la catedral de León: las capillas de San José y de Cristo Rey, la segunda es digna de singular ponderación. No es el valor de su antigüedad lo que llama la atención, pues es de principios del siglo XX, sino su carácter peculiar. Todos sus elementos, incluyendo la estructura, los vanos, las bóvedas, las rejas, el altar y hasta los objetos litúrgicos, sin contar la monumental estatua que representa a Cristo, fueron diseñados y concebidos dentro de esa modalidad de principios de siglo, posterior al *art nouveau* por unas décadas, que se denominó *art-decó*. Esta modalidad derivó de las nuevas corrientes del arte moderno en la década de los treintas, e influyó no sólo en la arquitectura, sino en el mobiliario, el diseño industrial, las artes gráficas, el vestuario mismo y los demás órdenes de la vida de la época. Este recinto catedralicio, único en su estilo en México, denominado Capilla Monumental a Cristo Rey, fue mandado construir en 1937 por el obispo Emeterio Valverde y Téllez, y bendecido y dedicado el 11 de enero de 1938. El suntuoso proyecto fue obra del arquitecto Nicolás Mariscal y la escultura del que ha sido llamado el Cristo Blanco, fue tallada en mármol de Carrara por el escultor italiano Alfonso Ponzanelli. Para llevar a cabo su realización, se consultaron el dogma cristiano, la historia universal, múltiples obras de arte y una carta, que conserva la Biblioteca del Vaticano, dirigida al Senado romano por Publius Léntulus, predecesor de Pilatos, en la cual se hace una descripción literaria de Cristo, único documento de esa índole que existe.

Otras iglesias. En León: 1. Parroquia del Sagrario. Fue construida junto con el convento por los franciscanos entre 1608 y 1626; se abrió al público años más tarde porque una vez terminada se desplomó el techo. Tiene planta en forma de cruz latina y fue dedicada a San Sebastián Mártir porque en su festividad se fundó la ciudad de León. En 1653 se le cambió el nombre por el de San Diego, pero más tarde recuperó el primero y lo retuvo hasta la fundación del obispado, en que recibió el de Parroquia del Sagrario. Por algún tiempo sirvió de catedral. En 1834 el cura Francisco Contreras reforzó su estructura. En agosto de 1846 pasó a ser administrada por los padres de la Congregación de la Misión, quienes establecieron en la casa cural el Seminario de la Madre Santísima de la Luz. Entonces la parroquia se trasladó al templo de Nuestra Señora de los Ángeles, pero cuando aquellos sacerdotes tuvieron que salir de la ciudad por las Leyes de Reforma, volvió el curato. En 1923, el cura José de Jesús Medina la decoró como actualmente se encuentra y colocó los cuadros murales que representan motivos de la vida de San Sebastián, obra del cura Reynaldo Puente. 2. Nuestra Señora de La Soledad. Fue construida en el siglo XIX. En 1864 el obispo Díez de Sollano fundó en ella un monasterio para madres capuchinas, que desapareció en 1955 con la muerte de la última abadesa. El canónigo Pedro Gaona reformó completamente el templo, y nuevas modificaciones le hizo el presbítero Agustín López Flores, quien además fundó allí un monasterio de servitas, hacia 1962. 3. El Divino Redentor de Mezquitito. A fines del siglo XVII existía sólo una pequeña ermita, en un lugar intermedio entre León y el pueblo del Coecillo. La imagen allí venerada alcanzó gran celebridad entre los caminantes, quienes la llamaron el Señor del Mezquitito. El padre Grijalba, en su *Thebaida americana*, ya la menciona. En 1879, el obispo Díez de Sollano destinó para atender el culto en ella al padre José de la Cruz Atilano, quien derribó la ermita y en su lugar levantó una pequeña capilla, que denominó del Señor de la Buena Muerte del Mezquitito. El templo actual lo inició el presbítero Reynaldo Puente y lo terminó el canónigo José Fidel Sandoval. 4. San Juan de Dios. Fue construida de 1620 a 1646 por los juaninos del Hospital de San Cosme y San Damián. Junto a ella se construyeron después, en 1846, el templo y el convento del Espíritu Santo. Éste fue incautado por el gobierno, pero en años posteriores fue remozado y en él se colocaron buenas imágenes. 5. El Inmaculado Corazón de María. En el lugar que ocupa esta iglesia se encontraba el templo de la Antigua Compañía o Santa Escuela, construido en 1731 por los jesuitas que fundaron el Hospicio de León. En 1901, los padres cordimarianos derribaron ese edificio y levantaron el actual, de estilo neogótico y con arcos de medio punto neorromanos en su fachada. 6. Nuestra Señora de los Ángeles. Construida a expensas de María Ana Caballero de Acuña Pérez Quintana, se estrenó el 8 de enero de 1808. En tres periodos fue parroquia. El cura Bernardo Chávez la decoró y dotó de imágenes y ornamentos. 7. El Señor de la Misericordia de la Conquista. Según monseñor Eugenio Oláez, se empezó a construir la capilla en el primer cuarto del siglo XIX por el padre Rodríguez, quien falleció el 1° de mayo de 1839. Inició la construcción actual, en 1879, el subdiácono Domingo Marmolejo. 8. Oratorio de San Felipe Neri. Se construyó por Manuel Somera y Manuel Quijano, junto con la casa religiosa y el colegio. En 1839 estaba ya terminada. Posteriormente, la casa habitación de los padres fue remozada y el templo decorado ricamente; ambos perduran. 9. El Señor de la Paz. En el sitio de la actual iglesia hubo una pequeña capilla de techo de vigas, construida en la segunda mitad del siglo XVIII, alrededor de la cual se formó el barrio del Señor de la Paz. Allí tomó posesión del obispado el señor Díez de Sollano. En 1875, el presbítero Vicente Vizconde y un grupo de vecinos demolieron la antigua capilla y edificaron el nuevo templo; éste fue restaurado en 1945 por el padre Ignacio Gutiérrez Orozco, y decorado en 1961 por el canónigo Estanislao Velázquez. 10. Santiago Apóstol. Se comenzó a construir en noviembre de 1865 bajo la dirección de Vicente Servín de la Mora y Tiburcio Medina, pero fue el padre Rafael Ortiz quien la llevó a término, aunque con techos de lámina. En 1931, el presbítero Reynaldo Puente la cubrió con bóvedas planas de colado. En 1946, el rector del templo, presbítero Olegario Mireles, la decoró y le hizo algunas pequeñas reformas. 11. La Santísima Trinidad. Inició su construcción la familia Pacheco, hacia 1865. En 1877, el presbítero Pedro Gaona derribó lo que se había hecho y edificó el actual templo, el cual fue dedicado a la Santísima Trinidad. El presbítero Miguel Enríquez lo remozó, lo decoró, le añadió dos esbeltas torrecillas y le puso altar y pavimento de mármol. 12. Santuario de Nuestra Señora de

Guadalupe. Fue construido, a la par con la casa habitación, la casa de ejercicios y el orfanato que le son contiguos, por el arcediano Pablo Anda, de 1871 a 1885, aunque sin torres. En 1936, el presbítero Antonio Sánchez lo decoró con cuadros murales, algunos del pincel del padre Gonzalo Carrasco, y le puso altar y pavimento nuevos. En 1861, el jesuita Roberto Guerra terminó de construir las torres con ayuda de los obreros de León. 13. Nuestra Señora de Lourdes. Esta iglesia fue construida de 1883 a 1895 a expensas del doctor Maximino Reynoso y del Corral, obispo de Tulancingo, y bendecida por el padre Procopio Ocampo, el 30 de marzo de ese último año. El canónigo José de Jesús Lira lo reformó y decoró. 14. Nuestra Señora de la Merced. Antiguamente hubo en su sitio una capilla construida por el presbítero Ramón Moncayo, de 1883 a 1886. El templo actual no está terminado. 15. San Francisco de Sales. La edificó de 1884 a 1886 el canónigo Francisco de Sales Ginori. 16. Santo Domingo de Guzmán. La erigió, de 1898 a 1909, con el carácter de iglesia particular, el impresor Zenón Izquierdo, quien la entregó a la mitra en 1940. Luego pasó a ser administrada por los dominicos y éstos la restauraron. 17. Templo Expiatorio Diocesano del Sagrado Corazón. La inició en 1921 el presbítero Bernardo Chávez; primero se edificó una capilla y luego el actual templo. Al morir el padre Chávez ya estaban terminadas las notables criptas. 18. La Tercera Orden. Construida por los franciscanos, procede de la segunda mitad del siglo XVII. 19. Capilla de la Santa Escuela. La fundó el padre Luis Felipe Neri de Alfaro al principio del siglo XX, cuando el templo de la Antigua Compañía fue entregado para su administración a los misioneros cordimarianos. 20. La Sagrada Familia. Muy reciente, es obra del canónigo José Refugio Méndez. 21. Santa María Reina. La construyeron hace pocos años los padres de la Congregación de la Misión. 22. Parroquia de la Purísima de Coecillo. La primera capilla, fundada por Alonso Espino, fue derribada a principios del siglo XVIII, y en su lugar se levantó la parte antigua del actual templo; la otra sección data del siglo XIX. 23. San Francisco de Asís de Coecillo. Ocupa el sitio donde estuvo una capilla edificada por los franciscanos entre 1674 y 1680. 24. San Pedro de los Hernández. Fue oratorio privado hasta poco

después de 1850, cuando el presbítero Antonio Franco la compró para abrirla al culto público. Anexa a la capilla estuvo la casa de ejercicios que el padre Tranquilino Torres transformó en escuela. 25. Belén. Originalmente fue capilla particular del canónigo Ildefonso Portillo, quien la estrenó en 1887; a su muerte, pasó a tener culto público. 26. San Miguel. La iglesia antigua procedía del siglo XVIII; la actual la erigió el canónigo Antonio Saldaña. 27. Nuestra Señora Auxilio de los Cristianos. La inició el padre Ramón Torres; en la actualidad está abierta al público, aunque carece de torres. 28. El Señor de la Salud. En el sitio que ocupa existió una capilla que fue demolida a fines del siglo XIX por el presbítero Romualdo Donato para empezar la nueva edificación; continuada por el canónigo Fermín Aguilera, la llevó a término el cura Marcos García y la remozó en 1962 el canónigo Jenaro Vázquez. 29. San Nicolás de Tolentino. El templo actual, obra del obispo Ruiz y Flores, sustituyó a una pequeña capilla de fines del siglo XVIII. 30. San Francisco de Paula. La capilla anterior fue derribada en 1865 por el arcediano Pablo Anda, quien edificó el templo actual. 31. El Santo Niño Perdido. En su sitio estuvo una capilla edificada por el presbítero Prudencio Castro hacia 1850; la iglesia actual es obra del canónigo Agustín Larrinúa. 32. El Señor del Calvario. La empezó a edificar en 1875 el presbítero Prudencio Castro y la concluyó monseñor José María de Yermo y Parres, quien además fundó, a su lado, una casa religiosa y un orfanato. 33. San José de Gracia. Se edificó a expensas de Dionisia González, de 1885 a 1890. 34. Jesús Nazareno. La construyó el padre Román Díaz hacia 1885; la restauró y dotó de buenas imágenes el arcediano Antonio de J. López. 35. Santa Teresita del Niño Jesús. La empezó a construir el canónigo Luis Cabrera; la continuaron el canónigo José Cruz Ramírez en 1950 y los Misioneros del Espíritu Santo en 1955.

En Guanajuato: 36. Parroquia de Santa Fe de Guanajuato. La inició en 1671 el párroco José Hurtado de Castilla. Su construcción llevó 25 años y se dedicó en 1696. Es de estilo barroco sobrio. Su fachada tiene tres cuerpos que disminuyen al ascender, al igual que la torre antigua, la de la izquierda, a la que se agregó un cuerpo sin vanos que rompe la armonía del conjunto. Da acceso al templo una escalinata curvada, al término de la cuesta del Marqués, y aunque remozado a la manera neoclásica, conserva la escultura de Nuestra Señora de Santa Fe de Guanajuato sobre una preciosa peana barroca de plata. El cubo del reloj fue añadido en el siglo XVIII por Durán y Villaseñor. 37. Santuario de la Cata. Fue construido en 1725 a expensas de Juan Martínez de Soria y de los dueños de las minas de Cata y San Lorenzo. Los trabajadores mineros contribuyeron con algunas jornadas. El edificio es muy suntuoso, de estilo churrigueresco. Tiene una airosa cúpula y arcos labrados artísticamente. En 1618 fue llevada al mineral de la Cata la imagen del Señor de Villaseca, así llamada en recuerdo del benefactor de ese apellido (v. *Imágenes y devociones*). 38. Santuario de Nuestra Señora de Guadalupe. Lo costeó el contador real Agustín de la Rosa y fue dedicado el 30 de noviembre de 1733. 39. La Compañía. El 31 de julio de 1747 se colocó la primera piedra bajo la dirección de los arquitectos fray José de la Cruz, "quien la monteó ingenioso y tiró las más ajustadas medidas", y Felipe de Ureña, "quien la siguió casi desde los principios, la adelantó y concluyó" en noviembre de 1757. 40. Pardo. Antes existió en su sitio una capilla de techo de vigas, derribada en 1854 por el presbítero Teodoro de Jesús Vallejo, quien emprendió una nueva obra que concluyó en 1868. Para salvar ésta de la ruina, se le adosó la vieja portada del templo de Rayas, en la que destacan un dilatado frontón curvo, los estrechos estípites y un esbelto arco mixtilíneo. 41. San Roque. Erigida por la Cofradía del Santísimo Rosario, se dedicó en 1726. 42. Belén. Se construyó en terrenos de la hacienda de beneficio de Cervera, junto con el hospital y el convento, de 1727 a 1775. De estilo churrigueresco, aunque más sobrio y estructural que la mayoría de los monumentos de esa índole, guarda estrecha semejanza con la iglesia de la Compañía de Jesús, y es probable que su autor haya sido también el religioso betlemita fray José de la Cruz. En ambas obras se advierten parecidos tipos de estípites, con círculos planos en los cubos; pareja forma de quebrar los cornisamientos y ondular las molduraciones, igual empleo de pináculos decorativos, semejante proporción en las ventanas de coro y en los vanos de los segundos cuerpos y, en suma, un mismo sentimiento de mesura y equilibrio. 43. San Cayetano, en Valenciana. Su construcción se inició en 1775 bajo la dirección de los arquitectos Andrés de la Riva y Jorge Archundia, a expensas de Antonio Obregón y Alcocer, quien en 1760 había hecho denuncia de una vieja mina en ese sitio, que por varios años se creyó emborrascada. Al cabo de muchos esfuerzos, en 1771 aparecieron grandes masas de argentita asociadas a la plata nativa y se inició una de las más notables bonanzas de que se tenga noticia. El 20 de marzo de 1780, el rey Carlos III concedió a Obregón el título de conde de Valenciana y vizconde de la Mina. Éste murió el 26 de agosto de 1786, sin haber visto terminado el templo, el cual se concluyó el 6 de agosto de 1788 y fue dedicado a San Cayetano. Junto al templo se construyó un monasterio destinado a los religiosos teatinos, cuya fundación no llegó a realizarse. La iglesia se levanta sobre una alta plataforma, a la que se accede por una escalinata que arranca de la plaza del poblado, llega a un descanso y se bifurca en dos rampas. La fachada está compuesta por los basamentos de dos torres, la portada y un solo campanario. Los machones de las torres tienen, cada uno, dos grandes ventanas con encuadramiento muy elaborado, un óculo mixtilíneo y la carátula de un reloj. La portada tiene tres calles: las laterales, compuestas con estípites y una pilastra nicho, y la central, que corresponde a la puerta, en cuya parte superior se labró un relieve de la Santísima Trinidad. En el segundo cuerpo, los estípites de los extremos rematan en pináculos, y los del centro, continuación de los inferiores, sostienen una cornisa curva, que en la parte central se quiebra en una serie de perfiles mixtilíneos. El tercer cuerpo tiene un nicho en medio, dos esculturas a los lados y, en el remate, la escultura de San Cayetano. La portada lateral está dispuesta a manera de biombo y es de una gran riqueza formal. El interior corresponde en suntuosidad a las fachadas. De planta de cruz latina, tiene cubiertas de arista y cúpula con estípites a los lados de las ventanas del tambor. Las puertas y los muebles de madera son originales y de magnífica factura. El retablo principal, de estilo barroco estípite, tiene en el eje central el baldaquino, la imagen de San Cayetano sobre una peana y la escultura de la Virgen de la Luz en un gran nicho. En el primer cuerpo aparecen, además, las figuras estofadas y policromadas de San José y San Nicolás Tolentino; y en el superior, las de San Francisco, San Juan Nepomuceno y los arcángeles Rafael y Gabriel. El retablo del lado derecho del crucero consta de dos cuerpos: en el primero están la escultura de San José con el Niño y cinco pinturas de la Virgen de Guadalupe y sus apariciones, y en otros nichos San Joaquín, Santa Ana, San Ignacio y San Agustín. El segundo cuerpo está limitado en la bóveda por una cornisa en donde se alojan figuras de querubines, en medio de los cuales aparece la Virgen con el Niño en brazos, y en la parte más suntuosa, siete esculturas de los príncipes de la corte celestial. El retablo del lado izquierdo del crucero, al igual que el central, carece de pinturas; está dedicado a San Antonio de Padua, cuya imagen se encuentra en el nicho central; arriba, la de San Pedro; y a la derecha e izquierda, las de San Agustín, San León, San Jerónimo y San Gregorio. 44. San Sebastián. Se inauguró en 1782 en terrenos del panteón del mismo nombre. 45. San Diego. Este templo de estilo churrigueresco tenía casi un siglo de construido cuando sufrió un grave deterioro durante la inundación de julio de 1780; reparado, se estrenó nuevamente el 27 de junio de 1784. Su portada es una de las más bellas creaciones de la escuela guanajuatense. La iglesia, que formaba parte del convento de San Diego, demolido en 1861, tiene planta de cruz latina, bóveda de crucería en el presbiterio y una cúpula cuyo tambor octogonal aumenta su altura a expensas de las pechinas, que el arquitecto cortó por debajo de la clave de los arcos. El principal benefactor de la obra fue el conde de Valenciana. 46. El Señor del Buen Viaje. Comenzó a construirla en 1795 el particular Domingo Somosa, en el barrio de los mazahuas. 47. El Señor San José. Se levantó en el sitio donde estuvo el Hospital para Indios Mexicanos; fue inaugurada el 19 de marzo de 1820. 48. Nuestra Señora de Loreto. La administraron los franciscanos de 1750 a 1760 y la entregaron a la mitra cuando les fue asignado el templo de San Juan. La construcción primitiva la derribó el rector José María Fuentes Lazo de la Vega; la actual procede de 1854. 49. Nuestra Señora de la Asunción de la Presa. El primer templo, bendecido el 8 de septiembre de 1870, fue demolido en tiempos del gobernador Florencio Antillón, cuando se perforó el túnel de la presa de la Olla; el nuevo se dedicó los días 15 y 16 de junio de 1875. 50. Santiago de Marfil. Se terminó en 1695, aunque el curato se había establecido desde fines del siglo XVI.

En Silao: 51. Parroquia de Santiago. Se concluyó en 1728, siendo cura Alejandro Villaroel; en la actualidad está rodeada de un pequeño atrio con canceles y verja. Después de la restauración que le hizo el párroco Antonio Funes, solamente conservó la antigua torre de tres cuerpos con dos arcos por lado. En ella están las campanas, cuya fecha de fundición se indica entre paréntesis: *Santa Teresa* (1783), *Nuestra Señora de la Luz, San Pedro y San Pablo, San José y San Antonio* (1799), *San Cristóbal* (1835), *San Miguel* y *Nuestra Señora del Refugio* (1865) y *Nuestra Señora de Guadalupe* (1904). La del templo está techada con bóvedas de media naranja y airosa cúpula. El altar mayor tiene por retablo un arco sostenido por columnas, que lleva hornacinas con estatuas en los intercolumnios; en el primer cuerpo el templete de la exposición eucarística y en el segundo se colocó la estatua del apóstol Santiago. El archivo parroquial data del 1° de mayo de 1594. 52. La Preciosa Sangre de Cristo. Construida en 1772, en ella se venera la imagen del Señor de la Santa Veracruz (v. *Imágenes y devociones*) en un retablo no muy antiguo formado con columnas estriadas. Conserva dos viejas campanas, *Jesús María y José* (1836) y *La Sangre de Cristo* (1842). 53. La Tercera Orden. La recibieron los franciscanos el 24 de enero de 1731; hasta este año se llamó capilla de San José. 54. Santuario de Jesús. Edificado en 1798 por Miguel de Torres, fue restaurado por José Guadalupe Romero en 1841. 55. Casa de Ejercicios. La edificaron los presbíteros José María García de León y Crescencio Anguiano, en 1837; está dedicada a los Sagrados Corazones de Jesús y María. 56. El Señor del Perdón. Empezó a construirse en 1762 y se concluyó en 1848; reconstruida por monseñor Reynoso y del Corral, se entregó a los religiosos carmelitas. 57. Santuario de Nuestra Señora de Guadalupe. Costeó la obra Dolores Soto de Álvarez; se estrenó el viernes de Dolores de 1848; lo reconstruyó el presbítero Maximino Reynoso del Corral y fue nuevamente dedicado el 16 de julio de 1882; originalmente tuvo como titular al Señor de la Buena Muerte y después a la Guadalupana. 58. Nuestra Señora de Loreto. Se construyó de 1780 a 1830. 59. Nuestra Señora de Guadalupe de Romita. A pesar de que se terminó en 1826, el primer párroco fue nombrado hasta el 22 de marzo de 1864.

En Irapuato (véase): 60. Parroquia de La Soledad, 61. San José, 62. San Francisco de Asís, 63. La Tercera orden y 64. San Francisco de Paula.

En San Felipe y Ocampo: 65. Parroquia de San Felipe Apóstol. En el sitio que ocupa hubo dos anteriores: una pequeña, que subsistió hasta 1728, y otra hecha por los franciscanos, que desapareció durante la Guerra de Independencia; la actual la proyectó Francisco Eduardo de Tresguerras (véase) y se debe a la piedad del cura Manuel Tiburcio Orozco. Las esculturas de San Felipe, San Pedro y San Pablo son obra de Mariano Perusquía (véase). En 1852, el cura José Guadalupe Romero restauró la iglesia y mandó poner la balaustrada de cantería y fierro del atrio. 66. Nuestra Señora de la Soledad. La edificaron en el siglo XVIII los indios del barrio de San Francisco. 67. La Merced, en Jaral de Berrio. Se hizo a expensas del último conde del Jaral. La torre se dispuso al frente del edificio, sobre una bóveda sostenida por gruesas columnas; la cúpula está también asentada en apoyos hipóstilos y es semejante a la que se desplomó en la capilla del Señor de Santa Teresa de México. 68. Nuestra Señora de la Asunción en Comanja. Hacia 1560, el obispo Vasco de Quiroga estableció en este lugar un curato, que destruyeron los chichimecas en 1571. Al parecer, para 1587 ya estaba redificada la iglesia. De 1680 a 1705 estuvo administrada por los religiosos franciscanos de León. Desapareció durante la Guerra de Independencia, cuando se libraron violentas batallas en el Fuerte del Sombrero (v. MINA, FRANCISCO JAVIER y MORENO, PEDRO). En ese tiempo se perdió el valioso archivo parroquial, del cual solamente se conservan dos libros de matrimonios correspondientes a 1722 y 1753, y dos de bautismos, uno de 1784 a 1804 y otro de 1804 a 1811, los cuales se custodian en el archivo del Sagrario de León. En 1850, el obispo Juan Cayetano Gómez de Portugal erigió el nuevo curato. El templo actual data de fines del siglo XIX, pero su construcción se terminó a principios del XX.

Imágenes y devociones. 1. Virgen de la Inmaculada Concepción. La imagen data probablemente de hace dos siglos y fue propiedad de los condes de la Canal; posteriormente perteneció al obispo Díez de Sollano, quien a su muerte (7 de junio de 1881) la dejó al Seminario Conciliar Diocesano, en cuya capilla se venera desde entonces. La imagen representaba antiguamente a la Virgen del Apocalipsis, llevaba alas, hollaba con su planta la cabeza de un dragón infernal y sostenía en sus brazos un Niño Jesús. En el seminario le suprimieron las alas y el Niño se colocó a sus pies como angelito. En esta forma quedó como Inmaculada Concepción. El presbítero Manuel Rizzo y Oláez afirma que la escultura es obra de Mariano Perusquía. La imagen, de 72 cm de altura, se apoya en un globo azul entre nubes. Del lado derecho está el angelito, con los brazos levantados hacia la Virgen, y del izquierdo dos querubines. La Virgen pisa con un pie la cabeza de una serpiente que lleva una manzana en sus fauces, y con el otro descansa sobre una media luna de plata. Presenta las manos cruzadas ante el pecho, adornadas con anillos de oro y piedras preciosas; el rostro, inclinado hacia la izquierda y hacia abajo; las mejillas, tersas y sonrosadas; la nariz, recta; los labios, cerrados, dibujando una sonrisa; y la cabellera, rizada. Porta ricos pendientes y su atuendo consiste en telas de seda y brocados. Ha sido coronada en tres ocasiones: el 7 de agosto de 1943, en la catedral de León, con un cerco de oro que tiene embutidos rubíes, brillantes y perlas, hecho en el taller de Miguel Ignacio López, en Puebla; el 12 de septiembre de 1955, en el Seminario, con una réplica de la que luce la Inmaculada de Lourdes, en Francia; y el 8 de septiembre de 1959, en la propia casa de estudios, conforme a la autorización concedida por el papa Juan XXIII. 2. Nuestra Señora de la Concepción del Coecillo. La imagen fue llevada al pueblo de San Francisco del Coecillo por los frailes franciscanos a fines del siglo XVI o principios del XVII. Se le llamó por algún tiempo Nuestra Señora de San Juan de Coecillo, por devoción a la de San Juan de los Lagos, que hacia 1667 había visitado la localidad, pero el 22 de marzo de 1864 el obispo Díez de Sollano erigió la parroquia y le asignó el título de Purísima. El nuevo santuario se dedicó el 20 de enero de 1899, y en 1976 fue remodelado por el gobierno de Guanajuato. La imagen es de tamaño pequeño y representa a la Virgen de pie, con las manos juntas ante el pecho; viste telas de seda y brocados; su manto, bordado en oro, pende de sus hombros en forma piramidal. Se le coronó el 31 de mayo de 1964; lleva, además, una aureola de plata dorada; posa sobre una peana laminada y a sus pies está una media luna de plata con un rostro humano en el centro. 3. Nuestra Señora de la Candelaria de Pueblo Nuevo. La imagen es de pasta de caña de maíz, hecha en Pátzcuaro a fines del siglo XVI o principios del XVII. Fue llevada por los franciscanos. Un inventario del templo, fechado el 2 de febrero de 1773, ya la menciona. Mide casi 1 m de altura y fue elaborada en dos partes: el busto, el rostro y las manos, de pasta de caña de maíz; y el cuerpo, de fajillas de madera forradas de tela. Representa a la Virgen de pie, adornada con pendientes de oro y vestida con una túnica blanca con brocados de flores. En su mano derecha sostiene una candela de plata, y con el brazo y la mano izquierdos sostiene un Niño Jesús en actitud de bendecir. En el manto de la Virgen hay prendidos muchos exvotos. Ambas figuras portan coronas de plata dorada, mandadas fabricar por fray Ángel María Gasca en 1865. La coronación se confirmó el 2 de febrero de 1970 en ocasión del centenario de la parroquia de Pueblo Nuevo. 4. El Señor de Villaseca del mineral de Cata. La imagen es de pasta de caña de maíz. La adquirió Alonso de Villaseca, entre 1560 y 1563, junto con otras que donó a varias iglesias. El Cristo lo destinó al mineral de Cata, pero no llegó a su destino sino después de la muerte del donante, acaecida el 8 de septiembre de 1580, cuando su heredero y yerno Agustín Guerrero de Arias lo condujo primero a Guanajuato y luego a Cata, donde aún perdura. La escultura es de tamaño natural, de color rojizo oscurecido por los años; representa a Jesús clavado en la cruz, con la mirada dura, la herida del costado muy abierta y sangrante, y las costillas muy marcadas; porta una cabellera postiza, rodea su frente una corona de espinas de plata, y se cubre de la cintura a las rodillas con un cendal rojo bordado en seda y oro, tachonado de exvotos. Está sostenido en una cruz medio hexagonal con remates y tarja de plata. La devoción popular, especialmente de los mineros de Nueva España, le erigió un santuario suntuoso, dedicado en 1725. 5. El Señor de la Veracruz de Silao. También es una imagen del siglo XVI procedente de Pátzcuaro. Fue llevada a Silao hacia 1560 y es la pieza más antigua en la jurisdicción de la parroquia del apóstol Santiago. Por más de 300 años estuvo en el santuario que fue demolido a principios de este siglo para construir en su lugar el mercado González Ortega. Entonces la imagen fue trasladada a la iglesia de la Preciosa Sangre de Cristo. La escultura es casi de tamaño natural, con los brazos extendidos sobre la cruz y goznes para poder moverlos; representa a Jesús muerto, con la cabeza inclinada hacia el lado derecho; su color ha sido oscurecido por los años y ciñe su cabellera una corona de espinas de metal. Está clavado sobre maderos muy simples. Su nombre proviene de la antigua cofradía de la Vera Cruz. 6. Nuestra Señora de Guanajuato. La imagen, llevada de España en 1557, fue obsequio del primer juez o superintendente de minas, Perafán de Ribera, quien perteneció a la familia del duque de Alcalá, adelantado mayor de Andalucía. Según la leyenda, estuvo oculta en Santa Fe de Granada durante siglos, hasta la victoria de los Reyes Católicos contra los moros en 1492. De esta advocación de la Virgen le vino al real de minas su primer nombre. Dice el historiador Marmolejo que a raíz de su llegada se designó a la imagen como Nuestra Señora del Rosario, título que se cambió más tarde por el de Nuestra Señora de Guanajuato. Según el padre Francisco de Florencia (*Zodiaco mariano*, 1755), era de madera, de talla entera, con una rosa en la mano derecha y el Niño Jesús sentado sobre el brazo izquierdo. Graciosa y opulenta, sin el hieratismo de las esculturas medievales, hoy lleva un cetro en lugar del símbolo del rosario. Originalmente se le colocó en la capilla del Hospital de los Indios Mexicanos, que lo fue después del Colegio de la Purísima Concepción y más tarde del estado, en terrenos cedidos por María Aguirre. Ahí permaneció ocho años, al cabo de los cuales se le trasladó a la pequeña iglesia de Los Hospitales, que construyeron los tarascos de 1560 a 1565; y en 1696 se le llevó al templo parroquial, que se inauguró en esa fecha y donde todavía permanece.

LEÓN, GTO. Ciudad situada a 21° 07' 23" de latitud norte y 101° 37' de longitud oeste de Greenwich, según datos del Observatorio Meteorológico local, que corrobora el ingeniero Edmundo Leal en su Carta Catastral del Distrito (1920-1921). La estación del ferrocarril está a 1 786 m sobre el nivel del mar. La presión barométrica media anual es 617.74, en 20 años de observaciones del ingeniero Mariano Leal. La temperatura media anual es de 18° 84; la media más baja, en diciembre, de 13° 81; y la media más alta, en mayo, de 23° 43. Debe advertirse, sin embargo, que esos datos se tomaron de 1878 a 1898 y que actualmente ha habido, por excepción, temperaturas casi 10° más bajas y también casi 10° más altas que las anotadas. El verdadero periodo de lluvias en León, en la época de las observaciones del ingeniero Leal, se iniciaba en mayo y comprendía junio, julio, agosto y septiembre, y declinaba en octubre. La mayor altura de agua recogida en 24 horas había sido: 81 mm en julio de 1884, 76.5 en junio de 1893, 70 en agosto de 1880 y 63.3 el 18 de junio de 1888, fecha de la gran inundación. Hubo en ese lapso 50 heladas por año, por término medio, siendo su mayor número en diciembre. Se registraron sólo dos nevadas: una muy ligera el 7 de febrero de 1881 y otra un poco más fuerte la noche del 4 al 5 de febrero de 1886.

Límites y extensión del municipio y la ciudad. Linda al norte con los municipios de Ocampo y San Felipe, al este con el de Silao, al sureste el Romita y al suroeste con los de San Francisco y Purísima del Rincón. Por el oeste limita con el estado de Jalisco (principalmente con el municipio de Lagos). Tiene una extensión de 1 183.20 km^2 (3.87% del territorio del estado) y la ciudad abarca 38.5.

Aspecto general orohidrográfico. A medida que se camina hacia el norte de la ciudad, el terreno es cada vez más montañoso hasta encontrar la sierra de Comanja o de Ibarra, en los confines con los municipios de Ocampo y San Felipe. Hacia el noreste está el cerro del Gigante (2 884 m), la mayor elevación en el distrito. El noroeste es también montañoso. El centro del municipio, el suroeste, sur y sureste, son parte de la llanura del Bajío que se ve sembrada de maíz, cebada, papa y otros cultivos. Al sur-suroeste se hallan vallados, especialmente en Santa Rosa, Los Sapos, San Pedro del Monte, La Sandía y Santa Ana del Conde. Casi todos los terrenos bajos del municipio se ven cubiertos de mezquites y pirules; en las regiones montuosas son comunes los nopales, casahuates, patoles y garambullos. El río de los Gómez (afluente del Turbio, que a su vez confluye al Lerma) se forma en las vertientes de Comanja, cerro Gordo e Ibarrilla y cruza la ciudad (que ha inundado varias veces) donde se unen los arroyos del Muerto y Machihues. El río de La Laborcita o de Duarte nace en los cerros de Otates y sale al municipio de Romita por el sureste, volviendo

a entrar al de León por Santa Ana del Conde. No hay lagunas, pero sí presas, siendo la más importante la del Palote.

Mineralogía. Se encuentran en proporciones regulares cobre, mercurio y estaño (especialmente en la sierra de Comanja), y en pequeñas cantidades, plata y hierro. Entre las piedras aprovechables para la construcción o usos industriales hay canteras y caolín.

Arqueología e historia prehispánica. León fue frontera y encrucijada cultural. Hay sitios arqueológicos, como Alfaro e Ibarrilla –explorados por Emilio Bejarano– de gran importancia, siendo del horizonte Preclásico los más antiguos asentamientos. La cultura de Chupícuaro se extendió hasta acá. Del horizonte Clásico hay figurillas teotihuacanoides. Hubo influencias toltecas y, al desplomarse Tula, nómadas procedentes de San Luis Potosí traspusieron las sierras de Comanja y Guanajuato (como los guamares) o la sierra Gorda (como los pames), e invadieron el Bajío en el siglo XIII enfrentándose a los tarascos por Pénjamo, Yuriria y Acámbaro. Estos dejaron huella de su presencia (toponimia y objetos arqueológicos). Pero, al someterse a Cortés en 1522, las incursiones chichimecas llegaron al río Lerma.

Historia colonial. Otomíes del señorío de Jilotepec formaron un ejército auxiliar del español, se asentaron en San Juan del Río y en Acámbaro, en 1526, y después donde se fundarían Celaya, Santa Cruz y Salamanca, y algunos, al fin del siglo XVI, poblaron en León el barrio de San Miguel, y tarascos, mexicas y hasta chichimecas en el del Coecillo. Antes, Nuño de Guzmán y sus auxiliares tarascos penetraron al territorio de la futura Alcaldía mayor de León vadeando el Lerma –por Conguripo– el 2 de febrero de 1530, y a este río llamaron "de Nuestra Señora", y acaso también así a su afluente el Turbio, cuyo principal origen está en el valle de León, denominado, por eso, "de Señora", como cree Eduardo Salceda López. Antes que Nuño, Juan de Villaseñor, encomendero de Guango, entró a Pénjamo y Cuerámaro (de la posterior alcaldía leonesa) y en 1544 el gobernador de Nueva Galicia, Vázquez de Coronado, le mercedó tierras en esos sitios y otros, confirmándolo al virrey Mendoza. Éste, en 1546, otorgó a Rodrigo de Vázquez la estancia de Guanajuato y a Juan de Jaso la de Comanja (actual Comanjilla, según Salceda López). Un

LEÓN

año después fueron mercedadas tierras a Pedro de Salcedo en las cercanías de San Francisco del Rincón. Desde este lugar y desde Comanjilla, la colonización agrícola y ganadera se introdujo al valle de Señora, y en él se otorgó a Juan de Jaso, en 1551, la estancia de ese nombre que se despobló para fundar, el 20 de enero de 1576, la Villa de León, por orden del virrey Enríquez de Almanza, para que –igual que la de Celaya, asentada en 1571– sirviera para defensa contra los chichimecas (guamares y cuachichiles) que desde 1550 guerreaban contra los españoles y que no se pacificaron sino cuando, a cambio de que se redujesen a pueblos, se comprometieron éstos a alimentarlos y vestirlos, en 1590.

Antes de fundarse León, se poblaron, en 1557, el real de minas de Guanajuato y Santiago Silagua (hoy Silao); en 1561 las minas de Comanja y en 1563 la villa de Santa María de los Lagos. Desde esta última fecha se asentaron en el valle de Señora numerosos colonos españoles e indígenas y algunos mulatos. Estos postreros eran turbulentos: en 1580, cuatro años después de fundada León, se erigió en alcaldía mayor para contener sus desmanes –desgajándola de la de Guanajuato– y se le dio jurisdicción sobre los actuales municipios de León, San Francisco del Rincón, Purísima, Ciudad Manuel Doblado, Cuerámaro, Abasolo, Huanímaro y Pénjamo (entre la sierra de Comanja y el río Lerma) la cual retuvo íntegra hasta 1857 en que las cuatro últimas municipalidades, que entonces constituían sólo una, fueron separadas del departamento de León y agregadas al de Guanajuato. El límite occidental de la alcaldía mayor leonesa era lindero del Reino de la Nueva España con el de la Nueva Galicia, y el conflicto entre ambas entidades políticas se agudizó con la fundación del pueblo de San Francisco del Rincón en 1607, enfrentándose, por ello, las alcaldías mayores de León y Lagos, sobre todo en 1626, cuando le fue reconocida por la Corona a la primera jurisdicción sobre San Francisco. Al lado de éste, en 1648, se fundó Purísima del Rincón, y al sur, en 1689, San Pedro Piedra Gorda (hoy Ciudad Manuel Doblado). En esa centuria, las minas de Comanja se administraron desde León. Hubo en ella y en la siguiente, litigios por tierras entre la villa y sus actuales barrios –entonces pueblos– de San Miguel y El Coecillo. Al constituirse, en 1787, la intendencia de Guanajuato, un subdelegado administró desde León el territorio de la antigua alcaldía mayor.

Durante la época colonial sufrió León los amagos de indios bárbaros, varias inundaciones (en 1637, 1649, 1749, 1762 y 1803) y algunas epidemias. A pesar de ello, la población fue creciendo: en 1596 habría en la villa 180 españoles y un número desconocido de mestizos y mulatos; en 1719, un censo daba 2 896 habitantes; otro de 1743, alrededor de 6 355, y para 1781 se contaban 9 365 (incluyéndose para estos dos últimos años, el Coecillo y San Miguel). Cuando la Guerra de Independencia, vino a refugiarse tanta gente, que 30 o 40 años después de la última fecha, la cifra de pobladores se había duplicado. Era un triunfo contra los bárbaros, las inundaciones y las epidemias (para acabar con las de viruela, se introdujo la vacuna en 1806).

En 1582 se erigió el curato de León encargándoselo al bachiller Alonso Espino, quien murió flechado por los chichimecas en 1586. Llegaron en 1588 los franciscanos y lo tuvieron a su cargo hasta 1767. Los juaninos arribaron en 1617 y fundaron la iglesia y el Hospital de San Juan de Dios. En 1731 llegaron los jesuitas y establecieron un colegio en que enseñaban gramática, pero fueron expulsados por el rey en 1767. Ellos habían llevado desde Sicilia, en 1732, la pintura de la Madre Santísima de la Luz y difundido su culto hasta Texas y Nuevo México por el norte, y hasta Perú por el sur.

El convento franciscano –edificado hacia 1600, o poco después, entre el actual Palacio Municipal y la parroquia del Sagrario– fue lamentablemente demolido en 1953. Del siglo XVII quedan: la portada lateral de dicha parroquia (cuya hermosa torre es del XVIII y su fachada del XIX), y acaso la portada de La Soledad (siendo su torre posterior). En 1716 se construía el templo de San Juan del Coecillo (hoy alterado); en 1744 o 1746, La Compañía Vieja (derribada en 1901); en 1760 se iniciaba La Compañía Nueva (de ella queda una portada lateral en la catedral); en 1765 estaba terminándose la iglesia de San Juan de Dios, y en 1782 estaba en construcción la de San Miguel (comenzada, quizá, desde la segunda mitad del siglo XVII). En 1808 se concluyó el templo de Los Ángeles, todavía barroco. Da una idea del aspecto del centro de la villa un plano de 1753. De fines del XVIII se encuentra la portada de una casa y los arcos del portal del hotel México. Y del tránsito de aquel siglo al XIX subsiste la esquina de la casa de 5 de Mayo y Pedro Moreno. A pesar de la piqueta, sobreviven aún valiosas reliquias coloniales que hay que proteger. Y queda el más valioso y completo archivo municipal guanajuatense de tal época, que se remonta a 1580, y que desde esta fecha hasta 1857 abarca el occidente del estado (menos Ocampo y San Felipe) y ofrece, a veces, noticias para los Altos de Jalisco (en el *Boletín* de tal archivo aparece impreso su catálogo hasta 1812-1813).

De la Indepedencia a la Reforma (1810-1857). Durante la Guerra de Independencia, León –fortaleza realista– fue tomada o amagada por los insurgentes: en 1810 entra José Rafael de Iriarte, adicto a Hidalgo; en 1811 amenaza Albino García; en 1812 penetra Pedro García; en 1815 amaga Santos Aguirre; en 1817 invade Mina parte de la villa, y él y Moreno son sitiados y derrotados después en el cercano Fuerte del Sombrero; en 1821 Iturbide, convertido en jefe trigarante, ocupa la población en la que antes él y Calleja, García Conde y Negrete actuaron como realistas. En este último bando se distinguió el subdelegado leonés Manuel Gutiérrez de la Concha, muerto en combate allí, en 1812. Iturbide edificó poco después un baluarte que fue demolido en 1851. Algunos pasadizos subterráneos podrían datar de esa guerra.

Desde 1779 se promovió elevar la villa al rango de ciudad, lo que al fin se obtuvo por decreto del 2 de junio de 1830, denominándose León de los Aldamas. No teniendo escudo de armas, se dice que había adoptado en 1822 uno en que se veían el Ojo de Agua, el puente del Coecillo, la loma de la Soledad y el baluarte, pero el que conocemos sólo tiene los dos últimos elementos y un león (también parece haberse usado como emblema, antes de 1856, una imagen de San Sebastián, patrono de la ciudad). A pesar de epidemias de viruela en 1815, 1830 y 1840, de sarampión en 1825 y 1836, y de cólera en 1833 y 1850, León aumentó su población de 1810 a 1850: tanto en la primera fecha como en 1818 dícese contaba con 30 mil habitantes (seguramente en el distrito y no exclusivamente en la villa), y es probable que en los ocho años la cifra permaneciese estacionaria por las vicisitudes de la Guerra de Independencia. En 1837 decíase había en la flamante ciudad 26 937, mientras la capital

del estado albergaba 35 733, pero ya en 1840, cuando, conforme a estos censos civiles no podría haber más de 30 mil, se estimaba la población de aquélla en 50 mil y la de su distrito en 75 mil. En 1851 calculaba el padre Ignacio Aguado 80 mil feligreses para su curato de León, e igual número le asignaba en 1854 en su *Brevísima relación histórica* el padre Luis Manrique (siendo la demarcación de la parroquia casi la misma que la del distrito). Al lado de este incremento demográfico, desde 1824 era perceptible la importancia comercial de León, pues en ese año el viajero Beltrami –exagerando un tanto– afirma que paraban allí "mercaderes de las cuatro partes del mundo" y que era "rendez-vous de una gran parte de la más bella y más rica provincia de México, el Bajío". Al año siguiente el gobierno nacional concedió que León celebrara una feria del 23 al 30 de diciembre, la que debió ser muy concurrida. Apenas alcanzado el rango de ciudad, sus industrias, principalmente las de rebocería, talabartería, curtiduría y calzado, cuyos orígenes, para algunos datan de la Colonia, empezaron a prosperar.

Transformada la intendencia de Guanajuato en el estado de ese nombre desde 1824, la antigua alcaldía mayor de León se convirtió, en 1827, en uno de los cuatro departamentos que integraron dicha entidad, teniendo al frente un jefe político (o, más tarde, un prefecto) y conservando la misma jurisdicción colonial –de la sierra de Comanja al río Lerma– hasta 1857. En la cabecera se hicieron mejoras materiales: en 1828 se construían los portales de la plaza principal; en 1835 se establecía el alumbrado público (que Guanajuato tenía desde 1827); de 1831 a 1849 se construían o reparaban varios puentes, particularmente el ya demolido de la calzada, y en la última fecha se abría el camino a Lagos (comunicándose así más fácilmente con Guadalajara). Las diligencias ligaban para entonces a León con la capital del estado y con la de la República. Con ésta quedó comunicada por el telégrafo en 1853 (siendo la segunda línea que se estableció).

Paralelamente se realizaron otros progresos: desde 1823 el ayuntamiento leonés se encargaba del antiguo Hospital de San Juan de Dios, y en 1825 se instauraba una Junta de Sanidad (reinstalada en 1850); en 1830 y 1840 se editaba un método curativo contra la viruela, y en 1851 se fundaba un hospicio para pobres. Desde 1825 se había vendido una imprenta en la entonces villa, pero no se tienen impresos leoneses sino desde 1840, y el primer periódico de que se sabe es de 1855. El Ayuntamiento adquirió en 1830 una casa donde instaló la Escuela Principal de Niños, y en 1834 se abrió la Escuela Nacional para Niñas; en 1851 se iniciaba una escuela nocturna y en 1853 se inauguraba la Academia de Música y Dibujo. La Iglesia participaba en primera línea en el progreso educativo; el padre José Ignacio Aguado fundó en 1840 el Instituto de San Francisco de Sales y en 1844 el Colegio de la Madre Santísima de la Luz, del que se encargaron, de 1847 a 1857, los padres paulinos. Éste, que fue el antecedente del Seminario, contaba ya, para 1850, con 560 alumnos que procedían de diversos lugares del país.

León es particularmente propicio para estudiar el desarrollo del estilo neoclásico y sus tardías reminiscencias, a lo largo de más de un siglo —con ejemplos pobres u opulentos—, tanto en construcciones civiles como eclesiásticas. En cuanto a éstas, son la más antigua manifestación de ese estilo unos altares del templo de La Soledad que datan de 1806. Luego vienen el templo de San Francisco de Paula, concluido en 1829; el de San Nicolás Tolentino, edificado entre 1804 y 1848; la fachada de la Parroquia, cuya ornamentación se terminó en 1836; el oratorio de San Felipe Neri —donde se admiran portada, torre y cúpula—, acabado en 1839, y la capilla del Santo Niño, de 1856. Dentro de ese estilo se prosiguió, en 1831, la obra de la antigua Compañía Nueva —abandonada desde 1767—, pero ya en 1842 estaba paralizada, y aunque en 1855 se hacían reparaciones, no se trabajó diligentemente sino hasta que el primer obispo de León, Díez de Sollano y Dávalos impulsó, a partir de 1864, la construcción, para que fuese la catedral. También otros templos se edificaban por entonces, pero no se concluyeron sino después de 1857. Pocos edificios civiles se erigieron, entre ellos la plaza de Gallos, que databa de 1802 (y servía además para teatro, conciertos y canto), y plazas de toros como la construida en 1844. Otras obras públicas fueron puentes como el de La Calzada (1849) y alguna fuente desaparecida. La *Brevísima relación histórica de la fundación, progresos y estado actual de la ciudad de León*, que en 1854 dio a luz

el padre Luis Manrique, resume los progresos hasta entonces alcanzados; en ella se dice que "las casas, con muy pocas excepciones, son de un solo piso". Quedan algunas del fin de esa etapa. Al concluir debieron tomarse las primeras fotografías que darían idea de cómo era la ciudad (para Guanajuato las hay desde 1855). Un plano de hacia 1850 la muestra, por vez primera, en toda su extensión, en los momentos en que los antiguos pueblos de San Miguel y el Coecillo iban a convertirse en barrios de la ciudad y cuando empezaba ésta a disputar a Guadalajara el segundo rango en la República, en número de habitantes. Hasta 1857 no hubo cambios profundos, perviviendo la herencia colonial. La Guerra de Reforma incrementaría su población, al convertirla en la "Ciudad del Refugio", islote de paz en medio de marejadas sociales.

De la Reforma a la Revolución. Al comenzar la Guerra de Reforma, Osollo y Miramón ocuparon la ciudad el 13 de marzo de 1858, pero a principios del año siguiente la tomó el liberal José Iniestra y a mediados del mismo cayó de nuevo en poder de los conservadores que en junio erigieron a León en departamento independiente de Guanajuato. Desde el 11 de mayo de 1860 los liberales fueron los amos, pero el 4 de junio se restableció el gobierno conservador y Miramón estuvo de nuevo, y muy agasajado, y en esa ocasión se le huyó Zuloaga, a quien traía consigo. La derrota que luego sufrió aquél en Silao, el 10 de agosto, hizo que ganaran la ciudad los liberales. Sobrevino la Intervención y los franceses la tuvieron desde el 13 de diciembre de 1863 hasta el 26 de igual mes en 1866. El 19 de enero de 1864 fueron ejecutados los jóvenes leoneses Francisco Zambrano, Francisco Ontañón y Miguel Carrillo que luchaban como guerrilleros contra la Intervención. En el mismo año, desde el 29 de septiembre, y por unos días, Maximiliano visitó León, siendo muy festejado. Para entonces era la segunda urbe del país en número de habitantes, contando 104 mil. Debe aclararse que, bajo el Segundo Imperio, el departamento de León volvió a abarcar el mismo territorio que había tenido hasta 1857, en que la municipalidad de Pénjamo, que incluía Huanímaro, Abasolo y Cuerámaro, le fue segregada con excepción del último, pero al triunfo de la República, Cuerámaro volvió a depender de Pénjamo (desde el 9 de julio de 1867) y se ratificó la mutilación dictada antes. Además, el 22 de marzo de 1867 se había decretado que el partido del Rincón se dividiese en dos municipalidades –San Francisco y Purísima–, quedando la primera sujeta a León, y la segunda a Guanajuato. Sin embargo, parece que se rehizo el departamento por unos años más (abarcando, aparte del municipio de León, los de San Francisco del Rincón, Purísima y Piedra Gorda), hasta que, el 11 de diciembre de 1881, se suprimieron las jefaturas de departamento, dejando a León como simple municipalidad. Pero el 16 de mayo de 1885 se restablecieron tales jefaturas hasta su definitiva supresión, decretada el 4 de diciembre de 1891, con lo que no tuvo ya jurisdicción mayor que la de su propio municipio. Por los años de 1870 a 1872 se habló de formar el estado Del Centro con el cantón de Lagos y el departamento de León, como era antes de 1857, más el partido que comprendía Ocampo y San Felipe, teniendo por capital a la Perla del Bajío; eran campeones de este intento, que no cuajó, el doctor Antonio Peña y José Rosas Moreno.

Desde el 17 de septiembre de 1867 hasta el 13 de noviembre de 1876 fungió como jefe político del departamento el coronel Octavio Rosado –nacido en Yucatán–, cuya actuación fue benemérita, y a él se debe la construcción de la Casa Municipal, concluida en 1869, y el éxito de la espléndida celebración –el 20 de enero de 1876– del tercer centenario de la fundación de la ciudad. Otro jefe político, el coronel Cecilio Estrada –que tuvo ese cargo desde el 16 de enero de 1877 hasta el 15 de noviembre de 1880 y de nuevo en 1893, a partir de mayo– se captó el aprecio de los leoneses a pesar de un incidente en 1877, al que se aludirá adelante. Debe mencionarse también a José María García Muñoz (1882-1883, 1899-1901 y 1909), a Archibaldo Guedea (1901-1907) y al doctor Jesús D. Ibarra (1908 y 1909-1911). Cuando gobernaba el último, Madero estuvo en León en un mitin celebrado el 30 de marzo de 1910, y al día siguiente fundó un club antirreleccionista. Fue brillante la celebración, en septiembre del mismo año, del centenario de la Independencia, con la ciudad profusamente iluminada. No menos fastuosos habían sido los festejos con que se conmemoró –en octubre de 1892– el descubrimiento de América.

Entre tanto, en el orden religioso, Pío IX erigía el 25 de enero de 1863 el obispado de León que abarca la mitad septentrional del estado de Guanajuato (incluyendo hasta los municipios de Piedra Gorda, Romita, Irapuato, Pueblo Nuevo, Guanajuato y San Miguel de Allende por el sur) y el curato de Comanja en el estado de Jalisco. (El de Jalpa, en cambio –aunque en territorio guanajuatense–, ha pertenecido al arzobispado de Guadalajara y actualmente al obispado de San Juan de los Lagos.) El 12 de julio del mismo año era consagrado en México el primer obispo de León, doctor José María de Jesús Díez de Sollano y Dávalos, quien tomó posesión el 22 de febrero de 1864 y murió el 7 de junio de 1881. Fue un sabio humanista, poseedor de una excelente biblioteca, parte de la cual vino a quedar como núcleo de la de la Escuela Secundaria y Preparatoria local. Protestó apasionadamente contra las Leyes de Reforma y su elevación a constitucionales en 1874. Las últimas procesiones religiosas se tuvieron en su sede en la Semana Santa de 1867, y 10 años después, el Jueves Santo 30 de marzo, un piquete de soldados a las órdenes del jefe político, el coronel Cecilio Estrada, disparó sobre la gente que rezaba en voz alta por las calles, causando muertos y heridos. El obispo Díez de Sollano y Dávalos abrió el 25 de mayo de 1864 el Seminario Conciliar (cuyo antecedente fue el Colegio de la Madre Santísima de la Luz, fundado en 1844 por el benemérito cura y notable humanista José Ignacio Aguado). Estableció, además, la Academia Teológica-Filosófica de Santo Tomás de Aquino. Impulsó activamente la construcción de la catedral (antes Compañía Nueva), la que fue consagrada en 1866, prosiguiéndose los trabajos hasta su muerte, y continuándolos su sucesor el doctor Tomás Barón y Morales, quien llegó a León el 30 de enero de 1883, fundó el 7 de enero de 1887 el Instituto Científico y Literario, ayudó a las víctimas de la inundación de 1888. Falleció el 13 de enero de 1898. En este año, el 7 de mayo, tomó posesión del obispado el doctor Santiago Garza y Zambrano, quien salió de su sede el 27 de abril de 1900 para asumir el arzobispado de Linares. El 27 de diciembre de 1900 fue consagrado en León el doctor Leopoldo Ruiz y Flores, quien también fue trasladado a la arquidiócesis de Linares, y por ello se ausentó el 2 de noviembre de 1907. Bajo su gobierno se coronó, con gran esplendor, la imagen de la Madre Santísima de la Luz, el 8 de octubre de

1902, y quedaron concluidas las reparaciones y modificaciones de la catedral. Inauguró, el 26 de enero de 1903, el Instituto Sollano e instaló en el Seminario, el 19 de enero de 1905, la Escuela de Música Sacra. El 19 de noviembre de 1907 arribó el doctor José Mora y del Río, quien convocó a los católicos que pugnaban por mejorar las condiciones socioeconómicas a celebrar en León la Segunda Semana Social, después de lo cual dejó la ciudad el 1° de febrero de ese año por haber sido nombrado arzobispo de México. Meses después –el 15 de octubre– fue el advenimiento del doctor Emeterio Valverde y Téllez, quien regiría el obispado hasta su muerte el 26 de diciembre de 1948. Por lo pronto, reinstauró en 1910 la Academia Filosófico-Teológica de Santo Tomás de Aquino y el 20 de marzo del mismo año fundó la Escuela María Inmaculada, de instrucción secundaria.

Entre las construcciones eclesiásticas de esta etapa, la más señera es la catedral que, aunque sin terminar, había consagrado ya el obispo Díez de Sollano y Dávalos el 16 de marzo de 1866 trasladando a ella la imagen de la Madre Santísima de la Luz (declarada patrona de los leoneses, por éstos, en 1849). Para 1878 se erguían las torres, en 1880 se acababa el atrio, espléndidamente ornamentado, y en 1885 se bendecía la sacristía, con lo que se concluía el edificio, sólo que desde este año se iniciaba su reparación y, terminada, se consagraba nuevamente el 6 de octubre de 1889. Se añadieron luego capillas como la neomudéjar de San José (1891-1893) y la de la Soledad (1895) y posteriormente se transformó el altar mayor y se hicieron otras obras hasta quedar con su aspecto actual –salvo ciertas ulteriores reformas– al coronarse en 1902 la venerada imagen mariana.

En 1875 se bendijo el santuario de Guadalupe y de 1870 a 1893 se construyó el Calvario con su fachada neoclásica con frontón y columnas. El pequeño templo de Santo Domingo (1898-1909), aunque del todo diferente a aquél, muestra tardías supervivencias del neoclasicismo. Un curioso ejemplo de neogótico (con arcos de medio punto neorománicos en la fachada) es el Inmaculado (1901-1906). Se construyeron o transformaron muchas pequeñas iglesias –como la de San Francisco de Sales (bendecida en 1886)–, otras medianas como las de San Francisco, La Santísima,

Lourdes y la Conquista (ésta con cúpula de 1901), y otras mayores que fueron reparadas, como la del barrio de Arriba y las de Juan del Coecillo y San Miguel (ambas coloniales, en parte, cuyas fachadas fueron modificadas en 1897 y 1899, respectivamente).

En esta época surgieron los más importantes edificios civiles, preponderantemente neoclásicos o con resabios de tal estilo: en primer término, la Casa Municipal, concluida en 1869; el mercado Hidalgo o Parián –que en su mayor parte estaba terminado cuando se le inauguró en 1866 y que se incendió en 1929–; el Teatro Doblado, que se acabó en 1880; el mercado Aldama o de la Soledad (funcional, pero sin mérito artístico), que se inauguró en 1883, ampliado hacia 1960 y demolido en 1970; la Escuela Modelo (lista ya desde 1895), el Arco de la Calzada (finalizado en 1896) y la cárcel (inaugurada en 1902). Entre los puentes, el más importante es el del Coecillo (1889), costeado por el obispo Barón y Morales y destruido en gran parte por la inundación de 1926. Entre las casas particulares sobresale la de Las Monas (1870), y quedan algunas más que han escapado a la piqueta que ha arrasado tantas (cuando no han sido deformadas). En la plaza principal, el Casino (1905) muestra algún rasgo neomudéjar, lo que también ocurre en donde, en 1906, instalaron Las Tullerías. En enero de 1908 se inauguró el antiguo local de Las Fábricas de Francia y al final del mismo año el de La Primavera. Del ocaso del porfiriato es el edificio del Círculo Leonés Mutualista (en parte deformado) y desde 1905 contó León con el hotel Guerra –hoy México– (en la plaza de los Fundadores, al fondo de un portal cuyas arcadas datan del fin del siglo XVIII), donde estuvieron –desde 1864 hasta 1869– las oficinas de la Prefectura y luego las de la Jefatura Política del departamento. La fachada actual de la plaza de Gallos –en la avenida Juárez– data de 1904.

En León –como en otras ciudades del país– fueron los franceses, bajo el Segundo Imperio, quienes plantaron árboles y formaron prados en la plaza principal, en la que antes sólo había una fuente al centro. El parque Hidalgo –antiguo paseo del Ojo de Agua– después de su ampliación en 1910 adquirió su fisonomía característica. El bordo o malecón del río de los Gómez data de 1889 –aunque se trató de construir un dique o "muralla" desde 1647– y fue reforzado tras la inundación de 1926. La afluencia desoladora o la carencia del agua era problema constante; para remediar lo segundo, se había acordado, en 1876, construir un acueducto para traer al centro de la ciudad la que brotaba en el Ojo de Agua, pero al fin se optó por perforar profundos pozos en el barrio de Arriba, la Plaza de la Constitución y Santiago, en 1897-1898, además de que ya desde 1882 había fuentes públicas. Desde 1866 se habían introducido –empezando por la entonces Plaza del Emperador– el alumbrado de petróleo. La luz eléctrica se había inaugurado, en reducida escala, el 17 de diciembre de 1898, y al fin de 1904 se empezaban a colocar los postes para la nueva corriente que procede del Duero (en Michoacán), pero hasta poco antes de acabar 1909 había en los portales de la plaza principal lámparas de gasolina que fueron entonces sustituidas por focos. Para las fiestas del Centenario en 1910, se hizo derroche de iluminación eléctrica, si bien sólo a partir del siguiente año empezó a introducirse este alumbrado hacia barrios como el de San Miguel. Desde 1892 la Compañía Telefónica Mexicana prestó sus servicios y en 1898 una línea ligó a la ciudad con Silao, La Luz, Guanajuato, Irapuato, Celaya, Salamanca y San Felipe.

El ferrocarril había comunicado a la ciudad de León con México desde el 28 de julio de 1882 y en el mismo año la había enlazado con Guanajuato y Lagos; en marzo de 1884, con Ciudad Juárez, y en mayo de 1888 con Guadalajara (a través de Irapuato). Desde 1882 empezó a haber tranvías, comenzando por el que unía al centro con la estación. El primer automóvil se vio en 1904.

En contraste con estos progresos, la Perla del Bajío sufrió primero la inundación de 1865 que destruyó 800 casas y luego la catastrófica del 18 de junio de 1888 que arruinó más de 2 mil y dejó 242 cadáveres, además de 1 400 personas desaparecidas, quedando más de 5 mil familias en la miseria y produciéndose un éxodo de algunos millares de habitantes, lo que la hizo perder su rango de segunda ciudad en el país por su población, que según García Cubas era de 120 mil en 1884, cuando la capital de la nación contaba con 300 mil, Guadalajara 80 mil, Puebla 75 mil y Guanajuato 52 mil (si bien tales estadísticas eran, sin duda, defectuosas, como casi todas las anteriores al censo de 1895). Algunas enfermedades –como fiebre tifoidea en

1861, tifo en 1892 y escarlatina en 1908– causaron fuerte mortandad. Las cifras de población que se tienen resultan a veces irreconciliables: en general, son altas las que proceden de fuentes eclesiásticas y bajas –hasta excesivamente– las de censos del gobierno del estado cuyo propósito era utilizarlos para las elecciones (lo que acaso produjo la ocultación de personas y su ausencia en los cómputos). En 1864 la prefectura de León, que abarcaba –como antes de 1857– el departamento de ese nombre, desde la sierra de Comanja hasta el río Lerma, contaba 164 mil habitantes, y de ellos había 104 mil en la cabecera, lo que está de acuerdo con el cálculo hecho el año anterior por el canónigo J. Guadalupe Romero, de 120 mil para el curato y 100 mil de ellos en la ciudad. En 1869 el departamento o distrito electoral de León –que además incluía las municipalidades de San Francisco, Purísima y Piedra Gorda–, tenía (según la *Memoria* de 1873 del gobernador Antillón) 119 380 pobladores, 78 930 de ellos en el municipio que lo encabezaba, lo que implicaría que la urbe misma no albergaría más de 60 mil. Objetando en 1872 esta cifra electoral de 1869, José García Saavedra anotó un incremento de 4 730 entre 1864 y 1871, restando el número de defunciones del de nacimientos, y sin contar los inmigrantes que afluían a la "Ciudad del Refugio", los que, sumados, elevarían esa cifra a 7 mil o 10 mil (como promedio 8 500). Si este aumento se agrega a los 104 mil computados en 1864, habría en 1872 cerca de 112 500 en vez de 60 mil. Esto coincidiría con la afirmación de Antonio J. Cabrera, también en 1872, de que "se ha dicho por algunos estadistas (*sic*) que León, cuyo último censo aseguran se dio 120 mil habitantes, es la segunda ciudad de la República". Pero él agrega: "Yo no lo creo" y compara su extensión con la de San Luis Potosí "a la que nunca hacen llegar a cien mil habitantes" (y, en efecto, García Cubas le asignaría en 1884 sólo 35 mil). Como para hacer más irreconciliables estas discrepancias, otro censo del gobierno estatal en 1882, arrojó un monto de 70 022 para el municipio y sólo 40 742 para la ciudad, mientras la capital del estado encerraba 52 112. En 1884 aceptaba aquel autor este cómputo para Guanajuato, pero otorgaba a León 120 mil. Hay casi un consenso de que era ésta –poco antes del cataclismo diluvial de 1888– una ciudad tan populosa que rivalizaba con Guadalajara o la superaba, y si esta última contaba 80 mil no es de creerse que aquélla tuviese sólo la mitad. Si se tiene en cuenta el número de muertos y desaparecidos en esa terrible inundación, y el éxodo de muchos de sus habitantes, ¿cómo podría explicarse que el censo de 1895 arrojase para la ciudad 60 468 habitantes y, el de 1900, 63 413? La más baja cifra admisible para 1882 sería de 60 mil; es decir, mayor que la de Guanajuato. El de 1910 daría 89 064, y esto significaría que para entonces se había recuperado y alcanzaba otra vez una población cercana a la que tuvo antes de la catástrofe de 1888.

La instrucción pública fue atendida por la Iglesia y el estado, siendo aquélla la que estableció el mayor número de planteles de enseñanza superior; así, los paulinos reabrieron su colegio en 1859 (pero hubieron de cerrarlo en agosto del siguiente año); sobre la base de este esfuerzo, fundó el obispo Díez de Sollano y Dávalos, el 25 de mayo de 1864, el Seminario Conciliar —uno de los mejores de México—, donde se enseñaba, además de la carrera eclesiástica, la de jurisprudencia, se atendían la música y las bellas artes, se fomentaba la dedicación a las artesanías y oficios, y se estudiaban varias lenguas extranjeras y alguna indígena como el otomí. También se aludió ya a la inauguración, en 1887, del Instituto Científico y Literario; a la instauración, en 1903, del Instituto Sollano (que incluía, además, los años de primaria), y al establecimiento, dentro del Seminario, en 1905, de la Escuela de Música Sacra, y finalmente a la fundación, en 1910, de la escuela María Inmaculada. El gobierno, por su parte, puso en marcha, el 12 de febrero de 1878, la Escuela de Instrucción Secundaria, que rivalizaba con el Seminario por su alto nivel, y superaba a éste en el aspecto científico, pero quedándose atrás de él en el campo de las humanidades. Tuvo el Colegio del Estado —como también se le llamaba— un excelente cuerpo docente y de allí —como asimismo del Seminario— salieron alumnos esclarecidos. Anexo a aquella escuela funcionó el Observatorio Meteorológico, al frente del cual estuvo, por varios años, el sabio Mariano Leal. En 1872 —según el Dr. José García Saavedra— existían, además, el Liceo Mexicano y otro Instituto Científico y Literario que impartían instrucción primaria y secundaria, siendo probablemente de carácter particular ambos planteles. No hay que

olvidar, en otro ámbito, las escuelas de artes, tanto la fundada en 1876 por el canónigo Pablo Anda —en la que había "talleres de zapatería, rebocería, obrajería, herrería, platería, escultura, sastrería, imprenta y una academia de música"— como la instaurada en 1904 por el obispo Ruiz y Flores en el Instituto Sollano, con talleres de carpintería y zapatería.

En cuanto a la enseñanza primaria, miembros del clero establecieron la Escuela del Seminario y el Colegio de San Felipe de Jesús en 1901 y el ya aludido Instituto Sollano en 1903, mientras la Sociedad Católica sostenía, en 1872, cuatro escuelas para niñas y una para niños, y las Hermanas de la Caridad —hasta su expulsión en diciembre de 1874— otra también para niñas. Había, además, en aquel año, "10 establecimientos particulares para niños... y 14 de mujeres". Por otra parte, la Sociedad de Enseñanza Popular, fundada en 1870 por José Rosas Moreno, atendía, en 1872, siete escuelas para adultos: seis de ellas nocturnas y una en la cárcel. El gobierno sostenía en 1875, en la ciudad, dos escuelas nacionales (es decir, federales) y seis municipales para niños, así como dos nacionales y ocho municipales para niñas, y aparte de esto había una nacional para niños en Tlachiquera (hoy Nuevo Valle de Moreno). En 1881 se inauguraron dos escuelas municipales para niños: una en el barrio de San Miguel y otra en el del Coecillo, y en 1891 se abrieron sendas escuelas para niños y niñas en el barrio de Arriba. La labor del estado culminó con la apertura, el 2 de abril de 1897, de la Escuela Modelo en su magnífico edificio, en la cual, en agosto del mismo año, se tuvieron orientadoras conferencias pedagógicas.

La imprenta publicó gran número de obras religiosas —muchas importantes y muchísimas intrascendentes—, unos *Breves apuntes sobre la antigua Escuela de Pintura en México y algo sobre la escultura* de Agustín F. Villa (1884) y unos *Estudios gramaticales sobre el náhuatl* de Macario Torres (1887). Aparecieron, asimismo, trabajos de historia local, como la segunda edición, aumentada en 1864, de la *Brevísima relación histórica de la fundación, progresos y estado actual de la ciudad de León* del padre Luis Manrique; los *Apuntes geográficos y estadísticos de la ciudad de León* del doctor José García Saavedra (1872); el *Curioso y muy interesante documento en el que* consta la fundación de esta ciudad de León de los Aldamas... (1876); el *Compendio histórico-geográfico de la erección del obispado de esta ciudad...* (1881 de Manuel García y Moyeda autor también del *Episcopado mexicano nacional*, 1884); las *Noticias históricas de la instrucción por el clero en León...* del padre Eugenio Oláez (1902), y las *Efemérides de la ciudad de León* de J. Sóstenes Lira (1905). En cuanto al periodismo, tuvo amplio desarrollo: en 1860 apareció *El Conciliador*; en 1868 *La Verdad* y *El Clamor Público*; en 1869 *El Álbum Literario de León* y *El Voto Público* y hacia el año siguiente *El Estado del Centro*; en 1871 *La Educación* y *La Pulga*; en 1875 *El Artillero* y *El Chicote*; en 1875-1877 se publicó *El Centinela* y en el último año surgió el *Boletín Municipal*; en 1878 *El Masaya*; en 1880 *El Sol de Mayo*; en 1881 *El Intransigente* y *La Era Nueva*; en 1882 *La Revista Literaria* y *La Aurora Literaria*, y en 1833 *El Tesoro de la Sociedad* y *El Pueblo Católico*, siendo éste el más importante, el cual duró hasta la Revolución. Entre 1883 y 1888 hay un verdadero enjambre periodístico (1883, *La Fe*; 1883-1884, *La Gacetilla*; 1884, *El Amigo del Progreso*, *El Amigo del Hogar* y *El Álbum de la Mujer*; 1885, *Boletín de la 7a. Zona Militar*; 1883, *El Obrero*, *Negrito*, *El Educador*, *El Patriota* y *La Sultana del Bajío*; 1887, *El Pensil*, *El Zancudo* y *D. Ferruco*; 1888, *La Voz Popular*, *La Opinión Pública*, *El Plectro*, *La Lechuza* y algunos más). La terrible inundación de 1888 produjo, tal vez, un retroceso en esta actividad, a pesar de lo cual en 1889 continuaba publicándose *El Plectro* y surgía *La Palestra*. Pocos periódicos —entre ellos *La Luz* (1892)— se editaron entre 1890 y 1897, pero en 1898 se tiene *El Escolar* y en 1899 *El Arte* y *El Eco Literario*. Pocos también en 1900 y 1901, pero desde 1902 y hasta 1914 se publica *El Obrero*, uno de los mejores que ha habido en León. Comienza en 1905 el *Boletín Eclesiástico de la Diócesis de León* y el mismo año se edita *El Fígaro*; de 1906 a 1910 se tiene *El Comercio*; en 1906 *El Correo Escolar*; en 1907, *El Anunciador* y en 1908 *El Correo de León*.

Se desarrollaron diversas actividades culturales aun antes de que hubiese locales adecuados: así, actuó la cantante Ángela Peralta en 1866 y 1873 en la plaza de Gallos (en la de toros, en cambio, escandalizaba en 1870 el can-can). El Teatro Doblado, desde su inauguración en 1880 hasta el estallido revolucionario, tiene una etapa gloriosa,

habiéndosele mejorado en 1906. Mientras en él ejecutaron obras musicales –suyas o ajenas– Ricardo Castro en 1903 y Julián Carrillo en 1907, en la catedral estrenó una misa solemne, en 1894, el compositor leonés Francisco Barajas. Una banda de música que dirigía Juan Pineda arraigó desde 1900. La primera exhibición de cine se tuvo en 1897 y después las auspiciaron El Buen Tono en 1905 y La Tabacalera Mexicana en 1907, pero sólo desde este año o el siguiente hubo locales permanentes para tal espectáculo: los salones Rojo y Verde.

Mucho se distinguió en el campo cultural –desde su fundación en 1901– el Círculo Leonés Mutualista, que propició conferencias como la allí dictada en 1906 por el jurista y sociólogo leonés Toribio Esquivel Obregón, lo mismo que recitales y conciertos, complementando con esto y con su biblioteca la acción cultural del Teatro Doblado en el que se tuvieron, en 1909, los primeros Juegos Florales en que alcanzó la Flor Natural el poeta Vicente González del Castillo, debiendo mencionarse que desde 1903 existía la Sociedad Literaria Manuel Gutiérrez Nájera. Es notable el número de asociaciones mutualistas, similares al Círculo, que surgieron entre 1877 y 1911: Sociedad Mutualista Fraternal, 1877; La Fraternal, 1891; Sociedad Mutualista Sollano y Dávalos, 1901; las Miguel Hidalgo y Aldama, 1902; Sociedad Mutualista El Porvenir (1903) y Sociedad Mutualista de Empleados (1911). Desde 1903 existió el Círculo de Obreros Miguel Hidalgo. Los comerciantes más poderosos tenían desde 1882 la Lonja Mercantil y, a partir de 1904, contaron con el casino.

Para los indigentes y desvalidos se aprobó en 1863 la instauración de un hospicio de pobres y en 1865 el canónigo Pablo Anda fundó un asilo que 20 años después trasladó al edificio contiguo a la casa de ejercicios del santuario de Guadalupe, en el mismo año en que el padre José María Yermo y Rosendo Gutiérrez de Velasco fundaban el asilo del Calvario. En 1903 el obispo Ruiz y Flores estableció un orfanatorio y dos años después bendijo el nuevo edificio del Hospital de San José. El gobierno del estado, por su parte, creó en 1909 la Inspección Médica Escolar que tuvo a su cargo el doctor José de Jesús González.

El crecimiento industrial continuó con aceleración, estimulado por las frecuentes exposiciones municipales como las de 1876, 1877, 1878, 1880, 1886 y la de artefactos en 1900: en ellas se apreciaban también creaciones artísticas y productos de las artesanías. Entre las nuevas industrias se contó desde 1877, con la fábrica de hilados y tejidos La Americana y, desde 1894 con la fundición La Esperanza. Por su importancia comercial, fue visitada la ciudad por numerosos viajeros que al terminar la penúltima década del siglo XIX podían alojarse en alguno de los tres principales hoteles: el Diligencias, el del Comercio o el Colón, a los que se agregó, desde 1895, el edificio en que pronto se alojó el hotel Velasco, y en 1905 se puso en servicio el hotel Guerra (hoy México) en lo que fue Mesón de las Delicias y después Palacio Municipal.

De Madero a Carranza (1910-1920). Durante este periodo, la cifra de población de la ciudad pasó de 89 510 en 1910 a 89 064 en 1921. Varias epidemias sufrió: una de viruela en 1911 (año también del "colerín"); otra, persistente, de tifo, entre octubre de 1915 y marzo de 1917, que hizo estragos terribles, al punto de que el 25 de septiembre de 1916 el periódico *Actualidades* decía: "son ya insuficientes los sepultureros que prestan sus servicios en el panteón municipal". En efecto, el Registro Civil anotó del 19 al 24 de ese mes 48 nacimientos y 308 defunciones y del 26 al 30 del mismo 40 partos y 228 decesos. Por razones de higiene, el 28 de esa treintena se cerraron los templos, teatros y cines y al día siguiente se informaba que se tiraban basuras y animales muertos hasta en las calles más céntricas y que el cauce del río estaba lleno de ropas, colchones y petates de tifosos. Por esto se da cuenta, el 14 de octubre siguiente, de que la presidencia municipal ha creado una Inspección de Aseo, y para el 2 de noviembre subsecuente, se prohibe visitar los panteones a pesar de la arraigada costumbre. Para combatir el tifo, Gonzalo Torres Martínez obtuvo 5 t de azufre, hacia finales de diciembre, y en la misma fecha el doctor Rafael Lozano publicó el folleto *Contribución a la campaña contra el tifo.* Fue también mortífera la influenza española en el otoño de 1918; más clemente, en cambio, la del invierno a principios de 1920. Para atender la salubridad pública, en 1915 se hicieron adaptaciones al edificio del antiguo Instituto Sollano, alojando allí el Hospital Civil (también llamado Juárez) –del que fue director desde 1917 el doctor Pablo del Río–, y para

rescatar y curar a los heridos en campaña se estableció en 1913 un puesto de la Cruz Roja, cuyo animador fue Francisco G. Plata. Para atender a los niños pobres se fundó a moción del jefe político, ingeniero Antonio Madrazo, en agosto de 1912, la Sociedad Protectora de los Niños, y para cuidar de los indigentes se inauguró en septiembre de 1916 el Asilo de Mendigos, dirigido por el doctor Leoncio Ramírez. Causa de numerosas defunciones fue el hambre de los años 1915-1916 –los mismos del auge del tifo (que cundió por aglomeraciones y desaseo)– y con ella culminó la etapa más sangrienta de la Revolución. Ésta no se sintió al principio en León, sino hasta después de la caída de Huerta en julio de 1914. Entre los precursores de esta gran sacudida social, fue uno el leonés Práxedis G. Guerrero (1882-1910). Del mismo origen, el ingeniero Antonio Madrazo participó en los movimientos iniciales, se afilió después al constitucionalismo y al triunfar, en 1920, la insurrección de Agua Prieta, vino a ser gobernador del estado (1920-1923), tras de haber sido dos veces jefe político de León (1911-1912 y 1914), distinguiéndose, cuando ocupó este puesto, por sus esfuerzos en pro del orden y la salvaguarda de las garantías individuales. Fue esto una preocupación que surgió tan de inmediato, que ya el 14 de mayo de 1911 se trató de formar, por el Ayuntamiento, un cuerpo de seguridad, a pesar del cual unos facinerosos cometieron tropelías en Alfaro; en 1912, los voluntarios de León lograron dispersar las fuerzas del rebelde Pedro Pesquera (que asolaba Piedra Gorda) y extendieron su protección hasta Puruándiro. Sin embargo, poco después, en el mismo año, una gavilla asaltó Los Sauces, y luego Tlachiquera, y otra hizo lo propio en cerro Gordo. En 1913, unos bandidos atacaron Duarte, y otros, un mes después, Santa Rosa. En 1914, se formó un cuerpo de defensa que, a pesar de la entrada de Orozco (en agosto de ese año) y de la ocupación villista (de noviembre de 1914 a junio de 1915), resurgió y subsistía aún en febrero de 1917, integrada por un centenar de miembros que comandaba Pedro Álvarez; todavía el 12 de febrero de 1918 se trató de rehacer esa defensa social porque el día anterior el sanguinario bandolero José Inés Chávez García había acampado en Jalpa, amagando desde allí a León. Habiéndose creído inminente una guerra con Estados Unidos (en el último año del

LEÓN

régimen de Huerta), muchos leoneses recibieron entusiastamente instrucción militar.

Los amagos y asaltos atrás referidos no tocaron la ciudad; a ésta, empero, se había introducido el insurgente Cándido Navarro con 300 hombres el 3 de junio de 1911, hurtando las arcas municipales. Lo que dejó imborrable impacto fue la entrada de las hordas de Pascual Orozco y José Pérez Castro el 1° de agosto de 1914, saqueando numerosas tiendas e incendiando 20 de ellas, así como los talleres del periódico *El Obrero*, y causando dos docenas de muertos. Al día siguiente fueron desalojadas por los carrancistas y el jefe político Madrazo logró restablecer el orden. Pero el 17 de noviembre la ciudad estaba en poder de los villistas y desde esa fecha actuaba como jefe político el general Abel Serratos, que de ese puesto pasó a desempeñar el de gobernador del estado desde el 18 de enero de 1915, trasladando la capital del mismo a León el 29 de enero y utilizando como palacio de gobierno la Casa de las Monas, en la que se hospedó, durante algún tiempo, el general Francisco Villa. Habiéndose posesionado los carrancistas de la ciudad de Guanajuato desde el 25 de abril, el general Álvaro Obregón determinó el 10 de mayo que los poderes del estado volvieran a estar en ella. Los villistas, sin embargo, retuvieron León en su poder, y la siguieron considerando capital, hasta que perdieron en sus cercanías la batalla de Trinidad, tras lo cual entraron a León los carrancistas el 5 de junio, aunque los villistas se apoderaron en esa fecha de Guanajuato y la retuvieron hasta el 12 del mismo, amagando desde allí a León, que volvieron a tomar dentro del propio mes, al mando del general Rodolfo Fierro. Días después, el general Joaquín Amaro recuperó la ciudad y quedó por comandante militar de ella el general Gabriel Gavira, pero todavía merodeó por algún tiempo cerca de Alfaro, la pequeña fuerza del exsacristán Julián Falcón a quien, capturado, se le fusiló en Guanajuato el 30 de marzo de 1916. Y aunque en septiembre de ese año se decía que el distrito de León estaba ya pacífico, todavía en la primera quincena de octubre del mismo operaban en La Cuatralba las gavillas de Atanasio Saavedra y de José Garduño (éste muerto en combate). El 9 de febrero de 1917 se avisaba que Epigmenio Banderas (que merodeaba con su gavilla en esa sierra) se había rendido y el 27 de marzo siguiente

se informaba que otra banda similar había sido desalojada de Chichimequillas. Así, al fin de marzo, desaparecían simultáneamente el amago intermitente de los guerrilleros y la prolongada y mortal peste del tifo. Sincrónicamente, en el segundo semestre de 1915 y casi la totalidad de 1916 (excepto diciembre), la situación económica había sido desastrosa, y sobre todo, fueron esos "los años del hambre". En realidad, una larga pesadilla había sufrido León desde agosto de 1914 con la entrada de Orozco, culminando ese calvario en 1916, en que un efímero presidente municipal (Ramón Orozco Ávila, quien lo fue en la última decena de abril y la primera de mayo) emitió "cartones" para facilitar el cambio. Pero la baja constante del valor de todas clases de papel moneda produjo pánico financiero en León todavía en el mes de noviembre y, como a causa de ello cerrábanse las tiendas de abarrotes y las panaderías, constituía "un problema... el conseguir algo con qué alimentarse". Pero ya en las fiestas de enero de 1917 se advirtió una animación desconocida desde las celebradas en 1914, y la mejoría económica continuó hasta alcanzarse cierta recuperación en 1919. Para tener idea de los cambios que experimentaron los precios de ciertos artículos, de 1910 a 1919, véase el cuadro correspondiente.

Con motivo de las fiestas de enero de 1914, se efectuaron dos exposiciones industriales; en ocasión de las de 1917 hubo una de productos industriales y agrícolas; al celebrarse las de 1919 volvió a tenerse otra industrial y también, pero con menor éxito, al efectuarse las de 1920. Alentaban el progreso industrial y agrícola y pugnaban en pro de los intereses de los empresarios, la Cámara Agrícola Nacional de León que databa de 1908 y la de Comercio que quedó constituida el 24 de junio de 1913, aparte de varias otras asociaciones menores como la Unión de Cosecheros de Papa, surgida en 1918. En cuanto a los trabajadores, el 21 de julio de 1911 se instituyó la Sociedad Mutualista de Empleados y en 1917 se fundó el primer sindicato laboral: el de tipógrafos. La Casa del Obrero Mundial tuvo una efímera sucursal bajo la ocupación carrancista, en 1915, ocupando el local del Seminario (contiguo a la parroquia), que luego –durante 1916-1917– alojó a la Escuela de Instrucción Secundaria, llamada durante ese par de años Melchor Ocampo.

LEÓN

PROMEDIO DE LOS PRECIOS DE VARIOS ARTÍCULOS DE PRINCIPAL CONSUMO EN LA CIUDAD DE LEÓN (pesos corrientes)			
Artículo		1910	1919
Maíz	kg	0.06	0.09
Harina	kg	0.15	0.32
Frijol	kg	0.08	0.24
Arroz	kg	0.18	0.56
Carne de res	kg	0.24	0.64
Manteca	kg	0.50	1.60
Café	kg	0.55	1.32
Leche	L.	0.16	0.25
Sal	kg	0.06	0.11
Azúcar	kg	0.25	0.70
Carbón	kg	0.03	0.08
Leña	kg	0.01	0.03
Manta	m	0.12	0.25
Zapatos	par	2.00	7.00
Sombrero de palma	unidad	0.18	0.30
Sarape	unidad	3.00	7.00
Petróleo	L.	0.08	0.22
Velas de parafina	kg	0.30	0.78
Jabón	kg	0.30	0.75

La ciudad vivió aislada entre 1914 y 1916, pues los trenes de pasajeros no corrieron ya desde el 16 de julio de la primera fecha, y aunque de nuevo los hubo a principios de 1915 bajo el villismo, y comienzos de 1916 bajo el carrancismo, el servicio entre México y Ciudad Juárez no se reanudaría sino hasta el 5 de octubre de 1916 (Ferrocarriles Constitucionalistas). En enero de 1917 se restablecieron las corridas de tranvías. En compensación, los automóviles –que ya el 20 de enero de 1912 competían en carreras entre la Calzada y Trinidad– fueron numerosos en el último tercio de esta década y para 1920 existía un Club Automovilista. Los aviones se vieron desde que realizaron vuelos en la cercana estación ferroviaria el último día de 1911 y el primero de 1912. Las líneas telegráficas sufrieron mucho en los años álgidos del movimiento revolucionario, pero se habían normalizado al fin de noviembre de 1916. La Compañía Telefónica Guanajuatense había inaugurado sus servicios el 23 de julio de 1912.

Quienes vivían tales vicisitudes encontraban, sin embargo, algún modo de evasión, asistiendo a los toros (espectáculo que luego vino a ser prohibido transitoriamente al comenzar el último tercio de la década) en la reformada plaza que se inauguró en 1912; o al cine, para el cual hubo nuevos locales como el Salón París desde 1914

y el Olimpia desde 1920, amén del Élite y aun el Teatro Doblado, que en 1916 fue nuevamente dedicado al "arte mudo". En este local, sin embargo, actuó en ese año Virginia Fábregas, y ya en 1917 se tuvieron espectáculos ligeros con la presentación de las hermanas Arozamena. Otro medio de esparcimiento, el deporte, que habría de arraigar tanto, empezó a cobrar importancia desde que en enero de 1917 se instituyeron el Club Deportivo Leonés (con variadas actividades que incluían esgrima y tiro al blanco) y el de beisbol Francia.

En el aspecto cultural deben mencionarse la fundación, en 1913, de la Sociedad Literaria Juan de Dios Peza y, en 1917, del Centro Artístico Pierrot, así como la Exposición de Bellas Artes que se tuvo en 1912 en la Escuela Modelo y las de pinturas organizadas en 1917 y 1920 por el Círculo Leonés Mutualista, el que también auspició los Juegos Florales de 1916 en que obtuvo la Flor Natural Vicente González del Castillo. Esta misma institución abrió en 1920 su sala de lectura, la que vino a sumarse a la excelente biblioteca de 20 mil volúmenes con que hasta mediados de 1915 contó el Seminario (y que fue terriblemente mermada bajo el régimen constitucionalista) y a la también excelente de la Escuela Secundaria y Preparatoria, la cual recobró su ubicación habitual en 1918, bajo el director Francisco Gómez, normalizando sus actividades. Por cierto que, por gestiones del ingeniero Antonio Madrazo, se habían inaugurado el 8 de enero de 1912 tres escuelas oficiales para niños y otras tantas para niñas, pero los años subsecuentes no fueron propicios para nuevos progresos en la instrucción pública y es sólo desde 1917 cuando se ven aparecer nuevos planteles como el Liceo Sollano y Dávalos, de instrucción primaria, entre cuyos maestros figuraba en ese año la señorita María Gutiérrez, en 1918 Josefina Camarena y en 1919 Atanasio Hernández Romo, quien desde 1920 tuvo ya su propio Colegio Latino-Americano. También en 1917 surgió la Escuela Hogar y se trasladó de Guanajuato a León la Escuela de Santa María. Desapareció en cambio, con las vicisitudes de la Revolución, la Secundaria de María Inmaculada y en 1917 fue suprimido el Colegio de San Felipe de Jesús.

Periodo sonorense y Maximato (1920-1935). El general Obregón, durante su campaña política, había visitado la ciudad el 22 de enero de 1920. Al triunfar su insurrección contra Carranza y asumir poco después la Presidencia de la República, hubo un grupo rebelde, adicto a Murguía, al que hubo que desalojar de San Pedro del Monte a principios de marzo de 1921. El 4 de enero de 1924, el general Manuel M. Diéguez –afiliado al delahuertismo– amagó León. Esta urbe vivió amenazada por diversos grupos cristeros durante 1927 y 1928. El 3 de enero de aquel año habían sido ejecutados varios jóvenes acejotaemeros que intentaron sublevarse, y en el curso de éste hubo combates con los insurrectos en Duarte, Lagunillas y otros puntos. En este mismo año (1928) se formó transitoriamente el Partido Socialista Leonés, y Obregón visitó de nuevo la ciudad el 16 de marzo en pos de su relección. Durante esos dos años, el general Daniel Sánchez –que luchaba desde ella, como su cuartel general, contra los cristeros del Bajío y de los Altos– la hizo vivir en el terror, fusilando a sacerdotes y a laicos y cometiendo constantes atropellos. Con referencia a sus verdugos y criminales León fue llamada en 1928 "la ciudad de los matones". Vasconcelos fue visto por muchos como un salvador, al visitar León en 1929 durante su campaña presidencial. Como el problema religioso resurgió, en 1933 hubo en las cercanías un nuevo grupo cristero. Dos grandes manifestaciones se organizaron en 1931 y 1934: en el primer año la de los consumidores contra la Compañía de Luz Eléctrica, y en el segundo contra la enseñanza sexual que se pretendía implantar.

Las calamidades de esta etapa fueron: una epidemia de meningitis cerebro-espinal en 1929-1931 y una terrible inundación el 23 de junio de 1926, que destruyó muchas casas y causó algunas muertes. Para impedir la repetición de esta catástrofe se reforzó el bordo del río y se limpió el cauce del mismo. Para atender la salud pública, se introdujeron mejoras en el Hospital Civil, se fundó en 1923 el Instituto Biológico que dirigió el doctor José de Jesús González, se creó en 1932 el Servicio de Salubridad Pública y se estableció en 1933 el Centro de Higiene Infantil Gastón Melo.

La población pasó de 89 064 habitantes en 1921 a 104 274 en 1930 y para 1935 se podrían calcular 120 mil. Correlativamente a este crecimiento demográfico, hubo uno urbanístico en cuanto se recobró la ciudad del diluvio de 1926: así surgió en 1928 la elegante zona residencial de Bella Vista, y también las colonias Guadalupe, Obrera e Industrial.

Después de la recesión del periodo revolucionario, la industria empezó a prosperar entre los años 1918 a 1923; en éste se tuvo una extraordinaria exposición industrial desde mediados de enero hasta el 5 de febrero, complementada por exhibiciones avícola, ganadera y de maquinaria y productos agrícolas, lo que fue un índice del alto desarrollo hasta entonces conseguido. La industria del calzado leonés se abrió en ese tiempo nuevos mercados en el norte del país, y esa expansión continuó hasta que se produjo la crisis económica mundial de 1929, que afectó profundamente a León y duró por lo menos hasta 1930-1931. Para la recuperación se contó desde 1933 con el Banco Industrial Refaccionario. Hay en este año, para la industria zapatera, estos datos de Alejo Llamas Suárez: "Importe de la producción vendida anualmente: $30 millones; producción diaria de pares de calzados: 7 mil; número de talleres grandes: 10 o 12; medianos: 200; pequeños: 800; obreros de ambos sexos empleados en esos talleres: 10 mil; importan las rayas semanarias: $100 mil". Además de calzado, se producían "rebozos, hilados y tejidos, medias, toallas y colchas, mosaicos, clavos, pieles curtidas, herrajes y muebles".

Aparte de la comunicación ferroviaria (por medio de la cual llegó en 1921 un grupo de turistas norteamericanos), empezaron a construirse carreteras como la de San Felipe, entre 1923 y 1926, y también, por entonces, la que se acondicionaba para San Francisco del Rincón. En el año precedente (1925) se hizo el primer viaje en auto de México a León, y ya en 1930 se podía ir a aquella metrópoli en 11 horas. Esta clase de vehículos sólo empezó a proliferar desde 1917; en 1920 había un Club Automovilístico y en 1921 se tenían carreras de automóviles de los que en 1922 habían sido 250, y en 1930, 400. Para esta fecha existían 40 camiones de pasajeros que desde hacía poco reemplazaban a los tranvías, los cuales subsistían todavía en 1928, cuando aún los había de tracción animal, a pesar de que, desde 1919, empezó a adaptárseles motor, llamándoseles "tractores". Al final de 1934 había servicio de camiones foráneos a San Felipe y San Luis Potosí; a San Francisco, Purísima y de allí a Ciudad Doblado o a Jalpa y Arandas; y a Silao y de allí a Guanajuato y Dolores, o a Irapuato, Celaya y Querétaro. También los había de León a Cuerámaro. Aunque por mala carretera (que se estaba arreglando), en auto se llegaba a Lagos. En cuanto al transporte aéreo, cuando en 1921 llegó un avión biplano, varios vecinos subieron a él sobrevolando la ciudad, y ya en 1928, para mejor enfrentarse a los grupos cristeros, se acondicionó una pista aérea. En 1931 estaba ya enlazada a la metrópoli por aviones de la CAT, haciéndose el viaje en una hora y media. Desde 1928 –además de Teléfonos de Guanajuato– prestaba sus servicios la Compañía Telefónica y Telegráfica Mexicana y en ese mismo año se inauguró el servicio de larga distancia a México.

Bajo la administración de los presidentes municipales Manuel S. Vázquez y Pascual Urtaza, en 1924 y 1925, respectivamente, se realizaron algunas mejoras materiales, entre ellas la pavimentación de la plaza Principal en el último año, siendo demolido el portal Obregón. Para entonces se contaba ya con el recién construido edificio del Palacio Federal, iniciado en 1921 y concluido hacia 1923. Bajo la primera gestión de Filiberto Madrazo (2 de marzo a 6 de octubre de 1928), se instalaron dos torres (una de hierro y otra de cemento) en el barrio de Arriba y en el de Santiago, para elevar el agua potable, que fue entubada llegando hasta el barrio de San Miguel; además, fue transformado el rastro. En cambio, bajo su segunda actuación (1929) desapareció por incendio –acaso intencional– el mercado Hidalgo o Parián, el 31 de octubre, y su solar vino a convertirse, en 1932, bajo Jesús Yáñez Maya, en Jardín de la Industria. En el mismo año se empezó a reformar el mercado Aldama o de la Soledad, terminándose tal obra en 1933 –siendo presidente el licenciado Juan Manuel Carrillo– y entonces se empedraron numerosas calles, y se instaló tubería de agua potable y drenaje en algunas de ellas, se mejoraron los hospitales y se arregló el campo de aterrizaje para las Aerovías Centrales. En igual fecha se hacía el trazo de la carretera entre San Francisco del Rincón y Apaseo, que uniría con México a la Perla del Bajío.

Fueron establecidas nuevas escuelas elementales: por ejemplo, en 1928, una en el barrio de Arriba, otra en el de San Miguel y además en la congregación de San Pedro de los Hernández, y se mejoró la Escuela Industrial, surgida poco antes. Pero las primeras atravesaron un periodo crítico cuando, al fin de 1934, muchos maestros renunciaron al verse compelidos a impartir la enseñanza socialista, si bien algunos que la aceptaron, constituyeron, a principios de 1935, el Bloque Renovador de Maestros Revolucionarios y el 10 de febrero de ese año tuvieron su primer "viernes rojo" en el Teatro Doblado. Previamente al conflicto religioso de 1926-1929 existían varios colegios particulares, algunos de los cuales desaparecieron a causa de él y otros cuando se impuso la enseñanza socialista: de Santa María, del Espíritu Santo, de San José, del Sagrado Corazón de Jesús y Latinoamericano, y en un nivel superior, la Academia Sor Juana Inés de la Cruz. Desde 1922 se habían creado una escuela nocturna para varones, el Centro Cultural Obrero y la Escuela Normal (que en 1928 –y todavía cuatro o cinco años después– dirigía la profesora Ángela Aguilar). Surgió tal vez en esta etapa la Escuela Superior Aquiles Serdán; en 1933 funcionaba el Centro Cultural Ignacio M. Altamirano, dentro del cual se inauguró en ese año la Escuela Nocturna para Obreros, además de incluir una escuela de Farmacia y otra de Electricidad. Por esta fecha actuó una misión cultural proveniente de la metrópoli. Desde el 2 de noviembre de 1921 se había puesto la primera piedra de la Escuela Granja o de Agricultura (edificio que hoy ocupa el Instituto Lux); en 1923 había surgido una academia comercial y en 1931 otra análoga para señoritas, y desde 1917 funcionaba la Academia Comercial Matías Velázquez. También en 1923 se fundó la Academia Antonio Alzate –secundaria y preparatoria– que dirigía el padre José de Jesús Ríos y que desapareció hacia 1925 o poco después. El Seminario Conciliar tuvo que ser trasladado, a causa del conflicto religioso, a San Antonio, Texas, de 1927 a 1929. Desde 1918, la Escuela Preparatoria –siendo director el licenciado Francisco Gómez– había vuelto a su antiguo edificio (el mismo demolido en los años cincuentas para construir el actual), donde tuvo una vida fecunda con maestros como Vicente González del Castillo, los doctores Cornelio Larios, José L. Ortiz, José de Jesús González, Pablo del Río y Raúl Aranda de la Parra; los ingenieros Juan B. Gómez, Ceferino Ortiz y Francisco Zamora; los licenciados Enrique Mendoza, Rafael Pedroza y Manuel Alcocer Marmolejo; Ricardo Galván y Luis Suárez Zambrano, el pintor José Díaz del Castillo y muchos otros que le dieron justo renombre. La enseñanza de la música era atendida por la Academia Mercedes Mendoza, de Enrique Jaso López, y por la de Manuel G. Tinoco, además de la Escuela de Música Sacra que antaño dirigió el padre Secundino Briseño. Aparte de la biblioteca de la preparatoria y de los restos de la otrora magnífica del Seminario (saqueada durante la Revolución), se pudo contar desde 1920 con la Sala de Lectura del Círculo Leonés Mutualista, y desde que fue secretario de Educación el licenciado José Vasconcelos se tuvo una pequeña, pero selecta, en el Teatro Doblado, a cargo de Crisóforo Mendoza. Otras abundantes bibliotecas de particulares fueron, en primer término, la del obispo de León, doctor Emeterio Valverde y Téllez, con cerca de 20 mil volúmenes, y después la del padre Gordoa –lamentablemente dispersada al fallecer–, la de los jesuitas, la de Luis Long (legada por él a la ciudad) y otras menores. El Círculo Leonés Mutualista competía con la Escuela Preparatoria en la promoción de eventos culturales (entre ellos: veladas con recitales, conciertos y obras dramáticas o conferencias de propios y extraños); desde el primer día de 1924 se trasladó de su antiguo local (hoy hotel Condesa), a su actual edificio donde en ese año, o en el siguiente, hubo una exposición de libros en alemán (idioma que enseñaba allí desde 1919, lo mismo que el inglés, el profesor Otto Rogenhoffer). No sólo organizaba *kermesses* y actos sociales, sino también exposiciones artísticas y de artesanías como la de enero de 1920 y juegos florales como los muy brillantes de enero de 1921, y acaso también los de enero de 1935. Literatos y artistas integraron en 1924 la Sociedad Artística La Trapa, cuyo animador fue el doctor José de Jesús González y, a su muerte, Vicente González del Castillo. En 1933 por iniciativa de Alberto Quiroz, surgió una similar llamada Savia Nueva. También el Ayuntamiento fomentó la cultura auspiciando la exhibición de pinturas y fotografías dentro de la gran exposición industrial de 1923, y aparte de ello patrocinaba las fiestas conmemorativas de la fundación de la ciudad cada enero, teniendo mucho brillo las de 1923 con su desfile de carros alegóricos. Previamente se había festejado el 27 de septiembre de 1921, Centenario de la consumación de la Independencia, honrando a Iturbide y Guerrero, retratados por Brígido Frausto y José Díaz del Castillo, respectivamente.

Fue algunas veces muy lucida la acostumbrada celebración del 15 y 16 de septiembre, como sucedió en 1922 en que, recitando "México y España" de Juan de Dios Peza, se concluía: "¡Honor eterno a México, españoles! ¡Honor eterno a España, mexicanos!". Así ocurrió también en 1923 en que hubo una gentil "reina de las fiestas patrias" y –representando a Obregón– el ministro Vasconcelos pronunció en un banquete elocuente discurso ante los gobernadores saliente y entrante: Madrazo y Colunga. Con la presencia de otro –Agustín Arroyo Ch.– se celebró en el Teatro Doblado, en junio de 1930, una solemne velada conmemorativa del centenario del otorgamiento a León del rango de ciudad, premiándose en ella creaciones literarias e investigaciones históricas.

Paralelamente, hubo varias festividades religiosas: en 1921 con motivo de la colocación de la primera piedra del ambicioso templo Expiatorio (aún inconcluso en 1988) y sobre todo para festejar la erección de la catedral en basílica, y en 1923, para iniciar en el cerro del Cubilete –con gran afluencia de prelados y fieles– la construcción del primer monumento a Cristo Rey –a iniciativa del obispo Valverde y Téllez, que había regresado a su sede el 13 o 14 de enero de 1919–, siendo dinamitada la imagen cinco años más tarde. Además tuvieron siempre lucimiento las fiestas (cada mayo) en honor de la Madre Santísima de la Luz (a las que acudían peregrinos y en las que se tenían animadas verbenas).

Aunque los leoneses vivían dedicados al trabajo había frecuentes motivos de esparcimiento: desde luego los deportes –cada vez más difundidos– entre los que aparece el boxeo en 1922, y el futbol (que empieza a competir con el beisbol) desde 1923, fundándose nuevos clubes deportivos para este último: Atlético, Hidalgo, ACJM, Iturbide, México, Nacional y Obrero en 1925. Además, para todas las clases sociales, las serenatas tres veces a la semana en la plaza Principal, amenizadas por la banda de música, y las fiestas patrias o las del 20 de enero; para la popular, las verbenas en los barrios al celebrar el santo patrono; para la media y la alta, las *kermesses* en el Círculo Leonés Mutualista, o los bailes en el Casino o en el patio de la Casa Municipal. Y para todo mundo, diversos espectáculos, desde las corridas –en las que Rodolfo Gaona, leonés, toreó en 1921 y 1925– hasta las veladas literariomusicales y dramáticas organizadas por el Círculo Leonés Mutualista, el Ayuntamiento o la Escuela Preparatoria. Aunque en el Doblado seguían ofreciéndose obras teatrales, óperas, operetas y zarzuelas, empezaban a fascinar al público las revistas ligeras y ya en agosto de 1921 un cronista de *El Chisme* lamentaba que "mientras antaño se exigía cierta decencia... hoy el Ayuntamiento abre el cofre de sus concesiones... Mientras Benavente y Linares Rivas huyen avergonzados, se aplaude a rabiar a los personajes de la revista mexicana, copiados de las pulquerías metropolitanas... El León antiguo se va.... se va ¡se fue!". Las revistas aludidas serían del tipo de las de Beristáin que ya en 1928 había estado y que en 1930 actuó simultáneamente en los teatros Doblado e Ideal, al lado de Lupe Rivas Cacho; con este género alcanzó gran éxito Roberto Soto, en febrero de 1932, con *Upa y Apa* y *Viva mi tierra*, actuando con bailarinas como Eva Beltri, y artistas como Amelia Wilhelmy. Además, ya en 1925 había carpas como las de Las Follies Colón. Ningún espectáculo, sin embargo, logró tanta popularidad como el cine y aparte de utilizarse para ello teatros como el Doblado o el Ideal, surgieron nuevas salas, siempre más amplias, como el Teatro Cine Vera en 1921 (que se incendió años después) y el cine Isabel en 1930, año en que el llamado arte mudo dejó de serlo en León al exhibirse *Rey de reyes*. Pronto hicieron su aparición las revistas musicales en 1932-1933, o de asuntos frívolos como *Escándalos romanos* en 1934. Sin duda, el cambio en las preferencias del pueblo leonés se había acentuado entre 1921 y 1934. Y esto ocurría también en su actitud frente al socialismo, pues si en 1921 fue motivo de indignación para muchos el que Ramón Orozco Ávila izara la bandera rojinegra en un edificio público, la celebración de un "viernes rojo" en el Doblado en 1935, no parece haber dejado mayor huella. Por cierto que sólo en septiembre de 1921 surgió la primera desavenencia obrero-patronal, pero casi no hubo relaciones conflictivas. Sin embargo, los salarios de muchos trabajadores eran bajísimos y muchos pequeños fabricantes de calzado eran víctimas de voraces almacenistas. Al final de esta etapa, el profesor Atanasio Hernández Romo —maestro ejemplar y periodista combativo que publicaba *Tiempos Nuevos*— saltó a la palestra como defensor insobornable de los derechos obreros. Los intereses de los hacendados y comerciantes seguían amparados por la Cámara Agrícola Nacional de León y la Cámara de Comercio, y desde 1928, al fundarse el Club Rotario, se unirían en él profesionistas y representantes de las fuerzas económicas. En una época en que no existía el Seguro Social, el Círculo Leonés Mutualista atendía, en lo posible, los casos de enfermedad o deceso de sus socios, predominantemente de la clase media. En cambio, con carácter un tanto exclusivo, pero combinando también actividades sociales y culturales, se había integrado, en octubre de 1920, el *Selecty Club*. Por otra parte, surgieron nuevas agrupaciones de empleados, como cuando, en 1928, se constituyó la Unión de Contadores y Tenedores de Libros. En cuanto a otro linaje de sociedades —con motivaciones no puramente sociales, sino también ideológicas— habrá que mencionar una sucursal que los Caballeros de Colón habían instituido en 1919 y que se mostró activa en 1921, auspiciando el homenaje a Iturbide, y un grupo masónico —la logia Faro del Centro— que sólo apareció en público durante el conflicto religioso de 1926-1929 y sus supervivencias.

Cronología de sucesos y personas importantes: 1935 a 1973. 1935. Fueron presidentes municipales Pascual Urtaza, primero, y después Francisco López Guerra. 14 de julio: comenzó el periódico semanario *La Voz del Bajío* (terminó el 26 de diciembre de 1937). 15 de octubre: comenzó la revista *Sacerdos* (continuación de la 2a. época del *Boletín Eclesiástico de la Diócesis de León*, iniciada el 15 de octubre de 1933); se publicaba aún en 1969. *28 de octubre*: fundación de la Alianza Leonesa de Trabajadores Organizados (ALTO) por el profesor Atanasio Hernández Romo.

1936. Fue presidente municipal José Hidalgo. 2 de diciembre: falleció, a avanzada edad, el doctor José L. Ortiz, notable catedrático de la Escuela Secundaria y Preparatoria.

1937. Fue presidente municipal J. Guadalupe Núñez. Comenzaron los periódicos *La Opinión del Centro* (se publicaba aún en 1940) y *Diario del Bajío* (siguió apareciendo en 1938). Se publicó la revista *Ciencia y Acción*, órgano de la Unión Cultural de Estudiantes Leoneses. 23 de mayo: se fundó la Unión Nacional Sinarquista. El doctor Jesús Rodríguez Gaona sucedió al doctor Raúl Aranda de la Parra y a los otros miembros de un triunvirato en la dirección de la Escuela

LEÓN

Secundaria y Preparatoria. 13 de febrero: falleció el historiador leonés, presbítero y doctor, Manuel Rizzo y Oláez (nació en 1880). Se empezó a construir la Escuela Prevocacional, dependiente del Instituto Politécnico Nacional (actualmente se llama Escuela Técnica y Comercial núm. 13). Se inauguró la radiodifusora XEKL.

1938. Fue presidente municipal el ingeniero Antonio Madrazo Jr. (hasta 1939). 11 de enero: se dedicó la capilla de Cristo Rey en la catedral. Comenzó la revista *Presagio* (los dos primeros números como *Boletín del Seminario de León*), fundada por el padre Silvino Robles Gutiérrez (el t. XXIII apareció en 1960). Comenzó el periódico *Tribuna del Pueblo* (siguió apareciendo en 1939). Se inauguró la radiodifusora XEFM. La Cruz Roja organizó los Juegos Florales.

1939. 15 de julio: fue rector del Seminario el doctor Francisco Flores Ávila, quien sucedió al después deán Juan C. Gutiérrez. Fundó Antonio Malacara el grupo Amigos del Bajío. Comenzó la revista *Pro-cátedra* (se publicaba aún en 1953).

1940. Fue presidente municipal Francisco López Guerra (hasta 1941). El censo arrojó la cifra de 141 720 habitantes. 11 de marzo: Quintos Juegos Florales.

1941. Exposición Industrial. El licenciado José de la Luz Flores fue director de la Escuela Secundaria y Preparatoria. Se publicó el *Directorio General de León* (1941-1942). Se fundó el Instituto Lux. 16 de febrero: se fundó la Escuela Diocesana de Música.

1942. Fue presidente municipal Guillermo Vera (hasta 1943). 11 de febrero: falleció el ingeniero Edmundo Leal (nació en 1878), autor de la Carta Catastral de León, 1920, publicada en 1921. Comenzó la revista *Suggestum*. 1° de julio: se celebró el CCX aniversario de la llegada de la imagen de la Madre Santísima de la Luz, con carros alegóricos que reconstruían el hecho histórico.

1943. 31 de mayo: se iniciaron los trabajos para la construcción del nuevo monumento a Cristo Rey en el cerro del Cubilete. Se estableció la colonia polaca en Santa Rosa. Se publicó el periódico *El Bajío* (también en 1944). Se fundó la Escuela Superior de Música.

1944. Fue presidente municipal el doctor Salvador Muñoz Orozco (hasta 1945). Comenzó la revista mensual estudiantil *Sursum* (apareció también en 1945). Se iniciaron los trabajos de abastecimiento de agua y pavimentación, quedando la ciudad polvosa y llena de zanjas. El licenciado Juan José Torres Landa fue director de la Escuela Secundaria y Preparatoria.

1945. Se fundó la Granja de Recuperación para Enfermos Mentales en San Pedro del Monte. Comenzó a disolverse la colonia polaca. 17 de marzo: se inauguró la Escuela de Medicina, siendo su primer director el doctor Francisco Gómez Guerra. 15 de abril: se estableció la fábrica de Cemento Portland. 27 de abril: se incendió el portal Bravo. 20 de mayo: se inauguró la radiodifusora XERW. Falleció en México el jurista y sociólogo leonés Toribio Esquivel Obregón (nació en 1864).

1946. Fue presidente municipal el doctor Ignacio Quiroz. 2 de enero: una multitud congregada frente a la Casa Municipal, en protesta por la elección que consideraban ilegítima, fue balaceada por tropas al mando del general Bonifacio Salinas Leal, muriendo gran número de personas en lo que luego se llamó la plaza de los Mártires. 8 de enero: se declararon desaparecidos los poderes del estado, que encabezaba el gobernador Ernesto Hidalgo, a quien sustituyó el licenciado Nicéforo Guerrero. Como consecuencia de la matanza, reemplazó al doctor Quiroz el señor Jesús Pérez Bravo, y poco después quedó legítimamente electo Carlos A. Obregón (hasta 1947). 2 de agosto: comenzó el periódico *El Sol de León*. 7 de agosto: falleció el poeta laguense José Villalobos Ortiz (nació en 1889). Se inauguró el cine Coliseo. Se construyó el edificio (entonces el más alto) que desde 1948 aloja al hotel León. 27 de octubre: consagración en la catedral del doctor Manuel Martín del Campo como obispo coadjutor del doctor Emeterio Valverde Téllez, con derecho a sucesión automática.

1947. 4 de mayo: manifestación de usuarios contra la Compañía de Luz y suspensión de los pagos. 27 de octubre: inauguración de las reformas al mercado de La Soledad. Se fundó la Cámara de la Industria de la Transformación.

1948. Fue presidente municipal el licenciado Rodrigo Moreno Zermeño (hasta 1949). 5 de octubre: visitó la ciudad el arzobispo de La Habana, cardenal Arteaga y Betancourt. Después de cuatro años de padecer zanjas y polvo, se empezaron los trabajos de pavimentación, iniciados en julio en la avenida Madero (la de concreto se terminaría en 1949 y la de asfalto estaría en 1952 en su etapa más activa). El nuevo aspecto de la ciudad generó optimismo y empezó la explosión demográfica y urbanística. 5 de abril: se terminó el nuevo edificio de Las Fábricas de Francia (portal Nuevo). 6 de julio: se organizó el Archivo Histórico Municipal, con Vicente González del Castillo como director y el profesor Ricardo Galván y el licenciado Eduardo Salceda López como auxiliares. La primera Exposición Cultural de Documentos Históricos se celebró del 16 al 18 de septiembre. 26 de diciembre: falleció el obispo de León, doctor Emeterio Valverde y Téllez, filósofo y humanista, que inició el culto de Cristo Rey y dejó una biblioteca de cerca de 20 mil volúmenes, que en 1951 pasó, como Fondo Valverde y Téllez, a formar parte de la Biblioteca Alfonso Reyes de la Universidad de Nuevo León en Monterrey. Desde este año, o el siguiente, comenzó a funcionar la sociedad Estudio Artístico, bajo la dirección del licenciado Reinaldo Cabrera.

1949. Ya funcionaba la radiodifusora XERZ. 19 de abril: se expidió el decreto para fundar el Hospital Regional. 16 de mayo: el presidente Alemán inauguró las obras de drenaje y la pavimentación de concreto. 25 de mayo: se fundó la Corresponsalía del Seminario de Cultura; fue presidente Vicente González del Castillo. 30 de noviembre: murió en México el doctor Rodolfo González Hurtado (nació en 1897), notable escritor leonés. Comenzó el periódico *Juventud Bizarra* (el núm. 326 es del 2 de marzo de 1958, año X).

1950. Fue presidente municipal el licenciado Herculano Hernández Delgado (hasta 1951). Comenzó la revista *Oasis* (se publicaba aún en 1967). 11 de diciembre: se bendijo el Monumento Nacional de Cristo Rey en el cerro del Cubilete. El censo arrojó la cifra de 209 870 habitantes.

1951. 24 de febrero: fue consagrado el doctor Luis Cabrera y Cruz, leonés, en la catedral, como obispo de Papantla. 26 de mayo: cumplió 50 años el Círculo Leonés Mutualista. 28 de junio: falleció en México el doctor José de Jesús Manríquez Zárate, leonés, obispo de Huejutla (nació en 1884). 19 de octubre: primera audición de la Sociedad Leonesa de Conciertos en el Círculo Leonés Mutualista (seguía funcionando en 1972). 14 de junio: murió el padre Bernardo Chávez

(nació en 1868), oriundo de Santa Rosa, Gto., iniciador de la construcción (desde 1921) del templo Expiatorio. 2 de diciembre: comenzó *La Voz de León* (seguía publicándose en 1952). 15 de diciembre: murió en Nueva York la compositora leonesa María Grever (María Joaquina de la Portilla y Torres, esposa de León A. Grever), nacida el 14 de septiembre de 1885. Fue demolido el edificio de la Escuela Secundaria y Preparatoria para construir el actual.

1952. Fue presidente municipal el ingeniero Enrique Aranda Guedea (hasta 1954). 1° de febrero: se acabó de imprimir el *Directorio General de León, Gto. 1950-1951*. 17 de febrero: el secretario de Educación, Manuel Gual Vidal, inauguró el edificio de la Escuela de Medicina. 10 de julio: falleció el poeta Reinaldo Puente, cura del sagrario, oriundo de San Francisco del Rincón. 16 de agosto: murió asesinado en Acapulco el doctor Ignacio Barajas Lozano (nació en 1898), escritor leonés. 4 de septiembre: se inauguró el edificio del matutino *Noticias*, estando presentes José Vasconcelos y Nemesio García Naranjo. 7 de septiembre: comenzó a publicarse *Noticias*, que continuó siendo matutino hasta el 15 de agosto de 1954, cuando pasó a Irapuato, para volver a León, como vespertino, en 1965. 8 de octubre: se celebró el cincuentenario de la coronación de la Madre Santísima de la Luz.

1953. Ocurrió una epidemia de meningitis gripal que causó algunas defunciones. 11 de abril: se fundó la revista *Cristo Rey en México* (aún se publicaba en 1969). 23 de mayo: se celebró el LXXV aniversario de la fundación de la Escuela Secundaria y Preparatoria, ya en su nuevo edificio. Octubre: terminó la demolición del antiguo claustro franciscano de 1600, aproximadamente, y con él la del resto del edificio del Seminario (se realizó ocultamente, procurando que los leoneses no se enteraran sino cuando sólo quedaba en pie la fachada). 9 de noviembre: resurgieron los Caballeros de Colón. 17 de noviembre: se bendijo la presa de El Palote.

1954. 15 de marzo: se colocó la primera piedra del nuevo edificio del Instituto Lasalle. 16 de mayo: se celebró el Congreso de Gastroenterología en la Escuela de Medicina. 24 de mayo: un incendio acabó con la Droguería Francesa. 6 de septiembre: se inauguró la retrasmisora de radio XEQ. 1° de noviembre: se colocó la primera piedra de la iglesia de María Reina en la colonia de Los Fresnos.

1955. Fue presidente municipal el licenciado Enrique Gómez Guerra (hasta 1957). 4 de febrero: falleció el exrector del Seminario, doctor Francisco Flores Ávila (nació en 1884), nativo de Irapuato, docto en arqueología bíblica y lenguas antiguas del Cercano Oriente. 13 de enero: visitó la ciudad el presidente Adolfo Ruiz Cortines. 27 de abril: la hidroeléctrica de El Cóbano empezó a ayudar a la Guanajuato Light and Power para resolver la escasez de energía. 9 de mayo: se inició el espectáculo del Rosario Viviente. 31 de mayo: se coronó la imagen de la Virgen de las Tres Avemarías en la Santísima. 24 de julio: falleció el licenciado Enrique Mendoza Ortiz, diputado federal electo y exsecretario de gobierno del estado, en un accidente automovilístico en las cercanías de Querétaro. 22 de agosto: se inauguró el nuevo edificio del Banco de Londres y México. 27 de octubre: se celebró el Congreso de Urología en la Escuela de Medicina.

1956. 10 de febrero: VII Conferencia Rotaria. 27 de junio: se inauguraron los vuelos diarios México-Piedras Negras, con escala en León. 26 de julio: falleció en León el compositor michoacano Miguel Bernal Jiménez, cuya biblioteca pasa depués a la Escuela Superior de Música. 1° de septiembre: llegó a la ciudad el arzobispo primado de México, doctor Miguel Darío Miranda, leonés.

1957. Enero: Antonio Pompa y Pompa, guanajuatense, y Wigberto Jiménez Moreno, leonés, seleccionaron en el Archivo Histórico Municipal los documentos de la Serie León de Micropelícula, actualmente en la Biblioteca Nacional de Antropología e Historia. 14 de junio: murió el pintor Antonio Segoviano (nació hacia 1879). 22 de agosto: coronación de la imagen de La Inmaculada en su templo. 16 de septiembre: visitó León el presidente Ruiz Cortines. 3 de octubre: apareció el primer número del periódico *El Heraldo* (aún en circulación en 1973).

1958. Fue presidente municipal Ireneo Durán (hasta 1960). 9 de febrero: la figura del león del Arco de la Calzada, hecha de cemento, fue sustituida por la actual, metálica. 1° de junio: visitó la ciudad el delegado apostólico, Luigi Raimondi. 10 de septiembre: se inauguró el cine León en el predio ocupado antes por el palacio Episcopal (donde estuvo alojado en 1926

y años subsecuentes el Centro Cultural Obrero). 2 de noviembre: se inauguró el Panteón de San Sebastián. Murieron en México el escritor Efrén Hernández (nació en 1904) y el poeta José de Jesús Arrona (nació en 1905), ambos leoneses.

1959. Octavos Juegos Florales.

1960. Novenos Juegos Florales. El censo arrojó la cifra de 260 633 habitantes.

1961. Fue presidente municipal el licenciado Ramón Ramírez Martínez (hasta 1963). 27 de diciembre: el Jardín de la Industria fue llamado Plaza de los Fundadores: en la ceremonia leyó el acta de fundación Vicente González del Castillo.

1963. 5 de septiembre: empezaron a demolerse las casas de las calles Morelos (antes Juego de Barras) y Manuel Acuña, para abrir el boulevar Presidente López Mateos, a lo largo del cual pasa la carretera México-Ciudad Juárez. Se terminó la Ciudad Deportiva.

1964. Fue presidente municipal J. Ángel Vázquez Negrete (hasta 1966). Marzo: falleció el poeta francorrinconense Vicente González del Castillo (nació en 1888), autor del índice del Archivo Histórico Municipal, del que era director desde 1948; poco después quedó al frente de ese archivo el licenciado Timoteo Lozano. Murió en México el leonés Hilario Medina, constituyente de 1917 y presidente de la Suprema Corte de Justicia. Se celebraron los Juegos Florales promovidos por *Oasis*.

1965. Comenzó el *Boletín*, órgano del Archivo Histórico Municipal. Murió en San Francisco del Rincón el doctor Pascual Aceves Barajas. Murió en México el leonés Arturo Soto Rangel (nació en 1882), artista de teatro y cine. 9 de febrero: se inició la VII Conferencia del Distrito 105 del Club Rotario. 18 de junio: el obispo de León, doctor Manuel Martín del Campo, fue designado coadjutor en el arzobispado de Michoacán; poco después tomó posesión del obispado leonés el doctor Anselmo Zarza y Bernal.

1967. Fue presidente municipal Lorenzo Rodríguez Garza (hasta 1969).

1968. El leonés doctor Daniel Malacara recibió el premio de ciencias otorgado por la Academia Nacional de Ciencias.

1969. 15 de marzo: falleció el licenciado Francisco Gómez (nació en 1877), jurisconsulto leonés y exdirector de la Escuela Secundaria y Preparatoria, donde fue paladín del positivismo hasta 1926, aproximadamente. 20 de marzo:

apareció el licenciado Eduardo Salceda López (núm. 51 del *Boletín*) como director del Archivo Histórico Municipal (en 1971 lo sería también de la Casa de la Cultura).

1970. Fue presidente municipal el licenciado Arturo Valdés (hasta 1972). El censo arrojó la cifra de 420 150 habitantes para el municipio. 31 de enero: falleció el padre y poeta José Fidel Sandoval, animador del grupo Oasis, quien terminó el templo del Divino Redentor. 8 de marzo: a moción de Wigberto Jiménez Moreno se constituyó la Sociedad de Amigos de León, quedando como presidente de ella el licenciado Salceda López. 8 de diciembre: falleció el poeta leonés José Ruiz Miranda (nació en 1889).

1971. Enero-febrero: en la Casa de las Monas se presentaron las siguientes exposiciones: Panorama Arqueológico de Mesoamérica, Arqueología de Guanajuato, Panorama de la Etnografía de México, Cocina y Alfarería de Guanajuato, Nacimiento Típico, Cuatro Mil Años de Arquitectura en México, Cuatro Siglos de Arquitectura en León, Arte Colonial y del Siglo XIX, El Periodismo en León y Juan N. Herrera (1818-1878), Pintor Leonés. 8 de enero: el Ballet Clásico presentó, en el Cinema Estrella, *La bella durmiente del bosque* de Tchaikovsky. Fue demolida la casa del licenciado Diódoro González Valdivia (esquina de Álvaro Obregón y 20 de Enero), edificada por él en 1883 y de importancia artística. Septiembre: comenzaron por primera vez los cursos en el Tecnológico o Instituto Regional de León núm. 24.

1972. Se fundó la Universidad del Bajío. 4 de septiembre: murió el padre J. Dolores Pérez, historiador del conflicto religioso de 1926 a 1929.

1973. Fue presidente municipal el licenciado Sergio Cano Meléndez. Las oficinas del Ayuntamiento, que desde mediados de 1971 se habían trasladado a la Casa de las Monas, volvieron a la Casa Municipal, al terminarse la reconstrucción que había venido realizando la administración anterior; en los muros del reconstruido edificio pintó el leonés Jesús Gallardo. 2 de septiembre: el presidente Luis Echeverría inauguró el nuevo edificio de la Escuela Normal y la Ciudad Deportiva del Coecillo Luis I. Rodríguez. (*W.J.M.*).

La principal actividad industrial de la ciudad de León es la fabricación de zapatos. Los leoneses suelen decir, con fundado orgullo, que su función es "calzar a México". En efecto, producen 100 millones de pares al año, o sea el 60% de los que se elaboran en todo el país. Una buena cantidad se exporta a Estados Unidos, Canadá y Europa. En apoyo a esta industria, funciona un excelente laboratorio central de control de calidad, y las autoridades han creado un sistema de becas para que los jóvenes técnicos y obreros se perfeccionen en el extranjero. Acaso el mayor atractivo que León ofrece a sus visitantes es la oportunidad de adquirir zapatos de muy buena calidad a bajo precio. Hay para ello cientos de tiendas con miles de modelos.

LEÓN, IGNACIO. Nació en Puebla, Pue., en 1843; murió en El Paso, Texas, EUA, en 1928. Se ordenó sacerdote en el Seminario Palafoxiano y fue profesor y vicerrector del Colegio de Artes y Oficios de Puebla. Ingresó a la Compañía de Jesús, fue enviado a Saltillo y allí compuso varios misterios, autos, misas solemnes y las zarzuelas "El día de fiesta" y "El hijo de María". Destacó en la canción popular y se le considera como uno de los primeros folcloristas mexicanos. Durante la Revolución se perdió el archivo del Colegio de Artes y con ello gran parte de la producción musical de León.

LEÓN, LORENZO. Nació en la ciudad de México en 1953. En 1987 radicaba en Jalapa, Ver., dedicado a tareas de difusión de la cultura. En 1986 publicó el volumen de cuentos *La realidad envenenada*, y en 1986 apareció su colección de textos breves *Los hijos de las cosas*, con la que obtuvo el Premio de Cuento San Luis Potosí.

LEÓN, LUIS L. (Luis Laureano León Uranga). Nació en Ciudad Juárez, Chih., el 4 de julio de 1891; murió en México, D.F., el 21 de agosto de 1981. Ingeniero agrónomo (1914) por la Escuela Nacional de Agricultura, fue director del Departamento de Agricultura en el estado de Sonora (1915-1917), diputado en varias ocasiones (por Sonora, de 1918 a 1920; por Chihuahua, de 1920 a 1922 y de 1922 a 1924, y por el Distrito Federal, en 1924); subsecretario de Hacienda (1920), secretario de Agricultura (1924-1928) y de Industria y Comercio (1928-1930), gobernador interino de Chihuahua (1929-1930) y miembro fundador y secretario del Partido Nacional Revolucionario (4 de marzo de 1929). Durante el gobierno del presidente Lázaro Cárdenas fue expulsado del país junto con el general Calles y regresó en 1940. Volvió a ocupar algunos puestos públicos: director ejecutivo en la zona norte de la Comisión Nacional de Colonización (hasta 1951), director del diario *El Nacional* (1952-1958) y senador por Chihuahua (1964-1970). Luego se retiró de las actividades políticas, pero en 1979 fue miembro de la Comisión Nacional Conmemorativa de los 50 años del Partido Revolucionario Institucional.

LEÓN, MANUEL. Nació en Cuernavaca, Mor., en 1882; murió en la ciudad de México en 1940. En su entidad aprendió a tocar el violonchelo y en 1914 ingresó al Conservatorio Nacional de Música, donde obtuvo el título de compositor. Fue miembro de la Orquesta Sinfónica de México y director de Cultura Estética en la Secretaría de Educación Pública y de la Banda del Estado de Morelos. Allí compuso sonatas, romanzas, zarzuelas y música para conjuntos de cuerda, orquesta y banda. Autor de "Marcha morelense", considerada como himno de su estado natal.

LEÓN, MARCELO. Nació en Cosamaloapan y murió en Veracruz, ambas del estado homónimo (1846-después de 1895). Ingresó como subteniente en el Batallón de la Guardia Nacional, en el puerto de Veracruz, al iniciarse la Intervención Francesa. En 1864, al frente del Batallón Libres de la Costa, resistió 106 días el acoso del enemigo y ocupó el castillo de San Juan de Ulúa, que conservó hasta la llegada del general Baranda. Por estos hechos recibió la Cruz de Primera Clase decretada por el Congreso de la Unión y una medalla del gobierno de su entidad. Fue comandante militar y jefe político de Cosamaloapan y de San Andrés Tuxtla, con jurisdicción en los cuatro cantones que componían la Costa de Sotavento, cuya posición sostuvo hasta la caída del presidente Sebastián Lerdo de Tejada. Fue después comandante del resguardo de la zona del norte (1877-1878), diputado federal (1878), administrador de la aduana de Paso del Norte (1879-1885) y nuevamente diputado.

LEÓN, TOMÁS. Nació y murió en la ciudad de México (1826-1893). Considerado uno de los iniciadores del nacionalismo musical y el primer pianista mexicano que alternó con músicos europeos. En 1854 ejecutó a cuatro manos, con el pianista holandés Ernest Lubeck, *La fantasía de Norma*, en el Teatro Santa Anna; y en 1856, con Oscar Pfeiffer, una *Fantasía* a dos pianos. En 1866 fundó la Sociedad Filarmónica Mexicana y dentro de ésta, el Conservatorio de Música, actualmente institución nacional. Entre sus obras figuran: *Jarabe Nacional*, *Cuatro danzas habaneras*, *Por qué tan triste* y *Las gotas de rocío*; y entre sus canciones: "La ilusión" y "Amar sin esperanza".

LEONARD, IRVING ALBERT. Nació en New Haven, Connecticut, EUA, en 1896. Es maestro en artes (1925) y doctor en filosofía y letras (1928) por la Universidad de California, en Berkeley, donde enseñó historia y literatura hispanoamericana (1923-1937). Fue director asistente de humanidades de la Fundación Rockefeller (1937-1940) y profesor en las universidades Brown (1940-1942) y Michigan (1942-1965). Es autor de numerosas obras, entre las que sobresalen: *Don Carlos de Sigüenza y Góngora: a mexican savant of the seventeenth century* (Berkeley, 1929), *Romances of chivalry in the spanish Indies* (Berkeley, 1933), *Books of the Brave* (1949, 1964); *Los libros del conquistador* (1953) y *An outline history of spanish american literature* (1964).

LEÓN AYALA, LEANDRO. Nació y murió en Mérida, Yuc. (primera mitad del siglo XIX-1901). Fundador de varias instituciones de beneficencia, entre ellas el Asilo Ayala, de Mérida, inaugurado el 6 de febrero de 1906 por el presidente Porfirio Díaz.

LEÓN BOJÓRQUEZ, JOSÉ. Nació y murió en Mérida, Yuc. (1900-1960). Sucedió a Efraín Pérez Cámara y a Daniel Ayala Pérez en la dirección de la orquesta típica yucateca Yukalpetén. Compuso varias piezas de carácter popular, jaranas y sones, entre ellas "Quisiera ser" y "Dos dolores".

LEÓN CALDERÓN, NICOLÁS. Nació en Quiroga, Mich., en 1859; murió en la ciudad de Oaxaca en 1929. Estudió en el Instituto de Pátzcuaro y en el Colegio de San Nicolás de Hidalgo de Morelia, graduándose de médico cirujano y partero en la Escuela Médica del Estado, en 1883. Allí fue profesor de patología interna

(1885-1892), de latín en el Colegio Nicolaita y de botánica en una escuela particular. Dirigió las salas de medicina y cirugía de mujeres y el Departamento de Obstetricia en el Hospital Civil (1885-1892) y, simultáneamente, el Museo Michoacano (1886-1892), para el cual consiguió piezas y objetos históricos. Publicó los *Anales del Museo Michoacano* (1888-1892) y reimprimió obras raras o desconocidas. Por razones de política regional, se mudó a la ciudad de Oaxaca, donde enseñó ciencias naturales en la Escuela Normal para Profesores (1893) y fundó el Museo del Estado. En 1894 se radicó en la ciudad de México. Fue profesor de la Escuela Nacional de Agricultura (1894) y regidor presidente de la Villa de Guadalupe (1895-1897). En 1900 el Instituto Bibliográfico Mexicano, creado en 1899 por Joaquín Baranda, ministro de Instrucción Pública, lo comisionó para redactar la *Bibliografía mexicana del siglo* XVIII. Ese mismo año entró al Museo Nacional de Arqueología, Etnología e Historia, del que fue ayudante de etnología y antropología (1902), profesor de etnografía (1903), de antropología física (1905) y de antropometría, cátedra de la que fue fundador (1913). Renunció a sus labores en 1909, pero reingresó en 1911. Fue dos veces director interino de la institución, y jefe del Departamento de Antropología hasta 1925. Bibliógrafo y bibliófilo, desde muy joven reunió libros y manuscritos, llegando a formar varias excelentes bibliotecas que vendió en 1896, 1897 y 1914. A su muerte, la librería Mexilibris editó su última colección. Presidió la Academia Nacional de Medicina (1921), y fue miembro de otras sociedades científicas y literarias. Fue un sabio, laborioso y modesto, con profundos conocimientos en lingüística, etnología, obstetricia, bibliografía, botánica, antropología e historia de México, pionero en el país de los estudios antropológicos y de historia de la medicina.

Su extensa obra comprende 344 obras originales impresas, 75 inéditas y nueve traducciones al castellano, aparte la reimpresión o edición de 104 libros de otros autores. Sobresalen entre ellas: Etnología: *Los tarascos precolombinos* (1890), *Los tarascos* (1903), *Los popolocas* (1905), *Catarina de San Juan y la China Poblana* (1921) y *Las castas del México colonial* (1924). Antropología: *Apuntes para una bibliografía antropológica de México* (1901), *Programa del curso de antropología física* (1911), *Técnica de osteometría* (1914), *La capacidad craneana de algunas tribus indígenas de la República Mexicana* (1919) y *Tablas cromáticas según Broca, Martín y Fisher de los colores de la piel, ojos y pelo de los indios de México* (1922). Lingüística: *Silabario del idioma tarasco o de Michoacán* (1886), *Origen, estado actual y geografía del idioma pirinda o matlatzinca en el estado de Michoacán* (1886), *Familias lingüísticas de México. Ensayo de clasificación seguido de una noticia en lengua zapatula y de un confesionario de la misma* (1901) y *Vocabulario de la lengua popoloca, chocha o chuchona* (1912). Publicó, además, numerosos vocabularios indígenas raros o desconocidos, entre ellos: *Arte del idioma zapoteco de fray Juan de Córdoba* (1886), *Arte de la lengua othomí del P. Agreda* (1888), *Arte y diccionario tarasco de fray Juan de Lagunas* (1890), *Arte de la lengua tarasca o de Michoacán por Fr. Maturino Gilberti* (1889), *Arte de la lengua othomí de fray Pedro de Cáceres* (1907). Bibliografía: *Bibliografía botánica-mexicana* (1895), *La imprenta en México* (1900), *La bibliografía en México en el siglo* XIX (1900), *Adiciones a la bibliografía mexicana del siglo* XVI, *del Sr. Joaquín García Icazbalceta* (1903), *Los ex-libris simbólicos de los bibliófilos mexicanos* (1903) y *Bibliografía mexicana del siglo* XVIII (7 vols., 1903-1909). Historia: *Hombres ilustres michoacanos* (1874), *Los reyes tarascos y sus descendientes hasta el presente* (1888), *La catedral de Pátzcuaro* (1898), *Historia general de México, desde los tiempos prehistóricos hasta 1900* (1901), *Don Vasco de Quiroga. Primer obispo de Michoacán* (1903), *Vida de don Alfredo Chavero* (1904) y *Morelia. Su pasado y presente* (1904). Numismática: *La moneda emitida por el general José María Morelos y Pavón* (1911) y *Las monedas de vidrio del estado de Oaxaca* (1911). Historia de la medicina en México: *Apuntes para la historia médica de Michoacán* (1886), *Apuntes para la historia de la cirugía e historia de la obstetricia* (1887) y más de 30 artículos aparecidos en el *Monitor Médico Farmacéutico* (Morelia, 1783) y en la *Gaceta Médica de México*.

Bibliografía: Antonio Pompa y Pompa: "El Dr. Nicolás León. Bibliografía", en *Anales del Instituto de Antropología e Historia* (1960); José Miguel Quintana: "Correspondencia del doctor Nicolás León. Nota preliminar", en *Boletín Bibliográfico de la Secretaría de Hacienda y Crédito Público* (1956).

LEÓN CAMPA, ARTHUR. Nació en Guaymas, Son., en 1905. Jefe del Departamento de Lenguas Modernas de la Universidad de Denver. Autor de *Spain folk poetry in New Mexico* (1946) y *The treasure of Sangre de Cristo* (1963).

LEONCILLO. V. JAGUARUNDI.

LEÓN DE LA BARRA, FRANCISCO. Nació en Querétaro, Qro., en 1863; murió en Biarritz, Francia, en 1939. Fue abogado consultor de la Secretaría de Relaciones Exteriores, ministro de México en varios países de América y de Europa (1902), representante en la Conferencia de Paz de La Haya (1905), embajador en Washington (1909) y dos veces secretario de Relaciones Exteriores: del 25 de marzo al 25 de mayo de 1911, en el gobierno de Porfirio Díaz y del 11 de febrero de 1913 al 4 de julio de 1914, en el gobierno de Victoriano Huerta. El 4 de octubre de 1910 ocurrió la séptima relección del presidente Díaz; Francisco I. Madero proclamó el Plan de San Luis; el 21 de mayo de 1911 se firmaron los Tratados de Ciudad Juárez en virtud de los cuales el día 25 de ese mes Díaz renunció al poder; León de la Barra asumió entonces, con carácter provisional, el Poder Ejecutivo, cargo que desempeñó hasta el 6 de noviembre de 1911, periodo a cuyo término entregó el gobierno a Madero.

LEÓN DE LA BARRA ABELLO Y JIMÉNEZ, LUIS. Nació y murió en la ciudad de México (1897-1970). Fundador y presidente de los institutos culturales Mexicano-Belga, Mexicano-Etiope, Mexicano-Tunecino y San Martiniano de México. Colaborador de periódicos y revistas capitalinas en temas históricos, genealógicos, científicos y literarios. Escribió: *El misterio de la Atlántida* (1946), *El San Cosme de otros tiempos* (1947), *El santo mexicano San Felipe de Jesús* (1949), *Honores y órdenes pontificias en México* (1958) e *Historia de un linaje, los León de la Barra y sus alianzas* (1960).

LEÓN DE LA VEGA, MICAELA. Nació en la ciudad de México en 1818; murió en Colima, Col., en 1878. Fundó en la ciudad de Colima varios establecimientos de caridad, en especial la primera casa de asilo con el nombre de Hospicio Guadalupano.

LEÓN DE MONTAÑA. V. PUMA.

LEÓN DÍAZ, LORENZO. Nació en México, D.F., en 1953. Es periodista y escritor. Por su libro *Los hijos de las cosas* (1986) recibió el Premio Nacional de Cuento 1985, convocado por el Instituto Nacional de Bellas Artes y el gobierno de San Luis Potosí.

LEÓN FELIPE. Nació en Tábara, Zamora, España, el 11 de abril de 1884; murió en la ciudad de México el 2 de octubre de 1968. Sus apellidos fueron Camino y Galicia. Estudió farmacología en Madrid, formó parte de una compañía de cómicos de la legua y fué administrador de hospitales en la Guinea Española. En 1923 visitó México. Después vivió en Estados Unidos y Cuba, y regresó a su país durante la Guerra Civil. Radicó en México, como exiliado político, desde 1940. Comenzó su vida literaria en Madrid (1920) con *Versos y oraciones de caminante*; junto con otros literatos e intelectuales, alentó la creación de la revista *Cuadernos Americanos*. Su obra comprende también traducciones, prosa y teatro; pero debe a la poesía su gran celebridad. Entre los 25 volúmenes por él publicados se encuentran: *Antología poética* (1933), *La insignia* (1937), *El payaso de las bofetadas y el pescador de caña* (1938), *Español del éxodo y del llanto* (1939), *El hacha* (1939), *Ganarás la luz* (1942), *Antología rota* (1947), *El ciervo* (1958) y *¡Oh, este viejo y roto violín!* (1966). En 1963 la Editorial Losada publicó en Buenos Aires sus *Obras completas* (véase: Margarita Murillo: *León Felipe, sentido religioso de su poesía*, 1968). Colaboró, además, en las revistas *España Peregrina*, *Contemporáneos*, *Romance*, *Letras de México*, *Taller* y *Universidad de México*.

LEÓN MARISCAL, JUAN. Nació en Oaxaca, Oax., en 1899; murió en México, D.F., en 1972. Se inició en el estudio de la música leyendo métodos italianos y alemanes traídos por un tío suyo sacerdote, con quien vivió y aprendió a tocar la flauta, el clarinete, el violoncello, el violín y el piano. Hacia 1915 se trasladó a la capital de la República e ingresó al Conservatorio Nacional de Música, de donde pasó al de Berlín. A su regreso, su *Allegro sinfónico* ganó el primer premio del Concurso Nacional de Composición. Nuevamente becado en Europa, allá se estrenaron una veintena de sus obras. En febrero de 1945 presentó en el Palacio de Bellas Artes los cuatro tiempos de su poema sinfónico *Guelaguetza* ("Monte Albán", "Los andadores de la Luna", "Las estrellas en Zaachila" y "El Viernes Santo en Coyotepec"). Enseñó música en el Conservatorio hasta 1963. Fue también folclorista y poeta, conocedor profundo de las costumbres de los indios zapotecas, chatinos, mixtecos y triquis, de quienes recogió sus tradiciones musicales.

LEÓN MARTÍNEZ, JOSÉ. Nació y murió en la ciudad de México (1866-1943). Fue alumno, catedrático y director –1915– de la Escuela Nacional de Medicina y ocupó este último cargo, en 1914, en la Escuela Médico Militar. Escribió, aparte varios artículos médicos, el texto *Manual de propedéutica médica*.

LEÓN OCHOA, MATEO DE. Nació en Monclova, Coah., en 1878; murió probablemente en la ciudad de México en 1951. Escribió: *La lucha intensa, Actuación política y militar del general Pablo González, Cahinipa, Una tragedia en el siglo* XVII y *Epílogo de Manuel Múzquiz Blanco*.

LEÓN PINELO, ANTONIO DE. Nació en España o en Portugal hacia 1571; murió en Sevilla en 1660. Fue hijo de judíos portugueses que pudieron salir de la Península para ir a radicarse a Río de la Plata. Su padre lo mandó a Lima, Perú, para que estudiara en la Universidad. Graduado de doctor en derecho, regresó a Buenos Aires. El Ayuntamiento de la ciudad lo nombró procurador ante la Corte española y allá lo designaron relator del Real Consejo de Indias, cargo que ejerció durante 20 años. Pasó a ser magistrado supernumerario, y a partir del 9 de junio de 1658 fue promovido al cargo de cronista mayor de las Indias, que sirvió hasta su muerte. Dejó publicados numerosos trabajos, sobresaliendo *Tratado de confirmaciones reales* (Sevilla, 1630; reimpreso en Buenos Aires en 1922); *Cuestión moral si el chocolate quebrante el ayuno eclesiástico* (Madrid, 1636); *Epítome de la Biblioteca Oriental y Occidental Náutica y Geográfica* (Madrid, 1629 y 1728; reimpreso en Buenos Aires y en Washington, en facsímil, en 1958). Debido a esta obra su nombre es célebre en el mundo americanista, pues representa la primera bibliografía del continente americano. Pudo reunir gran cantidad de datos sobre la producción literaria, religiosa, histórica y geográfica del vasto imperio español.

Fruto de sus labores burocráticas, en su calidad de relator, se conservan una gran cantidad de informes, manuscritos e impresos, entre los cuales destaca la *Relación sobre la pacificación y población de las provincias del Nanché I Lancandón* (Madrid, 1639; reimpresa en 1958). El obispo De las Casas intentó en 1537, sin éxito, la pacificación del territorio de los lacandones y puhtlas. En 1564 se logró someter a estos últimos, pero en 1628 los lacandones destruyeron toda la obra misional, incitando a los del manché a rebelarse. Esto obligó a varios capitanes a emprender la conquista y el sometimiento de esas tribus. El Consejo de Indias resolvió no conceder autorización alguna a tal empresa, sin la previa información que rindió León Pinelo. La *Relación* está llena de importantes datos para el actual estado de Chiapas y zonas colindantes. Se examinan la descripción de las tierras y sus habitantes, el desarrollo de los acontecimientos hasta el año de 1637, las peticiones para ir a su conquista y, por último, las razones que abonaban el acometer la empresa.

Bibliografía: G. Lohmann Villena: *Antonio de León Pinelo. El gran canciller de las Indias* (Sevilla, 1958); Agustín Millarez Carlo: "Prólogo" de la edición facsimilar del *Epítome* (Washington, 1958); Luis Alberto Sánchez: "Antonio de León Pinelo, primer bibliógrafo americano", en *Boletín Bibliográfico* (Lima, 1928).

LEÓN-PORTILLA, MIGUEL. Nació en México, D.F., el 22 de febrero de 1926. Maestro en artes por la Universidad de Loyola (California) y doctor en filosofía y letras por la Universidad Nacional Autónoma de México (UNAM), ha sido profesor universitario, director de los institutos Indigenista Interamericano (1960-1966) y de Investigaciones Históricas de la UNAM, y cronista de la ciudad de México (1974-1975). Es miembro de las academias mexicanas de la Lengua y de la Historia y de El Colegio Nacional. Es autor de: *La filosofía náhuatl, estudiada en sus fuentes* (1956 y tres ediciones posteriores), editada en ruso (1961), inglés (1963) y alemán (1970); *Siete* *ensayos sobre cultura náhuatl* (1958); *La visión de los vencidos. Relaciones indígenas de la Conquista* (1959 y 10 ediciones posteriores), traducida al italiano (1961), inglés (1963), alemán (1962 y 1966), francés (1964 y 1965), polaco (1968) y sueco (1971); *Ritos, sacerdotes y atavíos de los dioses* (edición bilingüe náhuatl-castellano, 1958 y 1959), *Los antiguos mexicanos a través de sus crónicas y cantares* (1961 y dos ediciones más), *Imagen del México antiguo* (1963 y 1965), *El reverso de la Conquista. Relaciones aztecas, mayas e incas* (1964 y 1970), *Monarquía indiana. Fray Juan de Torquemada* (1964), *Historia documental de México* (1964), *Trece poetas del mundo azteca* (1967 y 1972), *Tiempo y realidad en el pensamiento maya* (1968), *Quetzalcóatl* (1968), *Pre-columbian literatures of Mexico* (1969), *Testimonios sudcalifornianos, nueva entrada y establecimiento en el puerto de La Paz, 1720* (1970), *De Teotihuacan a los aztecas. Antología de fuentes e interpretaciones históricas* (1971), *Religión de los nicaraos. Análisis y comparación de tradiciones culturales nahuas* (1972), *Nezahualcóyotl. Poesía y pensamiento* (1972), *Time and reality in the thought of maya* (Boston, 1973), *Historia natural y crónica de la antigua California* (1973), *Culturas en peligro* (1973), *México-Tenochtitlan; su espacio y tiempo sagrados* (1979) y *Native mesoamerican spirituality. Ancient myths, discourses, stories, doctrines, hymns, poems from the aztec, yucatec quiche-maya and other sacred traditions* (1980). Ha publicado artículos en revistas especializadas nacionales y extranjeras: *Estudios de Cultura Náhuatl, Historia Mexicana, Bulletin de L'Association Gillaume Budé, American Anthropologist, Current Anthropology, Hispanic American Historical Review, Indiana* y *The Americas.*

LEÓN TORAL, JOSÉ DE. Nació en Matehuala, S.L.P., en 1900; murió en la ciudad de México, en 1929. Radicó con su familia en la ciudad de Monterrey y más tarde en la capital de la República, donde estudió en las Escuelas Cristianas de los Hermanos de La Salle. Trabajó como taquimecanógrafo en la Casa Gerber (1917-1920), y después con su padre, en un negocio propio de distribución de productos de la Fundidora de Fierro y Acero de Monterrey. Simultáneamente tomaba lecciones de dibujo en la Academia de San Carlos. Fue activista de la Liga Nacional Defensora de la Libertad Religiosa, y en 1926, jefe de ella en la colonia Santa María. El 17 de julio de 1928, con el pretexto de hacerle un retrato a lápiz, se acercó al general Álvaro Obregón, presidente relecto que asistía al banquete que la diputación guanajuatense le ofrecía en el restaurante La Bombilla, de San Ángel, D.F., y le disparó con la pistola que llevaba oculta, causándole la muerte. Llevado a la Inspección General de Policía, fue sometido a tormento y luego a proceso. Siempre declaró que había obrado por propia iniciativa. Estuvo sucesivamente en las prisiones de Mixcoac y San Ángel, y finalmente en la Penitenciaría del Distrito Federal, donde se le fusiló el 9 de febrero de 1929. Sepultado en el Cementerio Español, el pueblo se desbordó al paso del cortejo, habiendo ocurrido varios encuentros con la policía.

Bibliografía: Excélsior (9 de febrero de 1929); *Memorias de María de León Toral, madre de José de León Toral* (1970); Hernán Robleto: *Obregón, Toral y la Madre Conchita* (1929).

LEÓN Y GAMA, ANTONIO. Nació y murió en la ciudad de México (1735-1802). A pesar de las dificultades que para ello había en su época, desde muy joven estudió matemáticas, física y astronomía. Calculó el eclipse de Sol del 6 de mayo de 1773. En 1776, por encargo del virrey Manuel Antonio Flores, determinó con toda exactitud el lugar en el espacio en que debería aparecer el cometa anunciado por los astrónomos de Londres. Catedrático de mecánica en el Colegio de Minería, colaboró con Joaquín Velázquez Cárdenas de León en la deducción de longitudes y latitudes y en otros estudios matemáticos, astronómicos y geográficos. Sin ser médico, escribió en apoyo del doctor José Felipe Flores (1751-1841), una *Instrucción sobre el remedio de las lagartijas nuevamente descubierto para la curación del cancro y otras enfermedades* (1783), que fue refutada por el licenciado Manuel Antonio Moreno y el bachiller Alejo Ramón Sánchez. El impugnado contestó con el folleto *Respuesta satisfactoria a la carta apologética que escribieron...* (1783). En 1784 explicó científicamente el eclipse de Sol e hizo la disertación físico-matemática de la aurora boreal que llenó de espanto a los habitantes de la ciudad. Se dedicó, además –el primero en el país–, a la arqueología. Escribió la *Descripción histórica y cronológica de las dos piedras que con ocasión* *del nuevo empedrado que se está formando en la plaza principal de Méxíco, se hallaron en ella en el año de 1790...* (1792; 2a. ed., 1832). Se trata del Calendario Azteca y de la Piedra de Tizoc. Son también obras suyas: "Descripción de la ciudad de México, antes y después de la Conquista (1791)" en *Revista Mexicana de Estudios Históricos. Suplemento* (1927) y *Saggio dell'astronomia, cronologia e mitologia degli antiche messicani* (Roma, 1804).

LEÓN Y ZAMORANO, JUAN JOSÉ. Nació en San Agustín, Florida, a principios del siglo XVIII; murió en la ciudad de México en 1825. Desde joven pasó a Campeche. En 1821 luchó para sustituir al mariscal Echeverri, último capitán general que tuvo Yucatán y fue de los jefes del grupo llamado *rutinero.* Aparte sus actividades políticas, construyó seis fuertes: San Miguel y San José el Alto, en la serranía aledaña a la ciudad de Campeche, uno de los cuales conserva la inscripción 9 de agosto de 1793; San Matías y San Lucas, sobre la playa noroeste del puerto; y San Fernando y San Luis, en el litoral suroeste. Han desaparecido por completo San Lucas y San Fernando. En el Museo Británico de Londres existe un mapa de Campeche donde se señala el proyecto de las fortificaciones, firmado por León y Zamorano en 1768.

LEPE, ANA BERTHA. Nació en Tecolotlán, Jal., el 12 de septiembre de 1934. Se inició en el cine mexicano en 1951. En 1954 fue electa Señorita México y ocupó el cuarto lugar en el concurso Miss Mundo celebrado en Long Beach, Cal., EUA. Debutó como primera figura en la película *Miradas que matan* (1953), a la que siguieron *El vizconde de Montecristo* (1954), *Contigo a la distancia* (1954), *Nos veremos en el cielo* (1955), *Tinieblas* (1956), *Grítenme piedras del campo* (1956), *La feria de San Marcos* (1957), *Alazán y enamorado* (1963) y *Preciosa* (1964), entre otras. Posteriormente se ha dedicado al teatro y a la televisión. Su más reciente participación en ésta ha sido en *Cómo duele callar* (1987).

LEPE RUIZ, JOSÉ IGNACIO. Nació en Ameca, Jal., en 1902. Ha sido profesor de equitación y colaborador de varios periódicos. Autor de un *Diccionario de asuntos hípicos y*

ecuestres, Método racional para amansar potros y *Conceptos ecuestres.*

LEPRA. Mal de San Lázaro o enfermedad de Hansen. Es una enfermedad general infecciosa sistemática, no hereditaria ni trasmisible a través de la placenta, que se adquiere por exposición adecuada, con manifestaciones clínicas en piel, troncos nerviosos periféricos, órganos y vísceras; de evolución crónica, que tiene como agente causal al *Mycobacterium leprae* o bacilo de Hansen. Tuvo su origen probablemente en el centro de África 15 mil años antes de Cristo, pasando después a Egipto, de ahí a Asia y luego a Europa durante la Edad Media. No hay datos de la existencia de lepra en América antes de su descubrimiento. Fue traída por los conquistadores españoles y portugueses. La endemia fue reforzada por los esclavos africanos y la inmigración filipina, china y japonesa. Se calcula que existen en la actualidad 5 millones de enfermos en todo el mundo, distribuidos en los trópicos y en los países subdesarrollados o en proceso de desarrollo. En América Latina hay un enfermo por cada mil habitantes. En México se conocen 15 mil enfermos y se supone que existen 40 mil. De todas las enfermedades trasmisibles, la lepra es de las menos contagiosas y a eso se debe su escaso número relativo.

Se desconoce la puerta de entrada del microbio, pero puede ser la piel o las vías respiratoria o digestiva. La edad más propicia para adquirir la lepra es la alta infancia o la juventud; la predisposición individual y la promiscuidad, en contacto con casos infectantes, son factores para adquirir la enfermedad. La lepra se clasifica fundamentalmente en dos tipos: lepromatosa y tuberculoide. Al primero corresponden los pacientes sin defensas, en quienes el bacilo prolifera por no encontrar resistencia. De modo espontáneo evolucionan progresivamente, empeorándose cada día con lesiones en piel constituidas por nódulos o infiltración difusa. El bacilo de Hansen se encuentra sistemáticamente en raspados de lesiones cutáneas y mucosa nasal. Este tipo de la enfermedad, como es general, no sólo afecta la piel y los troncos nerviosos periféricos, sino también a los órganos y vísceras: ojos, faringe, laringe, hígado, bazo, riñones, testículos. Lo único que queda a salvo es el sistema nervioso central o neuroeje: cerebro, cerebelo, bulbo y raquis. Al tipo tuberculoide corresponden los casos benignos del padecimiento, no generalizados, que se caracterizan por placas rojas, realzadas, bien limitadas, anestésicas, anhidróticas y alopésicas. Sólo excepcionalmente se encuentra el bacilo de Hansen en el raspado de lesiones. Estos enfermos no trasmiten el padecimiento y curan espontáneamente. Ambas formas clínicas presentan zonas de anestesias con alteraciones de troncos nerviosos periféricos. Nunca un caso benigno se puede transformar en caso maligno o viceversa. Existen además otros dos grupos denominados indeterminado y dimorfo, que con el tiempo se definen fundamentalmente como lepromatosos, y excepcionalmente como tuberculoides.

La resistencia del organismo ante la infección puede determinarse inyectando al sujeto 0.10 cm^3 del antígeno denominado lepromina. Si la reacción es positiva, un mes después se formará el nódulo. Esto indica, en una persona sana, que nunca tendrá lepra o que, si llegara a tenerla, sería en forma benigna; y en un enfermo, que se trata del tipo tuberculoide. Éste, a su vez, se distingue del lepromatoso mediante una biopsia en lesiones cutáneas y un estudio histopatológico.

La lepra es curable desde 1942. Se usan varios medicamentos, pero las sulfonas son el quimioterápico más activo. Debe, sin embargo, administrarse durante muchos años para llegar a una curación absoluta; pero desde los primeros meses de su administración, disminuye sensiblemente la posibilidad de trasmisión de la enfermedad. Los descubrimientos terapéuticos más importantes en relación con la lepra son: las sulfonas, para curar la enfermedad, y la talidomida, para curar la reacción leprosa.

Historia. En 1531 Hernán Cortés fundó el primer hospital de San Lázaro en la Tlaxpana. En 1572 el doctor Pedro López estableció el segundo, al oriente de la ciudad de México (v. HOSPITALES). En 1851 los doctores Rafael Lucio e Ignacio Alvarado presentaron ante la Academia Nacional de Medicina el *Opúsculo sobre el mal de San Lázaro o elefancíasis de los griegos*, estudio desarrollado en un núcleo de enfermos radicados en Xochimilco. En él se describe por vez primera la variedad que años después se conocería como lepra lepromatosa difusa tipo Lucio, que cuando entra en reacción presenta lo que ha designado Latapí como "fenómeno de Lucio". Desde el punto de vista científico, quizá sea ésta la mayor

aportación mexicana a la leprología universal. En 1931 el doctor Jesús González Ureña fundó el Servicio Nacional de Profilaxis de la Lepra, siendo él su primer jefe. En esa época, además de crear el reglamento del Servicio, se fundaron 21 dispensarios antileprosos en las zonas endémicas y el asilo-colonia Dr. Pedro López en Zoquiapan, estado de México. A partir de entonces, México tiene un servicio sanitario asistencial especializado y permanente. El doctor Fernando Latapí Contreras fundó en 1936 la Sociedad Mexicana de Dermatología y empezó a formar jóvenes especialistas en todo el país, entre otros el doctor José Barba Rubio, en Guadalajara, que se convertiría en su mejor alumno y colaborador en materia de dermatoleprología. Discípulos de ambos son los doctores Jesús Rodolfo Acedo, en Culiacán; Obdulia Rodríguez y Amado Saúl, en México; Modesto Barba Rubio y Gloria Pérez Suárez, en Guadalajara; Guillermo López Yáñez, en Durango; Manuel Medina Ramírez, en San Luis Potosí; Juventino González, en Monterrey; Jorge Vega Núñez, en Morelia, y algunos otros. Casi todos ellos enseñan clínica de dermatología en las universidades de sus estados.

En 1960 se designó al doctor Fernando Latapí jefe del Servicio Nacional de Profilaxis de la Lepra en la República, nombre que a su iniciativa se cambió por el de Programa para el Control de las Enfermedades Crónicas de la Piel. Los 21 dispensarios antileprosos se convirtieron en centros dermatológicos, combatiendo de ese modo la estigmatización; y se prepararon científica y técnicamente, en México y en Guadalajara, a jóvenes médicos y enfermeras para que no sólo trabajaran en sus consultorios sino fundamentalmente en las zonas rurales endémicas, dando consultas, descubriendo nuevos casos y teniendo bajo su cuidado y control a las personas que conviven íntimamente con los enfermos y que se denominan contactos. Con anterioridad, la profilaxis de la lepra se basaba en el aislamiento; ahora consiste en el diagnóstico temprano y en el tratamiento oportuno de todos los casos y la vigilancia periódica de sus contactos. Las leproserías se cerraron por inútiles, costosas y estigmatizantes, y se permitió que el enfermo conviviera en sociedad, sólo con algunas medidas higiénicas dentro de su hogar.

Para el mejor control de la nueva organización, se dividió la región leprógena en dos zonas:

la 1, de Guanajuato y Michoacán hacia el sur, con sede en la ciudad de México, bajo el control de Fernando Latapí; y la 2, de Jalisco y Colima hacia el noroeste, con sede en Guadalajara, bajo el control de José Barba Rubio. La iniciativa privada presta ayuda a las instituciones oficiales: la Asociación Mexicana de Acción Contra la Lepra, en la capital de la República; la Asociación Jalisciense de Acción Contra la Lepra, en Guadalajara, y el Patronato Antileproso Aurelia Echavarría, en Culiacán. En las universidades de las zonas endémicas, se dan cursos obligatorios y relativamente extensos sobre leprología dentro de las cátedras de dermatología.

En 1984 se registraron 289 nuevos casos en todo el país: 59 en Jalisco, 35 en Nayarit, 27 en Colima, 26 en Michoacán, 23 en Sonora, 19 en Guerrero, 19 en Yucatán, 17 en Coahuila, 10 en Tamaulipas, nueve en Nuevo León, ocho en Aguascalientes, cinco en San Luis Potosí, cuatro en Baja California Sur, Guanajuato y Oaxaca, tres en Querétaro y en Sinaloa, dos en Chiapas y en Chihuahua, y uno en el Distrito Federal, Durango y Zacatecas. La incidencia según los grupos de edad fue la siguiente: cinco casos en individuos de uno a cuatro años; 13, en el intervalo de cinco a 14; 125, entre las personas de 15 a 44; 102, entre los 45 y 64 años; y el resto en mayores de esa edad.

Fuente: Secretaría de Salud: *Anuario Estadístico 1984.*

LERDO, DGO. Está situada en el centro-oeste de la región Lagunera, es cabecera del municipio del mismo nombre y corresponde al estado de Durango. Las tierras de La Laguna formaron parte del extenso latifundio conocido como marquesado de Aguayo. Consta en la historia que Joseph Vázquez Borrego denunció y adquirió tierras realengas del reino de la Vizcaya, en las que estaba comprendida la estancia de San Juan de Casta, parte de las cuales constituyeron más tarde los municipios de Gómez Palacio y Lerdo. En el mapa que en 1787 dibujó Melchor Núñez de Esquivel en Santa María de las Parras, a escala de 10 leguas corrientes, abarcando las tierras que hoy forman La Laguna, figura como única población la estancia de San Juan de Casta, llamada actualmente León Guzmán; fue fundada el 6 de mayo de 1598 por el jesuita Juan Agustín de Espinosa, natural de Pamplona, con el auxilio del capitán madrileño Antón Martín Zapata y el concurso de familias tlaxcaltecas procedentes de Saltillo. Al frente de éstas quedó Juan Antonio de Casta, oriundo de Oviedo, Asturias, misionero de la Compañía de Jesús.

A unos 12 km al este de San Juan de Casta, sobre la margen izquierda del río –entonces llamado de las Nazas–, se fundó el rancho de San Fernando, el 30 de mayo de 1799, teniendo como autoridad un juez de paz: el primero lo fue Víctor Granados, que duró en el encargo hasta 1806; seguido por Sixto Maldonado (hasta 1812), Melquiades Munguía (hasta 1821) y Bonifacio Solís (hasta 1827).

El 27 de octubre de 1827 el rancho se convirtió en hacienda, conservando la misma denominación. Con ese motivo la autoridad civil llevó el nombre de jefe de cuartel. El primero fue José Romero y el último Encarnación Rea (hasta 1864).

La noche del 4 de septiembre de 1864 llegó a la hacienda de Santa Rosa, 4 km al este de la de San Fernando, el presidente Benito Juárez. Ahí recibió la visita del general José María Patoni y –según la tradición oral– a un grupo de vecinos de San Fernando que le fue a pedir que elevara su comunidad al rango de villa. La misma fuente popular afirma que estando ya en Mapimí, el día 8 siguiente, Juárez decretó la erección en villas del rancho de Matamoros, en Coahuila, y de las haciendas de San Fernando y de Avilés, en Durango; que aquel grupo llevó al general Patoni, gobernador del estado, el decreto que convirtió en Villa Lerdo de Tejada a la hacienda de San Fernando, y que el mandatario local, en consecuencia, dispuso que se ejecutara, nombrando como jefe político a Catarino Navarro, uno de los gestores de la expedición de ambas disposiciones. A causa, sin embargo, de que estos documentos se extraviaron, el 24 de junio de 1867 el gobernador de Durango, Francisco Ortiz de Zárate, expidió el decreto que convirtió a la hacienda de San Fernando en Villa Lerdo de Tejada. A este respecto, el profesor José Santos Valdés, acucioso investigador de la historia local, ha formulado las siguientes aclaraciones: 1. los lerdenses siempre han considerado a Benito Juárez como autor del decreto; 2. el propietario de San Fernando, enemigo del liberalismo y partidario de la Intervención Francesa, lo era Juan Nepomuceno Flores, dueño de toda la parte lagunera de Durango, a quien se atribuye haber tenido más de 100 ranchos y haciendas; 3. la derrota de Majoma, o batalla de la Estanzuela, afirmó el dominio francés en Durango y obligó a Patoni a concentrarse en Chihuahua, lo que facilitó el extravío del decreto; 4. muy a pesar de que los franceses llegaron a acantonarse en Avilés, los lerdenses –bajo la dirección del agrimensor Barbachano, según la tradición oral– trazaron las calles de la villa; 5. la memoria popular recuerda que al recibir los lerdenses el decreto de Ortiz de Zárate, al que llamaron "panfleto", lo hicieron objeto de burla, pues para entonces –junio de 1867– ya se habían construido muchas fincas y funcionaban autoridades civiles; y 6. los lerdenses encontraron sospechoso que el mandamiento se expidiera sin haberlo pedido ellos, el día del santo del señor feudal de San Fernando, cuando ya los franceses habían abandonado el país y había muerto Maximiliano, y que se les ordenara fincar los solares vacíos, pagando su importe a Flores.

La modesta villa de Lerdo de Tejada, cuyo fundo legal fue y lo es aún de media legua cuadrada (8 km^2), fue declarada ciudad el 20 de noviembre de 1894. Su último jefe político lo fue el coronel Jesús Domínguez, en 1916. Después ha habido presidentes municipales: Antonio Gutiérrez, el primero, y José Luis González Achem el más reciente (1986-1989). El gobernador Juan Manuel Flores le dio esa categoría con espíritu revanchista, no tanto por hacerle justicia, sino para mutilarla, pues lo que hoy es la ciudad de Gómez Palacio era por entonces el Cuartel Quinto de Lerdo. No pararon ahí los perjuicios para la población: quienes proyectaron el Ferrocarril Central Mexicano consideraron su paso por Lerdo de Tejada, pero el propio Juan Manuel Flores se opuso y el trazo se desvió hacia el entonces rancho El Torreón, que se convirtió en el cruce de vías férreas de norte a sur y de este a oeste. Así se inició la decadencia económica y demográfica de la villa.

En los años ochentas del siglo XIX, al iniciarse el desarrollo agrícola, comercial, bancario, industrial y demográfico de la actual ciudad de Torreón, el gobernador de Coahuila, deseoso de atraerse a los hombres de empresa y a sus familias, otorgó exenciones de impuestos y muy liberales condiciones para adquirir lotes y fincar. Los lerdenses le pidieron a su mandatario que hiciera algo semejante, pero Flores, que recordaba "el pecado ori-ginal lerdense"; se negó de modo rotundo. Por esta causa, las principales casas comerciales y hoteleras se cambiaron a Torreón.

A partir de septiembre de 1968 Ciudad Lerdo ha sufrido nuevos quebrantos: se le dejó sin la Cervecería de Sabinas, la única industria importante, y sin la Escuela Superior de Agricultura y Zootecnia; se obstaculizó la creación de la zona establera y del Parque Nacional de Raymundo, y se ha diferido la solución del problema del fundo legal.

Tradición cultural. Hasta principios del siglo XX, Ciudad Lerdo fue el centro económico y cultural más importante de la comarca Lagunera. De ella salieron las familias que suscitaron el desarrollo de Torreón, Gómez Palacio y Tlahualilo, y aunque en menor número, de San Pedro y Francisco I. Madero.

Sus escuelas primarias fueron famosas. Se recuerda el orgullo con que personas de distintos lugares de la comarca declaraban haberse educado en los mejores colegios de Lerdo. Fue director de uno de ellos, por ejemplo, un científico tan prestigiado como Isaac Ochoterena. Su Hospital Francisco Zarco, fue en su tiempo, igualmente, el mejor construido, dotado y atendido en toda la región.

Los lerdenses están orgullosos de que allí haya vivido Manuel José Othón. En el parque Victoria de la todavía llamada Ciudad Jardín, se alza un busto del gran poeta potosino. Abogado y notario público, no abandonó la literatura. En Lerdo escribió *Idilio salvaje* y el famoso soneto que termina aludiendo al capullo de algodón. Por cierto que sobre el personaje femenino de impresionante "cabellera de india brava", hay dos versiones: que alude a una mujer del pueblo, dueña de una fonda y de sobrenombre *la Machinena*, que un día se fue de Lerdo siguiendo a un charro de magnífica prestancia; o que se refiere al rompimiento sentimental del poeta con una bella mujer, esposa de un médico radicado en Mapimí. Un grupo de jóvenes aficionados representó en el desaparecido Teatro Ávila, dos de sus obras teatrales: *Después de la muerte* (25 de mayo de 1904) y *Lo que hay detrás de la dicha* (día 12 siguiente). En esta última ocasión se le entregó una medalla de oro y una banda de seda roja. Othón, que había salido de San Luis Potosí bajo la indiferencia de sus paisanos, encontró en Lerdo profundo afecto popular. El 17 de junio de

1905, al inaugurarse el actual Palacio Municipal, pronunció un elocuente discurso, publicado en *El Siglo de Torreón*, el 25 de agosto de 1956, en homenaje a su memoria. V. OTHÓN, MANUEL JOSÉ.

La famosa cantante Fanny Anitúa (Francisca, *Panchita*) fue presentada por vez primera en Lerdo, en 1904, por el grupo musical que formaban José Violante (piano), Ernesto Argüelles Martín (violín), Amado Illarramendi Fierro (violoncello), Esther Salas (soprano), María Gutiérrez (tiple), Dolores Zambrano (contralto), Alfonso Zambrano (tenor) y Luis Díaz Couder (barítono). Parece ser que el jefe político Ramón Castro la propuso para que obtuviera una beca del gobierno del estado, acto al que ella correspondió, más tarde, pagando los funerales de su benefactor, en colaboración con Melquiades Campos Esquivel, otro distinguido músico lerdense.

Han destacado también en el campo del arte los lerdenses: Gerónimo Sida, compositor; Pioquinto González, autor de la polka "De Torreón a Lerdo"; y Néstor Mesta Chaires, cantante; y gozado de fama nacional: Francisco Sarabia, aviador; Hugo Beckman Muñoz, diplomático; Cenobio Ruiz, ciclista; Jorge Huereca, militar; y Francisco Allen, ingeniero, operador de las aguas del río Nazas.

Episodios históricos. La tarde del 8 de abril de 1811, cuando Ignacio Elizondo asentó, en la "Cordillera número once", que había llegado al rancho de San Fernando de la Laguna, consignó la relación de los prisioneros que conducía: Miguel Hidalgo y Costilla, tres capitanes, seis eclesiásticos y un soldado insurgente. El día 9 siguieron su camino, y en la Posta Central de Figueroa, en San Isidro, a 2 km al oeste, se dividieron los prisioneros: unos continuaron rumbo a la ciudad de Chihuahua y otros a la de Durango. Fray Mariano Balleza dejó una nota: "El día 9 de abril de 1811 nos despedimos de nuestro buen Hidalgo en el rancho de San Isidro Labrador y al levantar su mano para bendecirnos, brotaron de sus verdes ojos las lágrimas y con voz sonora nos dijo: que Dios los bendiga". El juez de paz que dio su visto bueno a la "Cordillera" elizondiana, fue Sixto Maldonado, nativo de la vecina hacienda de La Goma. Fue el primer soldado insurgente que dio La Laguna: el 1° de febrero de 1812 fue a unirse a Santiago Baca Ortiz en la sierra Madre Occidental, por el rumbo de Santiago Papasquiaro, y regresó a La Laguna una

vez consumada la Independencia. Hacia 1669 el 25° virrey de la Nueva España, Antonio de Toledo, marqués de Mancera, otorgó concesión a Alfonso Figueroa y Pereyra para que estableciera un servicio regular de comunicaciones entre Durango, Chihuahua, Monterrey y la ciudad de México, incluyendo los puntos intermedios. El 1° de febrero de 1670, el permisionario se presentó en Durango y el 14 de octubre siguiente estableció en San Isidro una oficina que llevó el nombre de Posta Central de Figueroa. La comunicación se hacía por medio de diligencias —coches tirados por 12 bestias mulares— y los viajeros pagaban tres tlacos por legua recorrida. En 1866 la posta se trasladó a la villa Lerdo de Tejada y al fin desapareció con el paso de los ferrocarriles por Torreón y Gómez Palacio.

Hay noticias de dos habitantes de la hacienda de San Fernando (Ciudad Lerdo) que combatieron al lado del general Mariano Arista durante la guerra con Texas. En 1847 salió un contingente para luchar contra los norteamericanos, en el que formaban, entre otros, Donato Guerra, Herculano Sarabia y José Guadalupe Reyes. En ocasión de la Guerra de Tres Años (1858-1860) y la Intervención Francesa (1862-1867), hubo entre los lerdenses juaristas y antijuaristas, pero los primeros, que representaban al mismo tiempo la lucha contra el feudalismo encarnado por Juan Nepomuceno Flores, no pudieron ser sometidos ni por el convencimiento ni por la violencia.

Entre quienes conspiraron para alzarse en favor de Madero la noche del 20 al 21 de noviembre de 1910, se recuerda al profesor Amado Illarramendi Fierro y a Epitacio Rea, Lauro Martínez, José Zataráin, Tomás López, Jesús Maciel, Herculano Sarabia, Jesús González, Rafael Sánchez Álvarez, Jesús Moreno, Domingo Reyes, Juan E. García y los hermanos Carlos, Santiago y José García Gutiérrez, quienes designaron como jefe provisional a J. Jesús Agustín Castro. Después de fracasar en su intento por apoderarse de Gómez Palacio, resistieron el ataque de los soldados y policías porfiristas frente al viejo edificio de la Cervecería, donde un monumento recuerda su hazaña. Más tarde contribuyeron a la primera toma de Torreón, en mayo de 1911.

Durante decenas de años la Feria de Lerdo fue la única y más famosa en toda la vasta región lagunera. Centro bancario, comercial, industrial y cultural, concentraba en sus hoteles y mesones a millares de visitantes. Corridas de toros y peleas de gallos, funciones de teatro –y después de cine–, carreras de caballos y juegos de toda índole, la convirtieron en centro de atracción, donde circulaba mucho dinero. Aparte de los españoles, por las calles de Lerdo transitaban otros extranjeros: árabes, chinos, alemanes, franceses, norteamericanos e italianos. Muchos de ellos se avecindaron; de ahí que los apellidos Sagüi, la Marliere, Schott, Allen, Lack, Buchenau y otros todavía se mencionen en las páginas de los periódicos.

Monumentos. En el parque Victoria se construyó el primer monumento a la Madre que hubo en el país; y en la plaza de Armas, frente al Palacio Municipal, en 1938, el primero consagrado a honrar la memoria del general Francisco Villa. Cuenta la ciudad, además, con un monumento a la Bandera Nacional, otro en homenaje a Francisco Sarabia, otro más dedicado a Manuel José Othón y la estatua de Benito Juárez, en la plaza de su nombre.

En la esquina sureste del Palacio Municipal se alza una torrecilla que es réplica de otra que existió o existe en un pequeño puerto mediterráneo del Medio Oriente. Tiene una inscripción en árabe que alude a Alá y a su grandeza, y un andadorcillo destinado al almuédano que llama a los fieles a la oración y al recogimiento. Su parte más elevada sostiene las carátulas del reloj público.

Los amagos de fusión. Varias veces se ha pretendido fusionar las ciudades de Lerdo y Gómez Palacio: expidieron decretos en ese sentido los gobernadores Gabriel Gavira en 1916, y Domingo Arrieta, en 1918, pero ninguno fue cumplido. Hacia 1934 el gobernador Carlos Real dispuso la creación del municipio Francisco Zarco, cuya cabecera, del mismo nombre, comprendía Lerdo y Gómez Palacio. La disposición, sin embargo, no llegó a ejecutarse. En 1972, el gobernador Alejandro Páez Urquidi promovió nuevamente la fusión bajo el nombre de Ciudad Laguna. Los vecinos crearon entonces, para oponerse, el Frente Cívico Lerdense (FCL). La mañana del 19 de noviembre desfilaron por las calles de Lerdo 42 camiones de redilas con 700 partidarios de Ciudad Laguna llevados en su mayoría del estado de Coahuila. La tarde de ese mismo día, el Frente Cívico movilizó 8 mil

manifestantes y envió comisiones a la Secretaría de Gobernación y al Senado de la República. El 16 de diciembre siguiente, en charla con el profesor José Santos Valdés García, representante del FCL, el gobernador renunció a sus pretensiones. La entrevista se celebró en la casa del arquitecto Schott, en Ciudad Lerdo. En el curso de esta lucha, murió David García Muñoz, uno de los más decididos defensores de la ciudad; el FCL lleva hoy su nombre.

El Palacio Municipal. El primer recinto oficial de la villa estuvo en la manzana llamada Supremos Poderes. Se inició su construcción (un piso) el 6 de marzo de 1866 y se terminó el 5 de mayo siguiente, 4° aniversario de la Batalla de Puebla. En esa ocasión, el jefe político, Catarino Navarro, dijo que el edificio albergaría para siempre "la ley suprema del pueblo, que nos legara el gran patriota Benito Juárez" e hizo saber que allí se escucharían las quejas de los vecinos y que terminarían para siempre los caprichos de los señores Flores. A este local el pueblo le dio el nombre de Casas Consistoriales. Del 23 de septiembre de 1904 al 17 de junio de 1905 se hizo el segundo piso, obra del jefe político Ramón Castro. En la inauguración pronunció un discurso el poeta Manuel José Othón. Desde entonces el pueblo llama Palacio Municipal a ese recinto, que en 1907, siendo jefe político Jesús Vargas, se decoró y amuebló al estilo de la época: 150 sillones acojinados, 12 pares de cortinas de peluche rojo legítimo de Damasco, seis candiles de cristal de roca con 50 foquitos cada uno, alfombras para el Salón Azul y la escalera principal, ocho espejos venecianos, seis vitrinas con otros tantos juegos de porcelana china, seis juegos de cristalería, seis juegos de cuchillería alemana, 150 sillas austriacas para el comedor y los corredores y seis mesas grandes de cedro; en el departamento de damas, ocho tocadores y ocho guardarropas, y en el de caballeros, 25 percheros con 25 ganchos cada uno. Ahí se reunía "el todo París de La Laguna".

El 11 de abril de 1911, sin embargo, Pablo Lavín, un revolucionario maderista perteneciente a una familia de latifundistas, desmanteló el Palacio, amontonó muebles y ornamentos, y les prendió fuego. (*J.S.V.*)

Fuente: Archivo José Ramos Antúnez, secretario del Ayuntamiento; artículos, ensayos y notas tomadas por el autor en conversaciones con el profesor Amado Illarramendi y Fierro; Eduardo Guerra: *Historia de La Laguna*; Mapa del siglo XVIII que abarca la región Lagunera; José Ignacio Gallegos: *Historia de Durango*; testimonios de Benito Reyes Ruiz, veterano, mayor pagador, y de Efraín Flores Mansilla, veterano, legionario y mayor de la División del Norte.

LERDO DE TEJADA, ÁNGEL. Nació en Jalapa, Ver., en 1828; murió en la ciudad de México en 1890. En 1847 se unió al movimiento liberal y tomó las armas en defensa del puerto veracruzano. Al triunfo del Plan de Ayutla sirvió como contador y administrador de la aduana de Mazatlán, y en el régimen de Benito Juárez, como tesorero de la aduana de la capital del país. En 1883, en compañía de Ramón Guzmán y otros hombres de empresa, estableció Ferrocarriles y Tranvías del Distrito Federal.

LERDO DE TEJADA, IGNACIO. Nació en Villa del Muro de los Carneros, Logroño, España, el 29 de julio de 1786; murió en la ciudad de México en 1861. Ingresó en la Compañía de Jesús en el noviciado de San Ildefonso de la capital de Nueva España, en 1817, y dos años más tarde era rector del Colegio Carolino en Puebla. Fue también maestro de novicios en San Pedro y San Pablo y capellán del Colegio de Niñas, en la ciudad de México. Expulsado del país en 1829, viajó a Espoleto y Cortona, Italia, donde impartió la cátedra de teología. En 1832 pasó a España como socio del provincial de la Compañía y un año después fue designado asistente del padre general Juan Roothaan para España y América Latina. En 1854 regresó a México y desempeñó los oficios de padre espiritual del Colegio de San Gregorio y operario en la residencia de los Ángeles. Escribió *Censura del Dr. Lerdo a las Conversaciones del payo y el sacristán* (1825), *Exposición del Dr. Lerdo contra las observaciones del Pensador Mexicano* (1826) y *Relación del tumulto irreligioso acaecido en Madrid en los días 17 y 18 de julio de 1834* (Madrid, 1834). Tradujo el libro *La imitación de Cristo* de Thomas Kempis (1857).

LERDO DE TEJADA, MIGUEL. Nació en Veracruz (Ver.), en 1812; murió en la ciudad de México en 1861. En 1849 fue regidor del Ayuntamiento de la ciudad de México, el cual presidió en 1852. Fue siete veces secretario de Estado en cinco regímenes presidenciales: con Martín Carrera, de Fomento, del 15 de agosto al 12 de septiembre de 1855; con Rómulo Díaz de la Vega, en la misma cartera, del 12 de septiembre al 4 de octubre sucesivos; con Juan Álvarez –igual puesto–, del 4 de octubre al 11 de diciembre del mismo año; con Ignacio Comonfort, de Relaciones Exteriores, del 13 de noviembre al 24 de diciembre de 1856, y de Hacienda, del 20 de mayo de igual año al 3 de enero del siguiente; y con Benito Juárez, de Hacienda, del 3 de enero al 15 de julio de 1859 y del 19 de diciembre siguiente al 31 de mayo de 1860. Al parecer, formó parte de la comisión que en 1853 fue a Cartagena, Colombia, para llamar a Santa Anna, al cual sirvió como oficial mayor de la Secretaría de Fomento del 26 de abril de 1853 al 9 de agosto de 1855. El 26 de junio de 1856 promulgó la Ley de Desamortización de Fincas Rústicas y Urbanas –Ley Lerdo–, afectando los bienes de la Iglesia. Tomó parte activa en la Guerra de Reforma. Entre sus obras figuran: *Apuntes históricos de la H. Ciudad de Veracruz* (3 vols., 1850-1858), *Comercio Exterior de México desde la Conquista hasta hoy* (1853), *Cuadro sinóptico de la República Mexicana en 1856* (1856) y *Memoria de Hacienda* (1857).

LERDO DE TEJADA, MIGUEL. Nació en Morelia, Mich., el 3 de abril de 1869; murió en México, D.F., el 25 de mayo de 1941. Abandonó los estudios eclesiásticos, primero, y los militares, después, para dedicarse a la música. Felipe Villanueva, Manuel M. Ponce y Ernesto Elorduy lo orientaron como compositor. Su danza "Perjura", con letra de Fernando Luna y Drusina, le dio popularidad. Escribió las zarzuelas *Las luces de los ángeles* y *Las dormilonas*, puestas con éxito en el Teatro Principal. Originalmente Darío Ramón Ortiz escribía la pauta de sus composiciones, pero más tarde Lerdo de Tejada llegó a dominar la técnica. Son obras suyas: "Dicen que no", "Sin ti", "Las violetas", "Tú bien sabes", y los valses "Amparo", "Amada" y "Consentida". Aparte "Perjura", le dieron fama internacional las canciones "Consentida" (1901), "Paloma blanca" (1921) y "Las golondrinas". Al frente de la Orquesta Típica, que fundó en 1929, realizó varias giras por el extranjero. A él se debe la introducción de la canción moderna en México.

LERDO DE TEJADA, SEBASTIÁN. Nació en Jalapa, Ver., en 1823; murió en Nueva York, en 1889. Cursó los estudios primarios en su ciudad natal y pasó al Seminario Palafoxiano de Puebla (1836-1841). Renunció a la carrera sacerdotal cuando ya había recibido las órdenes menores. Hizo la carrera de abogado en el Colegio de San Ildefonso. Se graduó en 1851 y fue rector de esa institución (1852-1853). Sirvió en la Suprema Corte como fiscal (1855) y luego fue ministro de Relaciones Exteriores del presidente Comonfort (5 de junio al 16 de septiembre de 1857). No participó en la Guerra de Tres Años. Volvió a la política como diputado al Congreso de la Unión (1861-1863), del que fue presidente en tres ocasiones. Se opuso a la aprobación del tratado Wyke-Zamacona (v. HONOR NACIONAL). El 31 de mayo de 1863, al abandonar el gobierno republicano la capital, se unió a Juárez (v. INMACULADOS) como miembro de la diputación permanente. El 12 de septiembre, en San Luis Potosí, fue nombrado ministro de Relaciones, de Gobernación y de Justicia, puestos que desempeñó hasta las fechas que por el mismo orden se indican: 17 de enero de 1871, 14 de enero de 1868 y 11 de septiembre de 1863. Durante todo el periodo de la Intervención Francesa y el Imperio fue el hombre más próximo al presidente. A él le tocó firmar los decretos del 8 de noviembre de 1865, extendiendo los poderes de Juárez hasta la terminación de la guerra y eliminando de la sucesión a Jesús González Ortega. Al triunfo de la República, llegó a ser, simultáneamente, ministro de Relaciones y Gobernación, diputado y presidente de la Suprema Corte. En 1871 figuró como candidato a la Presidencia de la República, pero regresó a la Corte una vez que fue relecto Juárez. El 19 de julio de 1872, a la muerte de éste, asumió la Presidencia por ministerio de la ley. Durante su administración se inauguró el ferrocarril de México a Veracruz (enero de 1873); el general Ramón Corona derrotó a Manuel Lozada en La Mojonera y se pacificó el cantón jalisciense de Tepic; se incorporaron a la Constitución las Leyes de Reforma y se expulsó a las Hermanas de la Caridad (v. HOSPITALES). En vísperas de la sucesión presidencial de 1876, el general Porfirio Díaz se pronunció contra la relección de Lerdo (Plan de Tuxtepec, 10 de enero) y finalmente lo derrotó, no en las urnas, sino en la batalla de Tecoac (16 de noviembre). El 26 de noviembre Lerdo abandonó la capital y salió hacia Nueva York, donde residió hasta su muerte. Sus restos fueron traídos a México y sepultados en la Rotonda de los Hombres Ilustres. V. GOBERNANTES.

LERÍN, MANUEL. Nació en Atlixco, Pue., en 1915. Abogado de profesión, inició su actividad literaria en *Cuadernos del Valle de México* y en *Taller Poético*. Su obra consta de tres libros de poesía: *Canto a la Revolución Mexicana* (1949), *Proclama a Juárez* (1957) y *Palabras civiles* (1958). Es también autor de una antología de cuentistas y del libro *Neruda y México* (1973). En 1988 atendía su despacho jurídico.

LESLIE, CHARLES M. Nació en Lake Village, Arkansas, EUA, en 1923. Doctor en filosofía y letras por la Universidad de Chicago (1959), enseña antropología en la Universidad de Nueva York (1967-). Ha escrito *Now we are civilized: world view of the zapotec speaking people of Mitla, Oaxaca* (1960) y *Professional and popular health cultures* (1968).

LESOTHO, REINO DE. Situado en África austral, tiene una superficie de 30 355 km^2 y una población de 1.5 millones de habitantes (1984). Su capital es Maseru; su composición étnica, basutu, bantú, zulú, europea de origen

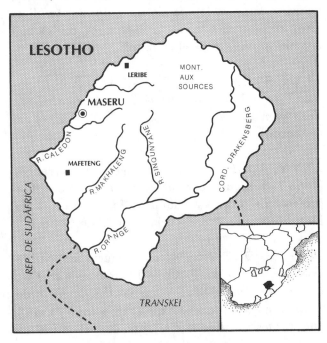

diverso, asiática, india y mestiza; su lengua oficial, el inglés; su moneda, el lisente; y la religión predominante, el cristianismo (80%). El país obtuvo su Independencia del Reino Unido el 4 de octubre de 1966, ingresó a la Organización de las Naciones Unidas (ONU) el día 17 siguiente y es miembro del Movimiento de Países No Alineados. En 1980 creó el Comité de Coordinación del Desarrollo de África Austral (SADCC), con otros nueve países de la región, a fin de acabar con su dependencia económica de Sudáfrica. A consecuencia de la crisis que padece el continente africano, Lesotho fue considerado por la Oficina de Operaciones de Emergencia en África de la ONU como uno de los países más gravemente afectados y en 1985 se invirtieron Dls. 2.5 millones para mitigar sus necesidades. México y el Reino de Lesotho tienen relaciones diplomáticas desde el 14 de noviembre de 1975.

LETECHIPÍA, PEDRO. Nació en Zacatecas, en 1832; murió en Rinconada de San Andrés, Pue., en 1876. Con motivo del Plan de Tuxtepec, se pronunciaron en Huamantla, Tlax., al mando de 2 mil hombres, los comandantes Bocardo y Coutolenc, cuyas fuerzas asaltaron, en la estación de Rinconada de San Andrés, Pue., el tren en que viajaba Letechipía con sólo 42 soldados, en cuya acción murió combatiendo heroicamente. Sus restos yacen en la Rotonda de los Hombres Ilustres, en el cementerio de Dolores de la ciudad de México. La lápida de su monumento dice: "Murió combatiendo con 42 zapadores, contra 250 enemigos. Vive para el ejército".

LEUCHTENBERGER, HANS. Autor alemán que publicó en 1962 el libro *Mexiko. Land links vom Kolibri* (México. El país del colibrí izquierdo).

LEVY, JOSÉ. Músico y pedagogo judío-francés (1858-1931) que se estableció en Colima. Fue profesor de música e idiomas y fundó la orquesta Lira Colimense y la Escuela Normal de Colima.

LEWIS, ÓSCAR. Nació y murió en Nueva York, EUA (1914-1970). Estudió en el *City College* de esa ciudad y en la Universidad de Columbia, graduándose de antropólogo (1945). Fue profesor de esa disciplina en el *Brooklyn College* y en las universidades de Washington e Illinois; en ésta, de 1948 hasta su muerte. Bajo los auspicios del Instituto Nacional Indigenista de Estados Unidos (1943-1944) y de las fundaciones Ford (1952-1954) y Guggenheim (1956-1958), hizo investigaciones en Estados Unidos, México, Cuba y Puerto Rico. Sobre México escribió: *Five families* (1959), *Tepotzotlan, a village in Mexico* (1960), *The children of Sanchez* (1961), *Pedro Martinez, a mexican peasant and his family* (1962) y *A death in the Sanchez family* (1965), todas publicadas en Nueva York. *Los Hijos de Sánchez* (1964), ya traducida al castellano, provocó una agria polémica, iniciada por el licenciado Luis Cataño Morlet, secretario entonces de la Sociedad Mexicana de Geografía y Estadística. La obra escrita con gran ética profesional, se refiere a la vida de una familia marginada radicada en la ciudad de México.

LEWIS COWGILL, GEORGE. Nació en Grangeville, Idaho, EUA, en 1929. Profesor de antropología en la Universidad de Brandeis, es autor de "*The end of classic maya culture*", en *Southwestern Journal of Anthropology* (1964).

LEYVA, DANIEL. Nació en la ciudad de México en 1949. Narrador, ha desempeñado distintos oficios: profesor de español en París, miembro del servicio diplomático y periodista. En 1976 obtuvo el premio Villaurrutia por su libro *Crispal*, y en 1980 apareció *Talabra* y *El león de los diez caracoles*. Su libro más reciente, una novela, se titula *Una piñata llena de lluvia*.

LEYVA, FRANCISCO. Nació en Jilotepec, Méx., en 1863; murió en Cuernavaca, Mor., en 1912. Estuvo en las filas liberales durante la Guerra de Tres Años, luchó contra la Intervención Francesa y luego contra el Imperio de Maximiliano. Propuso la creación del estado de Morelos, separando su territorio del de México. En 1869 fue designado primer gobernador constitucional de la nueva entidad, sustituyendo al provisional, general Pedro Baranda. Promulgó la primera Constitución del Estado de Morelos, en 1870, y la segunda en 1871. En 1872 fue relecto y gobernó hasta 1875. Fundó el Instituto Literario del Estado y el Jardín Botánico e inauguró el Teatro Alarcón de Cuernavaca.

LEYVA, GABRIEL. Nació y murió en la Villa de Sinaloa, del estado homónimo (1871-1910). Estudió en su pueblo natal y en el Colegio Civil Antonio Rosales de Culiacán. En junio de 1909, cuando murió el gobernador Francisco Cañedo, encabezó la campaña electoral en favor del licenciado y periodista José Ferrel, pero violándose el sufragio popular, el hacendado Diego Redo llegó a la gubernatura de Sinaloa. En enero de 1910 conoció a Madero y se dio a la tarea de reorganizar los grupos ferrelistas para constituir con ellos el Club Antirreeleccionista del Distrito de Sinaloa, al que representó, en abril siguiente, en la Convención del Tívoli del Eliseo, en la ciudad de México, donde Madero fue postulado para la Presidencia de la República. Consumado el fraude electoral, se levantó en armas encabezando un grupo en el que destacaron Juan Díaz Salcedo, Emiliano Z. López, Felipe Riveros, Elías Arias y Onofre Sandoval. El 2 de junio salió de su pueblo natal y recorrió los de Aguascalientes, El Salado, Mazocari, Portugués de Norzagaray y El Veranito, llegando el día 8 a Cabrera de Isunza. Allí se le unieron Jesús Félix y Luis Cota, y resistió el ataque de los rurales mandados por Jesús López, quien antes de morir hirió al propio Leyva. La partida revolucionaria tomó rumbo a la sierra y en San Vicente encontraron a Guillermo F. Peña, antiguo ferrelista, quien los ocultó en Aguajito de Bainoro; pero, con el pretexto de reclutar adeptos, marchó a dar la noticia a las autoridades. El gobernador comisionó al capitán Ignacio Herrera y Cairo para que persiguiera a los revolucionarios: al mando de 200 hombres, sitió el aguaje y el 12 de junio tomó prisionero a Leyva. Se le juzgó por los delitos de homicidio y lesiones y el 13 de julio, con el pretexto de una diligencia judicial, lo sacaron de la Villa de Sinaloa, y a 9 km. camino a Cabrera de Insunza, Leyva se detuvo y dijo a sus custodios: "No caminaré más. No daré un paso más adelante. Aquí mátenme". A unos cuantos metros del camino se consumó el sacrificio. El cadáver fue llevado a la cárcel pública de Culiacán y sus restos reposan en el panteón municipal de Sinaloa, hoy de Leyva. En el lugar de su muerte se erigió un monumento por suscripción de todos los estados de la República. En 1914 las fuerzas constitucionalistas fusilaron a Guillermo F. Peña, frente a Mazatlán. A Leyva se le considera el primer mártir de la Revolución Mexicana.

LEYVA, JOSÉ MARÍA. Nació en El Fuerte, Sin., en 1877; murió en la ciudad de México en 1956. Precursor de la Revolución de 1910, en 1904 se afilió al Partido Liberal Mexicano y combatió al régimen de Porfirio Díaz; en 1906 figuró en la huelga de Cananea y en 1909 se incorporó al Partido Antirreeleccionista de Francisco I. Madero, quien, ya en la Presidencia, lo nombró comandante de Baja California. Formó parte de la Convención de Aguascalientes y en 1920 secundó el Plan de Agua Prieta.

LEYVA MORTERA, XICOTÉNCATL. Nació en Jalapa, Ver., el 4 de abril de 1940. Licenciado, ha sido secretario auxiliar de la Subsecretaría de Ingresos de la Secretaría de Hacienda (1964), asesor técnico de la Dirección General del Impuesto sobre la Renta (1965-1970), subdirector administrativo del Instituto Nacional de la Juventud en el Distrito Federal (1970) y delegado de este organismo en Tijuana (1971), secretario del comité directivo estatal del Partido Revolucionario Institucional en Baja California (1976), presidente municipal de Tijuana (1978-1981) y gobernador de Baja California para el periodo 1983-1989.

LEYVA Y DE LA CERDA, JUAN DE. Nació en Alcalá de Henares y murió en Guadalajara, España (1604-1678). Marqués de Leyva y de Ladrada y conde de Baños, vigesimotercer virrey de Nueva España, gobernó del 16 de septiembre de 1660 al 28 de junio de 1664. Antes de entrar a la ciudad de México ocurrió una disputa entre su hijo mayor y el conde de Santiago: aquél mató al criado de éste y desafió a duelo al conde, para que la contienda se realizase concluido el virreinato de su padre. En 1662, Leyva ordenó alterar la ruta de la procesión de Corpus, haciendo que pasase frente a los balcones de Palacio para que la viera la virreina; el Cabildo eclesiástico levantó enérgicas protestas y la Corte no sólo desaprobó la providencia del virrey, sino que lo condenó a pagar una multa de 12 mil ducados. Los excesos de sus subordinados causaron tal descontento que Juan Arellano, alcalde mayor de Tehuantepec, se levantó en armas y sólo fue apaciguado por la intervención del obispo de Oaxaca, Alonso Cuevas Dávalos. Al fin retirado de su cargo, a su salida de la capital fue silbado y apedreado. El 29 de junio

LÍBANO

la Corte dispuso que el obispo de Puebla, Diego Osorio de Escobar y Llamas, se hiciera cargo del virreinato. Leyva regresó a España y después de enviudar tomó el hábito de carmelita en Madrid, donde profesó y cantó su primera misa el 27 de octubre de 1676. Hasta su muerte, vivió retirado en el monasterio de San Pedro, extramuros de Pastrana, en Guadalajara, España.

LÍBANO. República parlamentaria, limita al norte y al este con Siria, al sur con Israel y al oeste con el mar Mediterráneo. Tiene una superficie de 10 400 km^2 y una población de 3.16 millones de habitantes (dato de 1980). Beirut, la capital, es un gran centro financiero internacional. Entre otras ciudades destacan Trípoli, Zahlé, Saida y Tiro. Su moneda es la libra de Líbano, y su lengua oficial, el árabe, aunque también se hablan el francés y el inglés. En 1944 cesó el protectorado francés en el país. En mayo de 1945 el presidente Bechara el Koury se dirigió al presidente Manuel Ávila Camacho para manifestarle el interés de su gobierno por establecer relaciones diplomáticas con México, pues ya se había incrementado el intercambio comercial entre ambos países. México aceptó con beneplácito la propuesta y al año siguiente se establecieron formalmente las relaciones diplomáticas. El 25 de julio de 1947, ya en la administración del presidente Miguel Alemán, Joseph Aboukater se acreditó como primer embajador de Líbano, e hizo lo propio en Beirut, en 1948, Francisco A. de Icaza. México contaba ya con consulados en Beirut y Trípoli. El 26 de julio de 1950 se firmó un convenio de intercambio cultural, publicado en el *Diario Oficial* el 25 de febrero de 1952, aún vigente. En 1950, el entonces canciller de México, Jaime Torres Bodet, entregó al embajador libanés las anualidades correspondientes a los años de 1942 a 1947, por concepto del pago de reclamaciones de sirios y libaneses a que México se comprometió con Francia en 1937 y que se había suspendido cuando Líbano repudió el protectorado francés. En octubre de ese mismo año visitó México el primer ministro de Líbano, Philippe Takla. La emigración libanesa a México ha sido continua y profusa. Esta colonia ocupa una destacada posición en las finanzas nacionales desde fines del siglo XIX. El Banco Aboumrad, por ejemplo, pertenecía a una familia de libaneses radicada en México y que mantenía importantes conexiones con su antigua patria. Así, en un acto de buena voluntad para con esta colonia, el gobierno mexicano le otorgó, en 1952, el templo de Porta Coeli para que practicaran los ritos griego y romano. En 1958, México proporcionó al Líbano la fórmula del Palumex, producto para combatir el paludismo. En los años siguientes las relaciones se mantuvieron en el marco de limitados intercambios culturales. Del 11 al 15 de enero de 1974 realizó una visita oficial a México el ministro de Relaciones Exteriores de Líbano, Fouad Naffah, quien se entrevistó con el presidente Luis Echeverría y con el secretario de Relaciones Exteriores, Emilio O. Rabasa, para examinar la situación del Medio Oriente. En octubre de ese mismo año, Rabasa correspondió la visita. En Líbano se entrevistó con el presidente Sleimán Frangie y con otros altos funcionarios. En las conversaciones se trató sobre la conveniencia de fortalecer las relaciones comerciales, culturales y el intercambio de jóvenes técnicos. El gobierno libanés ofreció apoyar la Carta de Derechos y Deberes Económicos de los Estados y se acordó realizar consultas en el seno de la Organización de las Naciones Unidas sobre la cuestión de Palestina.

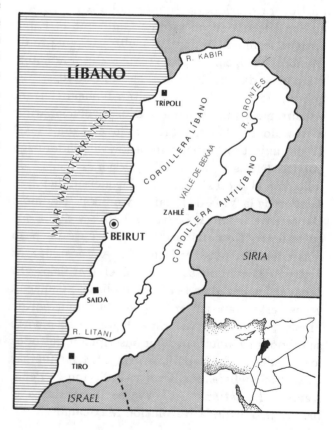

LIBÉLULAS

En 1978, a consecuencia del estado de guerra que se vivía en Líbano, el personal de la embajada de México en aquel país procedió a evacuarla y al frente de la misma quedó el traductor e intérprete libanés, en calidad de encargado de los archivos. Asimismo, se cerraron los consulados de Trípoli y Sidón. Sin embargo, en noviembre de ese año se nombró embajador a Víctor Manuel Rodríguez García. El 16 de junio de 1982, México cerró su embajada en Líbano. El comunicado dice así: "La confrontación armada que tiene lugar en ese país, especialmente en la capital, Beirut, ha puesto en peligro la seguridad de los miembros de la misión mexicana. Además, mantener contacto con las autoridades libanesas se ha dificultado. La medida adoptada por el gobierno de México es temporal. La embajada reabrirá sus puertas en cuanto considere que las condiciones en Beirut hayan mejorado" (Secretaría de Relaciones Exteriores: *Informe de labores, 1° de septiembre de 1981 al 31 de agosto de 1982*, Tlatelolco, 1982).

LIBÉLULAS. Pequeño grupo de insectos acuáticos pertenecientes al orden Odonata, comúnmente conocidos en México con los nombres de *caballitos del diablo, caballetes, chiguilines y tibiriches*. Salvo de las zonas polares, se han descrito en el mundo unas 5 mil especies, y en México cerca de 290, aunque todavía existen en el país áreas deficientemente estudiadas. Las libélulas son insectos con una metamorfosis gradual de tipo hemimetábola, caracterizada porque los estadios juveniles o ninfas viven en un habitat diferente al de los adultos. Éstos son depredadores de otros invertebrados, especialmente de dípteros e himenópteros, a los que generalmente capturan al vuelo. Sin embargo, algunas especies se apoderan de sus presas cuando éstas se encuentran en reposo; tal es el caso del cigóptero *Megaloprepus caerulatus*, que se alimenta de pequeñas arañas cleptoparásitas que viven asociadas a telarañas de especies de mayor tamaño. Los odonatos tienen una capacidad de vuelo variable: potente en los miembros del suborden Anisoptera, y débil en las del suborden Zygoptera. Algunas especies de los géneros *Tramea, Pantala* y *Libellula* realizan migraciones masivas y recorren grandes distancias. Por el contrario, ciertos cigópteros habitantes de bosques tropicales son relativamente sedentarios y sólo efectúan cortos desplazamientos durante el día para dirigirse de los sitios de descanso nocturno a los de reproducción y viceversa. Las ninfas o náyades son depredadoras voraces de larvas de mosquitos y otros insectos, aunque las especies de gran tamaño son capaces de atacar renacuajos y alevines de peces, a los que capturan con su labio retráctil modificado. Las ninfas viven en cuerpos de agua distintos: pequeños arroyos y grandes ríos, estanques temporales y lagos permanentes. Algunas especies habitan en ambientes sumamente especializados; por ejemplo, las ninfas de las libélulas gigantes del continente americano, de la familia Pseudostigmatidae, se alojan en forma exclusiva en el agua que se acumula en bromeliáceas epífitas, bambúes, así como en los huecos de árboles de las regiones tropicales.

Origen y filogenia. Las libélulas, al igual que los insectos pertenecientes al orden Ephemeroptera, se distinguen de los restantes órdenes de insectos por su incapacidad de flexionar las alas sobre el abdomen cuando están en reposo. Fundados en esta característica, algunos autores las han agrupado en la infraclase Palaeoptera, aunque en la actualidad a los paleópteros se les considera un grado evolutivo, más que un taxón monofilético, pues los Neoptera supuestamente se originaron a partir de ancestros paleópteros. Dentro de los Palaeoptera, se juzga que el orden Odonata está más cercanamente relacionado con los Neoptera en virtud de que comparten con éstos los siguientes rasgos sobresalientes: no tienen mudas como adultos, las venas R y R_s se originan de un tallo común, y el gonoporo de la hembra es sencillo. Durante el Carbonífero, los paleópteros eran los insectos dominantes y estuvieron representados por los órdenes Palaeodictyoptera, Protoephemeridae, Megasecoptera, Protohemiptera y Protodonata. Los protodonatos eran insectos de forma odonatoide, algunos de ellos los de mayor tamaño que han existido: por ejemplo, *Meganeura monyi*, cuya envergadura alar era de casi 70 cm. Este orden apareció durante el Carbonífero (el fósil más antiguo, de *Eugeropteron lunatum*, data de hace unos 280 millones de años) y se extinguió al finalizar el Pérmico, o quizás durante el Jurásico. Su grupo hermano, el de los actuales Odonata, apareció en el Jurásico, hace aproximadamente unos 130 millones de años, y a partir de entonces su morfología general ha sufrido relativamente pocos cambios.

LIBÉLULAS

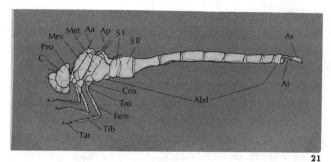

Fig. 1. *Morfología externa de un anisóptero adulto: (C) cabeza, (Pro) protórax, (Mes) mesotórax, (Met) metatórax, (Cox) coxa, (Tro) trocánter, (Fem) fémur, (Tib) tibia, (Tar) tarso, (Aa) ala anterior, (Ap) ala posterior, (Abd) abdomen, (SI) segmento uno, (SII) segmento dos, (As) segmentos abdominales superiores y (Ai) apéndice abdominal inferior (Modificado de Cannings, 1977)*

Morfología externa. Adulto (figura 1): la cabeza es prominente y extremadamente móvil; en los Zygoptera se encuentra elongada transversalmente y los ojos compuestos son laterales; y en Anisoptera es subesférica y gran parte de ella está ocupada por los ojos. En ambos casos presenta tres ocelos y cortas antenas setiformes. La frente es prominente; el clípeo está dividido en un anteclípeo y un posclípeo, y el labro es conspicuo. Las partes bucales son de tipo masticador, adaptadas para la depredación; las mandíbulas son fuertes y en su borde interno poseen dientes robustos, característica por la cual se les dio el nombre de Odonata (del griego *odontos*, diente, y *gnathos*, mandíbula); las maxilas tienen palpos no segmentados, y en el labio hay palpos modificados que llevan en su extremo ganchos robustos. El tórax está dividido en un protórax y un pterotórax; aquél es pequeño y móvil, y éste rígido, formado por la unión del meso y el metatórax; en vista lateral es fuertemente convexo e inclinado hacia atrás, de manera que las patas quedan dirigidas hacia la parte anterior y las alas hacia la parte posterior. El esterno y el noto son pequeños en comparación con el enorme desarrollo de las pleuras. Las patas están adaptadas para capturar presas y para posarse, pero no son usadas para caminar. Las alas son membranosas, generalmente hialinas, aunque en algunos casos pigmentadas; la venación es profusa; en los Zygoptera las alas anteriores y posteriores son similares en forma y tamaño; en Anisoptera, las posteriores son más anchas en la base y tienen una serie de especializaciones que no presentan las anteriores (figura 2). Los cigópteros,

con excepción de algunas familias, se posan con las alas verticales en relación al eje del cuerpo, mientras que los anisópteros y algunos cigópteros lo hacen con las alas horizontalmente extendidas. El abdomen es elongado, cilíndrico, y está constituido por 10 segmentos. En ambos sexos, el segmento X lleva un par de apéndices superiores; los cigópteros tienen además un par de apéndices inferiores, y en los anisópteros esta estructura es única. Los machos de las libélulas son peculiares entre los insectos porque disponen de un aparato copulador secundario alojado en una fosa genital en el esterno de los segmentos II y III. En las hembras el gonoporo se encuentra detrás del segmento VIII; en los Zygoptera, Anisozygoptera y Aeshnidae, las hembras están provistas de un ovipositor de tipo ortopteroide, por medio del cual insertan los huevecillos en los tejidos de las plantas; y en los restantes Anisoptera el ovipositor o no existe o está reducido a una lámina vulvar.

Las ninfas son más cortas y robustas que los adultos, con antenas más grandes y ojos de menor tamaño. Presentan las partes bucales como

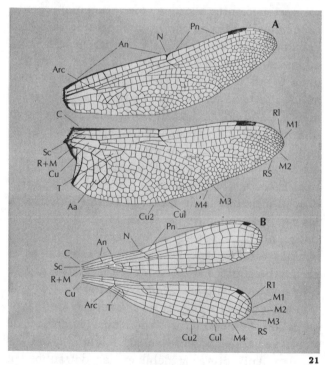

Fig. 2. *Venación alar de: (A) anisoptera, (B) Zygoptera, (C) costa, (Sc) subcostal, (R+M) radial+media, (Cu) cubital, (An) antenodales, (N) nodo, (Pn) posnodales, (Pt) pterostigma, (R1) radial uno, (M1) media uno, (M2) media dos, (RS) suplemento radial, (M3) media tres, (M4) media cuatro, (Cu1) cubital 1, (Cu2) cubital dos, (Aa) asa anal, (Arc) árculo y (T) triángulo (Modificado de Cannings, 1977)*

LIBÉLULAS

en el adulto, pero el labio, modificado para la depredación, actúa como un órgano protrusible que es movido a voluntad mediante un incremento en la presión de la hemolinfa, fenómeno causado por una rápida contracción del diafragma localizado en los segmentos abdominales IV y V. Los rudimentos alares se extienden hacia atrás sobre el abdomen, cubriendo en algunos casos los primeros segmentos. Las patas están normalmente colocadas y son usadas para caminar, para sujetarse de las plantas, o para perforar túneles. En el suborden Zygoptera, la respiración se lleva a cabo a través de branquias caudales, mientras en los Anisoptera esa función corresponde a una compleja red traqueal de las paredes del recto.

Biología y comportamiento. Las libélulas pasan por una etapa ninfal acuática de duración variable. Las especies que viven en cuerpos de agua temporales tienen por lo general ciclos de vida cortos; tal es el caso de *Pantala hymenaea*, que completa su desarrollo de huevo a adulto en sólo 36 días. Por el contrario, algunas especies de zonas elevadas y frías, que viven en arroyos permanentes, tienen periodos ninfales muy prolongados; por ejemplo, *Uropetala carovei*, que requiere de cinco a seis años para desarrollarse. Al madurar, las ninfas emergen del agua utilizando para trepar los pastos, rocas y raíces, sustratos donde se lleva a cabo la última muda. En las zonas tropicales, el surgimiento ocurre durante la noche o en la madrugada; y en las templadas y frías, durante el día. Acaso sean adaptaciones, en un caso para reducir la mortalidad por depredadores, y en el otro para disponer de una temperatura benigna. Los adultos recién emergidos son de color pálido y tienen una consistencia delicada; necesitan permanecer por algunos minutos cerca de la exuvia ninfal con el objeto de ir gradualmente desplegando las alas y elongando el abdomen hasta alcanzar la dimensión y la resistencia apropiadas. El vuelo inicial los conduce generalmente hacia la vegetación circundante, donde pasan un periodo prerreproductivo durante el cual se alimentan activamente, adquieren la coloración característica de su especie y las gónadas alcanzan su madurez. Ya sexualmente maduros, regresan al agua para reproducirse. Por lo común, cada macho escoge una pequeña área a la orilla de estanques o arroyos, la cual defiende frente a los demás. Las hembras, procedentes de la vegetación, llegan volando a los sitios de oviposición monopolizados por los machos y sólo van al agua cada vez que maduran un paquete de huevecillos, permaneciendo en ella el tiempo necesario para aparearse y ovipositar. Los individuos instalados en los sitios más atractivos son los que consiguen un mayor número de apareamientos. Antes de iniciar la cópula, los machos sujetan por medio de sus apéndices abdominales a las hembras, ya sea del protórax (Zygoptera) o de la cabeza (Anisoptera). La cópula se realiza durante el vuelo

LIBÉLULAS. CLASIFICACIÓN
Orden Odonata (291 especies)*

Suborden Zygoptera (131)

Calopterygoidea	14	*Lestoidea*	17	*Coenagrionoidea*	100
1. Amphipterygidae	1	Chlorolestidae	0	7. Coenagrionidae	81
2. Calopterygidae	12	4. Lestidae	10	Isostictidae	0
Chlorocyphidae	0	Lestoideidae	0	Platycnemididae	0
Dicteriastidae	0	5. Megapodagrionidae	6	8. Platystictidae	7
Diphlebiidae	0	6. Perilestidae	1	9. Protoneuridae	7
Euphaeidae	0	Pseudolestidae	0	10. Pseudostigmatidae	5
3. Polythoridae	1	*Hemiphlebioidea*	0		
Rimanellidae	0	Hemiphlebiidae	0		

Suborden Anisozygoptera (0)
Epiophlebiidae 0

Suborden Anisoptera (160)

Aeshnoidea	66	*Cordulegastroidea*	2	*Libelluloidea*	92
11. Aeshnidae	25	13. Cordulegastridae	2	14. Corduliidae	3
12. Gomphidae	41			15. Libellulidae	89
Neopetaliidae	0				

*Número de especies registradas para México hasta 1987.

(Libellulidae), en la vegetación (Zygoptera) o se inicia en el aire y se termina en ésta (Gomphidae, Aeshnidae y ciertos Libellulidae). En todos los casos la cópula es precedida por la traslocación espermática, o sea el paso del esperma desde el poro genital hacia el aparato copulador secundario. La oviposición la puede efectuar la hembra sola (Aeshnidae y Cordulegastridae) o en compañía del macho (cigópteros y Libellulidae). El resguardo de la hembra por el macho obedece a que aquélla tiene capacidad para copular con más de un individuo durante el día. Los huevecillos pueden depositarse libremente en el agua (oviposición exofítica), ser adheridos a la superficie de plantas acuáticas (oviposición epifítica) o ser insertados uno a uno dentro de los tejidos de las plantas (oviposición endofítica). Proceden del primer modo la mayoría de los Libellulidae y Gomphidae; del segundo, ciertas especies de Libellulidae y Gomphidae; y del tercero, los Zygoptera y algunos Aeshnidae.

Importancia. Las libélulas constituyen un grupo particularmente apropiado para estudios de comportamiento reproductivo, pues a diferencia de otros insectos pequeños o de hábitos secretivos, los odonatos son de tamaño relativamente grande y pueden ser observados sin obstrucciones visuales y con relativa facilidad. Las ninfas, a su vez, son material excelente para estudios autoecológicos y de estructura de la comunidad; algunas especies habitantes de arroyos son potencialmente indicadoras de la calidad del agua y útiles en investigaciones de impacto ambiental. Como insectos depredadores, tienen alguna importancia en la regulación de poblaciones de mosquitos, de escarabajos descortezadores Scolytidae y de termitas. Sin embargo, su utilidad como agentes de control biológico es limitada por ser depredadores generalizados. Algunas especies de libélulas, cuando ninfas, pueden causar pérdidas económicas en cultivos de peces, y como adultos, consumir abejas productoras de miel. En algunas regiones de la República Mexicana, ciertas especies de libélulas son utilizadas como alimento humano, aunque esto representa un riesgo, ya que se han reportado ninfas infectadas con metacercarias.

Dos instituciones estudian el orden Odonata de manera regular: el Instituto de Biología de la Universidad Nacional Autónoma de México, que dispone de una colección de 7 mil especímenes y una biblioteca especializada; y el Insectario de la Universidad Autónoma Metropolitana (Unidad Xochimilco), que cuenta con una extensa colección de ninfas y un buen acervo bibliográfico. (*E.G.S. y R.M.T.*)

Bibliografía: J. Belle: "*Phyllogomphoides navaritensis, eine neue Libellenart aus Mexico (Odonata: Gomphidae)*", en *Ent. Z.* (97, 1985; R.A. Cannings y M.K. Stuart: *The dragonflies of British Columbia* (1977); P.S. Corbet: *A biology of dragonflies* (1963); A.L. Davies y P. Tobin: "*The dragonflies of the world*, en *S.I.O. Rapid Comm.* (vol. I, 1984; vol. II, 1985); R.W. Garrison: "*Paltothemis cyanosoma, a new species of dragonfly from Mexico (Odonata: Libellulidae)*", en *Pan-Pacific Entomologist* (58, 1982); E. González Soriano: "*Neocordulia longipollez Calvert, a remarkable new record from Mexico*", en *Notul. odonatol.* (2, 1985); N.P. Kristensen: "*Philogeny of insect orders*", en *Ann. Rev. Entomol.* (26, 1981); A.F. O'Farrel: "*Odonata (dragonflies and damselflies)*", en *The insects of Australia* (1970); D.R. Paulson: "*Odonata*", en *Aquatic Biota of Mexico, Central America and the West Indies* (1982); Julieta Ramos Elourdy: *Los insectos como fuente de proteínas en el futuro* (1982); y E.F. Riek y J. Kukalova-Peck: "*A new interpretation of dragonfly wing venation based upon Early Upper Carboniferous fossils from Argentina (Insecta: Odonatoidea) and basic character states in pterrygote wings*", en *Can. J. Zool.* (62, 1983).

LIBERIA. República de la costa occidental africana. Tiene una extensión de 111 369 km^2 y una población de 2.2 millones de habitantes. Limita al norte con la República de Guinea, al este con Costa de Marfil, al sur y al oeste con el océano Atlántico, y al oeste y norte con Sierra Leona. Fundada por antiguos esclavos norteamericanos liberados, que llegaron al país desde la segunda década del siglo XIX, proclamó su Independencia de Estados Unidos en 1846 y la República el 26 de julio de 1847. El bajísimo nivel de vida que mantienen los habitantes del interior del país ha sido estimulado por la paradójica segregación que han perpetuado los descendientes de los antiguos esclavos respecto de las grandes mayorías, y por las empresas norteamericanas que extraen las materias primas, en especial el hule. Su composición étnica es americano-liberiana, mandé-tan, mandé-fou, krou, kissi y gola; la capital, Moravia (280 mil habitantes); la lengua oficial, el inglés; la moneda, el dólar liberiano, y las religiones, el cristianismo, el islamismo y las sectas

LIBIA

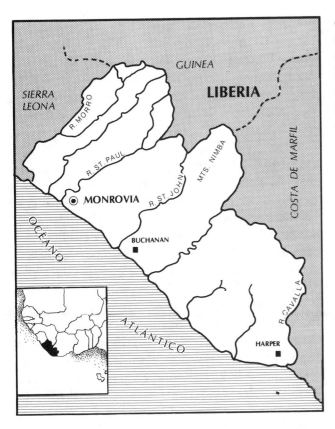

africanas. Liberia ingresó a la Organización de las Naciones Unidas el 2 de noviembre de 1945 y es miembro del Movimiento de Países No Alineados. México y la República de Liberia tienen relaciones diplomáticas desde el 22 de junio de 1976.

LIBIA. Su nombre oficial es Jamahiriya Árabe Libia Popular y Socialista. Situada en el norte de África, limita al norte con el mar Mediterráneo, al este con Egipto y Sudán, al sur con Chad y Níger, y al oeste con Argelia y Túnez. Tiene una superficie de 1 759 540 km², en su mayor parte desértica, y una población de 3.6 millones de habitantes, de los cuales 1.3 millones viven en Trípoli, la capital; 220 mil, en Bengazi; 43 mil en Misurata; y 40 mil en Zawia. No hay ríos de curso permanente y las lluvias son poco frecuentes. Su principal riqueza es el petróleo. El idioma oficial es el árabe, pero también se habla la lengua bereber; y la moneda, el dinar, antes denominada libra libia. Jamahiriya, que en árabe significa Estado de Masas, se constituyó con ese nombre en 1977 al proclamarse el ejercicio del poder por el pueblo. Según la concepción planteada por Khadafi en su *Libro verde* (1973), cuatro años después de derrocado el régimen monárquico, Libia debe orientarse hacia una democracia directa en la que no existan intermediarios en el poder. Conforme a la Constitución de marzo de 1977, los Congresos Populares Básicos eligen a los miembros de 46 Congresos Populares, que a su vez eligen a los integrantes del Congreso General del Pueblo, que actúa como Poder Legislativo. El Comité General del Pueblo, en el que se deposita el Poder Ejecutivo, está integrado por 19 secretarios, cada uno responsable de un Departamento. El jefe de Estado es el líder de la Revolución y comandante en jefe de las Fuerzas Armadas Populares, coronel Muammar al-Khadafi. La adopción de la *Sharia* o Ley Islámica permitió la unificación, en un sistema judicial único, de las cortes civiles y religiosas que imperaban anteriormente. En el plano internacional, Libia es un país no alineado que ha proclamado su apoyo a los movimientos de liberación nacional, presta una ayuda permanente a la Organización para la Liberación Palestina (OLP), demanda la devolución de todos los territorios árabes ocupados por Israel tras la guerra de 1967 y promueve la unidad árabe. Es miembro de la Organización de las Naciones Unidas, de la Liga Árabe, de la Organización de la Unidad Africana (OAU), de la Organización de Países Exportadores de Petróleo (OPEP), de la Organización de Países Exportadores de Petróleo Árabe (OAPEC) y del Banco de Desarrollo Africano.

Relaciones bilaterales. Las relaciones diplomáticas entre México y Libia se establecieron el 6 de agosto de 1975. Las autoridades libias han hecho del conocimiento al gobierno mexicano su interés para que ambos países acuerden la apertura de misiones diplomáticas en sus respectivos territorios y han sugerido que su embajada en Cuba actúe como representación concurrente. México emitió una respuesta favorable a esa propuesta; sin embargo, la situación política general que prevalece en torno a la nación libia, ha impedido que esa iniciativa se concrete. A fines de 1986, el gobierno libio manifestó su interés por convenir algún tipo de colaboración en materia energética, pero tampoco se había definido, hasta enero de 1988, ningún proyecto en particular.

LIBROS DE CHILAM BALAM. Con este nombre se conocen las crónicas en las cuales los hechiceros mayas registraban los acontecimientos históricos. Forman una de las secciones de la literatura indígena americana, puesto que provienen directamente de antiguos cantos o relaciones poemáticas trasmitidas de boca en boca, las cuales fueron redactadas en lengua maya después de la Conquista, por lo que su escritura y forma material son europeas. Tienen un carácter religioso puramente indígena y cristiano, traducido al maya. Contienen desde crónicas históricas con registro cronológico maya, hasta simples acontecimientos muy particulares sin importancia general; textos médicos con o sin influencia occidental, relaciones cronológicas y almanaques de astronomía según las ideas imperantes en Europa en el siglo XV; en suma, escritos de diferentes épocas y estilos de contenido ritual, mitológico, religioso profético, literario, médico e histórico. Relatan, entre otras cosas, las vicisitudes de los itzaes y el Chichén; la dominación tolteca del Mayab y la destrucción de la Liga de Mayapán (Yucatán). Estas crónicas tienen cuatro partes autónomas, ligadas cronológicamente: las dos primeras se refieren a las migraciones de dos de las principales facciones presentes al momento de la Conquista; la tercera, a la Liga de Mayapán; y la cuarta, a la época del descubrimiento y la Conquista.

Tomaron el nombre de *Chilam* –título sacerdotal– por el personaje que interpretaba los libros y la voluntad de los dioses, y el de *Balam*, que significa jaguar o brujo. Son varios libros y llevan el nombre del pueblo de su procedencia: Maní, Chumayel, Tizimín, Ixil, Kaúa, Tekax, Peto, Tihosuco, Tixkokob, Hocubé y Oxhutzcab, pero algunos de ellos nadie los ha visto ni siquiera fragmentariamente. Hay otro que se conoce como "Crónica de Kalkiní". Son obras de diferentes manos, estilos y épocas, y constituyen, junto con el *Popol Vuh* y la *Relación de las cosas de Yucatán* (v. LANDA, DIEGO DE), las fuentes capitales para la historia del pueblo maya, pues su relato arranca del siglo V. Estos libros han sido reproducidos en facsímil varias veces, íntegra o parcialmente, y traducidos al inglés, francés y castellano. A este último idioma corresponden las traducciones siguientes: Juan Martínez Hernández: *El Chilam Balam de Maní o Códice Pérez* (Mérida, 1909) y *Crónicas mayas (Maní, Tizimín, Chumayel)* (Mérida, 1926; 2a. ed., 1940); Antonio Mediz Bolio: *El libro de Chilam Balam de Chumayel* (San José de Costa Rica, 1930); Alfredo Barrera Vázquez y Silvia Rendón: *El libro de los libros de Chilam Balam* (México-Buenos Aires, 1948).

Bibliografía: William Edmond Gates: *The maya and tendal calenders* (Cleveland, 1900) y "*Chilam Balam of Tekax*", en *The Maya Society Papers* (Baltimore, 1935); Alfred M. Tazzer: *A maya grammar with bibliography and appraisement of works noted* (Cambridge, 1921); Ralph L. Roys: *The ethno-botany of the Book of Chilam Balam of Chumayel* (Washington, 1933), *The prophecies for the mayas tuns of years in the books of Chilam Balam of Tizimin and Mani* (Washington, 1949), *Maya katuns prophecies of the books of the Chilam Balam* (Washington, 1954), *Mayas* (Nueva Orleans, 1931); Steward Lincoln: *The maya calender of Ixil of Guatemala* (Washington, 1942), Maud Wocester Makenson: *The book of jaguar priest. Translation of the book of Chilam Balam of Tizimin with commentary* (Nueva York, 1951).

LICEAGA, CASIMIRO. Nació en Guanajuato (Gto.) en 1792; murió en la ciudad de México en 1855. Luchó en el movimiento insurgente hasta la consumación de la Independencia. En 1819 consiguió la cátedra de prima en la Escuela Nacional de Medicina; fue depuesto y más tarde reincorporado en 1824 a la de vísperas de medicina. Fue senador, diputado y miembro del Protomedicato. En 1833, cuando se suprimió la Real y Pontificia Universidad de México, creándose nuevos establecimientos, Liceaga fue designado primer director del Establecimiento de Ciencias Médicas, puesto que desempeñó de 1833 a 1846. En 1933, con motivo del centenario del plantel que él inaugurara, fue objeto de un homenaje. Tradujo y publicó en 1828 *Reflexiones médicas y observaciones sobre la fiebre amarilla hechas en Veracruz*, de Juan Luis Chabert.

LICEAGA, DAVID. Nació en la ciudad de México el 29 de diciembre de 1912. Estudió en el Colegio Alvarado, iniciándose en 1926 como novillero en la plaza de toros de Mixcoac, D.F. Debutó formalmente en la plaza de León, Gto., el 19 de enero de 1929. Al año siguiente participó en 56 novilladas. El 13 de enero de 1931 tomó la alternativa en El Toreo de manos de Manuel Jiménez *Chicuelo*, actuando de testigo Carmelo Pérez. El 8 de febrero siguiente ganó la Oreja de Oro, en un cartel en el que figuraban Marcial Lalanda, Pepe Ortiz, Manolo Bienvenida, Heriberto García y Carmelo Pérez, lidiando toros de La Laguna. Triunfó en las plazas de Madrid (4 de junio), Valencia (7 de junio) y Barcelona (7 y 14 de julio), en plan de novillero, pues a su llegada a España renunció a la alternativa de México. El 25 de septiembre confirmó su alternativa como matador en Madrid con el toro *Buñuelo*, siendo su padrino Nicanor Villalta. Ese mismo año regresó a México, pero volvió a la Península al año siguiente, sufriendo una gravísima cornada en el muslo derecho el 17 de abril en la plaza de Madrid. En 1932 y 1935 toreó con éxito en Colombia, Venezuela y Perú. Buen torero, fue un consumado maestro del segundo tercio. Se retiró temporalmente y el 18 de diciembre de 1938 recibió nueva alternativa en El Toreo de Cuatro Caminos, apadrinado por Fermín Espinosa *Armillita* y Silverio Pérez como testigo. En 1988 estaba dedicado a administrar un negocio privado y una ganadería.

LICEAGA, EDUARDO. Nació en Guanajuato, Gto., en 1839; murió en la ciudad de México en 1920. Fue catedrático de medicina operatoria (1867 a 1890) en la Escuela Nacional de Medicina –de la que fue director en dos ocasiones– y de acústica y fonografía (1868 a 1872) en el Conservatorio Nacional de Música y presidente de la Academia Nacional de Medicina (1878 y 1906) y de la Cruz Roja Mexicana (hasta 1911). Fundó

y presidió el Consejo Superior de Salubridad, el Instituto Antirrábico y el Hospital de Maternidad e Infancia, e hizo el proyecto para la construcción del Hospital General, que sustituyó al de San Andrés, en 1905. Sus memorias se publicaron en 1949 con el nombre de *Mis recuerdos de otros tiempos*. Entre sus numerosas obras: *Aneurisma inguinal*, curación radical por medio de la ligadura de la iliaca externa, *Nefritis crónica*, *Bromuro de potasio en el tratamiento de la epilepsia* y *Cáncer de la vejiga*.

LICEAGA, JOSÉ MARÍA. Nació y murió en el estado de Guanajuato (1780-1818). Se inició como cadete del Regimiento de Dragones de México; en 1810, al Grito de Dolores, se unió a las fuerzas de Hidalgo; estuvo en Las Cruces y Aculco; marchó a Guanajuato, de allí a Zacatecas y después a Guadalajara, con Allende; en Saltillo se le nombró adjunto de López Rayón; firmó el manifiesto enviado a Calleja por conducto del religioso Gotor; combatió en Valladolid el 2 de junio de 1811, y siguió a Zitácuaro, de cuya Junta fue vocal. En el Congreso de Chilpancingo firmó la declaración de Independencia. Más tarde se unió a las fuerzas de Mina.

LICEAGA, JOSÉ MARÍA. Nació y murió en Guanajuato, Gto. (1785-1870). Abogado de la Real y Pontificia Universidad de México, fue regidor y alcalde de su ciudad natal (1821), miembro de la diputación provincial (1823), y magistrado del Supremo Tribunal del estado, del que llegó a ser presidente. Escribió: *Adiciones y rectificaciones a la historia de México que escribió D. Lucas Alamán* (Guanajuato, 1868).

LICONA, ALEJANDRO. Nació en México, D.F., en 1953. Estudió ingeniería en el Instituto Politécnico Nacional y composición dramática con Emilio Carballido. Ha producido las siguientes películas de cine experimental: *Sueños comprados* (1973), *Los juguetes* y *Asesinos de ideas* (1975), y el guion para *La torre acribillada* (en colaboración, 1977). Ha escrito también las siguientes obras: *Huéllum o cómo pasar matemáticas sin problema* (1973), *El diablo en el jardín* (1977), *Cuentos por cobrar* (1980), *Máquina* (en colaboración, Premio Juan Ruiz de Alarcón, 1980), *Si yo tuviera el corazón*, *La amenaza roja* (1984), *Cancionero* *popular*, *Esta es su casa*, *La millonaria* (1984-1985), *Las tres heridas* (1985) y las obras para niños *El bien perdido* y *¡Guau! Vida de perros*, en su mayoría publicadas o representadas. Su teatro se distingue por su vis cómica, que muestra aspectos del mundo cotidiano a través de la lente del humor, la crítica y la denuncia de un mundo injusto y de apariencias.

LIEBMAN, FEDERICO MIGUEL. Nació y murió en Dinamarca (1813-1856). En 1840 el gobierno danés lo comisionó a México con el objeto de hacer colecciones botánicas e investigaciones científicas. En 1841 llegó a Veracruz acompañado del también botánico Rathsak y del doctor Karlwinski; exploró el estado de Veracruz, subió al Pico de Orizaba; pasó por Tehuacán y se internó al estado de Oaxaca, llegando hasta el istmo de Tehuantepec. En 1842 envió a su país 40 cajones con plantas secas y siete con plantas vivas, y en 1843 regresó a Copenhague llevando un herbario de 40 mil plantas y una notable colección zoológica. En 1845 fue nombrado profesor de botánica en la Universidad de Copenhague y en 1849 director del jardín botánico de aquella ciudad.

LIEBRE. Nombre que se aplica a cinco especies de mamíferos del orden de los lagomorfos. Parientes cercanos de los conejos, se distinguen de ellos por su aspecto externo: patas traseras muy largas, orejas de más de 10 cm y cuerpo esbelto. Pueden alcanzar hasta 70 cm de longitud total. Su coloración varía entre grisáceo, cremoso y amarillo oscuro o rojizo. Algunas especies presentan manchas oscuras muy notorias en los extremos de las orejas y la cola. Se distribuyen principalmente en las porciones áridas de la Altiplanicie mexicana y de la península de Baja California, en los llanos costeros de Sonora y Sinaloa, en las praderas periféricas de la sierra Madre Occidental y otras cadenas montañosas del centro del país, y en las llanuras costeras del istmo de Tehuantepec. Prefieren terrenos abiertos con manchones de matorral o zacatonal. Aunque en esos parajes podrían hallarse expuestas a varios depredadores, su olfato, vista y oído muy agudos, y su rapidez para correr, les han permitido sobrevivir. No construyen madrigueras u otra suerte de refugios, sino que reposan al pie de arbustos y zacatones aun para pasar la noche. Cuando más, alguna liebre es capaz de hacer una hoquedad poco profunda en su echadero para estar más cómoda. Tan arraigado es el hábito de estos mamíferos de vivir al descubierto, que aun sus crías (a diferencia de los conejos) nacen al pie de los arbustos, ya con pelaje y los ojos abiertos. En pocas horas, una cría está capacitada para emprender la carrera si aparece algún peligro. Al igual que otros lagomorfos, las liebres se alimentan de hierba. El intestino de estos animales contiene gran cantidad de bacterias que digieren la celulosa vegetal de modo muy completo y permiten que la liebre se nutra adecuadamente. Además, su intestino grueso absorbe casi toda el agua del excremento, de modo que el animal ahorra agua y puede sobrevivir aun en sitios que sufren sequías de varios meses. Tal vez porque la gente no gusta tanto del sabor de la carne de la liebre, o porque con frecuencia está parasitada por larvas de moscas creófagas, estos animales han sido menos perseguidos que los conejos y siguen abundando especialmente en el norte de México. Sin embargo, dos especies requieren de protección: la liebre isleña (*Lepus insularis*), exclusiva de la isla Espíritu Santo, en Baja California Sur, constreñida a un pequeño territorio al que no deben introducirse especies exóticas de plantas ni de animales, ni permitirse visitas humanas innecesarias; y la liebre tropical (*L. flavigularis*), única en el mundo, que habita en las llanuras del istmo de Tehuantepec, actualmente en peligro de extinción por quemas del pastizal que en esa zona se practican.

LIEBRE DE COLA NEGRA. *Lepus californicus*. Pertenece a la familia *Leporidae* del orden *Lagomorpha*. Junto con el conejo representa a los mamíferos de mayor caza en México. Tienen el dorso y la región ventral pardos, y los flancos amarillentos. Se distinguen de las otras especies de liebres en que las orillas y la parte posterior de la punta de las orejas son negras, al igual que la parte superior de la cola; ésta es amarilla oscura por abajo. Vive principalmente en las zonas semidesérticas, en Baja California y desde el norte de Sonora, Chihuahua, Coahuila y Nuevo León, hasta Hidalgo. En algunas regiones constituye una plaga, pues causa daños a los pastizales y a las zonas de cultivo. Tiene muchos enemigos naturales y es objeto de intensa persecución por cazadores y campesinos. Su potencial biótico es muy alto:

las hembras paren de dos a cuatro hijos y tienen varios partos en el año. A diferencia de los conejos, las liebres nacen con pelo y con los ojos abiertos. Son muy apreciadas como alimento. Según algunos investigadores (Villa, 1953), deben protegerse mediante vedas de caza.

LIEBRE TORDA. *Lepus callotis* y otras especies afines (*L. alleni*, *L. gaillardi* y *L. flavigularis*). Tienen el dorso gris claro, con los flancos y partes inferiores blancos; y las orejas largas, con las orillas y la punta blancas. Habitan en las zonas semiáridas, principalmente en regiones donde abunda el mezquite, en llanuras y lomas, pero no en los bosques. Cada especie ocupa áreas definidas, sin que éstas se sobrepongan: *L. callotis*, entre las dos sierras madres, desde Durango hasta Puebla y el norte de Oaxaca; *L. flavigularis*, en el istmo de Tehuantepec; *L. gaillardi*, en el centro de Chihuahua y en Durango; y *L. alleni*, en el occidente, desde Sonora hasta el norte de Jalisco. No obstante ser muy rápidas, son alimento principal de zorras, coyotes, gatos monteses, gavilanes, búhos y águilas. Son objeto de caza inmoderada. Recientemente han sido objeto de estudio porque son hospederas intermediarias de gusanos parásitos, de gran importancia zoonótica.

LIECHTENSTEIN. Reino de 157 km^2, con 25 mil habitantes. Limita al norte y al este con Austria, y al sur y oeste con Suiza. Fue creado en 1719 por el emperador Carlos VI, y el 7 de noviembre de 1918 declaró su Independencia. Suiza se encarga de sus relaciones exteriores y de los servicios de correo y telégrafo. Sus bajos impuestos han atraído a un gran número de filiales y matrices de grandes empresas trasnacionales. México no mantiene relaciones diplomáticas con el reino ni ha tenido con ese país intercambios comerciales.

LIENZO. Lugar donde se efectúan juegos o suertes ecuestres, como colear, es decir, derribar a una res o a una bestia caballar en plena carrera, tirándola del rabo; jinetear, lazar, manganear, calar, torear, rejonear, pialar y florear. El lienzo tiene tres partes principales: a) corral de encierro; b) corredero o lienzo propiamente dicho, y c) la plaza, ruedo o redondel. En el corral se tiene a las bestias y dentro de él hay dos o tres

vaqueros o charros que separan la que se ha de jugar, haciéndola salir corriendo por la puerta que comunica con el corredero. Esta debe ser amplia a fin de que los coleadores no tan sólo puedan esperar a los animales desde fuera del corral, como generalmente se hace al modo clásico, sino también desde dentro, para salir con ellos, lo cual resulta muy ventajoso porque así se puede colear muy pronto, sin que las bestias se escapen por atrás de los caballos. Los lienzos no deben tener más de 60 m de largo, 6 de ancho en el partidero (2.80 en la puerta) y 12 al final. Los muros son altos para evitar percances. El redondel, ruedo o plaza, donde termina la suerte de colear y se practican las otras, es circular y tiene un estrado o gradería para los espectadores.

Bibliografía: J. Álvarez del Castillo: *Historia de la Charrería* (1941); Carlos Rincón Gallardo y Romero de Terreros: *El libro del charro mexicano* (3a. ed., 1960).

LIENZOS, MAPAS, PINTURAS Y PLANOS. V. PICTOGRAFÍAS POSTHISPÁNICAS.

LIERA, ÓSCAR. Nació en Culiacán, Sin., el 24 de diciembre de 1946. Estudió en la Escuela de Arte Teatral del Instituto Nacional de Bellas Artes y letras españolas en la Universidad Nacional Autónoma de México. Actor, director y dramaturgo, ha escrito crítica de teatro y narraciones en *El Gallo Ilustrado* del periódico *El Día* y en *Diorama* de *Excélsior*. Es autor de: *La piña y la manzana* (siete obras en un acto, 1979), *Las Ubarry* (1979), *La gudógoda* (1980), *La fuerza del hombre* (1982), *La piña y la manzana* (12 piezas en un acto, 1982) y *El lazarillo* (1983). Otras de sus obras son: *Las juramentaciones*, *Etcétera*, *La noña* y *El jinete de la Divina Providencia*. En general, su teatro se centra en los mecanismos de la farsa, buscando una mezcla de tonos y situaciones que dan una atmósfera grotesca.

LIEUWEN, EDWIN. Nació en Harrison, Dakota, EUA, en 1923. Profesor de historia en la Universidad de Nuevo México (1957-), es autor de: *Arms and politics in Latin America* (1959-1961) y *Mexican militarism, 1910-1949* (1968).

LIFCHITZ, MAX. Nació en México, D.F., en 1948. Obtuvo los grados en composición en la

Juilliard School y en la Universidad de Harvard y frecuentó los cursos de verano del Centro de Música Berkshire y de la Escuela de Música Aspen. Fue discípulo de Luciano Berio, Leon Kirchnner, Bruno Maderna y Darius Milhaud. Su actividad como compositor ha sido subvencionada por instituciones norteamericanas. De 1968 a 1974 fue pianista del *Ensamble Juilliard*. En 1976 le fue otorgado el primer premio en el Concurso Gaudeamus, en Rotterdam, y se le pidió grabar para la Radio Nacional Holandesa. En 1980 fundó la *North/South Consonance*, organización dedicada a promover la música de compositores americanos y latinoamericanos, por lo cual fue distinguido en 1982 con la Medalla de la Paz de la Organización de las Naciones Unidas. En 1987 era profesor de composición en la Universidad de Columbia, en Nueva York. Es autor, entre otras, de las siguientes obras: *Yellow ribbons* (núms. 8, 9, 17 y 18; 1982 y 1983) y *Expressions* (1982), para orquesta; *Tiempos* (1969), *Globos* (1971), *Sueños* (1974), *Exploitations* (1975) y *Night voices* (1984), para orquesta de cámara; y *Pieza* (1968), *Mosaicos* (1971), *Fantasía* (1971), *Canto* (1972) y *Episodes* (1978), para diversos grupos instrumentales; además de piezas para piano, percusión y otros instrumentos solistas.

LIGA DE ESCRITORES Y ARTISTAS REVOLUCIONARIOS (LEAR). La fundaron en 1933 Leopoldo Méndez, Pablo O'Higgins, Juan de la Cabada, José Pomar, Luis Arenal, Makedonio Garza, Armen O'Hanian y un matemático de apellido Chargov. Su órgano, *Frente a Frente*, fue ilustrado por Méndez, y Carlos Mérida diseñó la carátula definitiva. A mediados de 1934 la LEAR, lanzó el cartel *4 demandas* (las cuales eran: regreso de los presos políticos desterrados en las islas Marías; respecto a la libertad de expresión; legalización del Partido Comunista; reanudación de relaciones diplomáticas con la URSS, interrumpidas durante el gobierno de Portes Gil), que tuvo un éxito completo e inusitado. En diciembre de ese año, al asumir Lázaro Cárdenas la Presidencia de la República, la LEAR definió su posición política con el lema "Ni con Calles ni con Cárdenas". Al contingente inicial se sumaron los miembros de la Federación de Escritores y Artistas Proletarios (FEAP), creada en un principio como organización contendiente. Después el grupo se forta-

leció con quienes pertenecían a la Asociación de Trabajadores de Arte (ATA), a la que se había sumado el Grupo Veracruz, formado por escritores –José y Raymundo Mancisidor, Germán y Armando List Arzubide, Miguel y Carlos Bustos Cerecedo, Lorenzo Turrent Rozas, Mario Pavón Flores y Enrique Barreiro Tablada– y un pintor, Julio de la Fuente, después notable antropólogo. En la sección de literatura de la LEAR militaban Ermilo Abreu Gómez, Luis Cardoza y Aragón, Julio Bracho, Ignacio Millán, Verna Carleton, Renato Molina Enríquez, María Luisa Vera, Blanca Lydia Trejo, Alberto Ruz Lhuillier, María del Mar, Lázara Meldiú, Emilio Cisneros Canto, José González Veytia, Martín Paz, Juan Campuzano, Silvia Rendón y otros; en la de pedagogía, Luis Álvarez Barret, Jesús Mastache y Miguel Rubio; y en la de historia, Luis Chávez Orozco y Vicente Casarrubias. En febrero de 1936, la Liga envió una delegación al Congreso de Artistas Norteamericanos en Nueva York; asistieron Orozco, Siqueiros, Tamayo, Luis Arenal, Antonio Pujol, Jesús Bracho y Roberto Guardia Berdecio. Tamayo triunfó y se quedó allá varios años. Poco después convocó a un concurso de carteles con premios donados por el Frente Popular Español; Juan Marinello presidió el jurado. Una de las mayores aportaciones de la LEAR fue la formación de un equipo de muralistas: Juan Manuel Anaya, Raúl Anguiano, Santos Balmori, Jesús Guerrero Galván, Fernando Gamboa, Leopoldo Méndez, Pablo O'Higgins, Máximo Pacheco, Roberto Reyes Pérez y Alfredo Zalce. Este grupo realizó el mural *Los trabajadores contra la guerra y el fascismo*, al fresco, en los Talleres Gráficos de la Nación (Tolsá núm. 9). En 1937, la LEAR participó activamente en el Primer Congreso de Escritores, Artistas e Intelectuales Mexicanos. Los pintores hicieron un segundo mural en Morelia, *Temas revolucionarios*, al temple imitando fresco, en el local de la Confederación Revolucionaria Michoacana (plaza de San Francisco). Una delegación fue a España a solidarizarse con la lucha antifascista del pueblo español; la encabezó José Chávez Morado, uno de cuyos carteles contra el golpe franquista fue muy elogiado. La Liga mantuvo cordiales relaciones con los escritores mexicanos del momento: José y Celestino Gorostiza, Carlos Pellicer, Octavio Paz, José Rubén Romero, Antonio Acevedo Escobedo, Rodolfo Usigli y Martín

Luis Guzmán; invitó como huésped a Langston Hugues, Antonin Artaud, Frida Kahlo, Marion y Grace Greenwood, Miguel Covarrubias, Fernando Leal, Guillermo Meza, Juan Soriano, Alberto Best Maugard, García Cahero, Francisco Díaz de León, Alvarado Lang, Martin Fuller, Paul Strand, Henri Cartier Bresson, Isabela Corona, Andrea Palma, Frances Toor, Alma Reed, Jaime y Abel Pien, Raúl Cacho, Enrique Yáñez, Juan O'Gorman, Ignacio Asúnsolo, Francisco Marín, Juan Olaguíbel y muchos más; y sostuvo correspondencia con los republicanos en España y en especial con Pablo Neruda, entonces cónsul de su país. En el local de la LEAR (Donceles núm. 100) se organizó una magnífica exposición de Goitia. También acogió fraternalmente a los visitantes distinguidos, entre otros Rafael Alberti y su esposa María Teresa León, Juan Marinello, Nicolás Guillén, Aníbal Ponce, Waldo Frank y en especial León Felipe, que se quedó en el país. En el curso de 1937 la sección de artes plásticas decidió independizarse y fundar el Taller de Gráfica Popular (véase), con lo cual la LEAR paulatinamente se fue desintegrando.

LIGA NACIONAL DEFENSORA DE LA LIBERTAD RELIGIOSA (LNDLR).

Fue fundada en 1925 como reacción contra el cisma de La Soledad y el recrudecimiento de la política antirreligiosa del gobierno del presidente Plutarco Elías Calles. El antecedente ideológico de la Liga fue el Partido Católico –efímera agrupación política surgida después de que Francisco I. Madero asumió la Presidencia de la República–, virtualmente transformado en el Partido Nacional Republicano. Antecedentes más cercanos fueron Acción Católica de la Juventud Mexicana, los sindicatos de obreros católicos y las agrupaciones estudiantiles confesionales. Aunque surgida en la coyuntura del conflicto religioso de 1925, la Liga aspiraba, al igual que la Acción Nacional de Charles Maurras en Francia, al establecimiento en el país de un gobierno de inspiración católica. Aunque podía considerarse organismo seglar, la Liga tenía asesores teológicos que eran sacerdotes, y en un principio fue alentada por la jerarquía eclesiástica. Debido a la persecución religiosa, sólo los dos primeros comités directivos de la Liga funcionaron públicamente; los posteriores y la propia Liga trabajaron en la clandestinidad. Sus acciones más relevantes fueron las siguientes: a) la elaboración de un extenso y documentado *Memorial* dirigido al Episcopado Mexicano, en el que solicitaban de los prelados considerar lícita la rebelión en defensa de la libertad religiosa, ante la sistemática oposición de una tiranía, considerando que el pueblo católico de México se hallaba en tal situación; b) la presentación de dos millones de firmas ante las cámaras legislativas, pidiendo la derogación de las leyes y disposiciones reglamentarias en materia religiosa expedidas por el presidente Calles; c) la iniciativa de convocar a un boicot económico en 1926, que presionara al gobierno a la derogación de las mismas leyes y a cesar en su política antirreligiosa; d) la excitativa a que el 1° de enero de 1927 se iniciaran levantamientos armados en todo el país, como último recurso para recuperar la libertad religiosa y conseguir la reanudación de cultos; e) el nombramiento del general Enrique Gorostieta como jefe supremo del Ejército Cristero en junio de 1927. Hasta antes de ese año la Liga actuó con la tácita aprobación del Espiscopado; sin embargo, a partir del estallido del movimiento cristero las posiciones de la jerarquía de la Iglesia y las de la propia Liga fueron divergentes. Por ello, la Liga fue virtualmente desaprobada por la jerarquía (más tarde lo fue formalmente), que en su mayoría buscaba una solución pacífica a la contienda religiosa y que no deseaba, siguiendo en esto indicaciones de la Santa Sede, identificar a la Iglesia con ningún movimiento o partido político. Por otra parte, la Liga no constituyó una organización homogénea. Oficialmente, varias asociaciones de inspiración católica pasaron a depender de ella. Sin embargo, pronto se separaron: los Caballeros de Colón, no aceptaron la actitud beligerante; la Unión Popular, aunque aportó el principal contingente armado al movimiento cristero, actuó de hecho al margen de la Liga y desde sus orígenes fue un movimiento de arraigo rural sin aspiraciones de acceso al poder; y las Brigadas Femeninas de Santa Juana de Arco, se inconformaron con los dirigentes de la Liga. Ésta, en lo ideológico, parecía seguir los planteamientos de los conservadores mexicanos del siglo XIX, sobre todo el franco rechazo a la penetración norteamericana, entre otras razones por su protestantismo; sin embargo, no dudó en solicitar el apoyo al gobierno de Washington.

El primer comité directivo de la Liga estuvo formado por Rafael Ceniceros y Villarreal (pre-

LIGUORI–LIJA

sidente), René Capistrán Garza y Luis Bustos (vicepresidentes), quienes fueron aprehendidos por la policía en agosto de 1926. El segundo comité lo constituyeron Miguel Palomar y Vizcarra, Carlos F. de Landero y Luis Beltrán; y el tercero, ya en la clandestinidad, Ceniceros, Palomar y Bustos. En principio la Liga tuvo un importante número de adherentes en los medios urbanos, aunque la afiliación se limitaba a dar una firma, a leer los boletines de prensa o a contribuir con una cuota mínima. Al iniciarse el levantamiento cristero, esas muchedumbres urbanas poco o nada tuvieron que aportar a la guerra. Aunque la Liga reclutó y nombró al general Gorostieta para encabezar la lucha armada, pronto fue ostensible el distanciamiento entre una y otro, que no era sino el reflejo de las diferencias entre los guerrilleros y los dirigentes urbanos. Terminado el conflicto armado en 1929, la Liga tuvo una precaria supervivencia, desaprobada por las autoridades eclesiásticas; quienes procuraron sostenerla, sin conseguirlo, fueron Palomar y Vizcarra y Aurelio Acevedo. La solución del conflicto o *modus vivendi* a que llegaron los representantes de la Iglesia con el presidente Portes Gil, fue censurada por la Liga, que la consideró una traición e insinuó que, sobre esta materia, los obispos podrían haber malinformado a la Santa Sede. V. GUERRA CIVIL. *La Rebelión Cristera.*

LIGUORI JIMÉNEZ, FRANCISCO. Nació en Orizaba, Ver,. en 1917. Licenciado en derecho por la Universidad Nacional Autónoma de México, desde 1943 ha enseñado literatura, lógica y ética en las escuelas Nacional Preparatoria, Vocacional de Ciencias Económicas y Superior de Comercio. En 1966 fue designado director del Centro de Formación Administrativa de la Secretaría de Obras Públicas, y en 1971 jefe de Actividades Cívicas. Entre sus ensayos: *El tema de Ausonio* (1945); "López Velarde y Díaz Mirón", en *Letras Potosinas* (núms. 112-113, 1954), *El liberalismo y el problema agrario* (1963), *Semblanza de Renato Leduc* (1966), *Biografía de Gabino Barreda* (1967), "Ipandro Acaico a medio siglo de su muerte", en *Ábside* (XXXV-4, 1971), y *Presentación de un disco* (1971). A partir de febrero de 1973 presenta todos los sábados una *Crónica rimada* por el canal 13 de televisión. Desde sus años mozos combinó la investigación jurídica y literaria con una visión irónica y burlesca del mundo y de la vida. Ha cultivado la poesía satírica en coplas y epigramas, los cuales, en su gran mayoría, se han popularizado por tradición oral. De mediados de 1973 data el siguiente epigrama, donde el Jesús a que alude es el licenciado Reyes Heroles, entonces presidente del Partido Revolucionario Institucional:

Preocupados, cejijuntos,
y a ratos fuera de sí
rondando andan los presuntos
las antesalas del PRI.
¿Qué místicos arrebatos
sacuden su mente loca,
que andan los precandidatos
con el Jesús en la boca?

Liguori ha publicado, además, cuatro libros de *Crónicas rimadas* (1973, 1974, 1975 y 1976-1977) y el folleto *Once sonetos orizabeños* (1975; 2a. ed., 1987). Se le otorgó el Premio Nacional de Periodismo 1981 y el 24 de abril de 1987 el título de Hijo Predilecto de la ciudad de Orizaba, en donde una calle lleva su nombre.

LIJA. Reciben este nombre varias especies de peces marinos de la familia Monacanthidae, orden Tetraodontiformes. Son de talla pequeña o mediana (generalmente menores de 20 cm) y de cuerpo alto y muy comprimido. Exceptuando la región que se localiza por encima de las aletas pectorales, que presenta escamas normales, el cuerpo está cubierto por una piel delgada y sumamente áspera. Esta característica, de la que deriva su nombre vernáculo, resulta de la forma y disposición de un gran número de pequeñas escamas, difícilmente apreciables. El perfil de la cabeza es triangular, y la boca, pequeña y terminal, lleva seis dientes en la serie exterior de la mandíbula superior, y el mismo número, o menos, en la inferior. Las aberturas branquiales están reducidas a pequeñas ranuras oblicuas, localizadas por delante de la inserción de las aletas pectorales. Tienen dos aletas dorsales ampliamente separadas, la primera formada por dos espinas unidas por una membrana, la anterior muy fuerte y prominente, capaz de quedar asegurada en posición erecta por la otra; la segunda dorsal, la anal y las pectorales están constituidas exclusivamente por radios suaves no ramificados. Las aletas pélvicas son rudimentarias o están ausentes; en este caso, algunas especies presentan en su lugar un proceso espinoso formado por un grupo de escamas modificadas. La aleta caudal es redondeada, y la línea lateral inconspicua. Su coloración es variable, a menudo con patrones muy marcados y llamativos. Viven asociados a los fondos, ya sean rocosos o fangosos, y son comunes en los arrecifes coralinos, hasta los 90 m de profundidad. Se alimentan de invertebrados bentónicos, y de algas y otros vegetales que mordisquean con sus dientecillos. En ambos litorales están representados por *Aluterus scripta* (Osbeck); y en el Atlántico, además, por *A. schoepfii* (Walbaum), también llamado *cochinita cimarrona*, y varias especies de los géneros *Cantherhines*, *Monacanthus* y *Stephanolepis*. Se capturan incidentalmente durante las maniobras de pesca del camarón. No son importantes como alimento, pero los juveniles son muy apreciados por los acuariófilos.

LILA. *Syringa vulgaris* L. Arbusto o árbol ampliamente cultivado, que alcanza los 6 m de altura. Las hojas, opuestas, varían de forma acorazonada a oval, y de 5 a 15 cm de longitud. Las flores se hallan dispuestas en racimos de 15 a 20 cm de largo, muy vistosas y fragantes, y normalmente de color lila, aunque existen formas hortícolas de color blanco, rosado o púrpura. La floración comienza en la primavera y se extiende hasta principios del verano. El fruto es una cápsula oval y aplanada, de color moreno. Con el nombre vernáculo de lila se conocen también las especies *S. vulgaris*, *S. persica* y *S. josikaea*, del sureste de Europa y norte de Asia, que se importan para el desarrollo de la mayoría de las formas hortícolas más comunes en el país. Entre las formas con flores sencillas se encuentran: *Vestale*, blanca; *Cavour*, violeta; *Decaisne*, azul; *Jacques Callot*, lila; *Macrostachya*, rosada; *Congo*, magenta, y *Morge*, púrpura. Y entre las dobles: *Edith Cavell*, blanca; *Lanes*, violeta; *Olivier De Serres*, azul; *Victor Lemoine*, lila; *Katherine Havemeyer*, rosada; *Paul Thirion*, magenta, y *Adelaide Dumbar*, púrpura.

LILIA ROSA. Nació en Saltillo, Coah. Desde muy temprana edad escribió cuentos y artículos en periódicos y revistas de su entidad. Ya radicada en México, ha publicado las novelas *La brecha olvidada* (1949), *Vainilla, bronce y morir* (Premio Lanz Duret de Literatura, 1949), y *Noche sin fin* (1959). Las dos primeras sirvieron de tema para la tesis de maestría de Juliet G. Logan en la Universidad de Texas (*Psychological religious elements in the works of Lilia Rosa*). Ha colaborado en revistas de la provincia y en *Humanismo*, *Casa de Coahuila*, *Madame* y *El Nacional*.

LILLE, JOSÉ DE. Nació en Hidalgo del Parral, Chih., el 18 de febrero de 1906. Estudió y sirvió cátedras en la Facultad de Medicina y en la Escuela Nacional Preparatoria de la Universidad Nacional Autónoma de México, siendo también director en aquélla. Por varios años sirvió como investigador de tiempo completo en el Instituto de Biología. Escribió *Elementos de biología general*. Hacia 1960 se retiró a su pueblo natal. En 1988 radicaba nuevamente en la ciudad de México, aunque al margen del magisterio y de la investigación.

LIMA, SALVADOR. Nació en Autlán, Jal., en 1885; murió en la ciudad de México en 1954. Fue director de Educación Pública y jefe del Departamento Cultural de Jalisco, director de escuelas penales y correccionales en la ciudad de México y catedrático de la Escuela Nacional de Maestros. Autor de: "La formación de los maestros", publicada en la revista *Ideal*, de Guadalajara, en 1921; de un proyecto para la creación del Tribunal de Menores, en 1926; de *La supervisión escolar*, en 1943, y de otras obras como *Guía para los maestros rurales*, *El gobierno de los alumnos*, *Técnica de la enseñanza de la geografía* y *Técnica de proyectos*.

LIMA DULCE. *Citrus limetta* Risso. Árbol pequeño de la familia de las rutáceas, de apariencia similar a la *C. aurantifolia*. Algunos botánicos la consideran como una variedad de esta última especie. El fruto es muy popular en las fiestas de fin de año y su jugo sustituye, en ocasiones, al de naranja.

LIMANTOUR MARQUET, JOSÉ IVES. Nació en la ciudad de México en 1854; murió en París, Francia, en 1935. Estudió en las escuelas nacionales Preparatoria (1860-1871) y de Jurisprudencia (1872-1875), graduándose de licenciado en derecho (1876). Enseñó economía política en la Escuela Superior de Comercio y derecho internacional en la de Jurisprudencia. Fue propietario y redactor de la revista jurídica *El Foro* (1877-1882), al lado de Pablo y Miguel S. Macedo, Justo Sierra, Emilio Pardo (hijo) y otros jóvenes que integrarían más tarde el grupo de los Científicos. En 1886 estudió la baja de la plata, por encargo de la Secretaría de Gobernación. Fue vocal propietario de la Junta del Desagüe del Valle de México (1887-1895), presidente de la Junta de Saneamiento (1896) y de la de Provisión de Aguas Potables (1903), diputado al Congreso de la Unión (1892), oficial mayor de la Secretaría de Hacienda y Crédito Público (27 de mayo de 1892 al 7 de mayo de 1893) y secretario del ramo (8 de mayo de 1893 al 25 de mayo de 1911). Tanto para el desempeño de comisiones oficiales, cuanto para curarse de achaques y malestares, hizo viajes a Europa en 1875, 1889 y 1910-1911.

Iniciada la revolución maderista contra el presidente Díaz, fue llamado a Nueva York en marzo de 1911, donde celebró conversaciones con el doctor Emilio Vázquez Gómez y Francisco y Gustavo Madero, para tratar de detener el movimiento armado. Ya en la capital de la República, del 20 de marzo al 21 de mayo entabló negociaciones con Madero y Pino Suárez para suscribir los Tratados de Ciudad Juárez, en cuya virtud renunció el presidente Porfirio Díaz el 25 de mayo de ese año. Limantour se exilió en Francia.

Como secretario de Hacienda, creó nuevos impuestos a la producción, hizo economías y reducciones en los servicios administrativos, rescató de manos de los particulares las diversas casas de moneda establecidas en la República, arregló la deuda pública por ley del 29 de mayo de 1893 y reorganizó las instituciones de crédito (19 de marzo de 1897), estableciendo tres clases de bancos: hipotecarios, de emisión y refaccionarios. Emprendió la mexicanización –así se le dijo entonces– de los Ferrocarriles Nacionales (1902), logró la estabilización del peso con la reforma monetaria (1905) y abolió las zonas libres fronterizas (1905). Por primera vez en la historia hacendaria del país hubo una balanza comercial favorable. Tuvo personal influencia en el embellecimiento y afrancesamiento de la capital de la República, pues intervino en las obras del Bosque de Chapultepec, que se agrandó y embelleció con lagos, fuentes, casas y calzadas,

el Palacio Postal, la que fue Secretaría de Comunicaciones y Obras Públicas, el Teatro Nacional (hoy Palacio de Bellas Artes), la Cámara de Diputados y el Palacio Legislativo (hoy Monumento a la Revolución). Tuvo en sus manos los destinos de México durante los dos últimos y críticos años del porfirismo; sacrificó a sus partidarios, los Científicos, a sí mismo y a todo el gabinete porfirista en aras de la paz que creyó amenazada.

Bibliografía: Manuel Calero: *Un decenio de política mexicana* (Nueva York, 1920); Carlos Díaz Dufoo: *Limantour* (1922); Toribio Esquivel Obregón: *Mi labor al servicio de México* (1934); José Ives Limantour: *Apuntes de mi vida política* (1965).

LIMA Y ESCALADA, AMBROSIO DE.

Nació y murió en la ciudad de México durante el siglo XVII. Fue catedrático de medicina y médico del virrey Gaspar de Sandoval Silva y Mendoza, conde de Galve. Logró demostrar, contra lo prevenido por el protomedicato de México, que el trigo *albillo* no era perjudicial a la salud, sino nutritivo y de fácil adaptación a los suelos del Altiplano. El virrey propició la siembra de esa variedad en la provincia de Puebla y se lograron abundantes cosechas. Escribió *Spicilegio de la naturaleza y cualidades del trigo llamado albillo y respuesta de las razones con que se quiere persuadir de que es dañoso a la salud pública* (1692) y *Versos castellanos en elogio de la Concepción Inmaculada de la Virgen María* (1694).

LIMILLA DE LA SIERRA. *Rhus microphylla*

Engelm. Arbusto densamente ramificado de la familia de las anacardiáceas y de 1 a 2 m de altura; de hojas compuestas, con cinco a nueve foliolos oblongos a ovales, redondeados u obtusos en el ápice, de 5 a 10 mm de largo, mucronados, con pelos estrigosos y raquis alado. Las inflorescencias son cortas, densas y paniculadas, y las flores, pequeñas, con cinco sépalos y otros tantos pétalos imbricados, éstos últimos de 3 mm de longitud. El fruto es una drupa pilosa de 6 a 7 mm de diámetro y de color rojo. Se distribuye ampliamente de Sonora a Coahuila y de Durango a Zacatecas.

LIMNOLOGÍA. Palabra proveniente de la raíz

griega *limne*, que significa charco, pantano o lago. En 1892, el profesor suizo Forel introdujo esta pa-

LIMNOLOGÍA

labra en su estudio monográfico del lago Léman (Ginebra, Suiza); por ello se le considera el padre de la limnología moderna. La primera definición fue "oceanografía epicontinental"; posteriormente, el italiano Edgardo Baldi la separó de otras disciplinas y la definió como "la ciencia que trata de las interrelaciones de los procesos y métodos donde se transforman la materia y la energía en un lago". En 1922, la Sociedad Internacional de Limnología (SIL) señaló en sus estatutos que esta disciplina "estudia el conjunto de las aguas dulces epicontinentales" (no sólo lagos sino ríos, arroyos, presas y lagunas). Durante el XVIII Congreso de la SIL, el ruso Winberg (1963) concluyó que el objetivo principal de esta rama científica es el estudio de la circulación de materiales —específicamente sustancias orgánicas— en un cuerpo de agua. Para Thienemann (1965), la limnología es "la ciencia de las aguas dulces"; para Ruttner (1975), "el estudio de las aguas interiores"; para Reid y Wood (1976), "el estudio de los sistemas acuáticos fluyentes y estancados"; y para Vallentyne (1978), "el estudio científico de las aguas continentales". En algunas de estas definiciones ya se habla de "aguas continentales o epicontinentales", expresión que incluye cuerpos de agua salada. Otros limnólogos han propuesto conceptuaciones más precisas; por ejemplo: "la limnología es la disciplina biológica que se ocupa del ambiente acuático continental y de la presencia, número, fluctuaciones, interrelaciones, periodicidad y sucesión de los organismos y comunidades que viven en él" (Ringuelet, 1962). "En términos amplios, la limnología es el estudio de las relaciones funcionales y la productividad de las comunidades biológicas dulceacuícolas según son afectadas por la dinámica de los parámetros ambientales físicos, químicos y biológicos" (Wetzel, 1975). "La ciencia de las aguas interiores, concerniente a todos los factores que influyen sobre las poblaciones vivientes dentro de esas aguas; actualmente incluye el estudio de las aguas fluyentes (habitat lótico) así como las estancadas (habitat léntico)" (Cole, 1979). Y, finalmente, "La Limnología es el estudio de toda clase de aguas continentales o epicontinentales, fluyentes o estancadas; estudia las características físicas y químicas y los organismos que viven en los lagos, ríos y embalses, encaminándose a conseguir una síntesis ecológica" (Margalef, 1983). En 1952, el estadounidense P.S. Welch definió la limnología como "la rama de la ciencia relacionada con la productividad biológica de las aguas continentales y con todas las influencias causales que la han determinado". La expresión "productividad biológica" incluye aspectos cualitativos y cuantitativos, actuales y potenciales; el término "aguas continentales", las fluyentes o estancadas, dulces, saladas o de otra composición físico-química, que se encuentran total o parcialmente en las masas continentales; y el giro "influencias causales", todos los factores físicos, químicos, biológicos y meteorológicos que determinen las características y la cantidad de producción biológica. Margalef y Welch son los autores que describen de manera adecuada y completa lo que la limnología es y persigue.

Desarrollo histórico. La limnología en México nació con los estudios taxonómicos a principios del siglo XIX (Agardh, 1824; Brulle, 1828; Chevrolat, 1833 y 1834; Ehrenberg, 1838; Wiegmann, 1836), aunque hay algunos trabajos anteriores como la primera mención del ajolote o *azolotl* (Ximénez, 1615). Los grupos inicialmente más explorados fueron las algas, los insectos y los crustáceos. En la segunda mitad del siglo se investigaron, aparte los anteriores, los anélidos, las plantas acuáticas y otros organismos (Bandelier, 1880; Clark, 1862; Cleve y Moller, 1877-1882; Hagen, 1861; Jiménez, 1865 y 1866; Kutzing, 1843 y 1849; Leydy, 1851; Mendoza y Herrera, 1865; Rabenhorst, 1864-1868; Saussure, 1858). Los naturalistas pioneros encontraron un sinnúmero de cuerpos de agua epicontinentales, enteramente desconocidos desde un punto de vista científico. Su trabajo tuvo un enfoque meramente taxonómico, o sea que se limitó a describir especies nuevas. A principios del siglo XX se emprendió la descripción faunística de la biota acuática (Seurat, 1900) y la explotación de lagos y estanques (Zipcy, 1901), esto último de gran relevancia porque anticipó el manejo racional de los recursos acuáticos (acuicultura). Los primeros investigadores, en su gran mayoría, fueron franceses, alemanes y estadounidenses que operaron en las zonas norte, sureste y sur de la República. Algunos estudios realizados en Centroamérica incluyen la porción meridional de México (Juday, 1916). Se trabajó también sobre algas (Tilden, 1908), plancton (Clark, 1908) e ictiofauna (Meek, 1908), y varias instituciones estadounidenses continuaron las investigaciones

LIMNOLOGÍA

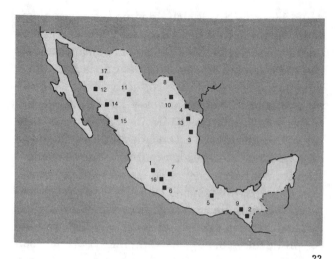

Los grandes cuerpos acuáticos mexicanos: 1. Laguna de Chapala, Jal.; 2. Presa La Angostura, Chis.; 3. Presa Vicente Guerrero (Las Adjuntas), Tamps.; 4. Presa Internacional Falcón, Tamps.; 5. Presa Miguel Alemán (Temascal), Oax.; 6. Presa Adolfo López Mateos (Infiernillo), Mich.-Gro.; 7. Lago de Cuitzeo, Mich.; 8. Presa Internacional de la Amistad, Coah.-EUA; 9. Presa Nezahualcóyotl (Malpaso), Chis.; 10. Presa Venustiano Carranza (Don Martín), Coah.; 11. Presa La Boquilla, Chih.; 12. Presa Álvaro Obregón, Son.; 13. Presa Marte R. Gómez, Tamps.-N.L.; 14. Presa Miguel Hidalgo, Sin.; 15. Presa Adolfo López Mateos, Sin.; 16. Lago de Pátzcuaro, Mich.; 17. Presa Plutarco Elías Calles, Son.

taxonómicas con el fin de conocer a fondo los organismos dulceacuícolas mexicanos (Ahlstrom, 1932; Brehm, 1932; Jaczewski, 1933; Creaser, 1936; Van Name, 1936; Wilson, 1936).

La limnología mexicana moderna realizada por científicos nacionales, surgió cuando fue creado, en 1930, el Instituto de Biología de la Universidad Nacional Autónoma de México (UNAM), cuya Sección de Hidrobiología impulsó el desarrollo de esta ciencia. En virtud del desconocimiento de los cuerpos de agua continentales, las primeras aportaciones tuvieron un carácter meramente descriptivo y comprendieron moluscos (Contreras, 1930), protozoarios ciliados (Sokoloff, 1931 y 1936), plantas acuáticas (Bravo, 1930; Blackaller, 1936), algas (Sámano, 1932, 1933 y 1934; Sokoloff, 1933) y peces (Beltrán, 1934).

En 1936 se creó la Estación Limnológica de Pátzcuaro, dependiente de los departamentos Autónomo Forestal y de Caza y Pesca, cuya principal tarea consistió en caracterizar el lago michoacano de ese nombre (Berriozával, 1936; Matsui, 1936 y 1937; Matsui y Hamashita, 1936; Quevedo, 1936; Yamashita, 1939), con el apoyo del Instituto

de Biología (Ancona *et al.*, 1940; Brehm, 1942; Ueno 1939; Zozaya, 1940 y 1941), que se había ocupado de otras localidades, principalmente en la cuenca de México (Ahlstrom, 1940: Gálvez *et al.*, 1941; Orozco y Medinaveitia, 1941; Ramírez, 1939; Sámano, 1940). Fue asesor de aquella estación, en 1939, el doctor Fernando de Buen, procedente de la Universidad Nicolaita, quien intervino en la determinación de los parámetros físicoquímicos (1941; y con Zozaya, 1942), la fauna (1941 y 1944), la historia (1943) y otros aspectos del lago de Pátzcuaro (1941 y 1944). y extendió sus estudios a los de Zirahuén y Chapala (1943 1945), interesado particularmente en la ictiofauna (1946). En la misma época, el doctor Bibiano Osorio Tafall investigó el fitoplancton (1941 y 1942), el zooplancton (1941 y 1942), la fauna acuática cavernícola (1942 y 1943) y, sobre todo, las relaciones tróficas y la biodinámica del medio dulceacuícola (1944) y la hidrología de la República Mexicana (1946, complementaria de la obra de Tamayo, 1946), con lo cual pasó de la descripción taxonómica a la consideración de la ecología de las especies. Bajo la dirección del doctor Enrique Rioja (1939), la Sección de Zoología del Instituto de Biología promovió aún más los trabajos de índole limnológica (Ancona *et al.*, 1940; Rioja, 1942-1950). Se hicieron también estudios generales (Cárdenas, 1948; Deevey, 1942; Llamas, 1947; Sociedad Mexicana de Geografía y Estadística, 1949) y sobre la flora ficológica (algas) de Oaxaca (Sámano, 1948).

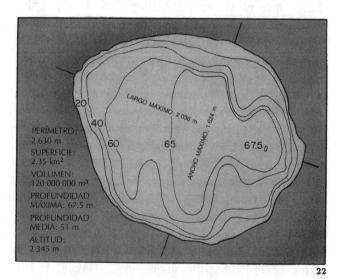

Mapa batimétrico y principales parámetros morfométricos del lago de Alchichica, Pue.

LIMNOLOGÍA

Deseosa de proveer de proteína animal al pueblo a precios económicos, la Comisión para el Fomento de la Piscicultura Rural (CFPR), fundada en 1950, publicó pequeños artículos sobre la naturaleza de las aguas y la forma de utilizarlas (CFPR, 1951). En esa década, los investigadores extranjeros continuaron realizando principalmente recopilaciones de grupos zooplanctónicos (Comita, 1951; Lindberg, 1955; Schmitt, 1954; Tressaler, 1954) y de limnología general (Deevey, 1957). A su vez, el doctor José Álvarez del Toro, de la Escuela Nacional de Ciencias Biológicas del Instituto Politécnico Nacional (IPN), promovió los estudios hidrobiológicos (1959; y con Cortés, 1962) y compiló los trabajos limnológicos realizados en el país (1955 y 1961).

El Instituto Nacional de Investigaciones Biológico-Pesqueras, creado en 1962, se vinculó con los centros ya existentes para implementar la investigación y la explotación racional de los recursos dulceacuícolas, mediante el inventario de la ictiofauna nativa, la introducción de nuevas especies, el repoblamiento de cuerpos naturales y artificiales, y las prácticas de acuicultura destinadas a proveer de alimento a la población. En los años siguientes, los resultados de estas acciones fueron aprovechados por las comisiones del Sistema Lerma-Chapala-Santiago, del lago de Texcoco, de los ríos Balsas, Papaloapan, y El Fuerte, y del valle de México. Como respuesta a las necesidades de estos organismos se aceleró la creación de centros y la formación de personal técnicamente apto en la rama de la limnología. En 1987 trabajaban en este campo: la UNAM, el IPN y las universidades autónomas Metropolitana, de Sinaloa, de Sonora, de Chihuahua y del Estado de Morelos; los centros de estudios tecnológicos del Mar y de Ciudad Madero, dependientes de la Secretaría de Educación Pública; las secretarías de Pesca, de Marina, de Agricultura y Recursos Hidráulicos, de Desarrollo Urbano y Ecología, y de Salud; el Centro de Investigaciones Científicas y de Estudios Superiores de Ensenada, el Instituto de Ecología, la Comisión Federal de Electricidad, el Instituto Nacional de Recursos Naturales Renovables y Petróleos Mexicanos.

Temas de estudio. La limnología distingue los sistemas estancados (medios lénticos) de los sistemas fluyentes (medios lóticos), y divide su estudio en cuatro áreas principales: geológica, física, química y biológica. La primera comprende el origen de los cuerpos acuáticos y su morfología, los procesos de erosión y transporte de sedimentos, el tipo de éstos y su contenido de materia orgánica, y la naturaleza de las capas del fondo de los lagos (paleolimnología); la segunda, la naturaleza, estructura y propiedades del agua, la luz y la temperatura, los movimientos que se presentan (olas, corrientes, etc.) y el desarrollo de los aparatos de medición (fotómetros, termistores, etc.); la tercera, los componentes, la distribución y cuantificación de los elementos del agua (nitrógeno y fósforo, entre otros) y las interrelaciones sedimento-agua y agua-atmósfera; y la cuarta, los organismos que habitan en los cuerpos acuáticos (desde los virus y bacterias hasta los mamíferos) y las especies vegetales que crecen en ellos, para discernir los factores que intervienen en la productividad biológica de las aguas. Las principales herramientas de que se vale el limnólogo son los termómetros de mercurio, una red adaptada para capturar insectos en zonas someras y botellas muestreadoras de agua a diferentes profundidades (la Van Dorn, por ejemplo).

Aplicaciones. La limnología se interrelaciona con otras ciencias como la ingeniería hidráulica, entomología, patología, etc. El inventario de los recursos físicos, químicos, geológicos y biológicos

FORMA DE LOS LAGOS SEGÚN SU ORÍGEN

TECTÓNICO: CHAPALA

DISOLUCIÓN: LA MEDIA LUNA

GLACIAR TECTÓNICO: ZEMPOALA

COSTERO: TÉRMINOS

ARTIFICIALES: VALSEQUILLO

VOLCÁNICO: ALCHICHICA

Las figuras están a diferente escala

de los cuerpos de agua epicontinentales remite a la prospección de recursos pesqueros, a la explotación racional de los organismos dulceacuícolas, al control de la contaminación, al reuso de aguas de desecho, al tratamiento de las residuales, y a la prevención y rehabilitación ecológica de las aguas continentales. La limnología interviene también en la determinación de las características del agua para consumo humano y en su utilización adecuada; en la regulación de las corrientes en depósitos o presas, para optimizar el aprovechamiento de los recursos hidráulicos (riego, generación de energía eléctrica, creación de zonas recreativas y producción de proteína animal); y en los calendarios y técnicas de la avicultura, en función de los ciclos biológicos de las especies de importancia económica, de su relación con el medio acuático y de los factores que determinan su crecimiento óptimo. (*J.A.D.*).

Bibliografía: J. Álvarez del Villar: *Pláticas hidrobiológicas* (1981); R. Margalef: *Limnología* (Barcelona, 1983); R.A. Ringuelet: *Ecología acuática continental* (Buenos Aires, 1962); J.R. Vallentyne: *Introducción a la limnología* (Barcelona, 1978); R.G. Wetzel: *Limnología* (Barcelona, 1981).

LIMÓN. *Citrus aurantifolia* Swingle. Arbusto de la familia de las rutáceas, de 3 m de altura y tronco revestido de corteza rugosa, terminado en amplia copa redondeada. Las hojas, de peciolo alado, son alternas, coriáceas, anchamente elípticas, con bordes crenados y ápice acuminado; las cubre una película resistente y brillante, y son verdes en la epidermis superior y amarillentas o verde blanquecinas en el envés. Las flores, blancas y dispuestas en cimas, tienen cáliz formado por cuatro o cinco lóbulos que envuelven de cuatro a ocho pétalos carnosos, y estambres –hasta 20 por ejemplar– concrescentes en la base e insertos en el disco del eje. Los frutos contienen de tres a cinco semillas ovales, que a menudo llevan un pequeño pezón que termina en punta, o achatado, de base generalmente lisa y en ocasiones elongada; amarillo verdosos cuando maduros; de cáscara delgada, lisa y de diversos tamaños según la variedad, por lo común de 25 a 37.5 mm en su eje menor. Las yemas, que nacen en las axilas de los peciolos, se hallan protegidas por espinas leñosas y agudas, que se extienden por el tronco y las ramas. La madera, dura, compacta, olorosa y de tonalidad rojiza, se emplea en ebanistería; las flores, aunque menos aromáticas, suelen sustituir a las del naranjo –flor de azahar–; y los frutos se usan para preparar bebidas y condimentar alimentos, y en la industria para obtener el aceite esencial, preferentemente, y de manera secundaria aprovechar la cáscara, el jugo y la pulpa. En medicina popular el jugo se recomienda como un magnífico desinfectante para llagas e irritaciones exteriores y, con bicarbonato, para hacer gargarismos. También se le considera útil para las enfermedades del hígado, la hidropesía y el reumatismo; como desinfectante de los ojos, especialmente en los recién nacidos, y para detener las hemorragias, absorbido por las fosas nasales. El cocimiento de la raíz se emplea para combatir los males biliares, y las pepitas machacadas con azúcar, como antihelmíntico.

El epicarpio contiene clorofila, xantofila y aceite; el mesocarpio, carbohidratos, sustancias pépticas y glucósidos; y el endocarpio, ácido cítrico, azúcares, vitaminas, enzimas, proteínas y huellas de grasas. Del aceite se logran varios elementos químicos que derivan en subproductos de aplicación industrial: el aguarrás, útil como solvente, abrillantador y elemento básico para la fabricación de resinas sintéticas; el nonil aldehído, con aplicaciones en perfumería; el ácido acético, utilizado en la producción de ésteres y acetatos, especialmente el acetato de vinilo, solvente y reactivo en la elaboración de plásticos, fibras de acetato, productos farmacéuticos y fotográficos, pinturas textiles, hule e insecticidas; y el dipenteno, usado en la preparación de resinas alquidálicas, oleorresinosas, como agente dispersante para aceite y en la producción de detergentes en polvo. La cáscara y la pulpa intervienen en la producción de vitaminas y forrajes balanceados; y el jugo, como materia prima del ácido cítrico, empleado en la elaboración de purgantes y bebidas efervescentes y como sustituto del vinagre. Existen en México 41 firmas productoras de aceite esencial de limón, con 110 alambiques y una capacidad teórica total de 390 t al año, agrupadas en la Unión Nacional de Productores de Aceite de Limón. Ésta realiza las ventas al exterior bajo una cuota de exportación que fija una comisión formada por representantes de los productores y de las secretarías de Comercio y Fomento Industrial, Agricultura y Recursos

Hidráulicos, y Hacienda. El mercado interno consume el 7% del aceite esencial de limón nacional; la diferencia se exporta, principalmente a Estados Unidos. En el cuadro siguiente se presentan las cifras económicas del limón como fruto:

Año	Superficie (ha)	Producción (t)	Valor (miles de pesos)
1970	19 000	171 000	171,000
1971	20 000	180 000	180,000
1972	18 500	170 200	192,326
1983	73 001	672 332	12 427 380
1984	69 875	826 658	26 824 156

Fuente: SARH: Dirección General de Estudios, Información y Estadística Sectorial.

LIMÓN, GILBERTO R. Nació en Álamos, Son., el 15 de marzo de 1895. En 1913 causó alta en el Ejército Constitucionalista y militó bajo las órdenes de Álvaro Obregón y Ramón F. Iturbe. Fue uno de los firmantes del Plan de Agua Prieta; jefe del estado mayor de la primera columna expedicionaria del noroeste en Chihuahua y de la Segunda brigada de Infantería en Sonora. Fue director del Colegio Militar (1931 y 1932-1934), secretario de la Defensa Nacional (1946-1952), inspector de agregadurías militares en Europa (1952-1964), asesor del secretario de la Defensa (1965-1986) y presidente de la Unión Nacional de Veteranos de la Revolución (1979-1984). Entre 1914 y 1929 participó en campañas contra huertistas, zapatistas, villistas, yaquis sublevados, cristeros y escobaristas.

LIMÓN ROJAS, MIGUEL. Nació en la Ciudad de México, el 17 de diciembre de 1943. Licenciado en Derecho egresado de la UNAM y estudios de posgrado en la U. de Aix, Francia. Fue director del INI (1983-1988), subsecretario de Población y Servicios Migratorios de la Secretaría de Gobernación (1988-1993) y subsecretario de Desarrollo Urbano e Infraestructura de la Secretaría de Desarrollo Social (1993-1994). Fue designado Secretario de Educación Pública (1994).

LIMONCILLO. Se conocen con este nombre tres especies botánicas: *Dalea citriodora* Willd., *Rheedia edulis* (Seem.) Triana y Planch., y *Zanthoxylum fagara* (L.) Sarg. La primera es una planta herbácea, anual, de la familia de las leguminosas, de la subfamilia de las papilionadas, con frecuencia ramificada desde la base, glabra

y de 10 a 40 cm de altura. Tiene hojas de 1.5 a 3 cm de largo compuestas de 13 a 23 foliolos; éstos son oblongos, de 3 a 5 mm de longitud, glabros y a veces tienen diminutas glándulas a lo largo de los márgenes y en dirección al ápice. Las inflorescencias –espigas densas– miden de 1 a 2 cm de largo por 6 a 8 mm de espesor y están situadas sobre pedúnculos terminales de 1 a 5 cm. Las flores tienen brácteas matizadas y de manchas púrpuras; cáliz de 2 a 2.5 mm y corola púrpura azulosa. El fruto es una legumbre membranosa, obovada, casi triangular y con una semilla indehiscente y pubérula por fuera. Huele a limón, sin serlo, y de ahí su nombre vernáculo. Se distribuye principalmente en Durango, San Luis Potosí, valle de México, Guerrero, Oaxaca y Chiapas.

2. *R. edulis.* Árbol de la familia de las clusiáceas que alcanza los 15 m de altura. Las hojas, opuestas, enteras, lanceolado-oblongas o angostamente oblongas, miden de 6 a 13 cm y presentan ápice obtuso y peciolos cortos. Las flores son axilares, aisladas, de 1.5 a 2 cm de lago, con dos sépalos y cuatro pétalos. Los frutos, de pulpa escasa, semejan aceitunas de 2.5 cm de longitud y tienen de una a dos semillas. Se ha registrado silvestre en el istmo de Tehuantepec, Oax.

3. *Z. fagara.* Arbusto o árbol de la familia de las rutáceas que alcanza los 10 m de altura y tiene olor penetrante. La corteza es delgada y grisácea, cubierta con gruesos abultamientos tuberosos y con ramas armadas de espinas ganchudas. Las hojas, alternas y compuestas, presentan un raquis con anchas alas, de cinco a 13 foliolos. Las flores, amarillento verdosas, se dan en racimos semejantes a las espigas. El cocimiento de las hojas se utiliza como medicina casera y la corteza como sudorífico, estimulante arterial y nervioso. Se localiza en ambas vertientes.

LINALOE o XOCHICOPAL. *Bursera aloexylon.* Árbol de 3.5 a 5 m de alto, de corteza gris con tonos rojizos; su aroma es intenso, agradable y dulce. Las hojas miden de 6.5 a 12 cm, con dos a cinco pares de foliolos elípticos de 1.4 a 2.5 cm de largo por 0.9 a 1.5 cm de anchura y el margen crenado. El fruto es una drupa bivalva de 0.9 a 1.1 cm de largo. Se distribuye a lo largo de la depresión oriental del río Balsas, en los estados de

Morelos, Puebla, Oaxaca y Guerrero. Prospera a una altura entre los 500 y los 1 250 m sobre el nivel del mar, en bosques tropicales (Rzedowski) o selvas bajas caducifolias (Miranda y Hernández X.). El aceite esencial del linaloe se usa en perfumería; su exquisito aroma puede apreciarse en las cajas elaboradas por los artesanos de Olinalá, Gro. Fue un producto de exportación durante el siglo XIX y la primera mitad del XX; sin embargo, los productores mexicanos perdieron la exclusividad del mercado cuando los ingleses desarrollaron en la India plantaciones de una especie que tal vez sea *Bursera glabrifolia*, *B. critronella* o la propia *B. aloexylon*. La parte más apropiada para extraer el aceite es el fruto, pues evita la destrucción del árbol. En México esta operación se hace en el tronco, lo cual provoca un daño irreparable.

LINARES, DIÓCESIS DE. (*Linarina*.) Sufragánea de la arquidiócesis de Monterrey, se erigió por la bula *Proficientibus cotidie* de Juan XXIII del 30 de abril de 1962, ejecutada por el delegado apostólico Luis Raimondi, el 21 de agosto siguiente. Su titular en San Felipe Apóstol; su sede, Linares, N.L.; y su territorio, 33 435 km^2 del sur y el oriente del estado de Nuevo León. Tiene seminario menor, 13 parroquias, 23 sacerdotes diocesanos, 78 religiosas y una población de 326 mil habitantes, de los cuales 299 mil son católicos. Obispos: 1. Anselmo Zarza Bernal (1962-1966), 2. Antonio Sahagún López (1966-1974) y 3. Rafael Gallardo García (1974-). La diócesis limita con las siguientes circunscripciones eclesiásticas: Ciudad Victoria, Saltillo, San Luis Potosí, Matamoros, Monterrey y Zacatecas; pertenece a la Región Pastoral del Noreste y está dividida para efectos de pastoral en tres decanatos. Además de la ciudad sede, la diócesis comprende los siguientes municipios: Los Aldamas, Aramberri, China, Doctor Arroyo, Doctor Coss, Galeana, General Bravo, General Terán, General Zaragoza, Hualahuises, Iturbide, Mier y Noriega, Montemorelos y Rayones. La ciudad de Linares es también cabecera del municipio del mismo nombre y está situada a 24° 51' 34" de latitud norte, 99° 34' 05" de longitud oeste y 684 m sobre el nivel del mar. Se encuentra en la margen izquierda del río Pablillo, afluente del Conchos, tributario éste del San Fernando. Dista de Monterrey 132 km por la carretera México-Nuevo Laredo y está comunicada con Monterrey y Tampico por el ferrocarril. El territorio de la diócesis tiene clima extremoso: mucho calor en verano e intenso frío en invierno. El Trópico de Cáncer pasa por los municipios de Mier y Noriega y Doctor Arroyo. La sierra Madre Oriental divide la circunscripción en dos regiones: al sur, la Altiplanicie o Mesa Central penetra a Nuevo León por los municipios de Zaragoza, Doctor Arroyo, Aramberri y Galeana, donde forma majestuosos cañones como el Potosí, Santa Rosa y Rayones, y altas cumbres como el pico de Potosí, en Galeana, con más de 3 mil metros de altura, y el cerro de Peña Nevada, en Zaragoza (3 600). La otra región, la vertiente del Golfo, al norte y al oriente, se inicia en Linares, Montemorelos y China; por ella discurren los ríos Blanco, Ramos, Pilón, Conchos, Potosí, San Cristóbal o Hualahuises y Linares o Pablillo, cuyas aguas fertilizan las tierras de la zona productora de cítricos más importante del país: General Terán, Montemorelos, Hualahuises y Linares. Los municipios del sur producen abundantes cosechas de durazno, nuez, aguacate, manzana y otros frutos. Se cultiva trigo en Iturbide, Aramberri, Doctor Arroyo y Galeana, y en éste existen yacimientos de calcio, varita, fluorita y talco. La industria está poco desarrollada. Hay en Montemorelos un buen número de empacadoras de cítricos y jugueras, y Linares promente ser en breve un centro industrial. Toda la región cuenta con energía eléctrica, agua potable y medios de comunicación.

Historia. Según el mapa de grupos indígenas hecho por el profesor Wigberto Jiménez Moreno para el Museo Regional de Nuevo León, se advierte que en el oriente del estado se hallaban los borrados, y al sur los huachichiles, ambos dentro de la denominación general de chichimecas: "multitud de pequeñas bandas nómadas de cazadores recolectores, belicosos, desnudos, hambrientos y crueles que vivían en un horizonte cultural comparable con el paleolítico del viejo mundo", al decir de Eugenio del Hoyo. Perduran pinturas rupestres y frontones cubiertos de petroglifos en la Ceja (China), loma del Muerto (General Terán) y Sabinitos y Trinidad (Linares). En la sede episcopal existe un pequeño museo arqueológico formado por Pablo Salce. Otros restos de la cultura prehispánica se han hallado en la cueva del Cordel (Aramberri) y San Isidro (Mier y Noriega). En este último sitio se han localizado los únicos vestigios de cerámica, de probable procedencia huasteca. Fray Andrés de Olmos penetró a la región de Linares hacia 1544; sus experiencias le sirvieron posteriormente a Luis de Carvajal. Es probable que también hayan pasado por esas tierras Andrés de Ocampo (1552) y fray Pedro de Espinareda (hacia 1566). Una vez consolidada la población de Monterrey y fundada la villa de Cadereyta, el capitán Martín de Zavala impulsó el desarrollo agrícola y económico de la región y el establecimiento de núcleos de población, especialmente San Mateo del Pilón (Montemorelos), en 1701; la villa de San Felipe de Linares, en 1712; y el valle de la Mota (General Terán), en 1730. El auge económico sirvió también para el sostenimiento de las misiones del sur, paso forzoso de los pastores.

La evangelización fue emprendida desde el convento de Charcas por los franciscanos de la provincia de Zacatecas. En 1626 fray Lorenzo Cantú se unió a los negritos y bocalos en una migración desde Matehuala hasta un punto que el religioso llamó San José del Río Blanco; les ofreció volver, pero no lo consiguió. En 1631 entró a esa zona fray Valverde, en 1633 fray Jerónimo Pangua y en 1648 lo hicieron los frailes Juan García y Juan Caballero. En ese año visitó la región Juan Ruiz Colmenero, obispo de Guadalajara; llegó el 2 de agosto y por ello se le impuso a la misión el nombre de Santa María de los Ángeles del Río Blanco (Aramberri). La entrada, casi simultánea, de fray Francisco Villaseñor y de fray Luis de la Parra, de la custodia de Río Verde, provocó diferencias entre las dos provincias religiosas. Descolló entonces por su labor apostólica fray José de San Gabriel. La misión recibió el impulso del general Fernando Sánchez de Zamora, poblador y misionero seglar extraordinario. En 1660 se erigió una "iglesia de terrado, fuerte y muy linda, y celda de lo mismo". Al ser sometido otro grupo belicoso del sur, Martín de Zavala dispuso establecer la misión de San Cristóbal de los Gualagüises, en 1664. El gobernador marqués de San Miguel de Aguayo la visitó en 1685 y encontró en ella una "iglesia pequeña techada de jacal", atendida por fray Juan de Menchaca. Repoblada con tlaxcaltecas en 1715, tuvo el carácter de pueblo. El avance evangélico por ese rumbo progresó al fundarse en 1678 la conversión de San Pablo de los Labradores (ciudad de Galeana), con indios gua-chichiles. Desamparada en 1710 por la provincia, estuvo abandonada hasta 1714, cuando el gobernador Mier y Torre ordenó rehabilitarla; conserva su templo, iniciado en 1752.

Los abusos de los encomenderos y la secularización de los curatos, dispuesta en 1712 por el obispo de Guadalajara, Diego Camacho y Ávila, originó la despoblación de la zona. En diciembre de 1714, el virrey duque de Linares, no pudiendo acudir personalmente, envió a Francisco de Barbadillo Vitoria, quien acompañado de fray Juan de Lozada y del capitán Juan Guerra Cañamar, subió a la sierra de San Carlos, pacificó a los indios, repobló con ellos algunas misiones y fundó las de Purificación y Concepción en la ribera del Pilón. La fundación de la primitiva villa de San Felipe de Linares se llevó a efecto el 10 de abril de 1712, según decreto expedido por el virrey de la Nueva España, Fernando Alencastre Noroña y Silva. Los primeros pobladores fueron Sebastián Sandoval Villegas y 60 familias de origen hispánico. En febrero de 1715, la villa fue visitada por fray Antonio Margil de Jesús, quien por entonces se ocupaba de visitar las misiones del sureste del Nuevo Reino de León. Barbadillo intervino también en el conflicto que se suscitó con el pueblo de Hualahuises por la invasión de sus ejidos, al fundarse la villa de San Felipe de Linares. El 14 de noviembre de 1715 dispuso el cambio de la colonia a la ribera del río de Pablillo, hecho por el cual se le considera el fundador, pues aunque Sebastián Sandoval había establecido la villa primitiva en la hacienda del Rosario, donada por él y por su esposa Anastasia Cantú, y las nuevas tierras eran también suyas, Barbadillo hizo el traslado, los padrones, la nueva traza y la apertura de acequias. La región fue catequizada por los franciscanos Juan de Lozada, Francisco Castañeda, José Díaz Infante, Joseph Vergara, Joseph Meza y Agustín Gama. El primer cura de la parroquia de Linares fue el bachiller Santiago García Guerra y en ella se administraron los sacramentos desde el 17 de marzo de 1716. La recién fundada parroquia quedó comprendida en el obispado de la Nueva Galicia, con sede en Guadalajara, hasta el 15 de diciembre de 1779, cuando el papa Pío VI, por la bula *Relata semper*, erigió el obispado de Linares, sufragáneo de la arquidiócesis de México. El 28 de febrero de 1769, el licenciado José Osorio de Llamas había informado al rey Carlos III el estado de las colonias y propuesto la creación de una diócesis con sede en Linares, centro de un territorio que comprendía las provincias del Nuevo Reyno de León, Coahuila, Texas y Tamaulipas. Aceptada la proposición por el monarca español y por el pontífice, se nombró primer obispo a fray Antonio de Jesús Sacedón. Éste debía ejecutar la bula de erección del obispado y elevar la parroquia de San Felipe Apóstol al rango de catedral, dedicada a la Inmaculada Concepción, pero no alcanzó a llegar a su sede, pues murió en Monterrey el 27 de diciembre de 1779. Mientras tanto, Carlos III había dado título de ciudad a la villa de San Felipe de Linares. Los prelados que gobernaron el obispado prefirieron radicar en Monterrey, a donde se trasladó la sede y quedó instalado el primer Cabildo eclesiástico en 1791. En 1834 el gobierno nacional decretó la secularización de las parroquias, entre ellas las correspondientes a las villas de Hualahuises, Purificación y Concepción, atendidas hasta entonces por los franciscanos. El 23 de junio de 1891, por la bula *Illud in primis*, el papa León XIII decretó la extinción de la diócesis de Linares y la erección de una arquidiócesis con el mismo nombre, a la que quedaron adscritas las circunscripciones de Saltillo, San Luis Potosí y Tamaulipas. El primer arzobispo fue Jacinto López y Romo. Sin embargo, el 9 de junio de 1922 la Santa Sede, a proposición del arzobispo Herrera y Piña, aceptó cambiar el nombre de la metropolitana por el de Monterrey. Ésta, a su vez, fue dividida en 1962 para crear, con los pueblos del sur de Nuevo León, el nuevo obispado de Linares.

La catedral. Los cimientos de la antigua parroquia de San Felipe Apóstol se pusieron en 1776. El 1° de julio de 1779, el obispo Ambrosio de Llanos y Valdés dispuso que se activaran los trabajos, pues era necesario contar con un templo digno "y a propósito para servir (eventualmente) de iglesia catedral". El edificio se terminó de construir en enero de 1828 y lo bendijo, el 30 de abril siguiente, el párroco Bernardo Tato. En enero de 1831, la iglesia fue dedicada a la Asunción de la Santísima Virgen María. Su patrono es San Felipe Apóstol. La catedral tiene planta de cruz latina. En las pechinas de la cúpula ostenta sendos medallones con pinturas al óleo de los cuatro evangelistas. En el crucero del lado derecho hay un altar con una imagen de la Virgen de Guadalupe y una media talla de San Martín de Porres; y en el de la izquierda, una escultura de la Virgen Inmaculada. Preside el altar mayor un Cristo muy antiguo, flanqueado por tallas de San Felipe Apóstol y San José. El piso del presbiterio, el guardapolvo de las paredes y el altar mayor son de mármol. La base del altar está adornada con medallones de metal dorado que representan panes, peces, racimos de uvas y espigas de trigo. El piso de la nave es de gransón y las bancas de cedro rojo. Los muros están decorados con óleos que muestran pasajes de la vida de San Felipe. La fachada está revestida de cantera rosa de Yahualica; la torre mide 35 m de altura y tiene cinco campanas en su primer cuerpo. La sacristía, al lado izquierdo del presbiterio, guarda grandes pinturas: *La Ascención de Jesús al cielo, La Asunción de la Virgen, La Última Cena y Cristo en la cruz con la Virgen y San Juan a sus pies.* El mobiliario es de cedro rojo.

Principales edificios eclesiásticos. 1. Parroquia del Sagrario en Linares. La primera piedra fue colocada, el 18 de junio de 1893, por el cura Darío de Jesús Suárez, en compañía de su vicario el presbítero José Guadalajara Ortiz, quien bendijo el templo ya terminado el 11 de junio de 1931, ya en calidad de arzobispo de Monterrey. El terreno fue donado por la familia Garza Benítez. Originalmente fue la parroquia del Sagrado Corazón de Jesús. Tiene cinco bóvedas seguidas y dos laterales. En el crucero izquierdo está colocada una antigua pintura de la Virgen de Guadalupe; y en el derecho, un Cristo. Una escultura del Sagrado Corazón de Jesús preside el altar mayor, que es de mármol blanco, igual que el piso del presbiterio; la pared del fondo y el guardapolvo de las laterales están revestidas de mármol negro. Una media talla de San Judas Tadeo está en la entrada. La torre está apoyada sobre la primera bóveda. El bautisterio, donde hay un cuadro que data de 1718, tiene acceso a la casa parroquial, la cual cuenta con amplios patios y los anexos necesarios.

2. Capilla del Santo Cristo del Señor de la Misericordia. Se edificó en la segunda mitad del siglo XVIII en cumplimiento de una promesa hecha por María Agustina del Valle; se terminó en octubre de 1833. La nave tiene cuatro bóvedas y una cúpula. La imagen del Santo Cristo de la Misericordia, que preside el altar mayor, procede del siglo XVII. La barda atrial, en la que estaban

colocadas las 14 estaciones del *Via Crucis*, fue demolida y reemplazada por un barandal de fierro.

3. Capillas de los barrios. Están dedicadas al Santo Cristo de Villaseca, San José, San Juan de los Lagos, el Roble, Nuestra Señora de Guadalupe y Nuestra Señora de los Dolores.

Imágenes y devociones. 1. Virgen de Guadalupe. Del 9 al 11 de diciembre se organizan peregrinaciones, y el día 12 una celebración solemne. La jura del patronato de la Virgen fue realizada en Linares, el 10 de noviembre de 1737, por fray Juan de Lozada, invocándola como protectora contra las "pestes y enfermedades"; y el 15 de diciembre de 1749, el Ayuntamiento la declaró patrona de la villa. 2. Santo Cristo del Señor de la Misericordia. Cuenta la leyenda que "una mañana, a muy temprana hora, atravesó la plaza de armas una mula que nadie conducía, con un atado a su lomo; llegó al atrio de la parroquia y frente a la puerta se tiró al suelo y allí permaneció horas, sin que se viera enferma ni cansada. Los vecinos urgieron al animal a que se levantara, pero no habiendo conseguido que lo hiciera avisaron al cura y al alcalde. Estos abrieron el atado y encontraron la talla de un Cristo crucificado, que luego llevaron a la parroquia y colocaron en el altar mayor. La mula desapareció tan misteriosamente como había llegado". Posteriormente se edificó el santuario donde actualmente se venera. Esta imagen es sacada en procesión cuando la sequía se prolonga, a la vez que se hace lo mismo con la Virgen de los Dolores de Hualahuises, y "en el momento en que las dos se encuentran se precipita la lluvia", al decir de los fieles.

LINARES RIVAS, JOSÉ MARÍA. Nació en Madrid, España, en 1901; murió en la ciudad de México en 1955. En 1941 llegó al país como emigrado político e ingresó como actor a la industria cinematográfica. Entre sus películas figuran: *Las tres perfectas casadas, La hermana impura, Un divorcio y Ensayo de un crimen.*

LINATI, CLAUDIO. Nació en Parma, Italia, en 1790; murió en Tampico, Tamps., en 1832. En 1825 solicitó al gobierno, por conducto de Manuel Eduardo de Gorostiza, agente en Bruselas, venir a México en compañía de su socio Gaspar Franchini. Se comprometió a establecer un taller de litografía, a enseñar gratuitamente ese arte y a rembolsar al gobierno las 160 libras esterlinas que costaba el transporte de la maquinaria. Él recibió el precio de los pasajes. Llegaron al país a mediados de aquel año, pero Franchini murió al poco tiempo. Linati trasmitió sus conocimientos a José Gracida y a Ignacio Serrano, este último oficial de estado mayor que aprendió a litografiar planos militares y topográficos. Hombre inquieto, se asoció con el poeta cubano José María de Heredia y el italiano Galli para fundar el periódico *El Iris* (4 de febrero a 4 de agosto de 1826), en el que no solamente aparecen dibujos suyos, sino también artículos de historia y política, comentando con regocijo los acontecimientos mexicanos de entonces. Esto disgustó a Heredia, quien se separó del grupo el 21 de julio. Estos escritos le valieron a Linati su expulsión del país. Partió a Nueva York en diciembre de 1826, y de allí a Bélgica. Trabajaba en la litografía Real de Jobard, en Bruselas, cuando publicó un libro con litografías y texto suyos titulado *Costumes civiles, militaires et religieux du Mexique, desinées d'après nature* (1828), reproducido con nuevo texto, traducción y estudio de Justino Fernández en 1956. Un dibujo claro y preciso y un fuerte colorido caracterizan a esas estampas, que son el primer monumento de la litografía mexicana y un importante documento sobre la vida social del primer tercio del siglo XIX.

Bibliografía: Manuel Toussaint: *La litografía en México en el siglo XIX. Sesenta y ocho reproducciones en facsímil* (4a. ed., 1934); *Documentos para la historia de la litografía en México, recopilados por Edmundo O'Gorman. Estudio de Justino Fernández* (1955).

LINAZ, ANTONIO DE JESÚS MARÍA. Nació en la villa de Asta, Mallorca, España, en 1653; murió en Madrid en 1693. Llegó a Nueva España, destinándosele a la provincia de Michoacán. Fue lector de teología en los conventos de Valladolid, Querétaro y Celaya. Custodio de la provincia de Michoacán, asistió al capítulo general celebrado en Toledo, donde promovió el proyecto de fundar en Querétaro un colegio de *Propaganda Fide*. Obtenidas las licencias y bulas pontificias, escogió en España a los religiosos de virtud comprobada y regresó con ellos a México, haciendo el viaje a pie desde el puerto de Veracruz. Una vez establecido el Colegio de la Santa Cruz en Querétaro, volvió a Europa para conseguir en Roma las bulas necesarias para establecer en otras provincias colegios semejantes. La muerte le impidió realizar la fundación de esos seminarios de propaganda del Evangelio, tarea que llevó a cabo fray Antonio Margil de Jesús en Zacatecas, México y Guatemala. Escribió *Septenario devotísimo a la Preciosa Sangre de Jesús, nuestro Redentor y carta comendaticia de esta devoción al P. Fr. Miguel Roig* (2a. ed., 1785) y *Devoción de la Santísima Virgen María* (2a. ed., 1795).

LINCE. *Lynx rufus.* Mamífero carnívoro félido conocido con el nombre de *gato montés*. Se distingue por su cola muy corta y su color dorsal amarillento, leonado o arenoso, con manchas notorias en los jóvenes y muy leves en los adultos. Los machos miden 1.20 m de longitud, sin incluir la cola (de 15 a 20 cm), y pesan hasta 25 kg. Las hembras son menos grandes. Se distribuyen en bosques de oyameles, pinos y encinos, y ocasionalmente en matorrales áridos, en altitudes superiores a los 1 500 m sobre el nivel del mar y no más al sur de las montañas de Oaxaca. Depredan animales de tamaño mediano o pequeño, especialmente conejos y ratones. De sorprendente agilidad, se les ha visto capturar murciélagos al vuelo. Observaciones recientes indican que no apetecen las aves, lo cual desacredita la creencia de que son un peligro para los gallineros; y demuestran que consumen carroña cuando la encuentran, circunstancia que contribuye a limpiar de cadáveres el campo. Las camadas de los linces se producen, en general, hacia el final de la primavera, después de una gestación cercana a los dos meses. El promedio de crías es de tres por camada, las cuales son destetadas al final del verano. A diferencia de lo que suele ocurrir con otros felinos silvestres, los linces soportan mejor la devastación que han sufrido sus ambientes naturales, y pueden sobrevivir en barrancas y otros sitios cercanos a los poblados.

LINK, WENCESLAUS. Nació en Neudek, Bohemia, el 29 de marzo de 1736; murió en Olmutz de la misma provincia, después de 1790. Entró a la Compañía de Jesús el 18 de mayo de 1754; cursó el noviciado en Brno y filosofía en Praga. Se trasladó a México y estudió teología en el Colegio Máximo de San Pedro y San Pablo. Fue ordenado sacerdote en 1759 y terminó su formación en el Colegio del Espíritu Santo de Puebla, en el lapso 1760-1761. Este último año se trasladó a California y fue destinado a la misión de Santa Gertrudis en 1762. Después de aprender el idioma cochimi, en agosto de 1762 se estableció como el primer misionero residente en San Francisco Borja. En 1764 encabezó exploraciones hacia el norte de la Península. En 1765 reconoció la región de bahía de los Ángeles y la isla Ángel de la Guarda en compañía del teniente Blas Fernández de Somera, y exploró hasta la desembocadura del río Colorado, reafirmando la peninsularidad de California, redescubierta por los padres Kino, Ugarte y Consag. En 1766 exploró la sierra de San Pedro Mártir y la bahía de San Felipe, penetrando más al norte por el centro de la Península que cualquiera otra expedición terrestre (v. BAJA CALIFORNIA). Expulsado en febrero de 1768, regresó a Bohemia, donde enseñó en el colegio jesuita de Olmutz, hasta la supresión de la Compañía de Jesús en 1773.

LINGA, CARLOS F. Nació y murió en Alemania (1877-1963). En 1894 llegó a Mazatlán, Sin., y desde entonces hizo frecuentes viajes entre México y Europa promoviendo actividades comerciales. Formó una valiosa colección de obras sobre México y Centroamérica, que legó en 1957 a la ciudad de Hamburgo, donde se encuentra la Casa Iberoamericana.

LINGÜÍSTICA. Es la ciencia que tiene por objeto el estudio del lenguaje humano fonéticamente articulado. Tal especificación justifica que de esta ciencia se excluya el estudio de otros "lenguajes", es decir, de otros sistemas de comunicación que con diversos medios y finalidades han desarrollado las distintas culturas (por ejemplo, las señales náuticas, telegráficas, de radio, de tránsito). Muy a menudo se habla también del "lenguaje" que se desprende de ciertos objetos y actividades humanas: de la pintura, del abanico, de las flores, de la música, de la moda, del cuerpo. Todos estos medios de expresión y las formas de comunicación que se han detectado entre ciertos animales (abejas, hormigas, delfines) quedan fuera del dominio de la lingüística. Una ciencia más general, la semiótica o semiología, tiene por objeto el estudio de toda clase de signos producidos por el hombre; la bio-

LINGÜÍSTICA

logía y la zoología, a su vez, se han ocupado de los llamados "lenguajes animales".

El lenguaje humano fonéticamente articulado es tal vez la facultad más característica –y acaso exclusiva– del ser humano, y se realiza en lo que usual y tradicionalmente se han denominado lenguas o idiomas. Éstos son un complejo sistema constituido por un conjunto ilimitado de actos de habla (palabra, frase, oración, discurso), comunes a cierto número de individuos que integran así una comunidad lingüística o de habla (por ejemplo, la comunidad lingüística española –conjunto de individuos de cualquier nacionalidad que se sirve del idioma español para comunicarse entre sí–, distinta a las de habla inglesa, portuguesa, francesa o rusa). El objeto propio de la lingüística es el estudio del lenguaje humano en general (génesis, naturaleza, adquisición, funcionamiento, suspensión en determinados casos) y de su realización concreta en cada idioma. La lingüística también se ocupa de la representación gráfica de las lenguas, o sea la escritura, pero sólo en tanto que es reproducción del lenguaje oral.

Actualmente, la lingüística distingue tres niveles principales en el análisis de la estructura global de las lenguas: fonológico, morfológico y sintáctico. En el primero, el especialista analiza y describe en detalle los sonidos que encuentra en una lengua, con miras a establecer su sistema fonológico; esto es, cuáles de esos sonidos forman el conjunto funcionalmente significativo: vocales y consonantes, así como ciertos rasgos que imprimen a unas y otras determinados matices (acento, tono, entonación, aspiración, glotalización, etc.). Estos elementos, llamados técnicamente fonemas (segmentales, si se trata de vocales y de consonantes; suprasegmentales, si se trata de tono, acento o entonación), representan la base material del lenguaje. En el nivel morfológico se estudian las unidades mínimas de contenido, es decir, todos los elementos que intervienen en la formación de las palabras propiamente dichas: raíces de distintas clases y afijos en general, así como las partes que, aunque poseen un valor gramatical determinado, carecen de significado cuando se les considera aisladamente: las partículas. Las unidades de este nivel reciben el nombre de morfemas. En el nivel sintáctico se estudian las reglas de construcción de expresiones, es decir, las maneras como se enlazan los diferentes elementos gramaticales para formar

frases u oraciones en un determinado idioma. Por otra parte, el ingüista puede abordar el análisis de cualquiera de los niveles señalados (o de todos a la vez, si su intención es la de ofrecer una descripción exhaustiva del idioma que le ocupa), adoptando alguno de estos dos posibles enfoques metodológicos: 1) sincrónico o estático y 2) diacrónico, dinámico o histórico. Si sigue el primero, analiza, describe y explica un sistema lingüístico tal como existe en un momento determinado; y si adopta el segundo, se ocupa de las transformaciones experimentadas por ese sistema a través del tiempo. Uno y otro de estos enfoques cuentan con numerosos practicantes en todas partes del mundo. Al igual que en otros campos del conocimiento, en la lingüística actual se observa el surgimiento constante de especializaciones o subdisciplinas, cuyo origen se debe principalmente a la variedad y complejidad de los fenómenos de que trata, pero también a los diversos enfoques teóricos y metodológicos que se adoptan para el análisis. Debido a esto, es raro encontrar el término lingüística sin que vaya seguido o precedido de algún adjetivo, de acuerdo a los siguientes aspectos: a) según el enfoque predominante: lingüística general, teórica, descriptiva, histórica, geográfica, matemática, antropológica, contrastiva, aplicada; b) según la colaboración con otras disciplinas: sociolingüística, etnolingüística, sicolingüística, neurolingüística; c) según la lengua o grupo de lenguas: lingüística indoeuropea, románica, germánica, hispánica, náhuatl, mayense; y d) según la concepción teórica: lingüística histórico-comparativa, estructural, funcional, generativa, transformacional, etc. Muy a menudo, además, los lingüistas se ocupan del estudio de cuestiones relacionadas con la teoría gramatical, la filosofía del lenguaje, la teoría de la traducción, el descifre de escrituras antiguas o la historia de la lingüística. Esta proliferación de campos, enfoques, teorías y métodos es el resultado del interés que suscita una cuestión tan ancestral como actual, tan cotidiana como insuficientemente conocida: el lenguaje humano.

Antecedentes generales. El estudio científico del lenguaje y de las lenguas data de las primeras décadas del siglo XIX. Su desarrollo fue asombrosamente rápido y lleno de logros importantes. Hacia finales del mismo siglo estaban ya perfectamente definidos sus intereses y delineadas las principales direcciones y tendencias que predominarían en la lingüística del siglo XX. El surgimiento de esta ciencia fue resultado de la reflexión que desde muy antiguo se había venido haciendo sobre el lenguaje, y de la tradición descriptiva de las lenguas, o sea la gramática. Tales antecedentes fueron ventajas incuestionables, pero también, en cierta forma, obstáculos para que la lingüística se erigiese más pronto como ciencia autónoma. En sus orígenes, se vio frenada por dos grandes obstáculos: uno, representado por la tradición de reflexiones sobre el lenguaje y las técnicas de descripción de las lenguas; y otro, por las concepciones de los humanistas europeos desde finales del siglo XVIII, para quienes la lingüística era una más de las técnicas al servicio de la historia y de la filología, es decir, un método auxiliar para explicar ciertos hechos relacionados con la historia de la cultura. El primer obstáculo fue el más difícil de superar, pues contaba con el prestigio de su antigüedad. El legado de estas tradiciones no fue sólo de aciertos, sino también de ideas, planteamientos, esquemas y modelos de análisis muchas veces erróneos o simplemente inadecuados. Fueron la filosofía, la lógica, la retórica y una ciencia gramatical sumamente rígida, las que monopolizaban todo el saber acerca del lenguaje y de las lenguas. Sin embargo, han sido muchos los sabios que desde tiempos remotos han emitido opiniones justas sobre estas materias: Aristóteles, Dionisio de Tracia, Marco Terencio Varrón, Marco Fabio Quintiliano, Dante Alighieri, Elio Antonio de Nebrija, Juan Luis Vives, Francisco Sánchez de las Brozas y los religiosos que desde principios del siglo XVI emprendieron el estudio de los idiomas indígenas de América.

Elio Antonio de Nebrija (1444-1522), cuyo verdadero nombre era Antonio Martínez de Cala, nació en Lebrija o Nebrija (escrito también Nebrixa), pueblo de la provincia de Sevilla. Muy joven marchó a Italia a perfeccionarse en el estudio de las humanidades: historia, gramática, retórica y literaturas clásicas. A su regreso a España, tras 10 años de estancia en Italia, ocupó diversos cargos en las universidades de Salamanca y de Alcalá, principalmente la cátedra de gramática latina. Entre sus escritos lingüísticos destacan dos que le valieron gran notoriedad en su tiempo y posteriormente: *Introducciones latinas* (Salamanca, 1481) y *Gramática de la lengua castellana* (Salamanca, 1492). El primero

es un breve compendio de gramática latina redactado en un estilo y con un método muy novedosos para su época, aunque en esencia parece estar inspirado en la obra *Elegantiae linguae latinae* (1444) del italiano Lorenzo Valla. Como quiera que sea, contribuyó grandemente al restablecimiento en España de los estudios del latín, base indispensable para el conocimiento de los autores clásicos y de las humanidades en general. *La gramática castellana* fue, a su vez, el primer trabajo en que se codificaron los elementos gramaticales de un habla vulgar con propósitos descriptivos y normativos. Antes de Nebrija, sólo Dante (1265-1321) había especulado acerca de la conveniencia de revalorar las hablas vernáculas, en un extenso ensayo que publicó en 1305: *De vulgari eloquentia*. Nebrija, por su parte, fue aún más lejos, pues no sólo se dio cuenta de la necesidad de elevar esas hablas populares a la categoría de lenguas de cultura, es decir, aptas para expresar, como las clásicas, todo tipo de saber, sino que llevó a la práctica el resultado de sus reflexiones. Las ideas de Nebrija pronto tuvieron efecto en los ambientes intelectuales de su época, al grado de que ellas mismas inauguraron una nueva tradición de enfoque y análisis de los hechos lingüísticos. Pocos meses antes del descubrimiento de América, Nebrija presentó a la reina Isabel el manuscrito de su tratado gramatical del castellano, en estos premonitorios términos: "El tercero provecho deste mi trabajo puede ser aquel que... después que Vuestra Alteza metiesse debaxo de su iugo muchos pueblos bárbaros i naciones de peregrinas lenguas, i conel vencimiento aquellos ternían necessidad de recebir las leies quel vencedor pone al vencido i con ellas nuestra lengua, entonces por esta mi Arte podrían venir enel conocimiento della..." Nebrija, sin saberlo con certeza pero acaso intuyéndolo, preparó el terreno y abrió la brecha por donde habrían de moverse, llegado el momento, quienes se enfrentarían a la realidad lingüística de todo un continente. El aparato teórico y metodológico estaba preparado para aproximarse a las "naciones de peregrinas lenguas".

Surgimiento de la lingüística en México. Muy poco se sabe acerca de cuál era —si lo hubo— el pensamiento lingüístico de los indios que poblaban el actual territorio de la República Mexicana antes de la llegada de los españoles. Es posible que sí haya existido, por lo menos entre ciertos grupos étnicos, una tradición de reflexión acerca del lenguaje y de las lenguas, a juzgar por el avance cultural que en todos los órdenes lograron algunos de ellos. Dos hechos apoyan esta presunción: la pluralidad de idiomas que se hablaban, que acaso motivaría observaciones sobre la diversidad del conjunto y sobre la corrección, pureza, elegancia y eficacia de cada uno; y el conocimiento y práctica de la escritura –técnica de registro gráfico de la palabra– que ejercían los grupos más evolucionados. En este sentido, la condición básica para hacer posible la transcripción gráfica del lenguaje reside, primero, en el aislamiento concreto de cada idea o concepto bajo la forma de palabra individual y, en seguida, en un claro discernimiento de lo sistemático y funcional de la lengua.

El estudio de los idiomas aborígenes de México lo iniciaron en 1523 los tres primeros padres franciscanos: Pedro de Gante, Juan de Ayora y Juan de Tecto. La historia del surgimiento, desarrollo y práctica de los estudios lingüísticos en México comprende dos corrientes principales: una, la indigenista, consagrada a la descripción, análisis y clasificación de las lenguas autóctonas; y otra, la humanística, dedicada al estudio de idiomas no autóctonos, especialmente el español y el latín. En este artículo se reseña la lingüística de orientación indigenista (o antropológica), aunque para el periodo comprendido entre 1523 y 1850, se tratará del estudio de cuestiones relacionadas con el lenguaje y las lenguas que no tuvo la cientificidad que le sería exigible ahora. A juzgar por las crónicas coloniales, en el momento de la Conquista se hablaban alrededor de 150 lenguas indígenas (véase) tan sólo en el territorio que sería la Nueva España. La actitud manifestada por los españoles ante esa realidad mostró dos tendencias principales: una, la del conquistador, de marcada indiferencia, pues le interesaba la imposición de su propio idioma; y otra, la de los misioneros, quienes tal vez apoyándose en las enseñanzas de San Pablo, se comprometieron a evangelizar a los gentiles en sus propias lenguas. Pronto esos religiosos se revelaron expertos conocedores de los idiomas indígenas, y muchos de ellos elaboraron tratados gramaticales ("artes") y diccionarios ("vocabularios"). No lo hicieron por simple ejercicio intelectual, sino para acelerar la evangelización y la aculturación de los indios. La actuación de los misioneros favoreció la conservación, si no de todas, por lo menos de una buena cantidad de las lenguas indígenas del país, y durante los tres siglos coloniales fueron ellos casi los únicos que se ocuparon de estudiarlas.

En el transcurso de los siglos XVI al XVIII se redactaron en la Nueva España cerca de un centenar de obras de carácter lingüístico (cartillas, gramáticas, vocabularios) sobre náhuatl o mexicano, otomí, matlatzinca, tarasco, zapoteco, maya, huasteco, mixe, tzeltal, mazahua, ópata, heve o eudeve, cahita, cora, mixteco, popoloca, pame y totonaco, entre otros. Muchos religiosos con inclinaciones humanísticas se encargaron de despejar un campo virgen, en el que explayaron su talento de lingüistas precursores: Pedro de Gante, Alonso de Molina, Andrés de Olmos, Alonso Martínez, Alonso Rangel, Andrés de Castro, Maturino Gilberti, Domingo de Santa María, Diego de Basalenque, Francisco de Zepeda, Pedro de Feria, Francisco Toral, Juan de la Cruz, Juan de Córdoba, Antonio de los Reyes, Antonio del Rincón, Antonio de Ciudad Real, Pedro de Cáceres, Diego de Nágera Yanguas, Miguel Guevara, Carlos de Tapia Zenteno, Horacio Carochi y muchos otros, algunos de los cuales prefirieron el discreto anonimato. ¿Cuáles fueron los principios teóricos y metodológicos que permitieron a los misioneros el acercamiento a lenguas tan distintas a las que estaban acostumbrados, y que nunca antes habían sido sometidas a esquema gramatical alguno? En su gran mayoría estaban familiarizados con las obras de Nebrija: las *Introducciones latinas*, método para enseñar latín, y la *Gramática castellana*, descripción de una lengua no clásica. Estos modelos orientaron el análisis de las lenguas indígenas, pero sin sujetarse a ellos de una manera inflexible. Así, en la primera gramática del náhuatl, *Arte para aprender la lengua mexicana* (se escribió hacia 1547, circuló manuscrita y su primera edición se hizo en París en 1875), fray Andrés de Olmos, su autor, comienza diciendo: "En esta lengua se hallan todas las partes de la oración, como en la latina..."; pero advierte: "En el arte de la lengua latina creo que la mejor manera y orden que se ha tenido es la que Antonio de Lebrixa sigue en la suya; pero porque en esta lengua no quadrara la orden que él lleva por faltar muchas cosas como son declinaciones..., por tanto no seré represible si en todo no siguiera la orden del arte de Antonio". Advertencias como ésta se encuentran en casi todos los trabajos de esta índole que se hicieron entonces. Muchos de estos prelingüistas llegaron a redefinir conceptos gramaticales con el fin de precisar la realidad estructural de cada idioma. Por ejemplo, en 1753 el padre Carlos de Tapia Zenteno, en su *Arte novissima de la lengua mexicana*, al referirse a una de las definiciones hechas por Nebrija ("Nombre es una de las diez partes de la oración que se declina por casos, sin tiempos...", *Gramática*, lib. III, cap. II), dice con cierto aire de burla : "Si nombre es el que se declina por casos, y no significa tiempo, podemos decir, que en este idioma (el náhuatl) no hai nombre, porque ninguno se declina por casos, pues todos son indeclinables. Pero confesando, que aquella es descripción gramatical del nombre latino, y no philosóphica definición de su essencia... Y assí nombre es aquella voz, con que conocemos las cosas: y que tenga casos o no los tenga, es atributo o accidente... que no le pone, ni le quita cosa a su naturaleza".

Hacia finales de la Colonia hubo una sensible disminución en la producción de obras de carácter lingüístico, debido acaso al avance de la evangelización y de la castellanización de los indios, y a la acumulación de materiales de que ya se disponía. La expulsión de los jesuitas (1767) y el posterior estallido de la lucha por la Independencia, posiblemente influyeron también en esa merma. Sin embargo, a finales del siglo XVIII y principios del XIX aparecieron los primeros brotes de un interés científico por el estudio de las lenguas indígenas. Esta nueva corriente la inauguró el jesuita español Lorenzo de Hervás, quien durante su exilio en Italia redactó y publicó en 1784 su monumental *Catálogo delle lingue conosciute e notizia della loro diversitá*, cuya primera edición en español se hizo en Madrid, en 1800, con el título *Catálogo de las lenguas de las naciones conocidas...* En el capítulo VI del volumen I de esta obra, Hervás hizo la primera clasificación de las lenguas de México, basándose en los datos que obtuvo de los jesuitas que habían trabajado en Nueva España. Casi un siglo más tarde, el mexicano Manuel Orozco y Berra (véase) revisó, corrigió y amplió ese *Católogo*, en su admirable *Geografía de las lenguas y carta etnográfica de México* (1864).

A mediados del siglo XIX varios eruditos europeos se interesaron por el estudio de las lenguas indígenas de México. El alemán Guillermo de Humboldt, basado en los datos que le proporcionó su hermano Alejandro, se sirvió de ejemplos tomados de algunas de las lenguas de México para fundamentar sus razonamientos teóricos; e inclusive escribió un tratado gramatical del náhuatl que aún permanece inédito. El francés Henri de Ternaux-Compans publicó *Vocabulaire des principales langues du Mexique* (1841); Ch.E. Brasseur de Bourbourg, *Vocablos de la lengua huave... comparados con los equivalentes en las principales lenguas de América del Sur y en las lenguas vecinas de Oaxaca y Chiapas* (1859); y H. de Charencey, *Melanges sur différents idiomes de la Nouvelle Espagne* (1816). En la segunda mitad del siglo, varios distinguidos hombres de ciencia mexicana se dedicaron a analizar, describir, clasificar y reunir materiales dispersos, siguiendo principios de la ciencia lingüística del momento. Se distinguieron, además de Orozco y Berra, Antonio Peñafiel (véase), quien reditó y comentó antiguos trabajos sobre lenguas mexicanas, y compiló toponímicos de origen indígena; Francisco Pimentel (véase), autor de una de las primeras síntesis clasificatorias, el *Cuadro descriptivo y comparativo de las lenguas indígenas de México o filología mexicana* (1862-1865); Francisco Belmar (1859-1915), el lingüista mexicano más completo de su tiempo, autodidacta, estudioso de las lenguas poco o mal conocidas (mazateco, chontal, huave, trique, chocho, amuzgo) de su natal Oaxaca, quien dejó inconclusa una obra de la cual únicamente se conocen los fragmentos publicados con el título *Glotología indígena mexicana. Estudio comparativo y clasificación de las lenguas indígenas de México* (1921); Nicolás León Calderón, editor de numerosos vocabularios indígenas raros o desconocidos y autor, entre otros muchos trabajos, de *Bibliografía mexicana del siglo* XVIII (7 vols., 1903-1909) y *Familias lingüísticas de México...* (1901); y Cecilio Robelo (véase), sobresaliente nahuatlaco que dio a las prensas los resultados de sus investigaciones.

Práctica actual: aspectos docentes, de investigación, de difusión y aplicativos. Los estudios lingüísticos emprendidos en las postrimerías del siglo XIX fueron notablemente incrementados en las primeras décadas del siguiente, especialmente por los investigadores extranjeros que convirtieron al país en un gran laboratorio donde se ensayaron los más diversos enfoques teóricos y metodológicos. La mayoría de ellos buscaba esclarecer cuestiones pendientes o cuya solución era parcial o insatisfactoria. Así, por ejemplo, se volvieron a plantear los problemas de la agrupación de las lenguas, de sus interrelaciones, de su antigüedad en regiones determinadas, y de sus posibles relaciones con otras dentro y fuera del continente. En ello intervinieron los más destacados lingüistas, antropólogos e historiadores de la época, nacionales y extranjeros: A.L. Kroeber, E. Sapir, F. Boas, E. Seler, W. Lehman, B.L. Whorf, M. Silva y Aceves, O. de Mendizábal, W. Jiménez Moreno, N. McQuown, M. Swadesh y K. Pike, entre muchos otros. Las experiencias de todos ellos no tardaron en aprovecharse para la formación de investigadores en los campos de la antropología y la lingüística. Así, en 1920 se creó la Escuela Internacional de Arqueología y Etnología Americanas (antecedente de la actual Escuela Nacional de Antropología e Historia); en 1933, Mariano Silva y Aceves fundó en la Universidad Nacional Autónoma de México (UNAM) el Instituto de Investigaciones Lingüísticas; en 1936, W.C. Townsend logró establecer el Instituto Lingüístico de Verano (ILV); hacia 1940, se creó la carrera de lingüística en el Departamento de Antropología de la Escuela de Ciencias Biológicas del Instituto Politécnico Nacional, y en 1942, ese mismo Departamento se convirtió en la Escuela Nacional de Antropología e Historia (ENAH), dependiente del Instituto de esas especialidades. De esta escuela han egresado la mayoría de los lingüistas que actualmente estudian las lenguas indígenas de México: Moisés Romero, Evangelina Arana, Leonardo Manrique, Roberto Escalante, Juan José Rendón, Otto Schumann, Antonio García de León y Benjamín Pérez, entre otros. El interés que ha orientado a la lingüística antropológica no ha sido únicamente científico, sino también el de resolver en la práctica problemas de política cultural. A partir de la época cardenista, se ha intentado aplicar la investigación lingüística a programas de alfabetización y de educación bilingüe y bicultural, y más generalmente a los planes de incorporación de los indígenas al desarrollo nacional.

En 1987 eran varias las instituciones con programas de docencia y de investigación sobre lenguas indígenas. El enfoque antropológico sigue predominando en los planes de estudio de la carrera de lingüística de la ENAH y es también la orientación principal de la mayoría de las investigaciones que se realizan en el Departamento de Lingüística del INAH (dependencia creada en 1970), en el Instituto de Investigaciones Antropológicas de la UNAM y en el ILV. El mayor interés en el ejercicio de esta disciplina se centra en el rescate de las lenguas en peligro de extinción, en el diseño y puesta en marcha de programas dialectológicos, y en la elaboración de métodos más eficaces para la alfabetización en lenguas indígenas. El aporte principal a la lingüística en general, se ha producido en el campo de la lingüística antropológica. El rápido avance de esta disciplina se debe a que las lenguas indígenas han servido para probar la validez y eficacia de los múltiples enfoques, teorías y métodos que a ellas se han aplicado. Quienes desde hace mucho fijaron su atención en esos idiomas, han enseñado que cada lengua, por minoritaria que sea y por apartada que se halle, es un ejemplo único e irrepetible del lenguaje. (*I.G.B.*).

LINO. *Linum usitatissimum* L. Planta herbácea anual de la familia de las lináceas, de 1 a 1.20 m de altura y con tallo erecto, delgado y liso. Las hojas, alternas, lineares o lanceoladas, agudas y trinervadas, miden 5 mm de ancho y un poco más de largo. Las flores, de 1 cm de diámetro, son azules o blancas; presentan cinco sépalos triangulares, persistentes, acuminados y otros tantos pétalos obovales, unguiculados y caedizos. El fruto, capsular, globoso o subgloboso, indehiscente o con dehiscencia loculicida y séptica, mide de 5 a 7 mm, y sus semillas son de color castaño o amarillo moreno, lustrosas, oblongas, aplanadas, lisas y oleaginosas. Es originaria de Asia, al parecer de la región caucásica. Se cultiva en México para obtener la fibra de sus tallos y aceite de linaza de las semillas. Aquélla tuvo notable importancia en el país y en el extranjero. Actualmente ocupa un lugar secundario frente a las fibras sintéticas y a las naturales de algodón, henequén, sisal, lechuguilla y yute. El aceite, en cambio, es aún importante en la industria del jabón y en la de pinturas, barnices y tintas.

Las fibras del lino se forman en la parte periférica del cilindro central del tallo, miden de 30 a 90 cm y tienen paredes gruesas, constituidas

LÍQUENES

de celulosa, lo cual las hace suaves y flexibles. Se utilizan en la manufactura de telas finas, cordeles, sedales resistentes, materiales aislantes y papel de alta calidad. La semilla contiene 45% de aceite, predominando en él los ácidos linolénico, oleico y linólico; es de tipo secante y muy estimado para la producción de jabones suaves, ceras y cueros suavizados, como combustible y para propósito de alimentación. El material pastoso que queda como residuo después de los procesos de extracción del lino y el aceite, constituye un alimento de primera importancia para el ganado, pues de modo notable da mayor suavidad a las pieles y finura a los pelos. En Arandas y Jalostotitlán, Jal., en San Juan del Río, Qro., y en Mexicali, B.C., se obtiene magnífica fibra que se emplea en la elaboración de manteles, servilletas, pañuelos, blusas y otros objetos y prendas, deshilados y bordados. También se cultiva en los estados de Tlaxcala, Michoacán, Guanajuato y México. Comúnmente el lino se designa también como *linaza*, bien que se trate de la planta o de la semilla. Ésta, en polvo, se recomienda en medicina popular como emoliente.

LÍQUENES. Pocos organismos tienen tan amplia y variada distribución como los líquenes, que crecen en el suelo, sobre rocas, en árboles, paredes y tejados, sustratos aparentemente estériles en los que difícilmente se encuentran otros vegetales. Se dan en forma de costras, como hojas plegadas o simulando pequeños arbustos erguidos o colgantes. La denominación liquen deriva del latín *lichen* o *leichen*, que significa lepra o salpullido. En la antigüedad se les consideraba como producto de los troncos, rocas y paredes. Por mucho tiempo fueron considerados un solo organismo, hasta que en 1867 el botánico suizo Simón Schwendener demostró que eran la asociación de dos vegetales en una unidad biológica muy característica. El liquen es un hongo especial con algas en su interior, con las cuales se halla asociado para poder vivir. Su cuerpo –talo– lo integra el hongo, en cuyo interior, entremezclado con las hifas, se encuentran las algas. Éstas se alojan en la parte superficial del talo porque requieren de la luz solar para asimilar el bióxido de carbono y formar compuestos orgánicos –azúcares y almidones– que utiliza el hongo al alimentarse. Éste vive parasitando las algas que se desarrollan en su interior. La asociación liquénica

no es una simbiosis, como se creyó por mucho tiempo, sino un caso especial de parasitismo en el cual el huésped no sufre aparentemente las consecuencias de este fenómeno. Las algas que viven entre las hifas, en un medio húmedo y resguardadas del ambiente exterior, se reproducen mejor que en el medio silvestre. La circunstancia de que varias algas sucumban bajo la acción del parasitismo del hongo no repercute significativamente en la población algal, manteniéndose indefinidamente un equilibrio entre aquél y ésta. La asociación biológica –helotismo– permite que los líquenes vivan de modo perenne en lugares adversos, así el hongo como el alga, que sólo necesitan luz, aire y agua, de manera que nada requieren, o casi nada, del sustrato en que se desarrollan. Son los pioneros en la formación del suelo. En un pedregal recién formado únicamente los líquenes se desarrollan: con el tiempo nacen los musgos, después las hierbas, más tarde los arbustos y finalmente aparece el bosque; y luego una capa de suelo, aquél que iniciaron los líquenes. Las pocas exigencias de éstos en cuanto al medio, favorecen su amplia distribución desde las zonas tropicales hasta las altas montañas. Sin embargo, se hallan fuertemente arraigados al clima: se dan especies típicas en bosques tropicales, de pinos y encinos, de zonas alpinas y áridas. Un ejemplo interesante de individuos tropicales son aquéllos que crecen sobre las hojas de los árboles, en forma de placas vermiformes verdosas, como ocurre con los del género *Strigula*.

Por sus requerimientos de humedad, los líquenes solamente crecen en sustratos con exposición directa hacia los vientos húmedos. Por esa causa, en gran parte del país es común verlos en las cortezas de los árboles con exposición al norte. La adaptación de los líquenes a un tipo especial de clima ayuda a la interpretación del medio climático de una región; por ejemplo, la presencia de *Teloschistes chrysophtalmus* o de *Psora crenata* indica aridez. Otros sólo prosperan en zonas con aire puro: su escaso o nulo desarrollo en la corteza de los árboles urbanos puede tomarse como índice para cuantificar la contaminación atmosférica. *Candelaria concolor*, vistoso liquen de color amarillo, es común en el sur de la ciudad de México y muy raro o ausente en la parte norte, debido al enrarecimiento del aire y a la sequedad.

LÍQUENES

La reproducción de los líquenes se efectúa vegetativa o sexualmente. La primera forma ocurre a través de pequeños soredios constituidos de hifas y algas –gonidios–, que al desprenderse del talo y difundirse a manera de polvo muy fino y arraigarse en otro lugar húmedo, forman un nuevo liquen. La segunda se realiza por medio de los apotecios, estructuras especiales que se desarrollan sobre la superficie del talo del hongo, en cuyo interior se producen esporas de origen sexual –ascosporas–, que al germinar en un sustrato y contaminarse con las algas de ese medio, producen otro liquen. Si germinan las esporas, forman el micelio, pero si no se contaminan con el alga, el liquen no nace. Los hongos que integran los líquenes son especies adaptadas a vivir exclusivamente de las algas y no se encuentran libres en la naturaleza. Sin embargo, no se puede asegurar lo mismo respecto de las algas. Algunas parecen ser las mismas que se hallan libres en el medio y otras probablemente sean especies adaptadas para vivir en asociación liquénica. En el laboratorio se ha conseguido aislar y cultivar en tubos de ensaye tanto al hongo como al alga; los cultivos se pueden mantener indefinidamente y si se les une se forma otra vez el liquen.

Las especies de este tipo de hongos son de varias clases; las más comunes pertenecen a los *Discomycetes*, que forman los apotecios. Son escasos los ejemplos que se pueden citar de otras clases: se conocen algunos *Pirenomycetes* y muy pocos *Phycomycetes* y *Basidiomycetes*. Las algas o gonidios de los líquenes pertenecen a las llamadas *algas verdes* y *algas azules*. Entre las primeras, también conocidas como clorofitas, son comunes los géneros *Trebouxia*, *Protococcus*; *Chlorella* y *Chloroccum*; y entre las segundas, llamadas cianofitas, *Nostoc*, *Rivularia*, *Gloeocapsa* y *Chroococcus*. Existen más de 16 mil especies liquénicas, de las cuales se conocen el 70% aproximadamente. Como el cuerpo del liquen lo forma el hongo, al menos los apotecios, y como aquél está adaptado para vivir liquénicamente, los nombres que se les da a los líquenes son propios de los hongos. Así, los géneros *Parmelia*, *Usnea*, *Ramalia*, *Rocella* y *Cora* son hongos exclusivos de los líquenes. Su identificación se hace con base en el estudio de la morfología del tallo y de sus reacciones químicas. La forma y estructura del talo varían significativamente: puede ser gelatinoso o coriáceo. El primero se halla en los líquenes con cianofitas, como *Collema* y *Leptogium*, en los cuales la forma, debida al talo del alga, es globosa o vesiculosa. Los segundos, más comunes y formados por los hongos, pueden ser costroso, folioso o fruticuloso: el primero, también llamado crustáceo, aparenta una costra adherida al sustrato, como *Lecanora orosthea*, agrupado en grandes conjuntos verdes sobre las cortezas de los pinos; el segundo adopta la forma de una hoja más o menos plegada sobre el sustrato, como en el género *Parmelia*; y el tercero, que semeja un pequeño arbusto erguido o colgante, presenta ramas planas o cilíndricas, como en el género *Ramalia*. El talo generalmente es verde, de tonalidad clara, grisácea o azulosa, y en algunas ocasiones gris, amarillo, anaranjado, rosado o rojo. El tono verde se debe a las algas, y cuando no se advierte, significa que está enmascarado por el pigmento del hongo. La cara inferior del talo suele ser más clara que la superficie de arriba, o blanca a grisácea; excepcionalmente, en el género *Parmelia*, la tonalidad es café o negra. La cara superior es lisa o con repliegues; cuando es polvorienta significa que tiene ya soredios. En ocasiones, en el borde o en la cara inferior del talo se presentan cilios o pelos blancos o negros. En los líquenes del género *Sticta* la superficie inferior es pruinosa, es decir, cubierta de diminutos pelos y con pequeñas oquedades o poros llamados cifelas. En el género *Cladonia* los apotecios se desarrollan sobre una estructura cilíndrica, ramificada o no, llamada podecio.

Las reacciones químicas también son importantes en la identificación de los líquenes. Se usan principalmente los reactivos a base de hidróxido de potasio al 5% parafenilendiamina en solución alcohólica al 5% y solución saturada de hipoclorito de calcio. Cuando las reacciones son positivas producen llamativos colores que varían entre diversos tonos de amarillo, verde, anaranjado y rojo, según la especie de liquen de que se trate. *Xanthoria candelaria* y *Candelaria concolor* son dos especies con talo de igual forma y color –folioso-subcostroso y amarillo–, que se diferencian sólo mediante la reacción con hidróxido de potasio: en la primera la reacción es negativa, y en la segunda, positiva, de color rojo oscuro.

LIQUIDÁMBAR–LIRA

El estudio de los líquenes obliga a disponer de herbarios, colecciones significativas de material preservado. Los más importantes que existen en el país pertenecen al Instituto Politécnico Nacional y a la Universidad Nacional Autónoma de México, ambos en la capital del país: el primero con más de 4 mil ejemplares y el segundo con 2 mil aproximadamente. Entre los trabajos clásicos sobre la liquenología mexicana destacan los de Bouly de Lesdain (1922-1933), Nylander (1858), Krempehuber (1876) y Ruiz Oronoz (1936). Entre las contribuciones modernas realizadas en el extranjero y que tratan sobre material mexicano, destacan Hale (1965, 1968), Wirth y Hale (1963), Wetmore (1960), Thomson (1963) y Kurkawa (1962). En los trabajos de Dávalos de Guzmán y Guzmán (1969), Dávalos de Guzmán, Brizuela y Guzmán (1970), y Brizuela y Guzmán (1971), se han estudiado diversos grupos de líquenes mexicanos, en una serie tendiente a conocer mejor estos organismos y acelerar su aprovechamiento como recurso natural renovable, útil para alimentar el ganado y como fuente de productos químicos y antibióticos. Se buscan también métodos para el control de las especies perjudiciales que deterioran paredes y cristales, o impiden el crecimiento de otros vegetales de interés económico u ornamental. (*G.G.*).

Bibliografía:. M. Bouley de Lesdain: *Lichens du Mexique* (Luisiana, EUA, 1929), y "*Anales Cryptogamicae Exotique*", en *Museum National d'Histoire Natural* (París, 1933); L. Dávalos de Guzmán y G. Guzmán: "Clave para identificar algunos líquenes mexicanos", en *Boletín de la Sociedad Mexicana de Micología* (3, 1969); L. Dávalos de Guzmán, F. Brizuela y G. Guzmán: "Estudios sobre los líquenes de México", en *Anales de la Escuela Nacional de Ciencias Biológicas* (19, 1972); F. Brizuela y G. Guzmán: "Estudios sobre los líquenes de México", en *Boletín de la Sociedad Mexicana de Micología* (5, 1971); M.E. Hale: *A monograph of Parmelia subgenus Amphigymnia, Contribution U.S. National Herbario*, 36 (5): 193-358, 1965, "*A synopsis of the lichen genus Pseudevenia*", en *The Biologist* (71, 1968); A. Krempehuber: "*Lichens mexicani quos legit 1875 R. Rabenhorst*", en *Hedwigia* (15, 1876); S. Kurokawa: "*A monograph of the genus Anaptychia*", en *Nova Hedwigia* (6, 1962); W. Nylander: "*Lichens collecti in Mexico a Fr. Müller*", en *Flora* (41, 1858); M. Ruiz Oronoz: "Contribución al conocimiento de los líquenes del valle del Mezquital, Hgo.", en *Anales del Instituto de Biología* (UNAM, 7; 1937); J. W. Thomson: *The lichen genus Physcia in North America Gramer*, en *Winheim* (1963); C. M. Wetmore: "*The lichen genus Nephroma in North and Middle America*", Universidad de Michigan, Publicación del Museo de Biología, series (1, 1960); M. Wirth y M. E. Hale: *The lichen family Graphidaceae in Mexico, Contribution U.S. National Herbario* (36, 1963).

LIQUIDÁMBAR. *Liquidambar styraciflua* L. Árbol grande o pequeño de la familia de las hamamelidáceas, que alcanza hasta 45 m de altura y 1.5 m de diámetro. La copa es ancha y la corteza, gruesa, con estrías grisáceas profundas. Las ramas, cuando jóvenes, tienen alas de corcho. Las hojas, verde brillante, miden aproximadamente 5 cm de ancho y presentan cinco lóbulos agudos. Las flores son unisexuales: las masculinas se dan en racimos, y las femeninas, en cabezuelas globosas. Aparte su madera y el tanino que contienen sus hojas, la planta es importante por la resina o bálsamo que de ella se obtiene. Éste es un líquido trasparente y amarillento, de olor agradable y de sabor ácido picante; cuando se expone al aire se endurece. El jarabe que se obtiene de su corteza se utiliza en medicina popular contra la diarrea y la disentería, especialmente en los niños. Los antiguos mexicanos usaban el bálsamo para curar afecciones de las vías respiratorias y del aparato digestivo, para aliviar dolores de cabeza y como estimulante.

LIRA, MIGUEL N. (Nicolás). Nació y murió en Tlaxcala, Tlax. (1905-1961). Sobresalió por el hondo sentido poético de su obra; culto y a la vez profundamente popular, trasplantó los ritmos y las imágenes de la poesía española moderna, especialmente de García Lorca, Juan Ramón Jiménez, Alberti y Altolaguirre, pero dio a su obra un fondo localista, en que destacan los rasgos de la tradición indígena y de los personajes que lucharon por la tenencia de la tierra durante la Revolución. "Su obra registra la vigorosa influencia de los maestros extranjeros, sin perder por ello sus raíces mexicanas", ha dicho uno de sus críticos. De tres elementos consta su obra: gracia espiritual andaluza, indigenismo y Revolución. Además de sus propias producciones, publicó en su Editorial Fábula numerosos libros de otros autores, que a menudo él mismo imprimía con un exquisito gusto tipográfico, que fue el distintivo de la editorial. Asimismo dirigió revistas literarias de renombre como *Fábula* (1934) y el *Correo Amistoso* (1954) de Lira y Crisanto Cuéllar Abaroa, donde hicieron sus primeras armas varios escritores que llegaron a ser grandes figuras de la literatura mexicana. Lira realizó todo esto sin descuidar sus actividades de abogado, que culminaron con su designación como juez de Distrito en Tapachula, Chis., y en su ciudad natal, ni sus ocupaciones de funcionario en los departamentos editoriales de la Secretaría de Educación Pública y de la Universidad Nacional, de cuya imprenta fue el fundador. En 1925 publicó su primer libro: *Tú*, con un prólogo de Francisco González León; poco tiempo después apareció *La guayaba* (1927) y más tarde el *Corrido de Domingo Arenas* (1932), *Segunda soledad* (1933), *México-pregón* (1933), *Coloquio de Linda y Domingo Arenas* (1934), *Tlaxcala, ida y vuelta* (1935), *Retablo del niño recién nacido* (1936), *Música para baile* (1936), *Monterrey* (primer lugar en Juegos Florales, 1937), *Corrido-son* (1937), *En el aire del olvido* (1937), *Carta de amor* (1938), *Corrido del marinerito* (1941), *Romance de la noche maya* (1944), *Corrido de Manuel Acuña* (1953) y *Corrido de Catarino Maravillas* (1960). Después de la poesía, lo más importante de su obra es el teatro; entre sus obras poéticas había realizado intentos de teatro para leerse, como *Sí, con los ojos* (1938), de donde pasó a representar y publicar obras más ambiciosas: *Vuelta a la tierra* (1940), *Linda* (1942), *Carlota de México* (1944), *El diablo volvió al infierno* (1946); y las siguientes que fueron puestas en escena: *Tres mujeres y un sueño* (1955), *El camino y el árbol* (1942) y en la especialidad de teatro infantil, *La muñeca pastillita* (1942). Su inconformidad con la forma dramática lo hizo transformar en 1947 su obra *Una vez en las montañas* en la novela *Donde crecen los tepozanes*. En el mismo año, obtuvo con *La escondida* el Premio Lanz Duret de novela; fue muy comentada *Una mujer en soledad* (1956) y su última novela, de escasa fortuna, fue *Mientras la muerte llega* (1958). En el ensayo, su producción fue reducida: una biografía breve de *Andrés Quintana Roo* (1936), *Itinerario hasta el Tacaná* (1958) y *Yo viajé con Vasconcelos* (1959). En colaboración con otros autores publicó dos libros de lecturas para escolares: con Antonio Acevedo Escobedo, *Mi caballito blanco* (1943), y con Valentín Zamora, *Mis juguetes y yo* (1959). La obra de Miguel N. Lira ha sido objeto de abundantes estudios y referencias en México y en el extranjero, entre los cuales destacan los de Raúl Arreola Cortés: *La influencia lorquiana en Miguel N. Lira* (*Revista Hispánica Moderna*; Nueva York, 1942), *Notas sobre la obra poética de Miguel N. Lira* (Universidad de Nuevo León, 1963) y *Miguel N. Lira, vida y obra* (1973).

LIRA NÚÑEZ, ENRIQUE. Nació en el estado de Guanajuato en 1901; murió en México, D.F., en 1983. Fotógrafo, fue hijo de Enrique Lira Mora, último propietario del Parque Lira, e industrial en la rama textil. Lira Núñez fotografió las bellezas naturales mexicanas. Expuso en Madrid, en 1950, y dos veces en el Palacio de Bellas Artes, en una ocasión con tema libre, en 1941, y otra con tópicos de Europa, en septiembre de 1951.

LIRA ORTEGA, MIGUEL. Nació en Tlaxcala, Tlax., en 1827; murió en Puebla, Pue., en 1882. Abogado y militar, alcanzó el grado de coronel. Luchó en la Guerra de Reforma. Fue gobernador de Tlaxcala. Escribió poemas, editó en Puebla el periódico *La Paloma Azul*, y escribió *Diccionario geográfico, histórico, estadístico y biográfico del estado de Tlaxcala*, *Una historia de la erección del estado de Tlaxcala*, *Memorias o herencia política*, y varios dramas, entre ellos *La pesadilla* y *Mariana Pineda*.

LIRA Y SERAFÍN, MOISÉS. Nació en Zacatlán, Pue., el 15 de septiembre de 1893; murió en México, D.F., el 25 de junio de 1950. En 1911 ingresó en el Seminario Palafoxiano de Puebla, donde cursó humanidades, y en 1914 conoció al padre Félix de Jesús Rougier, prefecto espiritual del plantel, con quien acordó iniciar la fundación de la congregación de los Misioneros del Espíritu Santo, la cual se efectuó el 24 de diciembre de ese año en la capilla de Las Rosas en la Villa de Guadalupe. Fue Moisés el primer candidato y novicio de la naciente institución. En octubre de 1920 inició la fundación de la comunidad y casa de Morelia, y allí concluyó los estudios de teología. Fue ordenado sacerdote el 14 de mayo de 1922, y el 25 de diciembre siguiente emitió los votos perpetuos en la ciudad de México. En 1923 contrajo la viruela negra en el Lazareto de Tlalpan, donde asistía a los enfermos. Restablecido, en 1926 fue enviado a Italia para fundar la casa de la congregación en Roma. Regresó en 1928 y en 1934 fundó la de las Misioneras de la Caridad de María Inmaculada, cuya erección canónica se hizo el 1° de mayo de 1949 por decreto pontificio del 21 de febrero anterior. Fue superior de las casas de Celaya (1936-1938), Morelia (1944-1948), Puebla (1948-1950) y desde 1938 ecónomo general del instituto. Misionó en Baja California y por un tiempo estuvo de párroco en Tijuana (1943). Fundó también un colegio en Pichucalco, Tab.

LIRIO. *Lilium longiflorum* Thunb. Planta herbácea de la familia de las liliáceas, de 1.5 m de altura y con raíces fasciculadas y carnosas que, cuando adultas, se tornan rugosas, para contraerse o bajar lo necesario en busca de agua y sales minerales. El tallo, subterráneo, está representado por una cebolla esférica-ovoide que se forma por escamas flojas –hojas transformadas–, agrupadas alrededor de una yema, que forman un receptáculo leñoso cuya parte inferior corresponde a un rizoma truncado. El escapo floral, que se integra a la roseta de hojas basales y parte del centro de la cebolla, mide de 1 a 1.5 m de largo y está provisto de numerosas hojas con nervaduras longitudinales, de color verde brillante y lanceoladas. Las flores, grandes y amarillo brillante, con delicioso perfume, se dan agrupadas en umbelas terminales o en racimos. Es originaria de Japón y en México se le cultiva con fines ornamentales.

LIRIO ACUÁTICO. *Eichornia crassipes* Salius. Planta acuática de la familia de las pontederiáceas, fija o nadante; en este último caso tiene raíces en fascículos abundantes, de color azul. Las hojas –filodios– presentan peciolos cortos, hinchados hasta ser casi esféricos, esponjosos y sin articulaciones. Las plantas fijas miden 30 cm de altura, tienen haces formadas por varias hojas que emergen del agua, largamente pecioladas y con dos articulaciones: una abajo del limbo y la otra en la parte superior. La inflorescencia central es una espiga de 7 cm de longitud, con escapo hasta de 15 cm, envuelto en la base por las vainas de los filodios. Las flores, alternas, con el tubo floral arqueado, verdoso y levemente pubescente, miden

5 cm de longitud. Los frutos se dan encerrados en los tubos periánticos que se abren por lóculos cuando las cápsulas maduran. Florea en julio y agosto y es común en los cuerpos de aguas, principalmente en el lago de Pátzcuaro, Mich., donde constituye verdadera plaga que dificulta el transporte y la pesca. También se observa el mismo fenómeno en los lagos de Xochimilco y Míxquic, y en el artificial del Bosque de Chapultepec. Se le conoce también como *lirio de agua, jacinto, cucharilla* y *huauchinango.* V. FLOR DE HUAUCHINANGO.

LISA. *Mugil cephalus* Linnaeus. Pez de la familia Mugilidae, orden Mugiliformes. Se le llama también *lisa macho, cabezona* y *churra.* Es de cuerpo robusto y elongado, de hasta 60 cm de longitud; cabeza ancha y ligeramente deprimida; y boca pequeña, terminal y de labios delgados, provista de dientes dispuestos en hileras. El labio inferior presenta una protuberancia central, y los ojos están parcialmente cubiertos por un "párpado" adiposo. Posee dos aletas dorsales: la primera, que se origina un poco adelante de la mitad del cuerpo, está constituida por cuatro espinas delgadas unidas por una membrana, y la segunda, ubicada por detrás del origen de la anal, lleva una espina y ocho radios suaves. La anal está compuesta por tres espinas y ocho radios; la caudal es emarginada, las pélvicas abdominales y las pectorales cortas. El cuerpo está cubierto de escamas grandes (de 38 a 42 en una serie lateral) que se extienden hasta la base de las aletas anal y segunda dorsal; en la región axilar de las aletas pélvicas y pectorales se aprecian sendas escamas notablemente más largas. La lisa es de color verde olivo en el dorso, blanco en el vientre y plateado en los costados, con siete bandas pardas longitudinales y una gran mancha azul en la base de las pectorales. Es una especie cosmopolita de mares cálidos y templados, muy abundante en las regiones costeras, estuarios y lagunas de ambos litorales de México. Su gran tolerancia a los cambios de salinidad le permite remontar los ríos a considerables distancias de la costa, o vivir en ambientes hipersalinos. Durante la temporada de reproducción, hacia finales del otoño, suele formar grandes cardúmenes que nadan cerca de la superficie saltando con frecuencia fuera del agua. Se alimenta de pequeñas algas y materia orgánica que se acumulan sobre los fondos blandos, ya sea de limo o arena. Su área de distribución comprende, en el Atlántico, desde cabo Cod hasta Brasil; y en el Pacífico, desde California hasta Chile. La lisa se pesca con redes agalleras o chinchorros playeros y se vende fresca o salada. Su carne se considera de muy buena calidad, al igual que su hueva (ovario maduro), que es muy cotizada en el mercado nacional. La producción mexicana de lisa se ha incrementado durante los últimos años de 4 791 t en 1974 a 11 473 en 1985.

LISA BOBO. V. BOBO o LISA BOBO.

LIST ARZUBIDE, ARMANDO. Nació en la ciudad de Puebla en 1901. Hizo la carrera de profesor normalista, especializándose en pedagogía para anormales. Colaboró en las revistas *Resurgimiento* (Puebla, 1917-1922) y *Horizonte* (Jalapa, 1927-1929). En 1935, junto con su hermano Germán, escribió una serie de lecciones dramatizadas sobre historia de México que fueron trasmitidas durante cinco años por Radio Educación. De 1947 a 1955 fue director del Centro de Recuperación para Débiles Mentales, habiendo publicado cuatro cuadernos sobre rehabilitación de ciegos, sordomudos y lisiados del aparato locomotor. De 1944 a 1969 fue, además, profesor de escuelas posprimarias. En 1940 obtuvo el primer y segundo premios del certamen de Teatro Escolar Revolucionario con sus obras *Visión de México* y *La guerra de España*, y un galardón del Departamento del Distrito Federal por la pieza *Muerte de Emiliano Zapata*. En colaboración con su hermano Germán, escribió los folletos *La huelga de Río Blanco*, *El 1º de mayo*, *Emiliano Zapata* y *Ricardo Flores Magón*. Son obra suya los cuentos: *La aurora*, *El cojo Damián*, *Apuntes sobre la prehistoria de la Revolución* (1958), *Mensajes de los grandes maestros a la juventud* (1970) y *La voz de los sometidos. Historia sintética de la esclavitud en México* (1973).

LIST ARZUBIDE, GERMÁN. Nació en la ciudad de Puebla, en 1898; murió el 17 de octubre de 1998 en el Distrito Federal. Estudió en la Escuela Normal. En 1913 se incorporó al batallón Paz y Trabajo, formado por obreros y campesinos, al mando del coronel Gabriel Rojano, del que fue secretario particular. En 1920 acompañó al presidente Carranza hasta Aljibes, donde cayó prisionero.

Separado del ejército, volvió a Puebla en 1921: fundó las revistas *Vincit* y *Ser*, consagradas a divulgar a los maestros del modernismo, la primera, y la otra a los poetas del simbolismo. Se afilió al movimiento estridentista y lanzó el Manifiesto núm. 2 junto con Maples Arce, Gallardo y Aguilón Guzmán (2 de enero de 1923). En 1924 trabajó al lado del gobernador Lombardo Toledano y combatió la sublevación delahuertista. En 1926 se trasladó a Jalapa, enseñó en las escuelas Preparatoria y Normal, y fundó la revista *Horizonte*. En 1927 tuvo a su cargo la Oficina de Extensión de la Universidad Nacional. En 1929 Augusto César Sandino le pidió que llevara al Congreso Antiimperialista de Frankfurt del Main la bandera que el general nicaragüense arrebató a los intervencionistas norteamericanos: List la envolvió en su cuerpo y atravesó con ella el territorio de Estados Unidos. Por ese acto compartió la dirección de la asamblea con Henry Barbusse, madame Sun-Yat-Sen, San Katayama y Nehru. Fue luego invitado de honor de los sindicatos soviéticos y permaneció en la URSS todo 1930. En 1932 viajó con Leopoldo Méndez a Estados Unidos y a su regreso denunció la discriminación de que eran víctimas los mexicanos. En 1934 fue jefe de inspectores de escuelas particulares en la Secretaría de Educación Pública (SEP) y luego (1935) subjefe de la Oficina de Radio. Ese año creó el Teatro Infantil de la SEP, junto con Germán y Lola Cueto, Méndez, Angelina Beloff y Elena Huerta, y escribió, en colaboración con su hermano Armando, 60 dramatizaciones históricas, desde Quetzalcóatl hasta Cárdenas. En 1936, mientras trabajaba en la Secretaría de Hacienda, formó el Ala Izquierda de Empleados Federales, antecedente de los sindicatos de trabajadores al servicio del Estado. De 1941 a 1953 fue redactor de la revista *Tiempo*. Dio lecciones de historia a los obreros, por encargo del secretario López Mateos, y de literatura a los maestros en el Instituto Federal de Capacitación. En 1957 participó en la fundación de la Academia Mexicana de la Educación; y de entonces a la fecha ha realizado múltiples viajes al extranjero, siempre representando organismos populares o invitado por ellos. Asistió, entre otros, a los congresos de la paz en Bruselas (1936) y Wroclaw (1946). Ha publicado: *Esquina* (poemas, 1924), *Plebe* (poemas, 1925), *¡Mueran los gachupines!* (1926), *Emiliano Zapata. Exaltación* (1927 y siete ediciones poste-

LITERATURA

riores), *El movimiento estridentista* (1927), *El viajero en el vértice* (poema, 1927), *La lucha contra la religión en la URSS* (1931), *Tres comedias revolucionarias* (1931), *Práctica de educación irreligiosa* (1934), *Hombre sin tierra. Homenaje a Emiliano Zapata en el XVI aniversario de su muerte* (1934), *La huelga de Río Blanco* (en colaboración con Armando List Arzubide, 1935), *El 1° de mayo* (1936), *Tres comedias de teatro infantil* (1936), *Cinco comedias del laboratorio teatral* (1936), *Troka el poderoso* (teatro, 1939), *Pushkin romántico y realista* (1955), *Hidalgo héroe civil* (1955), *Es la revolución* (1955), *Giussepe Garibaldi. Héroe de dos mundos* (1960), *La batalla del 5 de mayo de 1862* (1962), *El México de 1910. El maderismo* (1963), *La gran rebelión de los constituyentes de 1917* (1963), *Visión de Venecia* (1964), *Polonia en mi cariño* (1964), *Apuntes sobre la historia de la minería en México* (1970), *Lenin en la literatura* (1971), *Cantos del hombre errante* (poemas, 1972) y *El robo de la mujer de Rubens. Cuentos de viaje* (1976). Algunos de sus cuentos y poemas han sido traducidos al inglés, al ruso, al catalán y al francés. En 1987 tenía inéditos: *Arco iris de cuentos mexicanos, El libro de las voces insólitas* (poemas) *Teatro para niños, Nuestro amigo el gato* y *La Revolución en el norte de México* (crónica, 1879-1910). Le fue otorgado el Premio Nacional de Periodismo Cultural 1983.

LITERATURA. La literatura producida en México antes de la llegada de los conquistadores españoles conjuga las visiones cosmogónicas y la crónica de los hechos históricos. El pensamiento mítico y el registro de las convulsiones políticas y sociales (migraciones, guerras, conquistas territoriales) se dan la mano en la mayoría de los escasos textos que legó la anterioridad histórica. Algunas muestras de exquisita poesía –notable por la exactitud de su lirismo– se deben a los poetas aztecas cuya obra ha sido posible rescatar. Pero sin duda los monumentos literarios más importantes que el pasado prehispánico ofrece son el *Libro del Consejo*, llamado *Popol-Vuh*, especie de Biblia maya; y el *Chilam Balam de Chumayel*, también obra de la civilización maya. Fueron plasmados por medio de procedimientos pictográficos en materiales especiales (corteza de amate, piel de venado o papel vegetal hecho con maguey), o bien trasmitidos oralmente a través de las generaciones.

La teogonía, el génesis y los orígenes míticos inician el relato del *Popol Vuh*. Los seres divinos –dioses y semidioses, gigantes y animales– se traban en una lucha que prepara la leyenda, la cual a su vez preludia el primer esbozo de historia de las tribus mayas. Impregnada por un poderoso aliento sobrenatural, la cosmogonía se desarrolla entre guerras y cataclismos, dando marco a la pugna de los magos luminosos y los demonios sombríos. El rey de los Cereales (el maíz) da la primera nota de explicación histórica e introduce al lector en el trabajo agrícola, que vendrá a ser la base de sustentación de toda esa cultura. Los conflictos de tribus y la acción de los guías-héroes civilizadores constituyen el cierre de esa relación de los orígenes. Según Alfonso Reyes, en la lengua del *Popol Vuh* "celebran sus nupcias lo maravilloso y lo grotesco".

El códice de *Chilam Balam* fue descubierto a mediados del siglo XIX y está considerado por los especialistas como el documento más importante de la antigüedad maya; está abundantemente ilustrado con dibujos alusivos a los hechos (históricos y mitológicos) que el texto contiene. En él se cuenta lo ocurrido en algunos grandes periodos de tiempo denominados *katunes*. Las migraciones a través del territorio donde florecerían la cultura y la civilización mayas son su tema fundamental. Pero, además, se acumulan en él la crónica, numerosas noticias sobre el estilo de vida y la descripción de las actividades productivas de los mayas.

La heterogeneidad de los textos antiguos, sin embargo, se vio mitigada por los descubrimientos que contribuyen a aclarar (desde diversos puntos de vista: antropológico, arqueológico, social, económico, histórico) las ideas que los poetas-relatores, o bien los cronistas, plasmaron en esas obras que son, en una misma integración, historia, mitología, testimonio lírico, épica; en suma: expresión de una sensibilidad colectiva a través de la palabra y del lenguaje articulado.

La producción literaria en el Altiplano de México se centró en los géneros (si de tales se puede hablar, entendidos con criterios modernos) de la épica y la lírica. Los relatores de Sahagún iniciaron, de hecho, durante el siglo XVI, la laboriosa reconstrucción de esas expresiones verbales. El gran *Poema de Quetzalcóatl*, proveniente de Texcoco, y el *Poema de Ixtlilxóchitl*, especie de

LITERATURA

relato de gran elocuencia acerca del soberano chichimeca, son ejemplos mayores de lenguaje literario. En Tenochtitlan se produjo otro *Poema de Quetzalcóatl*, un *Poema de Mixcóatl* y un *Poema de Huitzilopochtli*. Numerosos fragmentos y piezas menores fueron rescatados del olvido en versiones castellanas no siempre totalmente confiables.

Cabe señalar aquí la minuciosa y meritísima labor filológica emprendida por los frailes españoles (Motolinía, Sahagún, Molina, Durán y otros), que en buena parte ha permitido conservar la tradición literaria prehispánica, que de otro modo se hubiera perdido irreparablemente. Complementaria y paralelamente a esa actividad de los misioneros, el testimonio de los historiadores indígenas y mestizos permitió establecer el carácter más o menos general de la cultura literaria del México antiguo. V. HISTORIOGRAFÍA.

Las cuatro fuentes principales de la voluminosa poesía náhuatl (se han encontrado, reconstruido y traducido casi 3 mil composiciones) son las siguientes: los *Veinte poemas rituales*, recogidos por fray Bernardino de Sahagún en Tepepulco en el siglo XVI; los *Cantares mexicanos*, manuscrito dado a conocer hasta 1906; el *Manuscrito de los romances de los señores de la Nueva España* y, por último, el *Manuscrito de los cantares*. Casi todos esos textos tienen una sustancia y un sentido claramente religiosos, de celebración de las fuerzas divinas y sobrenaturales. El canto heroico, asimismo, tiene un lugar destacado en la literatura antigua.

Los centros principales de la lengua náhuatl fueron Texcoco, Tenochtitlan y Tlaxcala. De cada uno proceden los diferentes ciclos mitológicos e históricos que documentan la visión del mundo de los antiguos mexicanos a través de la expresión literaria y poética.

La ciencia filológica, entendida como análisis e interpretación de los textos —es decir: en el sentido clásico—, ha sido el instrumento fundamental en la tarea de desentrañar y revivir la literatura mexicana prehispánica. La sabiduría lingüística de hombres como Del Paso y Troncoso, Icazbalceta, Peñafiel, Seler y otros, ha permitido estudiar y valorar, con probados instrumentos científicos, el pasado histórico tal y como se expresa en los textos de los antepasados. Dos especialistas, sin embargo, destacan por encima de todos aquellos dedicados —ya sea en el pasado o en la época contemporánea— a los arduos menesteres de la reconstrucción filológica: el padre Ángel María Garibay K., hombre de una erudición asombrosa, y el doctor Miguel León-Portilla.

El padre Garibay K., humanista que abarcó el helenismo y la hebreología, fundó de hecho los estudios modernos de la literatura mexicana antigua. Su *Historia de la literatura náhuatl* (2 ts., 1954) es una fuente de consulta insustituible en su campo. La abundancia de la documentación, la seriedad de la enorme investigación que supuso (pesquisa que se desarrolló en terrenos prácticamente vírgenes del conocimiento histórico y filológico), y el exhaustivo acopio de datos, la convierten en un libro clave para la cultura nacional. El doctor León-Portilla es el editor de la *Visión de los vencidos* (1959) —relaciones indígenas de la Conquista que fueran traducidas por el padre Garibay— y ha trabajado varios años en el Seminario de Cultura Náhuatl de la Universidad Nacional Autónoma de México (UNAM). A él se debe uno de los libros más bellos de la literatura mexicana de todos los tiempos: *Trece poetas del mundo azteca* (1967), que incluye a Tlaltecatzin, Nezahualcóyotl, Cuacuahtzin, Nezahualpilli, Cacamatzin, Tochihuitzin, Coyolchiuhqui, Axayácatl, la poetisa Macuilxochitzin, Temilotzin, Tecayahuatzin, Ayocuan Cuetzpaltzin, Xicohténcatl y Chichicuepon. De la figura central de este grupo, el rey de Texcoco, Nezahualcóyotl (1402-1472), ha dicho José Luis Martínez (*Nezahualcóyotl, vida y obra*, 1972): "En él se unían de manera excepcional las aptitudes a menudo irreconciliables del guerrero, el gobernante, el constructor, el sabio de las cosas divinas y el poeta..."

El idioma fue uno de los elementos más eficaces para instaurar el orden sobre el caos que significó para los pueblos aborígenes la Conquista española; y, por añadidura, un vínculo entre la multiplicidad de elementos dispersos y aun antagónicos con los que tuvieron que enfrentarse los recién llegados. Pero el castellano sobrepasó muy pronto estos niveles puramente utilitarios —vehículo para entenderse, instrumento para evangelizar y colonizar— y se convirtió en el material con el que iba a crearse una literatura. Ésta, derivada de la peninsular, nació en el preciso momento en que aquélla alcanzaba su más alto grado de esplendor: el Siglo de Oro. En estas condiciones las letras mexicanas tuvieron que guardar, desde el principio, un difícil y

LITERATURA

delicado equilibrio entre la sumisión a los modelos establecidos y prestigiados, y la necesidad de obedecer a los imperativos del objeto que trataba de mostrarse por medio de las palabras; un objeto original, irreductible a las fórmulas imperantes.

El primer género que se cultivó en la Nueva España fue la crónica. Ante la novedad del paisaje, los enigmas propuestos por las culturas descubiertas y la magnitud de las hazañas que contemplaban o protagonizaban, los hombres saeuropeos, en sus contactos iniciales con América, sintieron la urgencia de rendir un testimonio que sirviera, al mismo tiempo, de asombro a sus contemporáneos y de fuente de información a las generaciones posteriores. Así, la mano del cronista, no movida por una intención estética, fue trazando signos que han perdido mucho de su vigencia científica o de su valor histórico, pero que conservan, inmarcesible, la frescura del estilo, la vivacidad en la evocación de lo maravilloso, la fuerza épica, el arrebato de protesta, el ímpetu polémico, la candidez de las observaciones, el fervor religioso. Los historiadores de las letras mexicanas sitúan, en la base de este edificio, las cinco *Cartas de relación* de Hernán Cortés, redactadas entre 1519 y 1526 para dar cuenta al emperador Carlos V de las vicisitudes de la Conquista. De allí surgieron importantes emuladores: el *Conquistador Anónimo*, Andrés de Tapia y Bernardino Vázquez de Tapia; Nuño de Guzmán, Gonzalo López, Juan de Sámano, Pedro de Carranza, Cristóbal Flores, García del Pilar, Francisco de Arceo, Pedro de Guzmán y algunos otros, anónimos, que escribieron sobre el occidente del país; y Alvar Núñez Cabeza de Vaca, cuyos *Naufragios* (1542) informan de las tierras septentrionales.

Entre los cronistas peninsulares destacan Pedro Mártir de Anglería, autor de las *Décadas del Nuevo Mundo* (1530); Gonzalo Fernández de Oviedo, que dedicó el libro XX de su *Historia general y natural de las Indias* (1552) a los temas de México; y Francisco López de Gomara, que escribió ese mismo año su *Historia general de las Indias*. Ellos y sus seguidores se caracterizaron por servirse de testimonios y referencias indirectos y por recurrir a la lógica cuando el documento era incompleto, ambiguo o no existía. En cambio, los cronistas testimoniales se auxiliaron de su memoria, atestiguando lo que relataron. Entre todos sobresale Bernal Díaz

del Castillo con su *Historia verdadera de la Conquista de la Nueva España*, concluida en 1568 y aparecida en 1632 con el quijotesco afán de desfacer un entuerto contraponiendo a la exaltación, hasta entonces universal, de los héroes, la importancia de la tropa, del soldado anónimo como factor determinante para la realización de los hechos memorables que se narran. Alonso de Aguilar escribió hacia 1560 la *Relación breve de la Conquista de la Nueva España* y Francisco Cervantes de Salazar, insigne humanista, su *Crónica de la Nueva España*, sus *Diálogos* y *Túmulo imperial* (exequias de Carlos V).

Los historiadores religiosos fueron quienes mayor empeño pusieron en reconstruir el pasado indígena. Hasta 1545 se habían escrito, redactadas seguramente por religiosos auxiliados por indígenas, la *Relación de la genealogía* y el *Origen de los mexicanos*, la *Historia de los mexicanos por sus pinturas*, atribuida a fray Andrés de Olmos, y la *Relación de Michoacán*, redactada por fray Martín de la Coruña en colaboración con Pedro Panza, descendiente de los señores tarascos. Entre 1536 y 1541 Motolinía formó su *Historia de los indios de la Nueva España*. Fray Bernardino de Sahagún fue prototipo de objetividad, de ciencia y paciencia, de método. Cuando en 1566 dio a la luz su *Historia general de las cosas de la Nueva España*, estaba poniendo las bases para una disciplina que siglos más tarde habría de alcanzar la plenitud de su desarrollo: la antropología. Los textos de fray Bartolomé de las Casas, en cambio, llamean de indignación, alzan protestas, suscitan apasionadas adhesiones o rechazos. El propósito de fray Bartolomé en su *Brevísima relación de las Indias*, aparecida en 1552 y en su *Historia de las Indias*, publicada hasta 1875-1876, no se detuvo en lo especulativo, sino que se dirigió hacia lo práctico; no trató de divulgar sus conocimientos, sino de modificar las estructuras en las que iba cuajando la Colonia. Su influencia iba a reflejarse, más bien, en el espíritu de las leyes que regirían la convivencia de los hombres en el Nuevo Mundo. Apóstol de los indios, fray Bartolomé sirve de ejemplo aún a todos los que se yerguen como adalides de los desposeídos, de los desheredados, de las víctimas. Las obras de los padres Diego Durán (*Historia de las Indias de la Nueva España*), Juan de Tovar (*Relaciones*) y José de Acosta (*Historia natural y moral de las Indias*), escritas a fines del siglo XVI,

LITERATURA

parecen derivar de la misma fuente, la hipotética *Crónica X* postulada por Robert Barlow. Otros relatos de gran importancia son la *Historia de Tlaxcala* de Diego Muñoz Camargo, escrita hacia 1576; la *Historia eclesiástica indiana* de fray Jerónimo de Mendieta, terminada en 1597; y la *Historia de la fundación y discurso de la provincia de Santiago de México* de fray Agustín Dávila Padilla, publicada en 1596. Mención particular, por tratarse de una historia de la Conquista de México escrita en verso, merece *El peregrino indiano*, de Antonio Saavedra Guzmán, editada en Madrid en 1599.

Los historiadores indios fueron quienes, por la nobleza de su ascendencia aborigen y por la importancia de las alianzas de sangre que establecieron con los españoles, recibieron –en ambos aspectos del mestizaje– una esmerada educación. Así fueron capaces de tener acceso a las fuentes de la tradición prehispánica y, al mismo tiempo, manejar con soltura la lengua castellana para consignarlas. Resultan particularmente interesantes las obras de Hernando de Alvarado Tezozómoc, que terminó hacia 1598 su *Crónica mexicana*; y las de Fernando de Alva Ixtlilxóchitl, que dio cima a su *Historia chichimeca* hacia 1616.

España envió a América maestros de las órdenes religiosas, casi todos doctores de Salamanca, Alcalá o París, y pasada la efervescencia de la Conquista y el asombro de los primeros hallazgos, comenzó a trasplantar las instituciones culturales de la metrópoli a la Nueva España. La Real y Pontificia Universidad de México, creada en 1551 a imagen y semejanza de la de Salamanca, formó letrados cultos, al tanto de las modas y los modos peninsulares, y aptos para lograr imitaciones perfectas. El entusiasmo de los novohispanos por la literatura se manifestaba en certámenes poéticos, en representaciones teatrales y en las reuniones de los monasterios y colegios. Una de las primeras formas poéticas, entonces muy en boga, fueron las composiciones dedicadas a los autores de los libros, puestas al frente de sus obras, de las cuales son buen ejemplo los *Dicolon Icastichon* de Cristóbal Cabrera. Con poemas se exornaban también las piras funerarias erigidas en ocasión de la muerte de los monarcas, y con poemas se exaltaban las fiestas religiosas. Francisco Cervantes de Salazar reprodujo los dedicados a Carlos V en su *Túmulo imperial...* (1560) y Juan Pérez Ramírez, a su vez, recogió en *Desposorio espiritual entre el pastor Pedro y la Iglesia mexicana* (1574), los recitados con motivo de la consagración del arzobispo Pedro Moya de Contreras. Otros poetas de la época, todos a la manera española, fueron Fernando Córdoba Bocanegra, Juan Adriano, Juan Arista, Catalina Eslava –la primera escritora novohispana que registra la historia–, Francisco Terrazas y Salvador Cuenca. Baltasar Dorantes hizo versos satíricos y Juan de Gaona se distinguió como prosista. En Eugenio Salazar es evidente la imitación de Garcilaso.

El mimetismo formal, sin embargo, no agotó la actividad literaria. Pronto fueron ganando terreno los motivos autóctonos. Bernardo de Balbuena (1561-1627) conoció y practicó los mecanismos de la poesía épica resucitada por el Renacimiento. Pero los usó para ensalzar la *Grandeza mexicana*, en cuyo texto pretendió abarcar la topografía, la flora, la sociedad y las costumbres del virreinato. Según la crítica, el tono ponderativo, el estilo brillante, la abundante información, el recurso ornamental y la riqueza de elementos hicieron de esta obra la mejor realización de la poesía descriptiva de su tiempo.

Varios fueron los frailes que escribieron poesías en lenguas indígenas, con el propósito de difundir entre los aborígenes las nociones de la fe. Francisco Pimentel (*Obras completas*, t. IV, 1903) consigna, entre otras, *Diálogo o coloquios en lengua mexicana entre la Virgen María y el Arcángel San Gabriel*, por fray Luis de Fonsalida; *Varias canciones en verso zapoteco, sobre los misterios de la religión, para uso de los neófitos de la vera-paz* (manuscrito), por fray Luis Cáncer; *Poesías sagradas de la Pasión de Jesucristo y de los hechos de los apóstoles, en idioma kachiquel* (manuscrito), por fray Domingo Vico; *Varios cantares sagrados para uso de los indios de Chilapa*, por fray Agustín de la Coruña; y *Tres libros de comedias en mexicano*, por fray Juan Bautista. Caso de excepción fue el indígena Francisco Plácido, príncipe tecpaneca, quien recitó los *Cánticos de las apariciones de la Virgen María al indio Juan Diego*, obra suya, en 1535, cuando se colocó la imagen de Guadalupe en su primitiva ermita.

En la lírica y en la mística se presentaron menos oportunidades para que se expresara la sensibilidad de los criollos y de los mestizos que todavía no acababa de plasmarse, pero que ya mostraba rasgos diferentes a los peninsulares.

LITERATURA

En estos géneros se emplearon los metros y los motivos tradicionales. Lo importante, para los poetas novohispanos de entonces, era el alarde de virtuosismo, el dominio de una técnica que no debía ser patrimonio exclusivo de quienes la habían creado. A su manera, esta fue una afirmación de igualdad que, aunque constreñida a los límites del fenómeno literario, implicaba un pronunciamiento en el orden político.

El teatro fue uno de los medios más eficaces con que contaron los evangelizadores para desarrollar su labor. La *Representación del fin del mundo*, auto sobre el juicio final escrito por fray Andrés de Olmos, se puso en escena en Santiago Tlatelolco en 1533. Fue el inicio de una actividad en la que predominaba el interés didáctico, al que se sacrificaban las bellezas del estilo o la coherencia de la trama, e iba dirigida a un público ingenuo al que había que enseñar divirtiendo. Los escritores de teatro culto, en cambio, no tenían más limitación que la de sus capacidades y la de los convencionalismos dramáticos inexorables de esa época. Los *Coloquios espirituales y sacramentales y canciones divinas* de Fernán González de Eslava, publicados en 1610, son el mejor ejemplo novohispano de este género; corresponden al teatro prelopista, heredero y continuador del medieval, y tienen gran interés literario, histórico y lingüístico.

Entre los demás nombres y títulos que podrían citarse merece un sitio aparte, por su importancia excepcional, el de Juan Ruiz de Alarcón y Mendoza. Nacido en México en 1581 y licenciado en ambos derechos por la Real y Pontificia Universidad, sintió desde muy joven la atracción de los escenarios madrileños, entonces poblados por las criaturas de ficción de esos "monstruos de la naturaleza" que fueron Lope de Vega, Tirso de Molina y Calderón de la Barca. Parecía imposible añadir nada a lo ya escrito por estos dramaturgos ni colocarse frente a ellos en plan de igualdad. Aun en un plano secundario era preciso alternar con famas tan altas y tan bien ganadas como las de Quevedo, Vélez de Guevara y Mira de Amescua. Sin embargo, Ruiz de Alarcón tuvo la osadía, siendo indiano, padeciendo deformidades físicas y no teniendo el apoyo ni de un linaje, de una fortuna ni de un valimiento poderoso, de pretender explorar campos no frecuentados por los autores en boga. Tal osadía despertó contra el advenedizo una hostilidad que no se detuvo

ante el exceso de impedir la representación de sus comedias arrojando bombas pestilentes entre el público. Retirado de lides que tan poco tenían que ver con el arte, Ruiz de Alarcón se consagró, a solas, al perfeccionamiento de su obra en la que se coronó con el laurel de creador del teatro de caracteres. Al vértigo de la acción, desencadenado por Lope y sus émulos, opuso la reflexión; al impulso vital, el raciocinio lúcido; a los abstrusos problemas teológicos, los planteamientos de una moral concreta, no de predestinado ni al cielo ni al infierno, sino de hombre de este mundo en sus relaciones con otros hombres. Estos rasgos hacen de sus personajes un espejo en el que se reconoce sin dificultad el lector moderno. La novedad de la perspectiva y la sobriedad del lenguaje se atribuyen a su origen y a su formación intelectual y así, aunque no haya en sus obras alusiones importantes a México, es tan mexicano por su nacimiento como por su estilo. De los 27 títulos que se han comprobado como auténticos suyos destaca por su perfección *La verdad sospechosa*, agudo análisis de una personalidad patológica y de las situaciones que engendra, asunto que parafrasea Corneille en *Le manteur* y que de aquí pasa al teatro de Molière. *Las paredes oyen*, *Mudarse por mejorarse*, *El tejedor de Segovia*, *Los pechos privilegiados* siguen gozando del favor del público, que se solaza aún en la justeza de las apreciaciones, en el preciso dibujo de los protagonistas, en la trabazón de los episodios y en la actualidad de los conflictos.

El siglo XVII trajo consigo un cambio en el gusto estético. En la larga lucha librada en la Península entre concepcionistas y culteranos acabaron por prevalecer estos últimos y por instaurar la corriente barroca. El escritor era un hombre de ingenio, capaz de combinar, de mil modos diferentes, los vocablos al parecer más remotos y de alambicar las frases hasta tornarlas oscuras o de revestirlas de tan espesa capa de erudición que sólo resultaran accesibles a un muy selecto grupo de iniciados. El barroco, que se presta a la exageración y al fraude, proliferó en la Nueva España con tal exceso que la habilidad retórica acabó por confundirse con el talento, al punto de que cualquiera que se atreviese a poetizar o prosificar de modo "gracizante y latinoso", como decía Quevedo, sentaba plaza de Caballero del Parnaso. Poetas latinos fueron Juan Muñoz

LITERATURA

Molina, Francisco Samaniego, fray Juan Valencia, Francisco Deza y Ulloa, Mateo Catroverde y Bernardino Llanos. Este último se distinguió como autor de juegos y caprichos literarios, tales como anagramas, acrósticos, centones, emblemas, laberintos y símbolos, formas que suelen apostillar los periodos de decadencia. Practicaron la poesía lírica Luis Sandoval y Zapata, Juan de Guevara –el más apreciado de su tiempo–, el padre Nicolás de Guadalajara, Pedro Muñoz de Castro y Francisco Ayerra y Santa María; la narrativa, Arias Villalobos –autor de la *Historia de México en verso castellano desde la venida de los acolhuas hasta el presente* (1623)–, Francisco Corchero Carreño, Gaspar Villagrá y Antonio Morales Pastrana; la descriptiva –de la naturaleza y del arte–, Diego Rivera; y la dramática, Juan Ortiz de Torres, Jerónimo Becerra, Antonio Medina Solís, Agustín Salazar y Torres, y Alonso Ramírez y Vargas. De las biografías en verso, entonces muy apreciadas, es buen ejemplo la de fray Payo Enríquez, escrita por José López Avilés (*Debido recuerdo de agradecimiento leal*). La *Canción a la vista de un desengaño*, de Matías Bocanegra, era muy popular, y en las ceremonias tanto civiles como religiosas se preferían las versificaciones de María Estrada Medinilla y de sor Teresa de Cristo, religiosa del convento de la Concepción de México.

De tantos y tantos nombres como éstos que ha devorado el tiempo, sobrevive, íntegro, el de Sor Juana Inés de la Cruz, llamada la *Décima Musa* por sus contemporáneos. Pasma por su precocidad, pues antes de cumplir los tres años aprendió a leer y a los ocho compuso una loa en honor del Santísimo Sacramento. Versificaba tan espontáneamente que había de esforzarse por advertir que no es éste el modo común de hablar. Admira por la universalidad de su cultura de autodidacta, pues nada humano le fue ajeno: ni las ciencias, ni la teología, ni el arte. Compuso tratados, averiguó leyes, citó autoridades. Conmueve por lo excepcional de su condición, pues fue una mujer cuya cabeza era "erario de sabiduría y que no aspiraba a otra corona que a la de espinas". Su vida fue breve y ejemplar. Nació en 1651 en el pueblo de Nepantla, una comunidad mexicana tan humilde que su nombre sólo quiere decir "en medio", como alusión a otras dos que le son

equidistantes; a los 13 años fue recibida en Palacio, después de haber sido rechazada –por motivo de su sexo– en la Universidad, con el título de "muy querida de la Señora Virreina". Ingresó en 1667 en el convento de San José de las Carmelitas Descalzas, el cual abandonó por no soportar su salud el rigor de la regla. Después de un breve intervalo en el mundo profesó en una comunidad de monjas jerónimas. En su celda escribió poemas, villancicos, autos sacerdotales y comedias. Lo profano y lo sagrado se mezclaron en sus letras y poco a poco fue dando acogida a la multitud de su pueblo a la que prestó su voz. Así habla el indio con "las dulcísimas cláusulas del mexicano lenguaje"; el negro, balbuciente como un niño; el bachiller hinchado de pedantería; el poeta pobre; el campesino inocente. Y la dama y el galán de la aristocracia y los criados socarrones y las dueñas cómplices y la soldadesca borracha. Allí está el reflejo de la vida cortesana, tan complicadamente frívola. Allí se cava el curso de la preocupación teológica y del afán de aleccionamiento. Del entrañable conocimiento de lo suyo, Sor Juana transita con facilidad a la conciencia de que existe algo radicalmente distinto ya entre lo novohispano y lo español. Ella misma se proclama "paisana de los metales" y se define con una serie de características que son las de la incipiente nacionalidad. Ese "libre tuteo con el mundo", ese interés solícito por las criaturas, esa curiosidad por las cosas, esa cortesía, esa amistad, ese amor por las personas no eran actitudes que se considerasen compatibles con lo que entonces se entendía como la vida religiosa. Llovieron las amonestaciones, los reproches de sus superiores jerárquicos. Juana se defendió argumentando, pero los reproches adquirieron tono de amenaza. Cedió al fin, no se sabe si convencida o desfalleciente y renunció a los estudios humanos. Repartió los libros de su biblioteca y los aparatos que ayudaban a sus meditaciones. Un año después murió a los 44 de su edad.

Amigo, colaborador de Sor Juana, fue Carlos de Sigüenza y Góngora, cuya fama principal es la de erudito, pero que ha de situarse aquí como el autor del primer relato ficticio (género prohibido por la Inquisición) cuando hace la *Relación de los infortunios de Alfonso Ramírez*. Escribió también *Primavera indiana* (1662), poema sacro-histórico sobre la Virgen de Guadalupe, por el cual la

LITERATURA

Décima Musa lo llamó "Dulce, canoro Cisne Mexicano".

El siglo XVIII repudió a medias el barroquismo y le opuso una nueva escuela, el neoclasicismo, que pretendió recuperar el equilibrio por las vías del rigor gramatical y lógico. Mientras el padre Diego José Abad (1727-1779), latinista, autor de *Heroica de deo Carmina*, procuraba destruir las sutilezas escolásticas en filosofía y el gongorismo en literatura, Francisco Ruiz de León hacía una ampulosa exaltación lírica de la Conquista en *La Hernandisa* y daba a sus 330 décimas sobre los dolores de la Virgen María al pie de la cruz, el título barroco de *Mirra dulce para aliento de pecadores* (1790). El presbítero José Manuel Sartorio (1746-1828), a su vez, caía en el prosaísmo, género así llamado porque trataba en verso de objetos comunes, materia de la prosa, y no de la representación sensible del bello ideal, sustancia de la poesía. En contraste con sus contemporáneos, fray José Manuel Martínez de Navarrete (1768-1809) fue ejemplo de sencillez y naturalidad clásicas, de espontaneidad, de objetivismo, religioso y humanista, no dudó en asociar en sus poemas la teología con la mitología. Rafael Landívar (1731-1793), poeta latino, describió en su *Rusticatio mexicana* (Módena, 1781) la geografía, la historia, la flora, la fauna, los minerales y los juegos de Nueva España.

A fines del siglo XVIII y principios del XIX brillaron también, aunque con menores luces, Luis Antonio Aguilar, de pesada erudición teológica; Manuel Zumaya, que hizo teatro de circunstancias; José Antonio Pérez Fuentes, y Manuel Santos Salazar y Francisco Soria, escritores indohispanos; Pedro Reinoso, latinista; José Rafael Larrañaga, traductor en versos castellanos de todos los poemas de Virgilio; Francisco Javier Alegre, que vertió al latín *La Ilíada* y al español cuatro sátiras y una epístola de Horacio; José Bernández de Rivera, conde de Santiago de la Laguna, que incursionó en la didáctica religiosa; Luis G. Zárate, epigramista, llamado el *Marcial Mexicano*; José Mociño, que describió la erupción del volcán del Jorullo en versos latinos; Manuel Gómez Marín, autor de *El currutaco por alambique* (1799), sátira contra los jóvenes que se precian de elegantes; y Juan Francisco Azcárate y Lezama, de cuya pluma salieron unos *Breves apuntes para la historia de la literatura de Nueva España*.

El siglo XIX fue el de la Guerra de Independencia. Los sobresaltos políticos, si dificultaban por una parte la redacción, la impresión y la circulación de los libros, por la otra sirvieron de catalizadores para que el escritor se consagrase a su tarea no como a un pasatiempo sino como a un sacerdocio. Literatos que vivieron la transición entre el virreinato y la República fueron Anastasio María Ochoa (1783-1833), dramaturgo traductor de *Las Heroidas* de Ovidio, epigramista y excelente poeta satírico; Manuel Sánchez de Tagle (1782-1847), redactor y firmante del Acta de Independencia, imitador de las formas greco-latinas, pero sustituyendo en ellas los argumentos clásicos por asuntos originales de la época, expresados con el fuego de sus sentimientos personales, con la gravedad de su carácter; y Francisco Ortega (1793-1849), autor de una prosodia española en verso, de un apéndice a la *Historia antigua* de Veytia, de himnos religiosos, de poemas patrióticos, así como del melodrama *México libre*, representado en ocasión de la jura de la Independencia en el Teatro Principal de la capital el 27 de octubre de 1821.

En la prosa influyó la picaresca, de honda raigambre castellana. El pícaro, hombre marginado de una sociedad que no acierta ni a satisfacer sus necesidades ni a servirse de sus potencialidades, se encontró en las mejores condiciones para ejercer la crítica sobre una organización que tan poco le favorecía, que tantos contrastes absurdos mostraba, que se asentaba sobre postulados que sólo la cobardía, la inercia o la falta de examen hacía perdurables. Por eso José Joaquín Fernández de Lizardi (1776-1827), *El Pensador Mexicano*, periodista, revolucionario activo, escogió como personaje de la primera novela americana, propiamente dicha, a un pícaro: *El Periquillo Sarniento*. En sus páginas, que se publicaron en 1816, aparte de hacer una minuciosa y detallada descripción de las costumbres, instituciones y tabúes que rigieron la vida colonial, pretende ofrecer una nueva tabla de valores que remedie los males padecidos hasta entonces y que inaugure una nueva era de prosperidad y de justicia. Aparte de este libro, que es el más logrado y famoso de los suyos, Fernández de Lizardi posee una extensa bibliografía en la que destacan *La Quijotita y su prima* y la *Vida y hechos del famoso caballero don Catrín de la Fachenda*, publicada en 1832, después de su muerte. Son también importantes sus poesías *El unipersonal de Iturbide* (1823), monólogo en versos endecasílabos; *El negro sensible* (1825), melodrama; y *La tragedia del padre Arenas* (1827), pieza alegórica en cuatro actos.

Antes de Fernández de Lizardi habían escrito novelas en México, aunque sin ningún mérito, Juan Piña Izquierdo, castellano avecinado en Puebla (*Novelas morales*, Madrid, 1624); José González Sánchez (*Fabiano y Aurelia*, manuscrito, 1760); Jacobo Villaurrutia (*Memorias para la historia de la virtud*, Alcalá, 1752) y Anastasio María Ochoa, autor de una narración costumbrista.

El romanticismo, que había tenido ya sus momentos de mayor esplendor en Europa, fue acogido en América con entusiasmo. Afiliarse a él permitió a los escritores de estas latitudes descubrir su paisaje, exaltar y mistificar el pasado indígena, afirmar las peculiaridades de lo autóctono y contraponerlo a lo extranjero, de manera que resultara preferible dar rienda suelta a los sentimientos, atropellando para ello –si fuere necesario– las reglas de la composición y la retórica. En suma, el romanticismo fue, en las letras, la ruptura de las cadenas, el grito de libertad y autonomía.

Ignacio Rodríguez Galván (1816-1842) pasa por ser el introductor del romanticismo en México: describió con realismo las formas exteriores e idealizó el mundo interior, pues la belleza, a diferencia de los clásicos, creía encontrarla en el espíritu y no en la materia. Desde los 16 años de edad publicó poemas y dramas con temas amorosos, patrióticos y religiosos, entre otros *El visitador de México* y *Profecía de Cuatímoc*. José Joaquín Pesado (1801-1861) fue ecléctico, pues reunió en sus poesías la sencillez de los clásicos y la delicadeza y melancolía de los románticos. Manuel Carpio (1791-1860), en cambio, desarrolló de una manera propia viejos temas cristianos y se complacía, llevado por un ánimo descriptivo, más en observar que en sentir. Manuel Eduardo de Gorostiza (1789-1851), militar, diplomático y dramaturgo, dejó buen número de piezas teatrales que aún se siguen representando, en especial *Contigo pan y cebolla* (Londres, 1833), si bien sólo escribió en México *Las costumbres de antaño* (1833). Fernando Calderón (1809-1845) produjo dos dramas caballerescos, una pieza de tema histórico y una preciosa comedia de costumbres. Escribieron novelas el conde de la Cortina: *Leona y Euclea o la griega de Trieste* (1845); Fernando Orozco y Berra (1822-1851): *La guerra de treinta años*; Juan Díaz Covarrubias (1831-1859): *La clase media, El diablo en México* y *Gil Gómez el insurgente o la hija del médico*; Justo Sierra O'Reilly (1814-1861): *El mulato, Un año en el Hospital de San Lázaro* y *La Hija del Judío*; y Florencio María del Castillo (1828-1863): *Hermana de los ángeles*.

De 1810 a 1885 ensayaron la poesía, entre muchos otros, Juan N. Troncoso (murió en 1830), fabulista; Andrés Quintana Roo (1787-1851), gran impulsor de las letras, acaso el primero que se empeñó en la observancia de las reglas prosódicas; los yucatecos Wenceslao Alpuche (1804-1841), José A. Cisneros (1826-1880) y Ramón Aldana (1832-1882); el cubano José María Heredia (nació en 1803), Juan Nepomuceno Lacunza (1822-1843); Francisco González Bocanegra (1824-1861), autor de los versos del *Himno Nacional*; Marcos Arroniz, ultrarromántico; Francisco Granados Maldonado; Juan Valle, sentimentalista; la española Isabel Prieto de Landázuri, la duranguense Dolores Guerrero, la tabasqueña Teresa Vera y la tapatía Juana Ocampo y Morán; el presbítero Miguel G. Martínez y Manuel Pérez Salazar, en Puebla; Manuel Acuña (1849-1873), de quien Menéndez Pelayo dijo que era "áspero materialista, talento descarriado"; José María Lafragua (1813-1875), Pantaleón Prieto (1828-1876), José María del Castillo y Lanzas (1801-1878), Antonio Plaza (1833-1882), José Rosas Moreno (1838-1883), Francisco de Paula Guzmán (murió en 1884), Manuel M. Flores (1840-1885), Gabino Ortiz (1819-1885), Alejandro Arango y Escandón (1821-1883) y José Sebastián Segura (1822-1879).

Sin embargo, Ignacio Ramírez, Guillermo Prieto e Ignacio Manuel Altamirano fueron los escritores más importantes de esa época. Hombres de acción, intervinieron decisivamente en la vida política. Las novelas que gozaron de más amplia popularidad son *Los bandidos de Río Frío* de Manuel Payno, *Astucia, el jefe de los Hermanos de la Hoja, o los charros contrabandistas*, de Luis G. Inclán y *La linterna mágica*, título bajo el que coleccionó sus obras José Tomás de Cuéllar. Las aventuras y la descripción de las costumbres fueron el meollo de los relatos hasta que el romanticismo dejó de corresponder a las circunstancias históricas y fue sustituido por otras

LITERATURA

escuelas que no sólo privaban en los círculos literarios europeos sino que se avenían mejor a la actualidad mexicana de fines del siglo XIX.

El realismo y aun el naturalismo se desarrollaron y llegaron a su culminación durante el porfiriato. Treinta años de estabilidad, de paz y de progreso aparente permitieron que la literatura se despreocupara del mensaje ideológico y se ocupara de la experimentación formal. La calma exterior permitió a los escritores la frecuentación de los textos que querían ser asimilados para que su imitación resultara fructífera; y la observación del ambiente, para reproducirlo con una exactitud fotográfica. Pese a tan favorables condiciones, la de escribir no era todavía una profesión tan lucrativa como para que pudiera excluir a cualquier otra. Era una afición, un lujo que sólo se daban quienes contaban con ingresos seguros y decorosos. Así, no es raro que en los nombres que se citan a continuación se vea cómo la literatura era capaz de aliarse con la diplomacia, la jurisprudencia, la política, la burocracia. Emilio Rabasa, autor de *La bola* (1887); José López Portillo y Rojas, de *La parcela* (1898); Heriberto Frías, de *Tomóchic* (1892), y Federico Gamboa, de *Santa*, constituyen la pléyade de novelistas que junto con los poetas precursores del modernismo: Manuel Gutiérrez Nájera, Salvador Díaz Mirón, Manuel José Othón y Amado Nervo, vieron derribada su torre de marfil por la vorágine revolucionaria de 1910.

Coincidiendo con el final del régimen porfirista y del modernismo, se fundó la Universidad Nacional de México y nació el Ateneo de la Juventud. Justo Sierra y Pedro Henríquez Ureña, animadores de una y otro, aspiraban a suscitar en los jóvenes el conocimiento y el estudio de la cultura mexicana dentro del cuadro general del pensamiento universal. La amplitud de la tarea hizo mudar aun el estilo de vida de los escritores, quienes pasaron de la bohemia al gabinete casi sin gradaciones. Fueron ateneístas, en sus años mozos, Antonio Caso, siempre inscrito en el campo de la filosofía; José Vasconcelos y Alfonso Reyes, que unieron las preocupaciones filosóficas y aun científicas con las literarias; Enrique González Martínez, Rafael López, Roberto Argüelles Bringas, Manuel de la Parra, Alfonso Cravioto, Ricardo Gómez Robledo, Jesús T. Acevedo y Julio Torri, en cuya obra, fundamentalmente de creación literaria, priva el

vigor intelectual, el espíritu crítico y el interés por los temas nacionales; Carlos González Peña, que cultivó los estudios gramaticales, la crónica y la historia literaria; Genaro Fernández MacGregor y Eduardo Colín, dedicados fundamentalmente a la crítica, y Alejandro Quijano, entregado a la defensa y al mayor lustre del idioma.

De 1912 a 1914, en plena época de confusión e inestabilidad política, desaparecido ya el Ateneo y dispersos sus miembros, Francisco González Guerrero, Rodrigo Torres Hernández y Gregorio López y Fuentes publicaron la revista *Nosotros*, consagrada a recoger la obra de sus predecesores, a buscar ellos mismos su lenguaje poético y a suscitar nuevas vocaciones.

El grupo de "Los Siete Sabios" corresponde a la generación de 1915: Alfonso Caso, Vicente Lombardo Toledano, Manuel Gómez Morín, Alberto Vázquez del Mercado, Teófilo Olea y Leyva, Jesús Moreno Vaca y Antonio Castro Leal se formaron bajo la influencia filosófica de Antonio Caso y la literaria de Henríquez Ureña; pero todos ellos derivaron en la madurez hacia las más contrastantes direcciones ideológicas, llegado a significarse en la vida del país, cada uno en su campo, de modo preminente. Sólo Castro Leal siguió cultivando la literatura: ensayista y crítico, reunió antologías y escribió ensayos, cuentos y poemas.

Son de la misma época Francisco Monterde, poeta, dramaturgo, novelista y crítico de la literatura mexicana; Julio Jiménez Rueda, que pasó del teatro y la novela a la historia literaria y a la investigación; Ermilo Abreu Gómez, especialista en letras y escritores coloniales, sobre todo en Sor Juana, y autor de dramas, en su juventud, y de lecciones y juicios en su edad adulta; y Manuel Toussaint, que abandonó el relato y los estudios literarios para consagrarse de lleno a la investigación, la difusión y la enseñanza del arte colonial. Distinta fue la corriente colonialista, en boga de 1917 a 1926, que trató de revivir los modos de expresión virreinales. Monterde, Jiménez Rueda, Abreu Gómez, Cravioto y Manuel Horta escribieron novelas y ensayos en ese estilo, pero muy especialmente Artemio de Valle Arizpe, quien habría de consagrar toda su obra a novelar y reseñar con gran éxito ese periodo.

En esos mismos años González Martínez convocaba a una profunda comprensión poética de la vida, como reacción ante las apariencias formales

LITERATURA

exaltadas por el modernismo; y Ramón López Velarde descubría para los propios mexicanos el continente poético de la provincia y luego, en *La suave Patria*, escrita en ocasión del primer centenario de la consumación de la Independencia, les entregaba un resumen lírico y épico de la nación, que a pesar de sus audacias y caprichos verbales y conceptuales, o acaso por ello, todos sintieron como propio. En cuanto se hizo público el primer libro de poemas de López Velarde, *La sangre devota* (1916), surgieron los continuadores de sus temas aparentes: Manuel Martínez Valadez, en Guadalajara, publicó *Visiones de provincia* (1918) y *Alma solariega* (1923); Enrique Fernández Ledesma, zacatecano, *Con la sed en los labios* (1919); Francisco González León, de Lagos de Moreno, que ya había dado a las prensas *Megalomanías* (1912), reunió su producción en *Campanas de la tarde* (1922) y *De mi libro de horas* (1937); Severo Amador, zacatecano, escribió *Cantos de la sierra* (1918) y *Las baladas del terruño* (1931, póstumo); y Alfredo Ortiz Vidales, moreliano, *En la paz de los pueblos* (1923). Pusieron nota de exotismo a los primeros años veintes el japonismo de José Juan Tablada y Efrén Rebolledo; y de solidaridad continental, las revistas *El Maestro* (1921-1923), *La Falange* (1922-1923) y *La Antorcha* (1924-1925), inspiradas por Vasconcelos.

La lucha armada tuvo como principal protagonista al pueblo, pero a su entusiasmo se sumaron también los intelectuales, quienes aparte de la influencia que pudieron ejercer sobre la mentalidad de los caudillos para dar mayor lucidez a su doctrina, convirtieron los sucesos en los que tomaron parte en temas de sus obras. Así surgió una corriente vigorosa, que no respetó los viejos cánones de la narrativa porque estaba en posibilidad de imponer unos nuevos, que se atenía a la visión directa de los hechos sin el intermediario de una teoría previa, concebida y practicada en otros países y en diferentes circunstancias. A esta corriente se le ha llamado de la novela de la Revolución y fue Mariano Azuela el que la inició con *Los de abajo*, publicada en 1915 en El Paso, Texas, y la cual, con una admirable concisión, retrata los móviles, las conductas, los caracteres y los resultados de las acciones de quienes se lanzaron a la lucha armada para cambiar la fisonomía social, económica, política y cultural de su país. *Los de abajo*, pese a su brevedad, logra el balance de un aconteci-

miento histórico que el autor declara negativo. La nota pesimista se mantiene a lo largo de toda la producción de Azuela, entre cuyos títulos más significativos se encuentran, además, *La malhora*, *El desquite* y *La luciérnaga*.

Más ponderado, más lúcido, más terso y cuidado en el estilo, Martín Luis Guzmán evoca una figura fascinante en las *Memorias de Pancho Villa* (1938-1940) y en *El águila y la serpiente* (1928). En *La sombra del caudillo* (1929) pretende ir más allá de las apariencias para captar los mecanismos del poder y analizar unos procesos que hasta entonces parecían ser impenetrables para la razón. Rafael F. Muñoz, José Rubén Romero, Gregorio López y Fuentes y Mauricio Magdaleno contribuyeron, cada uno con sus características peculiares, a mantener la vigencia de esta corriente ante la cual todas las otras tentativas (colonialismo, estridentismo, sicologismo) permanecieron en un segundo término, si no en el juicio de la crítica, que siempre reconoce su valor, sí en el favor del público para quien estos géneros se hacen menos accesibles. Han escrito también relatos, cuentos y novelas inspirados o enmarcados en la Revolución: Martín Gómez Palacio, Francisco L. Urquizo, Jorge Ferretis, Cipriano Campos Alatorre, Bernardino Mena Brito, el Doctor Atl, Francisco Rojas González, Hernán Robleto, José Mancisidor, José C. Valadés, José Guadalupe de Anda y Nellie Campobello.

La literatura de contenido político y social, proletaria, indigenista y popularista fue también consecuencia de la Revolución. Destacaron en estos géneros, sobre todo en la década de los cuarentas, Miguel Ángel Menéndez, Xavier Icaza, César Garizurieta, Juan de la Cabada, José Revueltas, Carlos Gutiérrez Cruz, José Alvarado, Antonio Mediz Bolio, Andrés Henestrosa, Héctor Pérez Martínez, Miguel N. Lira, Daniel Castañeda y Margarita Gutiérrez Nájera. En esos años Ángel María Garibay K. y Miguel León-Portilla empezaron a estudiar y a divulgar la literatura náhuatl, y Vicente T. Mendoza emprendió la investigación del folclore.

"Hijo menor de la palabra" se llamó a sí mismo Alfonso Reyes, cuya figura arroja una sombra venerable sobre ésta y otras generaciones sucesivas, con las que se une por el tiempo y de las que se separa por la perspectiva que le proporciona una cultura universal, una personalidad polifacética que

LITERATURA

iba desde el más riguroso ensayo literario hasta la gracia de la poesía de circunstancias.

Figuras aisladas de gran mérito fueron los poetas Joaquín Méndez Rivas y José D. Frías, uno de robusta inspiración, el otro conturbado por las confesiones y frustraciones de la bohemia; José de J. Núñez y Domínguez y Luis Castillo Ledón, ensayistas e historiadores; y Francisco González León y Enrique Fernández Ledesma, cantores de la provincia. En 1922-1923 surgió el movimiento estridentista, versión mexicana del ultraísmo, cuyo principal animador fue Manuel Maples Arce, al que se unieron después entre otros, Arqueles Vela y Germán List Arzubide. En aquella época publicaron textos y poemas y las revistas *Horizonte* e *Irradiador*. Maples Arce escribió sus memorias (*Soberana juventud*, 1971) y List Arzubide varios libros de cuentos, en un estilo del todo diferente.

Carlos Pellicer, Bernardo Ortiz de Montellano, Octavio G. Barreda, Jaime Torres Bodet, José Gorostiza, Xavier Villaurrutia y Salvador Novo fueron los principales miembros del grupo *Contemporáneos*, así llamados por el nombre de la revista en cuyas páginas coincidieron. Preocupados por introducir a la literatura mexicana las corrientes vanguardistas europeas, especialmente francesas, consumaron, cada quien a su manera, la renovación estilística que había iniciado López Velarde. Años antes, en 1918, habían publicado en la Escuela Nacional Preparatoria la revista *San-Ev-Ank*, donde se hallan sus primeras producciones.

Carlos Pellicer es el cantor de las grandes gestas heroicas de la América hispana, el que "mueve sus enérgicas piernas de caminante" de un ámbito a otro de estas enormes latitudes para alabar el paisaje y revivir los mitos. A partir de 1914, en que empezó a publicar sus poemas, una larga evolución lo ha conducido de la sensualidad exuberante hasta la mística. La recolección de su *Material poético* (1962) permitió a los lectores apreciar un don verbal casi inagotable, una capacidad de fruición que la edad no atempera y que la sabiduría sólo aquilata. Ortiz de Montellano trató de expresar el diálogo constante entre la vida y la muerte y de penetrar al reino de los sueños. A José Gorostiza, que en 1925 había dado a las prensas *Canciones para cantar en las barcas*, le bastó para consagrarse *Muerte sin fin* (1939), poema metafísico que se propone explicar la sustancia y el destino de la existencia humana, en un afán esclarecedor omnicomprensivo cuyo único antecedente en la tradición de las letras castellanas sería el *Primer sueño*, de Sor Juana. Torres Bodet, educador, diplomático y varias veces ministro, trasmitió en sus poemas, relatos, novelas, discursos y memorias, las experiencias radicales del hombre, vividas y discernidas desde la altura de su noble humanismo y su heroísmo moral. Barreda aplicó su mayor dedicación a descubrir y estimular nuevos valores, cuyas primicias dio a conocer en revistas por él fundadas, entre otras *Letras de México* (1937-1947) y *El Hijo Pródigo* (1943-1946). Villaurrutia, que meditó con una desesperada lucidez sobre la inanidad de la vida, y Salvador Novo, que recata el desgarramiento de su sensibilidad bajo un velo de humor, siguen a su vez representando, al igual que sus otros compañeros de generación, un ejemplo de trabajo sostenido y una influencia perdurable. Otros escritores del mismo grupo, o que florecieron en esa época, son Jorge Cuesta, Enrique González Rojo, Enrique Asúnsulo, el nicaragüense Salomón de la Selva, Gilberto Owen, Carlos Díaz Dufoo Jr., Rubén Salazar Mallén, Renato Leduc, Bernardo J. Gastélum, Eduardo y Carlos Luquín, Eduardo Villaseñor, Samuel Ramos (v. FILOSOFÍA), Elías Nandino, José Martínez Sotomayor y Alfonso Gutiérrez Hermosillo. Rodolfo Usigli (Premio Nacional de Letras 1972) se ha distinguido como dramaturgo: satiriza las costumbres privadas y públicas en sus *Comedias impolíticas* y en *El gesticulador* y recrea tres momentos estelares de la historia mexicana en *Corona de fuego*, cuyo protagonista es Cuauhtémoc; *Corona de luz*, que propone una interpretación audaz y novedosa acerca de la Virgen de Guadalupe; y *Corona de sombra*, que contrapone las figuras de Maximiliano y de Juárez.

Hacia 1940 eran ya conocidos, o iniciaban su obra, en la prosa: Teodoro Torres, Guillermo Jiménez, Alfredo Maillefert, Antonio Acevedo Escobedo, José Gómez Robleda, José María Benítez, Aurelio Robles Castillo, Rosa de Castaño, Asunción Izquierdo, Guadalupe Marín, María Elvira Bermúdez, Magdalena Mondragón, María Luisa Ocampo, Judith Martínez Ortega, Leopoldo Zamora Plowes, Rodolfo González Hurtado, Luis Enrique Erro, Alejandro Núñez Alonso,

LITERATURA

José Meana, Ricardo Cortés Tamayo, Raúl Ortiz Ávila, Rodolfo Benavides, Armando Chávez Camacho, Guillermo Zárraga, Rafael Bernal y Francisco Tario, estos tres últimos dedicados al género fantástico; en la lírica: Alfonso Junco, Alfredo R. Placencia, Leopoldo Ramos, Alfredo Ortiz Vidales, Rafael Lozano, José Muñoz Cota, Jesús Zavala, Francisco Orozco Muñoz, Clemente López Trujillo, José López Bermúdez, J. Jesús Reyes Ruiz, Vicente Echeverría del Prado y Roberto Guzmán Araujo; en el teatro: José Joaquín Gamboa, Víctor Manuel Díez Barroso, José F. Elizondo, Ricardo Parada León, Adolfo Fernández Bustamante, Ladislao López Negrete, Juan Bustillo Oro, Carlos Noriega Hope, Catalina D'Erzell, Amalia Caballero de Castillo Ledón, Teresa Farías de Issasi, Margarita Urueta y Concepción Sada; en los estudios humanísticos: Gabriel y Alfonso Méndez Plancarte y Octaviano Valdés; en filología: Pablo González Casanova y J. Ignacio Dávila Garibi; en estudios bibliográficos: Juan B. Iguíniz y Felipe Teixidor; en investigación y crítica literaria: Andrés Iduarte, José María González de Mendoza, Rafael Heliodoro Valle, José Rojas Garcidueñas, Salvador Ortiz Vidales y Baltazar Dromundo; en ensayo político y social: Daniel Cosío Villegas, Jesús Silva Herzog y José E. Iturriaga; en filosofía: Antonio Gómez Robledo, Edmundo O'Gorman y Adolfo Menéndez Samará; y en crítica de arte: Salvador Toscano, Justino Fernández y Francisco de la Maza.

La generación de la revista *Taller* (1938-1941) estuvo formada por poetas y novelistas a quienes sólo inicialmente unió una actitud de rechazo al esteticismo de los *Contemporáneos*. El más ilustre de todos ellos es Octavio Paz. En un ensayo que ya se considera clásico sobre lo mexicano (*El laberinto de la soledad*, 1950) sostiene que, en el terreno estrictamente intelectual, la Revolución tuvo la virtud de acabar con muchos prejuicios obsoletos para sustituirlos con imágenes más adecuadas de una realidad que ya tiene perfiles propios, que ya se afirma, con decisión, frente a otras en las que hasta entonces se había confundido, o a las cuales había aspirado a emular. Esta toma de conciencia lo ha llevado a enjuiciar, en textos políticos de alto valor literario, situaciones recientes de México. Otros miembros de ese grupo fueron los poetas Efraín Huerta, Alberto Quintero Álvarez, Neftalí Beltrán, Rafael Vega Albela, Octavio Novaro, Enrique Gabriel Guerrero, Carmen Toscano, Mauricio Gómez Mayorga, Manuel Lerín y Vicente Magdaleno; el narrador Efrén Hernández, el polígrafo Rafael Solana y el ensayista político Enrique Ramírez y Ramírez.

La generación de la revista *Tierra Nueva* (1940-1942), a su vez, se propuso conciliar la tradición y la modernidad. Fueron sus exponentes más distinguidos Alí Chumacero y Jorge González Durán, poetas, el ensayista e historiador Leopoldo Zea y el crítico José Luis Martínez, cuyas antologías, monografías, prólogos y notas son indispensables para la comprensión histórica del fenómeno literario. Fuentes de primera importancia son sus libros *Literatura mexicana siglo* XX (2 vols., 1949-1950), *La expresión nacional. Letras mexicanas del siglo* XIX (1955) y *El ensayo mexicano moderno* (2 vols., 1958). Contemporáneos a esta promoción han sido Antonio Magaña Esquivel, Alberto T. Arai, Juan R. Campuzano, Miguel Bustos Cerecedo, Manuel Calvillo, Bernardo Casanueva Mazo y el costarricense Alfredo Cardona Peña; en Guadalajara, Adalberto Navarro Sánchez y Arturo Rivas Sainz; y en Saltillo, Rafael del Río y Héctor González Morales.

A partir de 1940 ocurrió un considerable aumento en la actividad literaria, manifiesto en la proliferación de revistas y en el surgimiento de nuevos valores: *Rueca* (1941-1952), donde escribieron María del Carmen Millán, Margarita Michelena, Rosario Castellanos y Guadalupe Amor, entre otras; *Tiras de Colores* (1943-1947); *Espiga* (1944-1945), medio de expresión de Fedro Guillén, Wilberto Cantón y Bernardo Jiménez Montellano; *Vórtice* (1945-1947), *Firmamento* (1945-1946), *Suma Bibliográfica* (1946-1950), *Fuensanta* (1948-1954) y *Prometeus*, en la ciudad de México; y en la provincia: *Eos* (1943), *Pan* (1945-1946), *Ariel* (1949-1953), *Xaliztlico* (1950-1953) y *Et Caetera* (1950-), en Guadalajara, donde se dieron a conocer Juan José Arreola, Juan Rulfo, Adalberto Navarro Sánchez y Emmanuel Carballo; *Umbral* (1949), en Guanajuato; *Letras Potosinas* (1943-) y *Estilo*, en San Luis Potosí, entre cuyos animadores destacan Luis Chesal, Jesús Medina Romero y Joaquín Antonio Peñalosa; *Armas y Letras* (1944-) y *Trivium* (1948-1951), en Monterrey, asociadas a los nombres de Alfonso Rangel Guerra, Agustín Basave Fernández del Valle, Alfonso Reyes Au-

LITERATURA

rrecochea y Alfonso Rubio y Rubio; *Viñetas de Literatura Michoacana* (1944-1947), *Trento* (1944), *Gaceta de Historia y Literatura* (1947-) y *La Espiga y el Laurel* (1947), en Morelia; *El Reproductor Campechano* (1944-), en Campeche; *Cauce* (1945-1946), en Puebla; *Letras de Sinaloa* (1947), en Culiacán; *Cauce* (1948), en Torreón; *Hojas de Literatura* (1948), en Veracruz, y algunas otras.

En la quinta década del siglo XX iniciaron su producción los poetas Rubén Bonifaz Nuño, Jaime García Terrés, José Cárdenas Peña, Miguel Guardia, Roberto Cabral del Hoyo, Celedonio Martínez Serrano, Miguel Castro Ruiz, Francisco Alday y José Medina Romero; y las poetisas María Luisa Hidalgo, Dolores Castro, Margarita Paz Paredes, Concha Urquiza, Enriqueta Ochoa y Gloria Riestra.

Cuando ya la novela de la Revolución parecía haber agotado sus posibilidades, apareció en 1947 *Al filo del agua*, de Agustín Yáñez, quien enfocó el asunto desde la perspectiva del realismo crítico, lo cual le permitió sobrepasar lo anecdótico para llegar a niveles más profundos y complejos. Antes había publicado evocaciones y relatos de gran riqueza imaginativa; después emprendería la magna tarea –a menudo interrumpida por sus obligaciones de gobernador y de secretario de Estado– de caracterizar a la sociedad de su tiempo en una serie de novelas: *La creación* (1959), *Ojerosa y pintada* (1960), *La tierra pródiga* (1960), *Las tierras flacas* (1962) y *Las vueltas del tiempo* (1973).

Otros dos jaliscienses advinieron en esos años al magisterio de las letras: Juan José Arreola, cuya divisa es la perfección, construyó un nuevo tipo de cuentos, inspirados en sus lecturas y no en la realidad, publicados en *Varia invención* (1949) y en *Confabulario* (1952). Más tarde manejó símbolos poéticos (*Bestiario*, 1959) y reunió en *La feria* (1963) sus recuerdos de Zapotlán, "arrebatados al olvido gracias al poder de la palabra". Juan Rulfo, a su vez, sacó a luz el mundo interior de los pobladores rurales en los 15 cuentos de *El llano en llamas* (1953) y aun consiguió penetrar al universo metafísico en la novela *Pedro Páramo* (1955), obra maestra del realismo mágico. También empezaron a escribir cuentos en esa época: Ricardo Garibay, Carballo, Jiménez Montellano, Salvador Calvillo Madrigal, Héctor Morales Saviñón, Ángel Bassols Batalla y Sergio Magaña.

En los años cincuentas cobraron notoriedad las novelas de Ramón Rubín, Ricardo Pozas y Carlo Antonio Castro, de inspiración indigenista, y las de Luis Spota; las obras de teatro de Luis G. Basurto, Cantón y Edmundo Báez; los ensayos de interpretación filosófica de Emilio Uranga, Luis Villoro, Jorge Portilla y Ricardo Guerra; los textos sociológicos de Pablo González Casanova (hijo); los estudios literarios de Antonio Alatorre, Alfonso de Alba, Luis Noyola Vázquez, Henrique González Casanova, Porfirio Martínez Peñalosa, Clementina Díaz y de Ovando y Ernesto Mejía Sánchez; y los vehementes reportazgos y ensayos de Mario Gil, Fernando Jordán, Fernando Benítez, Luis Suárez y Antonio Rodríguez.

La *suma* y *réquiem* de la Revolución, como telón de fondo de un relato, iba a lograrlos Carlos Fuentes en *La región más transparente* (1958), novela de tema urbano cuyo género no se había explotado hasta entonces con tanto éxito, y en *La muerte de Artemio Cruz* (1962), donde narra, recogiendo las evocaciones de 12 horas de agonía, el inicio circunstancial, el ascenso, la riqueza y el fin de su personaje, que bien puede identificarse con la burguesía. A partir de entonces la narrativa mexicana parece inclinarse cada vez más hacia la disección de los procesos introspectivos en los que el hombre se concibe como un ente aislado: sus estados de ánimo ya no coinciden con las circunstancias exteriores, su lenguaje resulta ambiguo para el nebuloso destinatario y sus acciones no trascienden. Este desolado mundo está reproducido con preciosismo formal, con la elección cuidadosa de los vocablos y los giros, con la audacia que se requiere para utilizar técnicas trasplantadas ya no sólo de Europa, sino también de Estados Unidos.

Han escrito asimismo novelas de tema urbano: Alberto Ramírez de Aguilar, Maruxa Villalta, Sergio Galindo, Sergio Fernández y Josefina Vicens; y de ambiente rural: Jorge López Páez, Rosario Castellanos, María Lombardo de Caso, Armando Ayala Anguiano y Alberto Bonifaz Nuño; obras de teatro: Luisa Josefina Hernández, Emilio Carballido, Juan García Ponce, Sergio Magaña, Héctor Mendoza, José Ignacio Retes, Jorge Ibargüengoitia y Héctor Azar; cuentos y relatos: Gastón García Cantú, José de la Colina, Edmundo Valadés, Carlos Valdés, Salvador Reyes Nevares, Antonio Souza, Carmen Rosenzweig,

LITERATURA

Raúl Prieto, Alberto Monterde, Carmen Báez, Beatriz Espejo, Guadalupe Dueñas, Elena Garro, José Emilio Pacheco, Tomás Mojarro, Emma Dolujanoff, Amparo Dávila, Eglantina Echoa Sandoval, Luis Antonio Camargo, Eraclio Zepeda y Xavier Vargas Prado; poesía: Antonio Montes de Oca, Jaime Sabines, Manuel Durán, Tomás Segovia, Rafael Ruiz Harrel, Víctor M. Sandoval, Homero Garza, Jesús Arellano, Fernando Sánchez Mayans, Raúl González Valle y Raúl Rodríguez; y crítica literaria: Huberto Batis y César Rodríguez Chicharro, aun cuando todos ellos, en mayor o menor medida, han producido en los otros campos de la literatura.

A partir de la década de los años sesentas, la literatura mexicana se ha diversificado considerablemente. El país entró de lleno a la modernidad y ello se reflejó en la expresión literaria. El ambiente se cargó de signos novedosos, de velocidades imprevistas; al mismo tiempo, se hicieron más patentes las desigualdades sociales y el escritor se sensibilizó, en mayor o menor medida, frente a esos contrastes que hacen de México un país –según la terminología en uso– "en vías de desarrollo". Los temas urbanos –sobre todo después de la primera obra de Carlos Fuentes– adquirieron dentro de la narrativa una preminencia casi absoluta. La poesía resintió menos esa transformación; pero de cualquier modo, la intensa circulación cultural afectó a la lírica mexicana, que amplió el espectro de su mundo temático y abandonó –no, sin embargo, definitivamente– el "tono menor" que desde el siglo XIX la había asediado y (aun a pesar de poderosas obras individuales) definido. En el teatro, la literatura mexicana sufrió en esos años una baja sensible de producción, y sólo contados autores destacan por el valor notable de sus piezas; a cambio de eso, las puestas en escena se multiplicaron y el público acudió con regularidad a las salas. En acusado contraste, el periodismo literario se practicó con intensidad, y el ensayo, si bien cultivado todavía por escritores aislados, apareció como un medio cultural cuya puesta en práctica se volvió cada día más apremiante. Empezaron a proliferar, en los años sesentas, los talleres literarios, y el interés por la literatura se registró palpablemente en la asistencia de gran número de personas a conferencias, mesas redondas y cursos colectivos. La prosa mexicana de ficción, o bien el relato más o menos testimonial, encontraron –o mejor dicho, rencontraron– una de sus más antiguas vocaciones: la de la sátira, la de la picaresca, géneros ahora expresados con el código lingüístico del habla juvenil –el llamado lenguaje "de la onda"–, según expresión de Margo Glantz.

En la narrativa que de uno u otro modo surgió de o en los años sesentas, destacan: Gustavo Sainz (*Gazapo*, 1965, y *Obsesivos días circulares*, 1969), José Agustín (*De perfil*, 1966, e *Inventando que sueño*, 1968, entre otros volúmenes), Héctor Manjarrez (*Acto propiciatorio*, 1970, y *Lapsus*, 1971), Jorge Aguilar Mora (*Cadáver lleno de mundo*, 1971), Luis González de Alba (*Los días y los años*, 1971), Hugo Hiriart (*Galaor*, 1972), Juan Tovar, Esther Seligson, Gerardo de la Torre, René Avilés Fabila, Carlos Montemayor, Ulises Carrión, Fernando Curiel, Manuel Echeverría, Parménides García Saldaña, Roberto Páramo, Manuel Capetillo, Joaquín Armando Chacón, Orlando Ortiz y, sobre todo, Fernando del Paso.

Todos estos narradores reflejan en sus escritos la eclosión, más o menos accidentada, de lo que José Luis Martínez dio en llamar una "nueva sensibilidad"; si bien la mayoría resiente y testimonia los cambios en la manera de vivir del mexicano medio (sobre todo del habitante de la gran capital), algunos cultivan una suerte de preciosismo-perfeccionismo estilístico que debe mucho a la corriente francesa del *nouveau roman* u "objetivismo", y a la retórica de los literatos franceses de los años treintas, postvalerianos o postsurrealistas (cuyos equivalentes mexicanos son, quizá, los verdaderos modelos, es decir, la generación reunida alrededor de la revista *Contemporáneos*). La mayoría lee con interés la obra de Carlos Fuentes, quien cataliza y difunde las tendencias de la vanguardia europea, al tiempo que incorpora usos recientes de la novelística extranjera, sobre todo de los narradores norteamericanos (Faulkner, Dos Passos) y del británico Malcolm Lowry.

En otro plano, se definen alternativas que abarcan una amplia gama de posibilidades temáticas: el vigoroso realismo social de José Revueltas, el realismo mágico de Juan Rulfo, la exquisita sintaxis de Juan José Arreola. Escritores más jóvenes, como Salvador Elizondo y Juan García Ponce, han explorado, respectivamente, las posibilidades de los enigmas metafísicos-eróticos y el complicado tejido de las relaciones amorosas. Unos y otros ejercen una influencia variable, a veces errática, sobre los nuevos narradores.

La poesía mexicana, a diferencia de la narrativa, mantiene una mayor continuidad de desarrollo. Octavio Paz, en el prólogo a la antología *Poesía en movimiento* (1966), advierte los cambios cíclicos que configuran lo que él llama, con una expresión paradojal, "tradición de la ruptura". Además de esa antología (en cuya elaboración trabajaron, además de Paz, José Emilio Pacheco, Homero Aridjis y Alí Chumacero), apareció en 1966 *La poesía mexicana del siglo XX*, selección preparada por Carlos Monsiváis. Cinco años más tarde, Gabriel Zaid publicó *Ómnibus de poesía mexicana*, compilación heteróclita que fue presentada como una bien lograda selección "de poemas y tipos de poesía, tanto o más que de poetas".

De la generación anterior a las promociones más jóvenes de poetas mexicanos, cabe mencionar a Marco Antonio Montes de Oca (*Poesía reunida*, 1971), Gabriel Zaid (*Práctica mortal*, 1973), José Emilio Pacheco (*Irás y no volverás*, 1973), el grupo de La Espiga Amotinada (Jaime Labastida, Juan Bañuelos, Óscar Oliva, Jaime Augusto Shelley y Eraclio Zepeda), José Carlos Becerra (muerto prematuramente en 1970; *El otoño recorre las islas*, su obra poética completa, publicada póstumamente, apareció en 1973), Francisco Cervantes, Isabel Fraire, Guillermo Fernández, Thelma Nava y dos figuras solitarias y excéntricas: Gerardo Deniz (*Adrede*, 1970) y Eduardo Lizalde (*El tigre en la casa*, 1970). Manuel Durán y Tomás Segovia (ambos nacidos en España) han contribuido a la historia de la poesía mexicana con poemas valiosos; y Ulalume González de León, uruguaya residente en México, ha producido también uno de los libros más originales de la poesía moderna hecha en el país (*Plagio*, 1973).

Entre los poetas mexicanos más jóvenes he aquí algunos de los nombres más significativos, además de los títulos de algunas de sus obras: Jaime Reyes (*Salgo del oscuro*, 1971), Alejandro Aura (*Alianza para vivir*, 1969), Ignacio Hernández (*No era cuestión de nombres*, 1971), Eduardo Hurtado (*La gran trampa del tiempo*, 1973), Mariano Flores Castro (*El don del aire*, 1972), José Joaquín Blanco (*Ludibrios del día*, 1972), Evodio Escalante, Mario del Valle, Carlos Islas, Javier Molina, Víctor Kuri, Leopoldo Ayala, Raúl Garduño, José de Jesús Sampedro, Ricardo Yáñez, María Eugenia Gaona, Francisco Serrano, Antonio Leal, Víctor Manuel Toledo, Elsa Cross, Guillermo Palacios, Jaime Goded, Marco Antonio Campos, Juan José Oliver, Orlando Guillén y Miguel Ángel Flores.

En la narrativa, a partir de la década de los ochenta se puede hablar de la búsqueda de nuevas formas estilísticas y temáticas y de un mayor cuidado en el uso literario del lenguaje. Existe una clara tendencia por dejar atrás el habla de "la onda". También se explora el propio discurso; el novelista es parte de su obra y, dentro de ella, analiza su trabajo literario. La conflictiva realidad del mexicano se refleja en la elaboración de tramas fragmentadas, casi despedazadas. Los autores más significativos de este lapso son Carmen Boullosa (*Antes*, 1989), María Luisa Puga (*La forma del silencio*, 1987), Agustín Ramos (*Ahora que me acuerdo*, 1985), Margo Glantz (*Síndrome de naufragios*, 1984), Arturo Azuela (*Manifestación de silencios*, 1978) y Marco Antonio Campos (*Hemos perdido el reino*, 1987).

Las indagaciones sobre la existencia desembocan en pesquisas históricas como *Gonzalo Guerrero* (1981) de Eugenio Aguirre, *Juan Cabezón* (1985) y *Memorias del Nuevo Mundo* (1988) de Homero Aridjis, así como *Noticias del Imperio* (1987) de Fernando del Paso. En la década de los noventa los textos más sobresalientes en este género son *La guerra de Galio* (1991) de Héctor Aguilar Camín, *Guerra en el paraíso* (1991) de Carlos Montemayor, *La lejanía del tesoro* (Premio Joaquín Mortiz/Planeta 1992) de Paco Ignacio Taibo II, *Tragicomedia mexicana 1 y 2* (1990-92) de José Agustín, *Tinísima* (1992) de Elena Poniatowska, *De los Altos* (1992) de Guillermo Chao, *El secuestro de William Jenkins* (1992) de Rafael Ruiz Harrel, *En defensa de la envidia* (1992) de Sealtiel Alatriste.

La diversificación de temas y la exploración de la realidad desde diferentes perspectivas hace difícil unificar las letras nacionales. Además de la tendencia histórica existen otras manifestaciones importantes en temáticas como la del erotismo. En este terreno, además de Juan García Ponce, el iniciador, posteriormente figuran autores como Andrés de Luna, con *Erótica* (1992), y las polémicas obras de José Agustín, con *La miel derramada* (1992), Sara Sefchovich, con *Demasiado amor* (1991), y Eusebio Ruvalcaba, con *Un hilito de sangre* (1991).

Una sorpresa fue *Como agua para chocolate* (1989), de Laura Esquivel. La obra, intimista y mágica, tiene una estructura difícil de clasificar en los géneros literarios. El libro vendió en cuatro años más de 20 mil ejemplares, fue traducido a 18 idiomas y fue llevado al cine con premios y reconocimientos de la crítica especializada.

Otros géneros que merecen mención son la literatura de ciencia ficción y la policiaca, cuyos representantes más destacados son Paco Ignacio Taibo II (*Sombra de la sombra, No habrá final feliz* y *La vida misma*), Rafael Ramírez Heredia (*Junto al río*, 1983, y *Muerte en la carretera*, 1985), y Mauricio Schwarz (*Sin partitura* y *Escenas de la realidad*), en ciencia ficción.

La literatura infantil, casi olvidada por los autores mexicanos, ha registrado esfuerzos aislados a cargo de Juan Villoro (*El profesor Zíper* y *La fabulosa guitarra eléctrica*, 1992), Bárbara Jacobs (*Las siete fugas de Saab, alias el rizos*, 1992), José Agustín (*La panza del Tepozteco*, 1992), y Francisco Hinojosa, pionero en el género (*Una semana en Lugano*, 1992).

En ensayo, la celebración del Quinto Centenario del descubrimiento de América produjo *El espejo enterrado* (1992), de Carlos Fuentes, donde el autor hace un análisis de las corrientes étnicas que conforman el ser de los países de la América hispana, con un llamado a la unidad del continente con base en su herencia cultural común.

Es notable la labor de algunas instituciones del país para fomentar la creación literaria mediante la publicación de obras originales, la promoción con estímulos económicos y reconocimientos públicos. En el sexenio de Carlos Salinas de Gortari (1988-1994) se creó el Consejo Nacional para la Cultura y las Artes (CNCA), cuya Dirección General de Publicaciones se dedica específicamente a editar las mejores obras nacionales y mundiales de la literatura infantil, ensayos, narrativa y poesía, así como la obra de escritores y narradores de diversos grupos indígenas del país. Las universidades públicas también tienen un papel importante en la promoción de la creación literaria. En este ámbito destacan la Universidad Nacional Autónoma de México, directamente a través de su Dirección de Literatura, y a través de la promoción de la lectura y del encuentro de escritores con editores en la Feria Internacional del libro de la Facultad de Ingeniería, que se lleva a cabo anualmente en el Palacio de Minería de la ciudad de México. A esta tarea también contribuye la Universidad de Guadalajara, con su Feria Internacional del Libro. También deben mencionarse el Centro Nacional de Información y Promoción de la Literatura, dependiente del Instituto Nacional de Bellas Artes, el Centro de Estudios Lingüísticos y Literarios del Colegio de México, el Centro Mexicano de Escritores, la Sociedad General de Escritores de México y la Asociación de Escritores de México.

A pesar de todos estos esfuerzos de apoyo y de que la oferta editorial es amplia y variada, al grado que es difícil mantenerse al día, el problema central de este sector de nuestra vida cultural es que el mercado editorial mexicano es muy pequeño —y se ha restringido aún más con la crisis económica del país—. Con la excepción ya mencionada de las obras más destacadas del género novelístico, es difícil que una editorial pueda colocar en el mercado, con un tiempo y margen razonable de recuperación, tres mil ejemplares de cualquier edición "normal". La paradoja de la comunicación impresa es que, en cambio, al mes se consumen aproximadamente 400 millones de ejemplares de *cómics*, folletines sentimentales, novelas de vaqueros y policiacas.

LITERATURA DE CIENCIA FICCIÓN. Género narrativo —en novela o cuento— denominado así en Latinoamérica, ficción o fantasía en España, *science-fiction* o *scientifiction* en Estados Unidos y *fantasciencia* en Italia, y definido como "transposición de la vida humana a otro plano", o como "nueva visión del mundo que nos rodea". Surgió en países como la ex URSS, Estados Unidos e Inglaterra y se expresó en historietas y relatos estimulados directamente por el avance científico y técnico que abrió más tarde la posibilidad de los vuelos espaciales. En 1911 se publicó en Moscú la primera revista, *El Mundo de las Aventuras*, que se anticipó a recoger narraciones de este tipo, aun cuando la primera especializada totalmetne en el tema, *Amazing*, fue editada en 1926 por el norteamericano Hugo Gernsback. Se reconoce como antecesores remotos y proximos del género a Luciano de Samosata, Ludovico Ariosto, Johannes Kepler, Francis Godwin, John Wilkins, Cyrano de Bergerac, Julio Verne y –el más cercano y definitivo– H.G. Wells. Lo elevan a la categoría de creación literaria, fundamentalmente, Ray Bradbury, y científicos como Arthur C. Clarke, Fred Hoyle e Isaac Asimov. En México es género nuevo, pues sus primeros brotes datan de los años cincuentas, cuando empezaron a interesar y a ser traducidos y conocidos autores como Bradbury (suplemento *México en la Cultura*, 1955); y otros, de modo más constante, en la revista *Ciencia y Fantasía* (1956), habiéndose intentado una publicación especializada, *Crononauta*, en 1964. La revista *El Cuento*, fundada y dirigida por Edmundo Valadés, ha incitado, estimulado y dado a conocer a nuevos autores en la rama que hoy también se designa como "literatura de anticipación". Destacan muy especialmente Manú Dornbierer de Ugarte y Luis Adolfo Domínguez. El más prolífico y constante narrador es René Rebetez, colombiano radicado en México, quien es, además, erudito en la materia, al igual que Carlos Monsiváis, Alejandro Jodorowsky y Eleazar Canale. Otros nombres de cultivadores del género son Juan José Arreola, Alfredo Cardona Peña, Manuel Felguérez y Ramón Rivera Caso, a los que se podrían agregar los de jóvenes que se iniciaron en la revista universitaria *Punto de Partida* y en *El Heraldo Cultural*.

LITOGRAFÍA. (del griego *lithos*, piedra, y *graphein*, grabar). La litografía es el arte de grabar en piedra. Inventada en Praga por el checoslovaco Aloys Senefelder en 1796, fue introducida a México por Claudio Linati (véase) en 1826. La nueva técnica se expandió rápidamente, tanto porque se prestaba a expresar el espíritu de la época, tanto porque hubo excelentes dibujantes y caricaturistas que pronto hicieron gala de sus talentos, sátiras y buen humor. La litografía se utilizó en periódicos, partituras, álbumes, planos, estampillas postales y timbres fiscales, paisajes, retratos e invitaciones para las ceremonias públicas. En 1827 el viajero y artista checoslovaco Juan Federico Maximiliano Waldeck (1766-1875) litografió en el que había sido taller de Linati, la *Colección de las antigüedades mexicanas que existen en el Museo Nacional* –doce láminas con texto explicativo– y la invitación oficial para las fiestas de la Independencia de ese año que aparece en el original del *Diario*

Histórico (t. XI, fols. 85-86) de Carlos María de Bustamante. En 1831 se estableció un pequeño taller de litografía en la Academia de San Carlos, a instancias de su director, el escultor Pedro Patiño Ixtolinque, y bajo la dirección de Ignacio Serrano. Éste tuvo como dibujantes a Vicente Montiel, primero, y a Diódoro Serrano e Hipólito Salazar a partir de 1832.

El primer taller público fue el de Rocha y Fournier, en 1836, quienes a mediados de 1839 se asociaron con Mariano Jimeno y compraron el equipo traido de París, en 1838, por los franceses Miahe y Decaen. De esa casa salieron numerosas litografías, entre las que sobresalen las estampas de la obra *Historia de México* (1830), de José Mariano Veytia, el retrato de Agustín de Iturbide que aparece en el *Ensayo literario de Puebla* (1838) y los primeros periódicos ilustrados: *El Mosaico Mexicano* (1837-1840) y el *Recreo de las Familias* (1838). En 1840 Agustín Masse se asoció con Decaen, formando la razón social Masse y Decaen, de cuyas prensas salieron numerosas estampas que ilustraron famosos libros: *El Quijote* (1842), *Gil Blas de Santillana* (1843), *Historia de Napoleón* (1843) y, sobre todo, *Monumentos de México, tomados del natural y litografiados por Pedro Gualdi, pintor de perspectiva* (1841). V. GUALDI, PEDRO.

Separado de Masse, Decaen trabajó solo hasta 1864 y luego asociado con Víctor Debray hasta 1868. La obra que le dio más fama fue el álbum *México y sus alrededores* (1855-1856), que lleva litografías de Casimiro Castro, José Campillo, L. Anda y C. Rodríguez. *El viñola de los propietarios y artesanos* (1858), del propio Decaen, es importante por la nitidez y precisión de sus 80 láminas. De 1869 a 1877 la casa V. Debray y Cía., continuó haciendo trabajos que respondían a la fama adquirida desde los tiempos de Decaen, entre otros el *Álbum del ferrocarril Mexicano*, por C. Castro y A. Signone, con textos de Antonio García Cubas. Después nació la empresa Debray Sucesores, cuyo jefe fue C. Montauriol, la cual publicó el *Álbum mexicano*, con litografías de las ciudades de la República hechas por C. Castro, A. Gallice, M. Mohar, E. Pérez y J. Álvarez; y un *Plano anónimo* de la ciudad de México (1885). Parece que Montauriol se quedó al fin con ese afamado taller, pues así se lee en varias láminas, piezas de música y planos de la ciudad de México

(1886, 1889, 1891, 1893). De 1900 a 1907 aparecen litografías firmadas por la Compañía Litográfica y Tipográfica, Antigua Casa Montauriol.

Ignacio Cumplido, el célebre impresor (1811-1887), tuvo también taller de litografía. Fue editor, entre otros periódicos, de *El Mosaico Mexicano* (1837-1840), *El Museo Mexicano* (1843), *El Álbum Mexicano* (1849) y *La Ilustración Mexicana* (1850), ilustrados con litografías. El precioso libro *El Gallo Pitagórico* (1845), salido de sus prensas con láminas de Hesiquio Iriarte, Castro, Plácido Blanco y Joaquín Heredia, es representativo de la litografía mexicana de la época: caricaturesca, costumbrista y satírica. Muchos otros libros, calendarios y folletos fueron impresos por Cumplido e ilustrados con litografías: en 1845, por ejemplo, las novelas *El solitario*, del vizconde D'Arincourt, y *Buy Jargal* de Víctor Hugo.

En 1847 se fundó la editorial de M. Murguía, después continuada por su viuda, hijos y sucesores. En ella se hicieron calendarios con ilustraciones costumbristas (posadas, Día de Muertos, Semana Santa, alegorías y retratos de personajes históricos y santos). Gráficas semejantes aparecen también en los calendarios de Juan R. Navarro (1848), de Cuevas (1865), de J.M. Rivera (1863), en el *Caricato* (1856), en el de los *Polvos de la Madre Celestina* (1857), el *Burlesco* (1862), el *Popular* (1860) y el *Fantástico de los niños*.

El impresor Vicente García Torres utilizó la litografía para enriquecer con ella varios de sus periódicos: *Diario de los Niños* (1839-1840) y *El Ateneo Mexicano* (1844), y en el álbum *Viaje Pintoresco y Arqueológico de México* (1840) aprovechó litografías hechas en París por Nevel. De su casa salió la cuarta edición de *El Periquillo Sarniento* (1842) y el hermoso libro de Bossuet *Vida de Jesucristo* (1843). Lara utilizó igualmente la litografía en numerosos libros, nítida y bellamente impresos: por ejemplo, en *Pablo y Virginia* (1843), reproducción de la edición francesa de 1838, y *Los ciento uno Roberto Macario* (1860), con texto de Maurice Alhoy y Louis Huart, ambas con dibujos hechos por H. Salazar. Otros editores que utilizaron ese sistema de reproducción fueron J.R. Navarro, Llano y Compañía, Ireneo Paz y la Litografía de Michaud y Thomas.

Hipólito Salazar, quien desde 1840 fundó su propio taller, produciendo litografías de diferente carácter como las que aparecen en *Iconología o tratado de alegorías y emblemas* de H. Gravelot, traducida por Luis G. Pastor (1866); o los planos incluidos en el *Boletín de la Sociedad Mexicana de Geografía y Estadística* (1849-1852); y las obras reproducidas en los periódicos *El Semanario de las Señoritas Mexicanas* (1841), *Panorama de las Señoritas* (1842), *La Cruz* (1855-1858) y *El Artista* (1873-1874). Hesiquio Iriarte, quien empezó a grabar en la imprenta de M. Murguía desde 1847, aparece como dueño de la Litografía de Iriarte y Compañía hacia 1854. Ilustró *El Libro Rojo* (1869-1870) de Vicente Riva Palacio, según dibujos de Primitivo Miranda, e hizo los retratos de la colección *El Parnaso Mexicano* y las *Memorias* de Zerecero (1869) y algunas láminas del periódico *El Artista* (1874). Asociado con Santiago Hernández, otro gran dibujante que colaboró también en *El Artista*, realizó trabajos notables para *La Llorona* de J.M. Marroquí (1887), *Los ceros* de Riva Palacio (1882) y *El Episcopado Mexicano* (1887) de Francisco Sosa. De Casimiro Castro son las estampas de *México y sus alrededores* y las de la novela *Antonino y Anita o los nuevos misterios de México* (1851). Plácido Blanco hizo las estampas del libro *Apuntes para la historia de la guerra entre México y los Estados Unidos* (1848) y algunas de *El Gallo Pitagórico* y del *Año nuevo* (1848). Constantino Escalante y José María Villasana, caricaturistas notables, ilustraron *La Orquesta* (1861-1874), periódico de combate que dirigió Riva Palacio; y solamente el segundo dibujó en piedra para *La Historia Danzante* (1873), *El Ahuizote* (1874-1875), *México Gráfico* y *El Mundo Ilustrado*, donde ganaron gran popularidad sus *Cuadros de costumbres*. Buenos litógrafos fueron los toluqueños Tomás del Moral y Pedro Riberoll y sus discípulos Tapia y Trinidad Dávalos, quienes hicieron cartas geográficas y vistas del camino ferroviario de México a Veracruz.

A fines del siglo XIX decayó la enseñanza de la litografía; el huecograbado y el offset la relegaron. En 1923, sin embargo, Emilio Amero y Jean Charlot hicieron vagos esfuerzos para resucitarla; pero en 1930 el primero de ellos, de regreso de una prolongada estancia en Estados Unidos, estableció en la Escuela Central de Artes Plásticas un taller litográfico, en el que Francisco Díaz de León, Carlos Mérida, Alfredo Zalce, Francisco Dosamantes, Carlos Orozco Romero, Gabriel Fernández Ledesma y otros se familiarizaron con esa técnica. Simultáneamente José Clemente Orozco y Diego Rivera utilizaron la litografía con gran éxito, e igual hicieron Roberto Montenegro, Raúl Anguiano, Pablo O'Higgins, Juan Soriano, Castro Pacheco, Leal Mendoza, Chávez Morado y Guerrero Galván. El mayor estímulo al viejo arte se lo dio el Taller de Gráfica Popular, destacándose Leopoldo Méndez, su director, como gran litógrafo y grabador (v. GRÁFICA POPULAR, TALLER DE). Entre las nuevas generaciones de artistas, destacan José Luis Cuevas, Flavio Salamanca, Ignacio Manrique y Leo Acosta, estos últimos del Taller Experimental de Fray Servando.

Todas las tendencias han quedado plasmadas en la litografía, gracias a l. limpieza, fuerza y expresividad del dibujo: desde el realismo objetivo hasta el surrealismo, pasando por el romanticismo sensualista, el dramatismo con sentido político, social e histórico, y los inagotables temas de la vida cotidiana y la fantasía lírica.

Bibliografía: Francisco Díaz de León: *Cien años de litografía Mexicana (1830-1930)* (1931); Justino Fernández: *Arte moderno y contemporáneo de México* (1952); Edmundo O'Gorman: *Documentos para la historia de la litografía en México* (1955); Ida Rodríguez Prampolini: *El surrealismo en México* (1968); Manuel Toussaint: *La litografía en México en el siglo XIX, sesenta y ocho reproducciones en facsímil con un texto de...* (4a. ed., 1934).

LITORALES. V. GOLFO DE CALIFORNIA, GOLFO DE MÉXICO, ISLAS y PUERTOS.

LITVAK, KING JAIME. Nació en México, D.F., el 10 de diciembre de 1933. Arqueólogo (1963) por la Escuela Nacional de Antropología e Historia y maestro y doctor en antropología (1970) por la Universidad Nacional Autónoma de México (UNAM), con estudios de posgrado en las de Indiana, Pennsylvania y Cambridge, ha sido profesor en instituciones de enseñanza superior, jefe del Instituto de Investigaciones Históricas, director del de Investigaciones Arqueológicas (1973-1985) y director general de proyectos académicos de la UNAM, y jefe del Departamento de Antropología de la Universidad de las Américas (1986). Es autor de: *Cihuatlán y Tepecoacuilco, El valle de Xochicalco, Arqueología y derecho, Todas las piedras tienen 2000 años: una introducción a la arqueología,* y también de diversos trabajos que han

sido publicados en revistas especializadas del país y extranjeras.

LIVAS, PABLO. Nació en Marín, N.L., en 1873; murió en Laredo, Texas, EUA, en 1915. Destacó por su actividad docente en la capital de su estado; colaboró en *El Progreso,* de Laredo, Texas, y en *El Pobre Valbuena, Claro Oscuro* y *El Espectador* de Monterrey. Escribió varios libros pedagógicos, entre otros: *La física infantil, Gramática, Lecciones de fisiología e higiene, Lecciones de moral, Cosmografía, Geografía, Guía metodológica para la enseñanza de la aritmética, Lecciones orales de pedagogía* y *Geografía de Nuevo León.*

LIZALDE, EDUARDO. Nació en México, D.F., el 14 de julio de 1939. Llevó cursos de filosofía en la Universidad Nacional Autónoma de México (UNAM). Con Enrique Gonzáles Rojo y Marco Antonio Montes de Oca, creó un movimiento literario al que dedicó una evocación sarcástica: *El poeticismo, historia de un fracaso.* De 1954 a 1957 colaboró en la *Revista de la Universidad de México;* también publicó en *México en la Cultura* de Novedades, *La Cultura en México* de Siempre!, *Metáfora, Letras Nuevas, Revista Mexicana de Literatura* y *El Gallo Ilustrado* de *El Día.* Fue director de la Casa del Lago y de Radio Universidad, jefe del Departamento Editorial y secretario de la Escuela de Verano, todas ellas dependencias de la UNAM. Dirigió con Julio Pliego documentales de cultura en general, y ha hecho crítica cinematográfica por radio y televisión. Sus libros publicados, en su mayoría de poemas, son: *La furia blanca* (1956), *La mala hora* (1956), *La tierra de Caín* (con Raúl Leiva y Enrique Gonzales Rojo, 1956), *Odesa y Cananea* (1958), *La sangre en general* (1959), *La cámara* (cuentos y relatos, 1960), *Cada cosa es Babel* (1966), *Luis Buñuel, odisea de un demoledor, El tigre en casa* (1970), *La zorra enferma* (1974) y *Caza mayor* (1979). Se reunió su poesía en *Memoria del tigre* (1982).

LIZAMA, BERNARDO DE. Nació en la Villa de Ocaña, reino de Toledo, España, entre 1575 y 1580; murió en Mérida (Yuc.), en 1631. Franciscano que hacia 1606 pasó a Nueva España, destinándosele a la provincia de Yucatán. Llegó a dominar el maya con rara perfección y a brillar como gran predicador, de tal suerte que se le tiene como uno de los más grandes oradores sagrados de la época virreinal. Fue "muy agradable su condición" y respetado y querido de los indios. Dejó escrita *Historia de Yucatán. Devocionario de Nuestra Señora de Izamal, y conquista espiritual, compuesta por el P.... de la Orden del seráfico padre San Francisco, predicador de la misma provincia de Yucatán* (Madrid, 1633), reimpresa por el Museo Nacional de México (1892). Además aparece incluida en los *Anales del Museo Nacional de México. Idolatrías y supersticiones de los indios* (1900).

LIZANA Y BEAUMONT, FRANCISCO JAVIER. Nació en Arnedo de la Rioja, Logroño, España, en 1750; murió en la ciudad de México en 1811. Realizó sus estudios eclesiásticos en Calatayud y en Zaragoza, donde en 1771 logró las borlas doctorales en derecho canónico y civil. En 1772 pasó a la Universidad de Alcalá de Henares, sirviendo cátedras de sus especialidades. En 1795 fue desginado obispo *in partibus* de Taumasia y en 1801, obispo de Teruel. Al año siguiente recibió el nombramiento de arzobispo de México, a donde llegó en enero de 1803. Su actuación esclesiástica se caracterizó por las obras de asistencia social: amplió y amuebló el Hospital de San Lázaro y dotó al Hospicio de Pobres y a la Casa de Niños Expósitos; fundó en la Universidad la cátedra de disciplina eclesiástica, y en Guanajuato, el pueblo de la Concepción de Arnedo. La Junta de Aranjuez lo nombró quincuagésimo octavo virrey de la Nueva España, cargo que desempeñó del 19 de julio de 1809 al 8 de mayo de 1810. Al igual que su antecesor, Pedro Garibay, encontró resistencia en el partido independentista: reunió tropas, creó nuevos cuerpos de milicia, hizo traer armamento de Inglaterra y confiscó bienes de algunos nobles peninsulares que colaboraron con Napoleón. El espíritu de independencia tomó cuerpo y se formó en Valladolid una conspiración que estuvo a punto de estallar. Ante esta situación, la Regencia, establecida en Cádiz, quitó el gobierno al arzobispo y dispuso que la Real Audiencia lo sustituyera hasta la llegada del nuevo virrey, que lo fue Francisco Javier Venegas. Lizana continuó como arzobispo.

LIZARDI, FERNANDO M. Nació en Guanajuato, Gto., en 1883; murió en la ciudad de México en 1957. Se graduó de abogado en la Escuela Nacional de Jurisprudencia (1906), de la que fue profesor y subdirector (1908). Se unió al maderismo en Jaral del Valle (1911), y después al constitucionalismo (1913). En 1915 fue secretario general del Gobierno del Estado de Hidalgo; y en 1911-1917, diputado al Congreso Constituyente, distinguiéndose en la asamblea por sus conocimientos jurídicos y sus ideas liberales moderadas. Fue más tarde procurador de Justicia del Estado de Tamaulipas, jefe del Departamento Jurídico de los Ferrocarriles Nacionales y vicepresidente de la Asociación de Constituyentes.

LIZARDI RAMOS, CÉSAR. Nació en El Chico, Hgo., en 1895; murió en la ciudad de México, en 1971. Estudió en el Colegio Alemán de la capital y en la Escuela Nacional Preparatoria, dedicándose desde muy joven al periodismo. Dirigió, entre otros, *El Demócrata* (1918-1925) y *Excélsior* (1925), a cuya cooperativa perteneció hasta su muerte. Formó el primer sindicato de periodistas (1928). Tomó cursos en la Escuela de Altos Estudios sobre arqueología y etnología mesoamericanas. Enseñó arqueología maya en la Escuela de Verano de la Universidad Nacional Autónoma de México y en la Universidad Central de Honduras (1946), epigrafía y astronomía mayas en la Escuela Nacional de Antropología e Historia, e inscripciones mayas en el *Mexico City College*. Fue doctor en ciencias, *Honoris Causa*, de la Universidad Latino-Americana de La Habana. Perteneció a varias sociedades científicas y fue presidente del Centro de Investigadores Antropológicos de México (1960-1961). Publicó los libros *Los mayas antiguos* (en colaboración, 1941) y *Astronomía maya* (1937), traducción comentada y anotada de *Maya astronomy* de John E. Teeple. Entregó a la UNAM, para que fuesen editados: *La lectura de los jeroglifos mayas. Quiénes la hicieron y cómo* (1962), *La civilización de los mayas* (1963) y *Cronología maya* (1964); tenía en prensa, al morir, *Arqueología en el valle de Tulancingo, Hgo.*, y en preparación, *Astronomía de los mayas*. Escribió, además, los folletos *Recurrencias de las fechas mayas* (1935), *El orden de los katunes en la cuenta corta* (1937), *Exploraciones en Quintana Roo* (1940) y *The pyramid of the Rattlesnakes* (1943); el prólogo para la reimpresión de *An album of maya architecture* de Katjana Procouriew (1967) y decenas de artículos para *Cuadernos Americanos*, *Honduras Maya*, *Boletín Bibliográfico de Antropología Americana*, *Yan*, *Revista Mexicana de Estudios Antropológicos*, *El México Antiguo*, *Historia Mexicana* y *American Antiquity*. Colaboró en diarios y revistas de la ciudad de México y del extranjero e hizo trabajos de campo en Quintana Roo, Cualac, Gro., y Tulancingo, Hgo.

LIZÁRRAGA, MARÍA LUISA. Nació en Rosario, Sin., en 1937. Pianista concertista por el Conservatorio Nacional, se perfeccionó con Bernard Flavigny y Angélica Morales, en México, y en Italia, Bélgica y Austria, en este último país con Stefan Askenase. Se le han otorgado los primeros premios de Bellas Artes (1959), Federico Chopin (1966) y por tres años consecutivos el de la Secretaría de Educación Pública. Fue directora de Música del Instituto Nacional de Bellas Artes (1976-1982).

LOAEZA, FRANCISCO. Nació en Jamiltepec, Oax., en 1830; murió en la ciudad de México en 1897. En 1846 se inició como soldado de infantería en la Guardia Nacional de su entidad; en 1855 cooperó al triunfo del Plan de Ayutla; en 1857 fue nombrado jefe político y militar de Yautepec, Oax.; en 1860, comandante militar de Cosamaloapan y miembro del estado mayor de la Brigada de Sotavento; en 1865, comandante militar de Chiapas, y en 1876, del Distrito Federal. Defendió Veracruz contra Miramón; participó en la batalla de Puebla en 1862 y en la defensa de 1863; y de 1870 a 1871, combatió bajo las órdenes de Sóstenes Rocha y en favor de Benito Juárez.

LOAEZA, GUADALUPE. Nació en el Distrito Federal en el año de 1946. Se inició como periodista en el periódico *Unomásuno* en 1982 y desde entonces se convirtió en una de las cronistas más populares de la vida social, que describió con ironía. Entre sus libros se encuentran: *Las niñas bien*, publicada en 1987 por Ediciones Océano (con más de 15 ediciones y más de cien mil ejemplares); *Las reinas de Polanco*, de 1988 en Cal y Arena (con cerca de 30 mil ejemplares vendidos en seis ediciones); *Primero las damas*, de 1989, editado por Cal y Arena (que rebasó los diez mil ejemplares); y *Compro, luego existo*, de 1992 en Editorial Patria en coedición con el Instituto Nacional del Consumidor, que en 43 días después de su publicación vendió 20 mil ejemplares.

LOAEZA VARGAS, ANTONIO ARTURO. Nació en Durango, Dgo., en 1871; murió en la ciudad de México en 1947. Se tituló como médico en 1894 y se especializó en Europa en los padecimientos del sistema nervioso. Antes de salir al extranjero y a su regreso, estuvo en el Departamento de Clínica Interna del Hospital de San Andrés y en 1905, cuando se inauguró el Hospital General, pasó como jefe fundador del servicio de medicina interna. Fue catedrático y escribió en la *Gaceta Médica de México*.

LOBATO, DOMINGO. Nació en Morelia, Mich., el 4 de agosto de 1920. Graduado en composición (1943) y canto gregoriano (1945) en la Escuela Superior de Música Sacra de Morelia, su mayor actividad docente la desarrolló en Guadalajara, donde por muchos años dirigió la Escuela de Música de la Universidad. En 1987 regresó a Morelia como miembro del consejo consultivo del Conservatorio de las Rosas. En 1988 estaba dedicado casi exclusivamente a la composición. Es autor, entre otras, de las siguientes obras: orquestales: *México creo en ti* (1965), *La muerte de Juárez* (1971), *Los árboles muertos* (1979) y *Desde el mirador de Chicoasén* (1978); para piano: *Suite núm. 1* (1945) y *Suite núm. 2* (1956), *Sonata núm. 1* (1957) y *Sonata núm. 2* (1961), *Sonatina* (1960) y *Cuatro estudios breves atonales* (1975); de cámara: *Cuarteto para cuerdas núm. 1 en sol mayor* (1952) *Sonata para oboe y piano* (1965); para órgano: *Cuatro obras* (1987); y de carácter escénico: *El cantar de los cantares* (ópera de cámara en dos cuadros para coro femenino, solista y orquesta de cámara, 1972) y *Pastorela* (para coro mixto y orquesta, 1985). Ha publicado: *Catálogo especial de música religiosa* y *Elementos básicos de música tonal* (cuatro cuadernos, 1983), libro de texto en las escuelas de Música Sacra de Guadalajara y Morelia.

LOBATO, JOSÉ MARÍA. Se ignora dónde y cuándo nació y murió. Hizo toda su carrera militar por escalafón, sentando plaza de soldado en el Regimiento de Tres Villas. En 1811 era cabo. Cayó en poder de los insurgentes cuando sus fuerzas fueron derrotadas por Benedicto López,

LOBATO–LOBO

en Zitácuaro (1811). Abrazó el partido de la independencia y militó a las órdenes de Ignacio López Rayón, en Michoacán. Con el grado de coronel, asistió al ataque de Ixmiquilpan en octubre de 1812. A las órdenes de Ramón Rayón derrotó a los realistas en Charapaco, en septiembre de 1813, quedó herido y fue ascendido a brigadier. Acompañó a don Ignacio al Congreso de Chilpancingo, donde conoció a Morelos, quien le confió el mando de un batallón durante el ataque a Valladolid. En 1814 y 1815 se le encargó la custodia del Congreso, acompañándolo en todas sus peripecias. Logró salvar la imprenta y el archivo en mayo de ese último año, cuando el coronel Agustín de Iturbide, queriendo sorprender al Congreso, emprendió una rápida marcha sobre Uruapan. Dispuesto el traslado a Tehuacán, se vio precisado a presentar acción en Texmalaca, donde cayó prisionero Morelos. Lobato pudo escapar, siguió protegiendo al Congreso y cuando éste se disolvió, regresó al sur, combatiendo bajo las órdenes de Nicolás Bravo, y después de Vicente Guerrero. Con él se afilió al Plan de Iguala en 1821, y entró con el Ejército Trigarante a la ciudad de México el 27 de septiembre de 1821. Miembro del partido yorquino, se declaró a favor de Guerrero en la campaña electoral de 1828, pero habiendo sido derrotado éste por el general Manuel Gómez Pedraza, se levantó en armas, uniéndose a Lorenzo de Zavala, gobernador del estado de México, el 29 de noviembre de ese año, en el edificio de la Acordada, del que se había apoderado porque había en él parque y cañones suficientes.

Para congraciarse con quienes pedían la expulsión de los españoles, el 22 de diciembre autorizó el saqueo de El Parián, vasto edificio construido en la Plaza de la Constitución, frente al Portal de Mercaderes, donde se hallaban las tiendas llamadas "cajones", que albergaban casi todo el comercio de lujo de la ciudad: ropa fina, sederías, tiradurías de oro, relojerías y preciosidades venidas en la Nao de Filipinas. El saqueo duró de las 10 de la mañana hasta el amanecer del día siguiente, entre los gritos del pueblo: "¡Vivan Guerrero y Lobato y viva lo que arrebato!". Meses más tarde, la prensa atacó duramente a Guerrero, haciéndose popular este dístico: "No se borra con lechada el motín de la Acordada".

Bibliografía: Carlos María de Bustamante: *Cuadro histórico de las revoluciones de México* (1926); Guillermo Prieto: *Memorias de mis tiempos* (1906); Lorenzo de Zavala: *Ensayo histórico de las revoluciones de México desde 1808 hasta 1830* (París, 1831).

LOBATO, JUAN ANTONIO. Mercedario oriundo de Tetecala, activo a fines del siglo XVII. Fue sucesivamente maestro de teología, provincial, comendador del convento de México, calificador del Santo Oficio y regente del Colegio de San Pedro Pascual. Además, orador de mucho crédito. Escribió *El Fénix de las Indias, S. Francisco Javier* (1700).

LOBATO, MANUEL. Nació en Teziutlán, en 1863 y murió en Puebla, en 1925, ambas del estado de ese nombre. Se distinguió como filólogo. Durante más de 30 años enseñó gramática en el Colegio del Estado, la Escuela Normal y otros planteles. Aprendió las lenguas griega, hebrea, náhuatl, latina, francesa, inglesa y alemana. Fue poeta epigramático y satírico.

LOBELIA. *Lobelia cardinalis* L. Planta herbácea de la familia de las lobeliáceas, de 0.60 a 1.50 m de altura, prácticamente sin ramas laterales, glabra o casi glabra. Las hojas, angostas, varían de oblongo-ovadas a lanceoladas, con bordes dentados y peciolos cortos o inexistentes. Las flores, rojo escarlata intenso, presentan en la corola un tubo de 2.5 cm de longitud, en cuyo extremo se localizan tres lóbulos angostos. Se dan dispuestas sobre espigas racimosas y largas. El fruto es una cápsula bilocular y las semillas son pubescentes. Se localiza en los lugares húmedos sombreados.

LOBINA NEGRA. V. HURO.

LOBO. Mamífero de la familia Canidae, pariente cercano de los perros domésticos. Su aspecto exterior es similar al de un gran "pastor alemán", y ocasionalmente de mayor tamaño. El color del pelaje es algo más amarillento en los ejemplares viejos, en cuyos hombros aparecen mechones de pelo más claro y largo. En México, los lobos han sido perseguidos desde hace más de 50 años. Las últimas manadas luchan por sobrevivir, con ayuda de los biólogos, en las sierras de Chihuahua y Durango, a una altitud mayor a los 1 800 m. Originalmente, los lobos habitaron considerables extensiones boscosas cercanas a praderas y matorrales en la sierra Madre Occidental y en parte de la Oriental. Los lobos son gregarios y están organizados conforme a jerarquías de dominio y reglas disciplinarias, pero se sabe que algunos ejemplares expulsados de su manada han hecho vida solitaria, depredando animales de tamaño mediano u otros débiles o enfermos, o comiendo carroña. Practican la cacería en grupos y contrariamente a lo que se cree los lobos no persiguen a su presa por kilómetros, sino que la cercan y saltan sobre ella cuando es posible. Un macho domina la manada y las hembras copularán con él salvo que los subordinados consigan eludir su vigilancia. Este comportamiento se relaciona con la sobrevivencia de la manada como un todo en las duras condiciones invernales en las áreas más norteñas de su distribución. Los lobos nunca fueron notablemente abundantes en México; su rescate depende del éxito que tengan los científicos en su empeño por conseguir un mejor control de las actividades ganaderas.

LOBO FINO DE GUADALUPE. Mamífero acuático perteneciente al orden de los pinípedos, a la familia Otariidae y a la subfamilia Arctocephalinae. El género *Arctocephalus* comprende ocho especies, de las cuales solamente *A. townsendi* habita en el océano Pacífico nororiental mexicano. La más cercana a ésta es *A. galapagoensis*, propia de las islas Galápagos. *A. townsendi* es endémica de la costa este de la isla Guadalupe, en Baja California, área rocosa, con altos farallones y cuevas. Algunos individuos solitarios llegan hacia el norte a la isla San Nicolás o a la isla San Miguel, en el archipiélago del Canal (California) y hacia el sur a la de Cedros y a las de Benito, y en el golfo de California a la de Espíritu Santo y a la de San Pedro Nolasco, a la altura de Guaymas. Durante el siglo XIX llegaban a las islas Marías y al archipiélago de Revillagigedo. Se estima que la población original era de 200 mil individuos; en la actualidad sólo hay de 1 500 a 3 mil. La explotación comercial de esta especie comenzó a finales del siglo XVIII y hasta 1820 fue realizada por aborígenes aleutianos contratados por rusos, ingleses y estadounidenses. En 1894 se capturaron únicamente 15 animales, pero en 1877 habían sido cazados 2 300.

Esta especie fue muy perseguida por su fina y lustrosa piel color dorado-parda, que tenía un extenso mercado en Oriente, principalmente en China. A principios del siglo XX se creyó que la especie se encontraba virtualmente extinta, pues sólo quedaban unos cuantos animales en la isla Guadalupe, por tal razón ésta fue declarada, en 1922, "santuario de la vida silvestre". En 1926, unos pescadores encontraron ahí varios ejemplares, y en 1928 la Sociedad Zoológica de San Diego les adquirió dos machos adultos, pero uno de los captores, inconforme con el precio que se les había pagado, regresó a la isla, mató a todos los lobos finos que halló, y vendió las pieles en Panamá. Después de estos sucesos varias expediciones fracasaron en su intento de localizar otros especímenes y se supuso que la especie se había extinguido. Sin embargo, en 1954 se pudieron contar 14 animales; en 1955, 35; en 1956, 92; en 1957, 134; y en 1977, 477 en febrero y 1 073 en junio. Para reproducirse, los machos más vigorosos se apropian de un cierto territorio entre las cuevas y las piedras de la isla; para ello luchan con otros y los desplazan con violencia hasta arrojarlos al mar; luego defienden ese espacio y el estado de alerta los mantiene en ayuno durante toda la temporada de reproducción. Cada macho pastorea un harem de 12 hembras. El mayor número de nacimientos ocurre en junio, tras 11 meses de gestación. Al nacer, la cría mide unos 60 cm y pesa aproximadamente 5.5 kg. Después de dos semanas, la hembra vuelve a aparearse con el macho. Éste alcanza los 2.10 m de longitud y pesa hasta 280 kg; las hembras llegan a medir 1.6 m, con un peso de 90 kg. Poco se sabe de la alimentación de esta especie, pero se cree que consiste de calamares, anchovetas, sardinas y macarelas. El nombre de lobo fino de Guadalupe le fue dado porque su hocico es muy parecido al de los lobos (*Canis lupus*) y porque su piel es de doble pelo, lo que la hace muy fina al tacto. Entre sus depredadores se encuentra el tiburón blanco (*Carcharodon carcharias*) y la orca (*Orcinus orca*). Actualmente (1988), la especie *A. townsendi* está considerada en peligro de extinción y aunque está totalmente protegida por el gobierno mexicano, no ha podido recuperarse satisfactoriamente. Debido a esto se ha incrementado la investigación científica con el propósito de conocer más su comportamiento, y se han extremado los cuidados encaminados a preservarlo.

LOBO MARINO. Mamífero acuático perteneciente al orden de los pinípedos, a la familia Otariidae y a la subfamilia Otariinae. El género *Zalophus* comprende una sola especie, *Z. californianus*, y tres subespecies: *Z. californianus californianus* o lobo marino de California, que vive en el océano Pacífico nororiental y en el golfo de Cortés; *Z. californianus japonicus* o lobo marino del Japón, y *Z. californianus wollebaeki*, que habita las islas Galápagos. La especie *Z. californianus* se distribuye desde las islas Farallón (San Francisco, Cal., EUA) hasta las islas Marías, donde se le encuentra ocasionalmente; en todo el golfo de California y aun en Vancouver (Canadá) y en Acapulco, en el caso de algunos ejemplares vagabundos. Se calcula que en Baja California hay entre 80 mil y 100 mil lobos marinos: de 60 mil a 70 mil en las costas e islas del Pacífico y de 20 mil a 30 mil en las del Golfo. Se les explotó comercialmente en el último tercio del siglo XIX para aprovechar su aceite, y en tan gran escala que para 1912 la población daba muestras de extinguirse, lo que volvió incosteable su captura. Los lobos marinos lograron recuperarse, alcanzaron grandes volúmenes de población y su explotación se reanudó en el Golfo, en 1936, y en la costa occidental, de 1940 a 1955. Aunque solamente se autorizaba el sacrificio del 50% de los machos adultos en la época de reproducción, tal disposición no fue respetada y el número de lobos marinos bajó tanto que para 1969 sólo quedaban 22 mil ejemplares en el país. Por esta razón, a partir de 1970 se prohibió toda captura, con excepción de las expresamente convenidas para surtir los acuarios. Para reproducirse, los grandes machos llegan a las loberas de crianza a fines de abril y principios de mayo y una vez que han desplazado a sus adversarios se apropian de un territorio, el cual defienden mediante ladridos y amenazas. Ayunan toda la temporada de reproducción y en ocasiones tragan piedras de la playa. Las hembras tienden a agruparse en torno a cada macho defensor, el cual puede controlar hasta 14 de ellas. Éstas se mueven de uno a otro territorio sin que el macho las restrinja demasiado y a veces van al mar para alimentarse. Las crías nacen en junio del siguiente año, midiendo 75 cm y pesando 7.7 kg. Después de dos semanas la hembra vuelve a aparearse con el macho. No existe un periodo de lactancia bien definido, pues es común que las hembras continúen amamantando a sus crías de un año. Entre tres y siete días después del nacimiento, la cría comienza a tener contacto con el agua, en las pozas a donde la lleva la madre, mientras ella se alimenta en el mar de calamares, peces myctófidos de profundidad (hasta poco más de 100 m), anchovetas, sardinas y macarelas. El macho de lobo marino alcanza los 2.8 m de longitud y pesa hasta 410 kg; y las hembras, 1.8 m y 128 kg. El nombre de lobo marino le fue puesto porque su hocico es muy parecido al de los lobos (*Canis lupus*). En lengua seri se le llama *zapoo* (lanza marina) y en náhuatl *amiztli* o *amiscle* (león marino). Entre sus depredadores se encuentra el tiburón blanco (*Carcharodon carcharias*), la tintorera (*Galeocerdo cuvieri*), el tiburón toro (*Carcharhinus leucas*), el tiburón de aleta blanca (*Carcharhinus limbatus*) y la orca (*Orcinus orca*). Las crías son atacadas ocasionalmente por coyotes (*Canis latrans*) y por gaviotas (*Larus libens*). Algunas crías mueren aplastadas por los grandes machos y otras por las mordidas que les dan las hembras al confundirse de madre. En la actualidad (1988), el lobo marino está fuera de peligro de extinción. Aunque protegido por el gobierno, se le mata cuando queda atrapado en las redes de barcos arrastreros, a las que se acerca para comer peces.

LOERA, MANUEL F. Nació en Zacatecas, Zac., en 1839; murió en la ciudad de México en 1913. Ingresó a la Guardia Nacional y del 15 de marzo al 15 de mayo de 1863 combatió en el sitio de Puebla; hecho prisionero, fue deportado a Francia; a su regreso, mandó el Regimiento de Caballería de San Luis Potosí. El 15 de mayo de 1867 se distinguió en la toma del convento de la Cruz, durante el sitio de Querétaro. Coautor, con el general Vicente Riva Palacio, de *Historia de la Intervención Francesa en México*.

LOERA Y CHÁVEZ, AGUSTÍN. Nació en Aguascalientes, Ags., en 1894; murió en la ciudad de México, en 1961. Junto con Julio Torri, Manuel Toussaint y su hermano Rafael, fundó la Editorial Cultura. De noviembre de 1921 a marzo de 1922 fue cónsul de México en España, y de 1925 a 1928, secretario de la embajada de México en Francia. En 1929 fundó el plantel que en 1933 tomó el nombre de Escuela Bancaria Comercial, misma que dirigió hasta su muerte.

LOERA Y CHÁVEZ, RAFAEL. Nació en Aguascalientes, Ags., en 1892; murió en la ciudad de México, en 1962. Venustiano Carranza lo nombró director fundador de la actual Escuela Superior de Ingeniería Mecánica y Eléctrica del Instituto Politécnico Nacional. En 1916, asociado con Manuel Toussaint y Julio Torri, fundó la Editorial Cultura, en la que trabajó hasta su muerte.

LOJERO, EMILIANO. Nació en Querétaro, Qro., en 1845; murió en la ciudad de México, en 1923. En 1862 ingresó a la Guardia Nacional de Guanajuato; combatió en las batallas del 5 de mayo de 1862 y en las del sitio de Puebla en 1863; en 1864 escoltó al presidente Juárez a Chihuahua y en 1866 cobró fama en la toma de la capital de ese estado. Fue uno de los vocales del consejo de guerra que sentenció a Maximiliano, Miramón y Mejía a la pena de muerte. V. INTERVENCIÓN FRANCESA E IMPERIO.

LOMAS, JOSÉ DE. Nació en Zacatecas, Zac., en 1576; murió en Valladolid (hoy Morelia), en 1634. En 1592 ingresó a la Compañía de Jesús y tras obtener la unción sacerdotal pasó a Durango como misionero. Estuvo en Atotonilco y evangelizó a los tarahumares y tepehuanes. Penetró hasta el paralelo 28 y fue el primero que llevó gallinas y ovejas a aquella región y enseñó a los naturales el trato comercial con los españoles y mestizos.

LOMBARDINI, MANUEL MARÍA. Nació y murió en la ciudad de México (1802-1853). En 1836 combatió en la guerra de Texas; en 1838, contra Francia; y en 1847, durante la invasión norteamericana, cobró fama en la batalla de La Angostura. En este último año se le asignó la comandancia militar de la plaza de Querétaro, y en 1849, la jefatura de la plana mayor del ejército. Cuando en 1853 Juan Bautista Ceballos rehusó seguir en la Presidencia de la República, se le nombró para sucederlo, del 7 de febrero al 20 de abril de 1853, fecha en que entregó el poder al general Antonio López de Santa Anna.

LOMBARDO, FRANCISCO. Nació en Chilcautla, Hgo., en 1799; murió en la ciudad de México en 1855. Tomó parte en el movimiento insurgente. Firmó el Acta de Independencia. Concurrió a 58 juicios como defensor, logrando salvar de la pena capital a otros tantos reos. Fue ocho veces secretario de Estado en seis regímenes: con Gómez Farías, de Relaciones Interiores y Exteriores, del 16 de diciembre de 1833 al 24 de abril siguiente; con Santa Anna, en igual cartera, de aquella fecha al 22 de enero de 1835, y de Hacienda, del 2 al 31 de diciembre de 1834, cargo que volvió a conferirle Santa Anna del 18 de mayo al 10 de julio de 1839; con Nicolás Bravo, en Hacienda, del 10 al 19 de julio de 1839; y durante los siguientes siete días, con Anastasio Bustamante; con Mariano Salas, también en Hacienda, del 23 al 24 de septiembre de 1846, y del 8 al 16 del mismo mes de 1847, otra vez con Santa Anna.

LOMBARDO, NATAL. Nació en Calabria, Italia, en 1647; murió en Puebla, Pue., en 1704. Misionero jesuita que, llegado a Nueva España, fue enviado a la provincia de Sonora, en las poblaciones de Bacanora, Onapa y Arivechi, donde estuvo de 1661 a 1703. En 1688 tuvo grave desacuerdo con el alcalde mayor Luis Verdugo y Chávez, que obligaba a los indígenas a permanecer en sus aldeas dedicados a labores agrícolas bajo pena de considerarlos traidores al rey si desobedecían. En 1690 fue nombrado rector del partido de San Francisco Javier y después del de Arivechi, donde intervino para pacificar a los tarahumares sublevados. En 1703 abandonó las misiones. Un año antes publicó *Arte de la lengua tequima, vulgarmente llamada ópata y vocabulario de la lengua tequima y pláticas doctrinales en ella.*

LOMBARDO DE CASO, MARÍA. Nació en Teziutlán, Pue., en 1905; murió en la ciudad de México en 1964. Hizo estudios de filosofía y arqueología. Contrajo matrimonio con Alfonso Caso, de quien fue compañera y colaboradora en todos sus trabajos. Escribió dos novelas: *Muñecos de niebla* (1955) y *Una luz en la otra orilla* (1959). Ésta alude a la lucha por la libertad espiritual de la mujer. *La culebra tapó el río* (cuentos, 1962), es una buena muestra de literatura indigenista.

LOMBARDO DE RUIZ, SONIA. Nació en la ciudad de México el 25 de diciembre de 1936. Maestra (1965) y doctora en historia (1985) por la Universidad Nacional Autónoma de México

RENATO LEDUC. Periodista y escritor, su obra es de combate por las causas del pueblo, y su estilo es sentimental en ocasiones, y casi siempre de un humorismo socarrón y corrosivo.

MIGUEL LEÓN-PORTILLA. Destacado historiador del México pre-hispánico. Su libro más famoso, *Visión de los vencidos*, contiene una antología de testimonios indígenas sobre la conquista.

LEÓN, GUANAJUATO. En la foto se puede apreciar una vista áerea de la ciudad de León, Guanajuato. Esta ciudad es la mayor de Guanajuato y una de las urbes más importantes del país, por su actividad industrial y su contribución a la economía nacional. León es mundialmente conocida por la fabricación de calzado fino y de diferentes estilos, y por la venta de artículos de piel.

JOSÉ DE LEÓN TORAL. En las fotos aparecen un guardia, el autorretrato de José de León Toral y una ilustración del general Álvaro Obregón, elaborada en la Bombilla, lugar donde el propio dibujante asesinó a balazos al presidente electo. Obregón. León Toral fue miembro de La Liga Nacional Defensora de la Libertad Religiosa. Nació en San Luis Potosí en 1900 y fue fusilado en 1929 por el asesinato de Obregón.

CIUDAD LERDO, DURANGO. En la foto se aprecia una vista panorámica de Ciudad Lerdo, localizada en la región lagunera del estado de Durango. A fines del siglo pasado, esta ciudad decayó económicamente, ya que el entonces gobernador Flores se negó a iniciar en la zona un programa de desarrollo agrícola y comercial, ocasionando que las principales casas comerciales y hoteleras se mudaran al estado de Coahuila y se instalaran en la capital, Torreón.

CIUDAD LERDO, DURANGO. Hasta principios del siglo XX, Ciudad Lerdo fue el centro cultural más importante de la Comarca Lagunera, donde trabajaron figuras como el Dr. Isaac Ochotorena, que fue director de un colegio, y el poeta Manuel José Othón. En la foto, el Palacio Municipal y un monumento al poeta mencionado.

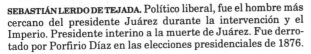

SEBASTIÁN LERDO DE TEJADA. Político liberal, fue el hombre más cercano del presidente Juárez durante la intervención y el Imperio. Presidente interino a la muerte de Juárez. Fue derrotado por Porfirio Díaz en las elecciones presidenciales de 1876.

JUAN DE LEYVA Y DE LA CERDA. El marqués de Leyva y de Ladrada y Conde de Baños fue virrey de la Nueva España. Su administración estuvo señalada por excesos y abusos de poder del propio virrey y sus subordinados.

JOSÉ IVES LIMANTOUR MARQUET. Secretario de Hacienda de 1893 a 1911, durante el régimen de Porfirio Díaz. Renegoció la deuda pública, nacionalizó los ferrocarriles, reorganizó las instituciones de crédito y estabilizó la moneda y las finanzas publicas.

VICENTE LOMBARDO TOLEDANO. Fue miembro del Comité Central de la Confederación Nacional Obrera Mexicana y dirigente de la Confederación General de Obreros y Campesinos de México así como la Confederación de Trabajadores de México (CTM). Fundador del Partido Popular (después también Socialista).

EDUARDO LICEAGA. Fundador y director del Consejo Superior de Salubridad, el Instituto Antirrábico y el Hospital de Maternidad e Infancia.

LIMÓN. En la foto se aprecia la flor del limón (*Aurantifolia swingle*). El limón pertenece a la familia de las rutáceas. El fruto es muy usado en la cocina mexicana para preparar dulces, postres, aguas frescas y como sazonador. El cocimiento de la raíz de esta planta es empleado para combatir males biliares.

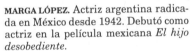

MARGA LÓPEZ. Actriz argentina radicada en México desde 1942. Debutó como actriz en la película mexicana *El hijo desobediente*.

DIEGO LÓPEZ COGOLLUDO. Procurador franciscano ante los tribunales eclesiásticos de Mérida, en el siglo XVII fue guardián del convento de Motul, definidor de los franciscanos y provincial de la orden en Yucatán. Su crónica sobre la *Historia de Yucatán* (fotos) fue escrita entre 1647 y 1656.

ANTONIO LÓPEZ DE SANTA ANNA. Fue presidente de la República en once ocasiones. Perdió las guerras con Texas (1836) y Estados Unidos (1846 - 1847). Fue separado del poder por la Revolución de Ayutla en 1855.

ADOLFO LÓPEZ MATEOS. Presidente de México de 1958 a 1964. Durante su gestión, promovió las reformas a los artículos 27, 42, 48, 54, 63, 107 y 123 de la Constitución; asimismo, ordenó la nacionalización de la industria eléctrica.

JOSÉ LÓPEZ PORTILLO. Presidente de México durante el sexenio 1976-1982. Durante su gestión se descubrieron y explotaron los yacimientos petrolíferos de la Sonda de Campeche que, dieron lugar al llamado "auge petrolero".

IGNACIO LÓPEZ RAYÓN. Insurgente michoacano, promovió la publicación del periódico *El Despertador Americano*. Fue declarado Benemérito de la Patria. Aquí aparece su estatua en el Paseo de la Reforma, en la Ciudad de México.

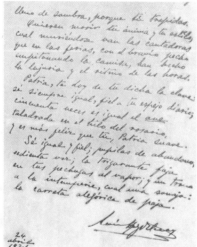

IGNACIO LÓPEZ TARSO. Actor mexicano. Egresó de la Escuela de Arte Teatral del Instituto Nacional de Bellas Artes. Destacó en teatro y televisión.

RAMÓN LÓPEZ VELARDE. Poeta mexicano nacido en 1888 en la ciudad de Jerez, Zacatecas. La *Sangre devota* fue su primer libro de poesías (1916), al cual siguió, en 1919, *Zozobra*. En las fotos podemos ver la imagen del poeta, así como el manuscrito de su poema "La suave patria".

LOTERÍA NACIONAL. Institución que realiza sorteos con premios en efectivo, y cuyas utilidades se destinan a la asistencia pública. En la ilustración se observa el nuevo edificio de la Lotería Nacional.

IGNACIO DE LA LLAVE. Político y militar liberal. Combatió contra Santa Anna en nombre del Plan de Ayutla, contra los conservadores en la Guerra de Tres Años y contra la Intervención Francesa.

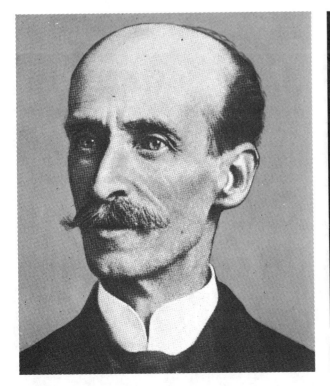

PABLO MACEDO Y GONZÁLEZ DE SARAVIA. Jurisconsulto, escritor y empresario porfirista. Fue funcionario público y académico de la Escuela Nacional de Jurisprudencia. Escribió varias obras sobre temas jurídicos.

FRANCISCO I. MADERO. Empresario coahuilense que acaudilló la revolución que condujo a la caída de Porfirio Díaz. Fue electo presidente constitucional en 1911 y fue derrocado y muerto en 1913 por un golpe militar acaudillado por Victoriano Huerta.

GUSTAVO A. MADERO. Hermano de Francisco I. Madero, colaboró con él cuando fue elegido presidente de la República. Fue asesinado por Huerta durante la Decena Trágica.

GILDARDO MAGAÑA. General nacido en la ciudad de Zamora, Michoacán. Jefe del estado mayor de Emiliano Zapata, firmó el Plan de Ayala que contenía los postulados de la revolución zapatista.

MAURICIO MAGDALENO. Político vasconselista. Historiador y escritor, su novela *El compadre Mendoza* fue llevada al cine, donde se convirtió en un clásico del género revolucionario.

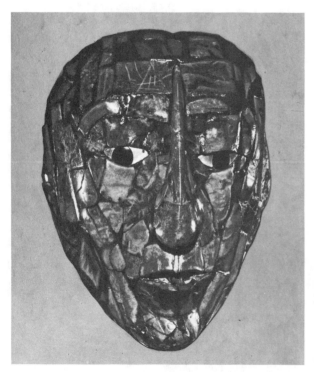

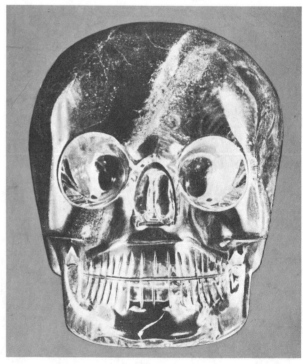

MAGIA. La foto muestra una máscara maya de piedra y obsidiana, que recubria el rostro del senor Pacal de Palenque. El carácter mágico de las máscaras radica en que le otorgan al que las usa los poderes del ser mitológico o animal que representa.

MAGIA. Cráneo tallado en cristal de roca, de la cultura azteca. Las sustancias naturales, como el cristal de roca, se cree que alejan las malas influencias e irradian impulsos benéficos. En esta foto, el cráneo representa la muerte.

(UNAM) y arqueología (1969) y maestra en ciencias antropológicas (1972) por la Escuela Nacional de Antropología e Historia, ha sido profesora en instituciones de educación superior (desde 1957), investigadora en el Instituto de Investigaciones Estéticas de la UNAM (1971-1977), jefa del Departamento de Investigaciones Históricas del Instituto Nacional de Antropología (1978-1982) y directora de Monumentos Históricos de este organismo (desde 1983). Entre sus artículos destacan: "Los juegos del México prehispánico" (1965), "Revisión del Catálogo de Monumentos Coloniales de la Ciudad de México" (1965-1967), "Las plazas de la ciudad de México" (1968), "Desarrollo urbano de México-Tenochtitlan" (1969-1970), "Formación del Atlas histórico de la ciudad de México" (recopilación y clasificación de 300 planos con fotografías, 1971-1973), "Desarrollo urbano de la ciudad de México en el siglo XIX" (1971-1976), "La pintura mural maya" (1973-1974), "La cronología de la iglesia de la Asunción en Ichcateopan en relación a los restos de Cuauhtémoc" (1976), "Análisis formal de los murales de Cacaxtla" (1977-1978), "La arquitectura de la Ilustración en la ciudad de México" (1976-1978) y "Arquitectura para la producción: las haciendas del estado de Tlaxcala" (1981-1982). Es autora de 45 publicaciones en colaboración, entre ellas: *La plaza de las Vizcaínas* (1970), *La plaza de Loreto* (1971), *Desarrollo urbano de México-Tenochtitlan según las fuentes históricas* (1973), *Breve reseña de los planos de la exposición del Museo de la Ciudad de México* (1973), *La iglesia de la Asunción de Ichcateopan en relación a la autenticidad de los restos de Cuauhtémoc* (1978), *Bibliografía básica comentada sobre la pintura mural prehispánica de Mesoamérica* (1978), *Bibliografía básica comentada sobre el arte del siglo XIX* (1978), *Vasijas pintadas mayas en contexto arqueológico* (1979), *Flores, plantas y motivos prehispánicos* (1979), *Orlas, cenefas y motivos prehispánicos* (1979), *La Ciudadela: ideología y estilo en la arquitectura del siglo XVIII* (1980), el capítulo II de *Atlas de la ciudad de México* (1982), *Cacaxtla: lugar donde muere la lluvia en la tierra* (1986) y *Pintura mural maya de Quintana Roo* (1987).

LOMBARDO TOLEDANO, VICENTE. Nació en Teziutlán, Pue., en 1894; murió en la ciudad de México en 1968. En 1919 se graduó de licenciado en derecho en la Escuela Nacional de Jurisprudencia y en 1933 se doctoró en filosofía. En 1914, junto con Manuel Gómez Morín, Alfonso Caso, Alberto Vázquez del Mercado, Antonio Castro Leal, Jesús Moreno Vaca y Teófilo Olea y Leyva, fundó la Sociedad de Conferencias y Conciertos conocida en los medios universitarios como el Grupo de los Siete Sabios. El 5 de febrero de 1917, representando a su escuela, estuvo en Querétaro en la jura de la nueva Constitución. Sirvió como secretario de la Universidad Popular Mexicana, creada por el Ateneo de México, y después como director. En 1919 se hizo cargo de la secretaría de la Escuela de Jurisprudencia; en 1921, del Departamento de Bibliotecas de la Secretaría de Educación Pública; en 1922, de la Escuela de Verano para Extranjeros y de la Nacional Preparatoria, que también dirigió en 1933; en 1923, creó y encabezó la Escuela Nacional Preparatoria Nocturna; en 1930 ocupó la dirección de la Escuela Central de Artes Plásticas; en 1933, la Preparatoria Gabino Barreda, creada a iniciativa suya; y en 1936, fundó y dirigió la Universidad Obrera de México. En 1921 fue oficial mayor del Gobierno del Distrito Federal; de diciembre de 1923 a enero de 1924, gobernador interino de Puebla; en este último año, hasta septiembre, regidor del Ayuntamiento de la Ciudad de México y luego diputado al Congreso de la Unión, cargo que volvió a desempeñar de 1926 a 1928. Fue secretario general de la Liga de Profesores del Distrito Federal, en 1920; del Grupo Solidario del Movimiento Obrero, en 1922; de la Federación Nacional de Maestros, en 1927; y de la Federación de Sindicatos Obreros del Distrito Federal, en 1932. De 1923 a 1932, miembro del Comité Central de la Confederación Nacional Obrera Mexicana; en 1933, organizador y dirigente de la Confederación General de Obreros y Campesinos de Mexico; en 1935, creador del Comité Nacional de Defensa Proletaria; y de 1936 a 1940, organizador y secretario general de la Confederación de Trabajadores de México. De 1938 a 1963 fue presidente de la Confederación de Trabajadores de América Latina; en 1944, miembro del Consejo de Administración de la Oficina Internacional del Trabajo; de 1945 hasta su muerte, vicepresidente de la Federación Sindical Mundial; y en 1949, cofundador de la Unión General de Obreros y Campesinos de México. De 1964 a 1967 ocupó un escaño en el Congreso como diputado de partido, designado por el Popular Socialista. Lombardo Toledano militó en el Partido Laborista Mexicano, en el de la Revolución Mexicana, en la Liga Socialista Mexicana y en el Partido Popular, que fundó en 1948, al que se agregó más tarde la denominación de Socialista, del que fue director y secretario general hasta 1968. Fue miembro del Consejo Mundial de los Partidarios de la Paz y, en 1952, candidato a la Presidencia de la República, contendiendo en las urnas con Adolfo Ruiz Cortines. Fundó las revistas *El Libro*, *El Pueblo*, *Futuro* y *América Latina*, y el diario *El Popular*, del que fue director en su primera época. En 1919 se inició como editorialista de *El Heraldo de México* y también escribió para *Excélsior*, *El Universal* y *Siempre!*, entre otros. Entre sus numerosos libros: *El derecho público y las nuevas corrientes filosóficas* y *La influencia de los héroes en el progreso social* (1919), *La significación del reparto de tierras* y *El reparto de tierras a los pobres que no se opone a las enseñanzas de N.S. Jesucristo* (1921), *Ética y Definiciones sobre derecho público* (1922), *La doctrina Monroe y el movimiento obrero*, *La libertad sindical en México* y *Los derechos sindicales de los trabajadores intelectuales* (1927), *Bibliografía del trabajo y la previsión social en México* (1928), *Geografía de las lenguas de la sierra de Puebla, con algunas observaciones sobre sus antiguos y actuales pobladores* (1931), *La doctrina socialista y su interpretación del arte* (1935), *Ha caído una estrella* –argumento para cine– y *Un viaje al mundo del porvenir* (1936), *Escritos filosóficos* (1937), *El papel de la juventud en el progreso de México* (1940), *¿Judíos y mexicanos, razas inferiores?* (1942), *Nuestra lucha por la libertad* y *Actualidad militante de la obra y de los ideales del padre Hidalgo* (1943), *Johann Wolfgang von Goethe* (1944), *Diario de un viaje a la China Nueva* (1950), *Una ojeada a la crisis de la educación en México* (1958), *Teoría y práctica del movimiento sindical mexicano* (1961), *La izquierda en la historia de México* y *La filosofía y el proletariado* (1962), *La batalla de las ideas de nuestro tiempo* y *La constitución de los cristeros* (1963), *Partido de cuadros o partido de masas* (1965) y *A un joven socialista mexicano* (1967).

LOMBRICERA. *Spigelia anthelmia* Willd. Planta herbácea venenosa perteneciente a la familia de las loganiáceas. V. HIERBA DE LA LOMBRICERA.

LOMBRIZ DE TIERRA. *Eisenia foetida*, de la clase Oligochaeta del *phylum* Annelida. Vive en galerías subterráneas o debajo de las piedras, en áreas de cultivo, bosques y jardines, siempre en suelos húmedos y a temperaturas no muy bajas. Tiene cuerpo cilíndrico, alargado y anillado; es de color pardo rojizo o rojo pálido, y mide hasta 25 cm. Durante la noche sale a la superficie, y con frecuencia se le ve en gran número después de los aguaceros. Importantes y benéficas para la agricultura, las especies terrestres son utilizadas como cebo por los pescadores. V. GUSANOS.

LOMELÍN, ANTONIO. Nació en Acapulco, Gro., el 26 de octubre de 1946. Torero, hizo su presentación de luces el 11 de mayo de 1965 y tomó la alternativa en Irapuato, Gto., el 20 de noviembre de 1967. Ésta le fue confirmada en la plaza México el 18 de febrero de 1968, y en Madrid el 28 de mayo siguiente. Desde entonces ha toreado en las plazas de las principales ciudades del país y en las de España, Portugal y Suramérica.

LOMNITZ AROSFRAU, CINNA. Nació en Colonia, Alemania, el 4 de mayo de 1925, pero adoptó la nacionalidad chilena. Ingeniero civil (1948) por la Universidad de Chile, maestro en mecánica de suelos (1950) por la Universidad de Harvard y doctor en geofísica (1955) por el Instituto Tecnológico de California, ha sido profesor e investigador y jefe del Departamento de Sismología del Instituto de Geofísica de la Universidad Nacional Autónoma de México. Es autor de: *Ocean continent interaction patterns in northwest Mexico and southern Chile* (1971) y *Global tectonics an earthquake risk* (1974); y coautor de: *Upper mantle Mexico*, *Una nueva ecuación de regresión cuadrática para determinación de epicentros de temblores*, *Recent seismological studies of northern Baja California* (1969), *Seismicity and tectonics of the northern gulf of California region Mexico. Preliminary results* (1970) y *Earthquake risk and engineering decision* (1976). Ha publicado artículos en las revistas *Naturaleza* y *Diálogos*.

LONG, JAMES. Nació en Estados Unidos en 1783; murió en la ciudad de México en 1822. En 1817 ejercía el comercio en Natchez y formaba parte del grupo que promovía la invasión del territorio mexicano a fin de apoderarse de

Texas. Como capitán de una expedición de 300 hombres llegó en 1819 hasta Nacogdoches y allí estableció una república, nombrándose presidente del consejo supremo y comandante en jefe; arrojado por las fuerzas virreinales, se trasladó a Nueva Orleans en busca del apoyo de John Austin y Ben Milam; se alió con José Trespalacios y ofreció la presidencia de aquella efímera república a E.W. Ripley; y en 1820, al incursionar de nuevo, fue hecho prisionero, trasladado a la ciudad de México y fusilado.

LONG, RICHARD C.E. Nació en Carvickmins-Dublín, Irlanda, en 1872; murió en Londres, Inglaterra, en 1951. Estudió antropología en la Universidad de Dublín, graduándose de doctor en etnología. Allí enseñó esta disciplina, al igual que en la Universidad de Londres. Estudió los calendarios y jeroglíficos de las culturas azteca y maya. Sus principales estudios son: *"The maya and the christian era"* (1918), *"The highest maya number"* (1919), *"The setting in order of Pop in the maya calendar"* (1921), *"Maya high numbers"* (1923), *"The burner period of the mayas"* (1923), *"Maya and christian chronology"* (1923), *"A link between the earlier and later maya chronology"* (1924), *"The Bowditch and Morley correlations of maya chronology"* (1925) y *"The date of the maya ruins of Tzibache"* (1928), en *MAN. A monthly Record of Anthropological Science;* *"Maya and christian chronology"* (1923), *"The age of the maya calendar"* (1924), *"The correlation of maya and christian chronology"* (1930) y *"The Zouché Codex"* (1926), en *Journal of the Royal Anthropological Institute of Great Britain;* *"Some maya time periods"* (1924), *"Dr. Majemson's new maya correlation"* (1947) y *"A modern survival of the ancient maya calendar"* (1948), en *Congress of Americanists;* *"Remarks on the correlation question"* (1937), *A note on aztec chronology"* (1942), *"The Venus calendar of the aztecs"* (1946) y *"Some remarks on maya arithmetic"* (1948), en *Notes in the Middle America Anthropology and Ethnology (Carnegie Institution of Washington);* y *"The Dateson altar 5 at Tikal"*, en *American Anthropologist.*

LONGFELLOW, ERNEST WARDSWORTH. Nació en Cambridge, Mass., EUA, en 1845; murió en Nueva York en 1921. Hijo del poeta Longfellow, estudió pintura en París (1865-1866). Se dedicó al paisaje, género del que dejó muestras memorables; por ejemplo, *The Matterhorn, Evening on the Nile* y *Misty morning.* Pintó algunos escenarios mexicanos, entre ellos *La garita de la Viga*, de realización impecable, que de alguna manera recuerda la técnica de Landesio. Contribuyó a que los propios mexicanos volvieran los ojos sobre sí mismos en el siglo XIX.

LONGYEAR, JOHN MUNRO. Nació en Houston, Michigan, EUA, en 1914. Estudió en las universidades de Cornell (1936) y Harvard (1940), doctorándose en filosofía y letras. Ha escrito sobre la cultura maya en Mesoamérica y, con relación a México, *"A southern maya Peten pottery correlation"*, en *American Anthropologist* (1942).

LOOMIS, CHARLES P. Nació en Broomfield, Colorado, EUA, en 1905. Maestro en ciencias de la Universidad del Estado de Carolina del Norte (1929), doctor en filosofía y letras de la de Harvard (1932) y profesor de sociología de la del Estado de Michigan (1957), es autor de *Linkages of Mexico and the United States* (1966) y *A comparison of social distance attitudes in the United States and Mexico* (1966).

LOPE BLANCH, JUAN M. Nació en Madrid, España, el 17 de julio de 1929. Licenciado y doctor en filología románica por la Universidad Central de Madrid, diplomado en lingüística hispánica por la Universidad Internacional de Santander, y doctor en lengua y literatura españolas por la Universidad Nacional Autónoma de México (UNAM), ha sido profesor, investigador, director del Centro de Lingüística Hispánica y del *Anuario de Letras* de la UNAM, y secretario de la *Nueva Revista de Filología Hispánica* de El Colegio de México. Es autor de: *La novela picaresca* (introducción, selección y notas, 1948), *Observaciones sobre la sintaxis del español hablado en México* (1953), *El conde Lucanor* (prólogo y vocabulario, 1960), *Cuatro obras de Lope de Vega* (biografía y presentación, 1962), *Vocabulario mexicano relativo a la muerte* (1963), *El diálogo de la lengua de Juan Valdés* (prólogo, 1966), *El español de América* (1968), *El léxico indígena en el español de México* (1969), *La filología hispánica en México* (1969), *El *diálogo de la lengua* (introducción y notas; Madrid, 1969), *Cuestionario para la delimitación de las zonas dialectales de México* (1970), *El habla de la ciudad de México. Materiales para su estudio* (prólogo, 1971), *Estudios sobre el español de México* (1972), *El habla popular de la ciudad de México* (prólogo, 1976), *Estudio sobre el español hablado en las principales ciudades de América* (coordinación y edición, 1977), *La gramática española de Jerónimo de Texeda* (1979), *Investigaciones sobre dialectología mexicana* (1979), *El concepto de oración en la lingüística española* (1979) y *Análisis gramatical del discurso* (1982).

LÓPEZ, ALBERTO. Nació y murió en Orizaba, Ver. (1827-1877). Estudió en el Seminario Conciliar de Puebla. Regresó a Orizaba en 1850 y se dedicó al magisterio. Se exilió en Francia durante la dictadura de Santa Anna. A la caída de éste, fue presidente municipal y rector del colegio de su ciudad natal, y en 1856-1857, diputado al Congreso Constituyente. En la Guerra de Reforma luchó al lado de los liberales, y al iniciarse la Intervención Francesa escribió artículos en favor de la República en *El Defensor del Pueblo*. Ocupada Orizaba, marchó al norte de Veracruz, donde fue aprehendido y luego confinado a la isla Martinica (1862-1864). Liberado, sus últimos años los pasó cultivando el campo.

LÓPEZ, ANDRÉS. Nació y murió en la ciudad de México (segunda mitad del siglo XVIII-después de 1812). Pintor, fue discípulo de Miguel Cabrera. Una de sus obras más notables es el *Via Crucis* que, ayudado por su hermano Cristóbal, pintó para la iglesia del Señor del Encino en Aguascalientes (1798-1800). Para el coro bajo de la iglesia La Enseñanza, en la ciudad de México, pintó dos murales, *La Virgen del Apocalipsis* y *La Asunción*, en 1779. Se conocen muchas otras obras firmadas por él en San Miguel de Allende, en el oratorio, una *Crucifixión*, copia de Lebrun; un *San Anastasio*, en el convento del Carmen en San Ángel (1784); una *Virgen de Guadalupe*, en el Museo Nacional de Historia; *San Juan Nepomuceno, Santo Tomás* (1788), *San Felipe Neri* (1811) y *San Juan Francisco Regis, S. J.* (1794). Pintó los retratos del virrey Matías de Gálvez (1781), Ramón de Posada y Soto (1785), el presbítero Nicolás Segura (1802), fray Antonio Tejada y el religioso José Ignacio Ramírez de Arellano.

LÓPEZ, CARLOS. Nació en Tacámbaro, Mich., en 1867; murió en la ciudad de México en 1894. Se graduó de abogado (1889) en la Escuela Nacional de Jurisprudencia. Perteneció al Liceo Altamirano, constituido por un grupo de socios del antiguo Liceo Mexicano (1889), bajo la presidencia de José Othón. Colaboró en la *Revista Azul* (1894-1896) y en otras. Escribió las poesías heroicas "Oda al cinco de mayo", "Canto a Hidalgo" y "Redención". En Morelia fundó la sociedad literaria Carlos López (1892-1894), que agrupó a varios jóvenes.

LÓPEZ, DOROTEO. Nació en Guadalajara, Jal., en 1836; murió en la ciudad de México en 1916. Durante la Reforma peleó al lado del general Ramón Corona; en 1865 se distinguió en la batalla de Álamos; en 1871 se adhirió al Plan de la Noria y al de Tuxtepec en 1876. En 1872 Porfirio Díaz le encomendó la jefatura militar de Colima, de donde fue gobernador en el periodo 1875-1879. Durante su mandato estableció la educación y la vacuna obligatorias; creó el Registro Público de la Propiedad y adaptó a las necesidades del estado los códigos Penal, Civil y de Procedimientos Civiles del Distrito y Territorios Federales. Militó después en las fuerzas del general Francisco Villa, fue magistrado del Supremo Tribunal de Guerra y jefe político de la capital de Jalisco.

LÓPEZ, FELIPE. Nació en la ciudad de México en 1822; murió en Chihuahua, Chih., en 1870. En 1840 fundó una escuela en Allende, Chih., y en 1842 otra en la capital del estado. Combatió contra los norteamericanos en la batalla de Sacramento. En 1854 fue nombrado interventor de la Casa de Moneda de Chihuahua. Durante la Intervención Francesa, el general Bricourt lo hizo prisionero por externar en público sus ideas republicanas. En 1867 el presidente Benito Juárez lo nombró director de la Escuela Normal que se pensaba establecer. Fue regidor del Ayuntamiento de Chihuahua. Como educador, logró crear 24 escuelas primarias.

LÓPEZ, GONZALO. Nació en Medellín, España; murió en Nueva España, desconociéndose ambas fechas. Llegó con Pánfilo de Narváez en 1520. Se unió a Nuño de Guzmán, primero, como lanza franca, y más tarde, como maestre de campo, a la conquista del occidente y noroeste del país. Sobresalió como soldado y también por su crueldad. Fue él quien exploró el cauce del río Sapiosis, subiendo por la sierra Madre Occidental (sierra de Alto Ventanillas) y descendiendo al Ramos. Exploró el río Papasquiaro hacia el este, llegando al Nazas, arriesgada hazaña en cualquier época y para cualquier persona. Escribió *Relación del descubrimiento y conquista que hizo por el gobernador Nuño de Guzmán y su ejército en las provincias de Nueva Galicia* (1530), publicada por J.F. Pacheco y otros, en la *Colección de documentos inéditos relativos al descubrimiento, conquista y organización de las antiguas posesiones españolas de América y Oceanía* (43 vols.; Madrid, 1870-1896).

LÓPEZ, GREGORIO. Nació en Madrid, España, en 1542; murió en Santa Fe, en las cercanías de la ciudad de México, en 1596. A los ocho años de edad escapó de la casa paterna y permaneció hasta los 14 en los montes de Navarra. Por gestiones de su padre fue llevado a la Corte, en Valladolid, donde fue paje de Felipe II durante seis años. A los 20 años de edad hizo un recorrido por los más célebres santuarios de España y visitó especialmente el de Guadalupe, en Extremadura, donde decidió viajar a Nueva España. Embarcó en Cádiz y llegó a Veracruz en 1562. Como escribía con tal perfección que igualaba con la pluma a la letra impresa y sabía muy bien el latín, se colocó en la ciudad de México con los escribanos (notarios) de gobierno Román y Turcios. Después pasó a Zacatecas, viviendo pobremente entre los indios chichimecas del valle de Amajac durante siete años como ermitaño. Invitado por el misionero fray Domingo Salazar, quien le ofreció un retiro en el convento de Santo Domingo de México, volvió a esa ciudad, pero inconforme con los frailes, pasó a la Huaxteca, donde permaneció cuatro años, llevando una vida de anacoreta. Su frugalidad y virtud le dieron gran fama y comenzó a ser visitado por toda clase de gente, por lo que huyó al santuario de los Remedios, en Atlixco, donde vivió otros dos años. Enfermo y necesitado de cuidados, se trasladó en 1580, a iniciativa del doctor Francisco Losa,

al Hospital de Santa Cruz de Huaxtepec, donde permaneció nueve años, ayudando a los religiosos en el cuidado de los enfermos. De resultas de una fiebre que le puso en el umbral de la muerte, fue llevado a San Agustín de las Cuevas (hoy Tlalpan) y después a la ciudad de México. Finalmente, en 1589, pasó al Hospital de Santa Fe, cercano a la capital. Allí le visitaron los hombres más doctos y respetables y hasta el virrey Luis de Velasco hijo, que solía estarse con él dos y tres horas tratando los negocios más arduos del gobierno. Murió a los 54 años de edad, 33 dedicados a la vida eremítica. Sus restos descansan en la capilla del Santo Cristo en la catedral metropolitana. En su época se le consideró como "santo varón" por unos, y como aventurero e hipócrita por otros. El expediente para su beatificación, iniciado por Felipe III y debido al cual se le llama "venerable", fue reiterado en los reinados de Felipe IV, Carlos II y Fernando VII, pero nunca resuelto. Entre 1580 y 1589 escribió en Oaxtepec un libro que permaneció inédito 82 años y del cual se hicieron muchas copias, sirviendo de guía para que los hermanos hospitalarios curasen a sus enfermos: *Tesoro de medicinas para todas enfermedades* (1672; 2a. ed., 1674; 3a., Madrid, 1708; 4a., 1727). Es también obra suya *Tratado y exposición del libro canónico del Apocalipsis* (Madrid; 1727, 1787 y 1804).

Bibliiografía: Ermilo Abreu Gómez: *El venerable Gregorio López* (1925); Juan Comas: "Un caso de aculturación farmacológica en la Nueva España del siglo XVI: el *Tesoro de medicinas* de Gregorio López", en *Anales de Antropología* (1964); Joaquín García Icazbalceta: *Bibliografía mexicana del siglo* XVI (2a. ed., 1954); Nicolás León: "Los precursores de la literatura médica en los siglos XVI, XVII y XVIII, en *Gacetas Médicas de México* (1915); Fernando Ocaranza: *Gregorio López, el hombre celestial* (1944).

LÓPEZ, JUAN FRANCISCO. Nació en Guarena de Caracas, Venezuela, en 1699; murió en Ferrara, Italia, en 1786. En 1711 llegó a la Nueva España y en 1715 ingresó a la Compañía de Jesús. Enseñó humanidades en San Luis Potosí y Veracruz; filosofía, en Zacatecas y la ciudad de México; y teología, en esta última y en Mérida. Fue rector de los colegios de San Pedro y San Pablo, en la capital del país, y del Espíritu Santo, en Puebla, de donde salió desterrado en 1767. En 1754, siendo procurador de su provincia, marchó a Madrid y a Roma llevando los poderes de los prelados y comunidades religiosas de Nueva España para solicitar del Vaticano la confirmación del Patronato Guadalupano y el oficio y misa de la Virgen de Guadalupe, gracias que obtuvo en 1756. Escribió *Theologia dogmatica, tribus tomis comprehensa* (1757), *Vida del P. José María Genovesi, jesuita siciliano, misionero de Topia y Californias* (1758) y *Tabla topográfica de todas las casas y colegios regulares y seculares, y misiones de la provincia jesuítica de la Nueva España* (Roma, 1782).

LÓPEZ, JULIA. Nació en Ometepec, Gro., el 25 de diciembre de 1935. Pintora autodidacta, se inició en el arte como modelo. Desde 1959 ha presentado exposiciones en México y en el extranjero. En 1961 ganó el primer premio en el Salón de la Plástica Mexicana. A los retratos que hace les llama "similitudes" porque únicamente recogen algunos rasgos del sujeto. Su colorido (morados, magentas, azules, verdes y blancos) evocan las tradiciones y las fiestas populares de su pueblo. En *Las amantes del río*, dos sirenas aparecen a la izquierda, mientras se bañan aguas adentro las muchachas, rodeadas de flores silvestres. En *Rapto de la sirena*, ésta es rescatada desde un banco de corales por dos angelitos morenos y rechonchos, ondulantes como el fondo marino pletórico de algas, margaritas, nardos, hierbas, tallos y corolas. Entre sus trabajos más recientes se cuenta una serie de litografías para la casa Olivetti.

LÓPEZ, MARGA. Nació en Tucumán, Argentina, el 21 de junio de 1924. Formó parte de un conjunto familiar de baile flamenco, llamado Los Hermanitos López, con el que visitó México en 1938. En 1942 regresó al país y se quedó definitivamente. Se inició en el cine mexicano con la película *Mamá Inés* (1945), a la que siguieron: *El hijo desobediente* (1946), *Los tres García* (1946), *Cartas marcadas* (1947), *Las colegialas* (ya como primera figura, 1947), *Soledad* (premio Ariel, por la mejor coactuación femenina, 1948), *Dueña y señora* (1948), *Salón México* (1948; premio Ariel como la mejor actriz), *La Panchita* (1948), *Callejera* (1949), *La dama del alba* (1949), *Azahares para tu boda* (1950), *Mi esposa y la otra* (1951), *Eugenia Grandet* (1952), *Orquídeas para mi esposa*

(1953), *De carne somos* (1954), *La entrega* (tercer Ariel, 1955), *La tercera palabra* (1955), *Feliz año, amor mío* (1955), *Nazarín* (1958), *El hombre en la isla* (1959, filmada en España), *Melocotón en almíbar* (1960, también en España), *Juventud sin ley* (1965), *Hasta el viento tiene miedo* (1967), *Corona de lágrimas* (1967), *La muñeca perversa, Doña Macabra* y algunas otras. Ha trabajado también en obras de teatro y en los años más recientes, ya retirada del cine, ha actuado principalmente frente a las cámaras de televisión.

LÓPEZ, MARTÍN. Nació en Ayamonte, Huelva, España, en 1490; murió probablemente en Tequisquiac, después de 1573. En 1516 pasó a Cuba y en 1518 a México, con la expedición de Hernán Cortés. Notable carpintero de ribera, dirigió la construcción de los bergantines que utilizaron los conquistadores, primero para impresionar a Moctezuma y luego para la toma de México-Tenochtitlan. Con la ayuda de Pedro y Miguel de Mafla, Juan Martínez Narices y Antón de Rodas, y utilizando materiales y herramientas traídos desde Veracruz por Gonzalo de Sandoval, cedros de Tlacopan y maderas duras de las estribaciones del Iztaccíhuatl y del Telapón, empleó tres meses en armar los cuatro primeros, que medían 13 m y eran capaces de transportar 75 hombres y cuatro caballos cada uno, los cuales se botaron en el lago de Texcoco en la primavera de 1520, con el propósito de acentuar el desplante de fuerzas militares. Estas naves se quemaron por órdenes de Cuitláhuac antes de la Noche Triste del 30 de junio de 1520. Al año siguiente hizo otros 13 bergantines en Tlaxcala, que fueron probados en un lago artificial, desarmados y transportados por 10 mil indígenas hasta la orilla del lago de Texcoco y finalmente vueltos a ensamblar en abril. Cuatro se entregaron a Pedro de Alvarado, seis a Cristóbal de Olid y dos a Gonzalo de Sandoval. El más pequeño fue retirado para que "no anduviese más en el agua, porque no lo trastornasen las canoas". Martín López iba a bordo de *La Capitana* al iniciarse el ataque a Tenochtitlan, y ya en plena batalla, logró recuperar el barco insignia cuando lo abandonó Juan Rodríguez de Villafuerte, que lo comandaba. En 1528, López inició un litigio contra Cortés, pretendiendo obtener 8 mil pesos por los servicios prestados de 1519 a 1521. Más tarde tomó parte en la conquista de la Nueva Galicia, al lado de Nuño de Guzmán, y al fin obtuvo del virrey Luis de Velasco que le asignaran una pensión. Hacia 1534 adquirió la villa de Tequisquiac y Carlos V le concedió escudo de armas donde figuran los memorables bergantines.

LÓPEZ, PEDRO. Nació en Sevilla, España, en la segunda mitad del siglo XV; murió en la ciudad de México hacia 1554. En 1510 pasó a Santo Domingo y Puerto Rico, y luego a México; acompañó a Hernán Cortés en la expedición de las Hibueras y desde Trujillo fue comisionado a Santo Domingo en busca de apoyo; naufragó y pudo salvarse con otros 15 soldados. Dado por muerto, se le concedieron a su esposa los derechos de heredera, denegados dos años después cuando reapareció en Nueva España y empezó a ejercer su profesión de médico. Asistió a Ponce de León, enviado por el rey para abrir el juicio de residencia contra Hernán Cortés, en 1526, y al año siguiente fue nombrado protomedicato de Nueva España. Se le considera el primer médico llegado al país.

LÓPEZ, PEDRO. Nació en la villa de Dueñas, Palencia, España, en 1527; murió en la ciudad de México en 1597. Llegó al país hacia 1550 y recibió el grado de doctor en medicina en 1553. En 1571 se le siguió proceso por la Inquisición, quedando absuelto; en 1572 fundó el Hospital de San Lázaro, para leprosos, y en 1582, el de San Juan de Dios, para servir a mestizos y mulatos. Por muchos años fue médico en jefe del convento de Santo Domingo, cuyo hábito vistió. Se le confundió con su homónimo que acompañó a Cortés a las Hibueras y otros lo hicieron aparecer, sin fundamento, como hijo suyo. V. HOSPITALES.

LÓPEZ, RAFAEL. Nació en Guanajuato, Gto., el 4 de diciembre de 1875; murió en México, D.F., el 16 de julio de 1943. Estudió en las escuelas nacionales Preparatoria y de Jurisprudencia, pero abandonó la carrera de derecho para dedicarse al cultivo de las letras. En los Juegos Florales del Centenario, en 1910, obtuvo la Flor Natural por su poesía épica "Los volcanes". Ese mismo año fue nombrado por el ministro de Instrucción Pública, licenciado Justo Sierra, profesor de literatura castellana en la Escuela Normal de Maestros. Dirigió el Archivo General de la Nación (1920-1943) y el Instituto de Investigaciones Estéticas de la Universidad Nacional Autónoma de México (1935). Rehusó pertenecer a la Academia Mexicana de la Lengua. Escritor de gran calidad, en prosa y verso, su obra está dispersa en numerosos periódicos y revistas de su época. En *El Universal* redactaba la sección "Prosas transeúntes", bajo el seudónimo de *Lázaro P. Feel*, recogidas parcialmente en un tomo en 1925. En sus libros *Vitrales patricios* (1911), *Con los ojos abiertos* (1912) y *Poemas* (1914) aparece su poesía "apoteosis y de fiesta plástica, de mármol y sol", como dijo Alfonso Reyes; pero en ocasiones, como advierte Eduardo Colín, "su exceso pindárico y su fiebre cromática se aplacan"; aparece entonces el poeta natural que huye "del brillo, el boato de las tintas venecianas y toma el camino perenne de Florencia". Publicó: *Salvador Díaz Mirón: Poesías. Estudio crítico* (1922), y prologó varias publicaciones del Archivo General de la Nación, entre otras: *Estado general de las fundaciones hechas por D. José Escandón en la nueva colonia del Nuevo Santander, costa del seno mexicano* (1929), *Palestra historial por fray Francisco de Burgoa* (1934), *Documentos inéditos relativos a Hernán Cortés y su familia* (1935) y *Procesos de Luis de Carbajal (el Mozo)* (1935). En 1965, Antonio Acevedo Escobedo editó *Prosas transeúntes* de Rafael López, cuya primera versión impresa salió en 1925 y había sido retirada de la circulación por el autor. De 1965 a 1985, Serge Iván Zaïtzeff estudió la poesía y la prosa de este literato y publicó los siguientes resultados de su investigación: *Rafael López, poeta y prosista*, *Crónicas escogidas*, *La Venus de la Alameda* (antología de verso y prosa) y *Poesía reunida* (1984).

Bibliografía: Eduardo Colín: *Verbo selecto* (1922); Alfonso Reyes: "Crítica literaria", en *Obras completas* (1965).

LÓPEZ, RAMÓN. Nació en Ciudad Guzmán, Jal., en 1844; murió en Guadalajara en 1915. Estudió para sacerdote en el Seminario Conciliar y en 1868 se ordenó presbítero. Doctor en teología (1872), explicó varias cátedras en el propio Seminario. Fundó la Academia Literario-Científica para sus alumnos. En 1893 ingresó en el Cabildo de la catedral como prebendado, y en 1908 llegó a ser arcediano. Fundó y dirigió el periódico *El Josefino* (1897-1912). Divulgó la doctrina católica en varias publicaciones, entre otras: *La Religión y la Sociedad* (1880-1892), *El Pabellón Mexicano* (1885-1903), *La Linterna de Diógenes* (1895-1907) y *El Regional* (1897-1911).

LÓPEZ, WILLEBALDO. Nació en Queréndaro, Mich., el 3 de julio de 1944. Estudió en la Escuela de Arte Teatral del Instituto Nacional de Bellas Artes. Fue becario del Centro Mexicano de Escritores (1971-1972). Su producción teatral comprende las siguientes obras: *Los arrieros con sus burros por la hermosa capital* (1967), *Cosas de muchachos* (1968), *La oscuridad ya está vieja, ya no espanta a la verdad* (pastorela, 1968), *Yo soy Juárez* (1972), *Pilo Tamirano Luca* (1973) y *Vine, vi y mejor me fui* (1974), todas ellas galardonadas en su oportunidad por diversas instituciones y publicadas. Otras de su obras son: *El paletero del Sol* y *Malinche show.*

LÓPEZ AGUADO DE RAYÓN, RAFAELA. Nació en Michoacán a mediados del siglo XVIII. Pronto quedó viuda de Andrés López Rayón. El 16 de septiembre de 1810, sus hijos Ignacio, Ramón, José María, Rafael y Francisco López Rayón abrazaron la causa de la Independencia. En diciembre de 1815, el jefe realista Matías Martín Aguirre, que encarnizadamente perseguía a los López Rayón, logró aprehender a Francisco y lo condenó a muerte. Sabedor del ascendiente que doña Rafaela tenía sobre sus hijos, mandó decirle que si influía en ellos para que se rindieran, le perdonaría la vida al condenado. Ella replicó que más quería ver a un hijo muerto que a sus hijos traidores. Francisco fue fusilado a fines de 1815.

LÓPEZ AHUMADA, MANUEL. Nació en México, D.F., el 27 de enero de 1956. Llevó cursos de ingeniería agrícola y de artes plásticas en la Universidad Nacional Autónoma de México. Desde 1979 se ha desempeñado como caricaturista en las revistas *Mediodía* (musical) y *La Garrapata* (desaparecida), en los periódicos *Unomásuno* (1981-1983) y *La Jornada* (desde septiembre de 1984). Colaboró también en *Crítica Política* y *Razones* (desaparecidas) y en *Nexos.* Ha recibido premios internacionales. Es coautor, con Jaime López, de *Cara de memorandum o culo de curriculum* (1983). Se firma Ahumada.

LÓPEZ ALANÍS, FERNANDO. Nació en Zitácuaro, Mich., en 1938. Estudió literatura en la Escuela Normal Superior de la ciudad de México. En 1968 inició su carrera periodística como auxiliar de la dirección de *El Gallo Ilustrado*, suplemento cultural del periódico *El Día.* Fue jefe de redacción de la revista *República* (1969), jefe de prensa del Instituto Nacional de la Juventud Mexicana (1972) y asesor de información del Consejo Técnico de la Investigación Científica de la Universidad Nacional Autónoma de México (1977). Es cofundador de la Editorial SEP-Michoacán y director (1986-) del Departamento de Literatura de la Casa de la Cultura de Michoacán. Aparte sus artículos periodísticos, ha escrito teatro histórico y político: *Turátame, Cuanícuti, José María, Manifiesto a la nación, ¡Viva Gaitán!, Axioma, Rutina* y *El huerto.*

LÓPEZ ALAVEZ, JOSÉ. Nació en Huajuapan de León, Oax., el 14 de julio de 1889; murió en México, D.F., el 25 de octubre de 1974. Tocaba el clarinete en la banda de música de su pueblo natal. En 1909 viajó a la capital de la República para estudiar en el Conservatorio Nacional de Música. Durante la Revolución formó parte de la División del Norte, hasta que el general Villa fue derrotado en Celaya. Aprendió a tocar el clarinete en el sistema del sonido 13 y contribuyó a difundir ese sistema. Escribió muchas canciones, pero su mejor obra es la "Canción mixteca", que compuso en 1912 (primer premio en el concurso del periódico *El Universal* en 1918). Otras de sus composiciones son: "Santa Anita", "Apasionada", "Campanitas pueblerinas", "El himno del ejército" (con versos del coronel e ingeniero Narciso Soto) y el "Himno al general Antonio de León".

LÓPEZ ARELLANO, JOSÉ. Nació en México, D.F., el 29 de febrero de 1951. Antropólogo y dramaturgo, es autor de las piezas teatrales: *El carro del vecino* (1970), *En el hueco de la mano* (1979), *Otra visión o el nido de amor* (1982), *Querido diario* (1982) y *Diálogo submarino* (1983). Sus obras muestran los pequeños y grandes episodios domésticos y profundizan en las relaciones de la pareja.

LÓPEZ AUSTIN, ALFREDO. Nació en Ciudad Juárez, Chih., el 12 de marzo de 1936. Abogado (1960), y licenciado (1969), maestro (1972) y doctor en historia (1980) por la Universidad Nacional Autónoma de México (UNAM), ha sido juez penal (1961-1963), subsecretario del Instituto Indigenista Interamericano (1963-1966), director del Instituto de Investigacines Históricas de la UNAM (1963-1975) y profesor e investigador universitario. Es autor de: *La constitución real de México-Tenochtitlan* (1961), *Juegos rituales aztecas* (1967), *Augurios y abusiones* (1969), *Textos de medicina náhuatl* (1971), *Hombre-dios. Religión y política en el mundo náhuatl* (1973), *Cuerpo humano e ideología. Las concepciones de los antiguos nahuas* (1980), *Tarascos y mexicas* (1981), *La educación de los antiguos nahuas* (1985) y *Educacion mexica. Antología de textos sahaguntinos* (1985). Ha participado en los libros colectivos *La literatura de los guaraníes* (1965), *Investigaciones contemporáneas sobre historia de México* (1972), *Sixteenth-century Mexico: The work of Sahagun* (Albuquerque, 1974), *Un recorrido por la historia* (1975), *La investigación social de campo en México* (1976), *Modern medicine and medical anthropology in the United States-Mexico border population* (Washington, 1978), *Mesoamérica. Homenaje al Dr. Paul Kirchoff* (1979), *Familia y sexualidad en Nueva España* (1982) y *Guía de estudio. México prehispánico* (1984). Otros trabajos suyos se han publicado en revistas especializadas.

LÓPEZ AVIÑA, ANTONIO. Nació en Chalchihuites, Zac., el 20 de agosto de 1915. Estudió en el Seminario de Durango y recibió la consagración sacerdotal en Roma, el 30 de octubre de 1939. De regreso, desempeñó su apostolado en las parroquias de Río Grande (Zac.), Santa Ana (ciudad de Durango) y Gómez Palacio (1947). Organizó el Congreso de la Fe y el Congreso Mariano. Fue nombrado obispo de Zacatecas el 21 de junio de 1955 y consagrado el 21 de septiembre siguiente. Se le trasladó al arzobispado de Durango el 14 de diciembre de 1961 y recibió el palio el 8 de julio de 1963. Entre sus obras destacan la construcción del Seminario Mayor de Durango y la erección de varias parroquias. Fundó en su arquidiócesis el movimiento de Cursillos de Cristiandad y asistió al Concilio Vaticano Segundo.

LÓPEZ AZUARA, MIGUEL. Nació en Tuxpan, Ver., el 6 de enero de 1934. Ha sido reportero, jefe de corresponsales y subdirector editorial del periódico *Excélsior* (1955-1976), jefe de redacción y columnista de la revista *Proceso* (1976-1979), subdirector de planeación de la Coordinación General de Comunicación Social de la Presidencia de la República (1979-1980), director general de Información y Difusión de la Secretaría de Relaciones Exteriores (1980-1981), director general de la agencia informativa mexicana Notimex (1982) y director general de Publicaciones y Medios de la Secretaría de Educación Pública (1982-1985).

LÓPEZ BANCALARI, IGNACIO. Nació en la ciudad de México en 1917. Se graduó en la Escuela Nacional de Arquitectura (1947). Ha desarrollado la mayor parte de su obra en Matamoros, Tamps. Ahí ha proyectado y construido el fraccionamiento Parques de San Francisco, varias escuelas primarias, la secundaria Juan José de la Garza, la Unidad Deportiva Ingeniero Eduardo Chávez, el parque de beisbol municipal, el Club Deportivo Matamoros, el Centro Deportivo Bancario (edificio social), 72 viviendas y un centro comercial anexo, la Puerta México, el Aeropuerto Internacional, el Centro Comercial del Programa Nacional Fronterizo, la Escuela Técnica Industrial y Comercial, el colegio particular La Salle, el Hospital Civil Alfredo Pumarejo (120 camas), el rastro y el mercado municipales, las avenidas de acceso a la población y los libramientos del centro urbano. En Reynosa localizó el Canal de Anzaldúas y proyectó la unidad de habitación y el centro escolar de Pemex; en Ciudad Victoria es obra suya la Escuela Técnica, Industrial y de Capacitación; y en la capital de la República ha hecho los cines México y Mariscal, los almacenes y talleres de H. Steele (en colaboración) y el conjunto de la Alberca Olímpica de Ciudad Universitaria (en colaboración). En 1988 estaba retirado de su profesión.

LÓPEZ BERMÚDEZ, JOSÉ. Nació en Moroleón, Gto., en 1910; murió en la ciudad de México en 1971. Ingeniero agrónomo (1933), fue organizador rural en las misiones culturales de la Secretaría de Educación Pública (1934-1945), secretario particular del gobernador de Chihuahua (1943-1945), diputado al Congreso de la Unión (1946-1948), secretario general del Partido Revolucionario Institucional (1949-1952) y secretario general del Departamento Agrario (1952-1954). Publicó las siguientes obras de poesía: *Michoacán, canto y acuarela* (1938), *Voces de sombra, de luna y de mar* (1939), *Dura patria* (1941), *Elegía a Emiliano Zapata* (1943), *Flauta de bodas* (1944), *Canto a Cuauhtémoc* (1950) y *Canto a Morelos* (1966). Escribió ponencias oficiales sobre reforma agraria y representó varias veces a México en reuniones internacionales de su especialidad.

LÓPEZ BUENO, MANUEL. Grabador, pintor y periodista, se radicó en 1794 en el puerto de Veracruz y al año siguiente obtuvo el título de impresor del consulado. Fundó e imprimió el *Jornal de Veracruz* (1805). Intervino en la política local, pretendiendo un puesto en el Ayuntamiento. Fue el primer impresor en el puerto, donde continuó su actividad hasta 1812.

LÓPEZ, CÁMARA FRANCISCO. Político de vocación y analista social, llevó a cabo una importante labor académica dejando una obra escrita de amplia difusión. Su trabajo fue reconocido con el Premio Universidad Nacional 1990.

Nacido en la ciudad de México en 1926, López Cámara obtuvo la licenciatura en derecho y la maestría en filosofía en la Universidad Nacional Autónoma de México (UNAM). La Universidad de París le otorgó el doctorado en historia económica en el año de 1956. Más adelante estudió en La Haya, Beirut, Estambul, El Cairo, Londres y Jerusalén. A su regreso a México desempeñó diversos cargos en la UNAM. Entre 1969 y 1978 perteneció a la junta de gobierno de esa institución. Más adelante ocupó puestos políticos y públicos: secretario de planeación y programas de la Confederación Nacional de Organizaciones Populares perteneciente al Partido Revolucionario Institucional (1975-1976), delegado político en la Magdalena Contreras (1976-1980), embajador en Suiza (1980-1982) y en Yugoslavia (1982-1986). También fue consejero del Fondo de Cultura Económica y miembro de la Asociación Mundial de Sociología.

En los últimos años de su vida, López Cámara se retiró por problemas respiratorios a la ciudad de Cuernavaca, Morelos, donde se desempeñó como investigador de tiempo completo en el Centro Regional de Investigaciones Multidisciplinarias de la UNAM. Perteneció también al Sistema Nacional de Investigadores.

Entre su legado escrito destacan: *La génesis de la conciencia liberal en México* (1954), *La concepción sociológica del hombre, la sociedad y el estado de Marx* (1964), *La estructura económica y social de México en la época de la Reforma* (1976), *Origen y evolución del liberalismo europeo* (1971), *El desafío de la clase media* (1972), *La clase media en la era del populismo, Origen y evolución del liberalismo europeo* (1988), *Sociedad, desarrollo y sistema político en México, La cultura del 68: Reich y Marcuse* (1989), *Apogeo y extinción de la clase media* (1990) y *Dos capítulos de la diplomacia mexicana*.

El doctor López Cámara falleció el 19 de septiembre de 1994.

LÓPEZ CANCELADA, JUAN. Nació y murió en Cádiz, España. Llegó al país entre 1790 y 1800. Fue editor de la *Gaceta del Gobierno de México*, en cuyas columnas censuró las ideas independentistas del virrey José de Iturrigaray, contribuyendo a su caída (v. INDEPENDENCIA). Atacó también al alcalde de Corte, Jacobo Villarrutia, acusándolo de traidor e hizo armas verbales contra el arzobispo-virrey Francisco Javier de Lizana y Beaumont, reprochándole simpatizar con los criollos. Éste lo mandó prender y lo desterró a España. En Cádiz se le puso en libertad. Allí fundó el periódico *El Telégrafo Americano*, dedicado a atacar nuevamente a Iturrigaray, quien residía en Algeciras. Los diputados novohispanos que habían ido a las Cortes y fray Servando Teresa de Mier refutaron a Cancelada, provocándose una polémica. Reinstalado Fernando VII en el trono, lo mandó encerrar en un convento, del cual salió poco despues de haber restablecido la Constitución española en 1820. Reimprimió *Vida de J.J. Dessalines, jefe de los negros de Santo Domingo; con notas... desde el principio de la insurrección en 1791...* (México, 1806). Y escribió varias obras, entre ellas: *Decreto de Napoleón... sobre los judíos residentes en Francia y deliberaciones que tomaron éstos en su cumplimiento* (1807), *La verdad sabida y buena, fue guardada. Origen de la revolución de Nueva España, comenzada en 15 de septiembre de 1810* (Cádiz, 1811) y *Conducta del*

LÓPEZ

Exmo. Sr. José Iturrigaray, durante su gobierno en Nueva España... (Cádiz, 1812).

LÓPEZ CHIÑAS, GABRIEL. Nació en Juchitán, Oax., en 1911. Licenciado en derecho (1949) por la Universidad Nacional Autónoma de México, enseñó literatura castellana e iberoamericana en la Escuela Nacional Preparatoria (1940-1966) y fue director de Radio Universidad (1949). Ha escrito los siguientes libros de poesía: *Canto del hombre a la tierra* (1951), *Los telares ilusos* (1953), *Mar* (1960), *Filigranas de un sueño* (1961), *Juchitán. Primer canto* (1969) y *Juchitán. Segundo canto* (1971); y en prosa: *Cuentos de Juchitán* (1940), *Conejo y coyote* (en zapoteco, castellano e inglés, 1943), *Mentiras y chistes* (en zapoteco y español, 1967), *Palabras de sabiduría* (en zapoteco), *El concepto de la muerte entre los zapotecas* (1969) y *Guendaxheela* (El casamiento, 1973). En 1988 atendía su despacho jurídico.

LÓPEZ COGOLLUDO, DIEGO. Nació en Alcalá de Henares, España; murió en Mérida, Yuc., hacia 1665. Estudió en el convento de San Diego de Alcalá de Henares y allí tomó el hábito de San Francisco en 1629. Hacia 1634 llegó a Yucatán, radicándose en Mérida. En 1637 hizo un viaje a Guatemala y dos años después fue guardián del convento de Maní. Más tarde regresó a Mérida como lector de filosofía y teología, y procurador de su Orden ante los tribunales eclesiásticos locales. Fue visitador en Guatemala (1650) y en Yucatán, guardián del convento de Motul (1652), definidor de su Orden (1654) y provincial de Yucatán (1663). Viajó mucho por los pueblos de la provincia franciscana, logrando, merced a continuos afanes, hablar y conocer bien la lengua maya. Escribió *Historia de Yucatán*, que empezó en Sotuta en 1647 y terminó en 1656 en Mérida. Aun cuando López Cogolludo pertenece al cuadro de historiadores y cronistas de segunda información, por haber aprovechado documentos aborígenes hoy perdidos, su obra es de importancia e interés. Representa en cierto modo para Yucatán, lo que fray Juan de Torquemada lo es para las culturas del Altiplano. Su obra abarca desde los orígenes del pueblo maya, sus costumbres, ideas y conquistas, y termina con la pacificación y establecimiento del gobierno español. Concebía la historia como "un espejo claro que por los casos sucedidos manifieste los riesgos futuros, enseñe a presenciarlos, cautivando no caer en ellos". Su *Historia* ha tenido las siguientes ediciones: Mérida, 1688; Campeche, 1842; Mérida, 1845, en dos tomos, por Justo Sierra O'Reilly, bajo el seudónimo de *Un yucateco*; Mérida, 1867-1868, en dos tomos; Campeche, 1955, en tres tomos; y México, 1957, en dos volúmenes, con prólogo, notas y acotaciones de Jorge Ignacio Rubio Mañé.

Bibliografía: Manuel Carrera Stampa: "Fuentes para el estudio del mundo indígena. Cultura del sureste", en *Memorias de la Academia Mexicana de Historia correspondiente de la Real de Madrid* (1962).

LÓPEZ CONSTANTE, JOSÉ TIBURCIO. Nació en Mérida, Yuc., en 1795; murió en Nueva Orleans, EUA, en 1858. En 1823 formó parte de la Junta Gubernativa de Yucatán; en 1825 fue diputado al Congreso Constituyente local y ese mismo año sustituyó a Antonio López de Santa Anna en el gobierno de la Península. Relecto para un nuevo periodo fue víctima de un cuartelazo, pero recuperó el poder en 1832. En 1833 fue declarado Benemérito del Estado, por su notable impulso al desarrollo y fomento de la agricultura y la industria. En 1841 sirvió en el Consejo de Gobierno y en 1844 como gobernador interino.

LÓPEZ CONSTANTE, MANUEL. Nació en Mérida (Yuc.), el 4 de junio de 1781; murió en Valladolid, Yuc., el 18 de enero de 1847. Estudió en el Seminario Conciliar de San Ildefonso de la Península y recibió las órdenes sacerdotales en 1806. En febrero de 1813 introdujo la primera imprenta que hubo en Yucatán, la cual adquirió de su propio peculio en La Habana. Luego de trabajarla por algún tiempo, la vendió a plazos a Francisco Bates. Fue diputado al Congreso Nacional Constituyente de 1823-1824. Fue, en sus últimos años, cura y vicario *in-capite* de Valladolid, donde murió víctima de la rebelión indígena iniciada en esa ciudad, preludio de la Guerra de Castas. Su hermano José Tiburcio figuró en forma prominente en la política yucateca y fue gobernador del estado en varias ocasiones.

LÓPEZ COTILLA, MANUEL. Nació y murió en Guadalajara, Jal. (1800-1861). Estudió en la

Escuela del Consulado y luego en el Seminario Conciliar, donde cursó latín y filosofía. Huérfano de padre a los 15 años y casada su madre en segundas nupcias, abandonó su casa y se dedicó, en situación muy precaria, a aprender dibujo y matemáticas. Fue síndico del Ayuntamiento (1828), regidor (1835), encargado del ramo de escuelas, y vocal de la Junta Departamental (1839), en cuyo desempeño promovió importantes reformas educativas: reglamentó el ejercicio magisterial (1839), elevó a 22 el número de escuelas primarias en la capital del estado y en sus alrededores, reparó los edificios escolares y los dotó de mobiliario, creó el primer establecimiento de enseñanza nocturna para adultos y fundó un plantel de artes mecánicas. Ocupó, además, otros puestos: vocal de las juntas Revisora del Pago de Contribuciones Directas, de Instrucción en el Estado y de Fomento a la Agricultura; mayordomo de propios en el Ayuntamiento, depositario de rentas del Colegio de San Juan Bautista y vicepresidente de la Compañía Lancasteriana. A su muerte, el gobierno de Jalisco lo declaró Benemérito; y en 1891, el Ayuntamiento lo reconoció como fundador de la instrucción primaria y mandó colocar una placa conmemorativa en la casa donde nació. Escribió varios manuales: *Del cerrajero y carpintero, Recreaciones geométricas y curiosas combinaciones para formar pavimentos* y un *Cuaderno de geometría práctica para las escuelas* (1852); y, además: *Noticia histórica sobre la introducción del agua a Guadalajara* (1834), *Informe que presenta el inspector general de Instrucción Primaria a la Junta Directora de Estudios del Estado de Jalisco* (1851), *Estadística de Jalisco* (1853) y *Veinte años de escuelas* (1859). Tradujo el *Curso de pedagogía* de Rendu.

Bibliografía: *Corona fúnebre en honor del Sr. Don Manuel López Cotilla* (Guadalajara, 1862); Ricardo Monroy: *Manuel López Cotilla* (inédito); Luis Razo Zaragoza y C.: *Don Manuel López Cotilla* (Guadalajara, 1961).

LÓPEZ DÁVALOS, DIEGO.

Nació en España; murió en la ciudad de México, entre 1611 y 1613. Impresor de oficio, estableció su taller en el Colegio de la Santa Cruz de Tlatelolco, de donde salieron numerosas y bellas obras: *Vida de fray Sebastián de Aparicio*, por fray Juan de Torquemada (1602); *Libro de la miseria y brevedad de la vida*, por fray Juan Bautista (1603); *Vida de San Nicolás*, por fray Francisco de Medina (1605); *Coloquios espirituales*, por González de Eslava (1610); *Camino del cielo*, por fray Martín de León (1611); pero sobre todo *Liber in quo quator passiones Christi*, por Navarro (1604), libro de música, notado, a dos tintas —negra y roja—, obra maestra de la tipografía mexicana y única en el siglo XVII en que se emplearon caracteres góticos o de tortis.

LÓPEZ DE ARTEAGA, SEBASTIÁN.

Nació en Sevilla, España, en 1610; murió en la ciudad de México hacia 1656. En 1630 presentó en Sevilla su carta de examen de "pintor de imaginería". En 1638 era vecino de Cádiz. Llegó más tarde a la ciudad de México, donde presentó un escudo al Santo Oficio, el cual lo nombró notario (29 de mayo de 1643). Para él pintó 16 retratos de los inquisidores más antiguos de México, cuadros que se conservaban en su antiguo edificio (después Escuela Nacional y hoy Academia Mexicana de Medicina), hasta que se extinguió la Inquisición (1817). El cargo era honorífico, pero le daba prestigio. En 1650 el Tribunal le retiró las insignias por no haber presentado las informaciones genealógicas de "limpieza de sangre". No pintó mucho, pues vivió corto tiempo. Además de los retratos de los inquisidores, hizo un *San Miguel* que perteneció a la Colección Barrón; el *Retrato del arzobispo Francisco Manzo y Zúñiga*, ahora en el Museo del Virreinato, en Tepotzotlán; la *Adoración de los reyes*, en la Galería de Arte de Davenport, Iowa (EUA); un *San Francisco* (1650), en el Museo de la Basílica de Guadalupe; *Jesús crucificado*, en la Pinacoteca Virreinal de San Diego; una *Crucifixión* que perteneció a Luis Montes de Oca, ahora en manos de sus herederos; un *San Ildefonso recibiendo la casulla*, en el templo de Santo Domingo; y sus mejores cuadros: *Desposorios de la Virgen* y *La incredulidad de Santo Tomás*, en la Pinacoteca Virreinal. Tuvo gran influencia de Francisco de Zurbarán y de José Rivera *el Españoleto*. Introdujo en Nueva España el claroscuro usado por sus maestros —esto es, el vigoroso contraste de luz y sombra obtenido por la iluminación dirigida hacia un solo lado—, la sobriedad de las formas, la ausencia de detalles y la tonalidad semioscura del fondo. Con él se inició el estilo barroco en Nueva España. Como gran pintor que fue, dejó escuela en sus seguidores: José Juárez, Pedro Ramírez y Baltasar de Echave y Rioja.

Bibliografía: Manuel Romero de Terreros: *Arte colonial* (3 vols., 1916-1921); Manuel Toussaint: *Arte colonial en México* (1962).

LÓPEZ DE CÁRDENAS, GARCÍA.

Se ignoran las fechas de su nacimiento y muerte y la de su arribo a Nueva España. Fue natural de la villa de Cárdenas, Vizcaya, y descendía de los duques de Maqueda y marqueses de Elche. Fue uno de los seis capitanes nombrados en Compostela para la expedición de Francisco Vázquez de Coronado al norte, en busca de las fabulosas Siete Ciudades (1540-1542). Hizo el viaje hasta Cíbola (hoy Harvikub o Agüico, en Nuevo México), resistiendo fuertes embestidas de los indios, en donde él y Alvarado le salvaron la vida a Vázquez de Coronado. De allí lo mandó éste a incursionar en la región de los indios moqui, la cual cruzó al mando de doce soldados, descubriendo el Gran Cañón del río Colorado. El capitán Melgoza, Juan Galeras y otro soldado, por ser los más ligeros y ágiles, exploraron el sitio, bajando por entre peligrosos cantiles y desfiladeros, retornando a los tres días al campamento de López de Cárdenas, sin haber llegado al lecho del río. Retornó a territorio zuñi y fue a Acoma, pueblo situado en un inaccesible peñol; llegó después a otro llamado Tigüex (hoy Bernalillo, al norte de Albuquerque), en el río Grande o Bravo, sometiendo a los naturales. Atravesó el territorio denominado actualmente Buffalo Plains, uniéndose al grueso de la hueste de Vázquez de Coronado en la primavera de 1541 y acompañándole en su entrada (incursión) al este, en busca de la legendaria Quivira (región situada en la vecindad del río Arkansas, a la altura de Great Benel, en el actual estado de Kansas). La desilusión de no encontrar emporios de riqueza hizo retornar a Vázquez de Coronado con su hueste en 1542. Llegado a México, partió López de Cárdenas a Veracruz, embarcándose para España, pues había recibido una carta participándole la muerte de su hermano que lo dejaba como heredero de sus bienes.

Bibliografía: George Parker Winship: *"The Coronado expedition 1540-1542"*, en *Fourteenth Annual Report of the U.S. Bureau of American Ethnology* (Washington, 1896); *The journey of Coronado 1540-1542* (Nueva York, 1904).

LÓPEZ DE GÓMARA, FRANCISCO.

Nació en Gómara, pueblo de la provincia de Soria, en Castilla la Vieja, España, en 1511; murió en Valladolid, probablemente en 1562. Se ordenó sacerdote, y como tal fue a Roma, a cuyo regreso entró al servicio de Hernán Cortés como capellán de su casa y familia, hacia 1541. Muerto su amo, radicó en Valladolid. No se ha comprobado la afirmación de que estudió en la Universidad de Alcalá de Henares, en donde se dice profesó la cátedra de retórica. Fue autor de varias obras importantes publicadas en un solo libro: *Chronica de las muy nombradas Orniche y Haradin, Barbanoja: Historia de las Indias y Conquista de México: De rebus gestis Ferdinandii Cortesii y anales del emperador Carlos Quinto e historia general de todas las Indias con todo el descubrimiento y cosas notables que han acaecido desde que se ganaron hasta el año de 1551. Principio de la Conquista de México* (Zaragoza, 1552). Esta última parte es la más interesante para los mexicanos. El éxito de esta obra fue muy grande, habiéndose impreso numerosas veces en castellano en España –Medina del Campo, Zaragoza, Barcelona y Madrid–, Holanda, Bélgica y México; en italiano, en Roma y Venecia; en París en francés; y en inglés en Nueva York y Londres. Escrita en ameno y elegante castellano, hace una apología de Cortés.

LÓPEZ DE HERRERA, ALONSO.

Religioso dominico activo en la primera mitad del siglo XVII. Al parecer, nació en Valladolid, España. Fue llamado *el Divino Herrera*, que algunos confunden con el también pintor fray Juan de Herrera. En 1609 firmó una de sus mejores obras: el retrato del arzobispo García Guerra, hoy en el Museo Nacional de Historia. Supo pintar manos con propiedad y manejó con soltura el escorzo. Su *Asunción de la Virgen*, que adquirió la antigua Academia de San Carlos, fue atribuida por mucho tiempo al español Alonso Vázquez, y su *San Jerónimo*, que pertenece al Museo de Puebla, se creyó obra de Miguel Jerónimo Zendejas. En 1634 pintó un *Divino Rostro* sobre la puerta del sagrario del altar del Perdón de la catedral metropolitana; en 1637, el *Santo Domingo en Soriano*, hoy en Churubusco, y en 1642 otro cuadro con el mismo tema en Santo

LÓPEZ

Domingo de México. Su talento para el retrato quedó manifiesto en el donante que aparece en la *Imposición de la casulla a San Ildefonso*, en Santo Domingo de México. Otras obras suyas son *Santo Domingo y San Agustín* en la colección Rodolfo Bello de Puebla; *San Francisco de Borja*, en la iglesia de la Profesa; *La transfiguración de Santa Teresa* y *Santo Tomás de Aquino*, en colecciones particulares; y las representaciones del *Divino Rostro* en el Museo Nacional del Virreinato, en la catedral de México (destruido durante el incendio de 1967) y en la Pinacoteca Virreinal de San Diego, éste sobre lámina de cobre. En *La Resurrección de Cristo* (2.40 por 1.70 m), Jesús aparece como un atleta con su oriflama en la mano y una túnica roja al viento, iluminado por una intensa luz dorada que sorprende a cinco soldados romanos situados a los lados del sepulcro; y en la *Asunción de la Virgen* (3.42 por 2.30 m) la Señora ocupa la mitad del cuadro, rodeada por seis ángeles que la acompañan a los cielos para recibirla, mientras en la Tierra los discípulos de su hijo elevan plegarias ante la tumba vacía. Romero de Terreros pensó que estos cuadros procedían del retablo de Santo Domingo, dedicado a la Asunción, que Herrera terminó en 1622; pero por Efraín Castro Morales se sabe que la hija de López de Herrera –quien estuvo casado antes de tomar los hábitos–, llevó como dote al convento de Regina Coeli varios lienzos de su padre, luego vendidos al conde de Santiago de Calimaya. Por sus composiciones, colorido y dibujo, es un pintor renacentista, sobrio y elegante, distinto de sus contemporáneos Luis Juárez y Echave Ibía, y similar a Pacheco y al sevillano Alonso Vázquez.

LÓPEZ DE HINOJOSOS, ALONSO. Nació en el obispado de Cuenca, España, hacia 1535; murió en la ciudad de México en 1597. Hacia 1560 llegó a Nueva España y durante 14 años ejerció la profesión de médico en el Hospital de San José de los Naturales, donde trabajó con Francisco Hernández, quien trataba de averiguar, por medio de la necropsia, el origen de la enfermedad *cocoliztle*, que en 1579 hizo estragos en varias regiones del país. El 15 de enero de 1585, tras largos intentos, logró ingresar a la Compañía de Jesús, en cuyo Colegio Máximo sirvió como portero y coadjutor. Escribió el segundo libro de medicina publicado en América, y el primero en castellano, *Summa y recopilación de chiruguía*, impreso en 1578 por Antonio Ricardo. En la obra se contienen interesantes descripciones y detalles sobre la experiencia de fundir la medicina tradicional europea con la indígena mexicana.

LÓPEZ DE LA MOTA PADILLA, MATÍAS ÁNGEL. Nació y murió en Guadalajara, Jal. (1688-1766). En mayo de 1712 fue designado abogado de la Real Audiencia; en 1730, alcalde mayor en Aguascalientes, y en 1739 fiscal interino de la Audiencia de Guadalajara. Enviudó en 1755 y recibió las órdenes religiosas en marzo de 1757. Escribió la *Historia de la Conquista de la Nueva Galicia*, que permaneció inédita hasta 1856.

LÓPEZ DE LARA, CÉSAR. Nació en Matamoros, Tamps., en 1890; murió en la ciudad de México en 1960. Estudió en el Colegio Francés de los maristas y en la Escuela Nacional de Jurisprudencia. Siendo pasante, escribió en el periódico *México Nuevo* en contra del régimen porfirista. Se unió a la campaña presidencial de Francisco I. Madero en 1910 y en 1913 al movimiento constitucionalista, orientando al lado del general Lucio Blanco a la opinión pública, a través de la prensa. Fue de los defensores de El Ébano, a las órdenes del general Jacinto B. Treviño, contra las fuerzas villistas. A los 26 años, con el grado de general brigadier, fue designado gobernador provisional del Distrito Federal a la entrada del Ejército Constitucionalista en octubre de 1916, y nuevamente, con carácter definitivo, del 25 de julio de 1918 al 17 de agosto de 1919. Fue gobernador de Tamaulipas, del 5 de febrero de 1921 a diciembre de 1923. No terminó su periodo, pues el Congreso de la Unión declaró desaparecidos los poderes de ese estado a causa de que López de Lara se adhirió a la revolución delahuertista. Se refugió entonces en San Antonio, Texas. En 1937 volvió al país. El presidente Lázaro Cárdenas lo reintegró a la milicia con su antigüedad. Desempeñó algunas comisiones castrenses y obtuvo el grado de general de brigada en 1958.

LÓPEZ DE LEGAZPI Y GORROCHATEGUI, MIGUEL. Nació en Zumbaya, Guipúzcoa, España, en 1510; murió en Manila, Filipinas, en 1572. Pasó a Nueva España en 1535 como secretario en el gobierno del virrey Antonio de Mendoza. Después del fracaso de la expedición de Ruy López

LÓPEZ

de Villalobos (1542), Felipe II ordenó al virrey Luis de Velasco, en 1559, que enviara una expedición a las islas de que hablaron los sobrevivientes García Descalante de Alvarado y el padre Jerónimo de Santiesteban. No habiendo aceptado dirigir este segundo viaje fray Andrés de Urdaneta, agustino y gran navegante, aunque sí participar en él, fue nombrado para capitanearlo López de Legazpi. El 21 de noviembre de 1564 zarpó del puerto de Navidad con una nave capitana, dos galeones y dos pataches, llevando 380 hombres. Cruzaron el océano Pacífico, hicieron escalas en los archipiélagos de Los Ladrones y Las Marianas, arribaron a la isla de Leyte el 13 de febrero de 1565, el 23 tocaron Samar y el 27 de abril llegaron a Mindanao. Luchó durante seis años, sometiendo a los pobladores de las islas de Buenas Señales, Bohol, Cebú (descubierta por Magallanes), Baybay, Panay, Mindoro y Luzón. Hizo la paz con los tagalos y fundó la ciudad de Manila el 24 de mayo de 1571; declarada por cédula real de 21 de junio de 1574 "Insigne y Leal Ciudad y Capital de las Islas Filipinas". Legazpi fue quien bautizó el archipiélago con el nombre de Filipinas en honor del soberano Felipe II. El padre Urdaneta había regresado desde el 1° de junio de 1565, rumbo a Nueva España, para organizar el socorro necesario a los conquistadores españoles del archipiélago.

LÓPEZ DE NAVA, ANDRÉS. Nació en Paso de Sotos, hoy Villa Hidalgo (Jal.), en 1808; murió en Valparaíso, Zac., en 1862. Estudió en el Seminario Conciliar y en la Universidad de Guadalajara. En 1845 fue diputado al Congreso General, y en 1847, secretario de Justicia, del 28 de enero al 10 de febrero, en el gobierno de Valentín Gómez Farías. Como ministro, aplicó con rigor la Ley de Nacionalización de Bienes Eclesiásticos. En el año de 1859 publicó *Cartas a un amigo*, atacando con sátira al general González Ortega.

LÓPEZ DE PARRA, PEDRO. Nació en Salamanca, España, en 1547; murió en el océano Pacífico en 1601. En 1565 ingresó a la Compañía de Jesús y en 1572 llegó a Nueva España. Escribió un *Curso de artes*, como se llamaba entonces a la filosofía, que por muchos años sirvió de libro de texto entre los jesuitas. En 1596 pidió ir a Filipinas y murió de regreso en un naufragio.

LÓPEZ DE PRIEGO, ANTONIO. Nació en Puebla, Pue., en 1730; murió en Boloña, Italia, en 1802. El 3 de abril de 1751 ingresó a la Compañía de Jesús y era lector en el Colegio de San Javier de Puebla cuando en 1767 se hizo efectiva la expulsión decretada por Carlos III. Escribió *Carta de un religioso de los extintos jesuitas, a una hermana suya... del convento de Santa Catarina...* (que) *Trata de lo acaecido a estos religiosos desde el día de su arresto...*, publicada en 1944 por Mariano Cuevas en *Tesoros Documentales de México. Siglo* XVII. Se trata de una relación histórica de primer orden.

LÓPEZ DE SANTA ANNA, ANTONIO. Nació en Jalapa (Ver.), en 1794; murió en la ciudad de México en 1876. Fue presidente de la República 11 veces: del 16 de mayo al 3 de junio; del 18 de junio al 5 de julio, y del 28 de octubre al 4 de diciembre de 1833; del 24 de abril de 1834 al 27 de enero de 1835; del 18 de marzo al 9 de julio de 1839; del 9 de octubre de 1841 al 25 de octubre de 1842; del 5 de marzo al 3 de octubre de 1843; del 4 de junio al 11 de septiembre de 1844; del 21 al 31 de marzo, y del 20 de mayo al 15 de septiembre de 1847; y del 20 de abril de 1853 al 9 de agosto de 1855.

El 9 de julio de 1810 ingresó con el grado de subteniente al Regimiento Fijo de Veracruz, bajo las órdenes del coronel Joaquín de Arredondo y Muñiz, quien el 13 de marzo del año siguiente embarcó con 500 hombres rumbo a Tampico, en el bergantín *Regencia* y en las goletas *San Pablo* y *San Cayetano*, para combatir a los insurgentes y a los aventureros que desde entonces pretendían la separación de Texas. La primera acción de guerra ocurrió la mañana del 10 de mayo contra las fuerzas insurgentes del lego Villerías. El movimiento texano, a su vez, estaba encabezado por Bernardo Gutiérrez de Lara, sustituido después por el cubano José María Álvarez de Toledo, quien al frente de 850 norteamericanos y 600 pieles rojas de la tribu de los cochates presentó batalla al ejército virreinal en El Atascoso, a la orilla del río de Medina, siendo derrotado el 12 de agosto de 1813. Este primer golpe a los insurrectos aplazó 25 años las pretensiones separatistas. Aparte de Arredondo, se distinguieron, por su valor y espíritu militar, Iturbide, el teniente Santa

Anna, Pedro Lemus y Fernando del Corral. Cuando en esos días el virrey Félix María Calleja mandó formar nuevas compañías del Fijo de Veracruz para guarecer el puerto, López de Santa Anna regresó como oficial instructor, ascendió a primer teniente, se incorporó al 2° Batallón de Granaderos, sirvió de ayudante del general José Dávila, gobernador y comandante militar de la provincia de Veracruz, y limpió de insurgentes las zonas aledañas. En marzo de 1816 fue promovido a capitán y cinco años más tarde a comandante.

El 23 de marzo de 1821, cuando ya Iturbide había proclamado el Plan de Iguala, llegó Santa Anna a Orizaba, al frente de 200 soldados; apresó a Cristóbal Ballesteros, quien le propuso unirse al Ejército de las Tres Garantías, y salió a combatir a los pronunciados, pero derrotado en el primer encuentro se refugió en el convento del Carmen. El día 29 llegó el general José Joaquín de Herrera, lo nombró teniente coronel y lo incorporó al movimiento iturbidista. Ambos tomaron Orizaba y Córdoba y allí se separaron: el primero marchó hacia Puebla y Santa Anna a Alvarado, donde derrotó al comandante Topete, para volver luego en apoyo de Herrera, batido el 25 de abril en Tepeaca por el coronel Francisco Hevia. Tras los combates de San José y El Vecindario, venció al coronel Orbegozo y tomó Jalapa; desalojó al coronel Flores de los fortines de Puente del Rey y reforzó las defensas de La Joya para contener un posible intento realista de recuperar Jalapa. Estas acciones le merecieron, expedido por Iturbide, el título de jefe de la 11a. División del Ejército. En julio siguiente cercó la ciudad de Veracruz e intimó a rendición a su antiguo protector, el general Dávila, pero no tuvo éxito en el asalto y perdió la mitad de sus fuerzas. El 21 de ese mes arribó al puerto el virrey Juan O'Donojú, quien pidió a Santa Anna un salvoconducto para reunirse con Iturbide en Córdoba, donde el 24 de agosto se firmaron los tratados que pusieron término a la dominación de España. El 27 de septiembre entró a la ciudad de México el Ejército Trigarante y el 28 se constituyó la Regencia. Sólo el general José Dávila continuó fiel a Fernando VII y se hizo fuerte tras las murallas de Veracruz; al cabo, sin embargo, de un mes de arduos combates, Dávila se retiró al castillo de San Juan de Ulúa y el 25 de octubre las fuerzas independientes entraron a la ciudad sin hacer un solo disparo.

Santa Anna sirvió al Imperio, pero a la vez trabajó por su propio encumbramiento. Iturbide lo nombró brigadier y comandante general de la provincia de Veracruz. El 19 de octubre de 1822 celebró una larga entrevista con el agente diplomático norteamericano Joel R. Poinsett, enterándose por él de la oposición de Estados Unidos a todo gobierno monárquico en México. El 16 de noviembre Iturbide llegó a Jalapa, y seguramente receloso de Santa Anna, lo despojó del mando político y militar y le ordenó que se trasladara a la capital del país para incorporarse a la Junta de Guerra; pero Santa Anna regresó a Veracruz y el 2 de diciembre, a la cabeza de 400 soldados del 8° Regimiento de Infantería, se levantó en armas proclamando la República. El plan en que fundaba la sublevación, escrito por Miguel Santa María, declaraba nula la proclamación de Iturbide como emperador y postulaba un nuevo Congreso Constituyente. Los generales Nicolás Bravo, Gabriel Armijo y Epitacio Sánchez sumaron sus fuerzas a las de Santa Anna y el 1° de febrero de 1823 se firmó el Plan de Casa Mata, que sólo añadía a los puntos anteriores la prohibición de atentar contra la vida del emperador. El 19 de marzo abdicó Agustín I; el 31 el Congreso encargó el Poder Ejecutivo a un triunvirato; el 16 de mayo la asamblea se declaró por la república; el 7 de noviembre se instaló el segundo Constituyente, previsto en el Plan; el 31 de enero de 1824 se aprobó el Acta Constitutiva de la Federación; el 4 de octubre se juró la Constitución Federal de los Estados Unidos Mexicanos, y el día 10 siguiente tomó posesión Guadalupe Victoria como primer presidente de la República. En el curso de estos acontecimientos Santa Anna había lanzado en San Luis Potosí, el 5 de junio de 1823, una proclama federalista, por lo cual fue llamado a México y reducido a prisión; pronto salió libre, sin embargo, a instancias de Vicente Guerrero, miembro suplente del triunvirato, quien le dio en recompensa el grado de general de brigada y el nombramiento de comandante militar de Yucatán. Un año después el Congreso le ratificó la comandancia y lo designó gobernador de la Península, cargo que desempeñó hasta el 25 de abril de 1825 cuando Guadalupe Victoria lo nombró director del Cuerpo de Ingenieros. Poco después abandonó este empleo, marchó al puerto de Alvarado, casó con Inés García y compró la hacienda Manga de Clavo.

LÓPEZ

El 23 de diciembre de 1827 el coronel Manuel Montaño se rebeló en Otumba contra el gobierno. El vicepresidente Nicolás Bravo se le unió en Tulancingo y tomó el mando de los sublevados. Por instrucciones de Victoria, Guerrero salió a combatirlos, con el auxilio de Santa Anna, y el 7 de enero de 1828 derrotó a Bravo, a quien enviaron al destierro. Ese año hubo elecciones presidenciales, siendo candidato Guerrero y el general Manuel Gómez Pedraza. El 1° de septiembre el Congreso declaró presidente a éste y vicepresidente a aquél, suscitando el desacuerdo, entre otros, del ministro norteamericano Poinsett, de Lorenzo de Zavala y de Santa Anna. Este último se pronunció en Perote, el día 12, pidiendo la nulidad de las elecciones y la proclamación de Guerrero, pero aun cuando fue derrotado y se retiró a Oaxaca, el 3 de noviembre se adhirió al Plan de Perote la guarnición de la Acordada, en la ciudad de México. El 2 de diciembre se iniciaron las hostilidades; el 3 huyó Gómez Pedraza; el 8 Guerrero fue nombrado secretario de Guerra y Marina del gobierno de Victoria, todavía en el poder, y el 1° de abril de 1829 el antiguo insurgente tomó posesión del Poder Ejecutivo, llevando como segundo al general Anastasio Bustamante. Santa Anna fue nombrado gobernador de Veracruz.

El 7 de julio de 1829 salió de La Habana una escuadra española que pretendía la reconquista de México. La comandaba el brigadier Ignacio Barradas, quien el 27 llegó a cabo Rojo, pasó luego a Tampico, tomó la plaza sin encontrar resistencia, dejó el mando al coronel Salomón y marchó a Altamira. El 4 de agosto, a su vez, Santa Anna organizó una escuadra, desembarcó en Tuxpan, el 11 llegó a Tampico y el 20 batió a Salomón en las riberas del Pánuco, pero no pudo sostener la plaza, a causa de los amagos de Barradas, retirándose a Pueblo Viejo. Allí recibió refuerzos del general Mier y Terán y 500 jinetes procedentes de Jalapa; el 9 de septiembre contraatacó y el 11 hizo capitular a Barradas. Esta acción le dio gran renombre y el Congreso lo declaró Benemérito de la Patria. El 4 de octubre entregó al presidente Guerrero las banderas que quitó al enemigo y regresó a Veracruz y luego a Manga de Clavo.

El 2 de enero de 1832 Santa Anna se sublevó en Veracruz pidiendo el regreso de Gómez Pedraza a la Presidencia. Éste desembarcó en Veracruz el 5 de octubre y en unión de Santa Anna entró victorioso a la ciudad de México el 3 de enero de 1833, gobernando hasta el 1° de abril siguiente. Se formó nuevo Congreso y fueron electos Antonio López de Santa Anna, como presidente, y el doctor Valentín Gómez Farías, como vicepresidente. Cuatro veces ejercieron el poder uno y otro, comenzando el segundo, hasta que, el 26 de enero de 1835, el Congreso destituyó a Gómez Farías, por las reformas liberales que había emprendido, concedió licencia a Santa Anna y encomendó la Presidencia a Miguel Barragán. Durante su cuarto periodo de gobierno, Santa Anna cedió a las presiones del Partido Conservador, disolvió el Congreso e hizo formar otro que trabajó todo 1836 para expedir, el 29 de diciembre, las Leyes Constitucionales o Las Siete Leyes que destruyeron el federalismo. En 1835 Santa Anna se separó del poder para ir a combatir a los texanos que se habían sublevado: entró a San Antonio Béjar (26 de febrero de 1836), atacó Álamo y el presidio del Espíritu Santo (6 de marzo), pero Samuel Houston lo derrotó en San Jacinto (21 de abril) y lo hizo prisionero. Para salvar su vida, ordenó el retiro de las fuerzas del general Filisola y firmó dos tratados humillantes. El 18 de enero de 1837 se entrevistó con el presidente norteamericano Jackson y logró que lo mandara a Veracruz a bordo de la corbeta *Pioneer*. Al año siguiente, cuando la escuadra francesa bloqueó y tomó el puerto de Veracruz, Santa Anna dirigió la defensa. V. GUERRA DE FRANCIA A MÉXICO (1838-1839).

Barragán murió el 27 de febrero y fue sustituido por José Justo Corro, que entregó el poder a Bustamante el 27 de abril de 1837. Éste lo ejerció hasta el 20 de marzo de 1839, en que le siguió Santa Anna, por quinta vez, como presidente interino, y luego Bravo por nueve días, a partir del 9 de julio. Bustamante volvió a ser presidente el 19 de ese mes y renunció el 22 de septiembre de 1841, bajo la presión militar de Santa Anna y Paredes y Arrillaga. Éstos expidieron las Bases de Tacubaya (28 de septiembre), encargaron el interinato a Javier Echeverría, nombraron a los nuevos diputados y éstos designaron a Santa Anna, por sexta vez, presidente de la República. Juró el 9 de octubre; un año más tarde (26 de octubre de 1842), dejó el puesto a Nicolás Bravo y regresó el 5 de marzo de 1843 para aprobar, el

12 de junio, las Bases Constitucionales o Bases Orgánicas que centralizaron en el Ejecutivo, de modo absoluto, la administración de las provincias (v. GOBERNANTES y FEDERALISMO). El 4 de octubre dejó la Presidencia al general Valentín Canalizo, quien la ejerció hasta el 4 de junio de 1844. Ese día regresó Santa Anna al poder y volvió a ausentarse el 12 de septiembre, dejándolo en manos de José Joaquín de Herrera hasta el 21, y luego de Canalizo, hasta el 6 de diciembre en que el Congreso depuso a éste, desconoció a Santa Anna como presidente Constitucional y mandó aprehenderlo. La captura de Santa Anna ocurrió en Naolinco, llevándosele prisionero a Jalapa y luego a Perote. En 1845 Herrera le concedió el indulto y se embarcó en el cañonero nacional *Victoria* para La Habana, donde permaneció hasta 1846, en que volvió a Veracruz, llamado por los autores de un nuevo cuartelazo, cuando ya el puerto se hallaba bloqueado por la escuadra norteamericana. El 5 de agosto de ese año se había pronunciado en la Ciudadela el general José Mariano Salas, enarbolando esa vez la bandera del federalismo. Ese mismo día asumió el poder, de suerte que el 22 pudo Santa Anna proclamar en Veracruz, de regreso del destierro, el restablecimiento de la Constitución de 1824. Aun cuando el Congreso, reunido el 6 de diciembre, lo nombró presidente interino, no quiso entonces asumir el cargo, para marchar a combatir a los norteamericanos. Dejó el poder a Gómez Farías y se dedicó a organizar en San Luis Potosí el ejército con que pensaba detener a las fuerzas del general Zacarías Taylor. El 26 de enero de 1847 se puso en marcha con 14 048 hombres y 17 piezas de artillería, y al fin se encontró con los invasores en La Angostura, librando la desastrosa batalla del 22 y 23 de febrero. Volvió a la capital y reasumió la Presidencia por novena vez, del 21 de marzo al 2 de abril, en que salió nuevamente a campaña, cuando ya Winfield Scott se había posesionado de Veracruz. Pedro María Anaya lo sustituyó hasta el 20 de mayo, en que regresó para promulgar el 21, el Acta de Reformas a la Constitución (v. FEDERALISMO), aprobada por el Congreso el día 18 anterior, Santa Anna dirigió, como presidente y como general, la infructuosa defensa contra la invasión norteamericana en el centro del país, habiendo perdido, sucesivamente, las batallas de Cerro Gordo (17 y 18 de abril),

Padierna y Churubusco (20 de agosto), Molino del Rey y Casa Mata (8 de septiembre) y Chapultepec (11 al 13 siguientes), que abrieron la puerta no sólo de la capital, sino de las negociaciones que culminaron con la pérdida de más de la mitad del territorio nacional. V. FRONTERA CON ESTADOS UNIDOS, GUERRA DE ESTADOS UNIDOS A MÉXICO y GUADALUPE, TRATADO DE.

El 14 de septiembre, abandonó Santa Anna la capital, al frente de los restos del ejército. Dimitió el día 15 y pidió pasaporte para trasladarse al extranjero. Todavía el 21 hizo un intento contra Puebla y el 9 de octubre trató sin éxito de asaltar un convoy norteamericano en Huamantla. Quiso salir hacia Guatemala, a través de Oaxaca, pero se lo impidió el gobernador Benito Juárez. Marchó entonces a Estados Unidos, pasó a Jamaica y luego se estableció en Turbaco, Colombia.

El 7 de febrero de 1853 un cuartelazo llevó a Manuel María Lombardini a la primera magistratura, aunque provisionalmente, pues de acuerdo con el convenio del día anterior las legislaturas de los estados eligieron presidente a Santa Anna por quinta y última vez, aun cuando esa sería, de hecho, la décima primera ocasión en que ocupara ese alto cargo. Tomó posesión el 20 de abril y el 16 de diciembre el Consejo de Estado le atribuyó facultades omnímodas y el tratamiento de alteza serenísima. Aun cuando el Tratado de Guadalupe, del 2 de febrero de 1848, fijó los límites con Estados Unidos, a mediados de 1853 las relaciones entre los dos países volvieron a entrar en crisis, al grado de que se preveía una nueva contienda. Los presidentes Pierce y Santa Anna juzgaron que el mejor camino para zanjar las nuevas controversias consistía en pactar una compraventa de territorio mexicano. Así, el 30 de diciembre se firmó el Tratado de Límites, o De la Mesilla, también conocido como Compra Gadsden, mediante el cual los norteamericanos pagaron 10 millones de dólares por un área de 109 574 km^2. V. FRONTERA CON ESTADOS UNIDOS.

Este y otros excesos movieron al coronel Florencio Villarreal a proclamar el 1° de marzo de 1854 el Plan de Ayutla, por el cual se desconocía al dictador y se preveía la convocatoria de un nuevo Constituyente. Al cabo de casi año y medio de lucha (V. AYUTLA, REVOLUCIÓN DE), renunció Santa Anna a la Presidencia y salió de la ciudad de México el 9 de agosto de 1855. El barco *Itur-*

bide lo llevó a Cuba. Por varios años estuvo en Turbaco, Colombia, y el 27 de febrero de 1864, en plena Intervención Francesa, regresó a Veracruz a bordo de la nave inglesa *Conway*. Informado el general Bazaine de su arribo, dio órdenes de no dejarlo desembarcar hasta que hubiera firmado un acta de adhesión al Imperio, prohibiéndole cualquier demostración política, verbal o por escrito. Apenas en tierra, mientras escribía al general Almonte ofreciéndole sus servicios, publicó un llamamiento a sus partidarios en el *Indicador* veracruzano. Bazaine lo rembarcó en la corbeta *Colbert*, que lo dejó en La Habana el 12 de marzo. Pasó nuevamente a Turbaco y en enero de 1866 el secretario de Estado norteamericano, Seward, hizo un viaje especial para encontrarse con él en la isla de San Thomas, al parecer interesado en promoverlo como una solución entre Juárez y Maximiliano. El 3 de junio de 1867, derrotado ya el Imperio, se presentó frente a Veracruz, a bordo del vapor *Virginia*, y lanzó una proclama ofreciéndose como mediador entre el gobierno de Juárez y los republicanos moderados, asegurando, además, que contaba con el apoyo militar y político de Estados Unidos. El cónsul norteamericano pidió que fuera trasladado al navío de guerra *Tacony*, pero el 4 de junio fue reintegrado al *Virginia* y llevado a Sisal, donde el jefe militar de Yucatán lo aprehendió y lo regresó a Veracruz, ya prisionero, el 30 de julio. Un consejo de guerra lo condenó a muerte, pena que se le conmutó por la de ocho años de destierro. El 2 de noviembre salió rumbo a La Habana; estuvo en Nassau, y en las Bahamas, y después de la muerte de Juárez, el presidente Sebastián Lerdo de Tejada le permitió volver al país, en 1874. Vivió sus dos últimos años en una casa de la calle de Bolívar, en la ciudad de México.

LÓPEZ DE SOMOZA, DOMINGO. Nació en Lugo, Galicia, España, el 1° de junio de 1784; murió en La Habana, Cuba, el 23 de febrero de 1849. Sacerdote y doctor en derecho civil y canónico (1809) por la Universidad de Santiago, llegó a ser, sucesivamente, visitador de parroquias, canónigo de la catedal, provisor del obispado, director del Real Hospicio de Huérfanos y auditor de la Rota, todo ello en Oviedo. Diputado a Cortes en 1822-1823, al caer éstas fue víctima de la persecución contra los constitucionalistas y se refugió en Yucatán a fines de 1823. Poco

después se abrió la Universidad Literaria adscrita al Seminario Conciliar de San Ildefonso de Mérida y en ella fundó la cátedra de jurisprudencia, que regenteó largo tiempo. Fue individuo de la Sociedad de Amigos del País, presentó una sabia memoria sobre instrucción pública y redactó muchos documentos públicos de importancia. En atención a sus méritos, el Congreso del estado lo declaró ciudadano yucateco. Después de algunos años abandonó la abogacía, pero no la cátedra, y ejerció su ministerio sacerdotal con gran celo. Fue cura del sagrario, canónigo de la catedral, provisor del obispado y rector de la Universidad Literaria. Inducida por amigos de López de Somoza, la reina Isabel II lo indultó y lo nombró canónigo penitenciario de la catedral de La Habana, ciudad a la que se trasladó en 1843 y donde poco después se hizo cargo de la rectoría de la Real y Pontificia Universidad.

LÓPEZ DE VILLALOBOS, RUY. Nació en Málaga, España, en el último tercio del siglo XV; murió en Amboina, Filipinas, en 1543. Joven aún, entró de grumete en la marina mercante aragonesa y participó en numerosos viajes. Estuvo en las islas Canarias y después en Cuba (1531). Viajó a Nueva España con el virrey Antonio de Mendoza, de quien era pariente. Fue alguacil de la ciudad de México (1536-1541) y entre junio y julio de 1541 se alistó con el carácter de teniente de capitán en la armada de Pedro de Alvarado que iba al mar del Sur en busca de las "islas de la especiería"; pero la rebelión de los caxcanes en Jalisco y Zacatecas lo mantuvieron en la defensa de Guadalajara. Pacificada la Nueva Galicia, el virrey lo mandó en busca de esas afamadas islas. Partió el 1° de noviembre de 1542 de Navidad (Jal.) al mando de seis navíos tripulados por 370 hombres; descubrió las islas de Santo Tomé, San Benedicto o Anublada, Roca Partida, Placer y los bajos de Villalobos, del archipiélago de Revillagigedo, según se le llamó más tarde; atravesó el océano Pacífico, tocando por vez primera las islas de los Jardines, Coral, Matabones, Arrecifes y otras, del actual archipiélago de las Carolinas; llegó a Luzón, a la que bautizó con el nombre de Cesárea Caroli, arribando a Mindanao el 2 de febrero de 1543. Bernardo de la Torre, que fue quien exploró las islas por instrucciones suyas, les dio el nombre de Filipinas, en honor del entonces príncipe de

Asturias, más tarde Felipe II. El 4 de agosto de 1543 envió la nao *San Juan* rumbo a Nueva España, para informar de sus exploraciones, pero un furioso temporal la devolvió a la isla de Sarangani, al sur de Mindanao. En mayo de 1544 partió de nuevo la nao, esta vez con López de Villalobos a bordo. A los treinta días de navegar descubrió la isla de Nueva Guinea y a los sesenta los marineros le exigieron que regresara, pero enfermó y murió en la isla de Amboina, el 3 de octubre de ese año, asistido por el joven misionero jesuita Francisco Javier, después canonizado.

Bibliografía: Jesús Anaya Topete: *Atlas mexicano de la Conquista. Historia geográfica en 40 cartas* (1958).

LÓPEZ DE ZÁRATE, JUAN. Nació en Oviedo, España, el 24 de julio de 1490; murió en la ciudad de México el 10 de septiembre de 1555. Ordenado sacerdote, ejerció su ministerio en la diócesis de Jaén. El 21 de junio de 1535 el papa Paulo III erigió la diócesis de Antequera (Oaxaca) y nombró primer obispo a López de Zárate, quien recibió la consagración episcopal en la ciudad de México, en 1537. Llevó a Oaxaca a varios clérigos, creó las parroquias de Ocotlán y Villa Alta, y la capellanía de Cuilapan; gestionó con el emperador que los religiosos radicaran y edificaran templos en los pueblos de indios, a costa de los encomenderos; e intervino muy activamente en favor de la legación de 1542, protectora de los indios. El año en que murió se terminó de construir la primera catedral de Oaxaca, y el gobierno de la diócesis quedó por varios años en manos del Cabildo.

LÓPEZ DE ZUBIRÍA Y ESCALANTE, JOSÉ ANTONIO LAUREANO. Nació en Arizpe (Son.), el 4 de julio de 1791; murió en la hacienda de Cacarea, Dgo., el 28 de noviembre de 1863. Consagrado sacerdote en 1817 en la ciudad de México, fue profesor en el Seminario de Durango, párroco de Cinco Señores (Río Nazas), de 1819 a 1823, del sagrario y de Sombrerete. El 28 de febrero de 1831 se le nombró obispo de Durango. Desterrado por las autoridades civiles, murió en la hacienda donde se había refugiado.

LÓPEZ DÍAZ, PEDRO. Nació en Acaponeta, Nay., el 6 de diciembre de 1928. Médico cirujano (1955) y doctor en filosofía (1984) por la Universidad Nacional Autónoma de México, ha sido profesor y rector de la Universidad Autónoma de Nayarit (1964-1966), diputado federal y suplente de senador. Colabora en diarios de la capital de la República y de su estado. Ha publicado las siguientes obras: *Problemas humanos, Fuego de Nayarit, Debates, Jirones revolucionarios, Ideas y palabras, Liberación ideológica de México, La filosofía política* y *Cirujano y hombre.* En 1963 obtuvo el primer lugar en el concurso convocado por el Congreso de la Unión, con la obra *Madero, hombre y héroe.*

LÓPEZ EVIA, LORENZO. Nació y murió en Mérida, Yuc. (segunda mitad del siglo XIX-1922). Empleó los seudónimos *Leoncito, Chicochema, Cúchares* y con mayor frecuencia *Cascabel.* Colaboró en *Pimienta y Mostaza* y en la *Revista de Yucatán.* Autor de *Musa callejera* y *Favor... y con trompeta,* estrenada en el Circo-Teatro Yucateco el 6 de junio de 1908.

LÓPEZ FILIGRANA, ELÍAS I. Nació en Acayucan, Ver., en 1891. Tomó parte en el movimiento revolucionario de 1910 y alcanzó prestigio como militar en las campañas del general Cándido Aguilar. Publicó todas sus poesías con el seudónimo de *Nacuyaca,* entre ellas: "Ideario", "Por la patria", "Madrecita linda" y "Amor de los amores".

LÓPEZ GALI, ROBERTO. Nació en Laguna de la Puerta, Tamps., el 30 de julio de 1926. Guitarrista, ha sido también primera voz en varios grupos. Su madre, Petra Gali, era violinista, y sus 10 hermanos son músicos y cantantes. López Gali escribe sus propias composiciones; es autor de "Mi derrota", "No sé qué pasa conmigo", "Mi amor callado", "Será muy tarde" y muchas otras que le han sido interpretadas y grabadas por Miguel Aceves Mejía, Amalia Mendoza, Los Tres Caballeros, el trío Tariácuri, Los Montejo y Rafael Vázquez. Algunas de las canciones de López Gali, por ejemplo "Que me toquen las golondrinas" y "La feria de San Marcos", han sido incluidas en películas nacionales.

LÓPEZ GONZÁLEZ, FRANCISCO. Nació en Puebla, Pue., el 26 de agosto de 1922. Estudió

LÓPEZ

escultura en la Academia de Bellas Artes de su ciudad natal y llevó cursos de especialización en España y Francia. Son obra suya, entre otras, las coronas de oro y piedras preciosas para las imágenes de la Virgen de Guadalupe en la basílica de México y en los santuarios de La Habana y El Salvador; la custodia monumental del santuario de Cristo Rey en el cerro del Cubilete, Gto.; las arcas de bronce dorado en que se guardan la Constitución de 1917 y el Acta de Independencia; la Virgen de Guadalupe engastada en piedras preciosas que está en el santuario de Lourdes, Francia; varios pectorales de oro, esmeraldas, rubíes y brillantes para los papas Juan XXIII y Paulo VI. El sagrario en bronce, mármol, oro, topacios y rubíes de la catedral de Guadalajara, Jal.; y muchas otras piezas que se guardan en catedrales, museos y edificios públicos. Por varios años elaboró la Llave de la Ciudad de México y la Medalla Belisario Domínguez. En 1988 tenía un taller de orfebrería en Cuernavaca, Mor., y otro en la ciudad de México. Ganó el primer premio de la I Feria Mundial de la Plata (México).

LÓPEZ GONZÁLEZ, PEDRO. Nació en Xalisco, Nay., el 5 de septiembre de 1945. Licenciado en relaciones internacionales (1972) y en ciencias humanas (1983) por la Universidad Nacional Autónoma de México, ha sido profesor en la Universidad Autónoma de Nayarit (UAN, 1973 a 1976), fundador del periódico *La Voz de Xalisco* (1978) y de la sección cultural del *Diario del Pacífico* (Tepic, 1982), coordinador de los festejos del 450 aniversario de la fundación hispana de Tepic (1982) y del bicentenario del natalicio de Prisciliano Sánchez (1983), e investigador (desde 1982) y director (desde julio de 1986) del Archivo Histórico de la UAN. Es autor, entre otras, de las siguientes obras: *Reseña histórica de la ciudad de Xalisco* (1976), *Mosaico histórico de la ciudad de Tepic* (1979), *La catedral de Tepic* (1979), *Las cofradías de Nayarit* (1980), *Álbum del exconvento de la Cruz de Zacate* (1980) y *Recorrido por la historia del estado de Nayarit* (1986); coautor de *La Universidad Autónoma de Nayarit, producto del Estado posrevolucionario* (1982), y coordinador de *La problemática del distrito militar de Tepic, Génesis del territorio de Tepic* (1984) y *La población de Tepic bajo la organización regional, 1530-1821* (1984).

LÓPEZ GONZÁLEZ, VALENTÍN. Nació en la exhacienda de Santa Rosa Treinta, Mor., en 1928. Es arqueólogo y antropólogo social por la Escuela Nacional de Antropología e Historia, y licenciado en derecho (1968) por la Universidad Nacional Autónoma de México. Hizo periodismo desde 1947. Fue administrador del *Periódico Oficial* (1952-1954) y jefe del Departamento de Turismo del Estado de Morelos (1952-1957); durante esa gestión organizó el balneario de Atotonilco, primera cooperativa ejidal de índole turística en México. Desempeñó la presidencia municipal de Cuernavaca (1964-1966) y hasta 1974 trabajó en la Aseguradora Hidalgo. Después ha sido: funcionario de las secretarías de Hacienda (1974-1975) y del Patrimonio Nacional (1975-1977), investigador en el Instituto de Investigaciones Bibliográficas (1975-1977), cronista de la ciudad de Cuernavaca (vitalicio desde agosto de 1976), presidente de la Asociación Nacional de Cronistas de Ciudades Mexicanas (1978-1981), director del Centro para la Administración de los Valores Históricos y Culturales del Estado de Morelos (1980-1983), del Centro de Estudios Sociales Quetzalcóatl (1983-1987) y de la publicación *Crónica Indeval* (desde 1988). Ha publicado: en el *Boletín de Divulgación Cultural* del Centro de Estudios Históricos Fray Bernardino de Sahagún de la Universidad de Morelos: "Índice cronológico de documentos de tierras existentes en el Archivo General de la Nación", "El palacio de Cortés. Monografía histórica", "Decretos administrativos del estado de Morelos. 1919 a 1930, 1930 a 1947 y 1947 a 1957", "Historia de la división política de Morelos", "Historia eclesiástica del estado de Morelos", "Biografía y bibliografía de Cecilio A. Robelo", "Notas para una bibliografía de escritores morelenses", "Historia de la imprenta en Morelos", "Libros escritos en Morelos", "Historia del periodismo en Morelos. Hemerografía" y "Efemérides morelenses (núms. 1-14)". Es autor, además, de *Breve historia antigua del estado de Morelos* (1953), *La Guerra de Independencia. Estado de Morelos* (1954), *Los tlahuicas. Historia pre-colonial del valle de Morelos* (1955), *Los murales de Diego Rivera en el palacio de Cortés* (1957), *La imprenta en Cuernavaca* (1957), *Calendario de ferias del estado de Morelos* (1957), *El ferrocarril de Cuernavaca* (1957), *Historia colonial. Estado de Morelos* (1959), *La Revolución* de Ayutla y la Guerra de Tres Años en la región hoy conocida como estado de Morelos (1965), *Evolución del municipio en Méxíco* (1968), *Cómo nació el estado de Morelos a la vida institucional* (1968) y *Pedro Sainz de Baranda y Quijano, primer gobernador provisional 1869* (1969). Se han editado también, como obra suya, los tres informes que rindió al Cabildo de Cuernavaca y el Reglamento General de Policía y Buen Gobierno de ese municipio (1966). Su producción más reciente comprende: *Cuernavaca, visión retrospectiva de una ciudad* (1966), *El sitio de Cuautla* (1977), *Emiliano Zapata. Memorias* (1979), *La muerte del general Emiliano Zapata* (1979), *Reformas y rectificación del Plan de Ayala* (1979), *La ley agraria zapatista de 1915 y el Plan de Ayala* (1979), *El pacto de Xochimilco de Zapata y Villa* (1979), *Tres mil días de Revolución* (efemérides, 1979), *El poder judicial en Morelos* (1980), *Los compañeros de Zapata* (1980), *El restablecimiento del orden constitucional en 1930* (1980), *Los símbolos nacionales* (1980), *Crónica del Congreso Constituyente del Estado de Morelos de 1930* (1980), *El Poder Legislativo en Morelos* (1981), *Documentos sobre el sitio de Cuautla* (1982), *El general Francisco Leyva, primer gobernador constitucional de Morelos* (1983), *José Diego Fernández, defensor de la soberanía del estado de Morelos* (1983), *Al maestro Agustín Güemes* (1984), *El pronunciamiento de Cuernavaca en 1834* (1984), "Apuntes y bibliografía para la historia de los estudios arqueológicos del estado de Morelos", en *Morelos: cinco siglos de historia regional* (1985), *El mercado de valores en México 1895-1935* (1987) y *Memoria del Instituto para el Depósito de Valores Históricos y Culturales de Morelos* (1987).

LÓPEZ GONZÁLEZ, VICTORIANO. Nació en Sigüenza, España, el 23 de marzo de 1735; murió después de 1803. Estudió en la Universidad de Zaragoza y, una vez ordenado sacerdote, pasó a Nueva España como secretario del obispo Francisco Fabián y Fuero, quien ocupaba la mitra de Puebla. En esta diócesis, Victoriano López desempeñó los cargos de prebendado, canónigo y gobernador de la mitra. En 1773 fue preconizado obispo de Puebla, como sucesor de Fabián y Fuero, que había sido trasladado a Valencia, España. Él, a su vez, fue promovido a Tortosa en 1780 y a Cartagena, Murcia, en 1789.

LÓPEZ GUERRERO, MANUEL. Nació y murió en Puebla, Pue., sin que se conozcan las fechas. Era pintor de oficio. En una hoja volante titulada *Para estos lances sirve la imprenta* (1822), protestó contra los impuestos que gravaban a los pintores poblanos. Fue por eso encarcelado, pero salió absuelto. En 1826 fundó el periódico *El Baratillo o Miscelánea de Chucherías*, hoy rarísimo, donde mordazmente criticaba los acontecimientos políticos y juzgaba las ideas reinantes. En 1819, al crearse la Escuela de la Buena Educación y Bellas Artes, figuró como profesor de pintura, al lado de Gerónimo y Lorenzo Zendejas, José Manzo, Salvador del Huerto, Juan Manuel Villafañe y otros. Pintó con éxito numerosos retratos, entre ellos el del virrey Bucareli y Ursúa. Sus mejores obras son los dos grandes lienzos que están en la sacristía del templo de la Concordia, en Puebla: *Fundación de la Casa de Ejercicios*.

Bibliografía: Francisco Pérez Salazar: *Historia de la pintura en Puebla* (1963); Manuel Toussaint: *Arte colonial en México* (1962).

LÓPEZ GÜITRÓN, JORGE. Nació en Guadalajara, Jal., el 4 de noviembre de 1934. Ingeniero civil (1957) por la Universidad de Guadalajara, ha ejercido su profesión como empresario de la industria de la construcción. En 1978, el Consejo de Protección al Consumidor otorgó el Premio Calidad y Prestigio Águila CYP a la Constructora López Güitrón, que él preside. También encabeza el Organismo de Nutrición Infantil de la ciudad de Guadalajara, institución de beneficencia privada que atiende diariamente las necesidades alimentarias de unos 5 mil niños lactantes de las clases marginadas.

LÓPEZ LANDA, ALBERTO M. Nació y murió en Puebla, Pue. (27 de diciembre de 1901- 11 de septiembre de 1978). Orientado por Luis La Ravoire, quien posteriormente fue obispo de Krismagar, India; ingresó al aspirantado salesiano de San Juanico, en la ciudad de México, el 12 de marzo de 1920, y pronunció su profesión perpetua el 5 de febrero de 1926. Cursó teología en el Estudiantado Teológico Internacional de Turín, Italia, y fue ordenado sacerdote el 6 de julio de 1930. Pasó a Cuba para iniciar su acción sacerdotal y el 27 de abril de 1932 fue transferido a México. Por casi 25 años fue maestro de novicios, director de colegios, coordinador general de los estudios filosóficos y teológicos, y promotor de aspirantes al estado clerical. En 1956, los superiores mayores de la Sociedad de San Francisco de Sales lo designaron provincial en México, pero no terminó el periodo de seis años de gobierno por razones de salud. Desempeñó entonces la dirección del teologado en Coacalco, Méx. En 1963 fue nombrado nuevamente provincial de la Inspectoría de México Sur. En 1969 pasó a las misiones mixes, ocupándose de la parroquia de Ayutla, en Oaxaca, durante casi tres años. De allí lo enviaron como director del aspirantado a la ciudad de Puebla y después a la iglesia parroquial del Refugio.

LÓPEZ LARA, JOSÉ. Nació en Moroleón, Gto., el 19 de marzo de 1927. Consagrado sacerdote el 19 de septiembre de 1953 en la catedral de Morelia, ejerció los oficios de vicario cooperador de la parroquia de San José, en esa ciudad; vicario fijo en Los Guajes, cerca de La Piedad de Cabadas; y profesor, prefecto de disciplina y director espiritual en los seminarios michoacanos. El 19 de diciembre de 1967 fue preconizado quinto obispo de la diócesis de Huajuapan de León y recibió la plenitud del sacerdocio el 22 de febrero de 1968. Durante su gobierno se celebraron la Jornada Catequística Diocesana (1970), el Primer Festival Bíblico Diocesano (18 al 21 de febrero de 1974), la Primera Jornada Diocesana de Pastoral (15 al 18 de febrero de 1977), y el 25 aniversario de la diócesis (8 al 12 de mayo de 1978). Se le promovió al obispado de San Juan de los Lagos, Jalisco, el 31 de agosto de 1981.

LÓPEZ LARA, RAMÓN. Nació en Moroleón, Gto., en 1908. Estudió en el Seminario Tridentino de Morelia, y fue ordenado sacerdote en 1932. Ha sido párroco de Abasolo, Gto. (nueve años), y de Zinapécuaro, Mich. (29 años), y miembro del Cabildo metropolitano de Morelia. Es autor de obras históricas: *Zinapécuaro, tres épocas de una parroquia, Monografía del municipio de Zinapécuaro* y *Obispado de Michoacán en el siglo* XVII (paleografía y prólogo); dramáticas: *Teatro catequístico* y *La vida en el escenario*; catequísticas: *Catecismo bíblico* y *Catecismo guadalupano*; y literarias: *El*

cura del encinal (novela corta) y *Pausas en el camino* (poemas).

LÓPEZ LIRA, JOSÉ. Nació en Salamanca, Gto., en 1892; murió en la ciudad de México en 1965. Fue secretario general de Gobierno, magistrado del Tribunal Superior de Justicia y procurador general del estado de Guanajuato, procurador general de la República, secretario general de la Universidad Nacional Autónoma de México y rector interino del 2 de agosto al 4 de septiembre de 1929. Sirvió cátedras de sociología y de garantías y amparo en la Escuela Nacional de Jurisprudencia. Del 1° de diciembre de 1952 al 30 de noviembre de 1958, fue secretario de Bienes Nacionales, en el gobierno de Ruiz Cortines.

LÓPEZ LOZA, LUIS. Nació en México, D.F., en 1939. Estudió en la Escuela de Pintura y Escultura La Esmeralda, en el Centro Superior de Artes Aplicadas, en México, y en el *Pratt Graphic Art Center* de Nueva York. Desde 1959 ha mostrado su obra en unas 40 exposiciones individuales y colectivas en México y en el extranjero. Se le otorgó mención honorífica en la Casa de las Américas (La Habana, 1966), el premio de la Bienal de Grabado en Tokio (1973) y el Premio Nacional de Grabado en México (1977). Enseñó técnica del grabado en la Academia Van Eyck, de Maastrich, Holanda (1978). Aunque fundamentalmente es pintor y grabador, ha hecho esculturas en bronce y encáustica, madera y yeso. En Juchitán, Oax., dejó un relieve de Benito Juárez. Como grabador trabaja xilografía, punta seca, aguatinta y buril. Pertenece al grupo de artistas que en la década de los cincuentas se opusieron a la escuela mexicana de pintura y buscaron expresiones más internacionales.

LÓPEZ MATEOS, ADOLFO. Nació en Atizapán de Zaragoza, Méx., el 26 de mayo de 1910; murió en la ciudad de México el 22 de septiembre de 1969. Fueron sus padres el cirujano dentista Mariano Gerardo López y la señora Elena Mateos y Vega de López. A los cinco años de edad quedó huérfano de padre y su madre consiguió entonces una beca de la Fundación Dondé para que estudiara la enseñanza primaria en el Colegio Francés, que estaba entonces en la calle de Puente de Alvarado. La secundaria la cursó en Toluca, mientras trabajaba cuatro horas diarias como ayudante de bibliotecario, y la preparatoria en el Instituto Científico y Literario de esa misma ciudad (hoy Universidad del Estado de México), cuando ya enseñaba allí mismo historia universal, y literatura iberoamericana en la Escuela Normal de Maestros. Practicó en esa época el futbol, el boxeo y el excursionismo: el 20 de noviembre de 1926 emprendió con otros jóvenes, a partir de la ciudad de México, un viaje a pie hasta Guatemala, en el cual empleó 136 días. Parece ser que con este motivo surgió la idea de celebrar con un desfile deportivo los aniversarios de la Revolución Mexicana. Siendo todavía preparatoriano, fue secretario particular del coronel Filiberto Gómez, gobernador del estado de México, y de Carlos Riva Palacio, presidente del Partido Nacional Revolucionario (PNR), llegando a ser secretario general del Comité del PNR en el Distrito Federal. Obtuvo su título de bachiller en la Escuela Nacional Preparatoria e hizo la carrera de derecho en la Facultad de Jurisprudencia. En 1928 se afilió al vasconcelismo y al triunfo de la candidatura del ingeniero Pascual Ortiz Rubio (1929), se exilió voluntariamente a Guatemala, de donde regresó bien pronto para trabajar como periodista en Tapachula y obtener en la capital de la República su título de abogado, que había dejado pendiente. Su tesis profesional se llamó *Delitos en contra de la economía política*.

Durante 10 años fue interventor del Banco Nacional Obrero y de Fomento en los Talleres Gráficos de la Nación (1933-1943). Volvió a Toluca e intervino en la controversia que condujo a la autonomía del Instituto Científico y Literario, del cual fue director de 1944 a 1946. En esos años conoció a Miguel Alemán Valdés, quien consiguió para la señora Elena Mateos viuda de López una pensión de 12 pesos diarios por su condición de nieta del reformista José Perfecto López Mateos. En 1946 el licenciado Alemán fue electo presidente de la República, e Isidro Fabela, senador por el estado de México, llevando como suplente al licenciado López Mateos. Fabela fue designado representante de México en la Corte Internacional de La Haya y el joven catedrático de 36 años de edad ocupó su lugar en la Cámara Alta (1946-1952). En ese lapso, aparte sus tareas parlamentarias, fue enviado extraordinario en Costa Rica, miembro de la comisión mexicana a la Conferencia de Cancilleres de Washington y jefe de la misión a la asamblea del Consejo Económico y Social de las Naciones Unidas en Ginebra. Fue jefe de la campaña electoral de Adolfo Ruiz Cortines y, al triunfo de éste, secretario del Trabajo y Previsión Social (1952-1957). Durante su gestión —casi cinco años— ocurrieron 61 178 conflictos obrero-patronales, todos ellos resueltos en paz: concilió 2 817, arbitró 4 199, declaró improcedentes 441, indujo 7 891 desistimientos y resolvió 20 088 por convencimiento de las partes. Los demás prescribieron. Evitó, inclusive, la huelga general que amenazó declararse a raíz de la devaluación monetaria de 1954. El 4 de noviembre de 1957 se anunció que sería postulado candidato a la Presidencia de la República y el día 17 siguiente rindió su protesta ante la asamblea del Partido Revolucionario Institucional. Fue electo el primer domingo de julio de 1958 y tomó posesión de la primera magistratura el 1° de diciembre. Gobernó el país hasta el 30 de noviembre de 1964.

Durante su gobierno, promovió la reforma de los artículos 27, 42, 48, 52, 54, 63, 107 y 123 de la Constitución, para proveer a la nacionalización de los recursos eléctricos; a la declaración del dominio de la nación sobre la plataforma continental, los zócalos submarinos y el espacio aéreo; a establecer con la suplencia de la deficiencia de la queja en materia agraria, mayores garantías a ejidos y núcleos de población en los juicios de amparo; a la designación de diputados de partido con la misma categoría e iguales derechos y obligaciones que los de elección directa; a hacer efectiva la participación de los trabajadores en las utilidades de las empresas; a dar nuevas bases a la fijación de salarios mínimos; a incorporar constitucionalmente los derechos de los trabajadores al servicio del Estado y a robustecer otras diversas garantías del derecho obrero.

Entre las leyes promulgadas en el sexenio, destacaron la reglamentaria del Artículo 27 constitucional, en materia de aprovechamiento de recursos minerales, que tuvo el efecto de que las empresas extranjeras vendieran el porcentaje mayoritario de sus acciones a inversionistas mexicanos; la que adiciona el Artículo 58 del Código Agrario y creó la Comisión Nacional de Colonización; la reglamentaria del párrafo segundo del Artículo 131 constitucional en materia de control sobre comercio internacional en relación con los recursos económicos del país; la que incorpora al régimen del Seguro Social a los productores de caña de azúcar y a sus trabajadores; la Federal de los Trabajadores al Servicio del Estado y la que crea el Instituto de Seguridad y Servicios Sociales de los propios trabajadores; la de Seguridad Social para las Fuerzas Armadas; la del Seguro Agrícola Integral y Ganadero; la de producción, certificación y comercio de semillas; la Federal de Turismo; la de la Tesorería y la de Vigilancia de Fondo y Valores de la Federación; la del Instituto Mexicano del Café; la que crea el Patronato del Maguey y la del Impuesto sobre Tenencia o Uso de Automóviles. Se reformaron, además, la I Orgánica de Secretarías de Estado, para crear la de la Presidencia, del Patrimonio Nacional y de Obras Públicas y el Departamento de Turismo; la Ley Orgánica de los Tribunales de Justicia del Fuero Común del Distrito Federal y Territorios en lo relativo al servicio médico forense; la Ley Federal del Trabajo, el decreto de reformas a la Ley del Seguro Social; el Código Fiscal de la Federación; las leyes del Impuesto sobre la Renta, de Ingresos Mercantiles, del Timbre, de Títulos y Operaciones de Crédito, de las Instituciones de Crédito y Organizaciones Auxiliares y de Cámaras de Comercio y de Industria. Y mediante decretos, se pusieron en ejecución el plan nacional destinado a resolver el problema de la educación primaria; el Instituto Nacional de Protección a la Infancia; el servicio social de los maestros; los consejos nacionales de Turismo y de Radio y Televisión; la Comisión del Río Balsas; los bancos agrarios regionales y el impuesto del 1% para fomento de la enseñanza media, superior, técnica y universitaria; se autorizó la emisión de Bonos de los Estados Unidos Mexicanos para Fomento Económico; se derogaron los impuestos de herencias y legados; se declararon beneméritos de la Patria a los ciudadanos Francisco I. Madero y Venustiano Carranza y se declaró 1964 Año de la Amistad Filipinomexicana, en conmemoración del cuarto centenario de la expedición de López de Legazpi.

En el sexenio, el promedio de los precios aumentó 14.1%, mientras el de sueldos y salarios se elevó 96.7. La inversión pública fue de $65 000 millones y la recaudación fiscal de $75 940 millones. El producto nacional bruto creció de $66 177 millones en 1958 a $90 630 millones en 1964. El alza promedio del crecimiento nacional llegó a ser del 7% al final del régimen. En 1959 la deuda pública ascendía a $11 810 millones; al empezar 1964, a $18 810 millones. Por primera vez en 50 años los valores emitidos por México entraron al mercado internacional: Francia, Holanda, Alemania y Canadá contribuyeron a diversificar las fuentes de financiamiento.

Se incorporaron al cultivo 364 600 ha, se construyeron 38 presas de almacenamiento, con capacidad total de 18 600 millones de metros cúbicos, y se dejaron iniciadas otras cinco, para 4 137 millones. En pequeña irrigación se realizaron 1 002 obras. La tasa de crecimiento agropecuario fue del 6% anual (maíz, 5.3%; frijol, 9.5; trigo, 5.3; papa, 13.5; café, 10; caña de azúcar, 4; tomate, 6.2; sorgo, 34.8; ganadería, 6%). En noviembre de 1963 se aumentó el precio de garantía del maíz de $800 a 940 la tonelada, lo cual significó un ingreso rural adicional de $980 millones. El consumo de fertilizantes creció de 100 mil a 480 mil toneladas. Los subsidios a la producción y al consumo importaron $3 400 millones. En los seis años se entregaron a los ejidatarios 16 004 170 ha (del 6 de enero de 1915 al 30 de noviembre de 1958 se habían repartido 43 500 000). Se restituyeron a las comunidades indígenas 2 939 672 ha. Se derogaron 46 concesiones de inafectabilidad ganadera y no se otorgó ninguna. El 31 de diciembre de 1962 se derogó la Ley Federal de Colonización que había venido obstruyendo la reforma agraria. Se expidieron 40 269 acuerdos de inafectabilidad agrícola.

La producción industrial creció en 51.9%. Se hicieron nuevas inversiones por valor de $12 230 millones, especialmente en las ramas automotriz, química, petroquímica, mecánica y del papel. En 1962 se decretó la integración de la industria automotriz, obligándola a incorporar un 60% de partes nacionales en los automotores producidos. Se aprobaron 15 programas de producción a ocho empresas, lo cual significó una inversión de $2 500 millones.

Las exportaciones crecieron en 32% y las importaciones en 9.8, lo cual redujo el saldo de la balanza comercial de $5 242 millones en 1958 a $1 842 millones en 1964. La exportación pasó de $8 862 millones a 11 570. Se firmaron tratados comerciales con Grecia, Indonesia, Yugoslavia, Polonia, República Árabe Unida e Italia.

Al tomar posesión el presidente López Mateos, tres entidades tenían el control de la industria eléctrica: por el sector público, la Comisión Federal de Electricidad (1 063 830 kW); y por el sector privado, la *American and Foreing Power Co.* y la *Mexican Light Co.* (932 812 kW). En abril de 1960 se compraron los intereses de aquélla y en los meses siguientes las acciones de ésta, de suerte que el 27 de septiembre el Estado obtuvo el control total del sistema. Gracias a la nacionalización de esta fuente de energía, la capacidad instalada aumentó de 1 996 642 kW en 1958 a 5 286 000 en 1964. Se invirtieron en este programa $10 200 millones. La producción de petróleo, a su vez, llegó a ser de 350 mil barriles de crudo y líquidos de absorción, y de 24 millones de metros cúbicos de gas al día, por lo cual la red de ductos se amplió de 7 mil a 13 mil kilómetros. La capacidad de refinación subió a 578 mil barriles diarios, 211 mil más que en 1958. La reserva de hidrocarburos era de 828.4 millones de metros cúbicos en 1964. El Fideicomiso para la Investigación y Fomento de Minerales No Metálicos, creado en el sexenio, localizó y explotó el primer depósito de asbesto, a 20 km de Ciudad Victoria, Tamps., con lo cual se evitaron importaciones por valor de $50 millones al año.

La administración del presidente López Mateos dejó al país 20 137 km de nuevas carreteras, que sumadas a los 36 100 existentes en 1958, hicieron un total de 56 237. De éstos, 50 462 eran de tránsito permanente. En el conjunto de estas obras, destacaron por su magnitud las de México a Puebla, Durango a Mazatlán, Guadalajara a Zacatecas y San Luis Potosí a Torreón. Las vías férreas se ampliaron 321 km. Se terminó la ruta Chihuahua al Pacífico. La ciudad de La Paz, en la península de Baja California, quedó comunicada mediante el servicio de un transbordador.

El índice de mortalidad disminuyó de 12.52 por millar en 1958 a 9.6 en 1964, y la edad media promedio aumentó a 64.5 años. Contribuyeron a estos resultados la extensión de los servicios de agua potable y la atención sanitaria y asistencial. Ningún mexicano murió en ese periodo por paludismo o tifo, y se extirparon la viruela y la fiebre amarilla; disminuyeron el mal del pinto, la tuberculosis y las enfermedades de origen hídrico. Por decreto del 9 de octubre de 1963 se ayodató la sal para consumo humano, disminuyendo así la incidencia de bocio en un 50%; y por disposición del 16 de noviembre siguiente, se volvió obligatoria la vacunación oral de los recién nacidos, para prevenirlos contra la poliomielitis, cuya disminución fue de 0.6 casos al millar en 1958 a 0.2 en 1964. Se construyeron 6 090 obras asistenciales, con un total de 14 304 camas, de las cuales 10 412 beneficiaron al medio rural. Se creó el Instituto de Seguridad y Servicios Sociales de los Trabajadores del Estado (véase). En el sistema escolar se repartieron 80 mil desayunos diarios en 1959 y 3 millones al término del sexenio. Se edificaron 48 121 viviendas, entre ellas las 10 mil de la Unidad de San Juan de Aragón y los 11 916 departamentos de Nonoalco-Tlatelolco.

En materia de educación pública, se construyeron 30 200 aulas y se nombraron 29 360 profesores de enseñanza primaria, dentro del Plan de Once Años, aparte las 22 mil plazas creadas para los ciclos posteriores. El 17 de agosto de 1964 se inauguró la Unidad Profesional de Zacatenco del Instituto Politécnico Nacional. Los estudiantes de carreras técnicas, que en 1958 eran 46 mil, pasaron a ser, seis años después, 145 327. Los subsidios otorgados a las universidades crecieron de 92 a $357 millones. Se dio una nueva sede al Museo Nacional de Antropología y se crearon los del Virreinato, la Ciudad de México, Arte Moderno y Ciencias Naturales. El analfabetismo descendió al 28.91% de la población. En 1960 se estableció la distribución gratuita de libros de texto para las escuelas primarias.

López Mateos actuó en contra del secretariado del Sindicato de Ferrocarrileros cuando, a principios de 1959, resuelto el conflicto planteado a la empresa, se inició un paro en desacato a las leyes. V. HUELGAS.

Relaciones exteriores. Muy a principios de su gobierno, el 23 de enero de 1959, el presidente López Mateos rompió relaciones con Guatemala debido a la agresión que sufrieron, el 31 de diciembre anterior, cinco embarcaciones pesqueras mexicanas por aviones de la fuerza aérea de ese país. Gracias a la intervención de los gobiernos de Brasil y Chile, el 15 de septiembre de 1960 se restablecieron los vínculos diplomáticos. En octubre de 1959 viajó a Estados Unidos y Canadá, y dirigió mensajes al consejo de la Organización de Estados Americanos (OEA) y a la Asamblea General de la Organización de las Naciones Unidas (ONU). Del 14 de enero al 3 de febrero de 1960 visitó Venezuela, Brasil, Argentina, Chile y Perú, con cuyo motivo México ingresó a la Asociación Latinoamericana de Libre Comercio y se suscribieron convenios de intercambio cultural con esas naciones, salvo Venezuela, con quien ya existía. Elevó al rango de embajadas todas las representaciones diplomáticas; estableció misiones permanentes en Etiopía, Filipinas e Indonesia; envió misiones de amistad y buena voluntad a Asia y a los nuevos países africanos, y estableció relaciones con Afganistán, Ghana, Vietnam del Sur, Túnez, Guinea, Corea del Sur y Senegal. El 21 de agosto de 1961, en virtud de un acuerdo de la VI Reunión de Consulta de los Ministros de Relaciones Exteriores de las Repúblicas Americanas rompió relaciones con la República Dominicana, por actos de agresión contra Venezuela, y suscribió la Declaración de San José de Costa Rica, formulada por la VII Reunión de Consulta, condenando la intervención de potencias extracontinentales. Sin embargo, expresó la simpatía del pueblo mexicano por las legítimas aspiraciones de mejoramiento del pueblo de Cuba, cuyo gobierno se había declarado socialista. El 23 de julio de 1961 se reunió con el presidente Ydígoras Fuentes, en la línea fronteriza con Guatemala. El 22 de enero de 1962, en la VIII Reunión de Consulta, celebrada en Punta del Este, México se abstuvo de votar la exclusión de Cuba de la OEA. Ese mismo año reanudó relaciones con la República Dominicana. Del 3 al 24 de octubre de 1962, López Mateos viajó a India, Japón, Indonesia y Filipinas; y del 24 de marzo al 8 de abril de 1963, a Francia, Yugoslavia, Polonia, los Países Bajos y la República Federal de Alemania, proclamando la política mexicana de paz, amistad, desarme y proscripción de pruebas atómicas. En octubre de 1962, cuando volaba de regreso a México, interpuso sus buenos oficios para evitar que la crisis del Caribe, originada por la presencia de proyectiles balísticos en Cuba, desencadenara la guerra. El 29 de abril de 1963, a su iniciativa, se publicó simultáneamente en La Paz, Río de Janeiro, Santiago de Chile, Quito y México, la declaración sobre desnuclearización de América Latina. Aun cuando en la IX Reunión de Consulta, celebrada en Washington, se tomó el acuerdo mayoritario de no sostener relaciones con Cuba, México mantuvo su embajada en La Habana. El 18 de junio de 1963 quedó solucionado el viejo problema de El Chamizal. Con este motivo, el 21 y 22 de febrero de 1964 viajó a Los Ángeles y

Palm Springs, para ratificar con el presidente Johnson el convenio respectivo y fijar, para el 25 de septiembre siguiente, la entrega física del territorio restado a la soberanía nacional por un cambio de curso del río Bravo. El presidente López Mateos dijo ante el Congreso de la Unión, tres meses antes de concluir su mandato: "Mi mayor satisfacción fue haber solucionado el centenario problema de la reincorporación de El Chamizal al territorio de la Patria".

Mientras fue presidente López Mateos, visitaron el país 23 jefes de Estado y dirigentes de organismos internacionales. En 1959, los presidentes Dwight D. Eisenhower, de Estados Unidos, y Sukarno, de Indonesia, y los secretarios generales de la ONU, Sag Hammarskjold, y de la OEA, José A. Mora. En 1960, los presidentes de Indonesia y Cuba, el rey de Nepal, el primer ministro de Canadá, los directores generales de la Organización de las Naciones Unidas para la Educación, la Ciencia y la Cultura (UNESCO) y la Organización para la Alimentación y la Agricultura (FAO), y el viceprimer ministro de la URSS, A. Mikoyan. En 1961, el primer ministro de la India, Jawaharlal Nehru. En 1962, John F. Kennedy, presidente de Estados Unidos. En 1963, los presidentes de Chile, José Alessandri; de Venezuela, Rómulo Betancourt; de la República Dominicana, Juan Bosch; de Bolivia, Víctor Paz Estensoro, y de la República Socialista Federativa de Yugoslavia, mariscal Josip Broz Tito; y el presidente del Consejo de Ministros de Polonia, Josef Cyrankiewicz. Y en 1964, el presidente de Francia, general Charles de Gaulle; la reina Juliana, de los Países Bajos; Su Alteza Imperial Akihito, príncipe heredero del Japón, y la princesa Michiko; y el primer ministro de Belice, George Price.

Los Juegos de la XIX Olimpiada fueron otorgados a la ciudad de México el 18 de octubre de 1963, siendo presidente de la República el licenciado López Mateos, que puso en ello especial interés. Una vez fuera del poder, el 28 de junio de 1965 se le nombró presidente del Comité Organizador, cargo que desempeñó durante un año, hasta que tuvo que retirarse por razones de salud.

LÓPEZ MATOSO, IGNACIO ANTONIO. Nació en la ciudad de México en 1770; murió en Puente del Real, Ver., hacia 1830. Partidario de la Independencia, estuvo preso en Veracruz, de donde volvió a México al triunfo del Plan de Iguala. Autor de *Estatutos del Colegio de Abogados de México* y *Exhortación a los habitantes de México sobre la importancia de la unión estrecha entre españoles, europeos y americanos.*

LÓPEZ MENA, HÉCTOR F. Nació en Coahuayutla, Gro., en 1880; murió en la ciudad de México en 1957. En 1920 fue senador por su entidad y gobernador en 1925. En 1940 dirigió la campaña presidencial del general Juan Andréu Almazán. En 1942 publicó el *Diccionario geográfico, histórico, biográfico y lingüístico del estado de Guerrero,* y luego dos tomos de *Anales sobre historia de México.*

LÓPEZ MÉNDEZ, RICARDO "EL VATE". Nació en Izamal, Yuc., el 7 de febrero de 1903; murió en Cuernavaca, Mor., en 1989. Locutor y poeta, los versos de su poema "Nunca" inspiraron a Guty Cárdenas su mejor canción. Otros poemas suyos llevados a la pauta son: "Amar en silencio", que musicalizó Mario Talavera; "Amor, amor" al que puso melodía Gabriel Ruiz, y "Quisiera", "Golondrina viajera", "Adiós golondrina", "¿Tú, dónde estás?", "Tu partida", "Desesperadamente" y "De corazón a corazón". López Méndez fue el autor de "Credo", composición patriótica de la que hizo una creación el declamador Manuel C. Bernal; fundó la XELM en Ciudad Mante, primera estación radiofónica rural del país, y fue vicepresidente de la Sociedad de Autores y Compositores de Música.

LÓPEZ MIARNAU, RAFAEL. Nació en Bilbao, España, en 1914. Llegó a México en 1940, como asilado político. Inició su carrera como director teatral en 1960 con *La gaviota* de Chéjov, que recibió el premio anual de la Asociación de Críticos de Teatro. Ha organizado otras puestas en escena desde 1961, coordinado seminarios de dirección en la Escuela de Arte Teatral del Instituto Nacional de Bellas Artes, y dirigido programas para televisión y movimientos escénicos de varias óperas. En 1957 fundó, junto con su esposa la actriz Emma Teresa Armendáriz, la compañía Teatro Club y en 1970, con otros empresarios, la agrupación nacional Protea, que promueve a los autores jóvenes y publica sus trabajos. Ha traducido al español obras de varios

dramaturgos y diseñado espectáculos en los que se combinan teatro, danza y poesía: *Teoría y juego del duende,* para Pilar Rioja, y *Mística y erótica del barroco,* para el 1er Festival Internacional en Tepotzotlán. Murió el 20 de julio de 1999.

LÓPEZ MOCTEZUMA, CARLOS. Nació en México, D.F., en 1909; murió en la misma ciudad el 14 de julio de 1980. Se inició en el teatro en 1932, en el grupo Orientación, donde trabajó cinco años y obtuvo gran éxito con las obras *La luz que agoniza, Secreto de juventud* y *Los zorros.* En 1937 lo introdujo al cine Fernando Soler, en la película *Dos cadetes.* Desde entonces filmó 189 películas, siendo la más reciente *La loca de los milagros* (1973). Durante su carrera recibió los siguientes premios: dos Arieles, uno por *Río Escondido* (1949) y otro por *El rebozo de Soledad* (1952); el Ónix, que otorgaban el Instituto de Cinematografía y la Universidad Iberoamericana, por *Ochocientas leguas sobre el Amazonas* (1957); el Menorah de Oro del Centro Israelita, por *Así era Pancho Villa* (1960); y el Heraldo (1971), del periódico del mismo nombre, por su trabajo artístico. Entre sus películas destacan: *Comisario en turno* (1948), *Inmaculada* (1950), *Los orgullosos* (París, 1953) y *Viva María* (1965), estas dos últimas en francés.

LÓPEZ MORENO, ROBERTO. Nació en Huixtla, Chis., el 11 de agosto de 1942. Radica en la ciudad de México desde su infancia. Ejerce el periodismo. Se inició en la literatura con *Trilogía entre la sal y el fuego* (1969), 14 sonetos en torno al movimiento estudiantil de 1968. Después ha publicado cuentos: *Las mariposas de la tía Hatí* (1973), *Yo se lo dije al presidente* (1982), *El arca de Caralampio (el extraño mundo zoológico de Chiapas)* (1983) y *Los ensueños de don Silvestre* (1985); y poesía: *Once tiempos de Eros* (1980), *Aquí con mis hermanos* (1980), *A dónde va veloz y fatigada* (1980), *Itinerario inconcluso* (1981), *Versitlán* (1983), *De saurios, itinerarios y adioses* (1984) y *Décimas lezámicas* (1986).

LÓPEZ NARVÁEZ, FROYLÁN MARIO. Nació en Charcas, S.L.P., el 29 de noviembre de 1939. Estudió en la Facultad de Derecho de la Universidad Nacional Autónoma de México. Se ha desempeñado como profesor universitario, editorialista en el periódico *Excélsior*, coordinador ejecutivo y subdirector de producción del Canal 11 de televisión, secretario general de la Unión de Periodistas Democráticos y editorialista y coordinador editorial de la revista *Proceso*.

LÓPEZ NAVARRO, ENRIQUE. Nació en Guadalajara, Jal., en 1962. Estudió comunicación en el Instituto Tecnológico y de Estudios Superiores de Occidente. Obtuvo el primer lugar en los Juegos Florales de Tecuala, Nay., en 1983, y en los de San Juan del Río, Qro., en 1984, y mención honorífica en el Primer Concurso Jalisciense de Teatro, por el monólogo *El último café* (1984).

LÓPEZ NEGRETE, JOAQUÍN. Nació en Durango, Dgo., en 1876; murió en la ciudad de México en 1962. En 1895 se radicó en Quintana Roo, donde por varios años trabajó para compañías chicleras. Pasó a Nueva York, dedicándose a negociar en la Bolsa de Valores; de regreso al país, fundó algunas compañías vinculadas a la industria petrolera, organizó, en el estado de México, la más poderosa empresa lechera de su tiempo y la Compañía de Fianzas La Guadiana. Fue director del Banco Nacional de Crédito Agrícola y consejero de la Comisión Nacional Monetaria.

LÓPEZ NEGRETE, LADISLAO. Nació en Durango, Dgo., en 1886; murió en la ciudad de México en 1962. Periodista, poeta, novelista, ensayista, dramaturgo y guionista de cine, sus *Narraciones y cuentos mexicanos* aparecieron periódicamente en *El Universal*. Sus poemas "Espíritu" y "Raza" fueron premiados en el concurso internacional de Buenos Aires, Fiesta de la Raza, en 1935. Escribió las novelas: *La mujer que quiere a dos* (llevada al cine en 1946), *Al caer la tarde*, *La calle de los amores*, *La Venus azteca* y *El último centauro*. Como ensayista, publicó en el periódico *El Universal* "La espiritualización del arte; análisis de psicología contemporánea". Su obra de teatro *El beso del mar* fue premiada en un concurso convocado por *El Mundial* de París; se trata de una pequeña joya de la dramaturgia nacional, en la que se entreveran acciones de una simbología sutil con otras de un realismo preciso. Su abundante producción teatral comprende los siguientes títulos: *La Revolución Mexicana, Una cana al aire, Una Eva y dos Adanes, El último centauro, Sol de España, Don Quijote no ha muerto, Bajo la luz de las estrellas, Almas provincianas, Rubia y morena, El rancho de los gavilanes* y *La espiga de oro*. Se sabe que sus obras fueron representadas por la compañía de Luis G. Barreiro y que en algunas de ellas trabajaron Roberto Soto, Dora Vila y María Luisa Villegas, entre otros.

LÓPEZ OBRADOR, MANUEL ANDRÉS. Nació el 13 de noviembre de 1953 en Tepetitán, Mascupana, Tabasco. Estudió la licenciatura en ciencias políticas en la Universidad Nacional Autónoma de México y fue profesor de la Universidad Juárez de Tabasco. López Obrador perteneció al Partido Revolucionario Institucional (PRI) de su estado. Fue uno de los fundadores del PRD en 1989 y consejero de ese partido hasta 1991, año en que asumió la presidencia del PRD en Tabasco. Se presentó como candidato a gobernador de su estado en unas elecciones en las que se declaró vencedor a Roberto Madrazo Pintado, del PRI. Después de la contienda, López Obrador dio a conocer documentos que revelaban que el PRI de Tabasco había gastado 237 millones de nuevos pesos en la campaña para gobernador de Madrazo, lo que implicaba un exceso de 233 millones sobre lo autorizado por la Comisión Electoral de Tabasco. López Obrador encabezó entonces un movimiento de protesta que se desplazó desde Tabasco hasta la ciudad de México, llamado «Éxodo por la Democracia». A principios de 1996 López Obrador volvió a llamar la atención de la prensa, al encabezar la toma de una serie de pozos petroleros en Tabasco. A pesar de algunos incidentes violentos, en los que López Obrador resultó levemente herido, el conflicto se resolvió por medio del diálogo. A los pocos meses de haber tomado la presidencia del PRD, con una política moderada, logró importantes avances de su partido en las elecciones de Guerrero y del estado de México. Su designación como candidato a la gubernatura del Distrito Federal fue objeto de una gran polémica, pero en las elecciones del 2 del 2000 dio el triunfo al PRD, imponiéndose sobre el candidato del PAN, Santiago Creel.

LÓPEZ PACHECO CABRERA Y BOBADILLA, DIEGO. Nació en Alcázar de Belmonte y murió en Pamplona, España (1599-1653). Decimoséptimo virrey de Nueva España, gobernó del 28 de agosto de 1640 al 10 de junio de 1642. Arribó al país en compañía del obispo de Puebla, Juan de Palafox y Mendoza, quien venía también comisionado para abrir los juicios de residencia en contra del marqués de Cadereyta, Lope Díaz de Armendáriz, y del Marqués de Cerralvo, Rodrigo Pacheco Osorio. López Pacheco, marqués de Villena, pronto se hizo popular, no obstante verse obligado a introducir el papel sellado, mermar las arcas para enviar recursos a la Península y convertir en reales los capitales de cofradías y comunidades. Durante su gestión, en 1641, Luis Cetin de Canas, gobernador de Sinaloa, obtuvo el apoyo virreinal para intentar, sin éxito, la colonización de las Californias con misioneros jesuitas. Al año siguiente se gestó la insurrección portuguesa y el duque de Braganza, primo hermano de López Pacheco, se coronó Juan IV, rey de Portugal. Este movimiento produjo notoria inquietud en la Península y se desconfió de la lealtad del virrey de Nueva España. Por instrucciones de la Corona, Juan de Palafox se trasladó ocultamente a la ciudad de México, y reunidas las autoridades la noche del 9 de junio de 1642, hizo arrestar a López Pacheco y lo condujo preso al convento de Churubusco y después a San Martín Texmelucan. El virrey pasó a España y tras breve proceso fue declarado inocente y con derecho a ser restituido en el cargo, cosa que no aceptó; pero sí, en cambio, para reparar su honor, estuvo conforme de ser virrey de Navarra. El 10 de junio de 1642 Juan de Palafox asumió el virreinato, que desempeñó hasta el 23 de noviembre siguiente. Durante su gestión embargó y puso en almoneda los bienes del marqués de Villena.

LÓPEZ PÁEZ, JORGE. Nació en Huatusco, Ver., el 22 de noviembre de 1922. Abogado por la Universidad Nacional Autónoma de México publicó sus primeros textos en *Prometeus y Humanismo.* Es autor de narraciones: *El que espera* (1950), *Los mástiles* (1955), *El solitario Atlántico* (1958), *Los invadidos de piedra* (1962), *Mi hermano Carlos* (1965), *Hacia el amargo mar* (1962), *Pepe Prida* (1965) e *In memoriam, Tía Lupe* (1974), y de teatro: *La última visita* (1951).

LÓPEZ PORTILLO, JESÚS. Nació y murió en Guadalajara, Jal. (1818-1901). Estudió en el Seminario Conciliar y en la Universidad tapatía, graduándose de abogado en 1840. Antes de 1843 fue síndico del Ayuntamiento, regidor y alcalde, y en ese año miembro suplente de la Junta Departamental; en 1846, vicepresidente de ese organismo, jefe político, diputado al Congreso local y secretario de Gobierno; en 1847, junto con José Luis Verdía y Manuel López Cotilla, redactó el proyecto de reforma a la instrucción pública; en 1849, se le eligió senador y luego diputado al Congreso de la Unión, que presidió en 1850; y ejerció el gobierno de Jalisco de mayo a julio de 1852, hasta el pronunciamiento de Blancarte. Desterrado por Santa Anna, estuvo tres años en Europa y a su regreso, en 1856, fue miembro del Tribunal de Justicia estatal y magistrado de circuito; en 1857, diputado al Congreso Constituyente de su estado; del 24 de noviembre al 5 de diciembre de 1862, gobernador interino, y del 8 de mayo al 4 de octubre de 1865, prefecto político del departamento de Jalisco y luego comisario imperial. En agosto de 1866 se trasladó a la ciudad de México y fue uno de los que votaron por la abdicación de Maximiliano. Al triunfo de la República, se le enjuició, se le redujo a prisión y se le impuso la pena de seis años de destierro, luego connotada por el confinamiento en Guadalajara.

En 1870 fue profesor de la Escuela de Jurisprudencia de la Sociedad Católica, donde por un periodo de 10 años sirvió gratuitamente, y en 1876 catedrático de procedimientos judiciales, derecho internacional y economía política en la Escuela de Leyes de Guadalajara, institución de la que fue director hacia 1881. Entre sus obras destacan: *El enjuiciamiento conforme al Código de Procedimientos Civiles* (1883) y *Nociones sobre la teoría del enjuiciamiento penal* (1887).

LÓPEZ PORTILLO Y CAMBEROS, FRANCISCO. Nació en Xalisco (Nueva Galicia) el 14 de junio de 1713; murió en Guadalajara hacia 1785. Bachiller por el Colegio de San Ildefonso de la ciudad de México, fue síndico regidor de Santiago de Guatemala y corregidor del Valle de esa ciudad, decano de la Audiencia de Guadalajara (1755), consultor del Santo Oficio y oidor de la Real Audiencia de México (1764). Escribió las siguientes obras: *Vida alegre y cristiana: o máximas para sufrir con serenidad todo género de* *sucesos* (1795), *Respuesta al padre Agustín Castro, jesuita*, en verso castellano, y *De institutione beate vite*.

LÓPEZ PORTILLO Y PACHECO, JOSÉ.

Nació en la ciudad de México el 16 de junio de 1920. Abogado por la Facultad de Derecho de la Universidad Nacional Autónoma de México, fue profesor de esa casa de estudios. Es autor de *Valoración de lo estatal, Génesis y teoría general del Estado moderno* y la fantasía literaria *Quetzalcóatl.* Durante el gobierno del presidente Echeverría fue subsecretario del Patrimonio Nacional, director de la Comisión Federal de Electricidad y secretario de Hacienda y Crédito Público. El 20 de septiembre de 1975 aceptó ser candidato del Partido Revolucionario Institucional a la Presidencia de la República. El 12 de diciembre lo postuló también el Partido Popular Socialista y el 11 de enero de 1976 el Partido Auténtico de la Revolución Mexicana. Sin contrincante, resultó electo por 17 695 043 votos, el 68% del total de empadronados (25 913 215). Asumió la jefatura del Poder Ejecutivo el 1° de diciembre de 1976. En su discurso de toma de posesión advirtió que "problemas mundiales y necesidades inaplazables de nuestro desarrollo acelerado, nos impusieron una realidad insoslayable: inflación complicada después con recesión y desempleo... Lo que tenemos que hacer —añadió— es ponernos a trabajar organizadamente conforme a nuestro propio modelo". De esta convocatoria surgió la Alianza para la Producción, cuyo propósito era buscar alternativas viables que permitieran conciliar los objetivos del desarrollo con las demandas específicas de los diversos factores de la economía. Otra de las políticas puestas en ejecución desde el primer momento fue la transferencia a los gobiernos locales de obras y servicios públicos de alcance local. El 1° de enero de 1977, en virtud de la Ley Orgánica de la Administración Pública, se suprimió la Secretaría de la Presidencia y se crearon las de Programación y Presupuesto, Patrimonio y Fomento Industrial, Agricultura y Recursos Hidráulicos (antes separadas), Asentamientos Humanos y Obras Públicas (antes únicamente de Obras Públicas) y Pesca. Además, se reformaron o adicionaron 17 artículos de la Constitución para que los partidos políticos adquirieran el rango de entidades de interés público; se les garantizó el derecho al uso permanente de los medios masivos de comunicación, se estableció el sistema mixto de mayoría relativa y representación proporcional en la Cámara de Diputados y se elevó a 400 el número de sus integrantes. A partir de 1978, cada 5 de febrero se celebraron las reuniones de la República, que congregaron a los representantes de los poderes federales y locales. En septiembre de 1979 se promulgó la Ley de Amnistía, gracias a la cual se reincorporaron a la sociedad 1 570 ciudadanos que habían delinquido por motivos políticos. Entre 1977 y 1982 se concedió asilo a 22 960 nacionales de otros países. La tasa de crecimiento de la población se redujo al 2.4% al final del sexenio; y la de mortalidad, a 7.5 defunciones por cada mil habitantes. Se incorporaron al mar patrimonial 2 715 012 millas náuticas cuadradas de la zona económica exclusiva. México formó parte del Consejo de Seguridad de las Naciones Unidas durante 1980 y 1981. En 1979 el presidente propuso ante la Asamblea General de este organismo el Plan Mundial de Energéticos y en 1981 convocó a la reunión cumbre de Cancún, para que los jefes de 22 Estados subrayaran su voluntad de contribuir a superar las deficiencias e injusticias del orden económico internacional. En 1977 se cancelaron las relaciones con la República Española en el exilio y se establecieron con el gobierno del rey Juan Carlos I. En mayo de 1979 se rompieron los vínculos diplomáticos con la dictadura somocista y una vez constituido el gobierno sandinista México se opuso en la Organización de los Estados Americanos a cualquier intervención en los asuntos internos de Nicaragua. México y Francia trataron de impulsar una solución negociada en el caso de El Salvador. El presidente López Portillo recibió a 66 mandatarios extranjeros y visitó 20 países. Frente a la situación económica en que se encontraba el país en 1977, el presidente trazó una estrategia en tres bianualidades: recuperación, que ocurrió antes, y consolidación y crecimiento acelerado, que se traslaparon. Se trataba de ensanchar las oportunidades de empleo, pues era ya ostensible la incapacidad de la economía para absorber la mano de obra que arrojaba el crecimiento demográfico. La solución al problema consistía en consolidar un flujo de exportaciones permanentes, que aportara los recursos financieros para el desarrollo. Conforme a esta tesis, la producción de petróleo crudo se incrementó de 800 mil barriles diarios en 1976 a 2 850 mil en 1982. México se convirtió así en el cuarto productor mundial, después de la URSS, Arabia Saudita y Estados Unidos. En 1981, sin embargo, bajó el precio del petróleo, se redujeron los ingresos fiscales y el gasto público se abatió 8% en 1982. Esto significó $150 mil millones menos en el presupuesto de egresos de la Federación. La recesión internacional deprimió los precios y la demanda de las exportaciones mexicanas, cuyo impacto se calculó en 10 mil millones de dólares en 1981. El endeudamiento en este año fue de 18 287 millones de dólares, que sumados al pasivo anterior totalizaron 75 900. A esta cantidad se añadieron 11 mil millones más en 1982. En materia hacendaria, se sustituyó el impuesto sobre ingresos mercantiles por el impuesto al valor agregado (iva). Los estímulos fiscales a los productos de primera necesidad y a la vivienda de interés social pasaron de $9 624 millones en 1977 a 34 503 en 1982. De 1977 a 1981 se reactivó la producción en varias ramas estratégicas de la industria, cuyo aumento se indica en millones de toneladas: petroquímica básica, de 4 a 14; siderurgia de 5.3 a 7.6; y fertilizantes, de 1.8 a 4.6. En otras ramas, el crecimiento fue el siguiente, en número de veces: gas natural y refinados de hidrocarburos, 1.9; fibras artificiales, 1.4; acero y cemento, 1.5; automóviles, 1.5; camiones, 2; y maquinaria agrícola, 1.6. La minería, a su vez, se expandió a una tasa media anual de 7.6%; y la industria manufacturera, a un ritmo del 10%, hasta 1979, en que bajó a causa del incremento de las importaciones. La capacidad instalada de energía eléctrica pasó, a su vez, de 8 844 a 17 721 MW. Durante el sexenio se entregaron 16 millones de hectáreas a los campesinos y 16 340 certificados de inafectabilidad a los pequeños propietarios. El 18 de marzo de 1980 se puso en marcha el Sistema Alimentario Mexicano. Se incorporaron al cultivo 3.3 millones de hectáreas. El precio de garantía del maíz se elevó de 1 900 a 8 850 pesos; el del trigo, de 1 750 a 6 930; y del frijol, de 5 mil a 21 100. La banca oficial financió la adquisición de 16 966 tractores. En 1981, cuando ya la población había llegado a los 70 millones de habitantes, se obtuvo una cosecha de 28.6 millones de toneladas de granos básicos. Sin embargo, ese año la Comisión Nacional de Subsistencias Populares importó 6.6 millones de toneladas de alimentos. La captura de productos del mar llegó a 1.9 millones de toneladas en 1982. Aun cuando

se elevaron considerablemente los precios de la gasolina, el diesel, el gas doméstico, la electricidad, las tortillas y el pan blanco, las transferencias y subsidios que se otorgaron a la economía durante 1981 montaron a $813 mil millones, equivalentes al 31% del presupuesto de egresos de la Federación. Ese año las importaciones crecieron a una tasa del 41.9%, disminuyeron las exportaciones, hubo severas restricciones crediticias en el exterior y se desequilibraron las finanzas nacionales, de modo que en marzo de 1982 el Banco de México se retiró del mercado de cambios. La proporción del peso respecto del dólar, que había fluctuado entre 22.7 y 24.5 en promedio de 1977 a 1981, se abatió a 148.5 en 1982. La devaluación se acentuó por la fuga de capitales, originada a su vez por la pérdida de confianza pública. En materia de comunicaciones y transportes, destacaron la terminación de la vía ferrea Coróndiro-Lázaro Cárdenas y la instalación de terminales para contenedores en los puertos de Veracruz, Coatzacoalcos y Salina Cruz. Se decidió, además, poner en órbita un satélite mexicano de trasmisión, que entraría en servicio en 1985. Durante el sexenio el índice de desempleo se redujo de 8.1 a 4.5%, pues se crearon 4.2 millones de nuevos puestos de trabajo. Los distintos niveles de salario mínimo se redujeron de 144 en 1977 a cinco en 1982, y la diferencia entre el más alto y el más bajo, que en aquel año era del 232%, bajó al 40%. En septiembre de 1980, por vez primera en la historia de México, se cubrió totalmente la demanda de educación primaria. Al inicio del ciclo 1982-1983, la inscripción en ese nivel fue de 15.2 millones de niños. En la secundaria se alcanzó la meta de atender el 90% de los egresados de primaria. En 1978 se inició el proceso de desconcentración administrativa de la Secretaría de Educación Pública. Ese año se fundaron el Colegio Nacional de Educación Profesional Técnica, responsable de ofrecer opciones terminales previas a la licenciatura, y la Universidad Pedagógica Nacional; y en 1981, el Instituto Nacional para la Educación de los Adultos. La inscripción en las universidades e instituciones de educación superior ascendió a 1 millón de estudiantes en 1982. En el curso del sexenio se instalaron los museos nacionales de las Intervenciones y de Arte y se restauró el Templo Mayor y el Centro Histórico de la Ciudad de México. La población atendida por las instituciones de salud y asistencia pasó del

60% en 1976 al 85% en 1982. En ese año se consiguió que 70 de cada 100 habitantes disfrutaran del servicio de agua potable. En el Distrito Federal la red del Sistema de Transporte Colectivo-Metro se amplió de 37.7 a 80 km, se construyeron 34 ejes viales, con una longitud de 500 km, se cubrió el 77% de la demanda de agua potable y se iniciaron las obras de la nueva Central de Abastos. El 1° de septiembre de 1982, en ocasión de su último informe al Congreso, el presidente López Portillo dijo: "México, al llegar al extremo que significa la actual crisis, no puede permitir que la especulación domine su economía. Esta crisis, que hemos llamado financiera y de caja, amenaza seriamente nuestra estructura productiva". Y anunció de manera sorpresiva: "He expedido dos decretos: uno que nacionaliza los bancos privados y otro que establece el control generalizado de cambios, no como una política superviviente de un más vale tarde que nunca, sino porque ahora se han dado las condiciones que lo requieren y justifican. Es ahora o nunca. Ya nos saquearon. México no se ha acabado. Ya no nos saquearán". Tras de cinco años de permanecer al margen de toda presencia pública, en 1987 convocó a una reunión para dar a conocer su nuevo libro *Ellos vienen*.

LÓPEZ PORTILLO Y PACHECO, MARGARITA. Nació en Guadalajara, Jal. Doctora en filosofía y letras por la Universidad Nacional, ha sido directora de Supervisión de Telenovelas y Teleteatros, del Museo Tecnológico de la Comisión Federal de Electricidad (CFE) y de Asesoramiento y Divulgación Cultural de los Trabajadores de la CFE; gerente divisional de la CFE en Jalisco, Colima, Nayarit y Zacatecas, y directora de Radio, Televisión y Cinematografía de la Secretaría de Gobernación. Ha publicado cuento: *La de los laureles* (premio del Certamen de Cuento Mexicano, 1950), *Sólo el viento* y *Girándula*; novelas: *Toña Machetes* (premio Lanz Duret, 1955) y *Tierra bronca* (medalla Sor Juana Inés de la Cruz, 1962), y la biografía: *Estampas de Sor Juana*.

LÓPEZ PORTILLO Y ROJAS, JOSÉ. Nació en Guadalajara, Jal., en 1850; murió en la ciudad de México en 1923. Se tituló de licenciado en derecho en Guadalajara, en 1871. Al año siguiente emprendió un viaje por Estados Unidos, Europa, Egipto y Palestina. De regreso a su ciudad natal, ejerció su profesión, el periodismo y la política. Fue varias veces diputado local y al Congreso de la Unión (1875-1877, 1880-1881 y 1907-1909), senador (1882-1886), magistrado del Tribunal Superior de Justicia de Jalisco, gobernador del estado (1911-1913), subsecretario de Instrucción Pública (1913) y secretario de Relaciones Exteriores (1913-1914). Enseñó derecho mercantil, penal y minero, economía política y literatura castellana. Por su adhesión al general Bernardo Reyes, sufrió represalias, cárcel y persecuciones. Formó parte de un grupo de escritores jaliscienses que tuvieron gran influencia a fines del siglo XIX y principios del XX: Manuel Puga y Acal, Victoriano Salado Álvarez, Antonio Zaragoza y Manuel Álvarez del Castillo. Fundó en Guadalajara, al lado de Esther Tapia de Castellanos y de Álvarez del Castillo, *La República Literaria* (1885-1896). Desde 1916 hasta su muerte, fue director de la Academia Mexicana de la Lengua. Produjo numerosos escritos de carácter jurídico, social, político, histórico y literario. En particular sus novelas le acarrearon el gran prestigio de que goza en el mundo de las letras. De su producción sobresalen: *Seis leyendas* (Guadalajara, 1883), *La raza indígena* (Guadalajara, 1886), *El derecho y la economía política. Breves reflexiones* (Guadalajara, 1894), *La parcela* (1898), *Novelas cortas* (1900), *Sucesos y novelas cortas* (1903), *Ricos y pobres* (1908), *Nieves* (s.f.), *Los precursores* (1909), *Ensayos económicos* (1910), *La Doctrina Monroe* (1912), *Historia, historietas y cuentecillos* (1918), *Fuertes y débiles* (1919), *Sor María Margarita* y *La horma de su zapato* (1923), *Elevación y caída del general Porfirio Díaz* (s.f.; 2a. ed., 1921). Naturalismo y nacionalismo caracterizan sus novelas, de tónica rural, donde campea un estilo fluido de gran contenido social. *La parcela* se anticipa a la novelística agraria revolucionaria. A López Portillo le debe la historiografía haber sacado del olvido la fundamental obra de fray Antonio Tello: *Libro segundo de la crónica miscelánea, en que se trata la conquista espiritual y temporal de la santa provincia de Xalisco en el Nuevo Reino de la Galicia...* (Guadalajara, 1891).

Bibliografía: Alberto María Carreño: *Semblanzas. Colección de obras diversas* (1939); José Diego Fernández y Agustín Aragón: *Ante el Gran Jurado* (1909); Juan B. Iguíniz: *Bibliografía de novelistas mexicanos* (1926); Margarita Pérez Poiré: *José López Portillo y Rojas* (1949); Frede-

LÓPEZ

rick Starr: *Readings from modern mexican authors* (Chicago, 1904).

LÓPEZ PORTILLO Y WEBER, JOSÉ. Nació en Guadalajara, Jal., en 1889. Alumno del Colegio Militar, formó parte de la escolta que acompañó al presidente Madero de Chapultepec a Palacio, cuando se inició la Decena Trágica, y fue artillero voluntario contra los rebeldes de la Ciudadela (febrero de 1913). Participó activamente en la expropiación petrolera de 1938. Miembro de la Academia Mexicana de la Historia, ha escrito, entre otras: *Génesis de los signos de las letras, La conquista de la Nueva Galicia, La rebelión de la Nueva Galicia, Dinámica histórica de México, La Gran Tenochtitlan, Historia del petróleo en México* y *Cristóbal de Oñate.* Recibió el Premio Jalisco en 1954.

LÓPEZ RAYÓN, FRANCISCO. Nació en Tlalpujahua, Mich., en 1782; murió en Ixtlahuaca, Méx., en 1815. Hermano de Ignacio, Ramón, José María y Rafael, todos insurgentes, desde joven se dedicó a trabajar los fundos mineros de la familia. En noviembre de 1810 marchó con su hermano Ignacio a Valladolid y a Guadalajara junto con Miguel Hidalgo. Estuvo en la batalla del Puente de Calderón, siguió a Allende hasta Saltillo y allí se separó de la comitiva que se dirigía a Chihuahua. Junto con Liceaga se apoderó del cerro de la Bufa; el 8 de septiembre de 1813, ya con el grado de coronel, derrotó a las tropas de Antonio Valle, en la hacienda de Galindo, situada entre Querétaro y San Juan del Río, y cuando Ignacio formó parte de la Junta de Zitácuaro, medió entre aquél y Liceaga. En Michoacán fortificó el Campo del Gallo y en diciembre de 1815 se hizo cargo del distrito de Tlalpujahua; publicó una proclama en ocasión del fusilamiento del sacerdote insurgente Juan Antonio Romero, invitando a los realistas nacidos en la Nueva España a unirse a los libertadores. Único de los cinco hermanos que no alcanzó a ver realizada la Independencia, fue hecho prisionero y fusilado en Ixtlahuaca.

LÓPEZ RAYÓN, IGNACIO. Nació en Tlalpujahua, Mich., en 1773; murió en la ciudad de México en 1832. En 1786 ingresó al Colegio de San Nicolás, en Valladolid, y a poco se inscribió en el de San Ildefonso de México, donde se tituló de abogado en 1796. En Maravatío se unió a Hidalgo, de quien fue secretario privado y luego, en Guadalajara, de Estado y del Despacho. Con este cargo luchó por la formación de un gobierno civil, expidió nombramientos de oidores y ministros, mandó publicar los decretos que suprimían la esclavitud y los tributos, promovió la publicación de *El Despertador Americano* y consiguió que se designara a Pascasio Ortiz Letona como embajador de los insurgentes ante el gobierno de Estados Unidos. En Saltillo, previendo sucesos venideros, se le designó jefe del ejército y se le dieron instrucciones para continuar la guerra. Después de la emboscada del cerro del Prendimiento, volvió a Michoacán y se atrincheró en Zitácuaro. En agosto de 1811 organizó y dirigió la Junta Suprema Gubernativa, que tuvo como vocales a José María Liceaga y José Sixto Verduzco; formó parte del Congreso instalado por Morelos en Chilpancingo y en 1813, junto con su hermano Ramón, se fortificó en el cerro de Cóporo, donde resistió un sitio de varios meses, pasando después a Oaxaca. El 7 de enero de 1817 capituló, y al negarse a reconocer a la Junta de Jaujilla, fue perseguido por Nicolás Bravo y hecho prisionero en diciembre del mismo año. Consumada la Independencia, sirvió como tesorero en San Luis Potosí, como comandante general de Jalisco y como presidente del Tribunal Militar. En 1842 fue declarado Benemérito de la Patria y en 1899 se le erigió una estatua en el Paseo de la Reforma de la ciudad de México.

LÓPEZ RAYÓN, RAMÓN. Nació en Tlalpujahua, Mich., en 1775; murió en la ciudad de México en 1839. Tenía un negocio de ropa en El Parián, en la capital del país, cuando estalló en Dolores el movimiento de 1810, al cual se sumó de inmediato. Estudió fortificación y fundición de cañones; en Zacatecas y en Zitácuaro fabricó el armamento necesario y fueron obras suya los proyectos de fosos y trincheras. Durante la caída de Zitácuaro, el 1° de enero de 1812, Rayón recibió varias heridas y perdió un ojo. Siguió la suerte de su hermano Ignacio, hasta que fijó su cuartel general en el cerro del Gallo, contiguo a Tlalpujahua. Continuó la lucha por la Independencia hasta capitular a fines de 1816, acogiéndose al indulto propuesto por el virrey Juan Ruiz de Apodaca. Desde entonces y hasta 1821 permaneció retirado de la vida pública. Al triunfo de la Independencia se puso a las órdenes de Iturbide quien lo nombró comandante de Zitácuaro, después agente de la administración de tabacos y, posteriormente, contador general de correos. En 1834 Santa Anna le encomendó la pacificación del departamento de Michoacán. Fue gobernador del estado de México.

LÓPEZ ROBLES, FORTINO. Nació en Purísima del Rincón, Gto., el 12 de agosto de 1898; se ignoran los datos de su muerte. Escritor, poeta, dramaturgo, compositor musical, educador y promotor de la cultura, su obra narrativa comprende: *Instantáneas, Páginas de novela* (premio en la Exposición Mundial de Sevilla, 1929), *Amaneceres, De tú a tú, La señorita Lupe, novela de una maestra mexicana, Corazón del indio, los otomíes y Mi viaje a la Tarahumara.* Escribió también varios libros con temas pedagógicos. Su obra teatral incluye: *Tierras y escuelas, Una madre ejemplar, El que a los treinta no es rico...., Créase usted de las visitas, Vidas truncadas, Los intrusos, Mi vida, Un cura agrarista* y el libro *Actividades creadoras en la escuela primaria* (1969), que contiene: guías escénicas, rondas, juegos musicales y tres dramas: *Apoteosis maternal, El león y su escuela y Dulce recordar.*

LÓPEZ ROSADO, DIEGO. Nació en Mérida, Yuc., en 1918. En la capital de la República hizo las carreras de profesor normalista (1934-1936) y de segunda enseñanza (1936-1943), y de licenciado en economía (1948), esta última en la Universidad Nacional Autónoma de México (UNAM). A partir de 1936 desempeñó diversos puestos administrativos y académicos entre ellos: presidente del Colegio Nacional de Economistas (1952-1954); director del Instituto de Investigaciones Económicas de la UNAM (1954-1967) y del Banco del Pequeño Comercio del Distrito Federal (1955-1959); secretario general auxiliar de la UNAM (1961-1966); gerente general de los Centros Conasupo de Capacitación Campesina (1971-1972); director general de Planeación y Recursos Turísticos del Departamento de Turismo (1968-1970); vocal ejecutivo de la Comisión Editorial de Conasupo (1972-1976) y asesor de la Coordinación General del Sistema de Información de la Secretaría de Programación y Presupuesto (1977-1978). Ha publicado: *Atlas histórico-geográfico de México* (1940; 2a. ed., 1959), *Proble-*

mas económicos de México (1946 y ocho ediciones posteriores), *La política de obras públicas de México* (1948), *Curso de historia económica de México* (1954 y tres ediciones más), *Ensayos sobre historia económica de México* (1957 y dos ediciones más), *Historia y pensamiento económico de México* (6 ts., 1965), *Historia del peso mexicano* (1975), *Historia de la agricultura y ganadería* (1977), *Bibliografía de la historia económica de México* (13 ts.), *La burocracia en México* (1980), *Los mercados de la ciudad de México* (1982) y *Evolución del control de precios en México* (1982). Ha publicado numerosos artículos sobre temas económicos en periódicos y revistas especializadas y dictado unas 100 conferencias. En 1985 ingresó como miembro titular del Seminario de Cultura Mexicana.

LÓPEZ ROSADO, FELIPE. Nació en Mérida, Yuc., el 15 de octubre de 1911. Licenciado en derecho (1937) por la Universidad Nacional Autónoma de México (UNAM), hizo estudios de posgrado en sociología en la Universidad Estatal de Ohio (1942-1943). Ha sido apoderado general de la Comisión Federal de Electricidad (1947-1964), jefe del Departamento de Ciencias Sociales de la UNAM (1965-1968), secretario ejecutivo de la Barra Mexicana, y del Colegio de Abogados (1966-1970), presidente de la Sección Antonio Caso de la Asociación Nacional de Abogados y vicepresidente de la Asociación Mexicana de Sociología (1965-1969). Enseñó ciencias históricas en la Facultad de Filosofía y Letras de la UNAM (1930-1934) e historia de las doctrinas económicas (1941) y sociología en la Facultad de Derecho (1942-1962). Es autor de: *Los sistemas de conservación constitucional* (1937), *Introducción a la sociología* (1941), *Economía política* (1944), *El hombre y el derecho* (1948), *El hombre y la economía* (1949), *El hombre y la sociedad* (1950), *El régimen constitucional mexicano* (1955), *La juventud y la patria* (1963), *Vida cívica y juventud* (1964), *Los derechos del hombre* (1968) e *Historia del pensamiento sociológico* (1972). Colaboró en el *Diccionario Porrúa* (1964-1970) y en la primera edición de la *Enciclopedia de México*. En diciembre de 1987 la Barra Mexicana de Abogados le hizo un homenaje por sus 50 años de ejercicio profesional. A la obra *50 maestros* (1988) aportó 21 biografías, entre ellas las de Mario de la Cueva, Ernesto Garza, Enrique González Aparicio, Juan

LÓPEZ

Manuel Álvarez del Castillo, Anselmo Mena, Rafael Ortega, Rafael Rojo de la Vega, Eduardo Suárez y Jesús Zavala.

LÓPEZ SÁNCHEZ, RAÚL. Nació en Torreón, Coah., en 1907; murió en la ciudad de México en 1957. Fue diputado a la XXXIX Legislatura federal y senador para el periodo 1946-1952; gobernador interino de su entidad en 1949, para terminar el periodo de Ignacio Cepeda Dávila; y secretario de Marina en el gobierno de Miguel Alemán, en sustitución de Alberto J. Pawling, del 7 de febrero al 30 de noviembre de 1952.

LÓPEZ SÁNCHEZ ROMÁN, FERNANDO. Nació en Tlaltenango, Zac., en 1854; murió en la ciudad de México en 1924. En 1886 fundó la clínica de oftalmología del Hospital Militar, y dirigió este nosocomio de 1894 hasta su muerte; participó en la fundación de la Cruz Roja de México (1909) y del Hospital General (1905), del que fue primer director. Escribió más de 20 trabajos publicados en la *Gaceta Médica de México* y la *Gaceta Médico Militar*.

LÓPEZ TARSO, IGNACIO (Ignacio López López). Nació en México, D.F., el 15 de enero de 1925. Estudió en el Colegio Jalisco de Guadalajara, en el Seminario Conciliar de México (hasta el primer año de filosofía) y en la Academia de Arte Dramático del Instituto Nacional de Bellas Artes (INBA). En 1950 ingresó al Teatro Estudiantil Autónomo (TEA) y por dos años consecutivos obtuvo el trofeo Xochipilli al mejor actor de los concursos de teatro experimental auspiciados por el Departamento del Distrito Federal. Debutó profesionalmente en 1951, con la obra *Nacida ayer* de Garson Kanin. Ingresó luego en la Compañía de Teatro Clásico, dirigida por Álvaro Custodio; por su intervención en *Las mocedades del Cid* de Guillén de Castro, obtuvo el premio al mejor actor novel. Su interpretación del *Moctezuma II* de Sergio Magaña lo consagró definitivamente (1945). En el INBA, bajo la dirección de Celestino Gorostiza y de Salvador Novo, presentó un amplio repertorio de obras clásicas y mexicanas. En 1956, guiado por Seki Sano, hizo teatro moderno, comercial y para niños. En 1960 fue llamado a colaborar en los escenarios del Instituto Mexicano del Seguro Social; algunas obras (*Edipo rey* de Sófocles, por ejemplo) llegaron a las 200 funciones. En 1962, por su actuación en *Cyrano de Bergerac* se le otorgó el premio al mejor actor del año. En 1966 fue invitado a participar en la temporada de verano del *New York Shakespeare Festival*. Ese mismo año se inició como productor, hizo un intercambio con Cuba e intervino en el programa cultural de los Juegos de la XIX Olimpiada. De 1969 a 1974 puso en escena obras de Arthur Miller, Peter Luke, David Storey, Robert Marascon y Eurípides. En 1974 estrenó en Madrid *Tirano Banderas* de Ramón María del Valle Inclán, y en 1975 el espectáculo *Corridos y romances*. En 1977, ya en México, inauguró el Teatro de las Vizcaínas e hizo una gira por la República con la obra *Equus* de Peter Shaffer. De 1978 a 1981 presentó *El avaro* de Molière, *Corridos y romances* y *El rey Lear* en el país y en Centroamérica. En 1983 estrenó *El vestidor* en el Teatro de los Insurgentes. Con *Los corridos de la Revolución* ha hecho presentaciones personales en diversos sitios, acompañado por un conjunto musical y por Raquel Olmedo, en México, y por Nati Mistral, en España. Desde 1951 ha intervenido en unos mil programas y series de televisión, la más reciente, en 1987, *Senda de gloria*. Ingresó al cine en 1955 y desde entonces ha participado en 41 películas; en la cinta *En busca de un muro* interpretó a José Clemente Orozco. Ha grabado discos con *Corridos* y *Relatos de la Revolución*, y un álbum con *Romances de la Guerra de Independencia*. Hasta principios de 1988 había recibido 39 premios y trofeos por sus actuaciones en teatro, cine y televisión. Es secretario general de la Asociación Nacional de Actores (1985-1989) y del Sindicato Nacional de la Producción Cinematográfica (1986-1990).

LÓPEZ TRUJILLO, CLEMENTE. Nació en Mérida, Yuc., en 1905; murió en la misma ciudad en 1983. Su poesía, de carácter indigenista, muestra el alma "de las amargas, de las dulces cosas mayas": *El venado* (1911), *Feria de frutas y otros poemas* (1932) y *Te amo en tres palabras* (1940).

LÓPEZ URAGA, JOSÉ. Nació en Morelia, Mich., en 1810; murió en San Francisco, California, EUA, en 1885. Hizo su carrera militar en Francia y Alemania; luchó contra la invasión norteamericana en 1847; combatió junto a los liberales en la Guerra de Reforma, donde perdió una pierna, y fue ministro de México en Prusia. En 1861 Benito Juárez lo designó jefe del Ejército de Oriente para luchar contra la Intervención Francesa, y en 1862, comandante general del Ejército del Centro. En 1864, influenciado por Bazaine, pasó al servicio del Imperio; fue consejero de Maximiliano; encabezó la escolta de Carlota, en su regreso a Europa, y formó parte de su séquito en Trieste. Escribió *El sistema militar obligatorio, según el sistema prusiano.*

LÓPEZ VELARDE, RAMÓN. Nació el 15 de junio de 1888 en Jerez, Zac.; murió en la ciudad de México el 19 de junio de 1921. A los 12 años fue enviado a estudiar al Seminario Conciliar de Zacatecas y más tarde al de Aguascalientes, donde en 1906 fundó con Enrique Fernández Ledesma y Pedro de Alba la revista *Bohemio.* En 1907 se mudó a San Luis Potosí para cursar la carrera de leyes. En sus frecuentes viajes a Lagos de Moreno conoció a Francisco González León, que cultivaba una poesía de esencias provincianas. En 1910 hizo amistad con Francisco I. Madero y ese mismo año fue candidato del Partido Católico a diputado suplente por Jerez. En 1911 obtuvo su título de abogado, en 1912 se le nombró juez de El Venado, S.L.P., y en 1914 se radicó definitivamente en la capital de la República. Años antes había hecho crónicas políticas para *El Regional* de Guadalajara (1909), y *La Nación* de México (1912). Escribió también para *El Eco de San Luis* (1913), *El Nacional Bisemanal* (1915-1916), *Revista de Revistas* (1915-1917), *Vida Moderna* (1916) y *Pegaso* (1917), cuya dirección compartió con Enrique González Martínez y Efrén Rebolledo. En 1916 publicó su primer libro de poesías: *La sangre devota*; y en 1919 el segundo: *Zozobra.* Instaló su bufete en la calle de Madero núm. 1, desempeñó empleos en las secretarías de Gobernación y Relaciones Exteriores y enseñó literatura en las escuelas Nacional Preparatoria y de Altos Estudios. Estaba en vísperas de hacer un viaje a Europa, recién cumplidos los 33 años, cuando falleció víctima de una pleuresía. Después de su muerte se han editado cuatro volúmenes con obras suyas: uno de poesía, *El son del corazón* (1932), y tres de prosa, *El minutero* (1923), *El don de febrero* (1952) y *Prosa política* (1953), y

aún parece que andan dispersos algunos poemas, artículos y cuentos. A partir del 75o. aniversario de su nacimiento, según lo dispuso el presidente Adolfo López Mateos, sus restos reposan en la Rotonda de los Hombres Ilustres del Panteón Civil de Dolores, "en reconocimiento al prestigio que su obra ha dado a la poesía mexicana".

En la primera etapa de su obra poética (*La sangre devota*) López Velarde sitúa sus experiencias sensuales y espirituales en el ambiente familiar y religioso de la provincia; en la segunda (*Zozobra*), recoge con intenso dramatismo y enternecedora sinceridad el dualismo moral entre el erotismo y la religiosidad, la carne y el espíritu, el vicio y la virtud; y en la tercera, sólo representada por *La suave Patria*, escrita en ocasión del primer centenario de la consumación de la Independencia, el mismo año de su muerte (1921), se vuelve intérprete lírico y épico del pueblo al representar en una serie de imágenes los perfiles más acentuados de México. "Su estilo —ha dicho Octavio Paz— no sería sino una retórica, si no fuera porque es, asimismo, una conciencia". López Velarde renovó el lenguaje de la poesía y enriqueció sus temas con la evocación de la provincia, con la sublimación de las experiencias del hombre común y con la visión plástica y popular del nacionalismo. Se valió para ello, al decir de Antonio Castro Leal, de "un estilo original, en el que los adjetivos iluminan ignoradas perspectivas" De *La suave Patria*, segundo acto:

Suave Patria: tú vales por el río
de las virtudes de tu mujerío.
Tus hijas atraviesan como hadas,
o destilando un invisible alcohol,
vestidas con las redes de tu sol,
cruzan como botellas alambradas.

Suave Patria: te amo no cual mito,
sino por tu verdad de pan bendito,
como a niña que asoma por la reja
con la blusa corrida hasta la oreja
y la falda bajada hasta el huesito.

Inaccesible al deshonor, floreces;
creeré en tí mientras una mexicana
en su tápalo lleve los dobleces
de la tienda, a las seis de la mañana,
y al estrenar su lujo quede lleno
el país del aroma del estreno.

Como la sota moza, Patria mía,
en piso de metal vives al día,
de milagro, como la lotería.

Tu imagen, el Palacio Nacional,
con tu misma grandeza y con tu igual
estatura de niño y de dedal.

Te dará, frente al hambre y al obús,
un higo San Felipe de Jesús.

Suave Patria, vendedora de chía:
quiero raptarte en la cuaresma opaca,
sobre un garañón, y con matraca,
y entre los tiros de la policía.

Tus entrañas no niegan un asilo
para el ave que el párvulo sepulta
en una caja de carretes de hilo,
y nuestra juventud, llorando, oculta
dentro de ti el cadáver hecho poma
de aves que hablan nuestro mismo idioma.

Si me ahogo en tus julios, a mí baja
desde el vergel de tu peinado denso
frescura de rebozo y de tinaja,
y si tirito, dejas que me arrope
en tu respiración azul de incienso
y en tus carnosos labios de rompope.

Por tu balcón de palmas bendecidas
el Domingo de Ramos, yo desfilo
lleno de sombra porque tu trepidas.

Quieren morir tu ánima y tu estilo,
cual muriéndose van las cantadoras
que en las ferias, con el bravío pecho
empitonando la camisa, han hecho
la lujuria y el ritmo de las horas.

Patria, te doy de tu dicha la clave:
se siempre igual, fiel a tu espejo diario;
cincuenta veces es igual el Ave
taladrada en el hilo del rosario,
y es más feliz que tú, Patria suave.

Se igual y fiel; pupilas de abandono;
sedienta voz, la trigarante faja
en tus pechugas al vapor; y un trono
a la intemperie, cual una sonaja:
la carreta alegórica de paja.

LÓPEZ Y DE LA MORA, HERCULANO.
Nació en Encarnación, Jal., en 1830; murió en Her-

mosillo, Son., en 1902. Fue ungido sacerdote el 29 de marzo de 1863, en Calvillo, N.L. Fue catedrático en los seminarios de Celaya (1863-1864) y Morelia (1880-1883), cura en San Jerónimo Purunchécuaro (1863-1864) y en Charo (1864-1868), secretario del obispo de Querétaro Ramón Camacho (1868-1872), párroco en Tanhuato (1872-1879) y Pénjamo (1879-1882), y canónigo, provisor, vicario general y gobernador de la arquidiócesis de Morelia (1883-1887). El 26 de mayo de 1887 León XIII lo nombró obispo de Sonora; el 2 de octubre fue consagrado en la catedral de Morelia y el 19 siguiente tomó posesión de su sede en Hermosillo. Fue vicario apostólico de Baja California, cargo que entregó en 1895 a los misioneros de San Pedro y San Pablo.

LÓPEZ Y FUENTES, GREGORIO. Nació en la hacienda El Mamey, Chicontepec, Ver.; murió en la ciudad de México en 1966. Fue revolucionario; combatió en Veracruz (1914) a las tropas norteamericanas. Cultivó la poesía: *La siringa de cristal* (1914) y *Claros de selva* (1922). En 1924 comenzó a escribir en *El Universal*, diario que dirigió de 1948 a 1952. Antes, a partir de 1943, había dirigido *El Universal Gráfico*. Su obra en prosa comprende 12 novelas, un libro de cuentos y su labor de muchos años como periodista: *Tierra* (1932), el monumento mejor logrado al líder revolucionario Emiliano Zapata; en *¡Mi general!* (1934), traza fielmente un tipo de soldado de la Revolución; *El indio* (1935), su libro más conocido, donde retrata el amplio sector indígena que no ha sido beneficiado con la Revolución, es una novela de tesis, documento histórico costumbrista y antecedente de la novela indigenista; *Arrieros* (1937) debe su valor al relato de anécdotas y episodios de la arriería mexicana; *Huasteca* (1939) trata la cuestión petrolera, y *Los peregrinos inmóviles* (1944), de alto simbolismo, penetra en la mística trama de la vida interior de los aborígenes. Escribió también *Cartas de niños sobre el campo y la ciudad* y *Cuentos campesinos de México*.

LÓPEZ Y GONZÁLEZ, JOSÉ DE JESÚS. Nació en Aguascalientes, Ags., el 16 de octubre de 1872; murió en la misma ciudad el 11 de noviembre de 1950. Fue consagrado sacerdote en Guadalajara el 30 de noviembre de 1897. Desempeñó su ministerio en Aguascalientes: párroco de Jesús María y de Asientos, vicario fijo en Cosío, director de la Escuela Libre de Derecho (1903-1905), catedrático en el Seminario, provicario general (1914-1919), secretario de la mitra, vicario y obispo auxiliar del señor Valdespino, en el exilio, por quien fue consagrado en San Antonio, Texas, Estados Unidos, el 30 de marzo de 1928. A la muerte de Valdespino fue nombrado administrador apostólico de la diócesis de Aguascalientes, y el 10 de septiembre de 1928, obispo residencial, cargo que desempeñó hasta 1950. Durante su gobierno fundó la congregación religiosa de Maestras Católicas del Sagrado Corazón (1932), organizó la Liga de Recíprocos Auxilios entre el Seminario y los fieles (1932), celebró el Segundo Sínodo Diocesano (24 al 26 de julio de 1945), construyó la segunda torre de la catedral (1946), fundó el Cabildo, estableció el Orfanato Nazaret y la Escuela Catequística Diocesana, consagró sacerdotes a 77 diáconos, estableció el Colegio Portugal y trasladó a la catedral los restos de sus dos antecesores. Escribió: *Manual de párrocos* (1935) y *Reseña y álbum del Primer Congreso Eucarístico Diocesano de la Arquidiócesis de Guadalajara* (1939).

LÓPEZ Y OCHOA, RAMÓN. Nació en Zapotlán el Grande (actual Ciudad Guzmán), Jal., el 16 de julio de 1844; murió en San Pedro Tlaquepaque, de la misma entidad, el 31 de mayo de 1915. Cursó la carrera eclesiástica en el Seminario Conciliar de la arquidiócesis de Guadalajara y fue consagrado sacerdote el 10 de mayo de 1868. Ejerció los cargos de catedrático en el mismo plantel, diputado conciliar, presidente de la Junta Directiva de las Escuelas Parroquiales, director diocesano de la Obra del Catecismo, secretario del Cabildo metropolitano, capellán de las Agustinas Recoletas del convento de Santa Mónica; medio racionero, racionero, canónigo de gracia, maestrescuelas y arcediano de la catedral. Obtuvo el doctorado en teología por la Academia Pontificia de Guadalajara, en 1884. Colaboró en los periódicos *La Religión* y *La Sociedad* que fundó Agustín de la Rosa (1865, 1873 y 1874); *La Linterna de Diógenes, La Democracia Cristiana, El Diario de Jalisco* y *El Regional* de Guadalajara y Zapotlán, y *El Tiempo, El Tiempo Ilustrado* y *El País* de la capital de la República. Escribió:

Colección de escritos tomados de los clásicos latinos del cristianismo (Guadalajara, 1871) y *Elementos de moral y religión* (Guadalajara, 1880). El 19 de marzo de 1877 fundó *El Josefino*, que dirigió muchos años.

LÓPEZ Y ROMO, JACINTO. Nació en Encarnación de Díaz y murió en Guadalajara, ambas de Jalisco (1836-1900). Hizo la carrera religiosa en el Seminario de la capital tapatía y sirvió de cura en varias parroquias de los poblados aledaños. El 10 de junio de 1886 fue preconizado obispo de Linares, se le consagró en Guadalajara el 29 de agosto y tomó posesión de su diócesis el 24 de noviembre siguiente. El 4 de marzo de 1900 fue nombrado arzobispo de Guadalajara, tomó posesión el 8 del mismo mes y murió el 31 de diciembre.

LORENCEZ, CONDE DE. V. LATRILLE, CARLOS FERNANDO.

LORENZANA Y BUITRÓN, FRANCISCO ANTONIO DE. Nació en León, España, en 1722; murió en Roma, Italia, en 1804. De 1765 a 1766 fue obispo de Plascencia; de 1766 a 1772, arzobispo de México y de 1772 a 1800, cardenal-arzobispo de Toledo. En 1767 fundó la Casa de Niños Expósitos –Casa de Cuna– y en 1771 celebró el IV Concilio Provincial Mexicano. En 1772 Carlos III lo nombró Caballero Gran Cruz y luego consejero de Estado. Entre sus obras: *Concilios provinciales 1o. y 2o., celebrados en la muy noble y leal ciudad de México en los años de 1555-1565* (1769), *Historia de Nueva España escrita por su esclarecido conquistador Hernán Cortés, aumentada con otros documentos y notas* (1770) y *Liturgia mozárabe: breviarium gothicum, Misalis mixti* (1776).

LORENZO, LEONCIO. Nació en Valladolid, España, el 14 de abril de 1908; murió en Guadalajara, Jal., el 6 de abril de 1980. A los 14 años de edad llegó a México, pero se mudó a Texas e ingresó en la congregación de los Hermanos Maristas de la Enseñanza. Profesó en 1927 y regresó a la capital de la República. En 1927 se trasladó a Guadalajara, donde dirigió el Colegio Jalisco y fundó los colegios Cervantes (1937). En el Distrito Federal creó el Instituto

México (1943). En 1945 fue promovido a la dirección general de las obras maristas en México y en 1951 fue elegido vicario general de su congregación, debiendo mudarse a Roma y viajar por casi todos los países en que se encuentran establecidos los Hermanos Maristas. Volvió a México en 1967 y se ocupó en organizar a los exalumnos maristas del occidente.

LORENZO BAUTISTA, JOSÉ LUIS. Nació en Madrid, España, el 18 de agosto de 1921. Llegó a México en 1939. Desempeñó varios oficios en compañías editoriales y farmacéuticas mientras cursaba la preparatoria y los primeros años de la carrera de químico biólogo. Arqueólogo (1951) por la Escuela Nacional de Antropología y maestro en ciencias antropológicas por la Universidad Nacional Autónoma de México (UNAM), llevó cursos de especialización en la de Londres. A su regreso (1955), ejerció el magisterio y en el Instituto Nacional de Antropología e Historia (INAH) fue director de los departamentos de Prehistoria, de Monumentos Prehispánicos y de Restauración, y del Centro Latinoamericano de Estudios para la Conservación y Restauración de Bienes Culturales de la Organización de las Naciones Unidas para la Educación, la Ciencia y la Cultura. Tras una estancia en Perú (1974), trabajó por breve tiempo en el Instituto de Investigacioens Antropológicas de la UNAM y se reintegró al INAH, del que fue profesor emérito desde 1985. Formó parte, además, del consejo ejecutivo de la Unión Internacional de Ciencias Prehistóricas y Protohistóricas. Hasta 1987 había publicado 56 trabajos en revistas especializadas de México y del extranjero, y nueve más en colaboración. Entre los primeros destacan: *"A fluted point from Durango, Mexico"*, en *American Antiquity* (1953); "Los concheros de la costa de Chiapas", en *Anales del INAH* (1954); "Las zonas arqueológicas de los volcanes Iztaccíhuatl y Popocatépetl" (publicación núm. 3 de la Dirección de Prehistoria, INAH; 1957); *Un sitio precerámico en Yanhuitlán, Oaxaca*; "Glaciología mexicana", en *Boletín Bibliográfico de Geografía y Oceanografía Americanas* (I, 1958); *"Préshistoire et quaternaire récent au Mexique: état actuel des connaissances*, en *L'Anthropologie* y *Los glaciares de México* (1958); "Algunos aspectos físicos del valle de Oaxaca", en *Revista Mexicana de Estudios Antropológicos* (1960); "Notas sobre geología

glacial del Nevado de Colima", en *Boletín del Instituto de Geología* (61, 1961); "Primer informe sobre los trabajos arqueológicos de rescate efectuados en el vaso de la presa de El Infiernillo, Guerrero y Michoacán", en *Boletín INAH* (17, 1964); "Tlatilco: los artefactos", en *Investigaciones del INAH* (7, 1965); "La etapa lítica en México" (publicación núm. 20 de la Dirección de Prehistoria, 1967); "Clima y agricultura en Teotihuacan", en *Investigaciones del INAH* (17, 1968); *Ciencias naturales o de la Tierra* (1968), "Piezas del arte mobiliar en la prehistoria de México" (folleto; Puebla, 1969); "Ecología general", en *Investigaciones del INAH* (19, 1970); *"Problemes du peuplement de l'Amérique à la lumière des découvertes de Tlapacoya, Mexique"*, en *Proceedings of the Colloquium on Homo Sapiens Origins* (UNESCO, 1972); "Poblamiento del continente americano", en *Historia de México* (I, 1974); "Los primeros pobladores", en *México: Panorama histórico y cultural* (1975); "Los orígenes mexicanos", en *Historia general de México* (I, 1976); "Agroecosistemas prehistóricos", en *Agroecosistemas de México* (1977); "Presencia del hombre en México hace más de 30 000 años", en *Ciencia y Desarrollo* (1979); "Notas sobre arqueología en México", en *América Indígena* (40-2, 1980); *"Archaeology: south of the rio Grande"*, en *World Archaeology* (13-2, 1981); "Práctica y teoría del salvamento arqueológico", en *Arqueología de rescate* (Washington, 1982); *"Meksikanskai arjeologii i severoamerikanskie arjeologii"*, en *Arqueología Soviética* (1983); y "México", en *Approaches to the archaeological heritage*. Murió en 1996.

LORENZO HERNÁNDEZ, JUAN. Nació en México, D.F., el 31 de marzo de 1947. Estudió pintura en las escuelas Nacional de Artes Plásticas, y de Pintura y Escultura La Esmeralda, en México, y en la de Bellas Artes, en Madrid. Ha trabajado como ilustrador en distintas revistas, entre ellas *Punto de Partida*. Ha diseñado joyería, tapicería y tapetes; en 1975 ganó el primer premio en la Muestra de Tapices en Rotterdam. En serigrafía sobresale su homenaje a Isherwood: *Compton Tree Lane* (1982), recreación pictórica de la novela *A single man*. Ha participado en exposiciones colectivas e individuales, en el país y en el extranjero. Iniciado dentro de un geometrismo puramente abstracto, ha evolucionado hacia una exploración de las formas humanas.

LORET DE MOLA MÉDIZ, CARLOS. Nació en Mérida, Yuc., el 30 de julio de 1921; murió en un accidente automovilístico cerca del retén El Güirindalito (camino a Zihuatanejo), el 5 de febrero de 1986. Estudió en el Colegio Montejo y en la Universidad de Yucatán. En 1939 se inició como periodista en la Península, y en 1946 pasó a la ciudad de México como redactor de *Novedades*. De 1951 a 1955 dirigió *El Mundo* de Tampico, fundó *El Mundo de la Tarde* en esa población y *El Heraldo* en Aguascalientes, y modernizó *El Heraldo* de San Luis Potosí, todos vinculados a la misma empresa. En abril de 1955 asumió la dirección de *El Heraldo* de Chihuahua y poco después la de todos los diarios de la Cadena García Valseca en esa entidad, incluyendo *El Heraldo de la Tarde* por él fundado. Dirigió el *Noticiero Mexicano* cinematográfico (1957-1960). Fue diputado federal por su estado (1961-1964), en cuyo ejercicio se pronunció contra la violencia y la publicidad negativa por medio de la televisión; senador de la República (1964-1970) y gobernador de Yucatán (1970-1976). Al principio de la administración de López Portillo fue director de Radio, Televisión y Cinematografía, durante tres meses; posteriormente compró el periódico *El Norte de Chihuahua*, fundó el *Diario de León* y colaboró en *Siempre!* y en *Excélsior*. Es autor de *Ángel sin ojos* (1957), *Manuel Cepeda Peraza, soldado estadista de la República* (1965), *Yucatán en la patria* (1968), síntesis histórica de su entidad; *Confesiones de un gobernador* (1978), *Los últimos noventa y un días* (1979), *Los caciques* (1979), *Mil días de Quetzalcóatl* (1980), *El juicio* (1984) y *Que la nación me lo demande* (1986), libro póstumo que publicaron sus hijos el mismo año de su muerte.

LORETO, BERNARDINO. Nació en Guadalajara, Jal., en la segunda década del siglo XIX; murió en la ciudad de México en 1868. Fue director de música sacra en Morelia, organista y maestro de capilla de la catedral. Posteriormente alcanzó en la ciudad de México fama como compositor. Entre sus obras figuran: el *Himno Vexilla Regis*, la *Kalenda de Navidad* y la *Misa de Gallo*.

LORO. Nombre que se aplica a varias especies de peces de la familia Scaridae, orden Perciformes. Son de cuerpo robusto, oblongo y moderadamente comprimido. Dependiendo de la especie, la talla de los machos adultos oscila entre 45 cm y 4 m de longitud. El perfil de la cabeza es redondeado; los machos más grandes presentan, además, un abultamiento frontal. La principal característica de estos peces es la presencia de un fuerte "pico" formado por la fusión de los dientes. Esta fusión es en ocasiones tan completa que solamente se aprecia una línea de sutura en su parte media. La boca no es protráctil; cuando está cerrada, la placa dentaria de la mandíbula superior puede cubrir parcialmente a la inferior (en el género *Scarus*) o viceversa (en el género *Sparisoma*). En algunos géneros primitivos (*Nicholsina*) la fusión dentaria no es completa y pueden apreciarse dientes similares a los caninos. Internamente, en el fondo de la cavidad bucal, los huesos faríngeos superiores e inferiores llevan de una a tres hileras de dientes molariformes. Los de la parte superior tienen una superficie convexa que encaja en la superficie cóncava de los inferiores. Por medio de la acción de los músculos asociados, este conjunto actúa a manera de molino y es capaz de triturar la caliza coralina. La aleta dorsal es continua, su parte anterior está formada por nueve espinas delgadas y flexibles, y la posterior por 10 radios blandos. La anal lleva tres espinas y nueve radios; y la caudal, dependiendo de la talla del pez, puede ser truncada o lunada. Las aletas pélvicas son abdominales y las pectorales amplias. El cuerpo está cubierto de escamas grandes, suaves al tacto, que se extienden inclusive sobre las mejillas. Los peces loro muestran una coloración especialmente brillante que varía en función de la edad y el sexo de los individuos. Dependiendo de la especie, predominan los colores verde, azul claro, rosa, rojo anaranjado o amarillo, generalmente con otros matices contrastantes. Las hembras son más pálidas y los juveniles se caracterizan por la presencia de estrías o manchas sobre un fondo pardo o rojizo. Numerosas especies pueden pasar por tres fases de coloración diferente a lo largo de su vida. Los peces loro están ampliamente distribuidos en todos los mares tropicales. Habitan en la vecindad de las costas, a profundidades no mayores de 60 m. Son especialmente abundantes en los arrecifes coralinos. Aunque de acuerdo a su dieta pueden considerarse como omnívoros, una fracción muy importante de su alimento lo constituyen los pólipos coralinos que son ingeridos junto con fragmentos más o menos grandes de material calcáreo. Estos trozos son finamente triturados por la acción del "molino faríngeo" antes de pasar al aparato digestivo, en donde se aprovecha la materia orgánica. Por su parte, el material inorgánico es expulsado con los excrementos en forma de arena fina. De esta manera, los peces loro son los principales responsables de la erosión de los arrecifes coralinos en los lugares donde la acción de las corrientes y mareas es débil. Tal es el caso del mar Caribe, donde una buena parte de las arenas finas de sus playas ha sido el resultado de la actividad alimenticia de estos peces. En los mares mexicanos están representados por *Scarus guacamaia*, *S. coeruleus*, *Sparisoma axillaris*, *S. chrysopterus* y *Nicholsina usta*, en el golfo de México; y en el Pacífico por *Scarops perrico* y *Scarus californiensis*, principalmente. Su carne es suave y debe consumirse fresca, ya que es de difícil conservación. Se pescan principalmente con trampas, anzuelos y arpones. Los individuos grandes pueden causar envenenamiento por "ciguatera".

LOROS. Aves de la familia Psittacidae, orden Psittaciformes. *Amazona farinosa* (*loro cabeza azul*) es uno de los más grandes del género, pero muy raro y poco conocido. De cuerpo robusto, mide hasta 40 cm. Es verde grisáceo, con las regiones inferiores más pálidas; tiene la corona y la parte posterior del cuello azul pálido, las puntas de las plumas de la cola verde amarillento, las alas con una mancha roja característica, el iris color naranja, y el pico y las patas negruzcas. Vive en los bosques húmedos de Veracruz, Oaxaca y Chiapas. Vuela casi siempre en parejas o en pequeños grupos de cuatro a seis individuos. Anida de preferencia en los huecos de los grandes árboles. Se le domestica con facilidad, pero no aprende a hablar. Se alimenta de frutas y semillas.

2. *A. autumnalis* (*loro mejilla amarilla*). Ave de 30 a 35 cm. Es generalmente verde, con la frente roja, la corona y el cuello azul pálido, y una mancha amarilla abajo del ojo, hasta la base de la mandíbula inferior. Las plumas primarias son verdes y negras, y las secundarias rojas. La cola –cuadrada– lleva plumas verde oscuro, con las puntas verde pálido. El iris es amarillo, el pico gris con una mancha negra en la base, y las patas negruzcas. Vive principalmente en las zonas húmedas del este y sureste de Tamaulipas, San Luis Potosí, Oaxaca, Chiapas, Tabasco y Campeche. Vuela en parejas o en grupos pequeños. Su alimento lo constituyen frutas y semillas.

3. *A. ochrocephala* y *A. oratrix* (*loros cabeza amarilla*). Son de color verde, con la cabeza y la nuca amarillas, una mancha roja en las alas y la cola cuadrada, cuyas plumas laterales son rojas en la región basal. Tienen el pico gris oscuro, con una mancha blanca cerca de la base; el iris color naranja y las patas negruzcas. Se distribuyen de Nayarit a Chiapas, por la costa, y de Tamaulipas al sur. Se domestican fácilmente. Entre los loros mexicanos son los que aprenden a hablar con mayor facilidad; memorizan palabras, dichos y canciones. Son capaces de aprender suertes y aun de abrir la puerta de su jaula. Se alimentan de frutas y semillas.

4. *A. albifrons* (*loro manglero*). Es verde brillante, con plumas blancas alrededor de los ojos y en la frente. Las plumas de vuelo son verdes y negras; el iris amarillo, y el pico y las patas amarillentas. El macho lleva una mancha roja en las alas. Habita en las regiones áridas de ambas costas cerca del mar, en los manglares y en la vegetación próxima a las dunas. Se domestica fácilmente, pero no aprende a hablar. Se alimenta de semillas y frutas; anida en los agujeros de los árboles.

LOSA, FRANCISCO. Nació en Cea, España, en 1530; murió en la ciudad de México en 1624. En 1565 llegó al país; en 1569 fue cura en el sagrario de la catedral metropolitana, y en 1577 conciliario de la Universidad de México. El arzobispo Pedro Moya de Contreras lo comisionó para que investigara las virtudes morales de Gregorio López, que había alcanzado celebridad por su vida de eremita. Losa pasó a las barracas de Santa Fe en las afueras de la ciudad de México, y convencido de las virtudes del ermitaño López convivió con él hasta su muerte. Escribió *Vida del venerable siervo de Dios Gregorio López*, impresa en 1613 por Juan Ruiz. La obra fue traducida al francés por el jesuita Luis Conart y publicada en París en 1644; reimpresa por lo menos ocho veces y traducida, completa o resumida, al italiano y a otras lenguas europeas. Después de la muerte de Gregorio López, Losa fue nombrado abad de la Congregación de San Pedro.

LOSADA, JUAN MIGUEL DE. Nació en La Habana, Cuba; murió probablemente en la

LOS MOCHIS

ciudad de México hacia 1856. Fue autor del poema que le sirvió al compositor Carlos Boxhsa para componer un canto patriótico dedicado al entonces presidente de México José Joaquín de Herrera, que cantó Ana Bishop en el Teatro Nacional el 21 de febrero de 1850. Para el teatro escribió: *Contrita, inconfesa y mártir*, *El Grito de Dolores* (estrenada en el Teatro Nacional el 20 de enero de 1850), *Tras una nube una estrella* (estrenada en beneficio del pintor y escenógrafo Eduardo Riviere, el 17 de diciembre del mismo año), *La vuelta al mundo y El cordón de seda* (1854).

LOS MOCHIS, SIN. Ciudad cabecera del municipio de Ahome. A principios del siglo XX era un paraje donde se levantaban unas tres chozas, pero en 1904 el norteamericano Benjamin Francis Johnston trasladó allí un pequeño ingenio azucarero que tenía en El Águila. A partir de entonces Los Mochis creció con rapidez: en 1910 tenía 1 168 habitantes; en 1930, 10 mil; en 1950, 21 552. En 1990 Ahome tenía 305 507 habitantes. Los grandes sistemas de riego de la zona norte fueron un factor decisivo para su progreso. Su fundador trazó la ciudad siguiendo el modelo norteamericano: calles anchas y rectas, a las que después se añadieron avenidas y boulevares. Además de ser el centro de una región con gran potencial económico, se encuentra a sólo 15 km del puerto de Topolobampo. Está pavimentada casi en su totalidad, y los servicios de agua potable y energía son suficientes; pero el drenaje de aguas negras ha sido un problema difícil de resolver debido a lo plano del terreno.

El municipio de Ahome está situado en el extremo noroccidental de la entidad. Linda al norte con el estado de Sonora, al este con el municipio de El Fuerte, al sur con el de Guasave y al poniente con el golfo de California. Tiene una extensión de 4 342 km² y una población de 254 681 habitantes (Censo de 1980). Su clima es estepario, bastante cálido durante el verano y benigno en el invierno, aunque en esta última estación a veces se registran heladas que no son de larga duración. El terreno es plano en su mayor parte. En el sur se encuentran parte de la sierra de San Pablo y la pequeña serranía de Navachiste (de este a oeste), que forma las bahías de Topolobampo y San Carlos. Cerros aislados son los de La Memoria, Batequis y Baturi. Atraviesa el municipio el río

de El Fuerte (de este a oeste), que desemboca en el estero de Las Piedras. El territorio, además, está surcado por numerosos canales que se derivan de las presas de almacenamiento Miguel Hidalgo y Josefa Ortiz de Domínguez, ubicadas en la municipalidad de El Fuerte. Al sur del litoral, lindando casi con el municipio de Guasave, se halla la bahía de Topolobampo, considerada como uno de los más grandes puertos naturales del mundo, pues forma en su interior una segunda, circular, llamada San Carlos. A partir de Topolobampo, la costa hace una gran curva al poniente, hasta la bahía de Agiabampo, donde se inicia el límite con Sonora. En toda su extensión corre frente al canal, que cierra al oeste y al suroeste, la isla de Santa María. Son notables en esa zona el estero de Lucenilla y la isla homónima, con la bahía de San Ignacio; el estero de Las Piedras, o sea la Boca de Ahome, que sirvió de puerto y donde entra al mar el río de El Fuerte, y la península que cierra la bahía de Agiabampo, con el estero de su nombre.

La carretera México-Nogales atraviesa el municipio de sur a norte, y la de Choix a Topolobampo de oriente a poniente. El Ferrocarril Chihuahua-Pacífico empieza en Topolobampo y llega hasta Ojinaga, Chih., y el Ferrocarril Mexicano del Pacífico es local y sirve para el transporte de caña de azúcar. El municipio cuenta con seis radiodifusoras, cinco en Los Mochis (XEGS, XECV, XECW, XEHS y XETNT) y una en Topolobampo (XEZA); y con dos estaciones televisoras en la cabecera (XJB-TV Canal 4 y XECG-TV Canal 12).

Años atrás, la municipalidad cifraba su vida económica en el ingenio azucarero de Los Mochis y en una agricultura de temporal, pero con la apertura del sistema de riego de la gran presa Miguel Hidalgo, las actividades productivas se ampliaron considerablemente. En una superficie de 120 mil hectáreas se cultiva trigo, soya, cártamo, algodón, caña de azúcar, ajonjolí, arroz, frijol, garbanzo, maíz y verduras, principalmente chile, jitomate, ejote, berenjena, pepino, chícharo y calabacita. La ganadería de vacuno y de porcino, y la producción de huevo y aves de corral son también considerables.

Síntesis histórica. La región comprendida en lo que hoy es el municipio de Ahome, estuvo ocupada desde la época precortesiana por tribus del grupo cahita, especialmente los ahomes. De cultura neolítica, tenían hábitos guerreros y practicaban el canibalismo. Sus primeros contactos con los españoles no afectaron su vida, pues los conquistadores hicieron sus correrías en la zona del Alto Fuerte. Sí modificó su existencia, en cambio, la presencia de los misioneros jesuitas, quienes establecieron su centro de operaciones en la villa de San Felipe y Santiago de Sinaloa. El padre Andrés Pérez de Ribas fundó en 1605 las misiones de Ahome y San Miguel Zuaque (hoy Zapotitlán). En 1740, sin embargo, los ahomes se unieron a los yaquis en la gran rebelión que trastornó el sur de Sonora. En 1767 los jesuitas fueron expulsados de los dominios españoles y, aunque rica en tierras de cultivo, la región permaneció ociosa durante más de 100 años, habitada por gran cantidad de indígenas y unos cuantos blancos. A fines del siglo XIX se iniciaron los trabajos de una factoría azucarera, pero quien redescubrió esa área fue Albert Kimsey Owen, que allí quiso fundar una república socialista. Buen número de extranjeros empezaron a trabajar la tierra, pero la pobreza, las enfermedades y las disputas hicieron que fracasara el proyecto. A esto se agregó la ambición de un joven norteamericano, Benjamin Francis Johnston, quien aprovechó las diferencias entre los colonos para apoderarse de las tierras y de un canal que habían construido, y fundó un ingenio azucarero en la hacienda El Águila, el cual trasladó a Los Mochis en 1904 para dar nacimiento a la *United Sugar Co.*, base de un imperio económico que duró bastantes años e hizo surgir a Los Mochis. Durante los días de la lucha armada revolucionaria, la región fue teatro de las correrías de un indio natural de Jaguara, llamado Felipe Bachomo, que logró unificar a su raza. Entró a Los Mochis varias veces, donde sus hombres se dedicaron al pillaje. Afiliado al villismo, acabó por rendirse, y un consejo de guerra lo condenó a muerte, siendo fusilado en Los Mochis. El 29 de diciembre de 1916 se expidió el decreto que creó la municipalidad de Ahome, segregándola del distrito de El Fuerte, y señalándole por cabecera la villa de aquel nombre. Posteriormente la cabecera se cambió a Los Mochis.

Otro poblado de importancia dentro del municipio es el puerto de Topolobampo, con una población estimada de 5 mil habitantes en 1980. La bahía de la cual toma su nombre, está bien abri-

gada; la barra se halla a 12 millas de la Punta de Santa María, y desde allí la profundidad del canal va en aumento hasta alcanzar de 10 a 12 brazas. La bahía tiene 15 millas de longitud y en su entrada hay una barra peligrosa. Existe un muelle de 50 m de largo frente a la población, en el que pueden atracar barcos medianos, pues la profundidad es de cuatro brazas. Hasta fines del siglo XIX, la bahía era prácticamente desconocida. Albert Kimsey Owen fue el primero en advertir las grandes posibilidades que ofrecía, y aun pensó en fundar allí la Ciudad del Sol, proyecto que nunca se realizó. Las obras de habilitación del puerto, aunque urgentes, se han venido posponiendo de tiempo atrás; inclusive se dio prioridad a las del Ferrocarril Chihuahua-Pacífico, que hoy sólo transporta turistas porque se carece de instalaciones portuarias. Siendo Topolobampo, sin embargo, la salida natural de los productos del norte del país y del centro de Estados Unidos, se prevé su gran desarrollo en el futuro. (A.N.A.).

LOTERÍA NACIONAL. Organismo público descentralizado, con personalidad jurídica y patrimonio propios, cuya función consiste en contribuir al presupuesto de egresos de la Secretaría de Salud, mediante la emisión de billetes que participan en sorteos públicos de premios en numerario. La actual institución fue restablecida por el presidente Adolfo de la Huerta (*Diario Oficial*, 15 de julio de 1920), pues habiendo sido fundada como Lotería de la Beneficencia Pública el 14 de septiembre de 1881, fue suprimida en 1915 por el presidente Carranza. El 20 de agosto de 1920 quedó adscrita a la Secretaría de Hacienda, regida por un consejo de administración de cinco miembros, y con la obligación de celebrar sorteos ordinarios periódicos: tres menores, con premios de 10 mil, 20 mil y 30 mil pesos; y uno mayor, de 50 mil. El reparto en aquéllos era del 66.5% del valor nominal de la emisión, y del 70% en éste; el número de billetes, de 20 mil; y los precios de cada uno, según la magnitud del premio mayor, de 2, 4, 6 y 10 pesos. Los sorteos extraordinarios tenían premios máximos de 100 mil, 200 mil y 500 mil pesos (20, 40 y 100 pesos el billete) y se verificaban en fechas discrecionales. El 25 de abril de 1921 (*Diario Oficial* de esa fecha) el presidente Obregón dispuso que los gastos de la Lotería, incluyendo el pago de personal, se cubriesen con cargo al producto de

LOTERÍA

las rifas; y el 24 de agosto de 1924 (*Diario Oficial*) que se crease la Junta Directiva de la Beneficencia del Distrito Federal, encargada de manejar la Lotería de modo independiente. El 14 de junio de 1940 (*Diario Oficial*) el presidente Lázaro Cárdenas convirtió la institución en Lotería Nacional para la Asistencia Pública, confió la presidencia del consejo al secretario de Asistencia (después de Salubridad y Asistencia); reservó al Ejecutivo el nombramiento de tres consejeros, uno de ellos el gerente; ordenó la creación de los fondos de reserva y garantía, y ordenó la entrega mensual de los productos a la dependencia destinataria. De esa misma fecha es el Reglamento para la Venta de Billetes de Lotería en el Distrito Federal, expedido por el Departamento. El Reglamento Interno de la institución, a su vez, se publicó el 13 de noviembre de 1940. En él se definen los billetes como "títulos representativos de las participaciones de sus tenedores", y se faculta al Consejo para dividirlos en tantas series y fracciones como más convenga. Se ratifica, además, que debe ser repartido el 65% del valor de las emisiones y se indica que los premios no cobrados un año después de celebrado el sorteo, pasarán a formar parte de las utilidades de la Lotería.

En el primer trimestre de 1988 la Lotería Nacional celebraba los siguientes tipos de sorteos: mayores, todos los martes, con premio de $800 millones en ocho series ($100 millones cada una) y emisión de 53 mil billetes; superiores, todos los viernes, con premio de $1 120 millones en ocho series ($140 millones cada una) y emisión de 50 mil billetes; y magnos, ocasionales, con premio de $7 mil millones en siete series, o de $3 mil millones en tres series. A partir de 1988, el precio de los billetes se incrementaría cada trimestre. Para el segundo trimestre, el sorteo mayor sería de $960 millones en premios, el superior de $1 280 millones, los magnos de enero y mayo de $2 billones, y el sorteo Zodiaco de $400 millones. Aparte el primer premio, se otorgan cada vez otros de monto variable (directos, por aproximaciones y por terminaciones) y un cierto número de reintegros, de modo que la suma del reparto sea exactamente el 65% del valor de la emisión. La comisión a los vendedores es del 10% y los gastos de administración del 3.5%, de suerte que los fondos que se entregan a la Secretaría de Hacienda, para que a su vez los destine a la de Salud, representan el 21.5% del total de recursos que maneja la institución. En 1974, siendo director Carlos Argüelles del Razo, fueron incorporados al régimen del seguro social los billeteros ambulantes. En 1978, durante la dirección del licenciado Luis Barrera González, se creó, como parte de la propia Lotería Nacional, la sección de Pronósticos Deportivos, que se independizó años más tarde. El 1° de abril de 1984 se celebró el primer sorteo Zodiaco, que desde entonces se realiza cada domingo; comprende dos series con 10 mil billetes por signo, de manera que la emisión es de 240 mil. Este sorteo se creó durante la dirección de Jesús Rodríguez y Rodríguez (1982-), así como un fideicomiso y el seguro de vida para los billeteros.

Historia. El 7 de agosto de 1770 se conoció en la ciudad de México la autorización que en abril anterior había dado Carlos III a Francisco Xavier Sarría para que estableciera una lotería en Nueva España, pagando éste un 14% de las utilidades a la Corona. Tras dos intentos frustráneos, el 13 de mayo de 1771 se celebró el primer sorteo, cuando apenas se tenía un fondo de 84 mil pesos. El 13 de julio siguiente se otorgaron premios mayores de 10, 8 y 5 mil pesos, y se fijó el precio del billete en 4, pudiéndose dividir en mitades y cuartos. El éxito de la rifa del 13 de septiembre movió al virrey marqués de Croix a disponer que se celebrasen cada 40 días. Ocurrió en los años siguientes que los tenedores de los billetes premiados volvían a rifarlos, por lo cual el virrey Bucareli penó esa práctica. En los primeros 11 años, la Corona obtuvo utilidades por 714 354 pesos. El virrey Martín de Mayorga añadió un cargo del 2% a los concesionarios de la lotería, destinado al Hospicio de Pobres. Este fue el primer acto oficial en que las rifas se vincularon a la asistencia pública. Más tarde, sin embargo, esa tasa se cambió por 12 mil pesos al año. En esa época (1779-1783) surgieron varias loterías pequeñas, entre ellas las del Señor San José, Nuestra Señora de Santa Teresa, Nuestra Señora de La Soledad y la Virgen de Guadalupe, cuyos productos se aplicaban al sostenimiento de obras pías. En 1790, Carlos III le negó al virrey segundo conde de Revillagigedo el permiso para establecer una lotería destinada a financiar las reparaciones de Palacio y a concluir el alcázar de Chapultepec. Hacia 1804, el virrey Iturrigaray impidió que se siguieran vendiendo billetes en La Habana, pues empezaban a escasear en México. Ese mismo año se despidió al director de la Lotería, Luis Noailles, por deshonesto, y se aumentó el primer premio de 52 mil a 90 mil pesos para volver a prestigiar a la institución. El 19 de octubre de 1810 se celebró el sorteo número 522, último del periodo colonial. Hasta entonces la Corona había percibido 3 millones de pesos. El virrey Calleja quiso reimplantar las rifas en plena Guerra de Independencia, pero los únicos que adquirieron billetes, porque se les obligó a ello, fueron los empleados públicos.

El Congreso Constituyente de 1824 restableció la institución, pero ésta no empezó a funcionar nuevamente sino hasta 1831. Mal administrada y saqueada por todos los gobiernos, en 1838 sólo disponía de 20 mil pesos y debía 40 mil de premios. En 1843 el presidente Canalizo dispuso que la Lotería del Estado pasara a depender de la Academia de San Carlos, a cuyo sostenimiento se dedicó hasta 1861, en que el presidente Juárez decretó la creación de la Lotería Nacional, prohibiendo cualquier otra. Hubo, sin embargo, una excepción: la Lotería del Ferrocarril de México a Toluca, que funcionó por 18 meses para contribuir a sufragar los gastos de esa obra. Durante el gobierno del presidente Lerdo de Tejada se toleró el funcionamiento de muchas otras que ayudaban a sostener al Hospital de Mendigos, las escuelas de Ciegos y de Artes y Oficios para Mujeres, y el Banco de Socorro para Artesanos y Labradores Pobres. En 1877 se fundó, finalmente, la Lotería de la Beneficencia Pública, dirigida por el doctor Eduardo Liceaga y cuyo primer sorteo fue el 24 de febrero de 1878. En 1888 el presidente Díaz otorgó la concesión a Pedro Baranda y éste la traspasó a la Compañía Internacional de Mejoras, la cual entregó al gobierno 600 mil pesos. Con estos recursos pudieron construirse el Hospital General y el manicomio de La Castañeda a principios del siglo XX.

La Lotería Nacional ocupó originalmente el Palacio de Buenavista, estableciéndose en 1945 en el notable edificio de Paseo de la Reforma núm. 1, obra del ingeniero José A. Cuevas (v. INGENIERÍA). Su gran expansión, sin embargo, ha obligado a construir uno nuevo (1973) frontero al anterior, que sólo se ocupa parcialmente.

Han sido directores de esta institución en sus varias etapas: Francisco Javier Sarriá (1770-1779), Juan Ordóñez (1779-1783), Francisco de la Rocha y Landeche (1784), Francisco Javier de Sarriá (1795), Juan Vicente Arce (1795-1802), Luis Noailles (1802-1804), Ramón Gutiérrez del Mazo (1804-1805), Joaquín Obregón y San Román (1805-1809), Bonifacio de Amezola (1810), Joaquín Obregón y San Román (1810), Leandro Cuevas (1843), Mariano Riva Palacio (1870), Leandro Cuevas (1872), Isidoro de la Torre (1872), Eduardo Liceaga (1878-1881), Leandro Cuevas (1882-1894), Mariano Ortiz de Montellano (1894-1899), José Maza (1899, sólo un mes), Jesús Navarrete (1899-1908), Pedro Sandoval y Gual (1908-1914), Santiago González Cervantes (1914-1919), José Covarrubias (1920-1932), Manuel E. Otálora (1932-1936), Julio Madero (1936-1939), Alfonso Priani (1939-1942), Wenceslao Labra (1942-1946), Carlos Real (1946-1958), Salvador Urbina (1958-1961), José María González Urtusuáztegui (1961-1964), Rafael Corrales Ayala (1965-1970), Carlos Argüelles del Razo (1970-1976), Roberto de la Madrid Romandía (1977), Luis Barrera González (1977-1982) y Jesús Rodríguez y Rodríguez (desde 1982).

LOTHROP, SAMUEL KIRKLAND. Nació en Milton y murió en Belmont, ambas de Massachusetts, EUA (1892-1965). Bachiller en artes (1915) y doctor en filosofía y letras (1921) de la Universidad de Harvard. Arqueólogo especializado en Centroamérica, ha escrito sobre el área mayense, entre otros: "*The archictecture of the ancient mayas*", en *The Architecture Records* (1923); "*Tulum. An archaeological study of the east coast of Yucatan*", en *Publications. Carnegie Institution of Washington* (1924); "*Exodus and iliad in ancient America. The civilization of the mayas*", en *The Independent* (1925); "*A quiche altar*", en *Man* (1926); "*The records Maya and the fourth voyage of Columbus*", en *Indian Notes. Museum of the American Indian* (1927); "*A Nicoyan polychrome vase*", en *Indian Notes...* (1927); "*Santiago Atitlan, Guatemala*", en *Indian Notes* (1929); "*Sculptured fragments from Palenque*", en *Journal. Royal Anthropological Institute of Great* (1929); *Atitlan. An archaeological study of ancient remains in the borders of lake Atitlan, Guatemala* (1933); *Zacualpa: a study of ancient quiches artefacts* (1936); "*Sculptured pottery of the maya and pipil*", en *Bulletin. Musée Royaux des Arts Decoratifs et Industrielles*

(1936); *An exhibition of ancient american gold and jade. The Taft Museum* (1950), y "Los nahoas. Éxodo, peregrinación y asentamiento de los pueblos nahuatles en Nicaragua, según sus tradiciones y datos arqueológicos", en *Instituto Nacional Indigenista* (Nicaragua, 1959-1960). Es coautor, además, con W.F. Fashag y Joy Mahler, de *Precolumbian art* (1957).

LOUBAT, DUQUE DE (Joseph Florismond). Nació en Nueva York, N.Y., EUA, en 1831; murió en París, Francia, en 1927. Se graduó de bachiller en letras en la Sorbona y fue doctor *Honoris Causa* por la Universidad de Iena. Desde 1888 empezó a ser espléndido mecenas de los estudios americanistas, particularmente en las ramas de historia, arqueología y antropología. Estableció varios premios a favor de las academias de Inscripciones y Bellas Artes de París (1889), de Ciencias de Berlín (1889), de Bellas Letras, Historia y Antigüedades de Estocolmo (1890) y de la Real de Historia de Madrid (1892), así como de la Universidad de Columbia (1892). A ésta le donó Dls. 100 mil para instituir la cátedra de arqueología americana, y 1 millón adicional como fondo permanente. Cedió otras cantidades a la Real Universidad de Berlín (1899), al Colegio de Francia (1892) y a la Facultad de Medicina de París (1905), para estimular la investigación científica. Fue presidente de honor de los Congresos Internacionales de Americanistas de París (1900), Nueva York (1902) y Stuttgart (1904). En reconocimiento a su munificencia y a los beneficios que hizo a la Iglesia católica, el papa León XIII le otorgó el título nobiliario que ostentaba. A su costa, hizo reproducir algunos códices mexicanos, impresos en excelentes fotocromografías a colores, superando en mucho, en fidelidad, a la monumental edición de Lord Kingsborough. Son los siguientes: *Codex Vaticanus 3773* o *Codex Vaticanus B* (Roma, 1896) y *Codex Vaticanus 3378* o *Códice Ríos* (Roma, 1900), con interpretaciones de Francisco del Paso y Troncoso; *Codex Borbonicus* (París, 1899) y *Codex Telleriano-Remensis* (París, 1899), explicados por E.T. Hamy; *Códice Borgiano* o *Borgia* (Roma, 1898) y *Tonalámatl de Aubin* (Berlín, 1900), interpretados por Eduardo Seler; *Codex Fejervary-Mayer* (Londres, 1901) y *Codex Magliabecchiano XIII-3* o *Códice Magliavecchi* (Roma, 1904). Publicó además la obra de José Ignacio Borunda: *Clave general de interpretación de los jeroglíficos mexicanos* (Roma, 1898). En las disertaciones *Gesammelte Abehandlungen zur Amerikanischen Sprach und alterkumskunde* (Berlín, 1902-1915) de Eduardo Seler, se incluyeron por cuenta suya los códices *Tonalámatl, Fejérváry-Mayer, Vaticano 3733* y *Borgia*. Estas ediciones son de 80 a 100 ejemplares cada una, lo que las hace extremadamente raras y caras. En 1900 Loubat visitó México y pretendió sin éxito explorar en la zona arqueológica de Teotihuacan. Lo hizo, en cambio, en la isla de Delos, Grecia.

LOURDES, MANUEL GUILLERMO. Nació en Texcoco, Méx., en 1898; murió en San Luis Potosí, S.L.P., en 1971. Pintor, hizo en su juventud gran cantidad de dibujos con temas religiosos y de la vida cotidiana. La tercera década del siglo XX la pasó casi toda en España, al lado de Sorolla, Julio Romero de Torres, Zuluaga y otros maestros. A su regreso al país, aparte cuadros de caballete, hizo varios murales: una historia de los medios de transporte en México y algunas escenas de Granada, en Aguascalientes; una alegoría de la Conquista, en Zacatecas; y pasajes de la Revolución, en Gómez Palacio y en el Palacio de Gobierno de Durango. Una colección de obras de Lourdes, propiedad de Fernando Juárez Frías, fue expuesta en el Centro Cultural José Guadalupe Posada, en la ciudad de México, en la primavera de 1985.

LOWERY, WOODBURY. Nació en Nueva York, EUA, en 1853; murió en Taomina, Sicilia, Italia, en 1906. Químico y abogado, se convirtió con el tiempo en historiador, hurgando en archivos de México, Madrid, Sevilla, París, Londres y Roma. Llegó a formar una valiosa colección de manuscritos y mapas antiguos de Europa y América, que donó a la Biblioteca del Congreso de Washington. Publicó el *Catálogo* de su colección con una lista erudita de los 300 planos que la componen, titulado *The Lowery collection* (1912). Escribió: *The spanish settlements within the present limits of the United States, 1513-1561* (1901) y *The spanish settlements within the present limits of the United States: Florida 1562-1574* (1905).

LOWRY, MALCOLM. Nació y murió en Inglaterra (1909-1957). Estudió en Cambridge, se embarcó a la aventura un par de veces, pasó largas temporadas en España y en las Antillas, y vivió en Canadá, en Los Ángeles y en Cuernavaca (de 1936 a 1938). Escribió la novela *Under the volcano* (1947), cuya trama se desarrolla en Cuernavaca y sus alrededores.

LOYO, GILBERTO. Nació en Orizaba, Ver., en 1901; murió en la ciudad de México en 1973. Estudió primaria y preparatoria en su ciudad natal, derecho en la Universidad Nacional de México y economía y estadística en la Universidad de Roma, donde obtuvo la licenciatura en 1932. En 1946 recibió el grado de doctor *Honoris Causa* de la Universidad de Veracruz. Ha sido catedrático en la Escuela Nacional de Agricultura, en el Instituto Politécnico Nacional y en la Universidad Nacional Autónoma de México (UNAM). Por más de ocho años fue director de la Escuela Nacional de Economía, donde previamente había fundado la clase de demografía. Desde 1930 ha participado en el levantamiento de los censos nacionales. A él se deben muchas de las innovaciones en los cuestionarios y la creación del Departamento de Muestreo Estadístico. Fue director general de Estadística (1950) y presidente del consejo técnico de los censos (1960). De 1952 a 1958 desempeñó la cartera de Economía en el gobierno del presidente Adolfo Ruiz Cortines. En enero de 1963 fue nombrado presidente de la Comisión Nacional de Salarios Mínimos, cargo que combinó con los de coordinador del Comité Asesor del Fideicomiso de Minerales no Metálicos y consejero del Banco Nacional de Comercio Exterior. Hasta 1971 fue miembro de la Junta de Gobierno de la UNAM. Fundó, además, el Centro de Investigaciones Agrarias.

Representó a la UNAM en el Congreso Internacional de Ciencias Históricas (Budapest, 1931) y en el Primer Congreso Mundial para el Estudio de los Problemas de la Población (Roma, 1931); y al Gobierno de México en los congresos internacionales de Estadística (1931 y 1933), en el Interamericano Indigenista (Pátzcuaro, 1941), en el Demográfico Interamericano (México, 1943), en la Convención Regional Fiscal de la Sociedad de Naciones (1945), en la Primera Reunión del Comité del Censo de las Américas (Washington, 1947), en la Conferencia de Estados Americanos (Bogotá, 1947), en el primer Congreso de la Comisión Económica para América Latina (San-

tiago, 1948), en el Internacional de Estadística (Berna, 1949), en la Asamblea General de las Naciones Unidas (París, 1948), en el XIV Congreso Internacional de Sociología (Roma, 1950), en la XII Reunión del Consejo Económico y Social de las Naciones Unidas (Santiago, 1951), en la Primera Sesión de la Comisión de Mejoramiento de las Estadísticas Nacionales y en la IV Sesión del Comité del Censo de las Américas (Washington, 1951), en la Quinta Conferencia Interamericana de Agricultura, en la Sexta Regional de la FAO para América Latina y en el XIX Congreso Internacional de Sociología, que presidió en la Ciudad de México (1960). En 1961 encabezó una misión mexicana a Italia y Austria con el propósito de estudiar los sistemas de los organismos descentralizados, así como de las empresas de participación estatal.

En 1923 obtuvo el primer premio en los Juegos Florales Latinoamericanos, organizado por el Ateneo Nacional de Abogados, y siguió escribiendo poesía y ensayos literarios hasta el año siguiente, entre otros *El paisaje en la poesía de Díaz Mirón*, *Esencia de la veracruzanidad* y *Hombre de niebla, sol y lluvia*. Es autor de los siguientes trabajos: *Sobre enseñanza de la historia* (1929), *La emigración de mexicanos a los Estados Unidos* (1931), *Las deficiencias cuantitativas de la población de México y una política demográfica nacional* (Roma, 1932), *La concentración agraria en el mundo* (1933), *Sobre estadísticas internacionales de los efectos protestados y de los secuestros ejecutados teniendo como base títulos de crédito* (1933), *La política demográfica de México* (1935), *Evolución de la definición de estadística* (1939), *La concentración agraria en 28 países* (1941), *Esquema demográfico de México* (1946), *La presión demográfica* (1949), *Lugar de un censo agrícola en un sistema de estadísticas nacionales* (1959), *La Revolución Mexicana no ha terminado su tarea* (1960), *La población de México, estado actual y tendencias 1960-1980* (1960), *Notas sobre población y desarrollo económico* (1963), "Algunos problemas demográficos de México y América Latina", en *Cuadernos Americanos* (enero-febrero de 1967), "Demasiados hombres, valores humanos y explosión demográfica", en *Espejo* (núm. 8), y tres breves estudios: *Desarrollo regional* (1970), *Inmigración al Distrito Federal* (1970) y *Gobernar es poblar* (1970).

LOZA, SIMÓN. Nació en Churipiceo, Gto., en 1855; murió en Puebla, Pue, en 1889. Fundó y dirigió en Guanajuato *El Consejero de los Niños*, periódico de carácter científico-religioso. En 1886 se incorporó a los misioneros metodistas: fundó la Biblioteca Pública de la ciudad de Guanajuato y centros de esa confesión en Irapuato, Salamanca, Celaya, Orizaba y Puebla.

LOZADA, MANUEL. Nació en San Luis (hoy San Luis de Lozada), S.L.P., en 1828; murió fusilado en la Loma de los Metates, cerca de Tepic, Nay., en 1873. Hijo de Norberto García y Cecilia González, adoptó el apellido de su tío José María Lozada, con quien vivió desde temprana edad. Fue becerrero en la hacienda de Las Mojarras, de Joaquín Vega, y vaquero en la de Cerro Blanco, de Pantaleón González, a cuya esposa, Ricarda Torres, sirvió de caballerango a la muerte de aquél. Enamorado de María Dolores, hija de Ricarda, se fugó con ella, por lo cual estuvo preso en la cárcel de Tepic. Puesto en libertad, de nuevo fue detenido cuando trató de ver a su amada, y esta vez confinado al presidio de la isla de Mezcala. Otra vez libre, gracias a las gestiones de su madre, partió en busca de María Dolores y ésta lo siguió a las montañas de la sierra de Álica. Todas las haciendas de la región le cerraron las puertas por instigaciones de Ricarda Torres, que se sentía ofendida. Aguijoneado por tenaz persecución, y esquivándola, recorrió varios centros rurales hasta que logró reunir un grupo armado. Un militar de nombre Simón Mariles salió a abatirlo, pero al no encontrarlo mandó azotar a la madre de Lozada en la plaza pública. Éste cayó a poco sobre Mariles, lo mandó fusilar después de haberle dado tormento y libertó a sus soldados. A partir de entonces comenzó a tener gran popularidad entre los campesinos y vaqueros.

La casa comercial Barrón, Forbes y Cía., de capital inglés, establecida en Tepic, logró conquistar al guerrillero, por mediación de Carlos Rivas, prominente vecino, proporcionándole dinero, armas y parque, con lo cual desde 1857 hostilizó a las tropas del gobierno. El 25 de octubre de ese año tomó Ixtlán, y derrotó más tarde, en el rancho El Ocotillo, al teniente coronel José María Sánchez Román. En septiembre de 1859 dispersó a la tropa del coronel Valenzuela en San Leonel; el 2 de noviembre sitió y asaltó Tepic después de siete días de combates, dominando gran parte de Jalisco, Sinaloa y lo que es hoy el estado de Nayarit. El 7 de abril de 1860 fue vencido por el coronel liberal Antonio Rojas en Barranca Blanca, y en mayo por éste y por Ramón Corona. El gobernador de Jalisco, general Pedro Ogazón, mandó arrasar los pueblos de San Luis, Tequepexpan y Pochotitlán por considerarlos centros principales de la rebelión. Tanto éste como el presidente Benito Juárez expidieron decretos poniendo fuera de la ley a Manuel Lozada y a sus segundos Carlos Rivas, Fernando García de la Cadena y Lindoro Cajiga. Sin embargo, apenas había transcurrido un mes desde el combate de Golondrinas, último encuentro de esa campaña, cuando los lozadistas amenazaban ocupar nuevamente sus anteriores posiciones.

En 1861 una fuerza de 3 mil hombres salió a perseguirlo: la sección de Tepic y los batallones Mina, Morelos, Guerrero y Lanceros de Jalisco, a las órdenes de los coroneles Rojas, Corona y Anacleto Herrera y Cairo. Mientras penetraban a las montañas en tres columnas, el gobierno pidió a los gobernadores de Sinaloa, Durango y Zacatecas que detuvieran a los sublevados en el límite de sus entidades o se internaran en la sierra para combatirlos. Duros combates se sucedieron durante nueve días en el paso de Álica, quedando dispersos los lozadistas; pero reorganizados tomaron Tepic, y en mayo de 1861 entró Lozada a San Pedro Lagunillas, donde cometió toda índole de excesos. Ogazón salió a su encuentro, teniendo recios y comprometidos combates en Aguacapan, donde después de vencerlo le ofreció un convenio, pues acababan de llegar a Veracruz las escuadras francesa, española e inglesa, y era imperioso concertar la paz en el interior del país. El 20 de enero de 1862, Carlos Rivas, a nombre de Lozada, y Rafael Valle, representante de Ogazón, firmaron los Tratados de Pochotitlán, por los cuales se acordó disolver los contingentes de Lozada y derogar todas las posiciones dictadas en su contra; no perseguir a nadie por cuestiones políticas, nombrar autoridades neutrales en el cantón de Tepic y asumir oficialmente la defensa de los indígenas en las cuestiones de tierras con las haciendas colindantes. Pero como pasaron los meses sin que esas condiciones se cumplieran y Corona tuvo tres encuentros con los lozadistas (en las faldas del Ceboruco, el 30 de mayo, y en otros sitios, el 2 de julio y el

LOZADA

1° de agosto), Lozada recuperó Tepic y volvió a imponerse en todo el cantón.

El 15 de agosto de 1863 Lozada firmó en su cuartel general de San Luis el Acta de Adhesión al Imperio, porque todos sus enemigos pertenecían al Partido Liberal y por los compromisos políticos que había contraído con los conservadores. Más tarde Maximiliano expidió las leyes agrarias, del 1° de noviembre de 1865 y del 16 de septiembre de 1866, le mandó regalar su espada de general y un retrato suyo (1864) e hizo que Napoleón III lo nombrara miembro de la Legión de Honor (1865), con todo lo cual se ganó sus simpatías personales. Fue así como Lozada coadyuvó en la toma de Mazatlán (13 de noviembre de 1864), al lado del comandante francés L. Kergrist, derrotando a Corona en Espinazo del Diablo (1° de enero de 1865), Concordia (1° de abril) y Cacolotan (18 de abril) y entrando triunfalmente de nuevo a Mazatlán. Mantuvo expedito el camino de Magdalena a Tepic y a San Blas, para que las comunicaciones con aquel puerto no se interrumpieran. El 24 de marzo de 1866 Lozada sorprendió en Guapicori al coronel Perfecto Guzmán, dispersando sus fuerzas, entró a Sinaloa y llegó a Concordia, donde fue atacado por Corona, quien tuvo que retirarse; pero como los imperiales no lo auxiliaron, volvió a Tepic (11 de abril). Advertido sin embargo, de que Maximiliano había perdido el apoyo de los franceses, el 11 de julio de 1866 Lozada se declaró neutral, abandonando la Comadancia Superior del Departamento de Tepic, o sea la jefatura de la campaña militar. Convertido en cacique de una inmensa región, organizó la administración pública y trató de resolver los problemas de los indios en materia de propiedad, pero el clero local atenuó sus intervenciones. Restaurada la República, el presidente Juárez decretó el 7 de agosto de 1867 la erección de un distrito militar, dependiente del Gobierno Federal, en lugar del cantón de Tepic, 7o. del estado de Jalisco, en contra de lo ordenado por la Constitución de 1857 y la local de Jalisco, nombrando jefe político a Juan San Román, quien había presidido una comisión enviada por Lozada a Juárez, reiterándole su reconocimiento como presidente de la República. Poco más tarde, la casa Barrón, Forbes y Cía. retiró su apoyo al cacique nayarita. En octubre de 1872 los coroneles Práxedis Núñez y Andrés Rosales, con

mil hombres a su mando, desconocieron a su jefe Lozada y fueron a Guadalajara a unirse a Corona. Con este motivo la Presidencia pidió informes acerca de estos sucesos a Manuel Rivas, jefe político del distrito por licencia de San Román, quien envió una delegación a Lerdo de Tejada. Éste les comunicó (11 de diciembre de 1872) que los fallos sobre tierras que había pronunciado el Comité de Estudios y Deslindes, organizado por las autoridades del distrito militar, no podían reconocerse, y que debía cesar la protección a los enemigos del gobierno, principalmente a Porfirio Díaz. Lozada convocó entonces a una asamblea popular en San Luis, ya reconstruido, de donde resultó el Plan Libertador de los Pueblos de la Sierra de Álica (17 de enero de 1873), desconociendo a los poderes de la Unión.

Es probable que en su texto haya tenido ingerencia Porfirio Díaz, pues se reprodujeron algunos postulados del Plan de La Noria. Marchó Lozada sobre Guadalajara al mando del Ejercito Mexicano Popular Restaurador, según designó a sus fuerzas armadas (6 000 hombres), atacó Tequila (25 de enero) y combatió contra Corona (2 240 hombres) en el rancho de La Mojonera, retirándose derrotado hacia Tepic. Perseguido por el general José Ceballos, con la Brigada de Sinaloa, y conociéndose su escondite por testimonio de Rosales y un soldado anónimo, fue aprehendido el 15 de julio de 1873. Se le llevó a San Luis y luego a Tepic, donde fue condenado a muerte. Se le ejecutó en la Loma de los Metates el 19 de julio siguiente. Sus enemigos lo llamaron *el Tigre de Álica* por sus arbitrariedades, venganzas y crueldades; los indígenas lo tuvieron por caudillo y protector; los nayaritas lo consideran el autor de su independencia local, y no son pocos los autores que le atribuyen haber sido precursor del agrarismo.

Bibliografía: Silvano Barba González: *La lucha por la tierra. Manuel Lozada* (1956); Manuel Cambre: *La Guerra de Tres Años* (Guadalajara, 1904); Daniel Cosío Villegas: *Historia moderna de México* (10 vols., 1955-1971); *La Orquesta* (13 de agosto de 1876); "Ley para dirimir las diferencias sobre tierras y aguas entre pueblos" y "Ley Agraria", en *El Mexicano* (1° de noviembre de 1865, 16 de septiembre de 1866); José Pérez Moreno: *Ramón Corona* (Cuadernos de Lectura Popular, 1966).

LOZADA, RAFAEL. Nació y murió en la ciudad de México (1828-1903). Desde muy joven ingresó como trabajador a la sede del Congreso de la Unión; llegó a ser oficial mayor, cronista de la Cámara y director del *Diario de los Debates*. Adaptó el método de Taylor y se le considera el precursor de los taquígrafos parlamentarios.

LOZANO, ÁGUEDA. Nació en Cuauhtémoc, Chih., el 27 de mayo de 1944. Estudió en la Escuela Nacional de Artes Plásticas. Pintora, hasta 1987 había presentado unas 50 exposiciones individuales, la mayoría en el extranjero, y participado en 90 colectivas. Las más recientes han sido en la Galería Club 44 de Berna, Suiza (1979), en el Centro Cultural Chihuahua (1982 y 1986) y en el Museo del Palacio de Bellas Artes en la ciudad de México (1984 y 1987). Ganó el premio nacional de Francia en el Festival Internacional de la *Peinture Cagnes* (1972) y el de la Bienal Iberoamericana celebrada en el Distrito Federal en 1978. Paisajista y retratista, en 1979 se le incluyó en el diccionario de artistas plásticos Pequeño Larousse.

LOZANO, AGUSTÍN. Nació y murió en la ciudad de México (1835- hacia 1890). Graduado en la Academia de San Carlos, luchó con las armas contra los conservadores, la Intervención Francesa y el Imperio. Se distinguió, entre otras, en las batallas de La Cañada y el Plan de los Amates, en Guerrero (1861-1862), y en las de Acultzingo y Puebla (28 de abril y 5 de mayo de 1862). En 1865 y 1866 tuvo a su cargo la campaña para evitar la importación de armas; concurrió después a la toma de Querétaro (1867) y a la acción de la Ciudadela (1o. de octubre de 1871). Fue cónsul de México en España y por su heroica conducta en el salvamento de los náufragos del buque *Amelia*, el Ayuntamiento de Barcelona lo nombró su delegado general en México.

LOZANO, FERNANDO. Nació en México, D.F., el 2 de abril de 1940. Estudió dirección de orquesta con Francisco Savín en el Conservatorio Nacional de Música, y se perfeccionó con Pierre Dervaux, Robert Blot y Nadia Boulanger, en París; con Franco Ferrara, en Siena; con Igor Markevich, en Madrid; y con Jean Fournet, en Hilversum, Holanda. Fue semifinalista en el Concurso Internacional de Directores de Besançon, Francia, y en el Nicolai Malko de Copenhague, Dinamarca. Fundó la orquesta de cámara Opus 62 y la Orquesta de la Sociedad de Conciertos del Conservatorio, ambas integradas por jóvenes músicos. En 1971 fue nombrado titular de la Orquesta de la Ópera, puesto que ocupó hasta marzo de 1973. A partir del año siguiente inició una brillante carrera internacional. Debutó en la Ópera Estatal de Viena y ha dirigido las principales orquestas de Polonia, Alemania, Austria, Hungría y la Unión Soviética. En 1978 recibió el encargo de formar la Orquesta Filarmónica de la Ciudad de México, de la que fue director artístico durante cinco años. En 1981 obtuvo el Óscar de la Academia del Disco Francés. De 1976 a 1982 desempeñó la subdirección general de Música y Danza del Instituto Nacional de Bellas Artes.

LOZANO, FORTUNATO. Nació en la hacienda de Larraldeña, en Sabinas Hidalgo, N.L., el 14 de abril de 1877; murió en Cananea, Son., el 20 de agosto de 1964. Profesor (1899) por la Escuela Normal de Monterrey, ejerció la docencia, colaboró en *El Espectador*, fundó la revista *Contemporánea* (1909), publicó en *El Porvenir* las lecciones de filosofía que dictaba en el Colegio Civil (1941 y 1942) y presidió el Partido Liberal de Nuevo León. Es autor de *Canto a Hidalgo* (1910), *Antonio I. Villarreal, vida de un gran mexicano* (1959) y *Ondas de vida* (poemas, 1960).

LOZANO, JOSÉ MARÍA. Nació en Texcoco, Méx., en 1823; murió en la ciudad de México en 1893. Fue presidente de la Suprema Corte de Justicia y del Ayuntamiento de México, y procurador de justicia de la Nación. En colaboración con Manuel Dublán inició en 1876 la publicación de *Legislación mexicana o Colección completa de las disposiciones legislativas desde la Independencia de la República*, que hasta 1912 alcanzó 42 tomos en 51 volúmenes.

LOZANO, JOSÉ MARÍA. Nació en San Miguel el Alto, Jal., en 1878; murió en la ciudad de México en 1933. Hizo sus estudios en Guadalajara y luego en la Escuela Nacional de Jurisprudencia. En 1902, siendo aún estudiante, purgó tres meses de cárcel por haber atacado a José Ives Limantour, ministro de Hacienda, en el periódico *La*

Protesta. Formó parte de un alegre grupo de intelectuales llamado La Horda. En 1904 fue agente del Ministerio Público. En 1909 ingresó al Partido Reeleccionista, desde cuyo periódico, *El Debate*, atacó a la oposición. Representó a un distrito de Jalisco ante la XXVI Legislatura, donde constituyó, con Querido Moheno, Francisco Olaguíbel y Nemesio García Naranjo, el grupo parlamentario El Cuadrilátero. Durante el gobierno de Victoriano Huerta, ocupó los ministerios de Instrucción Pública –del 11 de agosto al 15 de septiembre de 1913– y Comunicaciones y Obras Públicas –del 15 de septiembre al 14 de octubre del mismo año–. Al triunfo de la Revolución Constitucionalista (1914), fue exiliado a La Habana. Se repatrió en 1921.

LOZANO, RAFAEL. Nació en Monterrey, N.L., el 18 de abril de 1899; se ignoran los datos de su muerte. Licenciado en leyes por la Universidad Nacional de México, publicó en París la revista internacional de poesía *Prisma* (1922-1924); en México escribió para *El Nacional* la columna "Panorama de la literatura" y la sección "Poesía en el mundo"; y en Caracas colaboró en la *Revista Nacional de Cultura*. Es autor de: *El libro del cabello de oro, de los ojos celestes y las manos blancas* (1920), *La alondra encandilada* (1921), *Haikais* (1921), *Euterpe* (1930) y *La sabiduría de la tristeza* (s.f.).

LOZANO, SAMUEL M. Nació en Cuernavaca, Mor., el 10 de junio de 1881; murió en Puebla, Pue., el 21 de mayo de 1977. Comenzó su carrera artística en 1907, cantando coplas en un circo. En 1910, en la ciudad de México, compuso el "Corrido antirreleccionista" y luego, del mismo género, "La muerte de Madero", y "Cuartelazo felicista". Recorría las calles vendiendo azucarillos y cantando sus composiciones, por lo que varias veces sufrió encarcelamientos. Dado de alta en la División del Norte, el general Villa le regaló una guitarra fina, para que le cantara a los dorados sus corridos. Es autor, además, de "Los combates de Celaya", "La muerte de Emiliano Zapata", "Viva Dios en las alturas", "La rielera", "La vida infausta" y "El mundo engañoso". En sus últimos años formó parte del espectáculo *Historia del corrido mexicano*, que patrocinó la Sociedad de Autores y Compositores de Música.

LOZANO ASCENCIO, CARLOS HORACIO. Nació en México, D.F., el 4 de noviembre de 1962. Estudió ciencias de la comunicación en la Universidad Nacional Autónoma de México, y dramaturgia en España. Ha hecho guiones para radio, cine y televisión. Es además actor, director, dramaturgo y compositor de música. Su canción "Por la paz" fue presentada por la delegación cubana en el XII Festival de la Juventud celebrado en Moscú en 1985. Es autor de *Ana, desde hace tiempo* (1983), *Feliz cumpleaños Léster* (1984) y *Arrecife esta noche*. Realizó la versión teatral del cuento de Benedetti *El cambiazo*.

LOZANO BARRAGÁN, JAVIER. Nació en Zamora, Mich., el 20 de enero de 1933. Licenciado en filosofía y doctor en teología por la Universidad Gregoriana de Roma, fue consagrado sacerdote el 30 de octubre de 1955. Desempeñó los siguientes cargos en Zamora: profesor y prefecto de estudios del Seminario, encargado de la formación permanente del clero diocesano, director del Instituto Pastoral Don Vasco, profesor de la Escuela Normal y presidente de la Sociedad Teológica Mexicana. Desde 1977 fue director del Instituto de Pastoral del CELAM, en Medellín, Colombia. Fue nombrado obispo auxiliar de México y consagrado el 15 de agosto de 1979, para ejercer el oficio de una de las ocho vicarías episcopales de la arquidiócesis. El 24 de noviembre de 1984 fue trasladado a la diócesis de Zacatecas.

LOZANO GRACIA, ANTONIO. Nació en México, D.F., el 5 de septiembre de 1953. Cursó la carrera de derecho en la Universidad Nacional Autónoma de México. Militante del Partido Acción Nacional desde 1979, ganó las elecciones a diputado por su partido en 1988 y 1994. Al poco tiempo de asumir el cargo de procurador, las investigaciones sobre los asesinatos de Luis Donaldo Colosio y José Francisco Ruiz Massieu sufrieron un avance considerable. Como resultado de estas averiguaciones, Raúl Salinas de Gortari, hermano del ex-presidente Carlos Salinas de Gortari fue detenido como presunto autor intelectual del asesinato de José F. Ruiz Massieu. También se inició una investigación sobre el ex procurador general de la república, Mario Ruiz Massieu, hermano de José Francisco.

LOZA Y PARDAVÉ, PEDRO. Nació en la ciudad de México en 1815; murió en Guadalajara, Jal., en 1898. Bachiller de la Real y Pontificia Universidad de México (1833), cultivó amistad con el doctor Lázaro de la Garza y Ballesteros, quien le administró la tonsura y las órdenes menores y lo llevó consigo cuando fue designado obispo de Sonora en 1837. Allí se ordenó sacerdote en 1838. Coadyuvó en la fundación del Seminario, del que fue profesor y vicerrector. El 18 de marzo de 1852 fue designado obispo de Sonora. Sufrió destierro en dos periodos: 1858-1859 y 1860-1865. El 22 de junio de 1868 Pío IX lo designó arzobispo de Guadalajara, de cuya sede tomó posesión el 23 de marzo del año siguiente. El 17 de septiembre de 1869 logró de Roma la autorización para establecer la Academia Pontificia, que inauguró el 22 de mayo de 1872 y que dejó de funcionar en 1895. Intervino en la erección de la diócesis de Colima, verificada el 11 de diciembre de 1881, y presentó y consagró a sus tres primeros obispos: Francisco Melitón Vargas, Francisco de Paula Díaz Montes y Atenógenes Silva y Álvarez Tostado; y el 23 de junio de 1891, en la de Tepic, confiriendo la unción episcopal a Ignacio Díaz Macedo.

LUCENILLA, FRANCISCO DE. Nació en Paradas, Andalucía, España, a mediados del siglo XVII; se ignoran los datos de su muerte. En septiembre de 1665 partió para Nueva España y se desempeñó como mercader en la ciudad de México. Al saber que Bernardo Bernal de Piñadero había fracasado en sus viajes al golfo de California, Lucenilla, y el capitán Alonso Mateos solicitaron permiso al virrey marqués de Mancera para explotar los yacimientos perlíferos y establecer una colonia en la Península (v. BAJA CALIFORNIA). En febrero de 1667 Mateos estableció un astillero en Chacala (Nayarit) para construir los navíos necesarios y en mayo del año siguiente Lucenilla partió, con los frailes franciscanos, hacia la Península. Después de explorar la costa bajacaliforniana, desde cabo San Lucas hasta bahía Concepción, volvió a la contracosta en julio y tomó tierra en el puerto de Guaymas, obligado por la tripulación que se quejaba de la falta de perlas. Fue el último viaje al Golfo financiado por la iniciativa privada. Su fracaso provocó que el virreinato cambiara sus políticas para la colonización de Baja California y se abriera la etapa misional, que comenzaría la Compañía de Jesús en 1683.

LUCERO. V. INDIO.

LUCHA INTELECTUAL PROLETARIA (LIP). Agrupación de artistas y escritores fundada en 1931 por David Alfaro Siqueiros, Pablo O'Higgins, Leopoldo Méndez, Juan de la Cabada, Consuelo Uranga, Enrique González Aparicio, Adolfo Zamora y Chano Urueta. Se extinguió ese mismo año. Su periódico *Llamada* fue ilustrado por Siqueiros.

LUCHICHI, IGNACIO M. Nació en Tlacotalpan, Ver., en 1859; murió en la ciudad de México en 1918. Colaboró en varios periódicos de su entidad y de la capital del país, utilizando con frecuencia el seudónimo de *Claudio Frollo*. Escribió en *Revista Azul* y *Revista Moderna*, principalmente. Entre sus poesías destacan: "En un abanico", "Ante el Papaloapan", "Canto a Jesús García, héroe de Nacozari" y una elegía dedicada a la poetisa Josefa Murillo. Casó con una de las hijas de Benito Juárez.

LUCIDO CAMBAS, ÁNGEL. Nació en Jalapa, Ver., en 1833; murió en la ciudad de México en 1898. Durante diez años (1857-1867) combatió en territorio de Veracruz a los conservadores, a los imperialistas y a los franceses. Al triunfo de la República, fue presidente municipal de Papantla (1882) y jefe político de ese cantón (1884), representó al gobierno de Veracruz en la comisión para señalar los límites con el estado de Puebla, y al Gobierno Federal en el reparto de tierras a los indígenas totonacos.

LUCIO, EULALIA. Pintora mexicana activa durante la segunda mitad del siglo XIX. Su padre, el doctor Rafael Lucio, fue un coleccionista que prestaba cuadros para ser exhibidos en los salones académicos; además, escribió una reseña sobre la pintura mexicana de los siglos XVII y XVIII, y formó parte de la comisión que seleccionó las obras enviadas a la Exposición Universal de Nueva Orleans. Su madre, Isidora Ortega, hermana del músico Aniceto Ortega del Villar, dio a Eulalia las primeras lecciones de pintura. Al principio, ésta hizo copias, dos de ellas unas cocinas de

Pingret, que revelan la perfección en el detalle que habría de caracterizarla. Copió también a Murillo y a Rubens, pero pronto abandonó tales ejercicios y definió su estilo. Se inclinó por las naturalezas muertas, de las cuales envió dos a la Exposición Internacional de París, en 1889. Luego las presentó en México, en la XXII Exposición de la Academia, en 1891. Se sabe también que con otra pieza de ese género participó en la Exposición Colombina de Chicago. Su apego a las minucias domésticas y cotidianas la llevó a pintar *Una gallina*, y *Bodegón con frutas*. Se regodeaba reproduciendo ollas, cazuelas, sarapes de Saltillo, canastas de mimbre y verduras regionales, que pueblan sus telas de encendidos colores. En *Objetos de caza* puso sombrero campirano de charro, escopeta, cantimplora, cuerno y bolsa tejida para las piezas cobradas, junto a una silla de ébano con respaldo de seda y un papel tapiz de gusto afrancesado. Para Beatriz Espejo esta composición es una metáfora plástica de las contrastantes clases sociales existentes en México. Otros cuadros suyos conocidos y en poder de particulares son *Objetos para bordar*, *Cuadrito de comedor* y *Objetos de cocina*.

LUCIO, GABRIEL. Nació en Nautla, Ver., el 12 de marzo de 1899; murió en Cuernavaca, Mor., el 13 de noviembre de 1981. Profesor (1919) por la Escuela Normal Veracruzana, dio clases allí mismo hasta 1921. Ese año se incorporó con el grado de mayor al 49° Batallón de línea y fue comisionado a las escuelas móviles de tropa, al lado del profesor y general revolucionario Marcelino Murrieta. En el desempeño de esa tarea recorrió los estados de México, Campeche, Guanajuato, San Luis Potosí, Oaxaca, Puebla y Yucatán (1922-1924). Luego de haber combatido contra la rebelión delahuertista, se instaló en Jalapa y fue profesor (1924-1926) y director (1927-1930) de la Escuela Normal Veracruzana; director general de Educación Popular en su estado (1930-1935), subsecretario de Educación Pública (1935), presidente del Consejo Nacional de Educación Superior e Investigación Científica y director del Instituto de Segunda Enseñanza, antecedente de la Escuela Normal Superior (1936-1938). Después fue agregado en las embajadas en España (1938) y en Francia (1939-1944). Hecho prisionero por los nazis, fue canjeado junto con otros diplomáticos latinoamericanos por unos cónsules alemanes detenidos en Estados Unidos. Luego fue secretario y consejero en Perú (1944-1947), encargado de negocios en Chile (1947-1949), delegado ante la Organización de Estados Americanos (1949-1951), secretario general de las delegaciones a la Décima Conferencia Interamericana (Carácas, 1954) y a las novena y décima asambleas generales de la Organización de las Naciones Unidas (1954-1955), director general del servicio diplomático (1956-1959) y embajador de México en Suiza (1959-1961) y en la URSS (1961-1964). Se jubiló el 15 de noviembre de 1964. Fundó y dirigió las revistas *Alma Latina* y *Educación*, colaboró en *Noviembre* y *Ruta* y publicó *Cuentos infantiles* (1933), con ilustraciones de Julio de la Fuente y prólogo de Miguel Bustos Cerecedo; *Simiente* (1935), destinado a los niños de escuelas rurales, y *Vida* (1935), para los escolares de las zonas urbanas. Estos dos últimos fueron los primeros libros de texto gratuitos editados en México.

LUCIO NÁJERA, RAFAEL. Nació en Jalapa, Ver., en 1819; murió en la ciudad de México en 1886. Fue director del Hospital de San Lázaro (1843 a 1860), fundador de la Academia Nacional de Medicina (1864), de la que fue su presidente (1869 y 1880) y profesor (1845) y director de la Escuela de Medicina (1873 y 1885). Escribió *Reseña histórica de la pintura mexicana de los siglos XVII y XVIII* (1864) y *Opúsculo acerca del mal de San Lázaro o elefantiasis de los griegos* (1851), en colaboración con el doctor Ignacio Alvarado, donde por primera vez se describe la lepra manchada. V. LEPRA.

LUEBKE, BENJAMÍN H. Nació en Tomtle, Washington, EUA, en 1901. Maestro en ciencias (1926) del *Kansas State Agriculture College* y doctor en filosofía y letras (1959) de la Universidad de Florida, es misionero metodista y fue profesor en la Universidad Tecnológica de Tennessee (1959-1968). Autor de "*The poverty cycle of mexican-american migratory workers*", en *Tennessee Technological University Journal* (1968); y *Delineation of rural communities in the state of Oaxaca, Mexico* (1968).

LUFT, ENRIQUE. Nació en Linz, Austria, en 1931. En 1956 ingresó a la Escuela de Arte de Berlín y en 1959 estuvo becado en el taller parisiense de Stanley Hayter. Desde 1961 radica en Pátzcuaro, Mich. Expone en galerías de México obras de carácter surrealista a la manera de André Bretón. Firma sus cuadros con el nombre Pavlata, su apellido materno.

LUGO, AMADOR. Nació en Tasco, Gro., el 12 de abril de 1921. Estudió en la Escuela al Aire Libre dirigida por Tamiji Kilagagwa. Sus primeras obras, sobre todo los paisajes, muestran cierta influencia japonesa; posteriormente se afilió a la escuela tradicional mexicana. Grabador en madera, es coautor del libro *La ciudad de México*. Ha enseñado arte prehispánico, colonial y contemporáneo en instituciones educativas. Es miembro fundador del Salón de la Plástica Mexicana y de la Sociedad Mexicana de Grabadores. Entre 1972 y 1988 ha realizado una docena de exposiciones individuales y participado en 350 colectivas, en el país y en el extranjero.

LUGO, ARTURO. Nació y murió en Durango, Dgo. (1866-1949). Músico y compositor, fue alumno de José María Mena, Manuel Herrera y Juan Vázquez. Es autor de *Lola*, dedicada a Dolores Loza, con quien contrajo nupcias; de varias marchas en honor de Severino Ceniceros y de Francisco Castillo Nájera; del vals *Cuca*, escrito para la poetisa María del Refugio Guerrero Román; y de *Brumas de Oriente*, compuesta para el poeta Antonio Gaxiola. Poco antes de cumplir los 18 años, formó su propia orquesta, al frente de la cual ganó el concurso de 1909, en ocasión de inaugurarse el casino de Gómez Palacio. A su muerte, ocurrida en la pobreza de un doloroso retiro, sus compañeros de profesión se organizaron en la Unión Filarmónica Mutualista de Durango.

LUGO, JOSÉ INOCENCIO. Nació en Santa Ana del Águila, Gro., en 1871; murió en la ciudad de México en 1963. Fue de los primeros en afiliarse al Partido Antirreeleccionista de Madero (1909), encabezó el levantamiento de los guerrerenses en 1910 y gobernó su entidad del 11 de diciembre de 1911 a principios de marzo de 1913, cuando lo depuso el régimen huertista. Diputado por Guerrero al Congreso Constituyente 1916-1917, intervino en la redacción del Artículo 123. En 1920 sirvió como subsecretario de Gobernación en el régimen de Adolfo de la Huerta y luego fue gobernador de Baja California.

LUIS. Aves de la familia Tyrannidae, orden Passeriformes. Presentan el vientre amarillo, la garganta blanca, el dorso olivo, y la máscara de la cabeza y la corona negras. *Pitangus sulphuratus* (luis grande) habita en las zonas tropicales bajas de todo México; es muy gregario y ruidoso, y tiene una mancha amarilla en la corona. *Megarhynchus pitangua* habita en las montañas boscosas tropicales y subtropicales; presenta un parche naranja y el pico más ancho que el anterior. Ambos deben su nombre a la peculiaridad de su canto.

LUGO, JOSÉ MARÍA. Nació en Managua, Nicaragua, en 1936. Llegó a la ciudad de México, como estudiante, en la segunda mitad de los años cincuentas. Radicado en Monterrey, es profesor en instituciones de cultura superior. Colaboró asiduamente en las revistas literarias *Apolodionis* y *Salamandra*. Ha publicado tres libros de poesía: *Muchacha con guitarra* (1961), *Carne de la noche* (1964) y *Colección de poemas* (1978).

LUMEN RODRÍGUEZ, ENRIQUE. Nació en España en 1905; murió en la ciudad de México en 1965. Escribió: *La Revolución Cubana*, *La sangre era roja*, *Entre lagos y volcanes*, *Guatemala al trasluz*, *Andanzas de un periodista revolucionario* y una biografía del general Juan Andréu Almazán.

LUMHOLTZ, CARL. Nació en Noruega en 1851; murió probablemente en Estados Unidos en 1922. En 1890 llegó a Norteamérica como investigador etnográfico. Porfirio Díaz le patrocinó investigaciones de su especialidad entre los tarahumares, tarascos y huicholes. Estuvo en México durante cinco años y realizó investigaciones sobre la flora y la fauna. Su obra principal *México desconocido*, escrita en inglés, se publicó en Nueva York en 1904. Existe una traducción al español hecha por Balbino Dávalos.

LUMMIS, CHARLES FLETCHER. Nació en Lynn, Massachusetts, EUA, en 1859; murió en Los Ángeles, California, en 1928. Periodista interesado en la historia, vivió entre los indios pueblos de Nuevo México, aprendiendo su idioma

LUNA

y costumbres.   Viajó con Bandelier al Perú y Bolivia.   Regresó a Los Ángeles en 1894 y editó la revista *Land of Sunshine*, dedicada a la vida e historia del lejano oeste, continuada más tarde con el título de *Out West*.   Escribió: *A New Mexico David* (1891), *A tramps across the continent* (1892), *Some strange corners of our country* (1892), *The land of Poco Tiempo* (1893), *The spanish pioneers* (1893), *The man who named the moon* (1894), *The gold fish of Gran Chimu* (1896), *The king of the broncos* (1897), *The awaking of a nation: Mexico of today* (1898), *Spanish songs of old California* (2 vols., 1923-1928) y *Mesa, Cañon and pueblo* (1925).   Escribió varios libros de versos y una autobiografía.   Gracias a sus esfuerzos se fundó el museo del Suroeste de Los Ángeles.

LUNA, ALEJANDRO. Nació en México, D.F., el 1° de diciembre de 1939.   Estudió arquitectura y arte dramático en la Universidad Nacional Autónoma de México (UNAM).   De 1980 a 1984 dirigió la carrera de diseño en el Centro Universitario de Teatro de la UNAM.   Ha hecho los proyectos arquitectónicos del Foro Isabelino, el Teatro Santa Catarina, el Teatro del Estado de Mexicali, y el Teatro de la Ciudad en Ensenada.   Entre sus trabajos como escenógrafo, destacan los diseños para *La trágica historia del Doctor Fausto* de Marlowe, *A puerta cerrada* de Sartre, *Severa vigilancia* de Genet, *Tío Vania* de Chéjov y *La vida de las marionetas* de Bergman, todas dirigidas por Ludwik Margulles.   También ha hecho escenografías para la ópera, la televisión y el cine.

LUNA, VALDEMAR. Nació en Alfajayucan, Hgo., en 1939. Estudió en la Escuela Nacional de Artes Plásticas (1958-1962), perteneció al grupo Nuevos Grabadores y al Taller Experimental Fray Servando (1967-1968) y se especializó en manufacturas textiles en el Instituto Nacional de Bellas Artes (1970-1971).   Dirigió un taller de esta especialidad en la Casa de las Artesanías de Aguascalientes (1974-1975) y fue miembro fundador de otro semejante en Vizcaya, España (1976-1977).   En 1988 era profesor en la Escuela de Pintura y Escultura La Esmeralda y en otras instituciones de enseñanza artística.   Ha expuesto en el país y en Bilbao, Victoria, Madrid, Managua, Nueva York y San Antonio, Texas.

LUNA ARROYO, ANTONIO. Nació en México, D.F., el 13 de junio de 1909.   Profesor normalista (1929) y licenciado (1933) y doctor (1936) en derecho por la Universidad Nacional Autónoma de México (UNAM), ha sido catedrático en las escuelas Normal Superior y Nacional de Maestros, en la Facultad de Derecho de la UNAM y en el Instituto Politécnico Nacional (desde 1934); abogado consultor de la Secretaría de la Presidencia durante cuatro periodos (1940-1964), en cuyo carácter intervino en la preparación del Código Agrario de 1942; siendo director jurídico de la Secretaría de Agricultura y Ganadería, donde promovió las reformas a las leyes Forestal, de Aguas, de Tierras y de Colonización, y de Crédito Agrícola; e investigador en la Coordinación de Humanidades de la UNAM hasta enero de 1981.   Ha escrito un centenar de trabajos en revistas especializadas, y publicado: *La educación económica del pueblo, Concepto y técnica de la historia, Concepto y técnica de las ciencias sociales, La política agraria en México 1910-1970, La sociología fenomenológica* (1978), *De la sociología general a la sociología de las profesiones* (1979), *Jorge González Camarena en la plástica mexicana* (1981), *Diccionario de derecho agrario mexicano* (en colaboración con Luis G. Alcérreca, 1982) y un comentario, en 39 capítulos, a la Ley Federal de Reforma Agraria.   También es autor de los libros de texto: *Las instituciones sociales en general* y *Las instituciones jurídico-políticas mexicanas*.   En 1988 atendía su despacho jurídico en la ciudad de México.

LUNA DE LOIZAGA Y CORCUERA, NICOLASA. Nació y murió en Guadalajara, Jal. (1820-1895).   Donó un bien inmueble a las Hijas de María y el terreno donde se construyó el Hospital del Sagrado Corazón de Jesús.   Fue presidenta de la Sociedad Protectora de Niños Expósitos del Hospicio y, durante el Imperio, de una asociación hospitalaria de emergencia.   Recibió de Maximiliano la Cruz de la Orden Imperial de San Carlos.

LUNA DE LA FUENTE, GABRIEL. Nació en México, D.F., el 18 de marzo de 1909; murió en la misma ciudad el 1° de noviembre de 1954.   Poeta y compositor, aprendió a tocar la guitarra con el maestro Andrés Cortés Castillo, en Tampico. Su primer éxito fue el blues "Duerme" (1936), con versos suyos y música de Miguel Prado. En 1938 se incorporó a la Orquesta Típica de la Ciudad de México, que dirigía el maestro Miguel Lerdo de Tejada, y formó el trio Chachalacas. Puso también letra a "Festival" de Miguel Prado, "Amor y olvido" de Salvador Rangel, "Condición", "Despierta", "Un minuto", "Grito prisionero", "Noches de Mazatlán" y "Yo he nacido mexicano" de Gabriel Ruiz; e "Inevitablemente" de Gonzalo Curiel. Con letra y música suyas son "Olvidarte no puedo", "No es el momento", "Te debes ir" y "Ay, mi vida".

LUNA KAN, FRANCISCO. Nació en el rancho Noc-Ac, Mérida, Yuc., el 3 de diciembre de 1925. Médico (1952) por la Escuela Superior de Medicina Rural y sanitarista (1953) por la Escuela de Salud Pública, fue organizador y jefe de los Servicios Coordinados en Yucatán (1960-1963), director nacional de los Servicios Médicos Rurales Cooperativos (1963-1964), jefe del Departamento de Saneamiento en Yucatán (1967-1968) y miembro del Departamento Técnico de la Dirección General de Servicios Coordinados en México (1968). Es autor de los trabajos "Estudio epidemiológico y social de un grupo de enfermos tuberculosos" (1952) y "Zonificación sanitaria del estado de Yucatán" (1953), y ha escrito artículos para *Diario de Jalapa*, *Salubridad e Higiene*, *Higiene* y *Diario del Sureste*. Entre sus cargos políticos, destacan: diputado federal a la XLVI Legislatura (1964-1967), presidente del comité directivo del Partido Revolucionario Institucional en Yucatán (1965-1968), secretario general de la Liga de Comunidades Agrarias y Sindicatos Campesinos (1971-1974), senador de la República (1970-1975), y gobernador del estado de Yucatán (1976-1982).

LUNA TRAILL, ELIZABETH. Nació en México, D.F., el 15 de febrero de 1946. Licenciada, maestra y doctora en letras por la Universidad Nacional Autónoma de México, ha sido profesora, investigadora y funcionaria en esa casa de estudios. Ha publicado las siguientes obras: *Sintaxis de los verboides en el habla culta de la ciudad de México* (1980), *La investigación filológica en el Centro de Lingüística Hispánica* (1985), *El habla de la ciudad de México. Materiales para su estudio* (en colaboración) y *Léxico del habla culta de la ciudad de México* (en colaboración).

LUNA Y ARELLANO, TRISTÁN DE. Llegó a Nueva España en 1530 o 1531, hijo de Carlos de Luna y Arellano, de la alta nobleza española. Sirvió como maese de campo bajo las órdenes de Francisco Vázquez de Coronado en su expedición a Nuevo México, en busca de las Siete Ciudades legendarias (1540-1542). En 1548 dominó una revuelta de indios en Oaxaca, por órdenes del virrey Antonio de Mendoza. En 1557, el virrey Luis de Velasco lo nombró capitán general de Florida y punta de Santa Elena (actual Port Royal). Alzó banderas convidando a cuantos quisieran para alistarse y participar en la campaña. Reclutó 2 mil hombres, entre los cuales iban 600 flecheros indios y ocho españoles intérpretes que se habían unido con mujeres floridanas. El 11 de junio de 1559 partieron de San Juan de Ulúa. Con ellos iban religiosos dominicos al mando de fray Pedro de Feria. Fondearon el 14 de agosto en la bahía de Pensacola, que llamaron Puerto de Santa María. El día 19 siguiente los sorprendió un huracán, haciéndoles pedazos los barcos. Caminaron por tierra y llegaron a Nanipacna, en el río Alabama (actual condado de Monroe), desde donde hicieron varias exploraciones, una de las cuales llegó hasta Coza (actual condado Talladega), sin encontrar oro ni plata. Luna Arellano quiso visitar aquella provincia, para persuadirse, pero los demás se negaron, suscitándose graves desavenencias, hasta que en abril de 1561 fray Domingo de la Anunciación pudo reconciliarlos, al tiempo que Ángel de Villafañe llegaba con víveres desde Nueva España, enviado por el virrey Velasco, a quien avisó del desastre fray Pedro de Feria, que regresó por La Habana. Arellano no quería abandonar la tierra, pero hubo de hacerlo a la postre, regresando a Nueva España, y más tarde a España, en solicitud de que se le reinstalara como gobernador y capitán general de la Florida y se le rembolsara el dinero invertido en la expedición. No tuvo éxito y murió pobre en la ciudad de Mexico. Sus hijos Juana y Carlos casaron con descendientes de las familias Mendoza y Velasco, ascendientes de los condes de Santiago Calimaya.

Bibliografía: Herbert E. Bolton: *The spanish borderlands* (New Haven, 1921); Andrés González Barcia: *Ensayo* cronológico para la historia de la Florida (Madrid, 1723); Carlos Pereyra: *Historia de la América Española* (Madrid, 1924-1925); Herbert L. Priesttey (ed.); *Luna papers* (2 vols.; Berkeley, 1928).

LUNA Y PARRA, PASCUAL. Nació en Acatzingo, Pue., en 1876; murió en la ciudad de México en 1938. Fue diputado federal en 1912; en 1913, subsecretario de Hacienda; en 1925, fundador y presidente del Jurado de Infracciones Fiscales; de 1926 a 1929, presidente de la Comisión Nacional de Caminos; de 1926 a 1935, director de la Compañía Eléctrica de Chapala y de la Eléctrica de Morelia, y de 1932 a 1934, director de los Ferrocarriles Nacionales de México.

LUPERCIO, JOSÉ MARÍA. Nació en Guadalajara, Jal., en 1870; murió en la ciudad de México en 1929. Fotógrafo distinguido, recibió premios en la Exposición Universal de París de 1900 y en las de Buffalo y Nueva York de 1901. Desde principios de siglo hasta su muerte trabajó en el Museo Nacional de Historia, Arqueología y Etnografía. Fue también pintor, escenógrafo y torero.

LÚPULO. *Humulus lupulus*. L. Enredadera herbácea, perenne, de la familia de las cannabináceas, con tallos de 8 a 10 m; de hojas opuestas, ovadas u orbicular-ovadas, las inferiores con tres lóbulos bien marcados, aunque los hay de cinco a siete. Son dioicas, esto es, con flores masculinas o con flores femeninas. Las primeras, con cinco estambres, se dan en panículos de 5 a 15 cm, y las segundas, con un pistilo y dos estigmas, son de color verde y se presentan en pares, cada uno cubierto por una bráctea grande; el conjunto, al madurar, forma un cuerpo cónico denominado lúpulo, que contiene la lupulina, sustancia muy estimada en la industria cervecera.

LUQUE Y AYERDI, MIGUEL MARIANO. Nació en Zacapoaxtla, Pue., en 1838; murió en Simojovel, Chis., en 1901. Se ordenó sacerdote en 1865 y en 1869 fue nombrado secretario del obispo Carlos María Colina y Rubio. En 1870 se le asignó el curato de San Marcos y fue, a la vez, prebendado de la catedral poblana y secretario de cámara y gobierno de la mitra. El 13 de noviembre de 1884 Leon XIII lo designó obispo de Chiapas; tomó posesión el 29 de diciembre siguiente.

LUQUÍN, EDUARDO. Nació en Sayula, Jal., en 1896; murió en la ciudad de México en 1971. Estudió preparatoria en el Liceo de Varones de Guadalajara y algunas materias de derecho en la capital de la República. En 1925 ingresó al servicio diplomático. Fue miembro de número de la Academia Mexicana de la Lengua. Es autor de: *El indio*, (1923), *Augusto y otros cuentos* (1924), *La mecanógrafa* (1925), *Telones de fondo* (1928), *Tumulto* (1936), *Los embozados* (1942), *Extranjero en la tierra*. *Memoria de un inválido para la guerra* (1944), *Espigas de infancia y adolescencia* (1948), *El temor a Dios* (1951), *México en el extranjero* (1961), *El escritor y la crítica* (1963) y *Autobiografía* (1967).

LUXEMBURGO. Su nombre oficial es Gran Ducado de Luxemburgo. Tiene una superficie de 2 586 km^2 y linda al norte y al oeste con Bélgica, al este con la República Federal de Alemania y al sur con Francia. Su población es de 366 mil habitantes (1984); su capital, Luxemburgo; su moneda, el franco luxemburgués; y su idioma oficial, el francés. En general, el territorio es una gran meseta accidentada, cuya altitud oscila entre los

400 y 500 m. Los ríos principales son el Mosela, el Syre, el Alzette, el Sure y el Our. Luxemburgo se rige por una monarquía constitucional hereditaria. El gran duque gobierna por conducto de un premier y un Consejo de Ministros, quienes son responsables ante la Cámara de Diputados, integrada por 64 miembros elegidos para un periodo de cinco años. El Consejo de Estado, formado por 21 personas nombradas por el monarca, desempeña algunas funciones legislativas. En 1988 estaba en el poder una coalición formada por los partidos Social Cristiano y Social Obrero.

Relaciones bilaterales. México y el Gran Ducado de Luxemburgo establecieron relaciones diplomáticas a nivel de embajadores el 25 de septiembre de 1959. El primer embajador mexicano fue Primo Villamichel. Del 11 al 14 de abril de 1976 realizó una visita oficial a México el primer ministro Gaston Thorn, invitado por el presidente Luis Echeverría. Ambos jefes de gobierno trataron asuntos de interés común (intercambio comercial, científico y económico) y el presidente reiteró al primer ministro las tesis mexicanas respecto del Tercer Mundo. Los días 11 y 12 de noviembre de 1985, el secretario de Relaciones Exteriores viajó a Luxemburgo para participar en la Segunda Reunión Ministerial Comunidad Económica Europea-Contadora-América Central. En esa ocasión el canciller mexicano se entrevistó con el ministro de Relaciones Exteriores de Luxemburgo y trató con él temas de interés bilateral. El comercio de México con Luxemburgo está involucrado en las transacciones con Bélgica (véase).

LUZURIAGA, GUILLERMO DE. Nació y murió en la ciudad de México (1895-1959). Colaboró en diversos periódicos y revistas literarias de la capital del país, firmando frecuentemente con el seudónimo *Solón de Mel.* De su producción figuran: *Manzanas del paraíso* (1918), *Libro prohibido* (1920), *La sinfonía del Sol* (1928), *Sinfonía de los cuatro elementos* (1943) y *Por los caminos de Orfeo* (1946). Son suyos los relatos *La novela de muchas* (1931) y *El derrumbe* (1946), así como el cuento "El fracasado de Cristo" (1938).

LYNCH, JAMES B. Nació en Viena, Virginia, EUA, en 1919. Maestro en artes (1947) y doctor en filosofía y letras (1960) por la Universidad de Harvard, enseña arte en la Universidad de Maryland. Autor de: "*Orozco's House of Teans*", en *Journal of Inter-American Studies* (1961); y "*The Bonampak murals*", en *Art Journal* (1964).

LYON, GEORGE FRANCIS. Capitán de la Marina británica que visitó México de marzo a diciembre de 1826. Comisionado por las compañías mineras inglesas de Real del Monte y Bolaños, desembarcó en Tampico, siguió la ruta de San Luis Potosí, Zacatecas, Guadalajara, Valladolid (Morelia), México, el actual estado de Hidalgo y Jalapa, y se embarcó de regreso en Veracruz. En 1828 publicó en Londres *Journal of a residence and tour in the republic of Mexico in the year 1826*, cuya versión en español apareció en México en 1984. El libro abunda en descripciones de personas, costumbres y paisajes.

LL

LL. Entre 1803 y 1994 fue decimocuarta letra del alfabeto español. Se derivó de la doble l latina y de los grupos pl, cl y fl. Es una consonante palatal (en el lenguaje oral, no escrito) que no tenía equivalente en latín, por lo que se recurrió a la combinar los signos l-l. Su sonido se confunde y equivale al de la y, pero se diferencian en el lenguaje escrito, y su evolución es igual a la de la l. En 1994 una resolución de la Academia consideró que no era una letra independiente y la devolvió a su condición de digrama.

LLACH, GUILLERMINA. Nació en México, D.F., el 14 de octubre de 1906. Licenciada en derecho (1946) por la Universidad Nacional Autónoma de México, ha sido fundadora y directora de la Escuela de Capacitación para el Personal de Prisiones (1950-1952), ya desaparecida; jefa del Departamento de Radio de la Secretaría de Gobernación y directora de la revista *Prevención Social* de esa dependencia (1955-1958); presidenta de la Asociación de Escritoras Latinoamericanas (1958-1961), que también desapareció; directora del Centro de Seguridad Social para el Bienestar Familiar Xola del Instituto Mexicano del Seguro Social (1960-1965) y funcionaria de esa institución hasta 1976, en que se jubiló. De 1983 a 1987 fue secretaria general del Seminario de Cultura Mexicana, cargo al que renunció en enero de 1988 por motivos de salud. Ha publicado un estudio sobre Sor Juana Inés de la Cruz, traducido al inglés por María de la Luz Grovas; "Historia del trabajo social en México", en *Revista de la Universidad*; *Gutiérrez Nájera y la Revista Azul, La poetisa Concepción Urquiza, Infancia antisocial, Los adolescentes y el medio,* y *Belisario Domínguez. Momentos culminantes de su obra.*

LLAGUNO, ANTONIO. Nació en Fresnillo, Zac., en 1883; murió en la ciudad de México en 1953. En 1906 su padre, del mismo nombre y apellido, le entregó 25 reses criollas para formar la ganadería de San Mateo, la cual mejoró sensiblemente con el lote de vacas y sementales que compró al marqués de Saltillo, en España, en 1910. Obtuvo 15 trofeos, entre otros el del mejor toro nacido en México. Aún se recuerdan, de su fierro, *Cocinero* y *Lutasol*, toreados por Rodolfo Gaona; y *Lapicero, Duende, Dentista, Saladito, Gitanillo* y *Amapolo*, que dieron brillo a las faenas de Lorenzo Garza.

LLAGUNO FARÍAS, JOSÉ ALBERTO. Nació en Monterrey, N.L., el 7 de agosto de 1925. Ingresó en la Compañía de Jesús el 3 de septiembre de 1943, en San Cayetano, México, y estudió en *Ysleta College*, en El Paso, Texas, y en el Colegio Máximo de Cristo Rey, en San Ángel, D.F. Fue consagrado sacerdote el 27 de octubre de 1956 por el arzobispo de Guadalajara. Emitió la profesión de votos solemnes en la Compañía de Jesús el 15 de agosto de 1959. Después obtuvo el doctorado en derecho canónico en la Universidad Gregoriana de Roma. Ha desempeñado los siguientes oficios: párroco de Norogachi y Sisoguichi, vicario general del obispo Martínez Aguirre, director de las escuelas radiofónicas en Sisoguichi, administrador (16 de junio de 1973) y vicario apostólico (13 de abril de 1975) de la Tarahumara. Consiguió que abrieran casas en esta región o fueran a misionar en ella los siguientes institutos: Misioneras Eucarísticas Franciscanas, Misioneras de la Eucaristía, Religiosas del Sagrado Corazón, Hermanas de la Caridad del Verbo Encarnado, Hijas de María Reparadora y Carmelitas del Sagrado Corazón. Impulsó las vocaciones sacerdotales y para 1979 ya había nueve sacerdotes diocesanos, entre ellos Jesús Hielo, primer sacerdote tarahumar en la historia. Ha escrito: *Trilogía de hispa-*

nidad (en colaboración, 1948) y *La personalidad jurídica del indio y el III Concilio Provincial Mexicano* (1963).

LLAMADORA. *Papilio multicaudatus*, de la familia Papilonidae. Mariposa diurna de gran tamaño, pues el imago suele medir hasta 13 cm de un extremo al otro de las alas. El género comprende más de 200 especies tropicales. Son de color amarillo brillante; las alas anteriores presentan tres bandas oscuras oblicuas longitudinales, y otra en la base; y las posteriores se caracterizan porque terminan en tres pequeñas prolongaciones o colas oscuras, siendo la externa mayor que las internas. Las antenas son delgadas y tienen forma de clave. La oruga, que llega a medir hasta 5 cm de largo, es lisa, sin pelos y de cuerpo blando y verde, que cambia a pardo rojizo; la caracterizan un collar amarillo y otro negro y dos manchas grandes en la parte anterior, que simulan ojos, y otras muchas pequeñas azules, en todo el cuerpo. En la región dorsal del tórax tiene dos pequeñas proyecciones evaginables (cuernitos) en forma de horquilla, por donde despide un líquido irritante, de olor desagradable, para ahuyentar a sus enemigos; en la parte ventral y anterior, tres pares de patas articuladas provistas de ganchos; y en la posterior, cuatro pares de patas falsas en forma de copa, y otro en el penúltimo segmento. Cuando llega a su completo desarrollo deja de comer y busca un sitio para transformarse en crisálida. Ésta se sujeta a cualquier objeto mediante un par de ganchos y un hilo de seda.

Papilo multicaudatus es una de las mariposas más grandes y más comunes en México. Se distribuye en casi todo el país, siguiendo las zonas templadas y frías hasta los 2 800 m de altitud. El adulto se alimenta del néctar de las flores; pero las orugas comen las hojas del capulín, el durazno, el chabacano, el fresno y el trueno. V. MARIPOSA.

LLANERITO. *Ammodramus savannarum*, de la familia Emberezidae, orden Passeriformes. Ave de hábitos más bien terrestres, pues sólo vuela por cortos trechos. Los adultos tienen la corona oscura, con una línea gris pálido en el centro y otras a cada lado. El dorso y las escápulas son gris pálido, con plumas rojizas y negras entremezcladas; las orillas de las alas, amarillas; las partes inferiores, la garganta, el pecho y los flancos, leonados; y el abdomen, blanco. La cola, corta, tiene las plumas terminadas en punta. Vive en casi todos los llanos y pastizales del país.

LLANERO. *Agaricus campestris* L. ex Fr. Hongo de la familia de las agaricáceas, con píleo de 3 a 8 cm de diámetro, láminas libres y estípite corto, de 5 cm de largo y de 0.8 a 1.5 de diámetro. V. HONGO DE SAN JUAN.

LLANES JUÁREZ, PABLO. Nació y murió en la ciudad de México (1900-1966). Estudió en la Escuela Nacional Preparatoria y en la Academia de San Carlos, dedicándose al dibujo de caricaturas. Trabajó para *Excélsior*, *La Afición*, *Revista de Revistas* y *Jueves de Excélsior*. Usó el seudónimo *Dr. Spivis*. De trazo fácil y fiel, satirizó a los personajes de la política y exaltó a los héroes del deporte. Llegó a ser jefe de la sección deportiva de *Últimas Noticias*. Él mismo fue atleta, destacando en natación, como campeón del Distrito Federal (1927), y en basquetbol. Concurrió a los Juegos Olímpicos de Los Ángeles (1932), Berlín (1936), Londres (1948) y Helsinki (1952), a los primeros como nadador y a los subsecuentes como periodista. Con el seudónimo de *Tunimex* hizo programas turísticos para las radiodifusoras XEW y XEQ.

LLANO, AMBROSIO DE. Nació en Rueda, Valladolid, España, el 7 de diciembre de 1784; murió en Chiapas el 14 de junio de 1815. Una vez consagrado sacerdote, ejerció su ministerio en Guatemala, donde fue canónigo, tesorero, provisor y vicario general. Fue presentado para la mitra de Chiapas y lo confirmó el papa Pío VII el 25 de diciembre de 1801. Recibió la consagración episcopal en Guatemala el 12 de septiembre de 1802 y tomó posesión de la sede el 23 de diciembre siguiente. En 1804 restauró la catedral que había sido dañada por un terremoto. Tuvo especial cuidado por los enfermos del Hospital de San Juan de Dios y donó grandes limosnas a los pobres. Repartió su plata labrada entre el Seminario y la catedral, y a su muerte dejó también una cantidad para reparar el templo de San Agustín.

LLANO, RODRIGO DE. Nació en Monterrey, N.L., en 1890; murió en la ciudad de México en 1963. En 1905 comenzó su carrera periodística en el *Monterrey News*; en 1907 pasó a los diarios capitalinos *El Imparcial* y *El País*; en 1914 marchó a los Estados Unidos y con Enrique Villarreal fundó en Nueva York el periódico *El Heraldo*; en 1917 fue corresponsal de *Excélsior*, diario que habría de dirigir de 1924 a 1929 y de 1931 hasta su muerte.

LLANOS DELGADO, GUILLERMO. Nació en Acaponeta, Nay., el 16 de septiembre de 1927. Periodista y poeta, ha recibido un premio por sus trabajos publicados en *El Guía de Acaponeta* y las preseas de los Juegos Florales de Mazatlán (1979), Papantla (1981 y 1983) y Tecuala, Nay. (1984). Es autor de *Biografía mortal* (1977) e *Itinerarios* (1979).

LLANOS Y VALDÉS, ANDRÉS AMBROSIO DE. Eclesiástico activo en la segunda mitad del siglo XVIII. Nació en Zacatecas y murió el 19 de diciembre de 1799. Fue rector del Colegio de San Juan de Letrán, prebendado y canónigo doctoral de la catedral metropolitana, consultor de la Inquisición, director del Hospicio de Pobres en la capital del virreinato, y elegido obispo de Linares el 19 de diciembre de 1791. Radicó en Monterrey, donde impulsó la educación y las artes. Escribió *Ordenanzas para el Hospicio de Pobres de México* (manuscrito, 1772).

LLANO Y SERRANO, AMANDA DEL. Nació en Tonalá, Chis., el 20 de julio de 1925; murió en México, D.F., el 23 de junio de 1964. Estudió arte dramático. Debutó en la película *Al son de la marimba*, en 1940. Participó en unas 30 películas, entre las que figuran: *Noche de recién casados* y *Mil estudiantes y una muchacha* (1941), *El barbero prodigioso* y *La venganza del charro negro* (1941), *Secreto eterno* (1942), *Toros, amor y gloria* (1943), *Me he de comer esa tuna* (1944), *Café de chinos*, *Dinero, maldito dinero*, *La oveja negra* y *La hija del panadero* (1949), *Donde nacen los pobres* (1950), *La mujer ajena*, *Los líos de Barba Azul*, *De carne somos* y *Rosalba* (1954), *La engañada* (1955), *Cuánto vale tu hijo* (1961), *Tiburonero* y *Aquí está tu enamorada* (1962), con la que se retiró del medio artístico. Obtuvo dos Arieles por la mejor coactuación femenina: uno por *Reportaje* (1954) y otro por *La rebelión de los colgados* (1955).

LLAVE, IGNACIO DE LA. Nació en Orizaba, Ver., en 1818; murió en Jaral, Gto., en 1863. En 1844, siendo juez de Orizaba, se alistó como voluntario en el cuerpo militar Defensores de las Leyes y combatió contra las fuerzas del general Antonio López de Santa Anna, en la Guerra de Tres Años y contra la Intervención Francesa. En 1853 se adhirió al Plan de Ayutla; en 1855 ocupó la gubernatura de su entidad, y más tarde dos carteras en el gobierno de Benito Juárez: de Gobernación, del 10 de diciembre de 1859 al 6 de mayo de 1860; y de Guerra y Marina, del 21 de septiembre de ese año al 13 de enero del siguiente.

LLAVE, PABLO DE LA. Nació en Córdoba y murió en la Hacienda del Corral, cerca de Orizaba, ambas del estado de Veracruz (1773-1833). Estudió y sirvió cátedras en el Colegio de San Juan de Letrán. Se doctoró en teología en la Universidad de México en 1800. En 1801 fue ungido sacerdote y marchó a España, donde Carlos IV le confió la dirección del Jardín Botánico de Madrid. En 1814, siendo diputado a Cortes, Fernando VII disolvió la asamblea y De la Llave fue confinado a prisión hasta 1820. En 1823 regresó al país y sirvió dos carteras en el Supremo Poder Ejecutivo y otras tantas en el gobierno de Guadalupe Victoria: de Justicia, del 6 de junio de 1823 al 25 de enero de 1824; de Relaciones Interiores y Exteriores, del 24 de abril al 14 de mayo del mismo año; de Justicia, del 10 de octubre sucesivo al 29 de noviembre de 1825; y de Hacienda, del 27 de septiembre al 27 de noviembre del mismo 1825. En 1826 fue designado canónigo de la catedral de Morelia y en 1830, senador al Congreso General. En España publicó *Descripción de líquenes nuevos* (1820) y *Suplemento a las semblanzas de diputados americanos o mexicanos a las Cortes 1820-1821* (1822); y en México, *Novorum vegetabilium descriptiones* (1824). Tuvo a su cargo, además, la dirección y gran parte de la redacción del *Registro Trimestre o Colección de memoria de historia, literatura y artes por una Sociedad de Literatos* (1832).

LLERA, FELIPE. Nació y murió en México, D.F. (8 de diciembre de 1877-6 de septiembre de 1942). Era profesor de educación física en la Escuela Nacional Preparatoria y excelente barítono operístico. Se le ofreció una beca para ir a Europa a perfeccionar sus cualidades vocales, pero se casó con la cantante Julia Irigoyen, alumna del Conservatorio Nacional y con ella formó un dúo. Juntos recorrieron el país y fueron a Cuba y Estados Unidos, divulgando las canciones populares mexicanas. Llera compuso muchas e hizo arreglos de otras muy antiguas. Se dice que es el autor de la música de "La casita", cuya letra se atribuye al poeta Manuel José Othón, aunque según Fernando Ramírez de Aguilar, los versos son de José Rafael Rubio (*Rejúpiter*). Entre las canciones originales de Llera, destacan "El sarape de Saltillo", "Ofrenda floral" y "Al fin tuyo".

LLORA SANGRE. Nombre vernáculo que se da a la *Bocconia arborea* S. Wats., de la familia de las papaveráceas; a la *Pteroscarpus hayesii* Hemsl. y a la *P. orbiculatus* D.C. de la familia de las leguminosas. Estas plantas tienen un jugo rojo en la corteza que se escurre cuando se corta; a esto alude su nombre vernáculo. *P. hayesii* es un árbol que alcanza 40 m de altura y uno o más de diámetro, con corteza grisácea, rugosa y algo agrietada; de hojas pinnadas, alternas, con foliolos medianos, elíptico-oblongos y pilosos; flores amarillas, amariposadas, dispuestas en grandes inflorescencias, y fruto indehiscente, orbicular, provisto de una ancha membrana a manera de ala. Ciertas abejas que producen miel comestible de agradable sabor se crían con frecuencia sobre estas especies. Se distribuye en las selvas altas subcaducifolias del estado de Chiapas, donde se le conoce también como *capul* y *chabecte*.

2. *P. orbiculatus* es un árbol que alcanza 40 m de altura, de corteza blanca; hojas pinnadas, con tres a siete foliolos grandes casi lisos; flores amarillas, amariposadas, grandes y agrupadas en racimos, y fruto indehiscente, suborbicular, de 4 a 5 cm de ancho, rodeado por una ala ancha y delgada. Se desarrolla en Guerrero, Michoacán, Oaxaca y Veracruz. En Michoacán se le conoce como *guayabillo*.

LLORENTE GONZÁLEZ, ARTURO. Nació en Veracruz, Ver., en 1920. Allí mismo cursó la enseñanza primaria, secundaria y preparatoria; y la carrera de licenciado en derecho en la Universidad Nacional Autónoma de México. En ésta fue presidente de la Sociedad de Alumnos. A la edad de 26 años se le nombró rector de la Universidad Veracruzana. En el ejercicio de este cargo, fundó la Facultad de Medicina y la Escuela de Periodismo, y creó grupos corales, de música, de teatro y de comedia. Electo presidente municipal de Veracruz (1953-1955), dotó de servicios a las colonias pobres, fundó la institución de Superación Ciudadana, fomentó la cultura popular y embelleció el puerto. Posteriormente ha sido: director de Juntas de Mejoramiento Moral, Cívico y Material de la Secretaría de Gobernación (1955-1956), oficial mayor del Departamento del Distrito Federal (1956-1958), director general de Profesiones de la Secretaría de Educación Pública (1958-1961), diputado federal (1961-1964), senador de la República (1964-1970) y jefe de la Delegación Benito Juárez del Departamento del Distrito Federal (1976-1982).

LLOVERA BARANDA, JOSÉ LUIS. Nació en Campeche, Camp., el 10 de diciembre de 1942. Licenciado en derecho (1970) por la Universidad Autónoma del Sudeste (UAS), ha sido profesor en esta institución y en la Escuela Normal Superior del Instituto Campechano, director del *Diario de Campeche*, jefe de Prensa del Gobierno del Estado, cronista de la ciudad de Campeche, director del Centro de Estudios Literarios de la UAS, magistrado del Tribunal Superior y procurador general de Justicia. Ha escrito: *Tiempo sin reposo* (Mérida, 1975) y *Este mar no tiene noche* (Mérida, 1977).

LLOYD, ALLEN W. Nació en New Albany y murió en Nueva York, ambas de Estados Unidos (1903-1970). Fundó en Guadalajara la empresa Allen W. Lloyd y Asociados, de corredores de bolsa y promotores de inversiones, y la sucursal tapatía de la Cámara Americana de Comercio.

LLUVIA DE ORO. *Tecoma stans* (L.) H.B.K. Arbusto o arbolito de la familia de las bignoniáceas, que alcanza 8 m de altura. V. FLOR. **Flor de San Pedro** y FLOR DE SAN PEDRO.

M

M. Decimoquinta letra del alfabeto español, del grupo de las consonantes. Por sus cualidades fonéticas es considerada nasal bilabial; y por su origen se remonta a las emes griega, latina y fenicia, y a un jeroglífico egipcio que indica el agua y su movimiento. Múltiples han sido las atribuciones simbólicas asignadas a esta letra en la física, las matemáticas, la numismática, la diplomacia y la religión: masa, metro, marca de varias cecas, majestad, María, madre y otras. La iconografía mariana usa la letra M como inicial del nombre de María Virgen, tal como puede apreciarse en el escudo pontificio de Juan Pablo II, en los cuadros de la Virgen del Perpetuo Socorro y en escudos de varios institutos religiosos (Siervos de María, Hermanos Maristas e Hijos de María Inmaculada, entre otros).

MACARELA. *Scomber japonicus* Hottuyn, familia Scombridae, orden Scombriformes. Pez de cuerpo fusiforme, alargado y de sección transversal aproximadamente redonda; hocico puntiagudo, y pedúnculo caudal esbelto. Cuando adulto, alcanza en promedio una talla de 30 cm, aunque puede rebasar los 50. Tiene la boca oblicua, terminal y de labios delgados; el ojo cubierto en sus bordes anterior y posterior por un párpado adiposo (característica que lo distingue de los atunes, sierras y bonitos, con los que está muy relacionado); dos aletas dorsales muy separadas, la primera con ocho a 10 espinas; la segunda dorsal y la anal, ligeramente opuestas, ambas seguidas de cinco aletillas; la caudal, bifurcada; las pélvicas, torácicas; y las pectorales, cortas. Al extremo del pedúnculo caudal la línea lateral está flanqueada por un par de quillas, pero no existe una tercera entre ambas. Un cinturón de escamas más grandes y conspicuas que el resto rodea el cuerpo a la altura de las aletas pectorales. Sobre el dorso, de color azul metálico, destaca una serie de barras oblicuas y ondulantes de tono oscuro. Los costados y el vientre son plateado amarillentos, con numerosas manchas difusas redondeadas. La macarela es una especie cosmopolita de mares templados, que habita principalmente en aguas superficiales cercanas a las costas. Forma grandes cardúmenes capaces de realizar largas migraciones. Se alimenta de pequeños peces e invertebrados pelágicos. Su área de distribución americana comprende, en el Atlántico, desde Nueva Escocia hasta Argentina, y en el Pacífico, desde el sur de Alaska hasta el cabo San Lucas y el golfo de California, en donde tiene como límite norte el puerto de Guaymas, Son. Las mayores concentraciones de macarela en aguas mexicanas se forman, en las épocas de reproducción, entre el puerto de Ensenada y la isla de Cedros. La macarela se pesca de julio a septiembre, generalmente junto con la sardina, utilizando redes de cerco. Es una de las especies comestibles más importantes; de 1978 a 1985 se capturó un promedio de 7 mil toneladas anuales. La mayor parte se vende enlatada; y en los mercados locales se consume fresca, congelada o ahumada.

MACARELA DEL PACÍFICO. *Scomber Pneumatophorus* Diego, pez de la familia *Scombridae.* Algunos autores lo consideran como el único representante de la familia en el Pacífico; otros como una subespecie de *P. japonicus*, habitante del Pacífico oriental; y Jordan y Evermann como una forma de *S. colias.* Mide hasta 40 cm de largo y tiene la cabeza puntiaguda; el borde posterior del ojo cubierto por escamas grandes; la aleta dorsal escotada en dos porciones –la primera con nueve espinas, y la segunda con una sola y 12 radios–; la anal con dos espinas y 12 radios; la caudal bifurcada y el pedúnculo con dos quillas a cada lado.

El dorso es azul, con 30 líneas onduladas de color negro arriba de la línea lateral, y los lados plateados, lo mismo que la región ventral. En los adultos se presentan varios puntos negruzcos en el vientre y un lunar negro en la axila. Es muy común desde Alaska hasta Baja California y penetra al golfo de Cortés hasta la altura de Guaymas. Aunque más pequeña que la macarela común *S. scomber*, se le considera una de las mejores especies comestibles de América.

MACARUYA MINGUILLA DE AGUILANIN, ANTONIO. Nació en Benavarre, Huesca, España, en fecha que se ignora; murió en la hacienda de La Laguna (Dgo.) el 12 de julio de 1781. Fue obispo de Comayagua, de donde fue trasladado el 14 de diciembre de 1772 a la diócesis de Durango. Tomó posesión el 16 de febrero de 1774. Le tocó iniciar su gobierno en situación difícil, pues su antecesor, José Vicente Díaz Bravo, había sido acusado de delitos graves por el Cabildo de la catedral y tuvo que marchar a España a responder de ello. Macaruya impulsó las obras emprendidas: terminó la construcción del Colegio de los Jesuitas y la reparación de la iglesia de Nuestra Señora de San Juan de los Lagos y del templo que fue después la parroquia del Sagrario. Gobernó durante casi ocho años y fundó la archicofradía de la Virgen del Rosario (1774) y de la del Santísimo (1779).

MACCISE MACCISE, CAMILO. Nació en Toluca, Méx., el 8 de junio de 1937. Tomó el hábito de la Orden del Carmen en el noviciado de Querétaro, el 28 de octubre de 1954, y emitió la profesión religiosa en esa misma casa el 29 de octubre de 1955. Estudió en el convento de San Joaquín, Tacuba, D.F. (1955-1958), en el *Teresianum* de Roma (1958-1963), en el Pontificio Instituto Bíblico de Jerusalén (1968-1969) y en el Pontificio Instituto Bíblico de Roma (1969-1971). Fue consagrado sacerdote el 29 de abril de 1962. Ha desempeñado las siguientes actividades: profesor de teología en Toluca (1964-1965), subdirector del Colegio Preparatorio Carmelitano en Guadalajara (1966-1968), director de la sección de teología del Instituto Regina Mundi de México (1971-1972), consejero provincial (1972-1975), encargado de la casa de estudiantes mayores de la Orden (1973-1977), provincial de los carmelitas de México (1978-1979) y segundo definidor general de la Orden (Roma, desde 1979). Ha publicado: *La vida espiritual a la luz del Concilio* (1968), *Hacia una espiritualidad para América Latina* (Bogotá, 1971), *Nueva espiritualidad de la vida religiosa en América Latina* (Bogotá, 1977) y *Ser signos de liberación* (Bogotá, 1978).

MacCORKLE STUART, ALEXANDER. Autor norteamericano que publicó en 1933 el libro *American policy of recognition towards Mexico* (La política americana del reconocimiento hacia México).

MacCURDY, GEORGE GRAND. Nació en Warensburg, Misuri, EUA, en 1863; murió en Old Lyme, Connecticut, en 1947. Fue bachiller en artes de Harvard (1893), maestro en artes de las universidades de Viena, París y Berlín (1894), doctor en filosofía y letras de Yale (1905) y profesor en ésta de arqueología, prehistoria y antropología (1910-1923). Autor de: "*Obsidian razor of the aztecs*", en *American Anthropologist* (1900); *The eolithic problem* (1905), *Some phases of prehistoric archaeology* (1907), "*Aztecs calendar stone in Yale University Museum*", en *American Anthropologist* (1910); *A study of Chiriquian antiquities* (1911), "*Review of a study of maya art. The subject matter and historical development*", en *Current Anthropological Litterature* (1913); "*Maya art and its development*", en *The American Museum Journal* (1914); *Human origins. A Manual of prehistory* (2 vols., 1924), *Prehistoric man* (1928) y *The coming of man* (1932).

MACEDO, MARIANO. Nació en Guadalajara (Jal.), en 1807; murió en la villa de San Ángel (hoy Villa Álvaro Obregón), D.F., en 1869. Se recibió en su ciudad natal de licenciado en derecho. Fue enviado extraordinario y ministro plenipotenciario en Colombia y Centroamérica, y desempeñó comisiones en Europa. Combatió a los norteamericanos (1846-1848). Fue senador de la República y ministro de Relaciones Interiores y Exteriores del 1° de junio al 10 de septiembre de 1851.

MACEDO, RITA (María de la Concepción Macedo Guzmán). Nació en la ciudad de México en 1928. Es hija de la escritora Julia

Guzmán (véase). Tomó cursos de actuación con profesores particulares. Se inició en el cine en 1942 con la película *Las cinco noches de Adán*. Destacó como actriz dramática y en 1948 protagonizó *Rosenda*, dirigida por Julio Bracho, quien le puso el nombre, para fines artísticos, de Rita Macedo. Al año siguiente actuó en *San Felipe de Jesús*, a la que siguieron, entre otras, *Los bandidos de Río Frío* (1954), *Ensayo de un crimen* (1955) y *Nazarín* (1958); las dos últimas, bajo la dirección de Luis Buñuel, merecieron varios premios nacionales e internacionales. Otros filmes que le dieron fama son *La rosa blanca* (1960), *El hombre de papel* (1963), *Tú, yo y nosotros* (1971; Ariel por la mejor actriz del año otorgado en 1972) y *El castillo de la pureza* (1972, galardonada como la mejor película del año). Participó en unas 60 películas. Murió en 1993.

MACEDO Y ARBEU, EDUARDO. Nació en México, D.F., hacia 1868; murió en la misma ciudad en 1943. Dramaturgo, escribió: *El manicomio de los cuerdos* (estrenada en 1890), *La vecindad de la Purísima*, *Por dos duros* y *Chinampina, el bolero*. Se dice que fue maestro de la Escuela de Bellas Artes. Ermilo Abreu Gómez lo describe como un hombre que hablaba continuamente de teatro, sin pausas ni miramientos, y lo recuerda oficiando en sesiones de espiritismo jocoserio donde participaban Luis Enrique Erro y Nicolás Zúñiga y Miranda.

MACEDO Y GONZÁLEZ DE SARAVIA, MIGUEL. Nació y murió en la ciudad de México (1856-1929). Estudió en la recién fundada Escuela Nacional Preparatoria, donde fue discípulo del doctor Gabino Barreda. Pasó a la Nacional de Jurisprudencia, donde se graduó de licenciado en derecho (1879). En 1877 se le designó secretario de la Junta de Vigilancia de Cárceles, de la que fue después vocal y vicepresidente hasta 1897. Formó parte de las comisiones que redactaron el Código Civil (1882-1884) y las leyes y reglamentos que motivaron la erección de la Penitenciaría del Distrito Federal, inaugurada en 1901. Fue síndico (1887), regidor (1896-1897) y presidente del Ayuntamiento de la ciudad de México (1898). Perteneció a una generación en la que sobresalieron él, su hermano Pablo, Joaquín D. Casasús, Emilio Pardo, Jacinto Pallares, Justo Sierra, Ezequiel A.

Chávez, Jesús Galindo y Villa y José Ives Limantour, la mayoría miembros, más tarde, del grupo de los Científicos, que influyó en la renovación legislativa del país durante el porfirismo y acometió grandes empresas económicas e industriales. En 1896, al lado de Casasús y J.M. Gamboa, intervino en la comisión redactora de la Ley General de Instituciones de Crédito (1897), que reguló los bancos de emisión, hipotecarios y refaccionarios. De 1903 a 1912 presidió la Comisión Revisora del Código Penal, para modernizarlo, cosa que no se logró (véase: Francisco González de la Vega: *El Código Penal comentado*, 1939), aunque dio motivo a trabajos de gran calidad (Paulino Machorro Narváez: *Memoria del Primer Congreso Jurídico Nacional*, 1932). Desempeñó la subsecretaría de Gobernación (1906-1911). Desde joven enseñó derecho penal y procedimientos penales (1880-1910). Fue de los fundadores de la Escuela Libre de Derecho (1912), al lado de Agustín Rodríguez, Emilio Rabasa y Federico Gamboa, entre otros, y de los estudiantes Emilio Portes Gil, Ezequiel Padilla, Mardonio Rodríguez y muchos más. Doctor *Honoris Causa* por la Universidad Nacional de México (1925), perteneció a varias sociedades científicas y jurídicas. Escribió en *El Foro*, revista jurídica, al lado de su hermano Pablo, con quien fundó el *Anuario de Legislación y Jurisprudencia* (38 vols., 1884-1898), la mejor revista jurídica de su tiempo. Colaboró en *La Escuela de Jurisprudencia* (1878-1882) y en el *Publicista* (1884-1890). Escribió: *Datos para el estudio del nuevo Código Civil del Distrito Federal y territorio de Baja California, promulgado el 31 de marzo de 1884. Documentos oficiales relativos a la reforma del Código Civil y notas comparativas del nuevo código con el código de 1870* (1884); "El municipio", "Los establecimientos penales", "La asistencia pública", en *México. Su evolución social* (1901), obra monumental dirigida por Justo Sierra; *Trabajos de revisión del Código Penal; proyecto de reformas y exposición de motivos* (4 vols., 1912-1914); *Robo y publicación indebida de cartas juradas. Los juicios de amparo promovidos por el S.F.F. Palavicini* (1917); *Mi barrio (segunda mitad del siglo XIX)* (1930) y *Apuntes para la historia del derecho penal mexicano* (1931).

Bibliografía: Corona fúnebre para honrar la memoria del Lic. D. Miguel S. Macedo (1929); John T. Vance y Helen L.

MACEDO–MACEYRA

Clagett: *A guide to the law and legal Litterature of Mexico* Washington, 1935).

MACEDO Y GONZÁLEZ DE SARAVIA, PABLO. Nació en la ciudad de México en 1851; murió en Madrid, España, en 1918. Hizo sus estudios en el Colegio de San Ildefonso y en la Escuela Nacional de Jurisprudencia, donde antes de cumplir 20 años de edad (1871), se recibió de licenciado en derecho. No fue secretario ni miembro de las comisiones redactoras como se ha dicho en los diccionarios biográficos. Tuvo a su cargo, junto con Emilio Pardo hijo, la redacción de *El Foro*, periódico diario de jurisprudencia y legislación propiedad de José Ives Limantour, que mucho contribuyó a interpretar las disposiciones que sustituyeron a las antiguas leyes españolas hasta entonces vigentes. Fue secretario de Gobierno del Distrito Federal (1876-1880). Como diputado al Congreso de la Unión (1880-1882, 1892-1904, 1906-1911), intervino en la expedición de las leyes de Terrenos Baldíos, Libertad de Profesión e Inmobilidad de Funcionarios Judiciales, y presidió las comisiones de Hacienda y de Presupuestos. Fue delegado al Congreso Histórico Americano celebrado en Madrid en 1892. Enseñó derecho penal de 1877 a 1886. Fue abogado del Banco Nacional de México y de la Compañía de Ferrocarriles del Distrito Federal, y cofundador de la compañía El Boleo, en Baja California, la mayor empresa productora de cobre durante el porfiriato. Volvió a la cátedra, para explicar economía política (1896-1901) y fue director de la Escuela Nacional de Jurisprudencia (1901-1904), tocándole inaugurar el edificio neoclásico de San Ildefonso, que ocupó hasta 1956. Fundó en 1884, en compañía de su hermano Miguel S., el *Anuario de Legislación y Jurisprudencia* (38 vols., 1884-1898) y con Isidro A. Montiel y Duarte, Jacinto Pallares, Emilio Velasco y José Fernández, el *Publicista*, semanario de miscelánea jurídica publicado por *El Porvenir* (1884-1890). Escribió con Emilio Pardo el *Compendio de los derechos y obligaciones del hombre y el ciudadano* (1875), cuya 2a. edición *aumentada con la moderna jurisprudencia de la Suprema Corte*, por Aurelio Campillo, se publicó en Jalapa en 1928; con Indalecio Sánchez Gavito, *La cuestión de los bancos* (2 vols., 1885-1890); y "La evolución mercantil. Comunicaciones y obras públicas. La hacienda pública", en *México. Su evolución social* (1901), reditada más tarde con el título de *Tres monografías. La evolución mercantil. Comunicaciones y obras públicas. La hacienda pública* (1906).

MACEHUALLI, MACEUALLI. Sustantivo náhuatl con que se designa a los hombres comunes, los campesinos. Algunos lo han traducido como "los merecidos, los que merecían los dioses", en cuyo caso se refiere a quienes podían ser sacrificados, inmolación que a su vez servía para mantener vivos a los númenes de las fuerzas naturales, conservando con ello la dinámica universal.

MACEYRA, FÉLIX FRANCISCO. Nació y murió en Chihuahua, Chih. (1834-1897). Estudió en el Instituto Científico Literario y después comercio en París, Francia. De regreso a su estado, estableció un comercio en el Mineral de Ocampo, trasladándose durante la ocupación francesa (1864-1865) a Cusihuirachi, donde sufrió exacciones de parte del general Julio Carranco, prefecto imperial, quien tomó esa población el 21 de febrero de 1866. Instalado en la ciudad de Chihuahua en 1867, fue socio con su hermano Mariano en la Casa Maceyra, jefe político del cantón Iturbide (1868-1869), diputado a las IX y XV legislaturas locales, gobernador sustituto del estado (27 de julio de 1885 a 11 de junio de 1887) y senador de la República por el estado de Guerrero (1892-1896). Fundó el Banco Mexicano (1880), que se fusionó en 1897 con el Banco Minero, estableció el servicio telefónico urbano de la ciudad de Chihuahua, introdujo el ganado cebú, amplió y terminó el Palacio de Gobierno, fundó escuelas, construyó obras de defensa en el río Bravo e introdujo a la administración pública el servicio de estadística.

MACEYRA, JOSÉ FÉLIX. Nació y murió en Chihuahua, Chih. (1811-1878). Estudió en el Instituto Científico Literario. Con sus hermanos Mariano y Félix Francisco, fundó la razón social Maceyra Hermanos, que llevó a Chihuahua la tercera imprenta de que dispuso la ciudad. En 1844 se opuso al gobernador José Mariano Monterde, y en 1845 fue jefe de los liberales que derrocaron al gobernador Zuloaga. Ocupó la prefectura política de la capital del estado y contribuyó a organizar las fuerzas militares que resistieron fugazmente a los norteamericanos en Temascalitos (25 de diciembre de 1846) y en Sacramonte (28 de febrero de 1847). Tomó parte en las negociaciones de paz con el jefe invasor Alejandro Doniphan, que había tomado la capital del estado el 1° de marzo de 1847 y que se retiró a Saltillo para unirse al general Taylor. Fue jefe político del cantón Iturbide (1847, 1868, 1874), diputado a las legislaturas locales (1850, 1852) y al Congreso Constituyente que expidió la Constitución de Chihuahua el 19 de abril de 1858. Durante el Imperio de Maximiliano dejó de participar en la política; pero al evacuar las tropas francesas la capital del estado (29 de octubre de 1865), el general Agustín E. Brincourt, en atención de su prestigio le dejó encargada la ciudad mientras llegaban las tropas republicanas. Más tarde estableció la primera línea de diligencias entre Chihuahua y San Antonio, Texas, construyó la estación terminal llamada La Despedida, y tendió la línea telegráfica entre ese punto y la Casa de Gobierno (1876). A iniciativa suya, además, se instituyeron las fiestas de Santa Rita, que aún se celebran.

MacGREGOR, LUIS. Nació en Córdoba, Ver., en 1887; murió en México, D.F., en 1965. Arquitecto, egresado de la Academia de San Carlos, fue discípulo de Adamo Boari y uno de los fundadores de la Sociedad de Arquitectos Mexicanos. Practicó los estilos neocolonialista y funcionalista. Trabajó para el Departamento (luego Dirección) de Monumentos Coloniales del Instituto Nacional de Antropología e Historia en la restauración de inmuebles virreinales, en cuya tarea redescubrió los conventos de Acolman y Actopan. En 1935 participó, junto con Manuel Toussaint, Rafael García Granados y Federico Gómez de Orozco, en la fundación del Laboratorio de Arte de la Universidad Nacional Autónoma de México, actual Instituto de Investigaciones Estéticas, del cual fue investigador hasta 1955 y emérito hasta su muerte. Entre sus obras arquitectónicas figuran el edificio de la Beneficencia Mexicana, el monumento a los Niños Héroes (el primitivo), el Hospital Militar (1940) y el arreglo del Castillo de Chapultepec para museo. Publicó: *La ciudad de Oaxaca* (1933), *Huejotzingo. La ciudad y el convento* (en colaboración con Rafael García Granados, 1934), *Estudios sobre arte colonial mexicano* (1946), *Tepoztlán* (1948), *Tasco* (1948), *México. Arquitectura civil* (1953), *El plateresco en México* (1954) y *Actopan* (1955).

MacGREGOR KRIEGER, LUIS. Nació en México, D.F., el 7 de agosto de 1918. Arquitecto (1949) por la Universidad Nacional Autónoma de México, enseñó composición en esa casa de estudios y en la Universidad Motolinía y museografía en la Escuela Nacional de Antropología. Ha proyectado los museos regionales de Cuicuilco y Palenque; los hospitales regionales de Los Mochis, Ciudad Obregón, Nogales y Mexicali, el de emergencia de la Cruz Roja en esta última ciudad, el civil de Matamoros y los rurales de Control, Díaz Ordaz y Comales, N.L., y Doctor Coss, Tamps.; la Escuela Nacional de Ingeniería y la de Iniciación de la misma especialidad en la Ciudad Universitaria (en colaboración) y las obras del Comité Administrativo del Programa Federal de Construcción de Escuelas en Tamaulipas (1953); las fábricas de Textiles Hidalgo, en Pachuca y Textiles Sonora, en Hermosillo; el aeropuerto (1955), el Centro Deportivo Bancario (1957), la sucursal del Banco de México y el edificio de correos y telégrafos de Matamoros (1950-1960). Ha formulado, además, los planos reguladores de Tuxpan (1949) y Ciudad Miguel Alemán (1954) y los proyectos urbanísticos del fraccionamiento Parques de San Francisco en Matamoros (1951), la colonia para empleados de Pemex en Reynosa (1953) y los distritos de riego del Humaya, Sin., y El Limón, Tab. Posteriormente realizó diversas obras de urbanismo en el sur de Estados Unidos y en la ciudad de Matamoros, donde había fundado en 1954 la Asociación de Ingenieros y Arquitectos que seguía en funciones en 1988. Durante el gobierno de Adolfo López Mateos fue director general de Planeación, Estadística e Información de la Secretaría de Comunicaciones y Obras Públicas. En 1988 estaba retirado del ejercicio de la profesión e impartía cursos en la Universidad Iberoamericana.

MACHADO, MANUEL ANTHONY. Nació en Nogales, Arizona, EUA, en 1939. Bachiller (1961) y maestro en artes (1962) y doctor en filosofía y letras (1964) de la Universidad de California (Santa Bárbara). Profesor de historia de la Universidad de Montana, es autor de: "*Aftosa and the Mexican-United States Sanitary Convention of 1928*", en *Agricultural History*

(1965); *An industry in crisis: mexican N.S. cooperation in the control of foot-and-mouth disease* (1968) y *Aftosa: a historical survery of foot-and-mouth disease and inter-american relations* (1969).

MACHETE. *Elops saurus* Lineo y *E. affinis* Regan. Peces de la familia Elopidae, orden Elopiformes. Su apariencia recuerda la del sábalo, pero su tamaño nunca pasa de 1 m de longitud y sus escamas son mucho más pequeñas y numerosas (más de 100 en la línea lateral). Presenta la cabeza un tanto puntiaguda; los ojos, grandes; y la boca, terminal, muy grande y de labios delgados. La mandíbula inferior no rebasa la superior. La aleta dorsal se origina ligeramente detrás de la parte media del cuerpo y no presenta el último radio filamentoso. La anal es corta, formada por menos de 20 radios y, al igual que la dorsal, tiene su base enfundada en una vaina escamosa. La caudal es bifurcada, las pélvicas son abdominales y las pectorales están emplazadas en posición muy inferior. La línea lateral, casi recta, está bien desarrollada. Son de color azul grisáceo en el dorso y plateado en los costados. Las aletas son amarillentas. Sus hábitos de vida son muy semejantes a los del sábalo. *E. saurus* habita en el Atlántico, desde Massachusetts hasta Río de Janeiro; y *E. affinis* se distribuye en el Pacífico, desde el golfo de California hasta el Perú. Ambas especies son abundantes en los litorales mexicanos. Se pescan con redes agalleras, chinchorros y anzuelos. Se venden frescos. Su carne se considera de baja calidad. V. SÁBALO.

MACHOCOTE. *Cyrtocarpa procera* H.B.K. Árbol de la familia de las anacardiáceas, de unos 6 a 7 m de altura, densamente pubescente en todas sus partes, en particular las hojas. Éstas son pinnadas, caedizas; los foliolos son aproximadamente 17, lanceolado-oblongos, enteros, opuestos en la base y más o menos alternos hacia el ápice de la hoja, obtusos o agudos, de 4 a 7 cm de largo; por lo común con el raquis estrechamente alado. Las flores son blancas, pequeñas, agrupadas en panículas, con cinco sépalos ovoides e imbricados, e igual número de pétalos ovales –inicialmente imbricados y después extendidos– de 3 mm de largo; los estambres son 10; el ovario, súpero; y el fruto, una drupa globosa, amarilla, pubescente, de unos 2 cm, con una semilla. Se encuentra de Jalisco a

Puebla, Guerrero y Oaxaca. La madera es suave, purpúrea, de olor fuerte; se usa para fabricar diversos artículos, como charolas e imágenes. Algunos animales domésticos, entre ellos las cabras, toman las hojas como alimento. El fruto tiene la pulpa resinosa, comestible y ácida; en Jojutla, Mor., recibe los nombres de *chupandía* y *berraco*. Las semillas son grandes, sirven de alimento a los puercos y se usan en medicina popular contra la lepra. La corteza contiene saponinas y se emplea, en lugar del jabón, para lavar la ropa. Hernández registra para este árbol el nombre náhua *copalzócotl*, y el tarasco *pompoqua*, indicando que la planta era usada en Michoacán para combatir fiebres, diarrea y disentería. También se le conoce con los nombres de *copaljocote* y *copalcocote*, en Guerrero, Oaxaca, Jalisco y Morelos; *copal*, en Guerrero y Oaxaca; *copalhi*, según Ramírez; y *chupandía*, según Conzatti.

MACHOMULA, DANZA DEL. Se representa en los pueblos de la Costa Chica de Guerrero. El *machomula* es la cabeza de un caballo de madera, que se cuelga de las vigas de la casa del mayordomo. La víspera de la fiesta, los compañeros de éste, con las caras pintadas, velan la cabeza con cantos y rezos. El día de la celebración el mayordomo monta el palo que la sostiene y los otros lo siguen en procesión.

MACHORRO. Se aplica este nombre a los individuos jóvenes del pez *Totoaba macdonaldi*, al que en estado adulto se le denomina totoaba (véase).

MACHORRO, AURELIANO. Nació en Acatzingo, Pue., en 1851; murió en la ciudad de Puebla en 1932. Estudió violín en la Academia de Música del maestro Pablo Sánchez (1860-1865). Uno y otro trabajaron después en la orquesta de Ángela Peralta, a quien Machorro acompañó a Mazatlán en 1883, donde la gran cantante murió víctima del cólera. Regresó a Puebla, dedicándose a la enseñanza, a componer música y a dirigir la orquesta del Teatro Principal. Dejó escritas numerosas composiciones, entre las que sobresalen: "Corona a la Virgen" (coro para ocho voces), "A Juárez", "Bandala", "A la niñez" y "A Madero" (marchas), y "La Guerra de Cuba", "Valiente amigo" y "Lotería Nacional" (zarzuelas).

MACHORRO NARVÁEZ, PAULINO. Nació en el estado de Jalisco en 1877; murió en la ciudad de México en 1957. Se graduó de abogado en Guadalajara, donde militó en el Partido Liberal. Fue procurador de Justicia del Distrito Federal antes y después de ser diputado al Congreso Constituyente de 1916-1917. Llegó a ser después subsecretario de Gobernación y ministro de la Suprema Corte. Enseñó derecho constitucional y penal en la Escuela Nacional de Leyes. Escribió *Dr. Francisco Severo Maldonado, un pensador jalisciense del primer tercio del siglo* XIX (1938).

MacHUGH, ROBERT JOSEPH. Autor norteamericano que publicó en 1914 el libro *Modern Mexico* (México moderno).

MACÍAS, JOSÉ MIGUEL. Nació en La Habana, Cuba, en 1830; murió en el puerto de Veracruz en 1905. En 1843 viajó a Madrid y más tarde ingresó a la Universidad Central, en la que cursó derecho. Próximo a recibirse, huyó a Gibraltar al descubrirse su participación en un movimiento revolucionario. Regresó a Cuba y vivió de dar clases. Afiliado a la insurrección del general Carlos Manuel de Céspedes, fue aprehendido en 1869, recluido en los cuarteles de Cárdenas y La Cabaña, y deportado, junto con otros 249 españoles, a la isla de Fernando Poo, en el golfo de Guinea. Puesto en libertad, fijó su residencia en el puerto de Veracruz, en 1870. Sin recurso alguno, pidió el puesto de barrendero en el periódico *El Progreso* a cambio del sustento. El propietario del diario, Ramón Lainé, le dio oportunidad de escribir y mostró entonces su gran erudición en filosofía y lingüística. Fue catedrático durante varios lustros del Colegio de Estudios Preparatorios y después, sucesivamente, vicerrector y rector. Dos generaciones de veracruzanos le debieron su instrucción. A su muerte, el pueblo de Veracruz hizo una verdadera demostración de duelo. Dejó escritas: *Raíces griegas* (*orígenes del español*) (Veracruz-Puebla, 1880), *Vindicación de la colonia cubana residente en la República Mexicana. Opúsculo escrito en honra de los calumniados y en averiguación del calumniador* (Veracruz, 1888), *Elementos latinos del español. Sinopsis de las lecciones dadas en las clases de raíces del Colegio Preparatorio de Veracruz* (Veracruz, 1884), *Diccionario cubano* (Veracruz, 1890) y *Etimologicarum novum organum* (Veracruz, 1896).

MACÍAS, JOSÉ NATIVIDAD. Nació en Guanajuato, Gto., el 8 de septiembre de 1857; murió en México, D.F., el 19 de octubre de 1948. Estudió en las escuelas nacionales Preparatoria y de Jurisprudencia, graduándose de licenciado en derecho en 1894. Fue diputado federal a la XXV Legislatura, la última del porfirismo (1809-1911). Afiliado al Partido Antirreeleccionista y triunfante Madero, volvió a ocupar una curul en la XXVI Legislatura (1911-1913), la cual fue disuelta por el general Victoriano Huerta. Con la mayoría de sus compañeros legisladores, estuvo preso en la Penitenciaría del Distrito Federal (1913). Afiliado al constitucionalismo, fue un eficaz colaborador del primer jefe del Ejército Constitucionalista: representó a su estado en el Congreso Constituyente (1916-1917) y fue el autor del Proyecto de Reformas a la Constitución de 1857, que Carranza presentó a la asamblea, pero que en su mayor parte fue rechazado por el grupo radical de Jara, Monzón, Cravioto, Mújica y otros. Durante el gobierno de Carranza (1917-1920), fue director de la Universidad de México; y a la muerte del presidente (20 de mayo de 1920), vivió por un tiempo en San Antonio, Texas, dedicado al periodismo. Vuelto al país en 1921, se dedicó al ejercicio de su profesión.

MACÍAS, RAMÓN. Nació en Los Reyes, Mich., en 1856; murió en la ciudad de México en 1916. Estudió en el Colegio de San Nicolás, en Morelia, y después marchó a Europa a perfeccionarse. Médico cirujano, sustituyó al doctor Rafael Lavista en la cátedra de clínica quirúrgica en la Escuela Nacional de Medicina. Fue el creador de la prostatectomía, operación que se propagó a todo el mundo. Sirvió, además, en el cuerpo diplomático y fue miembro del Ayuntamiento de la capital, presidente del Consejo de Salubridad y director del Hospital Morelos.

MACÍAS, RAÚL. (*El Ratón.*) Nació en la ciudad de México. Boxeador de peso gallo, obtuvo el segundo lugar de su categoría en los Juegos de la XV Olimpiada (Helsinki, 1952). Al año siguiente se hizo profesional y en 1955, en San Francisco, Cal., EUA, ganó el campeonato mundial derrotando a Chamren Songkitrat. Perdió su título en 1957 frente a Alphonse Halimi, en Los Ángeles, Cal.

MACÍAS FEMAT, MIGUEL. Nació en Jesús María, Ags., el 25 de junio de 1884; murió en México, D.F., el 1° de marzo de 1964. Tocaba el piano, el violín, la viola y el violoncello. Organizó la primera Orquesta Sinfónica de Aguascalientes en 1925, de la que fue subdirector. Dirigió la tercera orquesta sinfónica de su estado natal en 1933. Fundó el cuarteto Pro Arte de Música de Cámara y muchos otros conjuntos musicales. Es autor de canciones populares y de piezas instrumentales de estilo mexicano, entre ellas la polka "El zopilote mojado".

MACÍAS GOITYA, ANGELINA. Nació en Guadalajara, Jal., en 1937. Estudió arquitectura en la Universidad Nacional Autónoma de México y arqueología en la Escuela Nacional de Antropología e Historia. Se tituló en 1969 con la tesis *La arquitectura y su función en el Perú prehispánico.* Trabajó las zonas arqueológicas de Comalcalco, Santa Cecilia Acatitlán, Tenayuca y San Juan Teotihuacan (1961-1964). En el Museo Nacional de las Culturas proyectó y montó la Sección Andina de la Sala de Arqueología de Suramérica. Desde 1979 es jefa del proyecto de estudios antropológicos en la cuenca de Cuitzeo, Mich.; sus excavaciones en Huandacareo sacaron a luz un centro ceremonial que funcionó hasta el siglo XVII, en cuyos abundantes enterramientos se hallaron ricas ofrendas en cerámica, cobre, oro y mosaicos de turquesas. Ha publicado: *Arte andino* (1974), *Culturas andinas* (1975), *La cultura de Paracas* (1974), *Un sitio teotihuacano en la cuenca de Cuitzeo: Tres Cerritos* (1986), *La metalurgia prehispánica* (1987), *Las turquesas de un lago* (1987), *Huandacareo, lugar de juicios* (1987), *La presencia del Dr. Román Piña Chan en Michoacán* (1987) y *Tipología cerámica de Huandacareo* (1987).

MACÍAS GUILLÉN, PABLO. Nació en Coeneo, Mich., en 1908; murió en la ciudad de México el 3 de mayo de 1985. Profesor por la Escuela Normal de Michoacán y abogado por la Universidad Nacional Autónoma de México, ejerció el magisterio 47 años: de 1924 a 1971, año en el que se jubiló. Aparte sus cátedras de civismo, materias jurídicas e historia, dirigió el Centro de Estudios Tecnológicos núm. 9 y la Escuela Nacional de Artes Gráficas, y fue visitador especial de la Secretaría de Educación (1941-1946), subjefe del Departamento de Bibliotecas (1946-1949), miembro de la Junta de Gobierno de la Universidad Michoacana de San Nicolás de Hidalgo (1963) y presidente de ella (1966). Se inició en el periodismo en 1927 como redactor de *La Opinión* de Torreón; ahí fundó el periódico *Revolución* y a partir de 1936, cuando se trasladó a la ciudad de México, ha colaborado en *El Nacional, El Universal, Excélsior* y varias revistas. En 1939 participó en la fundación de la Agencia Editorial Mundial, que distribuyó a mil publicaciones de todo el mundo artículos en favor de las democracias. En 1956 creó la revista *Artes del Libro* que dirigió hasta 1971, y en 1958 reorganizó la editorial del Sindicato Nacional de Trabajadores de la Educación e instituyó la revista mensual *Magisterio*, a cuyo frente estuvo tres años. Es autor de: *Aula nobilis* (2 vols., 1940 y 1963; monografía del Colegio Primitivo y Nacional de San Nicolás de Hidalgo), *El pensamiento del colegio más antiguo de América* (1943), *Judas está vivo* (1946), *La educación pública en la Constitución de 1857* (1957), "Esperanza Tatiana y el coronelito" (cuento, 1958), *Hidalgo reformador y maestro* (1959), *El Colegio de San Nicolás, santuario de la patria* (1960), *La prensa Echániz* (1960), *El Chamizal, territorio de México en poder de Estados Unidos* (1961), *Un recuerdo al poeta Jesús Sansón Flores* (1966), *Ignacio Cumplido, impresor y periodista* (1966), *El presidente Juárez, la supuesta venta de Sonora y el cadáver de Maximiliano* (1968), *Octubre sangriento en Morelia* (1968), *Don Vasco de Quiroga en su V Centenario* (1970), *Hermanos en el ideal* (Morelia, 1973), *Los chichimecas* (apuntes para la historia antigua de Michoacán, 1973) y *Pátzcuaro* (1978). Sus artículos sobre la Segunda Guerra Mundial fueron recogidos en el libro *Mi contribución a la victoria* (1962), con ilustraciones de Gabriel Fernández Ledezma. En 1983 fue condecorado por el gobierno de Michoacán con la presea Morelos.

MACÍAS JUÁREZ, JESÚS. Nació en Guanajuato, Gto., el 19 de febrero de 1922. Estudió en la Escuela Superior de Música del Instituto Nacional de Bellas Artes (INBA), especializándose en canto y dirección coral. Tenor, formó parte de los coros de la Ópera (1949-1960) y de la Basílica de Guadalupe (1968-1971) y ha dirigido los de aquella escuela (1957-1977), el de madrigalistas (1965-1973), el de la Ópera del Teatro de Bellas Artes (1971-1982), el de la Academia de Música del Palacio de Minería (1978-1981) y el de Cámara del INBA (desde 1988).

MACÍAS SILVA, DESIDERIO. Nació en Asientos, Ags., en 1922. Médico, radica en la capital del estado. Pertenece al grupo Paralelo. Poeta, ha pubicado: *Veredictos de polvo* (1959), *Historicidad y destino del hombre* (ensayo, 1959), *Como de entre los labios de una herida* (1960), *Por las estrellas más altas* (1962), *Todos aquí están muertos* (1963), *Manifiesto jubilar del hombre nuevo* (1963), *Amor con la triunfal resurrección* (1964), *Relámpagos de sangre* (1966), *Rondas para danzar con los niños* (1967) y *A cal y canto* (1968). Además de desempeñar su profesión, colabora en el Instituto de Bellas Artes de Aguascalientes.

MACÍAS VALENZUELA, PABLO. Nació en Las Cabras, Sin., en 1891; murió en la ciudad de México en 1975. Inició su carrera militar el 25 de marzo de 1912 en el 4° Batallón Irregular de Sonora, que mandaba entonces el teniente coronel Álvaro Obregón. Desde entonces y hasta su muerte sirvió ininterrumpidamente en el Ejército. A partir de teniente, obtuvo todos los ascensos y llegó a ser general de división (16 de octubre de 1937). En los primeros años de su carrera militar sirvió en varios cuerpos de infantería de Sonora. En 1912, durante la campaña contra los orozquistas, asistió a los combates de Ojitos, Chih. (31 de julio), y de San Joaquín, Son. (9 de diciembre); en 1913, a los de Santa Rosa (9 al 11 de mayo) y Santa María (28 de junio) y al sitio del puerto de Guaymas (28 de junio al 13 de julio); y en 1914, a la sangrienta batalla de La Venta, Jal. (7 al 10 de julio). Triunfante la Revolución constitucionalista, marchó con su batallón al Distrito Sur de la Baja California y participó en la toma del puerto de La Paz (10 de diciembre de 1914). Al año siguiente pasó al estado de Sonora, formó parte del 6° Batallón que mandaba el general Ángel Flores y combatió a las partidas villistas en Cueva Masiaca (15 de enero), Rosales (15 de febrero), Navojoa (19 de abril), Rosales (18 de junio), Macoyahui (28 de

julio), Sitabaro (4 de septiembre) y Alamito (18 de noviembre) y en la toma de Hermosillo (21 y 22 de noviembre). El 15 de diciembre de ese año fue ascendido a coronel. Concurrió a las campañas contra los indios yaquis sublevados, primero al mando del 8° Batallón de Sonora, del 1° de enero al 15 de junio de 1916, y después del 23 Regimiento de Caballería, del 1° de agosto de 1917 al 31 de julio de 1918. En los años que siguieron fue jefe del 68° Batallón y del 28° Regimiento de Caballería. Obtuvo el grado de general brigadier el 1° de agosto de 1920 y fue jefe de operaciones militares en Nayarit y en el Distrito Norte de la Baja California (1921 y 1922), en Sinaloa y Tamaulipas (1923 y 1924). En 16 de enero de 1924 fue ascendido a general de brigada, desempeñó otras jefaturas (7a., 24a., 17a., 9a. y 29a.) hasta 1935 y del 1° de noviembre de 1940 al 1° de septiembre de 1942 fue secretario de la Defensa Nacional. Pasó después como comandante de la 1a. Región Militar del Pacífico. Gobernó el estado de Sinaloa del 1° de enero de 1945 al 31 de diciembre de 1951. El 1° de diciembre de 1957 se le nombró director de Pensiones Militares, cargo que desempeñó hasta su muerte. Obtuvo las condecoraciones del Mérito Revolucionario, de Perseverancia, del Mérito Militar de la primera clase, la Cruz de Guerra de la primera clase (por haber asistido a 45 hechos de armas) y en 1973 la Medalla de Honor Belisario Domínguez del Senado de la República. (*M.A.S.L.*).

Fuente: Archivo Histórico de la Secretaría de la Defensa Nacional.

MACIEL DEGOLLADO, MARCIAL. Nació en Cotija, Mich., el 10 de marzo de 1920. Estudió en los seminarios de Veracruz, Nacional de Montezuma (Nuevo México, EUA) y Cuernavaca, donde recibió la ordenación sacerdotal el 26 de noviembre de 1944. Desde los primeros años de seminarista había concebido la idea de fundar una congregación religiosa que trabajara en la revangelización de México y América Latina, promoviendo la devoción al Sagrado Corazón de Jesús. El 3 de enero de 1941 fundó en la ciudad de México una escuela apostólica y en 1948, en Cuernavaca, la congregación (v. LEGIONARIOS DE CRISTO). El padre Marcial ha sido superior general del instituto desde la fundación.

MACÍN, ENRIQUE. Nació en Chihuahua, Chih., en 1940. Profesor de historia de la literatura española e hispanoamericana y del Seminario de Teatro Contemporáneo en la Universidad de Chihuahua, es autor de las piezas dramáticas *Adán se despide*, *Los perfectos* y *Los nuevos bizantinos* (estrenada en 1978 y publicada en 1982).

MACÍN, RAÚL. Nació en Pachuca, Hgo., el 8 de noviembre de 1930. Licenciado en teología (1956) por el Centro Evangélico Unido, ha sido promotor en la Sociedad Bíblica de México (1957-1970), ministro de la Iglesia metodista en Mexicali, Torreón y Monterrey (1960-1972) y profesor, periodista y editor de libros. Es autor de: *Casi cristiano* (cuentos, 1964), *Rubén Jaramillo, profeta olvidado* (1970, y rescrito apareció en 1984), *Zapata 73* (1973), *Méndez Arceo ¿político o cristiano?* (1973), *A la vida* (poemas, 1974), *La iglesia de hoy* (1977), *Lefevre, el obispo maldito* (1977), *Una casa sin puertas* (novela, 1978), *Lectura revolucionaria de la Biblia* (1979), *Tú y ustedes* (poemas, 1980) y *Forma de canto, forma de vida* (poemas, 1984).

MacLEISH, ARCHIBALD. Autor norteamericano que publicó en 1892 el libro *Conquistador*.

MacNEISCH, RICHARD STOCKTON. Nació en Nueva York en 1918. Se graduó de maestro en artes (1944) y doctor en fisolofía y letras (1948) en la Universidad de Chicago. Director del Proyecto Arqueológico-Botánico Tehuacán (Puebla, México). Ha sido jefe de arqueología (1963-1964) y director (1969-) de la Fundación Arqueológica R.S. *Peabody* y jefe de esa especialidad en la Universidad de Calgary, Canadá (1964-1969). Ha explorado en México (1943-1949, 1953-1955, 1959, 1961-1964) y escrito numerosos estudios, entre los cuales sobresalen: "*A preliminary report on coastal Tamaulipas*", en *American Anthropologist* (Nueva York, 1947); "*A synopsis of the archaeological sequence in the sierra de Tamaulipas*", en *Revista Mexicana de Estudios Antropológicos* (1950); "*An early archaelogical site near Panuco, Veracruz*" (1955) y "*Preliminary archaeological investigation in the sierra de Tamaulipas, Mexico*" (1958), en *Transactions. American Philosophical Society*; "*Prehistoric settlement. Patterns on the northeastern periphery of Mesoamerica*", en *Viking Fund Publications in Anthropology* (1956); "*The development of agriculture and the concomitant development in Meso-America, Tamaulipas, Mexico*", en *American Philosophical Society. Year Book* (1954-1956); "*Agricultural origins in Middle America and their diffusion in North America*", en *Katunob*; y *A newsletter on mezoamerican anthropologist* (Arkansas, 1960). En compañía de P.C. Mangelsdorf y R.H. Lister, publicó: "*Archaeological evidence on the evolution of maize in northwestern Mexico*", en *Botanical Museum Leaflets. Harvard University* (Cambridge, 1956); y con T.W. Whitaker y H.C. Cutler: "*Curcubit materials from three caves near Ocampo, Tamaulipas*", en *American Anthropologist* (1957).

MACOTELA, FERNANDO. Nació en Cuautitlán, Méx., el 6 de septiembre de 1938. Abogado, profesor universitario y funcionario público, ha encabezado las delegaciones mexicanas a los festivales cinematográficos de Cannes, Berlín, Denver, Gijón, La Habana, Cartagena, San Sebastián, Tashkent y Huelva; y asistido como jurado al Festival de Berlín. Ha colaborado en revistas y publicaciones de México y el extranjero. En 1962 obtuvo el Premio Mariano Azuela por su relato "El último cometa". Escribió el texto para la película oficial de los Juegos de la XIX Olimpiada (1968-1969). Después ha sido: consejero de la embajada de México en París (1970-1973), director del Festival Internacional Cervantino de Guanajuato (1973-1975) y de la productora estatal Conacine Uno (1975-1976), en la que produjo 15 películas, entre ellas *El apando y Matiné*; jefe del Departamento de Ciencias de la Comunicación en la Facultad de Ciencias Políticas y Sociales de la Universidad Nacional Autónoma de México (1981-1983), cronista de la Delegación Venustiano Carranza (1983-1985) y director de Cinematografía y de la Cineteca Nacional (desde 1983). Es autor de *Junto a los árboles* (cuentos, 1983), coautor de *La guía del cine mexicano* (1984) y cofundador de la revista *Dicine* (1982).

MACOTELA, GABRIEL. Nació en Guadalajara, Jal., en 1954. Estudió en la Escuela de Pintura y Escultura La Esmeralda y en la Escuela Nacional de Artes Plásticas. Formó parte del grupo Suma, que tenía por costumbre pintar en las bardas de la ciudad de México. Ha expuesto en ciudades del país y del extrajero y participado en la IV Trienal de Nueva Delhi, India (1977), el I y II salones nacionales de Pintura en el Palacio de Bellas Artes (1978 y 1980), en una muestra organizada en la Casa del Lago en apoyo a Nicaragua (1978) y en la Casa de las Américas, en La Habana (1980). Hasta enero de 1988 había realizado alrededor de 40 exposiciones y ganado cuatro premios.

MACUILCALLI. (Del náhuatl *macuilli*, cinco; y *calli*, casa: 5 "casa".) El signo *calli* es portador de año y se presenta 18 veces en un *tlalpilli*, o sea 13 años solares. Según el padre Sahagún, los nacidos en la fecha *macuilcalli* eran desafortunados, aunque podía mejorar su suerte si no se les bautizaba en esa fecha, debiendo esperar hasta la séptima casa. Personificada, Macuilcalli era diosa protectora de los talladores de piedras preciosas o semipreciosas, a quienes se llamaba *chalchiuhtlateque* (cortador de jades).

MACUILXÓCHITL. (Del náhuatl *macuilli*, cinco, y *xóchitl*, flor: 5 "flor"). Último día de las veintenas del calendario solar. Se presenta 18 veces en un *tlalpilli* o periodo de 13 años solares. Sahagún dice que el nacer en esta fecha era de mal augurio. Como deidad, Macuilxóchitl era responsable del crecimiento de las flores y protector de los habitantes de las casas principales y los palacios reales; además, cuidaba en especial a los practicantes del *patolli* y otros juegos, incluyendo el de pelota. Al parecer, este patronazgo procedía de Teotihuacan, pues en las pinturas murales de este sitio aparece una figura de pies torcidos, con la fecha 5 "flor", que cuida a uno de los marcadores del juego. Sahagún nombra Xochílhuitl a su fiesta y dice que era movible, que estaba vinculada al arte adivinatorio y que se preparaba con cuatro días de ayuno y abstinencia sexual. Si se violaba esta norma, el numen castigaba al infractor con una enfermedad venérea. El ayuno eliminaba dos comidas y el chile. Llegado el quinto día, se sacrificaban muchas codornices y los ayunantes se autosacrificaban. La ofrenda consistía en cinco tamales grandes ornamentados con una punta de obsidiana en medio. La gente comía cosas desabridas y ofrecía alimentos hechos de maíz, principalmente unas tortillas en forma de rayo, torcidas, que llamaban *xonecuilli*. Durante la fiesta, los

principales de los pueblos que rodeaban a Tenochtitlan llevaban a los cautivos y los entregaban a los *calpixque*, para que los guardasen hasta que fuera oportuno sacrificarlos. Según el padre Sahagún, la imagen de Macuilxóchitl era la de un hombre desollado, pintado en tono bermellón, con colores blanco, negro y azul claro en el rostro; corona, penacho, bandera y otros ornamentos, verdes; una manta roja con caracoles, sandalias de curiosa confección y en la mano izquierda llevaba una rodela blanca con cuatro piedras; su cetro tenía forma de corazón y penachos verdes y amarillos.

MACUTCHEN MacBRIDE, GEORGE. Nació en Benton, Kansas, EUA, en 1876. Bachiller en artes por el *Park College* (1898), doctor en filosofía y letras por la Universidad de Yale (1921), doctor en derecho por la Universidad de California (1961) y profesor emérito en esta última institución (1947), es autor de *Land systems of Mexico* (1923).

MADAGASCAR. Ocupa una isla del océano Índico, con 590 km^2 de superficie, separada del continente africano por el canal de Mozambique. Su capital, Antananarivo, tiene cerca de 490 mil habitantes; y todo el país, alrededor de 10 millones. Su composición étnica es árabe, indonesia, betsimisaraka, betsilea, tsimihety, sakalava, antandroy y antaisaka. La lengua oficial es el francés, y el malgache, la franca. Las principales confesiones son el cristianismo, el islam y las religiones africanas. La moneda es el franco malgache. La vida política está dominada por el Frente Nacional para la Defensa de la Revolución Socialista Malgache. El país obtuvo su independencia de Francia el 26 de junio de 1960, y es miembro del Movimiento de Países No Alineados. Ingresó a la Organización de las Naciones Unidas el 20 de septiembre de 1960. México y la República Democrática de Madagascar tienen relaciones diplomáticas desde el 26 de diciembre de 1975.

MADDOX, JAMES GRAY. Nació en Risan, Arkansas, EUA, en 1907. Profesor de economía y agricultura en el *North Carolina State College*. Autor de *Technical assistance by religions agencies in Latin America* (1956) y *Field letters and reports in Mexico* (1956-1957).

MADERA

MADERA. Producto de la aserración de tallos, principalmente de árboles, cuya aplicación industrial varía de acuerdo con las características de la especie vegetal de donde provenga. Se toman en cuenta la densidad, dureza, duración, firmeza, rigidez, propiedades químicas y veteado (o diseño), este último en el caso de las maderas llamadas preciosas. La abundancia y versatilidad en el uso de la madera están vinculados a la existencia y a los sistemas de explotación de los bosques (v. SILVICULTURA). La madera está formada por celulosa (50%), lignina (25%) y porcentajes variables de sustancias gomosas, resinas, azúcares, almidón, taninos y sales minerales. La parte exterior del leño recibe el nombre de albura, mientras que la interior, más oscura, se denomina duramen o corazón. Son tres los pasos sucesivos que han de darse para la obtención de la madera: talado del árbol, serrado —plano, si se corta el tronco transversalmente, o en cuartones si es de modo longitudinal— y procesamiento, el cual difiere según la utilización posterior del producto. En México se produce madera aserrada y en rollo.

La producción forestal maderable del país durante 1985 alcanzó la cifra de 9.9 millones de metros cúbicos de madera en rollo, 9.4 millones para fines industriales y el resto para combustible, leña, carbón y brazuelo. Del total para su aprovechamiento fabril, 54.3% se destinó a los productos escuadrados, 30.3% a los productos celulósicos, 7.1% a la fabricación de chapa y triplay, y 8.3% a diferentes artículos. En 1990 la extracción de madera en rollo sólo alcanzó 8.1 millones de metros cúbicos y se redujo en 8.9% respecto a 1989, lo que expresa la situación desfavorable del sector en los últimos 20 años, en los que la producción de madera se redujo en 30.8%. Esta situación se debe en buena medida al rezago financiero del sector, ya que los proyectos son a largo plazo. El estancamiento de la actividad productiva de la madera originó que la industria forestal del país registrara una caída en su producción de 8.5% durante 1990, en tanto que la

PRODUCCIÓN MADERABLE POR REGIONES
1989-1990 (miles de m³ de rollo)

Regiones		1989	1990
I	Chihuahua	1 622	1 580
	Sonora	146	151
	Baja California	18	17
	Subtotal	*1 786*	*1 748*
II	Durango	2 743	2 464
	Sinaloa	44	39
	Zacatecas	25	31
	Subtotal	*2 812*	*2 534*
III	San Luis Potosí	28	28
	Tamaulipas	200	182
	Nuevo León	75	60
	Coahuila	18	17
	Subtotal	*321*	*287*
IV	Jalisco	855	661
	Nayarit	48	29
	Colima	4	5
	Aguascalientes	3	3
	Subtotal	*910*	*698*
V	Michoacán	1 173	1 329
	México	271	211
	Guanajuato	32	22
	Subtotal	*1 476*	*1 562*
VI	Oaxaca	574	432
	Veracruz	76	86
	Morelos	1	1
	Subtotal	*651*	*519*
VII	Chiapas	157	75
	Quintana Roo	79	55
	Tabasco	7	11
	Yucatán	6	7
	Subtotal	*249*	*148*
VIII	Guerrero	147	143
	Subtotal	*147*	*143*
IX	Puebla	228	231
	Hidalgo	124	128
	Tlaxcala	23	10
	Subtotal	*375*	*369*
X	Campeche	103	76
	Subtotal	*103*	*76*
Sin región		58	16
	Total	*8 888*	*195 820 100*

Fuente: Cámara Nacional de la Industria Forestal, con datos de la Dirección General de Política Forestal de la Secretaría

COMPOSICIÓN DE LA PRODUCCIÓN MADERABLE
1990-1991

Productos	1990	1991
Producción maderable		
(miles de m³ en rollo)	8 165	9 651
Escuadría[1]	5 215	5 578
Celulosa	1 965	2 607
Chapa y Triplay	299	357
Postes, pilotes y morillos	139	316
Combustibles	465	561
Durmientes	82	232
Producción no maderable		
(toneladas)	193 871	200 810
Resinas	32 923	39 608
Rizomas	370	1 380
Ixtles	4 790	13 929
Ceras	2 205	2 139
Gomas	415	843
Otros	1 533 168 [2]	142 911

[1] Incluye tablas y tablones, madera para envase y embalaje, labrados, desperdicios de madera, trozas para aserrío, trozas para chapa y otros productos en rollo. [2] A partir de este año se incluye tierra de monte.

Fuente: Secretaría de Agricultura y Recursos Hidráulicos. Cámara Nacional de la Industria Forestal.

MADERA

	Regiones	Escuadría[1]	Celulosa	Postes, pilotes y morillos	Combustibles	Durmientes	Total
				PRODUCCIÓN MADERABLE POR PRODUCTOS Y REGIONES 1991 (volumen en m³ en rollo)			
I	Chihuahua	852 453	492 545	608	696	44 495	1 390 797
	Sonora	59 207	—	871	81 622	—	141 700
	Baja California	1 100	—	205	7 031	—	8 336
	Baja California Sur	73	—	120	6 881	—	7 074
	Subtotal	*912 833*	*492 545*	*1 804*	*96 230*	*44 495*	*1 547 907*
II	Durango	1 779 917	372 279	53 752	3 227	6 686	2 215 861
	Sinaloa	36 985	—	359	1 248	—	38 592
	Zacatecas	18 514	410	1 106	5 713	—	25 743
	Subtotal	*1 835 416*	*372 689*	*55 217*	*10 188*	*6 686*	*2 280 196*
III	San Luis Potosí	12 080	1 411	1 009	1 919	3 533	19 952
	Tamaulipas	12 593	28 436	13 715	137 190	—	191 934
	Nuevo León	45 921	—	9 084	9 564	490	65 059
	Coahuila	6 662	—	1 193	11 770	—	19 625
	Subtotal	*77 256*	*29 847*	*25 001*	*160 443*	*4 023*	*296 570*
IV	Jalisco	239 821	320 283	439	51 232	—	611 775
	Nayarit	22 288	—	3 177	6 104	—	31 569
	Colima	5 601	—	194	—	—	5 795
	Aguascalientes	—	—	—	1 886	—	1 886
	Subtotal	*267 710*	*320 283*	*3 810*	*59 222*	—	*651 025*
V	Michoacán	1 000 658	246 844	1 320	79	—	1 248 901
	México	139 904	37 021	219	12 253	—	189 397
	Guanajuato	1 351	2 000	298	15 975	—	19 624
	Subtotal	*1 141 913*	*285 865*	*1 837*	*28 307*	—	*1 457 922*
VI	Oaxaca	461 768	65 611	2 264	15 284	14 394	559 321
	Veracruz	67 703	—	2 520	15 902	333	86 458
	Morelos	578	2 752	—	595	—	3 925
	Subtotal	*530 049*	*68 363*	*4 784*	*31 781*	*14 727*	*649 704*
VII	Chiapas	67 782	—	—	—	—	67 782
	Quintana Roo	30 026	—	70	—	14 774	44 870
	Tabasco	10 334	—	1 161	—	—	11 495
	Yucatán	3 360	—	1 391	2 642	—	7 393
	Subtotal	*111 502*	—	*2 622*	*2 642*	*14 774*	*131 540*
VIII	Guerrero	169 165	6 271	738	1 457	110	177 741
	Subtotal	*169 165*	*6 271*	*738*	*1 457*	*110*	*177 741*
IX	Puebla	209 044	46 000	1 298	44 954	—	301 296
	Hidalgo	97 185	5 543	422	7 879	110	111 139
	Tlaxcala	2 376	—	—	137	—	2 513
	Subtotal	*308 605*	*51 543*	*1 720*	*52 970*	*110*	*414 948*
X	Campeche	31 942	—	—	—	32 978	64 920
	Subtotal	*31 942*	—	—	—	*32 978*	*64 920*
Sin región							
	Distrito Federal	113	3 229	—	—	—	3 342
	Querétaro	4 460	—	185	2 213	—	6 858
	Subtotal	*4 573*	*3 229*	*185*	*2 213*	—	*10 200*
	Total	*5 390 964*	*630 635*	*97 718*	*445 453*	*117 903*	*7 682 673*

[1] Incluye tablas y tablones, madera para envase y embalaje, labrados, madera para chapas y tableros industrializados, desperdicios de madera, trozas para aserrío, trozas para chapa y otros porductos en rollo.

Fuente: Secretaría de Agricultura y Recursos Hidráulicos, Subsecretaría Forestal. CNIF, con datos de la Dirección General de Política Forestal de la Secretaría de Agricultura y Recursos Hidráulicos.

actividad manufacturera en su conjunto logró un incremento de 4%.

Comercio exterior. En 1990 la importaciones disminuyeron 23.37% y las exportaciones se redujeron en 24.62% con lo cual el movimiento comercial en ambos sentidos se redujo en 24% con respecto al año anterior. El mercado doméstico nacional empezó a consumir productos importados de Estados Unidos e Indonesia, a mejor precio que los mexicanos. Por su parte, México tiene el mayor de sus mercados externos de madera en Estados Unidos y desde 1978 las exportaciones a ese país se realizan en el marco del Sistema Generalizado de Preferencias.

Inventario forestal. En la misma medida que México participa con el 55% de la producción mundial de madera, ocupa el cuarto lugar en el índice de desforestación a nivel mundial con 400 mil hectáreas anuales. De los 196.7 millones de hectáreas de áreas forestales que existen en el país hoy sólo 38 millones 914 son susceptibles de ser explotadas. V. BOSQUES.

Aplicaciones. La madera tiene múltiples usos en el mercado nacional. De la extracción boscosa se obtienen trozas —para chapa, para traviesas y para aserrar—, madera para pasta, puntales, postes, pilotes, madera para destilación, bloques machihembrados y leña. A partir de las trozas se

MADERA

PRODUCCIÓN FORESTAL POR PRINCIPALES ESPECIES 1986-1991								
Año	Pino	Oyamel	Otras coníferas	Encino	Otras latifoliadas	Preciosas	Corrientes Tropicales	Total
Volumen (en m³ en rollo)								
1986	7 339	320	46	401	169	87	597	8 959
1987	7 873	453	101	394	203	104	663	9 791
1988	7 561	369	69	469	179	79	588	9 314
1989	7 462	238	73	438	170	74	433	8 888
1990	6 855	227	77	408	190	40	369	8 166
1991	8 121	269	92	456	226	47	440	9 651
Valor (millones de pesos)								
1986	151 759	5 248	644	5 298	1 967	4 451	11 617	1 809 484
1987	295 052	9 082	4 737	30 749	6 662	8 840	38 237	393 359
1988	518 227	11 380	3 725	48 776	11 849	15 940	58 368	668 265
1989	776 048	11 662	7 592	57 816	16 830	22 274	59 104	951 326
1990	836 171	23 906	9 405	63 079	22 021	13 969	58 992	1 027 543
1991	1 218 137	37 725	14 641	45 605	27 128	17 470	52 761	1 413 467

Fuente: Secretaría de Agricultura y Recursos Hidráulicos, Subdirección Forestal.

producen chapados y contrachapados, tableros de alma llena para construcción, embalajes, envases, muebles, puertas, palillos y elementos para equipos navales y de transporte terrestre; durmientes para las líneas férreas y tablas, tablones, varas, listones y puntales. Quedan, como subproductos, el aserrín, la viruta y las astillas, útiles para obtener pasta de madera y para fabricar rellenos y combustibles. Con la pasta de madera, a su vez, se fabrican: a) tableros de fibra duros, aislantes y prensados para usarse en construcción, revestimientos, decoración, ebanistería, embalaje y envases; b) cartón para estos mismos usos y para imprenta; c) papel para periódicos, escritorio, envoltura o imprenta; y d) materiales de la semiquímica soluble, en especial pastas para la industria textil. De las maderas industriales se obtienen pilotes y puntales con destino a cimentaciones, andamiajes, estructuras agrícolas, cercas y puentes rurales. En esta rama está comprendida la madera para destilación, mediante la cual se extraen sustancias para tlapalería, medicina y laboratorios. Los residuos de aserradero se transforman en "lana" y "harina" de madera, y luego la leña se convierte en carbón y en otros combustibles de aplicación agrícola para fuerza motriz y uso doméstico.

Los derivados químicos a partir de la pulpa son los siguientes: por eterificación, el éter de celulosa empleado en la fabricación de plásticos, lacas y películas; por esterificación, el acetato de celulosa —con las mismas aplicaciones anteriores— y el nitrato de celulosa, destinado a producir explosivos; por xantación, el rayón y el celofán; por cloruración, fibras, tableros y fibras vulcanizadas; por deslignificación, sustancias derivadas de la lignina, útiles para obtener vainillina, para elaborar combustibles y adhesivos y para el tratamiento de vasos alimentadores de agua; por hidrólisis ácida, azúcares que producen el etanol, levaduras y nutrientes no asimilables; por fusión alcalina, los oxalatos; por medios mecánicos, combustibles; por extracción, alcaloides para fabricar venenos industriales y sustancias de uso medicinal, oleorresinas y aceites esenciales con aplicación en la industria jabonera y en la fabricación de alcanfor sintético, taninos para la curtiduría y tintes para ésta y la industria textil; y por destilación destructiva, gases combustibles, carbón, metanol, alquitrán, acetonas y solventes. Mediante este último procedimiento se extraen de las maderas blandas, aceite de pino y aguarrás; del primero se derivan compuestos para pinturas, desinfectantes y agentes de flotación para ciertos sistemas de selección de metales en minería.

Los establecimientos en el ramo de la madera eran 2 094 en 1985: 1 263 aserraderos y 831 ta-

MADERA

lleres y fábricas. De éstas, 672 eran de cajas, 20 de impregnación, 32 de contrachapados, 14 de aglomerados, cinco de fibra, ocho de celulosa, 14 de papel y celulosa, 46 de papel y 20 resineras. Las plantas de la industria del aserrío tenían una inversión de $188 500 millones, una producción de 5.6 millones de metros cúbicos en rollo y 30 mil trabajadores. La industria de cajas y envases procesaba 208 mil metros cúbicos; la de impregnación, 450 mil; y la de tableros, 760 800. Los establecimientos en el ramo de la madera están muy fragmentados y dispersos, debido a que se compone fundamentalmente de la micro y pequeña empresas localizadas en toda el territorio.

En 1982, 77% del total de establecimientos fabriles correspondía a microempresas y 20% a pequeñas empresas. En octubre de 1990, el aumento en las entidades fabriles se concentró 86% en microindustrias y 12% en pequeños establecimientos. Esta atomización dentro de su plata fabril se confirma al existir, en 1982, cinco empleados en promedio para la microindustria y 41 trabajadores en las empresas pequeñas, mientras que en 1990 las micro ocupaban a 4 empleados y las pequeñas a 35 personas.

La rama industrial de muebles de madera está constituida por aquellas empresas que mediante diversos procesos de corte, torneado, ensamblado, pintado, barnizado y pulido, fabrican enseres para el hogar. Hasta fines del siglo XIX, los muebles que se usaron en México procedían de talleres artesanales o del extranjero. En 1910 ya había una empresa con capital norteamericano en la Ciudad de México y dos grandes establecimientos del ramo en Monterrey. Las importaciones descendieron de 2.3 millones de pesos en 1921 a 1.3 millones en 1925 y después mantuvieron una marcada tendencia a la baja, pues fueron instalándose los talleres de Al Puerto de Veracruz, la cooperativa Ebanistas Mexicanos, El Palacio de Hierro, Au Bon Marché, la Compañía Mexicana Maderera Excélsior y Aren y Cía., hasta que cesaron del todo las compras en el exterior.

De 1970 a 1980, el producto interno bruto (PIB) de esta rama industrial creció a una tasa media anual de 6%, frente al 6.4% del PIB nacional y el 6.9% del sector manufacturero, y su contribución al conjunto de la economía bajó de 0.24% en aquel año a 0.23 en éste. En el mismo periodo, el número de empresas se redujo de 3 594 a 2 290, debido en parte a la insuficiencia de materia prima, en 1974 y 1975, y a un abatimiento de la demanda, en 1980. En este año, 100 grandes empresas (4.3% del total) representaban 64.1% de los activos fijos y 45.3% de la inversión, y generaban 66.4% de la producción; y del total de establecimientos, poco más de la mitad se concentraban en cinco entidades: 33% en el Distrito Federal; 9% en Jalisco; 6% en Michoacán; 4.7% en el estado de México y 4.6% en Nuevo León. En sentido estricto, han transcurrido 10 años en los que la depresión constituye su principal rasgo, a tal grado que en 1990, el PIB de este componente resultó inferior 13.4% respecto al de 1980. Mientras las manufacturas experimentan una recuperación en su producción a partir de 1987, la elaboración de madera y sus productos registra una permanente caída en su nivel de oferta en los últimos tres años, siendo 1990 el año que reporta el desplome más severo de toda la década, con 8.5%. La formación bruta de capital fijo dentro de este sector productivo se vio severamente castigada al disminuir en toda la década en un ritmo anual de 1.4%, cifra que refleja la dificultad para canalizar recursos a la modernización de su planta fabril. El nivel de automatización es, en general, reducido.

Las principales materias primas consumidas por la industria mueblera son el fibracel, la chapa

INDUSTRIA DE LA MADERA Y PRODUCTOS DE LA MADERA 1990	
Industria del aserrío	
Personal ocupado	24 450
Inversiones anuales en miles de dólares[1]	329 199
Industria de cajas y envases de madera	
Personal ocupado	8 548
Inversiones anuales en miles de dólares[1]	23 340
Industria de la impregnación	
Personal ocupado	2 220
Inversiones anuales en miles de dólares[1]	43 680
Industria de los tableros de madera[2]	
Inversiones en 1990 en miles de dólares[1]	35 072

[1] Dólar controlado. [2] Contrachapeados, aglomerados y fibra.
Fuente: Cámara Nacional de la Industria Forestal, con datos de las industrias del aserrío, de la sección de productos de cajas y envases industriales de madera, de la sección industrial de impregnación y preservación y de la Asociación Nacional de Fabricantes de Tableros de Madera A.C.

MADERA

de madera, la madera comprimida de caoba y pino, el tablacel, los textiles (borra, algodón, poliéster), pintura, hule espuma y láminas de plástico. Los productos de madera los fabrica principalmente la industria de tableros, que en 1980 estaba constituida por 12 establecimientos: 25 de triplay, 12 de aglomerados y dos de fibra. La mitad de las fábricas de esta índole radican en Chihuahua y Durango, la tercera parte en el valle de México, San Luis Potosí y Oaxaca, y el resto en otras zonas del país. El 75% de la producción de tableros aglomerados se destinó a los fabricantes de muebles.

La inversión en la rama mueblera era de $5 800 millones en 1980; las ventas ascendieron a $19 502 millones, y las utilidades a $3 491 millones.

MADERA, PRELATURA DE. *(Materiensis.)*

Sufragánea de la arquidiócesis de Chihuahua, fue erigida por la bula *In Christi* del papa Paulo VI, del 25 de abril de 1966, y encomendada a la Orden de los Agustinos Recoletos. Comprende 25 mil kilómetros cuadrados del estado de Chihuahua, correspondientes a la Alta Tarahumara. Su sede es Ciudad Madera; y su titular, el Sagrado Corazón. Tiene 15 parroquias, 10 sacerdotes diocesanos, 16 sacerdotes regulares, 16 religiosos y 20 religiosas; y una población de 225 mil habitantes, de los cuales 220 mil son católicos; en ellas habitan 7 mil indígenas, pertenecientes a los grupos tarahumara (la mayoría) pima y uarojio. Obispos-prelados: 1. Justo Goizueta Gridilla, agustino recoleto, quien primero desempeñó el cargo de administrador apostólico (desde el 8 de agosto de 1967) y luego, una vez preconizado obispo titular de Egara y prelado de Madera, tomó posesión de la sede el 17 de marzo de 1970.

La prelatura pertenece a la Región Pastoral Norte y comprende las municipalidades de Bachiniva, Gómez Farías, Guerrero, Matachi, Madera, Moris, Namiquipa, Ocampo, Temosachi, Ignacio Zaragoza y Yécora (esta última del estado de Sonora). Está dividida para efectos pastorales en tres zonas. La sede de la prelatura es también cabecera del municipio del mismo nombre y está situada a 29° 17' de latitud norte, 107° 52' de longitud oeste y 2 079 m de altitud, en la margen derecha del arroyo Nahuerachic, afluente del Papigochic, tributario a su vez del río Yaqui.

La región del estado de Chihuahua atendida por la prelatura es parte de la Alta Tarahumara y de la sierra Madre Occidental. En las montañas de los municipios de Moris y Ocampo, surcadas por profundos barrancos, se originan los ríos Conchos, San Miguel, Santa María, Aros o Papigochi, Tutuaca, Moris, Condomena y Yaqui; y en las de Temosachic, el Mayo. El clima es extremoso, con lluvias escasas en invierno y regulares en verano (entre 500 y 750 mm). Se produce maíz, trigo, frijol y frutas; se explotan los bosques y se cría ganado vacuno, caprino y caballar; la avicultura se practica en los municipios de Ignacio Zaragoza y de Gómez Farías. Las comunicaciones son deficientes: algunas localidades cuentan con ferrocarril y otras con terracerías.

Historia. La prelatura estuvo y sigue habitada por indígenas tarahumares, pimas y uarojios. Los primeros españoles que transitaron la región fueron Alvar Núñez Cabeza de Vaca (véase) y sus compañeros, náufragos de la expedición que en 1520 llevó Pánfilo de Narváez a la Florida y quienes de 1529 a 1534 hicieron la travesía desde aquella Península hasta Sonora y Sinaloa. Luego penetraron, desde el litoral del océano Pacífico, Nuño Beltrán de Guzmán, fray Marcos de Niza, Francisco Vázquez Coronado y Ginés Vázquez del Mercado (v. CHIHUAHUA, ARQUIDIÓCESIS DE). Posteriormente, Francisco de Ibarra (véase) organizó el gobierno de la región, que se llamó la Nueva Vizcaya (v. DURANGO, ARQUIDIÓCESIS DE). En lo eclesiástico, el territorio de la prelatura dependió de la diócesis de Guadalajara, primero, y luego del obispado de Durango, desde 1620. La evangelización fue obra de los frailes menores franciscanos en Bachiniva, y de los religiosos de la Compañía de Jesús en el resto de las poblaciones. Los primeros fundaron la misión de Santa María Nativitas en 1660, según una versión, o en 1677, según otra. La iglesia parroquial fue erigida en 1898 y administró las capillas del Señor de la Misericordia, la de Nuestra Señora de San Juan de los Lagos, la del Rancho de San Juan de los Ojos y la de la Sagrada Familia. Su archivo tiene documentos que datan de 1858. Los primeros misioneros jesuitas fueron los padres Cornelio Beudin y Jácome Basilio, ambos martirizados en las cercanías de la actual Ciudad Guerrero, en 1650 y 1652, respectivamente. Desde entonces la región quedó abandonada. Los trabajos de misión los remprendieron en 1673 los jesuitas, procedentes de la Tarahumara Baja, donde se habían establecido en 1608, cuando el padre Fonte logró reunir algunos indios de costumbres más morigeradas, que habitaban en las laderas orientales de la sierra Tarahumara (suroeste del estado de Chihuahua). A partir de 1673, los padres Tardá, Gamboa y Barrionuevo fundaron los pueblos de misión en Papigochi, Matachi y Temosachi, poblaciones de la actual prelatura de Madera, y otras que pertenecen o a la diócesis de Nuevo Casas Grandes o a la arquidiócesis de Chihuahua.

En 1675, el padre Romás de Guadalajara llegó hasta Matachic, congregación formada por 10 rancherías dispersas a lo largo de 20 o 25 km del otro lado de Papigochi. A él se le considera el fundador de las misiones en la Alta Tarahumara. Para 1678, según informe del padre Juan Ortiz Zapata, la misión del Triunfo de los Ángeles, que atendía el padre Guadalajara, tenía cuatro pueblos: San Rafael, Matachic (335 personas), San Miguel Temosachic (74) y San Gabriel Yepómera (118). Los jesuitas tropezaron con todo género de dificultades; encontraron sólo tribus bárbaras diseminadas en fértiles valles regados por aguas de la vertiente oriental. Su labor inicial consistió en congregar en pueblos a los indígenas, para instruirlos, catequizarlos y facilitarles la vida en común. Hubo varias revueltas de los indígenas: el 1° de abril de 1690 los conchos de Yepómera se rebelaron y mataron al padre Juan Ortiz Foronda; los tarahumares se unieron a ellos y destrozaron la misión de Temosachic, e igual hicieron los jovas con sus asentamientos cristianos. El padre Manuel Sánchez fue también martirizado. Para ese tiempo, la misión de Alta Tarahumara tenía unos 8 mil cristianos congregados en 44 pueblos (sólo algunos en territorio de la actual prelatura). La rebelión fue reprimida por el gobernador Juan Fernández Retana. Una vez restablecida la paz, pasó como superior de la misión de Alta Tarahumara el padre jesuita Neuman.

Otro apóstol de la región fue el religioso Francisco Hernán Glandorff, llamado "el padre de los zapatos mágicos". Misionó en el valle de Papigochi, pero especialmente organizó la región solitaria y áspera de Tomochic. Nació en Osterkappeln, cerca de Osnabrück, el 28 de octubre de 1687; ingresó en la Compañía de Jesús en Tréveris, en 1708; y pasó a México entre 1717 y 1718 para cursar teología en el Colegio de la Compañía en la capital del virreinato. Consagrado sacerdote, fue destinado primeramente a Corichic y para 1730 estaba ya misionando en Tomochic, 60 km al suroeste de Papigochi. Misioneros e indios se admiraron de su velocidad y resistencia para caminar; la rapidez de sus idas y venidas era tenida por milagrosa. La misión de Tomochic tenía 140 cristianos y había templos en los pueblos de La Inmaculada Concepción, San Miguel, San José, San Luis Gonzaga y Santa María Madre de Dios de Aranzazú. Glandorff cuidaba de 1 575 indios; murió en 1763 y para ese año los jesuitas atendían 50 poblaciones en la Alta Tarahumara. A fines del siglo XIX fue introducida su causa de beatificación.

El 24 de junio de 1767, cuando los jesuitas fueron expulsados del país, 19 de ellos administraban otros tantos partidos en la región. La secularización de las misiones, sin embargo, ya había empezado desde 1753 en la Tarahumara Antigua, al norte de Hidalgo del Parral. Los jesuitas volvieron a principios del siglo XX, pero no al territorio de la prelatura de Madera, sino al que ahora corresponde al vicariato apostólico de la Tarahumara.

El 22 de agosto de 1776, la Corona española dispuso el establecimiento de la Comandancia General de las Provincias Internas, que comprendía las provincias de Nueva Vizcaya, Nuevo México, Sonora, Sinaloa, Coahuila y Texas, con capital en Arizpe. Se dio el mando al caballero Teodoro de Croix. En 1792, las Provincias Internas de Oriente y Occidente se reunieron bajo un solo mando, a cargo de Pedro Nava y la capital se trasladó definitivamente a Chihuahua. El 6 de julio de 1824 se creó el estado de Chihuahua, que actualmente alberga las circunscripciones eclesiásticas de Chihuahua, Madera, Ciudad Juárez, Nuevo Casas Grandes y Tarahumara. Antes de su erección, el territorio de la prelatura de Madera fue administrado por la arquidiócesis de Chihuahua, desde el 23 de junio de 1891 hasta el 25 de abril de 1966.

MADERA BALSA. *Ochroma lagopus* Sw. Árbol maderable de la familia de las bombacáceas, de 25 a 35 m de alto y 60 cm a 1 m o más de diámetro; con la corteza casi lisa, rojiza pálida; de ramas extendidas, ascendentes, quebradizas, y copa irregular, poco densa. Las hojas son alternas, simples, largamente pecioladas, con estípulas ovadas caedizas; presentan limbo y peciolo grandes, el primero de 15 a 34 cm (casi tan largo como ancho) y el peciolo de 7 a 25 cm de largo, piloso; son de forma ovado-orbicular, acorazonadas en la base y con tres a siete lóbulos poco profundos; palminerves (de cinco a siete nervaduras prominentes debajo); vellosas en el envés y casi lisas en la parte superior. Las flores son algo aromáticas, terminales, axilares, solitarias sobre pedúnculos pubescentes muy largos (10 a 20 cm), hermafroditas y actinomorfas, de 12 a 15 cm de largo; con dos o tres brácteas caedizas de color rosado pálido; cáliz rojo o guinda, infundibuliforme, pentalobulado; corola de cinco pétalos carnosos, blancos, con los bordes rojizos; androceo constituido por numerosos estambres de 10 a 15 cm de largo, unidos en un tubo columnar, y con antenas retorcidas en espiral; pistilo íntimamente rodeado por el androceo, con el ovario súpero cónico, pentalocular, multiovulado, y el estilo grueso terminado en cinco estigmas espiralados. El fruto es una cápsula alargada de 15 a 25 cm de largo por 4 de ancho, provista de 10 costillas longitudinales conspicuas y con muchas semillas parduscas, ovales o casi cónicas y rodeadas de abundante pelusa o algodón de color pardo o leonado, blanco o amarillento. Florece en primavera, y los frutos maduran de marzo a junio. Frecuente en vegetación secundaria de selvas muy húmedas perennifolias, de Oaxaca, Veracruz, Tabasco y Chiapas (entre los 100 y los 500 m de altura). La madera es conocida en el comercio internacional con el nombre de *madera de balsa* por el uso que se le da, debido a su ligereza, en la fabricación de balsas u otros artículos que tienen la capacidad de flotar o aislar: como en el revestimiento interior de construcciones, para eliminar ruidos y delimitar sonidos (auditorios, teatros, cámaras de radio emisión), botes, salvavidas, deslizadores acuáticos, canoas, flotadores de redes, juguetes, piezas para aviones y diversos objetos deportivos. Esta madera es la más ligera que se conoce y es fácil de trabajar, pero no muy durable. El árbol es de rápido crecimiento pero no se cultiva en México con fines industriales. La pelusa de los frutos se utiliza para rellenar cojines, almohadas, colchas y muebles. Las fibras del tallo sirven para hacer cuerdas; y las flores, en infusión, se recomiendan en medicina popular como emético.

Se le conoce también con los nombres de *jopi, jubiguy, pomoy, corcho, árbol de algodón* (Chiapas y Tabasco), *jonote real, mo-ma-há, mo-hó, pepe balsa* (Oaxaca) y *pata de liebre* (Veracruz).

2. El mismo nombre recibe *Heliocarpus donallsmithii* Rose, de la familia de las titiáceas, árbol de madera suave, mejor conocido como *jocote, majagua, mosote* o *corcho,* cuya distribución abarca, en la vertiente del Pacífico, desde Nayarit hasta Chiapas y, en la del Golfo, desde el norte de Puebla y Veracruz hasta la península de Yucatán.

MADERO, EMILIO. Nació en Parras de la Fuente, Coah., en 1872; murió en la ciudad de México en 1962. Fue hermano de Francisco I. Madero, a cuya campaña política se unió en 1910, siendo coronel del ejército. En 1911 tuvo el mando de una de las brigadas de irregulares que combatieron, dentro de la División del Norte, a la rebelión orozquista. Asesinado el presidente de la República (1913), se unió a las fuerzas de Francisco Villa y reconoció al gobierno de la Convención. Vencida ésta, pasó a radicar a Estados Unidos. En 1940 fue uno de los dirigentes de la campaña almazanista.

MADERO, EVARISTO. Nació en Río Grande, hoy Guerrero, Coah., en 1826. Fue hijo de José Francisco Madero, quien combatió contra las brigadas de Houston y Austin en los comienzos de la guerra de Texas, y de Victoriana Elizondo. Su tío José Isidro Madero, siendo gobernador de Chihuahua, luchó a su vez contra la invasión de los comanches (1832-1834), incitada por los filibusteros texanos. En diciembre de 1838 Houston estableció la frontera de la República de Texas en el Río Grande, despojando a la familia Madero de sus amplias posesiones. Por esta época, Evaristo fue enviado a estudiar a Saltillo, pero en 1841 regresó a Casas Grandes por falta de fondos. Administró la hacienda de Palmira, heredad paterna, y en 1847 contrajo nupcias con Rafaela Hernández, bisnieta de Alonso de León, gobernador de la provincia de Coahuila en 1687. Se inició entonces en el negocio de transportes como empleado de un convoy que viajaba de Saltillo a San Antonio de Béjar, siempre en riesgo de ser atacado por los indios. En 1849 nació su hijo mayor, Francisco, y en 1850 Prudenciana. Después de 1852 cambió su residencia a Monterrey y estableció por su cuenta un servicio de carretas que vinculaba Coahuila, Nuevo León y Texas. Dedicado al comercio mayorista, acumuló una regular fortuna y se convirtió en cabeza de familia. Prudenciana, su hija, casó con Lorenzo González Treviño, asociado suyo. En 1870 adquirió la hacienda El Rosario, en Parras, que incluía la fábrica textil La Estrella, en sociedad con González Treviño y su hijo Francisco Madero Hernández, educado en Amberes. La finca de esta propiedad había sido construida en 1593 por el capitán Francisco de Urdiñola, marqués de Aguayo, quien introdujo los telares, los batanes y la viticultura. Evaristo, a su vez, propagó el cultivo del nogal. Más tarde compró la hacienda San Lorenzo, famosa por sus viñedos. Durante la época en que Vidaurri decretó la unificación de Coahuila y Nuevo León (1856), fue amigo del gobernador y diputado al Congreso Constituyente, pero en 1863 se adhirió a Juárez, en lucha contra los invasores. V. INTERVENCIÓN FRANCESA E IMPERIO.

A partir de 1870 desarrolló el cultivo de nuevas especies de uva en Parras, extendió los cultivos de algodón hasta La Laguna y modernizó los telares de La Estrella con maquinaria inglesa. Para entonces había procreado siete hijos –dos varones y cinco mujeres–, aunque sólo se lograron Francisco, Prudenciana, Victoriana, Carolina y Evaristo. En 1873 su primogénito le dio su primer nieto, Francisco Ignacio, que habría de encabezar la Revolución de 1910. Muerta doña Rafaela, contrajo segundas nupcias con Manuela Farías Benavides, con quien procreó 11 hijos, de los que sobrevivieron Ernesto, Manuel, José Salvador, María, Alberto, Barbarita, Benjamín y Daniel. La segunda esposa murió en 1894.

Gobernó Coahuila de 1880 a 1884 y de 1884 a 1888: inició el ferrocarril de Lerdo a Piedras Negras; tendió las líneas telegráficas de Laredo a Patos, San Pedro, Viesca y Saltillo, Piedras Negras y Lampazos; proyectó el Teatro Acuña, impulsó la educación superior con el Ateneo Fuente y estimuló la agricultura y la minería. Renunció a un tercer periodo de cuatro años porque el presidente Díaz desautorizó que se rentasen las tierras propiedad del estado para formar un fondo destinado a sostener la instrucción gratuita.

De 1890 a 1908 alcanzaron alto grado de prosperidad sus empresas: las molineras de Parras, la Carbonífera de Sabinas, el Banco de Nuevo León (fundado en 1902), la Compañía Explotadora Coahuilense (beneficiadora del guayule) y la Metalúrgica de Torreón. Murió el 6 de abril de 1911, un mes antes de la renuncia del presidente Díaz, cuando ya era previsible el triunfo de la Revolución encabezada por su nieto Francisco Ignacio, y en la que participaron activamente Gustavo, su otro nieto, y Francisco, su hijo. Ernesto, primogénito de su segundo matrimonio, quedó como jefe de familia y fue secretario de Hacienda de 1911 a 1913. V. GOBERNANTES.

MADERO, FRANCISCO INDALECIO. Nació el 30 de octubre de 1873 en la hacienda El Rosario, en Parras, Coah.; murió en la ciudad de México el 22 de febrero de 1913. Fueron sus padres Francisco Madero Hernández y Mercedes González Treviño. Aprendió a leer y escribir con las profesoras Albina Maynes y Encarnación Cervantes; pasó al colegio jesuita de San Juan, en Saltillo, y luego al *Mount St. Mary* de Emisburgo, Maryland, EUA (1886-1888), y finalmente a la Escuela de Altos Estudios Comerciales de París (1889-1891). Volvió a Coahuila a los 19 años de edad (1892). Su padre le confió la administración de algunos negocios en San Pedro de las Colonias. Ahí empezó a mecanizar la agricultura e introdujo nuevas semillas de algodón. En 1900 publicó un folleto proponiendo el aprovechamiento de las aguas del río Nazas para fines de riego. En 1905 se opuso a la relección del gobernador Miguel Cárdenas y formó el Partido Democrático Independiente, en cuyo órgano *El Demócrata* se inició como escritor político, con el artículo "*Vox Populi, Vox Dei*". En 1906 concurrió al Primer Congreso Nacional Espírita, representando al Club Estudios Psicológicos, y en 1909 dio a las prensas, con el seudónimo de *Bhima*, un *Manual espírita*.

La entrevista que el presidente Díaz concedió al periodista estadounidense James Creelman en febrero de 1908 (publicada en el *Pearson's Magazine* y el 3 de marzo, en español, en *El Imparcial*), durante la cual dijo que "vería con gusto la aparición de otros partidos políticos", movió a Madero a escribir *La sucesión presidencial de 1910*, libro impreso en San Pedro de las Colonias en octubre de aquel año. En él planteaba la urgente participación del pueblo en las elecciones para dar una salida democrática a los 30 años de dictadura. Añadió interés a la publicación la circunstancia de que su autor era miembro de una de las familias más acaudaladas de la República (v. MADERO, EVARISTO). Tras varias semanas de sostener una nutrida correspondencia con distinguidas personalidades de todo el país, a principios de 1909 viajó a la capital y el 22 de mayo consiguió que se fundara el Centro Antirreeleccionista de México, cuyos principios fueron "Sufragio efectivo y no reelección". Formaron la mesa directiva: Emilio Vázquez Gómez, como presidente; el propio Madero y Toribio Esquivel Obregón, como vicepresidentes; Filomeno Mata, Paulino Martínez, Félix Palavicini y José Vasconcelos, como secretarios; y Luis Cabrera, Octavio Bertrand, Bonifacio J. Guillén y Félix Xochihua como vocales. En un manifiesto inmediatamente posterior se invitó a los ciudadanos a que formasen organismos semejantes, cuyos delegados deberían reunirse con posterioridad para constituirse en partido y nominar candidatos a la Presidencia y a la vicepresidencia de la República. Ya para entonces un sector del porfirismo había fundado el Partido Nacionalista Democrático, que postulaba para vicepresidente al general Bernardo Reyes, frente a la alternativa de Ramón Corral. El 5 de julio de 1909, sin embargo, Reyes declinó su postulación y recomendó a sus partidarios que actuasen conforme a las preferencias del general Díaz.

Madero fue comisionado por el Centro Antirreeleccionista para recorrer el país en gira de propaganda. Se trataba de estimular la educación cívica del pueblo, sin atacar a la administración pública. Su primer recorrido (en compañía de Palavicini) empezó el 18 de junio y comprendió Veracruz, Progreso (donde conoció a José María Pino Suárez), Mérida, Campeche, Progreso por segunda vez, Tampico y Monterrey. De ahí volvió a San Pedro de las Colonias; en octubre, a México y, tras una breve estancia en Tehuacán, otra vez a la capital en diciembre. La segunda gira (junto con su esposa, Roque Estrada y el taquígrafo Elías de los Ríos) se inició en México el 19, con un mitin al que concurrieron los antiguos reyistas, e incluyó Querétaro, Guadalajara, Colima, Manzanillo, Mazatlán (2 de enero de 1910), Culiacán, Navojoa, Álamos, Guaymas, Hermosillo, Nogales, Ciudad Juárez, Chihuahua y Parral. En el curso de este viaje fue recibido en algunos sitios con entusiasmo y en otros con frialdad. El tercer recorrido empezó

en Torreón, la segunda quincena de marzo: en Durango se pronunció contra las Leyes de Reforma, en Zacatecas se le impidió hablar, en Aguascalientes fue vitoreado, en San Luis Potosí tuvo dificultades con la policía, y en León y Guanajuato reunió muy poca gente.

Muy a pesar de que varios delegados estaban presos y de que otros fueron detenidos cuando viajaban hacia la capital, el 15 de abril de 1910 se inició en el Tívoli del Eliseo, en la ciudad de México, la Convención Nacional Independiente de los partidos aliados Nacional Antirreeleccionista y Nacional Democrático. La presidieron, en su instalación, Vázquez Gómez y, durante los trabajos, Pino Suárez. Madero fue electo candidato a presidente de la República por 159 votos, frente a 23 de Toribio Esquivel Obregón y tres de Fernando Iglesias Calderón. Vázquez Gómez fue nominado para la vicepresidencia. Los lineamientos generales de política ahí aprobados (luego recogidos en el manifiesto del día 26 por los candidatos) fueron los siguientes: 1. restablecer el imperio de la Constitución; 2. reformar ésta para incorporar el principio de la no relención; 3. presentar iniciativas tendientes a mejorar la situación material, intelectual y moral de los obreros, combatiendo los monopolios, el alcoholismo y el juego; 4. fomentar la instrucción popular; 5. realizar obras de irrigación y crear bancos en beneficio de la agricultura, la industria y el comercio; 6. reformar la ley electoral, para garantizar la efectividad del voto; 7. abolir las prefecturas políticas y vigorizar el poder municipal; 8. mejorar el ejército; y 9. incrementar las buenas relaciones con los países extranjeros.

En vísperas de la Convención, el gobernador de Veracruz, Teodoro A. Dehesa, negoció una entrevista del presidente Díaz con Madero, buscando sin duda un arreglo; pero una frase despectiva del dictador cerró toda posibilidad de entendimiento. Ese mismo día, o el siguiente, se supo que uno de los juzgados de Coahuila había ordenado la aprehensión de Madero, acusado de haber cometido un supuesto robo cuando fue gerente de la Compañía Ganadera de la Merced. Aun cuando la disposición no fue ejecutada por el inspector general de policía, que lo era el general Félix Díaz, sobrino del presidente, Madero se refugió en un escondite una vez que protestó como candidato; pero reapareció en público el 7 de mayo, para iniciar su campaña electoral, esta vez seguido por numeroso contingente.

Tras un viaje a Guadalajara (día 8), visitó Puebla (donde conoció a Aquiles Serdán y recibió a un enviado del clero), Jalapa, Veracruz y Orizaba. A partir del 3 de junio concurrió a mítines en San Luis Potosí, Saltillo y Monterrey, pero el día 7 fue detenido en la estación ferroviaria de la capital de Nuevo León, bajo el cargo de haber propiciado la fuga de Roque Estrada, a quien buscaba la policía. Éste se presentó al siguiente día a las autoridades y el 21 ambos fueron trasladados a San Luis Potosí; para alejarlos de la frontera. Un mes más tarde se les concedió libertad bajo caución, aunque obligados a permanecer en la ciudad, donde estaban estrechamente vigilados.

En junio y julio se celebraron las elecciones, que entonces eran indirectas. El 1° de septiembre el presidente Díaz informó que los comicios habían transcurrido con toda regularidad, y el día 27 se publicó el bando que anunciaba la elección de Porfirio Díaz como presidente y Ramón Corral como vicepresidente, para el periodo del 1° de diciembre de 1910 al 30 de noviembre de 1916. El Congreso, a su vez, negó a los antirreeleccionistas la instancia de nulidad. La represión, mientras tanto, se había exacerbado en todo el país, pues no sólo se trataba de obstaculizar a la oposición, sino de garantizar el orden durante los festejos del centenario de la Independencia.

Desde mediados de septiembre, estando todavía en San Luis Potosí, Madero convino en lanzarse a la insurrección, pues la vía electoral había sido cerrada por la dictadura. El 6 de octubre, con la ayuda del doctor Rafael Cepeda, se fugó por ferrocarril hasta San Antonio, Texas, y a fines del mes confió a Roque Estrada, Juan Sánchez Azcona, Francisco González Garza, Enrique Bordes Mangel y Ernesto Fernández la redacción del documento que, una vez corregido por él, llevó su firma, el nombre de Plan de San Luis Potosí y la fecha del 5 de octubre de 1910, último día en que estuvo en territorio nacional, pues otra cosa hubiera significado violar la ley de neutralidad de Estados Unidos. En él impugnaba la política porfirista de paz sin dignidad y rechazaba la dictadura del Ejecutivo, que ya llevaba 34 años; recordaba la lucha del Partido Nacional Antirreeleccionista por el sufragio efectivo y la no relección, las circuns-

tancias de su postulación y la irregularidad de las elecciones; decía que nunca creyó que el general Díaz acatara la voluntad de la nación, pero que se lanzó a la contienda electoral para demostrar al mundo que México estaba ya apto para la democracia; que habiendo mostrado el pueblo su repudio a la dictadura, declaraba ilegítimas las elecciones, y que habiendo quedado por tal motivo la República sin gobernantes legítimos, asumía provisionalmente la Presidencia, mientras se designaba, conforme a la ley, a las nuevas autoridades. "Para lograr este objetivo –añadía– es preciso arrojar del poder a los audaces usurpadores", y fijó el domingo 20 de noviembre para que de las seis de la tarde en adelante, todas las poblaciones se levantasen en armas conforme a un plan de 11 puntos. Eran los principales: declarar ley suprema, mientras no se hicieran las reformas constitucionales respectivas, la no relección del presidente y vicepresidente de la República, de los gobernadores y de los presidentes municipales (Artículo 4°); restituir a sus antiguos poseedores –pequeños propietarios, en su mayoría indígenas– los terrenos de que fueron despojados por la aplicación abusiva de la ley de terrenos baldíos (Artículo 5°); reconocer como autoridad al principal jefe de las armas tan pronto como cada ciudad o pueblo recobrara su libertad (Artículo 9°); nombrar gobernadores provisionales en cada estado (Artículo 10°), y convocar a elecciones generales extraordinarias una vez que la capital y más de la mitad de los estados estuvieran en poder de las fuerzas del pueblo (Artículo 11°). Madero distribuyó el Plan por medio de correos, envió personas a promover la insurreción y nombró gobernadores provisionales a Abraham González, de Chihuahua; José María Maytorena, de Sonora; Manuel Bonilla, de Sinaloa; J. Guadalupe González, de Zacatecas; Alberto Fuentes, de Aguascalientes; Rafael Cepeda, de San Luis Potosí; Manuel Urquidi, de Michoacán; José María Pino Suárez, de Yucatán; Miguel Albores, de Chiapas; y Aquiles Serdán, de Puebla.

En los días anteriores a la fecha señalada para la sublevación, Francisco Cosío Robelo y Alfredo Robles Domínguez, que conspiraban en la capital, fueron capturados, y Aquiles Serdán y 18 de sus compañeros murieron en combate en la ciudad de Puebla, sin que la solidaridad popular, en la que tanto confiaba Madero, llegara a manifestarse. El día 20 Pascual Orozco se levantó en armas en Chihuahua, y en los subsiguientes, Gabriel Gavira, Cándido Aguilar y Rafael Tapia, en Veracruz; el doctor Rafael Cepeda, en San Luis Potosí; Orestes Pereyra y Jesús Agustín Castro, en Coahuila; José de la Luz Blanco y Francisco Villa, en Chihuahua, y Juan Banderas y Ramón F. Iturbe, en Sinaloa. Sin embargo, ninguno de estos pronunciamientos constituyó por entonces un peligro para la dictadura. El propio Madero, que el día 20 había hecho una infortunada incursión en las cercanías de Ciudad Porfirio Díaz, regresó desde la línea fronteriza a San Antonio; fue luego presa del desencanto, a medida que fue conociendo la precaria respuesta inicial a su llamamiento y aun llegó a viajar a Nueva Orleans, al parecer con la intención de embarcarse para Argentina.

El grupo de 400 rebeldes que encabezaba Orozco en Chihuahua se enfrentó sucesivamente a las fuerzas federales en Las Escobas, Cerro Prieto, El Fresno, Pedernales y Mal Paso; el 30 de enero de 1911 destruyó un tramo de la vía del ferrocarril y dejó incomunicada a Ciudad Juárez; interceptó dos trenes de pasajeros y uno de carga, a bordo de los cuales avanzó hasta las inmediaciones de la plaza el 2 de febrero, pero el 5 una columna federal, al mando del coronel Antonio M. Rábago, logró llegar hasta Bauche y, tras un encuentro con los revolucionarios, penetró a la ciudad para reforzar la guarnición. En ese momento la junta revolucionaria de El Paso, presidida por Abraham González, llamó a Madero, que se encontraba en Dallas, pues se presumía ya muy próxima la ocasión de penetrar a territorio mexicano al amparo de un grupo armado. Los días 5 y 6 Madero confirió las primeras comisiones de su futuro gobierno provisional: a Francisco Vázquez Gómez, la Diplomático-Confidencial; a Gustavo Madero, la de Hacienda; a Emilio Vázquez Gómez, la de Gobernación; y a Alfonso Madero, la Proveeduría; y formó un Consejo Estratégico –José de la Luz Soto, Rafael Aguilar, Eduardo Hay, José Garibaldi, Raúl Madero y Roque González Garza– para que pasara a hacerse cargo de la fuerza de Orozco, cosa que no consiguieron por la oposición de éste. Aún se discutía la conveniencia de que Madero penetrara a territorio mexicano, cuando una orden de aprehensión dictada contra él por el gobierno de Estados Unidos, lo obligó a pasar la frontera la noche del 13 de febrero, por Isleta, lugar cercano a Ciudad Juárez. En

ese momento ya combatían Ambrosio y Rómulo Figueroa, en Guerrero, y Luis Moya, en Zacatecas. El 15 de febrero, en Guadalupe, distrito de Bravos, Chih., ya con su carácter de presidente provisional, Madero expidió una nota que debía ser entregada a los gobiernos extranjeros, dándoles seguridades de que los intereses de sus nacionales serían respetados y protegidos. El doctor Vázquez Gómez entregó la que correspondía a Washington.

A fines de febrero llegó a Corpus Christi una misión confidencial de paz enviada por el presidente Díaz e integrada por Íñigo Noriega, Rafael L. Hernández y Ernesto Evaristo Madero. Fueron a entrevistarse con ellos Francisco y Alfonso Madero (padre y hermano, respectivamente, del presidente provisional), pero a causa de que el doctor Vázquez Gómez se negó a trasladarse desde Washington, a menos que los comisionados exhibieran sus credenciales, no se llegó a ningún acuerdo. A principios de marzo Francisco y Gustavo Madero y el doctor Vázquez Gómez celebraron en Nueva York cinco entrevistas con José Ives Limantour, ministro de Hacienda que regresaba de Europa, y le manifestaron que el único medio para poner fin a la revolución era la renuncia del general Díaz, la aceptación del principio de la no reelección, el cambio de 14 gobernadores, la indemnización a las familias de los muertos y la permanencia de las fuerzas insurrectas, como rurales, en los estados que se habían levantado en armas; pero nada, tampoco, llegó a convenirse. A fines del mes, otra comisión oficiosa, formada por Rafael L. Hernández y Salvador Madero tuvieron charlas infructuosas en San Antonio Texas, con Sánchez Azcona, Pino Suárez, Roque Estrada y Gustavo y Alfonso Madero.

Mientras tanto, el 6 de marzo, Madero al frente de 800 hombres, pretendió asaltar Casas Grandes, en cuya acción fue herido en una mano y perdió 100 combatientes entre muertos y heridos. Días después, en la hacienda de Bustillos, se le incorporó el contingente de Francisco Villa. Fortalecido de este modo, pensó poner sitio a Chihuahua y marchó al sur hasta La Junta, pero al fin regresó a su campamento para amagar Ciudad Juárez. Del 23 de abril al 6 de mayo se concertó un armisticio para celebrar conversaciones de paz con los comisionados porfiristas Alberto Braniff y Toribio Esquivel Obregón, y luego con Francisco Carbajal, primero oficialmente acreditado, pero no se consiguió hacerlos convenir en la renuncia de Díaz. Así, el día 8 se emprendió el ataque. La fuerza de Madero –3 500 hombres– estaba constituida por los cuerpos al mando de Orozco, Villa, José de la Luz Blanco, Garibaldi, Viljoen y otros; y la plaza, defendida por 700 soldados a las órdenes del general Juan Navarro. Éstos fueron sucesivamente desalojados de sus posiciones durante dos días de arduo combate, hasta que el 10 de mayo, confinado con el resto de su tropa en el cuartel de caballería, se rindió Navarro. La batalla fue vista por los vecinos de El Paso desde el otro lado de la frontera; a su término, se reunieron a los mexicanos para celebrar el triunfo revolucionario. Madero nombró ese mismo día su gabinete: Francisco Vázquez Gómez, Relaciones Exteriores; Federico González Garza, Gobernación; José María Pino Suárez, Justicia; Manuel Bonilla, Comunicaciones; Venustiano Carranza, Guerra; Gustavo Madero, Hacienda; y Juan Sánchez Azcona, Secretaría Particular. Días más tarde, cuando Navarro y sus oficiales estaban en prisión esperando que se les condenara a muerte, Madero fue por ellos y en su propio automóvil los llevó hasta la orilla del río Bravo, salvándoles así la vida. Orozco y Villa, inconformes con ese acto de benevolencia, trataron de sublevarse, pero la tropa apoyó al caudillo civil y aquéllos se subordinaron.

Reanudadas las pláticas de paz, la noche del 21 de mayo, a la luz de los faros de un automóvil, frente a la aduana que estaba cerrada, se firmaron los Tratados de Ciudad Juárez, conforme a cuyo texto: 1. Díaz y el vicepresidente Ramón Corral renunciarían a su puestos antes de que el mes terminara; 2. Francisco León de la Barra, secretario de Relaciones Exteriores, asumiría la Presidencia provisional y convocaría a elecciones; 3. se resolvería la situación política de cada entidad federativa conforme al estado de la opinión pública; y 4. cesarían desde ese momento las hostilidades. El 25 de mayo renunció el dictador y el 26 tomó posesión León de la Barra. No pudiendo viajar por el Ferrocarril Central, Madero pasó por territorio norteamericano a Piedras Negras y de ahí, por San Pedro de las Colonias y Torreón, a la capital de la República, a donde llegó el 7 de junio, en medio de un júbilo popular no visto antes en México.

Siendo indiscutible la candidatura de Madero a la Presidencia, la campaña política giró en torno a la vicepresidencia. A causa de que un grupo mayoritario retiró sus simpatías al doctor Vázquez Gómez (postulado en la Convención de abril de 1910), Madero disolvió el Partido Antirreeleccionista (9 julio), formó el Constitucional Progresista (día 17) y citó a una convención para el 17 de agosto. Los desafectos, encabezados por Pedro Galicia Rodríguez, Rafael Martínez y los Vázquez Gómez, siguieron agrupados bajo el nombre del movimiento original. Otros partidos contendientes fueron el Nacional Democrático, fundado desde el año anterior; el Liberal, de vieja trayectoria antiporfirista, reorganizado el 30 de julio por Fernando Iglesias Calderón, Camilo Arriaga, Jesús Flores Magón, Antonio Díaz Soto y Gama, Juan Sarabia, Antonio I. Villarreal y Felipe Gutierrez de Lara; el Radical, a cuyo frente se hallaban Francisco Escudero, Manuel Padilla y Octavio Malvido; y el Católico Nacional, muy numeroso, sobre todo en la provincia, dirigido por Manuel Amor, Gabriel Fernández Somellera, Francisco Pascual García y Eduardo Tamariz. A la fórmula Madero-Pino Suárez, votada por el Constitucional Progresista y sus adherentes, se opusieron las de Madero-Vázquez Gómez, del Antirreeleccionista, y Madero-León de la Barra, del Católico. En las elecciones, celebradas el 15 de octubre, triunfó la nominación del Constitucional-Progresista.

Los maderistas que tomaron las armas fueron licenciados o continuaron como fuerzas irregulares, dependientes de la Secretaría de Gobernación, o como cuerpos rurales, destinados a guardar el orden. En el estado de Morelos, a donde fue Madero el 12 de junio, se nombró comandante de rurales a Ambrosio Figueroa, que pronto entró en conflicto con Emiliano Zapata, quien se había levantado en armas contra el porfirismo desde el 11 de febrero anterior. El caudillo suriano se negó a desarmar a su tropa hasta en tanto no se consumara la restitución de tierras prevista en el Plan de San Luis; pero el gobierno, en respuesta, recrudeció la persecución contra los agraristas, enviando a Victoriano Huerta a dirigir las operaciones militares, y el secretario de Gobernación, Alberto García Granados, declaró que no pactaría con malhechores. A mediados de julio Madero viajó a Puebla a serenar los ánimos, pues el ejército había agredido al pueblo los días 12 y 13.

El 6 de noviembre Madero tomó posesión de la Presidencia de la República, y el 27 el Congreso elevó la no relección a precepto constitucional. La violenta represión oficial en contra de los zapatistas movió a éstos, el 28 de noviembre, a expedir el Plan de Ayala, por el cual desconocieron a Madero. El general Bernardo Reyes, a su vez, que había lanzado el día 16 anterior una proclama subversiva desde San Antonio, Texas, aparentando haberla firmado en el rancho de La Soledad, Tamps., entró en son de guerra a territorio mexicano el 13 de diciembre, pero no habiendo conseguido hacer más de 30 prosélitos, se entregó a las autoridades de Linares, N.L., el día 25. El 28 del mismo mes fue internado en la prisión de Santiago Tlatelolco. A fines de enero de 1912, Francisco y Emilio Vázquez Gómez —resentido uno con Madero, e insatisfecho el otro en la Secretaría de Gobernación— se pronunciaron con la guarnición de Ciudad Juárez, formaron una junta revolucionaria –David de la Fuente, Policarpo Rueda, Francisco Guzmán y Ricardo Gómez Robelo– y desconocieron al presidente. Se adhirieron a este movimiento un grupo de soldados y algunas autoridades de la ciudad de Chihuahua y la guarnición de Casas Grandes. El gobierno, a su vez, confió represión de esta revuelta a Pascual Orozco, comandante de rurales en aquella entidad, pero éste, al parecer seducido por los porfiristas, se sublevó a su vez el 3 de marzo, arrastrando consigo a la Legislatura, al Poder Judicial, a las autoridades municipales y a todas las fuerzas irregulares de Chihuahua, salvo las de Francisco Villa. Madero dispuso que saliera a sofocar la rebelión (día 5) el propio secretario de la Guerra, José González Salas, quien al frente de su ejército llegó a la estación de Rellano, al norte de Torreón, el día 25, dispuesto a entrar en combate; pero una máquina loca, cargada con cajas de dinamita, lanzada por los orozquistas, fue a estrellarse contra el convoy federal, causando gran estrago, luego seguido por el ataque de la caballería. Los maderistas tuvieron que retirarse, abandonando 400 hombres entre muertos, heridos y dispersos, y el general, avergonzado, se suicidó en Bermejillo, Dgo. Orozco celebró su triunfo en el Casino Chihuahuense, rodeado de partidarios del antiguo régimen. Madero puso entonces al general Victoriano Huerta al mando de la División del Norte, cuyos poderosos efectivos se pusieron en marcha el 10 de abril. En las sucesivas batallas de Conejos (12 de mayo), segunda de Rellano (día 22) y Bachimba (3 de julio) se liquidó al grueso de las fuerzas orozquistas, y en la de Ojitos (31 de julio), librada por fuerzas expedicionarias de Sonora donde ya formaban Álvaro Obregón y Salvador Alvarado, se obligó a los sobrevivientes a dispersarse en guerrillas. V. CHIHUAHUA, ESTADO DE y OROZCO, PASCUAL.

El 16 de octubre del mismo año de 1912 se sublevó en el puerto de Veracruz el general Félix Díaz, sobrino de don Porfirio, seguido por el coronel José Díaz Ordaz, jefe del 21° Batallón que guarnecía la plaza. Fue a batirlo el general Joaquín Beltrán que atacó el día 23 por tres puntos, mientras los barcos de guerra *Yucatán*, *Zaragoza*, *Veracruz*, *Bravo* y *Morelos*, surtos en bahía y fieles al gobierno, bloqueaban a los rebeldes por mar. En pocas horas se sometió a los sublevados, de los que cayeron prisioneros 230, entre ellos Díaz, luego condenado a muerte por un consejo de guerra. Madero, sin embargo, le perdonó la vida y mandó recluirlo en la Penitenciaría de México.

En el curso de 1912 los partidos Liberal y Católico se disputaron las gubernaturas de los estados. Salvo en Jalisco, donde los conservadores llevaron al triunfo a José López Portillo y Rojas, en todos los demás ganaron los revolucionarios. En la Cámara de Diputados de la XXVI Legislatura, el grupo Renovador –Luis Cabrera, Francisco Escudero, Luis Manuel Rojas, Félix F. Palavicini, Alfonso Cravioto y otros– libraban constantes batallas parlamentarias contra los miembros del "cuadrilátero" –Querido Moheno, José María Lozano, Nemesio García Naranjo y Francisco M. Olaguíbel– y los representantes del Partido Católico –Tamáriz, Juan Galindo Pimentel, Francisco Elguero y Eduardo J. Correa.

Los acontecimientos de 1911 y 1912 habían puesto de manifiesto la precaria situación del gobierno del presidente Madero: el zapatismo beligerante evidenciaba la insatisfacción de las demandas agrarias; la intentona de Reyes, la vigencia de antiguas ambiciones; la defección vazquista y orozquista, lo deleznable de la unidad revolucionaria; y el levantamiento felicista, la corrupción del ejército. Se debían al antiguo régimen, o trataban de conservar los privilegios de las clases opulentas, por lo menos tres ministros –Vázquez Tagle, de Justicia; Hernández, de Gobernación; y Ernesto Madero, de Hacienda–,

MADERO

la mayoría de los senadores, buena parte de los diputados y toda la burocracia. Los periódicos *El Imparcial*, *El País* y *La Nación*, por añadidura, a diario hacían a Madero objeto de ataques, censura y burlas. En enero de 1913 los miembros del Bloque Liberal Renovador pidieron a Madero que se atendiera a los revolucionarios en las oficinas públicas, donde se les repudiaba; que los empleados reaccionarios fueran removidos y que se pusiera límite a la procacidad de la prensa. Este memorial no llegó a ser contestado porque se precipitaron los acontecimientos de la Decena Trágica.

A las cuatro de la mañana del domingo 9 de febrero los generales Manuel Mondragón y Gregorio Ruiz alzaron contra el gobierno al 1º Regimiento de Caballería y a los 2º y 5º regimientos de Caballería acuartelados en Tacubaya. De paso por la ciudad, se les unió el 1º de Artillería. En la prisión de Tlatelolco liberaron al general Bernardo Reyes, que se puso al frente de la tropa, y en la Penitenciaría a Félix Díaz. Simultáneamente, los alumnos de la Escuela Militar de Aspirantes de Tlalpan llegaron a la Plaza de la Constitución por la calle de Flamencos (Pino Suárez) y se apoderaron sin resistencia del Palacio Nacional, pues el teniente Zurita, que mandaba la guardia, estaba previamente comprometido. El general Lauro Villar, comandante de la plaza, se movilizó a su vez con una fracción del 24º Batallón, que estaba acuartelado en San Pedro y San Pablo; recuperó Palacio, desarmó a los aspirantes y se previno a la defensa, pues la principal columna de los rebeldes avanzaba ya por la calle de Moneda. Villar hizo prisionero a Ruiz, que venía a la vanguardia, y Reyes cayó muerto al romperse el fuego. El tiroteo duró media hora y causó 500 muertos, incluyendo a muchos civiles que presenciaban el encuentro desde los portales fronteros. Los rebeldes se retiraron por las calles del Reloj (República de Argentina) y tras un nuevo combate, a la una de la tarde, se hicieron dueños de la Ciudadela, donde encontraron armas, municiones y pertrechos. Madero, que se hallaba en el Castillo de Chapultepec, marchó hacia Palacio escoltado por los alumnos del Colegio Militar; hizo un alto, para protegerse, en la fotografía Daguerre (av. Juárez) y llegó a las oficinas presidenciales rodeado por una multitud que lo vitoreaba. Ruiz y los aspirantes prisioneros fueron fusilados. En Tlatelolco se amotinaron los

presos; la guardia hizo fuego sobre ellos, matando a 200, y los sobrevivientes incendiaron la prisión. Esa misma tarde Madero viajó a Cuernavaca para traer, al día siguiente, a las fuerzas del general Felipe Ángeles.

El lunes 10 los vecinos no salieron de sus casas, los periódicos no aparecieron y sólo transitaban por la vía pública los servicios de emergencia, recogiendo a los muertos y a los heridos. El día 11 Madero nombró comandante de la plaza al general Victoriano Huerta, en sustitución de Villar, herido en combate; el cuerpo diplomático inició infructuosas gestiones de paz, y de las 10 de la mañana a las seis de la tarde se bombardeó la Ciudadela, cuando ya los sublevados se habían extendido a los edificios contiguos. El miércoles 12 continuó el combate y los presos de la cárcel de Belén se escaparon por un boquete abierto en un muro por la metralla; en la noche la ciudad careció de todos los servicios. El jueves 13 ocurrió un encuentro en los terrenos adyacentes a la iglesia de Campo Florido y una bomba estalló en la puerta Mariana de Palacio. El viernes 14 eran ya centenares los edificios que habían sufrido daños. El sábado 15, mientras continuaba el tiroteo, un grupo de senadores pidió su renuncia a Madero, que éste rechazó con energía. El domingo 16 se pactó armisticio, roto a las 12 horas. El lunes 17 se avivaron las hostilidades y el martes 18 el cañoneo se hizo más nutrido, pero fue disminuyendo hasta cesar casi por completo al filo del mediodía. A la una de la tarde, fuerzas al mando de los oficiales Riveroll e Izquierdo, pertenecientes al 29º Batallón del general Aureliano Blanquet, allanaron el salón de Palacio donde se encontraba Madero con sus ministros. Los ayudantes del presidente dispararon contra los oficiales, dándoles muerte, y rechazaron a la tropa. En la refriega murió también Marcos Hernández, pariente de Madero. Minutos más tarde, al pretender salir, fueron aprehendidos el presidente, el vicepresidente, los ministros (salvo Garza y Bonilla, que escaparon), el gobernador del Distrito Federal y varios empleados. Las campanas de la catedral, echadas a vuelo, anunciaron esa tarde que la lucha había cesado.

Huerta comunicó estos hechos el embajador de Estados Unidos, Henry Lane Wilson, y a las 9:30 de la noche éste recibió en su residencia a los dos jefes en aparente pugna (Huerta y Díaz). Ahí celebraron, bajo la inspiración del diplomático, el

MADERO

Pacto de la Embajada, por el cual se desconoció a Madero como jefe del Ejecutivo, se convino confiar a Huerta el gobierno provisional, se negoció el nuevo gabinete y se tomó nota de que Díaz lanzaría su candidatura a la Presidencia en cuanto se convocase a elecciones (v. HUERTA, VICTORIANO). El día 19, Madero y Pino Suárez fueron obligados por el general Juvencio Robles, que actuaba a nombre de Huerta, a presentar sus renuncias, recibiendo la promesa de que se les respetaría la vida y se les permitiría salir del país en compañía de sus familias. La dimisión fue aceptada por 123 miembros del Congreso; sólo votaron en contra Alfonso C. Alarcón, Manuel Pérez Romero, Luis Manuel Rojas, Francisco Escudero, Leopoldo Hurtado Espinosa, Manuel F. Méndez y José Y. Navarro. El propio día 19, por ministerio de ley, asumió el poder Pedro Lascuráin, secretario de Relaciones, pero sólo por el tiempo necesario (45 minutos) para nombrar a Huerta ministro de Gobernación y declinar el cargo. Inmediatamente después, el excomandante militar de la plaza entró a desempeñar la Presidencia. V. GOBERNANTES.

Madero y Pino Suárez continuaban presos en la intendencia de Palacio. El día 21, para no mantenerlos en situación ilegal, el consejo de ministros, a instancias de León de la Barra, acordó consignarlos ante el Congreso por el fusilamiento, sin formación de causa, del general Ruiz; pero el 22 en la noche, cuando ya el ministro plenipotenciario de Cuba, Manuel Márquez Sterling, tenía prevenido un barco en Veracruz para que se exiliaran, los mandatarios depuestos fueron sacados de Palacio por un grupo de soldados al mando del cabo de rurales Francisco Cárdenas y del teniente Rafael Pimienta, y llevados a un costado de la Penitenciaría, donde fueron asesinados. V. MÁRQUEZ STERLING, MANUEL.

MADERO, GUSTAVO A. Nació en la hacienda El Rosario, en Parras de la Fuente, Coah., en 1875; murió asesinado en la Ciudadela, en la ciudad de México, el 18 de febrero de 1913. Estaba dedicado a los negocios en Monterrey cuando su hermano Francisco se lanzó a la lucha contra la dictadura (1910). Se encargó de las finanzas de la campaña electoral en ese año y en el siguiente. Fundó el Partido Constitucional Progresista que ganó la mayoría de las diputaciones en la XXVI Legislatura. Instalada ésta, el 16 de septiembre de 1912, gozó de gran influencia en la Cámara (él mismo era diputado) y en el gobierno del presidente Madero. En enero de 1913 fue nombrado embajador especial en Japón, para dar las gracias al emperador por su participación en las fiestas del Centenario de la Independencia. El 17 de febrero de ese año, durante los acontecimientos de la Decena Trágica, fue aprehendido al salir del restorán Gambrinus, donde había comido con el general Victoriano Huerta, y conducido a la Ciudadela junto con Adolfo Bassó, intendente de Palacio. Ambos fueron asesinados la madrugada del día siguiente.

MADERO, JOSÉ ISIDRO. Nació y murió en la ciudad de Chihuahua (1797-1837). Siendo jefe de la tesorería de la Real Hacienda, formó parte de la junta que acordó la independencia de Chihuahua, el 21 de agosto de 1821, conforme a los términos del Plan de Iguala. Administró las rentas del estado hasta 1830, en que fue electo gobernador. Durante su mandato, que terminó en 1834, consiguió autorización para poner nuevamente en actividad (agosto de 1832) la casa de moneda que había sido clausurada en junio de 1822; introdujo controles sanitarios en la ganadería, hizo que se reabriera el Hospital Militar, mandó fabricar pólvora, procuró que los miembros del Poder Judicial fueran letrados, firmó en Santa Rita del Cobre un efímero tratado de paz con los apaches, suplió el pago de los sínodos a los misioneros de la Tarahumara, abrió la primera botica en la capital, consiguió que la mitra de Durango restableciera la vicaría de Chihuahua, instituyó una escuela normal lancasteriana, ratificó la prohibición contra las sociedades secretas y creó el Cuerpo Geográfico y Topográfico, para la composición y venta de terrenos baldíos y para la formación de la primera carta de la entidad. Una vez cumplido su periodo, volvió al ramo de Hacienda. Dos meses antes de su muerte fue electo vocal de la Junta Departamental.

MADERO, LUIS OCTAVIO. Nació en Morelia, Mich., en 1909; murió en la ciudad de México en 1964. Fue hijo del poeta michoacano Manuel Madero. Desde muy joven mostró inclinación a la poesía en las aulas del Seminario de su ciudad natal, donde estudió siete años; pero sin vocación para el sacerdocio, abandonó el plantel y se incorporó a las filas revolucionarias: "La percha donde colgué la sotana fue la cabeza de silla de un caballo revolucionario", escribió en su libro de relatos *Claustro* (1933). En 1925 se inscribió en el Colegio de San Nicolás, donde cursó la enseñanza preparatoria; en 1927 ingresó en la Escuela de Leyes de la Universidad Michoacana, pero al año siguiente abandonó la carrera para dedicarse al periodismo en *El Nacional*, del que fue uno de sus fundadores. En 1934 fue reportero en España y acompañó a la Comisión Naval Mexicana en aquel país. De regreso a México y atraído por el teatro, escribió dos obras: *Los alzados* y *Sindicato*, que se representaron con éxito en 1935 y 1936, respectivamente, y se publicaron en un volumen en 1937. Otras obras de este género llegaron a ponerse en escena, pero no fueron impresas: *Cuando ya no vivamos*, *¿Quién es mi mujer?* y *Adiós a las tablas*; parece que dejó inéditas dos obras de teatro: *El espejo en la sombra* y *Maneguí* y la novela *Reportero en espejos*. Pocos poemas de Madero fueron reunidos en volumen: *Llanto por la vida transitoria* (1945) y *Rítmica voz* (1951). Sus ensayos y reportajes fueron de gran importancia; en 1935 publicó *El octubre español*, donde anotó sus observaciones sobre el proceso de descomposición de la República española, que habría de agudizarse en los años inmediatos hasta ocasionar su caída; esta obra lleva un prólogo de Gregorio Marañón. Fue cónsul general en Barcelona (1938-1939), donde el 11 de diciembre de 1938 en el Ateneo Profesional de Periodistas pronunció su conferencia *El momento social mexicano desde el punto de vista del arte*, publicada al año siguiente con prólogo de Eduardo Zamacois. En 1938 escribió *Con Múgica al sureste*, serie de reportajes de las giras de trabajo del secretario de Comunicaciones; con su hermano Ernesto, un homenaje a Carlos Marx; y con la colaboración de varios de sus coterráneos, *Morelia, IV Centenario* (1941).

MADERO BRACHO, ENRIQUE. Nació en Durango, Dgo., el 10 de noviembre de 1927. Ingeniero industrial (1948) por el Instituto Tecnológico y de Estudios Superiores de Monterrey, ha sido presidente de la Sección Mexicana de los comités empresariales México-Estados Unidos y México-Venezuela, de la Cámara Minera de México, de la Asociación Mexicana de Minería y de la Sección

México del Instituto Americano de Ingenieros Mineros, Metalúrgicos y Petroleros; vicepresidente nacional de la Cruz Roja Mexicana; y consejero de la *International Advisory Board* del Banco del Sureste de Miami y de la *Eastern Air Lines*. En 1988 era presidente del consejo de la Compañía Minera Autlán y subsidiarias, Industrias Sulfamex, Soprina y subsidiarias, y del Comité Empresarial Mexicano para Asuntos Internacionales; vicepresidente de Hornos Eléctricos de Venezuela y miembro del consejo de administración de Corporación Industrial San Luis, Banca Serfin, Industrias Bezaury, Cámara Minera de México y *Manganese Centre* de París. En asociación con sus actividades industriales, aplicadas fundamentalmente a la producción de manganeso (véase), ha contribuido al desarrollo de las comunicaciones en el país. A él y a sus empresas, en colaboración con el poder público, se deben en su mayor parte las carreteras de Autlán a Manzanillo y de Pachuca a Tampico, por Molango.

MADERO GONZÁLEZ, RAÚL. Nació en Parras, Coah., en 1888; murió en la ciudad de México en 1982. Hermano menor de Francisco I. Madero, se unió a éste en San Antonio, Texas, unos días antes de que se iniciara el movimiento revolucionario del 20 de noviembre de 1910. El 9 de febrero de 1911 se le otorgó el grado de mayor. Ese mes pasó a territorio mexicano, lo acompañó en aquella aventura y asistió al ataque frustrado de Casas Grandes (6 de marzo), al combate en la estación Bauche (15 de abril) y al ataque y toma de Ciudad Juárez (10 de mayo), después de lo cual se firmó el tratado de paz (día 21) y sus tropas fueron licenciadas unos días más tarde. En 1912, al ocurrir la rebelión orozquista, reclutó y organizó un cuerpo de 300 plazas que se llamó Carabineros de Nuevo León, a cuyo frente, ya con el empleo de teniente coronel, formó parte de la brigada que mandó su hermano Emilio, brigadier adscrito a la División del Norte, la cual, bajo las órdenes del general de brigada Victoriano Huerta, fue enviada contra los orozquistas. Así, participó en el avance desde Torreón hasta la ciudad de Chihuahua, en cuyo trayecto libró los combates de Tlahualilo (9 de mayo) y Conejos, Dgo. (día 12), y Rellano (22 y 23), La Cruz (16 de junio) y Bachimba, Chih. (3 y 4 de julio), que desbarataron al enemigo, fuerte en unos 10 mil hombres armados.

MADERO–MADRAZO

A mediados de 1913, después del asesinato del presidente de la República, se incorporó en San Pedro de las Colinas a la Brigada Zaragoza, que mandaba el coronel Eugenio Aguirre Benavides y que perteneció después a la División del Norte del general Francisco Villa, en la que militó desde entonces. El resto de ese año asistió a varios hechos de armas, entre ellos a la batalla de Tierra Blanca (24 y 25 de noviembre), a cuyo término fue ascendido a coronel por méritos en campaña (día 26). En la primera mitad de 1914, con la misma División del Norte, concurrió al ataque y toma de Ojinaga (10 de enero), el asedio y toma de Torreón (27 de marzo al 2 de abril), al combate de Paredón (17 de mayo) y al ataque y toma de Zacatecas (21 a 23 de junio), que destrozaron física y moralmente al ejército federal. Al ocurrir la escisión revolucionaria, quedó en el bando villista con el grado de general brigadier que se le confirió el 2 de abril de 1914 por su comportamiento en la toma de Torreón. Participó después en las siguientes acciones, algunas de las cuales mandó como jefe: en 1914, el ataque y toma de Pachuca (6 de diciembre) y los combates de La Boquilla (22 de diciembre) y Puerto Bocas, Coah. (23 de diciembre); y en 1915: el ataque y toma del pueblo de General Cepeda, Coah. (4 de enero), la defensa de Monterrey (15 al 30 de enero) y los combates de Icamote (28 de julio) y de las estaciones Ixtle y Paula (4 de septiembre). A causa de serias dificultades con el general Villa, abandonó la brigada a su mando y se marchó a Estados Unidos, donde vivió, por algún tiempo, alejado de la política. El 12 de septiembre de 1939, por acuerdo del presidente Lázaro Cárdenas, reingresó al Ejército como general de brigada, aunque en disponibilidad, hasta el 21 de abril de 1961 en que se le concedió el retiro con el grado de divisionario y antigüedad desde el 1° de abril de 1944. Gobernó el estado de Coahuila (1957-1963). Miembro de la Legión de Honor Mexicana, fue su segundo comandante a partir del 16 de enero de 1975 y hasta su muerte, días después de recibir la Medalla Belisario Domínguez (1982). (*M.A.S.L.*).

Fuente: Archivo Histórico de la Secretaría de la Defensa Nacional.

MADERO OLIVARES, ENRIQUE. Nació en Monterrey, N.L., el 9 de mayo de 1900. Es-

tudió en la Universidad de Yale, en Estados Unidos, recibiéndose de ingeniero químico industrial en 1923. Dedicado a la minería, organizó, entre otras, las compañías Minera del Sur, Minera de Oaxaca, Minera de Sonora, Minera Central, y Minera Autlán. Esta última, asociada inicialmente a la *Bethlehem Steel Corporation*, explotó en un principio los depósitos de manganeso del cerro de San Francisco, en Autlán, Jal. (1953 a 1967), y a partir de 1961 los de Molango, Hgo., considerados entre los de mayor importancia en el mundo. En 1973 surtía de manganeso a toda la industria nacional del acero y exportaba grandes tonelajes a diversos países del mundo, especialmente a Japón. Durante el auge del azufre en México, asociado con la *Continental Oil Company*, organizó las compañías Azufrera Industrial, Azufrera Tehuantepec, Azufrera Continental e Inversiones Mineras del Istmo. Las exploraciones desarrolladas por estas empresas condujeron al descubrimiento de cantidades importantes de azufre en la región del istmo de Tehuantepec. Ha sido consejero de la Cámara Minera de México y de la Comisión de Fomento Minero. Durante 18 años lo fue también de la Compañía Vinícola del Norte, Casa Madero, Agrícola San Lorenzo, y Agencia Madero, de la cual es gerente. Fue fundador y tesorero de la Asociación Nacional de Vitivinicultores. En 1973 era presidente de la Compañía de Seguros Atlántida, y de la Compañía Minera Autlán, de la Asociación Nacional de Embotelladores de Coca-Cola, fundada por él, en las plantas embotelladoras de Ciudad Obregón, Sinaloa, Los Mochis, Culiacán y del Pacífico, esta última en Mazatlán, Sin.; y de la Inmobiliaria del Pacífico. Es consejero de Industrias Peñoles y lo fue de la Cruz Roja Mexicana desde 1961, actuando en el Comité de Finanzas. En octubre de 1972 fue designado presidente del Consejo Nacional de la Cruz Roja Mexicana, cargo que dejó en 1977. Luego se retiró a la vida privada y en 1988 sólo asesoraba una de las empresas que administran sus hijos.

MADRAZO, ANTONIO. Nació y murió en León, Gto. (hacia 1880-1941). Se adhirió al constitucionalismo y fue presidente municipal de León, diputado federal y gobernador del estado, al triunfo de la rebelión aguaprietista (16 de septiembre de 1920 a 25 de septiembre de 1923). Durante el gobierno de Plutarco Elías

Calles fue presidente de la Comisión Nacional de Caminos y de la junta directiva de los Ferrocarriles Nacionales.

MADRAZO, CARLOS A. Nació en Villahermosa, Tab., en 1915; murió cerca de Monterrey, N.L., en 1969, en un accidente aéreo. Estudió primaria y secundaria en su ciudad natal; en la ciudad de México, preparatoria y la carrera de derecho en la Universidad Nacional Autónoma de México (1937). De 1933 a 1935 formó parte del grupo Camisas Rojas que dirigió Tomás Garrido Canabal. Colaboró en la Universidad Obrera. Fue secretario particular de Luis I. Rodríguez, siendo éste gobernador de Guanajuato (1937), y más tarde presidente del Partido de la Revolución Mexicana (2 de abril de 1938 al 1° de junio de 1939). Dirigió la Confederación de Estudiantes Socialistas de México y presidió la Confederación de Jóvenes Mexicanos (1939). Fue jefe del Departamento de Estudios Económicos y director de Acción Social del Departamento del Distrito Federal; jefe del Departamento Jurídico de la Comisión Nacional de la Caña de Azúcar y en 1943 diputado al Congreso de la Unión. Fue desaforado, con el pretexto de algunas irregularidades en la contratación de braceros, por su adhesión a la precandidatura presidencial del licenciado Javier Rojo Gómez. Se le eligió gobernador de Tabasco para el periodo del 1° de enero de 1959 al 31 de diciembre de 1964; durante su gestión modernizó Villahermosa e impulsó la educación y la actividad económica. Ocupó la presidencia del Partido Revolucionario Institucional del 4 de noviembre de 1964 al 22 de noviembre de 1965, sin poder ejecutar sus propósitos de renovación. Volvió entonces a su viejo puesto de director de la Escuela Nacional de Bibliotecarios y Archivistas, donde gozó de licencia mientras desempeñó estos dos últimos cargos. Existe impresa una antología de sus discursos.

Véase: Darío Vasconcelos: *Madrazo: voz postrera de la Revolución* (3a. ed., 1972).

MADRAZO CUÉLLAR, JORGE LUIS. Nació en México, D.F., el 24 de junio de 1953. Licenciado en derecho por la Universidad Nacional Autónoma de México, ha sido funcionario y asesor universitario. Es autor de *El sistema disciplinario* en la *Universidad Nacional Autónoma de México* (1980) y, entre otros, de los siguientes ensayos: "Estudio de los artículos 30, 65, 70, 74, 76, 79, 81, 82 y 93 constitucionales", en *Los derechos del pueblo mexicano. México a través de sus constituciones* (1979); "Autonomía y Tribunal Universitario", en *Obra conmemorativa del cincuentenario de la autonomía de la Universidad Nacional* (1979) y "Derecho constitucional II", en *Introducción al derecho mexicano*. En colaboración ha publicado *XL aniversario del Instituto de Investigaciones Jurídicas* (1980).

MADRAZO GARAMENDI, MANUEL. Nació en México, D.F., el 16 de marzo de 1922. Licenciado en ciencias químicas por la Universidad Nacional Autónoma de México (UNAM), ha sido secretario general y director de la Facultad de Química, secretario general de la UNAM y director general de Relaciones Internacionales de la Secretaría de Educación Pública. Es coautor de *Tratado de química inorgánica*.

MADRAZO NAVARRO, IGNACIO. Nació en México, D.F., el 23 de diciembre de 1942. Médico cirujano (1966) por la Universidad Nacional Autónoma de México (UNAM), con maestría (1976) y doctorado (1983) en ciencias médicas por esa institución, se especializó en neurocirugía (1973) en el Instituto Nacional de Neurología y Neurocirugía. Ha sido profesor en la UNAM (1973-1980), en el Instituto Politécnico Nacional (1974-1987) y en el Hospital de Especialidades del Centro Médico La Raza (1979-); encargado de los servicios de neurología, neurocirugía y siquiatría en el Hospital de los Ferrocarrileros (1973) y de traumatología y ortopedia en el Centro Médico Nacional (1973-1976) y en el de La Raza (1976-1978); jefe del departamento de neurocirugía en este nosocomio (1978-); presidente del comité académico de los cursos de maestría y doctorado en ciencias médicas en la UNAM (1984-1987) y en el Centro La Raza (desde 1982); investigador en el Instituto Mexicano del Seguro Social (desde 1987) y presidente del Comité Científico del Fideicomiso de Investigación Interinstitucional para la Regeneración del Sistema Nervioso. Ha recibido los premios Gonzalo Castañeda (1982) y el Francisco Montes de Oca (1983) de la Academia Mexicana de Cirugía (AMC); el Everardo Landa

(1983) de la Academia Nacional de Medicina; y los nacionales de Cirugía (1987) y Ciencias Físico-Matemáticas y Naturales (1987). Ha publicado medio centenar de trabajos científicos, en especial "El transplante cerebral para la enfermedad de Parkinson", por el cual la AMC le otorgó un nuevo reconocimiento en 1987. Desde 1985 preside el proyecto Camina, para ayudar a curar la parálisis.

MADRAZO REYNOSO, IGNACIO LUIS. Nació en México, D.F., el 8 de abril de 1944. Licenciado en economía por la Universidad Nacional Autónoma de México y doctor en esa disciplina por la de Cambridge (EUA), ha sido subdirector de Financiera Nacional Azucarera, gerente general de crédito en Nacional Financiera, director general de Aduanas y oficial mayor de la Secretaría de Hacienda y Crédito Público. Es autor de *Distribución del ingreso de tasa de crecimiento en países subdesarrollados* y *El déficit en la cuenta corriente de la economía mexicana.*

MADREJUILE. V. GOBIO.

MADRID, ENRIQUE O. DE LA. Nació en Colima, Col., en 1862; murió en Guadalajara, Jal., en 1935. Fue oficial mayor del gobierno de su estado (1885-1887), juez de distrito (hasta 1896), diputado federal a las XIII y XIX Legislaturas, y local a la XX. El 8 de mayo de 1902, al morir el gobernador Francisco Santa Cruz, asumió el poder de modo provisional, pero luego fue electo para los periodos 1903-1907 y 1907-1911, hasta el 19 de mayo de este último año en que fue depuesto por la revolución maderista. Durante su mandato, terminó el Palacio de Gobierno, reformó los códigos Civil y Penal, libró a los peones de las haciendas del cargo de robo si abandonaban el trabajo dejando deudas (sanción prevista en el decreto del 5 de enero de 1882) y contribuyó a la terminación del ferrocarril Guadalajara-Manzanillo (12 de diciembre de 1905).

MADRID, JUAN. Nació y murió en la ciudad de México (1912-1970). Entró adolescente a la Academia de San Carlos, para estudiar dibujo. Más tarde ingresó a la Escuela Nacional Preparatoria y participó en el movimiento estudiantil de 1929 y en la campaña presidencial de José Vasconcelos. Desde estudiante hizo dibujos para revistas: en la Preparatoria, él y Armando García Franchi ilustraron *Pikin*, publicación literaria, humorística y política. Colaboró más tarde en *Hoja Universitaria, Acento, Barandal, Claridad, Futuro, El Popular, Universidad* y *América.* Todas las portadas dibujadas de la revista *Tiempo* salieron de su mano. Ilustró numerosos libros y cuidó la edición en cuatro idiomas de *Cuatro mil años de arquitectura mexicana* (1956). Fue jefe del Departamento de Dibujo de la Comisión Nacional de Libros de Texto Gratuitos (1959-1970). Obtuvo el primer premio en el concurso de carteles del Instituto Mexicano del Libro (1954). Lo distinguieron una línea clara y precisa, y un manejo profundo de las técnicas de las artes gráficas.

MADRID HURTADO, MIGUEL DE LA. Nació en la ciudad de Colima el 12 de diciembre de 1934. Cursó la carrera de abogado en la Facultad de Derecho de la Universidad Nacional Autónoma de México (UNAM) y se recibió con la tesis "El pensamiento económico en la Constitución de 1857". Fue después profesor de derecho constitucional en esa casa de estudios (1959-1968) y dictó cursos y conferencias sobre materias de su especialidad en el Instituto de Derecho Comparado de la UNAM, en la Facultad de Ciencias Políticas y Sociales, en el Centro de Estudios Monetarios Latinoamericanos, en el Colegio Nacional de Economistas y en los institutos Tecnológico de México y Nacional de Administración Pública. Siendo todavía pasante de derecho, ingresó al Banco de México, del que recibió una beca para realizar en el extranjero estudios de maestría en administración pública. A su regreso, fue subdirector auxiliar y subdirector general de Crédito de la Secretaría de Hacienda (1964), subdirector de Pemex (1970), director general de Crédito y subsecretario de Hacienda (1975-1979) y secretario de Programación y Presupuesto (1979-1981). Ingresó al Partido Revolucionario Institucional (PRI) en 1963 y participó en los trabajos del Instituto de Estudios Políticos, Económicos y Sociales (IEPES) durante las campañas presidenciales de 1970 y 1976. De sus intervenciones oratorias, se recuerdan particularmente los discursos que pronunció, en representación de los tres Poderes de la Unión, en las ceremonias conmemorativas del CVI aniversario de la muerte de Benito Juárez

(18 de julio de 1978) y del LXX aniversario del inicio de la Revolución Mexicana (20 de noviembre de 1980). Es autor de: *Estudios de derecho constitucional* (1980), *Aspectos jurídicos de la planeación en México* (1981), *Los grandes problemas nacionales de hoy. El reto del futuro* (1982), *Los grandes retos de la ciudad de México* (1982), *Elementos de derecho constitucional* (1982) y *Cien tesis sobre México* (1982); y coautor de *Planeación para el desarrollo*. El 17 de septiembre de 1981, el PRI lo postuló candidato a la Presidencia de la República. En las elecciones de julio de 1982 obtuvo 16.7 millones de votos, 13 millones más que su más próximo contendiente, y ejerció el Poder Ejecutivo Federal del 1º de diciembre de ese año al 1º de diciembre de 1988. El 16 de enero de 1990 fue nombrado director del Fondo de Cultura Económica (FCE). El 9 de octubre de 1991 fue nombrado presidente del Comité Internacional de Alto Nivel para la Década, dependiente de la ONU, cargo que ejerció simultáneamente con su responsabilidad al frente del FCE.

En su discurso de toma de posesión, el presidente De la Madrid reconoció la gravedad de la crisis por la que atravesaba el país y la urgencia de tomar medidas para superarla (v. LÓPEZ PORTILLO Y PACHECO, JOSÉ). En ese momento, dio a conocer un Programa Inmediato de Reordenación Económica (PIRE), cuyos objetivos primordiales eran reducir la inflación, proteger el empleo y la planta productiva, y recuperar el crecimiento económico del país. La política económica programada proponía: para reducir la inflación, disminuir la excesiva demanda del gobierno, frenar el crecimiento del gasto y aumentar los ingresos del sector público; para preservar la planta productiva, estimular los productos nacionales sustitutivos de importaciones, mantener un tipo de cambio realista y ayudar a las empresas facilitándoles la restructuración de su deuda externa; y para recuperar el crecimiento sostenido de la economía, promover reformas de fondo al sistema económico nacional. El presidente De la Madrid también delineó una serie de estrategias que llevarían a la sociedad mexicana a mejorar su situación general: la renovación moral, la planeación sistemática y explícita de la acción gubernamental, enriquecida con la participación de la sociedad; la sanción jurídica de la rectoría económica del Estado, para dejar asentada la obligación gubernamental de promover el bienestar económico general y delimitar su papel en la economía; y el fortalecimiento del federalismo, la democratización y la descentralización.

Corrección de las finanzas públicas y evolución de la inflación. Los precios y tarifas de los bienes y servicios provistos por empresas del Estado se incrementaron en diciembre de 1982. En el mismo mes, al aprobarse la Ley de Ingresos de la Federación para 1983, se aumentó la tasa del impuesto al valor agregado (IVA) de 10 a 15%, a la vez que algunos productos básicos fueron eximidos. En este mismo sentido, se introdujo una sobretasa de 10% al impuesto sobre la renta de las personas físicas para los causantes cuyo ingreso excediera cinco veces el salario mínimo durante 1983. Los precios y tarifas se aumentaron en repetidas ocasiones durante el periodo 1983-1985. El resultado de estos esfuerzos fue un aumento de los ingresos del sector público federal, los cuales pasaron, como porcentaje del Producto Interno Bruto (PIB), de 30.2% en 1982 a 33.9, 34.2 y 32.2% en los tres años siguientes. Sin embargo, la persistencia de la inflación planteó retos importantes para la política de ingresos, sobre todo en 1985, pues la recaudación por concepto del impuesto sobre la renta a las sociedades mercantiles cayó como resultado del proceso inflacionario, debido al aumento de los intereses nominales pagados, que de acuerdo con la ley podían deducirse. Paralelamente, el gobierno logró bajar el gasto total del sector público federal, como porcentaje del PIB, de 45.4% en 1982 a 42.2, 41.5 y 40.5% en los tres años siguientes. El esfuerzo gubernamental reflejado en las cifras anteriores se dificultó por la evolución de los intereses pagados por el sector público, los cuales pasaron de 8.7% del PIB en 1982 a 12.4, 12.3 y 12% en los tres años siguientes. El incremento de 1982 y 1983 se debió principalmente a la contratación masiva de deuda durante 1982 y a las bruscas devaluaciones del peso en ese año. La persistencia al mismo nivel de los pagos en los siguientes años obedeció no tanto a la contratación de nueva deuda, pues ésta fue mínima, sino a las altas tasas de interés efectivas sobre la deuda acumulada en el pasado. El alza de los ingresos públicos y la disminución de los egresos, dieron como resultado una reducción significativa del déficit público en los tres años comprendidos entre finales de 1982 y de 1985. El déficit financiero del sector público federal, que mide la diferencia entre los ingresos y los gastos del gobierno, definidos en su acepción más amplia, bajó de la cifra récord de 17.6% del PIB alcanzada en 1982, a 8.9, 8.7 y 9.9% en los tres años siguientes. En 1985 aumentó nuevamente el déficit financiero porque el precio promedio del barril de petróleo exportado cayó en Dls. 1.47 y el volumen vendido al exterior descendió en 86 500 barriles diarios, de modo que los ingresos por ese concepto se redujeron en cerca de 1.5 puntos porcentuales del PIB. Además, los precios y tarifas del sector público no se ajustaron lo suficiente y el pronóstico de la inflación se quedó muy por abajo de la observada. Conforme se reconoció que las proyecciones iniciales del déficit para 1985 no serían alcanzables, el gobierno determinó reducciones adicionales del gasto en febrero y nuevamente en julio. Las acciones emprendidas en este sentido fueron enérgicas, pues se decidió extinguir 15 subsecretarías y 50 direcciones generales de la administración pública federal, y fueron despedidos 22 mil empleados de confianza del sector central. Adicionalmente, se anunció la futura desaparición de 236 empresas públicas, por liquidación, transferencia o venta (v. INDUSTRIA). Otro aspecto apremiante de la coyuntura económica en el periodo 1983-1985 fue la inflación. Medida por el crecimiento del índice de los precios al consumidor, pudo bajarse de 98.8% en 1982 a 80.8, 59.2 y 63.7% en los siguientes tres años. Así, la tendencia inflacionaria en ascenso pudo revertirse durante 1983 y disminuirse por dos años consecutivos, aunque permaneció todavía en niveles muy elevados y su tendencia repuntó nuevamente. El ritmo de avance fue tan lento y el costo social tan elevado, que la mayoría de la población manifestaba desaliento y creciente desesperación hacia el final de 1985.

Adecuación del aparato económico del Estado. Entre el conjunto de leyes propuestas a iniciativa del presidente De la Madrid, destacan las reformas a los artículos 25, 26, 27, 28 y 29 de la Constitución, enviadas al Congreso el 4 de diciembre de 1982, que establecen un sistema de planeación del desarrollo, definen la economía mixta (es decir, la coparticipación del Estado, la iniciativa privada y el sector social en las actividades económicas) como la base para el desarrollo, precisan las áreas estratégicas reservadas con exclusividad al Estado,

y cimentan el desarrollo rural integral. En julio de 1983, el Partido Acción Nacional ganó las elecciones en varios municipios importantes del estado de Chihuahua y en la capital de Durango. Para muchos grupos de opinión, estas victorias electorales fueron posibles gracias a la ayuda económica que este partido recibió de algunos empresarios inconformes con la rectoría del Estado en materia económica. Conforme a la Ley de Planeación, el 30 de mayo de 1983 el jefe del Poder Ejecutivo presentó el Plan Nacional de Desarrollo (PND), que persigue cuatro objetivos generales: fortalecer las instituciones democráticas, vencer la crisis, recuperar la capacidad de crecimiento, e iniciar los cambios cualitativos que el país demanda en lo político, lo social y lo económico. Durante 1983 y 1984 se completó la formulación del sistema de planeación general. En el primer año se pusieron en marcha el Programa Nacional de Alimentación y cuatro de carácter regional. En el mismo año se aplicó el programa especial de protección del empleo, y en 1984 los regionales de ocupación y tres más para subregiones específicas: Yucatán, Mixtecas oaxaqueñas y Cuenca de Coatzacoalcos. Entre junio de 1984 y enero de 1985 se implantaron otros 19 programas de mediano plazo, tres para la Administración Pública Federal (APF; Financiamiento del desarrollo, Simplificación y Descentralización) y 16 sectoriales, uno para cada rama de la APF. En mayo de 1985 se dio a conocer el último de éstos, el de Desarrollo Rural Integral. Previamente se realizaron foros de consulta popular sobre los temas específicos. Con la Ley de Planeación y con las orientaciones generales del PND se buscaba integrar un Sistema Nacional de Planeación Democrática, que incluyera tanto la administración federal como las estatales y municipales. Para implantar este sistema, en 1983, 1984 y 1985 la Federación firmó un Convenio Único de Desarrollo (CUD) con cada entidad. En el primer año, los CUD se limitaron a establecer prioridades y orientaciones generales, pero desde 1984 incluyeron problemas y proyectos fundamentales de cada estado. Para operar esta coordinación, se creó en cada entidad, incluido el Distrito Federal, un Comité de Planeación para el Desarrollo (Coplade), que funciona en subcomités según áreas específicas, y en el que participan representantes de dependencias federales y locales, así como de los diversos sectores sociales y de especialistas.

También se han implantado comités de planeación en los municipios más grandes (Copladem).

Renegociación de la deuda externa. Ésta alcanzó en diciembre de 1982 la cifra récord de Dls. 87 588 millones; 68.2% correspondía al sector público, excluyendo sus bancos, y 78% de éste se adeudaba a bancos comerciales de numerosos países. La deuda total era una de las más grandes del mundo. En 1982, las amortizaciones de capital a largo plazo del sector público no bancario sumaron Dls. 4 070.7 millones, y los intereses representaron Dls. 4 921.3 millones. El servicio total de su deuda, por lo tanto, ascendió a Dls. 8 992 millones, equivalente a 54.6% de las exportaciones petroleras y a 32.1% de los ingresos totales del país en cuenta corriente. El gobierno del presidente De la Madrid se propuso desde el principio resolver este serio problema por la vía de la negociación, evitando la confrontación. Entre las primeras acciones emprendidas por el nuevo gobierno, estuvo conjurar la suspensión de pagos. El 11 de diciembre de 1982, el secretario de Hacienda y Crédito Público, Jesús Silva Herzog, anunció que se habían enviado comunicaciones a más de mil bancos extranjeros solicitando préstamos adicionales para México por cerca de Dls. 5 mil millones. La respuesta fue favorable, y en ella influyó la decisión del Fondo Monetario Internacional (véase) de otorgar al país un préstamo por Dls. 3 900 millones durante 1983. El 20 de enero de ese año, el secretario de Hacienda realizó una gira con el propósito de restructurar los plazos de aproximadamente 30% de la deuda pública. El resultado de la renegociación fue muy satisfactorio, pues el gobierno consiguió que casi Dls. 20 mil millones del principal, que debían pagarse en los siguientes dos años, pudieran ser cubiertos en un máximo de ocho a partir de entonces, con la posibilidad de no pagar nada antes de 1987 si así fuera conveniente. El terremoto que sacudió al país en septiembre de 1985 causó efectos directos sobre la balanza de pagos: baja del turismo extranjero, mayor utilización doméstica de bienes exportables y mayores importaciones con motivo de la reconstrucción (telecomunicaciones, equipo de hospitales, etc.). El gobierno de México solicitó, como apoyo de la comunidad internacional al esfuerzo nacional de reconstrucción, el diferimiento de los pagos que vencían en octubre y noviembre de 1985, por Dls. 950 millones. La solicitud fue aceptada provisionalmente por un plazo de seis meses. De manera adicional, el gobierno pidió a los organismos multilaterales (Banco Interamericano de Desarrollo y Banco Mundial) nuevos créditos para financiar las inversiones del programa de reconstrucción. La deuda externa del sector público, excluyendo sus bancos, medida a fin de año, pasó de Dls. 59 730 millones en 1982 a 66 559, 69 378 y 72 080 en los siguientes tres años (v. FINANZAS PÚBLICAS).

Reordenación del comercio exterior. La política cambiaria se encaminó desde el inicio del nuevo gobierno a mantener un tipo de cambio realista y una existencia suficiente de divisas en el país para permitir el desarrollo de las transacciones comerciales y financieras con el exterior. El 13 de diciembre de 1982 se abandonó el control generalizado de cambios de moneda extranjera y se volvió a un esquema de dos paridades, restituyendo la mayor parte de las operaciones cambiarias fronterizas a la supervisión de las autoridades monetarias mexicanas. El tipo de cambio controlado se manejó con realismo desde 1983. Así, cada vez que el aumento de los precios en México encarecía las exportaciones mexicanas para el resto del mundo y abarataba relativamente las importaciones para los mexicanos, el tipo de cambio se deslizaba para corregir el desajuste anterior, o sea, para evitar la sobrevaluación. Partiendo de fines de 1982, cuando el peso se encontraba subvaluado luego de las severas devaluaciones experimentadas en el año, el tipo controlado se deslizó 49.2, 33.8 y 92.9% en cada uno de los siguientes tres años. Si se compara con el tipo determinado libremente por el mercado, el cual se depreció en 8.6, 30.1 y 113.1% en los mismos años, puede observarse que únicamente en 1985 las autoridades monetarias devaluaron el tipo de cambio menos de lo aparentemente requerido. No obstante, al advertirse la pérdida de subvaluación durante el primer semestre de 1985, en julio el gobierno procedió a devaluar el tipo de cambio controlado en 17%. Pocos meses después se depreció nuevamente en un porcentaje menor, al mismo tiempo que se aceleró el deslizamiento para mantener estable la paridad real del peso conforme repuntaba la inflación interna. La confianza en el mantenimiento de una política cambiaria realista y una vocación nacional de comercio con el resto del mundo, garantizada por una política comercial bien definida, aseguraron el desarrollo de las industrias exportadoras. Un ejemplo de ello fue el impresionante crecimiento de las maquiladoras entre 1983 y 1985. Los ingresos de divisas por servicios de transformación de este tipo pasaron de Dls. 818.4 millones en 1983 a 1 281.5 millones en 1985, o sea, tuvieron un crecimiento de 50% en 24 meses. Con la idea de mantener condiciones propicias para el desarrollo de las industrias exportadoras, el gobierno de México presentó, a finales de 1985, su solicitud de ingreso al Acuerdo General sobre Aranceles Aduaneros y Comercio, GATT (véase), en el que 91 países de todo el mundo, entre los que se realiza cerca de 70% del comercio mundial, han fijado reglas de aplicación y observancia general respecto al comercio internacional de los países miembros. Entre 1982 y 1985, las exportaciones totales de mercancías del país, excluyendo el petróleo, cuyo comportamiento obedece a factores distintos, pasaron de Dls. 4 752.2 millones a 7 099.6 millones, o sea que aumentaron Dls. 2 347.1 millones, equivalentes a 50% en tres años. La mayor parte de este aumento provino de las exportaciones manufactureras. Los ingresos de divisas por turismo permanecieron prácticamente inalterados entre 1983 y 1985, en alrededor de Dls. 2 900 millones, porque a pesar de las condiciones económicas relativamente atractivas para el turista extranjero, el deterioro de la imagen de México a partir de la crisis de 1982 tuvo efectos adversos. Paralelamente, las importaciones totales de mercancías bajaron de Dls. 14 437 millones en 1982 a 13 460 millones en 1985. La reducción más importante se registró en las importaciones del sector público, que disminuyeron en Dls. 1 046 millones, en tanto que las del sector privado aumentaron en Dls. 70 millones. El saldo neto de la balanza comercial del país pasó de una cifra positiva de Dls. 6 792 millones en 1982 a 8 406 millones en 1985, pero excluyendo las exportaciones petroleras, el saldo fue negativo: Dls. 9 685 millones en 1982 y 6 361 millones en 1985. Considerando no sólo el comercio de bienes, sino todas las transacciones con el resto del mundo, incluyendo ingresos por turismo y maquila, y egresos por el pago de intereses de la deuda externa, el saldo fue desfavorable en 1982 (Dls. 6 221 millones) y favorable en los tres años siguientes (Dls. 5 418, 4 239 y 541 millones). El pago por concepto de intereses al exterior disminuyó de Dls. 12 203 millones en 1982 a 9 917.1 millones en 1985. Sin embargo, esta carga financiera amenazaba llevar a la economía mexicana a niveles aún más críticos.

Con la aprobación por el Congreso de la Ley Reglamentaria del Servicio de Banca y Crédito culminó el proceso de incorporación de los bancos al Estado y se cerró la contienda legal que iniciaron, por medio de amparos, algunos accionistas de los bancos nacionalizados. En esta ley se diseñó el mecanismo para indemnizar a los antiguos dueños y se previó que 34% de las acciones podía ser adquirido por particulares, a razón de 1% por inversionista como máximo. El 6 de abril de 1983 se creó el Fideicomiso para la Cobertura de Riesgos Cambiarios (Ficorca), dependiente del Banco de México, para facilitar a las empresas privadas la restructuración de su deuda externa. El fideicomiso vendería divisas a las empresas a cierto tipo de cambio, pero para serles entregadas en el futuro conforme las necesitaran. Prácticamente toda la deuda externa privada contratada antes del 20 de diciembre de 1982 fue negociada en esta forma antes del 25 de octubre de 1983. Así, la amenaza de una ola de quiebras de empresas privadas pudo conjurarse.

Al año siguiente, el incremento de las reservas internacionales y, en alguna medida, el mayor crédito concedido por el banco central al sector público, aumentaron la base monetaria en 54.1%. Asimismo, el medio circulante creció en 63%. En 1985 la base monetaria creció únicamente 17.5% y el medio circulante, 54.5%. El reducido aumento de la base obedeció a la nueva Ley Orgánica del Banco de México, de acuerdo con la cual las reservas obligatorias de la banca comercial en el banco central no excederían del 10%, mientras que en el pasado este tipo de depósitos obligatorios se había elevado hasta 48% de la captación de la banca comercial. Simultáneamente se estableció el requisito de que la banca comercial otorgara directamente, como financiamiento al gobierno, 35% de su captación. Con la nueva Ley Orgánica, el encaje legal recuperó su carácter de instrumento de regulación monetaria, y se le quitó al Banco de México la función de intermediación financiera.

Las tasas de interés poco atractivas provocaron que en 1983 disminuyera 9.9% la captación de recursos por la banca; paralelamente, el financiamiento a empresas y particulares se redujo 17.1%. En 1984, el descenso de la inflación hizo posible reducir algo más las tasas de interés, aunque sin dejar de ofrecer rendimiéntos positivos para los ahorradores. Ese año, el financiamiento de la banca comercial al sector privado aumentó en 17.6%. Las tasas efectivas en los préstamos bancarios llegaron a 64% anual. La tendencia descendente de las tasas de interés pagadas a los ahorradores tuvo que modificarse desde febrero de 1985. La ofrecida a tres meses, por ejemplo, pasó de 55% en el primer trimestre a casi 73% al final de año, lo cual no fue suficiente para contrarrestar el efecto negativo de la inestabilidad cambiaria. Durante 1985, la captación descendió 12.4% y las reservas internacionales del Banco de México disminuyeron en Dls. 2 328 millones. En el segundo semestre de 1985 el Banco de México adoptó una serie de medidas de restricción crediticia para reducir el financiamiento al sector privado. Por ejemplo, la tasa de interés de los préstamos llegó casi a 75% a lo largo del año, y el financiamiento a los particulares bajó 7.9%. Con todo esto, la situación de las empresas se tornó más difícil durante 1985. Otro aspecto de la política financiera del presidente De la Madrid fue aumentar los instrumentos de ahorro no bancarios, como los Certificados de la Tesorería de la Federación (Cetes), Petrobonos, etc., para captar recursos del público y financiar los requerimientos del gobierno. El valor nominal de las transacciones de Cetes se incrementó en 203.6, 161.4 y 85.8% anualmente en el periodo 1983-1985, tasas muy superiores a la inflación observada en esos años.

La inversión pública descendió 12.7% en 1982, y la del sector privado 20%. Ésta disminuyó por la contracción del mercado interno, la menor liquidez de las empresas, la mayor carga financiera externa y las poco favorables expectativas de mejoría futura. Estos mismos factores continuaron durante 1983. La caída de la inversión privada en ese año alcanzó 22.6%. La inversión pública se redujo proporcionalmente más: 28.6%. A partir de entonces, estos dos componentes evolucionaron de manera más independiente y con distintos grados de dinamismo. La inversión del sector público aumentó sólo 0.6% durante 1984, debido a varios programas prioritarios en los sectores de salud, transporte y desarrollo urbano y ecología, y en 1985 cayó 3.1%. En contraste, la inversión privada se reactivó en 1984 (9%) y en 1985 (13.1%).

Protección del empleo y la planta productiva. El 18 de enero de 1983, el secretario de Programación y Presupuesto, Carlos Salinas de Gortari, dio a conocer un programa de emergencia que buscaba crear entre 500 mil y 700 mil nuevos empleos, la mayor parte temporales, para dar ocupación a los jóvenes que ingresarían de inmediato a la fuerza de trabajo. En los días siguientes, otros secretarios de Estado informaron sobre la creación de empleos en el campo y en zonas urbanas críticas. A fin de año se habían generado cerca de 500 mil empleos temporales a un costo relativamente bajo. Según datos del Instituto Mexicano del Seguro Social, entre diciembre de 1982 y diciembre de 1983 el empleo en el sector formal del Distrito Federal decreció en 50 mil personas. Los sectores que registraron mayores caídas fueron la industria de transformación, el comercio, la construcción y el transporte.

En contraste, el número de asegurados por empresas y personas, como empleados de oficina y servicio doméstico, aumentó de manera considerable. En 1984 el programa de emergencia para la protección del empleo se convirtió en los Programas Regionales de Empleo, que se integraron desde entonces de modo permanente a los del desarrollo regional. En 1984 se crearon 356 mil plazas. A juzgar por la encuesta mensual que realiza el Instituto Nacional de Estadística, Geografía e Informática (INEGI), entre junio de 1983 y octubre de 1985 las tasas de desocupación abierta en las tres ciudades mayores del país disminuyeron: de 7.2 a 3.7% en la ciudad de México, de 8.6 a 4% en Guadalajara, y de 11.4 a 5% en Monterrey. Según cálculos de la Secretaría de Hacienda y Crédito Público, el número de personas con cualquier ocupación remunerada disminuyó 1.4% en 1983, pero creció 4.4% en 1984 y 3.8% en 1985. Sin embargo, todavía en 1985 no se recuperaba la tasa de ocupación de 1982. Diversas estimaciones sugieren que el subempleo total (actividades económicas marginales) llegó a ser de 20 a 30% de la fuerza de trabajo en todo el país; y el desempleo abierto, ligeramente inferior a 10%.

Producción. En 1983, el producto interno bruto disminuyó 5.3%, si bien creció 3.7 y 2.7% en los dos años siguientes. Esto fue consecuencia del menor gasto del gobierno en la compra de bienes y servicios, de la menor inversión de las empresas, de que apenas se iniciaba la reorientacion del aparato productivo hacia la exportación y de la disminución de las ventas de petróleo. El valor de la producción total de la economía, medido sin inflación, fue en 1983 y 1984 menor que en 1981 y en 1982; y en 1985, 0.3% mayor que en 1981. Entre 1983 y 1985, los programas de producción agrícola se cumplieron en un 90%. Esto permitió disminuir el volumen de la importación de alimentos en los tres años, de modo que de 10.5 millones de toneladas en 1983 se pasó a 7.3 millones en 1985. El aumento de los precios de garantía en proporciones similares a las de la inflación general, ayudó a reducir la desigualdad estructural entre el campo y la ciudad. En 1983 se obtuvieron 18.7 millones de toneladas de granos alimenticios (maíz, trigo, frijol y arroz), 94.7% de lo programado, y al año siguiente se lograron 19.3 millones de toneladas, 96.4% de lo previsto. En 1985, además de que se produjeron 20.6 millones de toneladas, se cumplió en 101.5% el programa agrícola general. Para detener las tendencias de descapitalización del campo y de pauperización rural, el gobierno concedió en 1983 dos aumentos generales a los precios de garantía, equivalentes a 100%; dos más en 1984 (83.3% en promedio) y otros en 1985 (62%).

Negociaciones salariales y distribución del ingreso. En diciembre de 1982, obreros, empresarios y gobierno acordaron en la Comisión Nacional de los Salarios Mínimos (CNSM) que se concederían aumentos de 25% en promedio. Al mismo tiempo, se modificó la Ley Federal del Trabajo para que los salarios mínimos pudieran revisarse antes de que concluyera el año de su vigencia, y se puso en marcha el programa para la producción, abasto y control del Paquete Básico de Consumo Popular. A finales de diciembre, el presidente convocó a la firma de un Pacto de Solidaridad, propuesto por el sector obrero, conforme al cual todos se comprometieron a cumplir con lo pactado. Las revisiones salariales condujeron, a principios de 1983, a un aumento del 25%, no sin que hubiera varias manifestaciones de inconformidad y algunas huelgas (véase). El 1° de mayo, los sindicatos independientes mostraron enfática, y a veces agresivamente, su oposición abierta a la política económica del gobierno, mientras que el movimiento obrero organizado, ampliamente mayoritario, manifestó su tradicional alianza con el gobierno, pero también su descontento por la per-

sistencia de la inflación y la disminución del salario real de los trabajadores. El 10 de junio, la CNSM anunció que los salarios mínimos aumentarían 15.6% en promedio a partir del 14 de junio y hasta el 31 de diciembre. El gobierno, por su parte, dio a conocer el Programa de Protección al Salario y el Consumo Obrero para 1984. En el desfile del 1° de mayo de ese año, la inconformidad con la situación económica volvió a manifestarse en todo el país. En esa ocasión, dos bombas molotov fueron arrojadas al Palacio Nacional; los artefactos hirieron levemente a algunas personas; los responsables fueron detenidos más tarde. En junio, la CNSM acordó un aumento de 20%, a pesar de que las centrales obreras pedían 40%. La Secretaría del Trabajo dio a conocer de nuevo el conjunto de medidas y programas de apoyo al consumo popular que el gobierno realizaba. Además de las que había anunciado a principios de año, en esta ocasión informó que la tortilla se expendería a menor precio en los 15 mil establecimientos comerciales del sector público y social. Asimismo, afirmó que se suspendían hasta nuevo aviso los aumentos graduales a la energía eléctrica, el gas y el teléfono, en práctica desde 1983. No obstante, a mediados de junio el Congreso del Trabajo publicó el *Documento de intenciones*, en el que se hacía un severo cuestionamiento de la política económica. El presidente de la República señaló que el gobierno no iba a aceptar presiones, pues las circunstancias no permitían flaquear a cambio de concesiones que en otros tiempos pudieran justificarse. Después de este discurso, muchas organizaciones obreras repudiaron el *Documento*, pero se ahondaron las divisiones que ya había entre ellas. Al finalizar 1984, los frutos de la política económica no eran comparables con los del año anterior. A pesar de que el ingreso real de los trabajadores había disminuido seis puntos porcentuales en relación con el del año anterior y 20% respecto del ingreso percibido en 1982, la inflación en 1984 amenazaba estancarse en alrededor de 60% anual. El aumento acordado por la CNSM para entrar en vigor a partir de enero de 1985 fue de 30%. Ese año, el porcentaje de participación de los trabajadores en las utilidades de las empresas aumentó a 10, en vez del 8 anterior, que había estado vigente una década. A pesar de que el descontento de los obreros volvió a manifestarse abiertamente en los desfiles del 1° de mayo, los conflictos obrero-patronales que llegaron al estallamiento de huelgas disminuyeron de 337 en 1983, a 197 en 1984 y 125 en 1985. El índice de percepciones medias en la industria manufacturera creció 53.8% en 1983, 64.5% en 1984 y 60.5% en 1985; y el del salario mínimo, 44.2, 56.7 y 54% en los mismos años. Estos aumentos fueron menores que los registrados en los precios, de modo que la pérdida del poder adquisitivo fue de 14% para el trabajador medio en la rama de manufacturas y de 27% para el obrero con salario mínimo.

Reforma municipal y desarrollo regional. Causa y consecuencia de la creciente centralización demográfica, económica y política del país, agudizada después de la década de los cuarentas, ha sido el continuo debilitamiento del municipio libre, base del federalismo. Para enfrentar este problema, el nuevo gobierno se propuso renovar la vida municipal, descentralizar la actividad del país y promover un desarrollo regional más equilibrado. El primer paso en este sentido fue la iniciativa de reformas al Artículo 115 constitucional que norma la vida municipal. Estas reformas, aprobadas en diciembre de 1982, restituyeron al municipio atribuciones básicas a su función de gobierno (v. CONSTITUCIONES). Con el fin de institucionalizar un sistema permanente de seguimiento y fomento de estas novedades legislativas, la Secretaría de Gobernación fundó un Centro de Estudios Municipales, el cual estableció otros tantos en los 31 estados de la República. El Convenio Único de Desarrollo, a su vez, se convirtió en 1985 en un instrumento que permite a los estados definir por sí mismos las acciones más importantes. Entre los programas de acción conjunta llevados a cabo por los tres niveles de gobierno para el desarrollo de la vida municipal, destacaron en 1985 el Programa de Reordenación de la Cuenca de Coatzacoalcos, y los de desarrollo de las regiones del Soconusco y la costa en Chiapas.

Descentralización de la Administración Pública Federal. La descentralización educativa se inició el 8 de agosto de 1983, con la publicación de un decreto presidencial en el que se ordenaba transferir a mediano plazo la responsabilidad de la educación básica a los gobiernos de los estados. A partir de ese momento, se constituyó un Comité Consultivo en cada entidad federativa, integrado por el gobernador, el responsable del área en la entidad y representantes del Gobierno Federal y del Sindicato Nacional de Trabajadores de la Educación. El decreto creó también una Coordinación General para la Descentralización Educativa y simultáneamente las delegaciones de la Secretaría de Educación Pública se transformaron en Unidades de Servicios Educativos a Descentralizar. En marzo de 1984 se publicó un nuevo decreto, conforme al cual cada estado debería contar con un Consejo Estatal de Educación Pública, en vez del Comité Consultivo, y se crearía una Dirección General de Servicios Coordinados de Educación Pública, para la administración conjunta de los servicios federales y estatales. En 1984 y 1985, este sistema se puso en práctica en 14 estados. Asimismo, se fijaron las bases para la transferencia de recursos financieros y materiales de la Federación a los estados. Durante 1984, se firmaron 23 acuerdos de Coordinación entre ambos niveles de gobierno, en los términos del decreto de marzo, y en 1985, los nueve restantes. El proceso de descentralización de los servicios de salud se inició en 1983 con la entrega de instalaciones hospitalarias a los gobiernos de Sonora, Jalisco y Guerrero. Con el objetivo de transferir a los estados la responsabilidad en los niveles de atención preventiva y de hospitales generales, el 30 de agosto se publicó en el *Diario Oficial* el decreto presidencial respectivo. Con base en él, se formó el Sistema Nacional de Salud, para lo cual hubo que dividir funcionalmente, según el tipo de usuarios, el conjunto de las instituciones del sector. Así, la Secretaría de Salubridad y Asistencia (SSA) brindaría seguridad social a la población en general que no recibiera atención en el Instituto Mexicano del Seguro Social (IMSS) o en el Instituto de Seguridad y Servicios Sociales de los Trabajadores del Estado (ISSSTE). En marzo de 1984 se estableció el procedimiento para transferir gradualmente a los estados los servicios de la SSA y del IMSS-Coplamar, por medio de los Servicios Coordinados de Salud Pública, organismo estatal presidido por los gobernadores. Para ello, se firmaron durante el año los acuerdos de coordinación entre la SSA y todas las entidades, incluido el Distrito Federal. El 1° de septiembre de ese año entró en vigor un acuerdo del titular de la SSA para traspasar facultades operativas y administrativas a los Servicios Coordinados y se mencionan los ocho estados que habían decidido iniciar el proceso: Baja California Sur, Guerrero, Hidalgo, Jalisco, Nuevo León, Oaxaca, Sonora y

MADRID

Tlaxcala. A mediano plazo, el objetivo es integrar 32 sistemas estatales y del Distrito Federal, que incluyan los servicios de la SSA y el IMSS-Coplamar, los propios de cada entidad y los del Sistema Nacional para el Desarrollo Integral de la Familia. Por otro lado, los organismos de seguridad social que prestan servicios a grupos específicos de derechohabientes, como el IMSS y el ISSSTE, serían orientados a la desconcentración administrativa, para integrarse de manera funcional, no política, a los sistemas estatales de salud. En 1985, estas realizaciones y otros proyectos quedaron comprendidos en un programa global. El 8 de julio de 1984, el presidente había expedido un decreto para que todas las dependencias y entidades del Gobierno Federal elaboraran sus respectivos programas de descentralización, tomando en cuenta las propuestas de los gobiernos estatales. Así, el 21 de enero de 1985, el licenciado De la Madrid puso en marcha el Programa de Descentralización de la Administración Pública Federal. Las acciones previstas en el programa son de tres tipos: de transferencia de entidades paraestatales a los gobiernos estatales; de coordinación, para pasar a los gobiernos de los estados, mediante el CUD, la responsabilidad de la ejecución y operación de programas; y de desconcentración de funciones administrativas.

Cambios de funcionarios. En los dos primeros años del nuevo gobierno, sólo el secretario de Agricultura, Horacio García Aguilar, abandonó el gabinete, y hubo 13 cambios en otros puestos hasta el nivel de oficial mayor. En 1985 se efectuaron 80 movimientos, debido a los recortes presupuestales que se hicieron en febrero, a la decisión de muchos funcionarios de participar en procesos electorales y los reacomodos que estos movimientos produjeron. Un secretario y un oficial mayor fueron nominados por el PRI como candidatos a gobernadores: Rodolfo Félix Valdés, en Sonora, y Rafael Corrales Ayala, en Guanajuato; otros 14 contendieron para renovar la Cámara de Diputados; fallecieron el secretario de Educación, Jesús Reyes Heroles, y el director general del Banco Pesquero, Víctor M. Navarrete; el secretario Marcelo Javelly, tres subsecretarios y dos oficiales mayores se retiraron de sus puestos; en el Departamento del Distrito Federal renunciaron dos secretarios y tres delegados, y en el sector paraestatal, tres directores. Estos movimientos produjeron a su vez varios reacomodos.

Comunicación social. El 1° de diciembre de 1982, Miguel de la Madrid señaló que fortalecería los sistemas para informar a la nación en torno a la marcha del Estado. El presidente dirigió por radio y televisión un mensaje al comenzar cada uno de los tres primeros años de gobierno y después de sus viajes al exterior, con objeto de dar a conocer a los mexicanos los resultados obtenidos. Además, todas las dependencias del gobierno informaron periódicamente sobre su actividad y la situación de los asuntos a su cargo. Asimismo, se inició la costumbre de que los titulares de los organismos gubernamentales comparecieran ante el Congreso para informar sobre su actuación. En abril de 1984 y los meses que siguieron, se gestó un ambiente de malestar entre los periodistas, como consecuencia de una sucesión de incidentes. El asesinato del periodista Manuel Buendía, el 30 de mayo, provocó verdadera indignación en la sociedad y, sobre todo, en los círculos periodísticos, en los cuales se llegó a presagiar el inicio de la desestabilización del país. El presidente de la República condenó el hecho, aseguró que las autoridades competentes lo investigarían, y reiteró la disposición del gobierno de preservar la libertad de información. El 17 de mayo de 1984 se anunció la puesta en marcha del Sistema Estatal de Televisión (Imevisión) y la salida al aire del Canal 7. Desde finales de los años setentas, el gobierno entró en negociaciones con la Unión Internacional de Telecomunicaciones en Ginebra, para colocar en el espacio dos satélites, lo que le permitiría cubrir la totalidad del territorio nacional. La Agencia Norteamericana de Exploración Espacial aceptó transportar los satélites, y en México se inició la construcción del centro de telecomunicaciones que los operaría.

En junio de 1985, el transbordador espacial *Discovery* puso en órbita el satélite *Morelos I,* y en noviembre siguiente, el transbordador *Atlantis* colocó al *Morelos II,* con la asistencia del primer astronauta mexicano. Estos satélites aliviaron la sobresaturación de la red federal de microondas; permitieron extender la telefonía, en general, y la rural, en particular; hicieron posible ampliar los servicios de teleinformática; volvieron más eficientes los servicios turísticos y bancarios, e impulsaron la educación, la cultura y el entretenimiento.

MADRID

Procesos electorales y partidos políticos. En 1983 culminaron algunos procesos electorales celebrados en los últimos meses del gobierno anterior, por los que cambiaron las autoridades de 524 ayuntamientos en 10 estados, de tres miembros de la Cámara de Diputados, y los gobernadores de Chiapas, Jalisco y Tabasco. En estas elecciones, el PRI triunfó en las gubernaturas y diputaciones, así como en la gran mayoría de los ayuntamientos. Sin embargo, perdió en dos ciudades capitales: San Luis Potosí, donde ganó el candidato del Frente Cívico Potosino, y en Guanajuato, donde obtuvo el triunfo una coalición PAN-Partido Demócrata Mexicano (PDM). Estos resultados parecían indicar que la oposición, particularmente el PAN, empezaba a ganar las elecciones en las capitales de los estados o en ciudades medianas y grandes en general. En los comicios de julio de 1983, el PRI tuvo en Chihuahua la derrota más espectacular de su historia, perdiendo frente al PAN siete alcaldías de importancia, entre ellas la capital del estado y Ciudad Juárez. No obstante, en las elecciones celebradas en otros estados de la República, los triunfos del PAN fueron menos frecuentes. Al 30 de noviembre de 1983, se habían renovado los gobiernos de 927 municipios y el Congreso local en 13 entidades de la República. En estos comicios, el PRI triunfó en 886 municipios, el PAN en 11, otros partidos o coaliciones en 15 y quedó pendiente la resolución de otros 15. De las 201 diputaciones de mayoría en disputa, el PRI obtuvo 193, el PAN siete y otros partidos tres; el IV distrito electoral de Chihuahua, con cabecera en Ciudad Juárez, estuvo vacante hasta la integración de una nueva Legislatura en 1985. En las elecciones celebradas entre diciembre de 1983 y noviembre de 1984, en las que se renovaron autoridades en 484 municipios y los congresos locales de ocho estados de la República, el PRI ganó en 467 municipios, el PAN en cuatro, otros partidos en 10 y se integraron tres concejos municipales. Entre diciembre de 1984 y noviembre de 1985 se eligieron siete gobernadores, 685 presidentes municipales y nueve congresos locales, además de la Cámara de Diputados Federal. En 1984, el número de partidos políticos con registro nacional había aumentado a nueve, con la inclusión del Partido Auténtico de la Revolución Mexicana (PARM) y del Partido Mexicano de los Trabajadores (PMT), los cuales

obtuvieron su registro en junio y julio, respectivamente. En las elecciones estatales, el PRI obtuvo las siete gubernaturas y 98% de las alcaldías y de las diputaciones locales. Una vez concluida la calificación de las elecciones, el Colegio Electoral concedió al PRI 289 de las 300 curules de mayoría, al PAN nueve y al PARM dos. En noviembre de ese año se celebraron las elecciones municipales en Veracruz, Nuevo León, Tabasco, Chiapas, Colima, Campeche y Tlaxcala. De 443 municipios en los que se renovaron alcaldías, el PRI triunfó en 432, el PAN en dos y otros partidos en siete; además, se formaron dos concejos municipales. En los tres años de gobierno, se renovaron todos los congresos locales y 2 376 ayuntamientos del país, así como el Poder Ejecutivo en 10 estados. Los congresos locales quedaron integrados por 470 diputados de mayoría relativa (465 del PRI y cinco del PAN). De las 156 curules de representación proporcional que los complementan, 53 están ocupadas por el PAN, 24 por el Partido Socialista de los Trabajadores (PST), 24 por el Partido Socialista Unificado de México (PSUM), 21 por el Partido Popular Socialista (PPS), 13 por el PRI, 13 por el Partido Demócrata Mexicano (PDM), cuatro por el PARM, una por el Partido Revolucionario de los Trabajadores, una por un candidato independiente y dos por una coalición PSUM-PRT. De los 2 376 municipios, 2 293 están gobernados por representantes del PRI, 27 por los del PAN, siete por los del PSUM, siete por los del PPS, seis por representantes independientes, cinco por los del PDM, dos por los del PARM y 23 por concejos municipales. En estos ayuntamientos, participan 804 regidores de representación proporcional, de los cuales 308 son del PAN, 139 del PDM, 127 del PSUM, 92 del PST, 56 del PPS, 37 del PARM, 31 del PRI y 14 del PRT.

Renovación moral. El presidente De la Madrid promovió la reforma al Título Cuarto de la Constitución General de la República y la expedición de una nueva Ley Federal de Responsabilidades de los Servidores Públicos que lo reglamenta, para definir con precisión las obligaciones políticas y administrativas de los empleados públicos y las sanciones a que están sujetos en caso de incumplimiento de las mismas. Asimismo, se incorporaron al Código Penal las figuras delictivas introducidas en la nueva Ley de Responsabilidades. Esta legislación incluye varios sistemas preventivos, como la obligación de los servidores públicos de presentar cada año el registro de su patrimonio y la prohibición de que reciban obsequios valiosos, así como reglas estrictas que impiden a los funcionarios de alto nivel contratar a parientes. Además, en 1982 se restringió el uso de vehículos, personal de seguridad, gasolina y gastos de representación, y se modificaron las leyes correspondientes para someter la construcción de obras públicas y las compras que realiza el Gobierno Federal a concursos abiertos y públicos. En 1983, se ampliaron estas disposiciones para evitar que los sindicatos tuvieran exclusividad en la contratación y que los beneficiados pudieran subcontratar las obras que se les otorgaban. Finalmente, se reformó el Artículo 127 constitucional para regular las percepciones de los servidores públicos y sentar las bases para la formación de un servicio civil de carrera. Este conjunto de disposiciones fue complementado con un amplio reordenamiento administrativo que se basó en la reforma a la Ley Orgánica de la Administración Pública Federal, a lo cual siguió la creación de la Secretaría de la Contraloría General de la Federación (véase).

La Procuraduría General de la República (PGR) encontró suficientes pruebas para consignar a muchos funcionarios o exfuncionarios ante las autoridades judiciales. En 1983 se acusó a 94 personas de estar implicadas en posibles delitos. De ellas, el caso de mayor impacto en la opinión pública fue el del entonces senador Jorge Díaz Serrano, a quien se le responsabilizó de un cuantioso fraude presuntamente cometido cuando era director de Pemex. Durante 1984, el caso que más llamó la atención fue el seguido en contra del exjefe de la policía del Distrito Federal, Arturo Durazo Moreno, quien fue acusado de evasión fiscal, acopio de armas, amenazas cumplidas y extorsión ejercida en contra de sus subordinados. El 29 de junio de 1984, Durazo fue detenido por agentes del *Federal Bureau of Investigation* (FBI) de Estados Unidos en San Juan, Puerto Rico, después de que se le había buscado con insistencia. En abril de 1986, los jueces de aquel país determinaron que la solicitud mexicana de extradición estaba sustentada, lo que motivó el traslado del reo a México y el inicio del juicio propiamente dicho. Para 1985, la Secretaría de la Contraloría había sancionado a 163 funcionarios públicos: 88 fueron cesados, 10 estaban sujetos a proceso penal y los 65 restantes

quedaron inhabilitados para ocupar cargos en el gobierno.

Los sistemas de reclutamiento de la policía llegaron a apoyarse en la delincuencia, bajo la idea falsamente pragmática de que no se podía combatir ésta con personas que no procedieran de ese medio. En 1982, la corrupción policiaca se agudizó y simultáneamente se produjo un aumento de la delincuencia, principalmente en las ciudades y, sobre todo, en la de México. El presidente De la Madrid puso a un militar al frente de la Policía Preventiva del Distrito Federal (PPDF), único modo de asegurar una acción no comprometida con los grupos de poder; y en enero de 1983 extinguió la Dirección de Investigaciones para la Prevención de la Delincuencia (DIPD), cuerpo que actuaba fuera de las normas legales y que había sido repetidamente acusado de violar los derechos individuales. En abril de 1985, se continuó este proceso con la abrogación de varios decretos por los que se habían creado policías diversas de dudosa legalidad. Por otro lado, desde 1983 se inició el proceso de restructuración y depuración de todas las policías federales. La clave del mejoramiento de estos cuerpos, más trascendente que las sanciones a los malos elementos, es su profesionalismo, o sea, la preparación adecuada de los agentes y mandos. En 1985 era ya un requisito inexcusable esa formación para ingresar a filas en todos los cuerpos federales y en casi todas las policías judiciales estatales. Por su parte, la Dirección Federal de Seguridad se fusionó en agosto de 1985 con la Dirección de Investigaciones Políticas y Sociales, también de la Secretaría de Gobernación, para formar la Dirección General de Investigación y Seguridad Nacional.

Un caso especialmente destacado por la prensa y que produjo ciertas fricciones entre el gobierno mexicano y el de Estados Unidos, fue el secuestro, en febrero de 1985, de un agente de la *Drug Enforcement Agency* (DEA) y de un piloto aviador mexicano por una banda de narcotraficantes. Cuatro días después de la denuncia del secuestro, hecha por el embajador John Gavin, el gobierno norteamericano dispuso medidas aduanales que se acercaban a un virtual cierre unilateral de su frontera con México. Durante 10 días se efectuó una minuciosa revisión de personas y vehículos que cruzaban la línea divisoria. El gobierno mexicano consideró injusta y perjudicial esa medida, que fue interpretada en la prensa como una presión para que las autoridades mexicanas intensificaran el combate contra el narcotráfico. El 7 de marzo fueron encontrados los cadáveres de los secuestrados, lo que hizo más áspero este aspecto de la relación entre México y Estados Unidos. Sin embargo, el 24 de ese mes se hizo en la Organización de las Naciones Unidas (ONU) un reconocimiento a la campaña permanente del gobierno mexicano contra el narcotráfico. Las investigaciones condujeron a la Policía Judicial Federal a la pista de los narcotraficantes Rafael Caro Quintero y Ernesto Fonseca Carrillo. El 4 de abril, el primero fue aprehendido por la policía de Costa Rica en una residencia de la capital de ese país, y el día 10 el segundo fue detenido en Puerto Vallarta. En el resto del año cayeron en manos de la policía otros jefes de bandas de narcotraficantes. Otro caso que impresionó a la opinión pública fue el asesinato de 22 agentes de diversas corporaciones policiales en el sur del estado de Veracruz, cuando cumplían una misión de decomiso de mariguana. Durante los incidentes en torno al caso del agente de la DEA, tanto el secretario de Relaciones Exteriores como el procurador general de la República señalaron que la lucha contra el tráfico de estupefacientes había costado la vida a varios policías mexicanos.

Política exterior. Al tomar posesión de su cargo, Miguel de la Madrid describió el ambiente externo como hostil, complejo y difícil para México, y reiteró que continuaría la tradicional política exterior basada en los principios de: autodeterminación de los pueblos, no intervención, solución pacífica de los conflictos, igualdad jurídica de los Estados, desarme y cooperación internacional equitativa. Asimismo, señaló la imposibilidad de que el país se mantuviera aislado del exterior, dada la mayor interrelación entre las naciones. En esta vinculación internacional, las regiones fronterizas con México habrían de recibir una atención particular.

En enero de 1983, el gobierno de Miguel de la Madrid constituyó, junto con Colombia, Panamá y Venezuela, el Grupo Contadora, que desde su fundación se propuso lograr la paz en el área centroamericana y fomentar el desarrollo político, económico y social de los pueblos involucrados. El 17 de julio de 1983, los cuatro mandatarios del Grupo Contadora emitieron la Declaración de Cancún, cuyos puntos centrales son el cese inmediato de cualquier situación de beligerancia en la zona, la suspensión de compras de armamento ofensivo, el establecimiento de mecanismos de supervisión, y la eliminación de instalaciones militares extranjeras en el área. La Declaración abrió el espacio para que los países centroamericanos iniciaran negociaciones tendientes a lograr acuerdos más precisos en favor de la paz. Estas negociaciones culminaron en septiembre con la firma del Documento de Objetivos, el cual detallaba, en 21 puntos, la estrategia de paz, entre ellos el establecimiento de un tratado de no agresión entre Honduras y Nicaragua, la proscripción de pruebas y ejercicios militares en la zona, el retiro de bases extranjeras y la supresión del tráfico de armas en la región. Este documento fue ratificado por los países centroamericanos en 20 puntos. En enero de 1984, el Grupo consiguió la aprobación del primer documento que daba contenido específico a los mecanismos de pacificación: las normas para la ejecución de los compromisos asumidos en el Documento de Objetivos. A partir de entonces, la actividad del Grupo fue encontrando mayores escollos a su mediación y la situación regional se fue agravando. Estados Unidos incrementó su injerencia en el área (ayuda militar a Honduras y El Salvador, y apoyo a la facción de los "contras"), minó puertos nicaragüenses en abril de 1984 y desconoció la competencia de la Corte Internacional de La Haya, ante la cual el gobierno de Managua presentó una demanda. Esta actitud norteamericana es producto de la convicción del presidente Reagan de que el gobierno sandinista está aliado con la Unión Soviética y, por lo tanto, amenaza la seguridad nacional de Estados Unidos. Entre tanto, a los constantes enfrentamientos entre el ejército de Nicaragua y las fuerzas del llamado Frente Democrático Nicaragüense que, financiado por Estados Unidos, actúa en la frontera con Honduras, se sumaron los que ocurrían en la frontera con Costa Rica, protagonizados por la Alianza Revolucionaria Democrática (Arde), otra facción antisandinista independiente de la primera y que afirma no tener vínculos con Estados Unidos. Estos enfrentamientos producían constantes diferencias entre Nicaragua y Costa Rica, que entorpecían las negociaciones en el seno de Contadora. En este contexto, Honduras, El Salvador y Costa Rica empezaron a actuar en bloque frente a Nicaragua y formaron un subgrupo dispuesto a negociar al margen de Contadora. Estos acontecimientos estuvieron cerca de romper las negociaciones en mayo de 1984. Ese mismo mes, el presidente de México promovió que Nicaragua y Estados Unidos negociaran directamente sus diferencias y se iniciaron consultas entre ambos en el puerto de Manzanillo, en el estado de Colima. En septiembre de 1984, el Grupo Contadora presentó a los países centroamericanos una versión revisada del Acta de Paz y Cooperación en Centroamérica que había sido negociada por los interesados. En un principio, todos aceptaron firmar el tratado de paz, pero después de que Estados Unidos lo rechazó, Honduras, El Salvador y Costa Rica también se negaron a aceptarlo. A partir de ese momento, comenzó un largo periodo de estancamiento en las negociaciones. Al terminar el tercer año de gobierno, la situación en el sur de la frontera mexicana persistía en un estado de crisis que impedía consumar el esfuerzo de pacificación promovido por el Grupo, al cual apoyaban ya Argentina, Brasil, Perú y Uruguay. En este sombrío panorama, en 1985 ocurrieron cambios de gobierno por la vía electoral en Costa Rica, Honduras y Guatemala. De estos procesos, el más destacado fue el guatemalteco, que puso fin a un largo periodo de dictaduras militares y abrió posibilidades de reconciliación nacional que no se habían dado en ese país en muchos años V. GUATEMALA.

Las relaciones con Estados Unidos transcurrieron sin dificultad alguna en el primer año del nuevo gobierno mexicano. Al precipitarse la crisis económica, el gobierno estadounidense dio toda su ayuda a la primera restructuración de la deuda externa mexicana en agosto de 1982. En agosto de 1983, el presidente Miguel de la Madrid se entrevistó con el mandatario de Estados Unidos, Ronald Reagan, en La Paz, B.C.S. Dos temas ocuparon principalmente su atención: las relaciones económicas bilaterales y el conflicto en Centroamérica. En el encuentro, los jefes de Estado reiteraron el interés mutuo por mejorar las relaciones económicas entre ambos países. En cuanto a la crisis centroamericana, se puso de manifiesto la diferencia de opinión entre los dos gobiernos y la mutua determinación de respetar los puntos de vista de cada uno. El presidente de México insistió en la necesidad de ampliar el diálogo para superar las divergencias y no profundizar en los

puntos de desacuerdo. En 1984, varios acontecimientos se aunaron para dificultar las relaciones. Del 14 al 17 de mayo, el presidente mexicano realizó una visita a Washington en un contexto poco favorable: las diferencias de enfoque en relación con Centroamérica eran evidentes y las dificultades económicas del país persistían, en tanto que la negociación comercial resultaba difícil, pues Estados Unidos mantenía prácticas proteccionistas que perjudicaban las exportaciones mexicanas. El primer mandatario mexicano insistió en la necesidad de controlar el alza de las tasas de interés y de hacer más flexible el flujo de recursos financieros; destacó la urgencia de reconocer la interdependencia esencial que existe entre los países acreedores y los deudores; hizo ver la correlación entre el servicio de la deuda y el intercambio comercial, y subrayó que la adopción de medidas proteccionistas sólo agravaría más la crisis financiera y que sus efectos tendrían consecuencias desestabilizadoras, no sólo en los países en desarrollo, sino también en los industrializados. A finales de año, Ronald Reagan fue relecto para un segundo periodo en la presidencia de su país, con lo que se hizo evidente que continuaría su política hacia Centroamérica y probablemente las prácticas proteccionistas.

El primer mandatario de México visitó Canadá del 6 al 9 de mayo de 1984. Los mandatarios de ambos países expusieron su intención de incrementar el comercio directo, expresaron su preocupación por la carga impuesta a las naciones en desarrollo como resultado de la magnitud de la deuda externa y las altas tasas de interés, y coincidieron en que la situación demandaba ser atendida por la comunidad internacional en su conjunto. Respecto al conflicto centroamericano, advirtieron que sólo mediante el desarrollo económico y social del área se podía superar la crisis por la que atravesaba. Asimismo, ambos mandatarios externaron su preocupación por las crecientes tensiones, la carrera armamentista, las actividades de desestabilización y la presencia militar extranjera en la región centroamericana.

En 1985, las relaciones entre México y Estados Unidos pasaron por dificultades sin precedentes, al mismo tiempo que se lograron importantes acuerdos bilaterales. Desde 1983, el embajador de Estados Unidos, John Gavin, había venido haciendo declaraciones sobre política interna mexicana, violando la obligación de mantenerse al margen de los

MADRID

asuntos internos por su calidad diplomática. Cada vez más, la opinión pública mexicana vinculaba dichas declaraciones al tratamiento poco favorable, y a veces ofensivo, que algunos periódicos y otros medios estadounidenses daban a los asuntos mexicanos. Esto provocó una gran irritación en México. Por otro lado, el Departamento de Estado norteamericano llegó a considerar, a fines de 1984, la posibilidad de distribuir entre los viajeros a México una "advertencia turística" para prevenirlos sobre la supuesta peligrosidad de algunos lugares en el país. A pesar de que el secretario de Turismo mexicano proporcionó a agentes de viajes de Estados Unidos información en la que se mostraba el poco sustento que tenían las sospechas de inseguridad, el Comité de Relaciones del Senado estadounidense pidió al Departamento de Estado que emitiera la advertencia turística. Finalmente, en mayo de 1985 el embajador Gavin afirmó que, por el momento, su gobierno no consideraba necesario emitir el aviso de prevención. No obstante, el número de viajeros provenientes de Estados Unidos había disminuido en un 15%. En febrero de 1985, un miembro de la DEA, Enrique Camarena Salazar, fue asesinado mientras cumplía su labor en México. Ese mismo mes, el Departamento de Estado norteamericano difundió un informe sobre la producción mundial de estupefacientes en el que afirmaba que desde México llegaban grandes cantidades de heroína y mariguana a Estados Unidos y que el principal problema para contener este comercio era la "corrupción gubernamental", sin que precisara sus características o proporcionara información específica. A partir de ese momento, el tema del narcotráfico ocupó un lugar preponderante en las relaciones bilaterales. Entre el 16 y el 25 de febrero el gobierno de Estados Unidos impuso un estricto sistema de revisión en sus aduanas de la frontera con México que llamó Operación Interceptación. El operativo provocó inmensas filas y esperas, multitud de molestias y grandes pérdidas a las comunidades de ambos lados de la frontera, además de que ofendía la dignidad de los mexicanos. El repudio al bloqueo fronterizo fue generalizado y el secretario de Relaciones Exteriores de México señaló que esa operación se había llevado a cabo unilateral e injustificadamente. Mientras tanto, el asesinato del agente norteamericano dio pauta a una nueva andanada de reportajes en los que se difundía una

imagen muy negativa de México. Si bien la Operación Interceptación cesó el 25 de febrero, este estado de cosas persistió por mucho tiempo. La detención en abril de Rafael Caro Quintero, importante narcotraficante y presunto autor intelectual del asesinato de Camarena, no evitó que continuaran los comentarios negativos sobre México. En contraste, el 22 de abril de 1985, después de varios años de negociación, Estados Unidos concedió a los productores mexicanos el derecho a la "prueba del daño", por medio de un acuerdo comercial en materia de subsidios e impuestos compensatorios. México se comprometió, a su vez, a liberalizar más su comercio y a abandonar subsidios y prácticas comerciales consideradas desleales por Estados Unidos. Este acuerdo terminó con una práctica discriminatoria de muchos años a los productos mexicanos. A raíz de los sismos de septiembre, el presidente Reagan ofreció al gobierno de México toda la ayuda necesaria, y a los pocos días su esposa entregó un cheque por 1 millón de dólares, gesto de buena voluntad que fue agradecido por el gobierno mexicano.

Desde el comienzo de su mandato, el presidente De la Madrid marcó la prioridad que América Latina ocupa en su política exterior. Esta política ha fructificado particularmente en la formación del Grupo de Apoyo a Contadora y en la creación del Consenso de Cartagena, formado por 11 países que han propuesto una plataforma común frente al problema de la deuda latinoamericana. En 1983 se estrecharon los lazos de México con el resto de las naciones de América Latina. Antes de la reunión de los presidentes de los países del Grupo Contadora, el mandatario colombiano, Belisario Betancur, estuvo en México para analizar las iniciativas de paz para Centroamérica. A fines de abril, el presidente de Brasil, Joâo Baptista Figueiredo, realizó una visita oficial a México. En ella se hicieron evidentes las coincidencias de ambos países con respecto a la solución de los problemas centroamericanos. Asimismo, se acordaron importantes coinversiones, se estableció un novedoso sistema de trueque de créditos y pagos para el comercio, y se concertó la venta de 80 mil barriles diarios de petróleo mexicano a Brasil. Las relaciones de México con el resto de las naciones de la región se fortalecieron con la gira de trabajo que el presidente de la República realizó en marzo y abril de 1984 a Colombia,

4876

Brasil, Argentina, Venezuela y Panamá. En el curso de 1985, visitaron México los mandatarios de Colombia y Argentina, el presidente electo de Brasil y los jefes de Estado de Belice, Guatemala y Panamá.

Del 6 al 23 de junio de 1985, el presidente De la Madrid visitó España, Gran Bretaña, Bélgica, Alemania Federal y Francia. Su gira por Europa obedeció a la necesidad de ampliar las relaciones bilaterales con los países visitados, y de lograr una mayor cooperación en los esfuerzos de México por mejorar su situación económica. Señaló que había solicitado de la Comunidad Económica Europea mejores condiciones para las exportaciones mexicanas, así como la búsqueda de fórmulas que aliviaran el pesado servicio de la deuda externa de Latinoamérica. Informó que se concertaron 45 convenios de inversión conjunta en proyectos industriales, de comercio exterior y de turismo, con un valor total de $150 mil millones (Dls. 682 millones) y que se acordaron financiamientos en ambas direcciones con un valor de $166 mil millones (Dls. 755 millones) para apoyar el intercambio comercial. También se celebraron convenios de intercambio cultural, técnico y educativo.

El presidente De la Madrid realizó una gira internacional del 22 de enero al 8 de febrero con el propósito de asistir a la Reunión de Jefes de Estado o de Gobierno sobre Desarme, en Nueva Delhi, así como para efectuar visitas oficiales a Yugoslavia y la India. En el país balcánico, ambos jefes de Estado manifestaron su preocupación por el deterioro de la situación internacional, agravada por la rivalidad entre las grandes potencias, la persistencia de los conflictos en diferentes regiones del mundo, la escalada del armamentismo y el ahondamiento de la brecha entre los países ricos y las naciones en desarrollo; destacaron los efectos positivos que han tenido diversas sociedades mixtas mexicano-yugoslavas en ramas como la de equipo eléctrico, maquinaria, herramienta, producción agrícola y agroindustrial, y equipos para la industria alimentaria; y manifestaron el propósito de desarrollar nuevos proyectos en los campos de la química de compuestos complejos, la electrónica, las telecomunicaciones y la fabricación de equipo minero y petrolero. El 29 de enero, el mandatario mexicano inició su visita oficial a la India. Al día siguiente se dieron a conocer

los primeros acuerdos específicos: la adición de un protocolo sobre biotecnología al convenio de cooperación en ciencia y tecnología, un programa de intercambio cultural y educativo para el periodo 1985-1988, y la firma de un memorándum de entendimiento en el que la parte mexicana ofreció tecnología para fabricar acero y el establecimiento de dos plantas que lo produjeran, así como explorar la posibilidad de comprar mineral de hierro. La India, a su vez, propuso colaborar técnica y financieramente en el sector de máquinas y herramientas.

El 22 de mayo de 1984, México, Argentina, Grecia, India, Suecia y Tanzania dieron a conocer un comunicado en el que demandaban a las potencias atómicas poner fin a la carrera armamentista que amenaza la supervivencia del género humano. Asimismo, los países firmantes se comprometieron a emprender acciones conjuntas para detener la carrera nuclear. Esta declaración se originó por iniciativa del grupo internacional Parlamentarios por un Orden Mundial, que agrupa a 600 legisladores de 30 países del mundo. El 28 de enero de 1985, los mandatarios firmantes del comunicado en favor del fin de la carrera armamentista, conocidos como Grupo de los Seis o de los Cinco Continentes, se reunieron en Nueva Delhi. En esa ocasión, cada uno de los jefes de Estado reiteró su disposición a proseguir su campaña en favor de un desarme nuclear completo, dado el enorme peligro que las armas nucleares significan para la humanidad y la magnitud de los recursos que la carrera armamentista consume.

A raíz de los sismos de septiembre de 1985, la comunidad internacional se volcó en un generoso movimiento de solidaridad. Desde el mismo día del terremoto empezó a llegar a México todo tipo de ayuda para enfrentar las necesidades más inmediatas. Para el 15 de enero de 1986 habían arribado a la ciudad de México 296 vuelos provenientes de 45 países y 99 embarques terrestres procedentes de otros seis, con un total de 5 709 t de bienes, la mayor parte alimentos (29%), maquinaria (25%) y mantas y ropa (22%). Además, al 9 de enero se habían recibido Dls. 10 271 344 en efectivo provenientes del extranjero. Aparte de esta ayuda, equipos de varios países colaboraron estrechamente con los mexicanos en la tarea de rescatar vidas humanas. Con motivo de esa tragedia, visitaron la ciudad de México los jefes de Estado de Brasil, Perú y Venezuela, el jefe del gobierno de España y la esposa del presidente de Estados Unidos, para expresar personalmente sus condolencias y confirmar la ayuda de sus países. También estuvieron los cancilleres de Japón y Cuba y el presidente de la Cruz Roja Internacional.

Educación. En febrero de 1983, en el Congreso del Sindicato Nacional de Trabajadores de la Educación, efectuado en Cozumel, Q.R., el presidente Miguel de la Madrid dijo que era necesario revolucionar la enseñanza en México para que ésta respondiera a los retos que planteaba el momento actual. Al poco tiempo, el secretario de Educación Pública, Jesús Reyes Heroles, propuso un proyecto de revolución educativa, cuyo objetivo principal era elevar la calidad del sistema. El primer paso fue restructurar la Escuela Normal Superior de México (ENSM), proceso que se inició en 1983 con la transferencia a cuatro plazas de provincia de los cursos de verano que se impartían cada año en el plantel de la capital a normalistas de todo el país. La medida suscitó la oposición y la rebeldía de las autoridades y los estudiantes de la ENSM. El conflicto terminó a mediados de agosto, al finalizar los cursos. En enero de 1984, el titular de la SEP dio a conocer el Plan de Restructuración Académica y Administrativa de la ENSM y el nuevo Estatuto Orgánico de la misma. Poco después, en marzo, se publicó en el *Diario Oficial* un acuerdo presidencial, por el que la educación normal en su nivel inicial y en cualquiera de sus tipos y especialidades tendría en adelante el grado académico de licenciatura. Debido a ello, se estableció la obligatoriedad del bachillerato como antecedente académico para los aspirantes. El bachillerato pedagógico quedó instituido en las normales públicas para el ciclo escolar 1984-1985, y la licenciatura en cerca de la mitad de las escuelas normales federales de 25 estados y el Distrito Federal. También en 1983, se reguló la inscripción en las escuelas normales, tanto públicas como privadas, para disminuir la formación de maestros de primaria y aumentar la de profesores de educación prescolar, pues había un excedente de los primeros —alrededor de 20 mil se encontraban desempleados— y se carecía de los segundos. Otras proposiciones del programa para elevar la calidad del sistema educativo son: revisar los contenidos didácticos de la educación básica

con miras a introducir los elementos regionales necesarios para su descentralización a los estados; cambiar la orientación de la supervisión escolar, de la vigilancia al apoyo de los profesores; integrar un sistema regional de universidades para mejorar el uso de los recursos; y adecuar el contenido educativo de todos los niveles a las realidades y necesidades del país. En julio de 1984 se creó el Sistema Nacional de Investigadores (SNI) y en el resto del año se llevó a cabo el proceso de selección de quienes recibirían estímulo económico para fortalecer su trabajo. A fines de 1985, el SNI contaba con 2 242 investigadores nacionales y candidatos, distribuidos en todo el país. En julio de 1983 se dio a conocer el Programa Cultural de las Fronteras; en 1984 se instalaron comités en las 12 entidades fronterizas y en 87 de los 97 municipios comprendidos en el programa; y en 1985 se realizaron programas anuales de trabajo en nueve de los 12 estados y en 57 municipios. Se abrieron y reforzaron casas de la cultura, se efectuaron exhibiciones artísticas, se organizaron conferencias y coloquios, se publicaron revistas regionales, se realizaron concursos y se celebraron encuentros regionales de música, artes plásticas y literatura. Otro programa cultural de gran envergadura es el de Bibliotecas Públicas. Establecido en agosto de 1983, rebasó sus metas en 1984 (v. BIBLIOTECAS).

En marzo de 1985 falleció el titular de la SEP, Jesús Reyes Heroles. El 23 de abril, Miguel González Avelar pasó a desempeñar la Secretaría de Educación Pública y se comprometió a continuar la política ya establecida (v. EDUCACIÓN). Durante 1985 hubo problemas dentro del Sindicato Nacional de Trabajadores de la Educación, que afectaron a más de 1.5 millones de niños de varios estados por la suspensión constante de clases. El conflicto se suscitó porque el SNTE no autorizó la celebración del Congreso Estatal del sindicato en Oaxaca, estado en el que domina una fracción disidente. El magisterio chiapaneco se solidarizó con el oaxaqueño y planteó demandas propias, lo que provocó que los maestros de ambos estados suspendieran actividades durante el año.

En septiembre de 1985, la planta escolar del Distrito Federal sufrió un serio quebranto, como consecuencia de los sismos que azotaron la ciudad. De inmediato se pusieron en marcha planes para reiniciar plenamente las actividades educativas, y después para la reconstrucción de lo perdido.

Salud. Con el fin de estimular la producción nacional de las materias primas necesarias para la fabricación de medicinas, desde 1983 se puso en marcha el Programa Integral de Desarrollo de la Industria Químico Farmacéutica, el cual abarca todos los aspectos del proceso, desde la formación de personal y la investigación hasta el financiamiento. Al finalizar 1985, se había logrado producir en México 35% de las materias primas e intermedias para fabricar los medicamentos utilizados por las instituciones públicas. Se estableció un esquema de coordinación de todas las instituciones públicas del sector. La Secretaría de Salubridad y Asistencia (SSA) quedó a cargo de la atención médica a la población abierta, es decir, no amparada por el derecho laboral, y a ella se le pasaron los institutos descentralizados de especialidades; al Sistema Nacional para el Desarrollo Integral de la Familia (DIF) se le asignó la asistencia social que, sin ser esencialmente médica, se presta a grupos específicos de niños, ancianos y minusválidos; y el IMSS y el ISSSTE siguieron atendiendo a la población derechohabiente. Paralelamente, se realizó un proceso de racionalización administrativa de la SSA, acorde con sus nuevas funciones. En cambios sucesivos ocurridos en diciembre de 1982, octubre de 1983 y junio de 1984, el número de direcciones generales o equivalentes de la Secretaría se redujo de 46 a 40 y de 36 a 28, respectivamente; y las subsecretarías de Salubridad y Asistencia fueron reemplazadas por las de Investigación y Desarrollo, Servicios de Salud y Regulación Sanitaria. De acuerdo con sus nuevas funciones, también se cambió la denominación de la dependencia a Secretaría de Salud (SS). En junio de 1984 se implantó un programa que busca modernizar la legislación sanitaria. Entre 1983 y 1985, se construyeron 490 clínicas y se aumentó en 3 millones de personas la población con acceso a los servicios públicos de salud. La capacidad hospitalaria del país se incrementó en 10%, gracias a 20 hospitales nuevos, que representan 1 400 camas más en 13 estados. Al finalizar ese último año, se encontraban en construcción otros 27 hospitales.

Vivienda y desarrollo urbano. Durante los primeros tres años de gobierno, se habían realizado, entre las diversas instituciones relacionadas con la vivienda, acciones que beneficiaron a 770 mil familias. En 1985, con una inversión superior a los $730 mil millones, se terminaron 30% más acciones que en 1984 y 166% más que en 1983. La política de vivienda ha estado vinculada a la de desarrollo urbano, la cual tiene como punto central la promoción de las ciudades medias, para que el crecimiento futuro del país se canalice de manera que propicie un desarrollo regional más equilibrado. Para ello, el Gobierno Federal ha promovido la construcción de reservas territoriales y apoyado a las autoridades locales para que proyecten y regulen el crecimiento urbano. Entre 1983 y 1985 se transfirieron, por medio de convenios con gobiernos locales, reservas territoriales a nueve localidades por 1 446 ha, de las que 53.6% están destinadas a vivienda para la población de bajos recursos. Además, estas reservas se han constituido en ciudades consideradas como prioritarias para la reordenación del territorio y la descentralización. Por otro lado, 45% de las unidades de vivienda terminadas en 1985 se hicieron en ciudades medias estratégicas, para reforzar su papel como centros de atracción demográfica, y 38% se llevaron a cabo en el medio rural, mientras que Guadalajara y Monterrey sólo recibieron 6% de las unidades realizadas, y el Distrito Federal y sus zonas conurbadas 11%.

Abasto. A principios de 1983, el gobierno integró un conjunto de 17 tipos de bienes, cuyo abasto se aseguraría mediante el Programa para la Producción, Abasto y Control del Paquete Básico de Consumo Popular, acordado por obreros, patrones y gobierno. Simultáneamente, se aumentó la capacidad productiva y distributiva de la Compañía Nacional de Subsistencias Populares (Conasupo), incremento que se sostuvo durante los tres primeros años del sexenio. Se pusieron en marcha el Programa Nacional de Alimentación (Pronal), en 1983, y el de Estructuración, Operación y Desarrollo del Sistema Nacional para el Abasto, el año siguiente. En forma paralela, se racionalizó la distribución de los subsidios, para orientar selectivamente las acciones de la Conasupo hacia los sectores y grupos sociales más necesitados.

Reforma agraria. Entre 1983 y 1985, los conflictos agrarios de mayor dimensión ocurrieron en Chiapas, a causa de las demandas de los hombres del campo y del enfrentamiento entre organizaciones campesinas. Otras entidades afectadas por problemas de esta índole fueron Veracruz, Oaxaca,

México, Guanajuato y Sinaloa. A menudo se tomó la tierra por núcleos demandantes, pero los invasores fueron desalojados por la policía. Para dar mayor representatividad política a sus demandas, estos grupos establecieron alianzas con partidos de oposición y realizaron diversas movilizaciones, entre ellas tres marchas de Chiapas y otros estados a la ciudad de México, en 1983, 1984 y 1985. Además de las propiamente agrarias, otras solicitudes de las organizaciones campesinas fueron la libertad de presos, la revisión de procedimientos judiciales y el cese de las agresiones de la policía. Agotadas casi por completo las tierras susceptibles de reparto, la continuidad de la reforma agraria comprende desde la regularización de la tenencia de la tierra hasta la comercialización y transformación de los productos, pasando por el mejoramiento de la justicia, la organización de los campesinos, la ampliación de la infraestructura agrícola, la capitalización del campo y el aumento de la cobertura y calidad de los servicios sociales del Estado en las zonas rurales. El gobierno del presidente De la Madrid inició el Programa Nacional de Catastro Rural y Regularización de la Tenencia de la Tierra. Entre 1983 y 1984, se catastraron 238 965 predios, correspondientes a 76.8 millones de hectáreas, es decir, 39% de la superficie nacional. En 1985, las cifras fueron 433 136 predios en 55.9 millones de hectáreas, que significaron otro 28% del total. En abril de 1985, cuando se encontraban en la ciudad de México grupos campesinos en busca de solución a sus demandas, se informó que desde 1983 se habían ejecutado 858 resoluciones presidenciales en favor de 77 mil cabezas de familia, a quienes se entregaron 2.5 millones de hectáreas. En diciembre de 1983, con la inconformidad de los diputados de todos los partidos de oposición, los legisladores del PRI aprobaron reformas a la Ley Federal de Reforma Agraria, las cuales permitieron que en el año siguiente quedaran regularizados los derechos agrarios individuales de 365 mil ejidatarios de todo el país. En el mismo periodo, se entregaron 16 mil certificados de inafectabilidad a pequeños propietarios, la mitad del total expedido en los 10 años anteriores. Además, se logró la regularización de los títulos de unos 5 mil colonos. En el año de 1985 se expidieron 216 500 certificados de derechos agrarios individuales, 60 mil de inafectabilidad, y 6 500 títulos de colonos.

Sismos de septiembre de 1985. El jueves 19 de septiembre de 1985, a las 7:19 horas, un terremoto con duración de 90 segundos y una intensidad de 7.8 grados en la escala de Richter y de 8 en la de Mercalli, provocó una de las peores catástrofes ocurridas en la historia de México. La zona que más resintió los efectos del fenómeno fue la capital de la República. Minutos después del siniestro, miles de personas salieron a las calles en un impresionante movimiento de solidaridad, en auxilio de las víctimas. Con picos y palas o sólo con las manos, cientos de capitalinos se dieron a la ardua tarea de remover toneladas de escombros, para tratar de salvar a los que estaban atrapados, a veces poniendo en riesgo su propia vida ante la constante amenaza de estallidos de tanques de gas y de nuevos derrumbes. Un amplio sector de la población de las delegaciones Cuauhtémoc, Venustiano Carranza, Benito Juárez, Gustavo A. Madero, Miguel Hidalgo y partes de Coyoacán, atestiguaron la destrucción de edificios públicos y privados, escuelas y casas habitación. También en el interior de la República hubo lugares afectados: en Jalisco, los municipios de Gómez Farías y Ciudad Guzmán; en Michoacán, los de Lázaro Cárdenas, Cotija y Coalcomán; y en Guerrero, los de Chilpancingo de los Bravo, Iguala de la Independencia, La Unión, José Azueta, Ixtapa Zihuatanejo y Cohayutla de Guerrero. Desde los primeros momentos posteriores al terremoto, tanto en la ciudad como en el interior, elementos del ejército aplicaron el plan DN-III-E para casos de desastre natural, en coordinación con las autoridades civiles. El 19 de septiembre mismo, el titular del Poder Ejecutivo federal convocó a las 13:00 horas a una reunión de emergencia de su gabinete, con objeto de conocer las evaluaciones realizadas por las diferentes dependencias, así como para determinar las acciones inmediatas que debían llevarse a cabo. En esta reunión, Miguel de la Madrid estableció dos comisiones de emergencia, una nacional y otra metropolitana. Además, expidió un decreto en el que declaró tres días de duelo nacional. La SEP acordó suspender las clases en todos los planteles. A esta medida se unieron las instituciones de educación superior y prácticamente todas las instituciones de enseñanza de la capital. La ayuda externa comenzó a fluir casi inmediatamente. A las 19:38 horas del viernes 20 de septiembre ocurrió

MADRID

un segundo sismo, también con 90 segundos de duración y una intensidad de 6.5 grados en la escala de Richter. El epicentro se localizó nuevamente en las costas de Michoacán y Guerrero. Los servicios públicos, apenas restablecidos en algunos lugares, volvieron a sufrir daños. Esa noche, a las 21:20 horas, en un mensaje de aliento a todos los mexicanos, el presidente Miguel de la Madrid afirmó: "Al dirigirme hoy al pueblo de México, quiero compartir con ustedes el luto y la tristeza, y enaltecer también el espíritu de solidaridad fraternal que se ha manifestado entre nosotros y hacia nosotros. Mi más profundo pésame a los que han perdido familiares, amigos o colaboradores". Conforme pasaban los días, disminuía la esperanza de hallar sobrevivientes. Sin embargo, el esfuerzo por descubrir y rescatar personas con vida no decreció. Además, cada día ocurrían verdaderos milagros, como el hallazgo, el 25, de 40 niños recién nacidos en el Hospital Juárez.

El 2 de octubre se puso en operación el Programa Emergente de Vivienda para apoyar a las familias damnificadas y se empezaron a atender las solicitudes de restitución de habitaciones. El problema en las colonias populares, gravemente dañadas por los sismos, era cada día más serio. Los habitantes se negaban a salir de sus barrios y algunos propietarios de edificios con rentas congeladas estaban aprovechando la situación para intentar desalojar a los inquilinos. Además, la cantidad de viviendas destruidas, la mayoría vecindades, rebasaba con mucho el número de las disponibles. El total de viviendas derruidas se estimó en 42 mil. Ante esta situación, el 11 de octubre el presidente de la República decretó la expropiación de cerca de 5 500 predios en una superficie de 250 ha, para beneficiar a más de 200 mil habitantes de las colonias populares del Distrito Federal. La medida dio origen al programa de rehabilitación urbana más trascendental en la historia de la ciudad de México. El sismo dejó sin operar a un buen número de empresas. Para enfrentar este problema, se creó una Coordinación de Empleo, bajo la responsabilidad de la Secretaría del Trabajo y Previsión Social, cuya función primordial fue coordinar los esfuerzos para la reapertura de los establecimientos dañados. Resultaron especialmente perjudicados por los sismos gran cantidad de talleres del ramo de la confección, concentrados, como estaban, en una zona en la cual la destrucción fue

mayor. A la hora del primer temblor, miles de trabajadoras ya estaban laborando, de modo que hubo entre ellas cientos de víctimas. Pronto surgieron formas espontáneas de organización obrera, pues se temía que los dueños de esas empresas, bastante irregulares en sus relaciones de trabajo, se negaran a pagar indemnizaciones. Así, el 25 de septiembre un grupo de costureras marchó al Palacio Legislativo a buscar el apoyo de los diputados y cerraron a la circulación la calzada de Tlalpan, para llamar la atención sobre sus necesidades. A principios de octubre, la Junta Federal de Conciliación y Arbitraje decretó embargos precautorios sobre los bienes de tres empresas, para garantizar los derechos de los asalariados. Mientras tanto, las formas de organización espontánea se fueron transformando en la Unión de Costureras en Lucha, a la que después la Secretaría del Trabajo reconoció como Sindicato Nacional de Trabajadores de la Industria de la Costura, Confección y del Vestido, Similares y Conexos 19 de Septiembre, que congregó a 8 mil obreras del Distrito Federal y tres estados. Otro sector seriamente afectado fue el de la salud, pues el Centro Médico Nacional del IMSS, y los hospitales General y Juárez de la SS, quedaron prácticamente destruidos. El presidente de la República resolvió que ambos conjuntos fueran reconstruidos. El número de planteles educativos que resultaron dañados por el sismo fue de 761. Todos los estudiantes afectados fueron atendidos en salones improvisados. El 3 de octubre, el presidente De la Madrid dirigió un segundo mensaje a la nación, en el que reiteró su pésame a aquéllos que perdieron a familiares, amigos o colaboradores; hizo un reconocimiento al pueblo de México; agradeció, en nombre de la República, la participación de todos en las gigantescas y complejas tareas derivadas de la emergencia; admitió que "la acción del gobierno no hubiese bastado para hacer frente por sí sola a la emergencia sin el concurso maduro, responsable, solidario, activo, emocionado de la sociedad mexicana", y anunció que se integraría una Comisión de Reconstrucción, la cual quedó formada el 9 de octubre con representantes del gobierno y de todos los sectores sociales. V. MÉXICO, CIUDAD DE. *Los sismos de septiembre de 1985.*

Fuente: "Síntesis de 1983-1985", en *Las razones y las obras. Gobierno de Miguel de la Madrid. Crónica del Sexenio*

MADRID-MADROÑO

1982-1988. Cuarto Año, resumida con autorización de la Unidad de la Crónica Presidencial de la Presidencia de la República.

MADRID ROMANDÍA, ROBERTO DE LA.

Nació en Caléxico, Cal., EUA, el 3 de febrero de 1922, pero fue reconocido como mexicano por nacimiento el 26 de febrero de 1969. Estudió administración de empresas, contabilidad ejecutiva y mercadotecnia, especialidades que cursó en clases nocturnas hasta graduarse. De 1936 a 1947 trabajó como empleado de la Cámara de Comercio de Tijuana y posteriormente en instituciones de crédito, desde cobrador en el Banco del Pacífico, empleado de ventanilla, subjefe de cartera y subcontador en sucursal, hasta cajero general, subgerente y contador general del Banco de Baja California. Su actividad comercial incluye principalmente la de distribuidor de Petróleos Mexicanos, al mismo tiempo que de la *Richfield Oil Corporation* y *The Pennzoil Company.* Fue presidente de las juntas federales de Mejoras Materiales de Tijuana, Ensenada, Tecate, Mexicali y Algodones, en Baja California, y de San Luis Río Colorado, en Sonora. Colaboró en varios organismos de desarrollo regional y desempeñó la Dirección de Fomento Económico del Estado de Baja California, así como de la dirección estatal y la Delegación Federal de Turismo. Participó en los consejos estatales de Planeación Económica y Social durante la campaña de Adolfo López Mateos. En 1975 y 1976 fue funcionario del Instituto de Estudios Políticos, Económicos y Sociales del Partido Revolucionario Institucional; y en ese último año, después de haber sido electo senador de la República, fue designado gerente general de la Lotería Nacional, puesto al que renunció para desempeñar la gubernatura de Baja California (1977-1983).

MADRID (TROANO-CORTESIANO), CÓDICE.

El original se encuentra en el Museo de América de Madrid. Se le designa más frecuentemente con el nombre de esa capital que con el de *Troano-cortesiano.* Se trata de dos fracciones de un mismo códice maya pintado en papel de amate y doblado en 112 hojas. Su carácter es religioso, astronómico y etnográfico. Trata de adivinaciones y ceremonias en relación con el año nuevo. Aparecen representadas figuras de dioses, animales, signos y numerales. Presenta cierta semejanza con el *Códice Fejérváry-Mayer* y está relacionado con el *Códice Dresde.* Parece ser que fue pintado en alguna de las ciudades del Nuevo Imperio, quizá en Labná o Chichén-Itzá. Se considera más o menos contemporáneo de la llegada de los españoles, o posterior. Se encontró inexplicablemente cortado en dos pedazos: el *Códice troano,* en poder de Juan de Tro y Ortolano, y el *Códice cortesiano,* en poder de Juan Ignacio Miró, quien lo había adquirido en algún lugar de Extremadura, a donde supuestamente fue llevado por Hernán Cortés, de quien tomó el nombre. Ernest Wilhelm Forstemann fue el primero en hacer notar que ambos códices parecían corresponder a una sola pictografía.

Véase: Juan de Dios de la Rada y Delgado y Jerónimo López de Ayala y del Hierro: *Códice maya denominado "Cortesiano",* que se conserva en el Museo Arqueológico Nacional (Madrid, 1892).

MADRIGAL GIL, DELFINO.

Nació en Erongarícuaro, Mich., el 30 de septiembre de 1924. A los seis años de edad se integró al coro parroquial de su lugar natal y a los nueve pasó a estudiar música en la capital del estado, donde fue admitido en el Coro de Infantes de la Catedral de Morelia. Estudió en la Escuela Superior de Música Sacra, hoy Conservatorio de las Rosas; se licenció en canto gregoriano en 1946 y obtuvo el magisterio en composición (1951) y el de órgano en la Escuela Superior de Música Sacra de Guadalajara. En 1961 lo designaron organista titular de la catedral metropolitana, cargo que ocupó durante más de 15 años. Algunas de sus obras más brillantes son: *Toccata para órgano, Sonata de iglesia, Misa coral guadalupana, Misa funeral* (composición escrita en memoria de Miguel Bernal Jiménez) y numerosos maitines y vísperas, notablemente gregorizantes. También compuso *Aclamaciones,* para coro masculino, orquesta de metales y pueblo. En el Conservatorio de las Rosas enseña canto gregoriano, armonía, contrapunto y órgano.

MADROÑO.

Reciben este nombre varias especies de árboles y arbustos de la familia de las ericáceas y de los géneros *Arbutos* y *Arctostaphylos.* En Sonora se da la misma denominación al árbol de la familia de las cletráceas *Clethra lanata* Mart. y Gal.; y en el estado de Morelos –lagunas de Zempoala–, al hongo agaricáceo *Russula sardo-*

MADROÑO

nia Fr. Las especies más características del género *Arbutus* son *A. glandulosa* Mart. y Gal. y *A. xalapensis* H.B.K. La primera es un árbol o arbusto de 3 a 8 m de altura, con el tronco y los peciolos hirsuto-glandulosos; ramas de color rojizo-moreno; hojas ovales, u ovado oblongas, agudas u obtusas en el ápice, agudas o cordiformes en la base, finamente aserradas o enteras en el borde, lisas o tomentoso-glandulosas en el envés, y de 5 a 12 cm de largo; flores con cáliz pentapartido, corola pentalobulada –blanca, de 7 a 8 mm, en forma de cántaro–, 10 estambres insertados en la base de la corola –con filamentos lanudos y anteras provistas de apéndices dirigidos hacia abajo– y ovario pentacarpelar, pentalocular, con varios óvulos en cada celdilla; el fruto constituye una baya negruzca, granulosa y esférica, con cinco lóculos. Es común en los bosques de encinos y coníferas del valle de México –Desierto de los Leones, Cañada de Contreras, Salazar y Cuajimalpa– y tiene amplia distribución desde Chihuahua hasta Sinaloa, Veracruz y Chiapas. Recibe también los nombres de *nuzu-ndu* (Oaxaca), *aile* (Sinaloa) y *madrón* y *jucay* (Chiapas).

2. *A. xalapensis* difiere de la especie anterior por su mayor altura –hasta 15 m– y porque tiene hojas más chicas –3 a 10 cm de largo–, ligeramente tomentosas cuando jóvenes y después lisas, igual que los peciolos; el fruto, a su vez, es un baya roja oscura, de 8 a 10 mm de diámetro. Se encuentra en el valle de México –Pedregal de San Ángel–, Chihuahua a Nuevo León, Sinaloa, Oaxaca y Veracruz. Recibe también los nombres de *nuzu-ndu* (Oaxaca) y *manzanita* (Durango). Con la madera de ambas especies se elaboran charolas, fruteros y jícaras en Quiroga y Uruapan, Mich., y muebles y artículos de tornería en Chiapas.

3. *A. arguta* (Zucc.) D.C. es una de las especies más comunes del género *Arctostaphylos*. Arbusto de 1.5 a 3.5 m de altura; de tronco y ramas lisos, de color rojizo-moreno; hojas alternas, con el peciolo corto, angostas, oblongas u oblongo-lanceoladas, agudas en ambos extremos, aserradas, lisas, de color verde brillante en el haz, verde azuloso en el envés y de 7 a 15 cm de largo; flores blancas, pentámeras, con la corola en forma de cántaro o jarrito, de 7 a 8 mm de largo, agrupadas en racimos o panículas terminales. El fruto es una drupa globosa, roja oscura, de unos 8 mm, con la superficie granulosa. Se encuentra en el valle

de México –Desierto de los Leones, Pedregal de San Ángel, Chimalapa y Cañada de Contreras– Jalisco, Hidalgo, Guanajuato y México, hasta Oaxaca y Chiapas. El extracto acuoso de las hojas tiene propiedades astringentes, y los frutos frescos, purgantes. El cocimiento de las hojas y los frutos, así como el extracto hidroalcohólico de éstos, son usados como calmantes e hipnóticos. Recibe también los nombres de *madroño borracho* (México), *garambullo* (Hidalgo, México y Morelos) y *madrón* (Chiapas).

4. *Clethra lanata* alcanza hasta 12 m de altura. Tiene las ramas morenas y tomentosas; las hojas, alternas, gruesas, obovadas, redondeadas o un poco alternas, gruesas, obovadas, redondeadas o un poco agudas en el ápice, cuneadas en la base, enteras o algo dentado-lisas en el haz –con unos pelillos toscos esparcidos en el envés– y de 6 a 15 cm de largo y flores pequeñas, blancas, hermafroditas, con los pétalos imbricados y caedizos, pentámeras, actinomorfas, con 10 estambres y ovario súpero –tricarpelar y trilocular–, agrupadas en densos racimos terminales de 8 a 20 cm de largo. El fruto es una cápsula trilobulada, dehiscente por la separación de tres valvas, y de unos 4 mm de ancho. Se encuentra en Sonora, Sinaloa, Jalisco, Oaxaca y Veracruz. Recibe también los nombres de *jicarillo* (Nayarit), *mameyito negro* (Oaxaca) y *mamalhuaztli* –según Altamirano y Ramírez.

5. *Russula sardonia* es un hongo comestible en forma de sombrilla, con el sombrerito o píleo rojo purpúreo, ligeramente estriado en el margen, de 4 a 8 cm, convexo o aplanado y algo deprimido en la parte central; su carne blanca, cremosa y amarga; y tiene numerosas laminillas de color amarillo crema dispuestas radialmente en la parte inferior. Las esporas o "semillas" son blancas en masa, microscópicas, de 10 a 16 micras. Se desarrolla en bosques de coníferas: por ejemplo, en las lagunas de Zempoala (Morelos) y en el Ajusco (Distrito Federal). A veces se vende en los mercados (Tenango del Valle, Méx.) como hongo comestible.

Otras especies del género Arctostaphylos que reciben el nombre de madroño, son las siguientes: *A. polifolia* H.B.K. (Sinaloa y Oaxaca), también llamada *madroño chino*; *A. tomentosa* Pursh. (Sinaloa), también denominada *manzanita*; y *A. pungens* H.B.K., conocida como *pingüica*. Los frutos de esta última son comestibles, y ocasionalmente también los de las otras especies, aun cuando con frecuencia producen efectos inconvenientes, como oclusión intestinal por sus efectos astringentes.

MADRUGADOR. Pájaros del orden Passeriformes, familia Tyrannidae. Son de color olivo en el dorso, gris oscuro en las alas y la cola (con patrones blancos en ésta, sólo en algunas especies), amarillo en las partes inferiores, y gris o blanquecino en la garganta. El pico es ancho y deprimido, de forma triangular. Varias especies habitan principalmente las tierras bajas abiertas de México: el madrugador avispero (*Tyrannus verticalis*), en zonas del norte de México durante el verano, y en todo el país en invierno; y el madrugador abejero (*T. melancholicus*), en áreas tropicales de las costas, perchando en los alambres o en árboles altos. Otras especies son el madrugador chilero (*T. vociferans*) y el piquigrueso (*T. crassirostris*).

MAGALLANES, CRISTÓBAL. Nació en Totatiche y murió en Colotlán, ambas del estado de Jalisco (1869-1927). Se ordenó sacerdote en 1899. El 21 de mayo de 1927, cuando ya había estallado la Rebelión Cristera, fue aprehendido en la parroquia de su pueblo natal y fusilado el día 25 en Colotlán. Su proceso de beatificación se inició en 1961, pues se le considera mártir. Se le recuerda también porque construyó una presa para el riego de su región, fundó una cooperativa de producción y prestó grandes servicios a la educación en el medio rural.

MAGALLANES, EDUARDO. Nació en México, D.F. el 12 de agosto de 1941. Músico y arreglista, en 1970 compuso el bolero "Volverás", con letra de Enrique Okamura, y en 1971 la canción "Tierra de mi tierra", con letra de Mario Molina Montes. En el concurso de la Organización de la Televisión Iberoamericana (OTI) de 1976, junto con Rubén Fuentes y Mario Molina Montes, ganó el primer lugar nacional con la canción ranchera "De que te quiero... te quiero", que hizo triunfar el intérprete Gilberto Valenzuela. En 1977 presentó otra canción, "Así te amo", con letra de Mario Arturo Ramos.

MAGALLANES, JUAN DE. Nació en México, D.F., hacia 1684; murió en Ayotzingo, Méx., en 1736. Miembro de la Orden agustiniana, fue nombrado prior del convento de Chalma, donde emprendió la restauración de la iglesia (terminada en 1729). Escribió *Historia de la aparición del Santo Cristo de Chalma* (1731), algunos opúsculos históricos y poesía en latín y castellano.

MAGALLÓN DE LA VEGA, ALFONSO. Nació en México, D.F., el 30 de octubre de 1915. Licenciado en economía (1945) por la Universidad Nacional Autónoma de México, donde impartió cátedra 34 años (1951-1983), desempeñó diversos puestos de dirección en el Banco Nacional de Comercio Exterior (1945-1957), la Unión Nacional de Productores de Azúcar, el Banco Nacional de Crédito Ejidal, el Consejo Nacional de Comercio Exterior, la Secretaría de Industria y Comercio (1965-1972), el Combinado Industrial Sahagún (1972-1977) y la Secretaría de Pesca (1976-1983). Fue corresponsal del *Weekly Statistical Sugar Trade Journal* de Nueva York (1945-1950) y de *The Economist Intelligence Unit* (1954-1965) de Londres. Publicó trabajos en *Revista de Economía* (1947-1954), *Comercio Exterior* (1950-1954), *Índice* (1951-1953), *Trimestre Económico* (1952), *Guión de Acontecimientos Nacionales e Internacionales* (1956-1960), *Spotlight* de Londres (1962-1963) y *Actividad Pesquera* (1967-1983). En 1961 participó en la dirección del Movimiento de Liberación Nacional, que pugnaba por la liberación de presos políticos. En 1988 se dedicaba al ejercicio independiente de su profesión.

MAGALLÓN RAMÍREZ, ANDRÉS. Nació en Acaponeta, Nay. (entonces de Jalisco), en 1882; murió en la ciudad de México en 1968. Muy niño se trasladó con su familia a Mazatlán, donde vivió hasta su madurez. Se incorporó al movimiento maderista y fue secretario del Ayuntamiento revolucionario de ese puerto. En 1913 el gobierno usurpador lo llevó preso a la ciudad de México; confinado en San Pedro y San Pablo estuvo a punto de ser fusilado. Siendo secretario del cuerpo de ejército, que comandaba el general Ramón F. Iturbide, visitó a Carranza, cruzando por territorio villista, para informarle la decisión de los revolucionarios de Sinaloa de otorgarle su apoyo. Diputado al Congreso Constituyente de 1916-1917, formó parte del grupo que restructuró el proyecto original de Constitución e incorporó

MAGALONI–MAGAÑA

a su texto los preceptos de los artículos 3°, 27, 123 y 130. Fue otra vez diputado a la XXVII Legislatura Federal y senador durante el gobierno de Álvaro Obregón. Se negó a firmar los Tratados de Bucareli y ello le concitó la hostilidad del caudillo. Apartado de las posiciones relevantes en la administración pública desempeñó cargos modestos, como el de juez de paz en la municipalidad de Tacuba, D.F. Participó junto con Ignacio Ramos Paslow en el movimiento henriquista de 1950-1952.

MAGALONI, HONORATO IGNACIO. Nació en Mérida, Yuc., en 1898. Fue director de *El Faro* de Progreso (1920), y jefe de redacción de *El Diario del Sureste* (1921). Como literato buscó una interpretación del mundo espiritual americano y se interesó por lo indígena. En 1939 él y su hermano reunieron su obra poética. Después publicó, ya solo: *Polvo tropical* (1947), *Oído en la tierra* (1950), *Signo* (1952) y *Ocho poetas mexicanos* (1955).

MAGAÑA, DELIA. Nació en México, D.F. Se inició en el cine en 1933 con la película *La sangre manda*. Filmó numerosas películas dentro del género de la comedia, entre ellas *Mi viuda alegre* (1941), *La guerra de los pasteles* (1943), *La monja Alférez* (1944), *Bésame mucho* (1944), *El hijo desobediente* (1945), *Sólo Veracruz es bello* (1948), *Rondalla* (1949), *El seminarista* (1949), *Yo quiero ser hombre* (1949), *Amar fue su pecado* (1950), *La feria de San Marcos* (1957) y *Los hijos que yo soñé* (1964). Después participó en programas de televisión. Murió en 1996.

MAGAÑA, GILDARDO. Nació en Zamora, Mich., en 1891; murió en la ciudad de México en 1939. Estudió en el Seminario de su ciudad natal, y más tarde la carrera comercial en San Antonio, Texas. Establecido en la capital de la República como contador, organizó grupos obreros para oponerse al presidente Díaz y tomó parte en el complot de Tacubaya. Fue maderista y después se adhirió al zapatismo. Fue uno de los firmantes del Plan de Ayala (25 de noviembre de 1911) y jefe del estado mayor de Emiliano Zapata. Representó al jefe del Ejército Libertador del Sur en la Convención de Aguascalientes (6 de noviembre de 1915) y contribuyó a la unión de éste con Villa. Fue electo por esa asamblea gobernador del Distrito Federal, pero casi nada pudo hacer a causa de la lucha con las fuerzas constitucionalistas. Después del asesinato de Zapata (Chinameca, 10 de abril de 1919), continuó la guerra de guerrillas contra el gobierno de Venustiano Carranza. Se unió al Plan de Agua Prieta (25 de abril de 1920) y más tarde fue jefe de las Colonias Militares Agrícolas y organizador de la Comisión Nacional Agraria. Durante el gobierno del presidente Cárdenas fue gobernador del Territorio Norte de Baja California (1936-1938) y luego del estado de Michoacán (1938-1939). Ocupando este cargo fue precandidato a la Presidencia de la República. El archivo de Zapata, que conservó hasta su muerte, fue adquirido por el rector Ignacio Chávez para el Instituto de Investigaciones Históricas de la Universidad Nacional Autónoma de México. Escribió *Emiliano Zapata y el agrarismo en México* (4 vols., 1934-1937).

MAGAÑA, MARDONIO. Nació en Guanajuato, Gto., en 1866; murió en la ciudad de México en 1947. Llegó muy joven a la capital del país y se empleó como conserje en la Escuela al Aire Libre de Coyoacán, donde para entretenerse tallaba con una navaja. Luego aprendió a usar otros instrumentos. Diego Rivera advirtió el valor plástico de esas obras y le patrocinó su primera exposición en el Palacio de Bellas Artes. Antonio Luna Arroyo le considera un caso solitario de escultura *fauve* en México.

MAGAÑA, SERGIO. Nació en Tepalcatepec, Mich., el 24 de septiembre de 1924. Estudió en una escuela de jesuitas en Cuernavaca, y el bachillerato, dos años de leyes, y filosofía y letras en la Universidad Nacional Autónoma de México. Obtuvo la maestría con especialidad en letras inglesas. Se inició en la literatura con la novela *Los suplicantes* (1942) y el libro de cuentos *El ángel roto* (1943). Su novela *El molino de aire* ganó el premio de periodismo de *El Nacional* (1953). En 1946 formó con Emilio Carballido y otros estudiantes la sociedad literaria Atenea, luego convertida en el Grupo de Teatro de Filosofía y Letras, que en 1947 puso en escena su pieza *La noche transfigurada* y en 1948 *La triple porfía* (una escena). Ese mismo año tomó clases con Seki Sano

MAGAÑA

y en 1949 escribió *El suplicante*, obra en un acto que ganó en 1950 el primer premio del concurso de las Fiestas de la Primavera. Ya consagrado como dramaturgo, ha escrito, además: *Los signos del zodiaco* (drama en tres actos con música incidental de Blas Galindo y escenografía de Julio Prieto, dirigido por Salvador Novo en 1951), *El reloj y la cuna* (monólogo, estrenado en 1952), *El viaje de Nocresida* (teatro infantil, en colaboración con Carballido, estrenada en 1953), *Moctezuma II* (tragedia en tres actos y un prólogo, estrenada en 1954), *El pequeño caso de Jorge Livido* (dirigida por Manolo Fábregas, 1958), *El anillo de oro*, *La canción que nunca se acaba*, *Rentas congeladas* (comedia con música y letra del autor) y *Juguetes espaciales* (teatro infantil, 1960), *Los motivos del lobo* (1965, Premio Manuel Eduardo Gorostiza), *Medea* (1965), *Los argonautas* (1965) y *Ensayando a Molière* (comedia estrenada en 1966). Tras un largo viaje a Europa, China y la URSS, en 1971 fue declarado Hijo Predilecto de Tepalcatepec. Se estrenó entonces *El mundo que tú heredas*; y en 1972, en Oaxaca, *El que vino a hacer la guerra*. Ha sido becario del Centro Mexicano de Escritores, maestro de la Escuela de Arte Dramático del Instituto Nacional de Bellas Artes, crítico teatral y columnista. Son suyos los argumentos de las cintas cinematográficas *Los años vacíos* y *El viento distante*. Ha compuesto, además, numerosas canciones románticas y festivas del género popular. Entre sus obras más recientes, destacan: *Pasarela*, *La gallina de los huevos de oro*, *Ana la americana*, *La última diana* y *Rabinal Achí*.

MAGAÑA ESQUIVEL, ANTONIO. Nació en Mérida, Yuc., en 1909; murió en la ciudad de México el 5 de octubre de 1987. En 1927 se radicó en la capital de la República para estudiar derecho, pero en 1931 decidió dedicarse al teatro y a la literatura. Enseñó esta materia en escuelas de la Secretaría de Educación Pública. Colaboró como crítico teatral en *El Nacional* y *Tiempo*. Fue jefe de Teatro Foráneo del Instituto Nacional de Bellas Artes, y fundador y presidente de la agrupación de Críticos de Teatro en México. Escribió las obras de crítica e investigación: *Imagen del teatro* (1940), *Arte y literatura de la Revolución* (1948), *Sueño y realidad del teatro* (1949), *Teatro mexicano del siglo XX* (1956), *Breve historia del teatro mexicano* (1958),

"El teatro y el cine", en *México, 50 años de Revolución* (1962), *Medio siglo de teatro mexicano 1900-1961* (1964), "Las publicaciones teatrales", en *El teatro en México* (1965) y *Teatro: contrapunto* (1970); las novelas *El ventrilocuo* (1944) y *La tierra enrojecida* (1951), que mereció el Premio de Literatura Ciudad de México; la biografía *Vicente Guerrero, el héroe del sur* (1946) y las piezas dramáticas *Semilla del aire* (premio *El Nacional*, 1955) y *El sitio y la hora* (1961). Formó y prologó las antologías *Teatro mexicano 1963* (1965), *La novela de la Revolución* (1965), *El Espectador (una revista mexicana de 1930)* (1969), *Teatro mexicano 1964* (1967), *Don Álvaro o la fuerza del sino, Romances históricos del duque Rivas y Salvador Novo* (1971), *Teatro mexicano 1969* (1972), las obras de Alejandro Casona (1972), *Teatro mexicano del siglo XIX* (1972) y *Teatro mexicano 1971* (1974). Junto con María Luisa Mendoza y Marcela del Río, publicó *Tres conceptos de la crítica teatral* (1962). Sus últimas obras fueron *Los teatros en la ciudad de México* (1974), *Teatro mexicano: la danza del urogallo múltiple* (con Luisa Josefina Hernández, 1974), y *Teatro mexicano del siglo XX* (3 vols., 1980-1981).

MAGAÑA GARCÍA, SABÁS. Nació en Morelia, Mich., el 24 de enero de 1921. Estudió en los seminarios Conciliar de Morelia y Nacional de Montezuma (Nuevo México, EUA) y fue consagrado sacerdote el 23 de septiembre de 1944. Durante 14 años ejerció su ministerio en la capital michoacana. En 1959 pasó a la diócesis de Matamoros como rector del Seminario, cargo que desempeñó hasta 1968, en que fue elegido vicario capitular. El 28 de diciembre de ese mismo año, el papa Paulo VI lo preconizó obispo de Matamoros; fue consagrado el 6 de enero de 1969 por el propio pontífice, en la basílica romana de San Pedro, y tomó posesión el 1° de marzo siguiente. Ha consolidado las obras iniciadas por su antecesor, llevó a cabo la restauración de la catedral y ha erigido nuevas parroquias. V. MATAMOROS, DIÓCESIS DE.

MAGAÑA TORRES, SALVADOR. Nació en Tamazula, Jal., en 1931. Estudió en las escuelas de Pintura y Escultura La Esmeralda y de Diseño y Artesanías de la Ciudadela, donde se especializó en cerámica (1958-1968). Enseñó esta materia en el Centro de Investigación Artesanal de Lerma, México, hasta 1982. En 1972 obtuvo el premio de diseño del Instituto Nacional de Bellas Artes y el de diseño en cerámica del Instituto Mexicano de Comercio Exterior. Sus piezas han sido expuestas en Buenos Aires (1967) y Budapest (1971). En 1973 se perfeccionó en Japón. También hace escultura en piedra, ónix y bronce. En 1988 radicaba en Tijuana.

MAGDALENA CONTRERAS, D.F. Delegación del Distrito Federal; linda al norte y al poniente con la de Álvaro Obregón y al sur y al oriente con la de Tlalpan. Tiene una superficie de 68 km^2 (4.6% del área de la entidad) y una densidad demográfica promedio de 2 832 habitantes por km^2. La población, que en 1950 era de 21 955 perosnas, subió a 40 724 en 1960, 75 429 en 1970 y 173 105 en 1980, es decir un aumento de casi ocho veces en 30 años. Para 1990 se registraron 195 041 habitantes, de los cuales el 21.69% es población no nativa y 2 553 personas hablan alguna lengua indígena. De la población económicamente activa, 47.3% del total, el 63.3% se dedica al comercio y a los servicios, el 24.7% a la industria, el 1.02% al sector primario, el 6.7% a la administración públcia y defensa, y a actividades no específicas el 4.1%.

Sólo la quinta parte del territorio está urbanizada y de ella el 98% está destinado a usos habitacionales, de modo que los vecinos trabajan y se abastecen en su gran mayoría fuera de la delegación. Abundan las residencias unifamiliares rodeadas por grandes jardines especialmente en el área de San Jerónimo. En contraste, se han formado agrupamientos de casas precarias, sobre todo en el Cerro del Judío. Cuenta con el 22.4% del total de viviendas particulares, las cuales disponen de agua entubada el 96.10%, drenaje el 93.74%, electricidad el 98,90% yservicios sanitarios el 87.95%. Según el tipo de tenencia, el 75.79% son propias, el 14.34% rentadas, el 9.36% en otra situación y el 0.50% no especificado. La delegación cuenta con 35 jardines de niños, 62 escuelas primarias, 16 secundarias, las unidades del Instituto Mexicano del Seguro Social (IMSS) para el adiestramiento de adultos en actividades artísticas y artesanales, y la Escuela Superior de Guerra. Hay tres centros hospitalarios públicos y 22 sanatorios privados; 12 biblio-tecas y 10 unidades deportivas. Se presentan problemas de vialidad debido a la estrechez de la mayoría de las calles, a la doble circulación, a la falta de continuidad, de señalamientos adecuados, y a la insuficiencia de las calles transversales. Las principales vías de comunicación son el Anillo Periférico y las avenidas San Bernabé, San Jerónimo, San Francisco, Camino a Santa Teresa, Luis Cabrera, Cruz Verde y Corona del Rosal.

La delegación cuenta con 10 rutas de autotransporte urbano Ruta 100 y 151 camiones, 2 oficinas de Telégrafos, 1 estación de radio FM y 139 oficinas postales. La zona tiene 4 400 ha. de bosques, consideradas zona de conservación y de fortalecimiento del cinturón verde de la capital.

Historia. Hacia el año 1 300, los mexicas, arrojados de Chapultepec por los tecpanecas de Azcapotzalco, solicitaron a Cocoxtli, señor de Culhuacan, un lugar donde refugiarse. Éste les cedió un erial pedregoso en el área de Tizapán, con la secreta intención de que fuesen diezmados o expulsados por los alacranes, los reptiles y otros animales dañinos que ahí abundaban. Sin embargo, pronto surgieron en ese sitio "pueblos bastante crecidos", al decir de un intérprete del *Códice Ramírez*. Aquel grupo, a la par que logró dominar la fauna nociva, pudo gozar de cierto bienestar gracias al río en cuyas márgenes debió asentarse. Así lo sugiere el nombre de Atlitic, que significa "en el centro o en el interior del agua" (del náhuatl *atl*, agua, e *itic*, sufijo locativo). Este topónimo perduró hasta fines del siglo XIX, pues todavía se registra, asociado al de Magdalena, en el *Diccionario* de Antonio García Cubas de 1896.

Una vez consumada la Conquista española, el emperador Carlos I de España otorgó a Hernán Cortés los territorios que formaron el marquesado del Valle, en el cual quedaron incluidos la región de Atlitic y sus colindancias; y en 1535 se autorizó a los españoles a comprar tierras pertenecientes a los indios. Debido a estas provisiones, se fueron estableciendo los pueblos de La Magdalena, San Jerónimo, San Bernabé y Santa Rosa; las haciendas de Contreras, de Eslava, de Cieneguillas y de La Cañada; los molinos de Miraflores y de Calderón y el batán de Anzaldo. Estos asentamientos humanos y fabriles originaron una gran demanda de agua y las consiguientes dificultades entre los interesados. Para

MAGDALENA

remediar la situación, el 27 de marzo de 1635 el oidor Juan de Canseco hizo el repartimiento de la corriente. Al efecto dividió el río en 33 surcos, cada uno equivalente al flujo que pasa por una circunferencia de 21 cm, y asignó diversas partes de éstos, llamadas "naranjas", a la mayoría de los usuarios. Sin embargo, los litigios y conflictos siguieron siendo frecuentes, tanto por la exclusión de algunos como por los abusos de otros. En 1803 se dispuso castigar a quien atajara las aguas del río, tomara más agua de la que le correspondía o tapara las tomas. Las penas reflejaban el desequilibrio social: si el infractor era indígena, 25 azotes; si sirviente de color, 51 meses de cárcel; si español, destierro de la jurisdicción por unos meses; y si dueño o arrendatario, 200 pesos.

El río de La Magdalena, causa a la vez de prosperidad y problemas, nace en la ladera noreste del cerro de San Miguel, en la sierra de las Cruces. Por su margen derecha se le une el río de Eslava, que baja de la sierra del Ajusco, y por la izquierda el de Mixcoac. A partir de esta confluencia se le construyó en 1808 un lecho artificial de arena hasta su desembocadura en el lago de Xochimilco, y a mediados de este siglo fue entubado y conducido hacia el desfogue del lago de Texcoco. Cuando se hizo el repartimiento de sus aguas, surtía a tres pueblos (Totolapa, La Magdalena y San Jacinto), tres barrios (Ocotepec, Tizapán y Pitingo), tres haciendas, seis batanes, cinco obrajes, cuatro molinos y 10 huertas. A fines del siglo XIX esta misma corriente fluvial movía la maquinaria de las fábricas textiles de Contreras (La Magdalena), El Águila Mexicana y Tizapán, y las de papel de Santa Teresa y Loreto.

El obraje de La Magdalena, dedicado a la manufactura de hilados y tejidos de algodón, lo fundó Tomás Contreras a principios del siglo XVII y lo puso bajo la protección de Jesús Nazareno, cuya imagen trajo de España. Su hijo Diego construyó más amplias instalaciones, edificó las viviendas de los obreros, fundó la escuela, instaló un quiosco para ofrecer audiciones musicales a la naciente comunidad y erigió el templo de la Inmaculada Concepción, en cuyo altar mayor colocó la escultura que había heredado de su padre. El caserío fue creciendo al ritmo de la prosperidad de la empresa y congregando a un número cada vez mayor de trabajadores procedentes de La Magdalena Atlitic, San Nicolás Totolapa, San Bernabé, Ocotepec y San Jerónimo. Para mediados del siglo la localidad ya se llamaba Contreras y la imagen de Jesús Nazareno había recibido el título de el Señor de Contreras. De este modo los obreros y sus familias hicieron suya la devoción de don Diego y a la vez perpetuaron el apellido de éste en reconocimiento a los beneficios y al buen trato que recibían de él, cualidades nada frecuentes entre los amos y patrones de esa época. Creció tanto la piedad y el fervor religioso por obra del Señor de Contreras, que los frailes carmelitas de San Ángel dieron en pedir prestada cada año la imagen para que presidiera las procesiones del Viernes Santo. En una fecha no precisada por la leyenda, quienes llevaban de regreso a Contreras la escultura de Jesús Nazareno, no pudieron pasarla por el puente de Tizapán llamado "del zopilote", porque se puso muy pesada, y tuvieron que volver con ella al convento del Carmen. En este monasterio se le construyó una capilla especial a fines del siglo XIX, donde todavía se conserva la imagen original. Otra, de menores dimensiones y del mismo nombre, es la que se halla en el templo de la Inmaculada Concepción de Contreras. La fábrica, a su vez, suspendió sus labores en 1975 y fue cerrada definitivamente dos años después, a causa de problemas laborales que no pudieron resolverse. El predio y las instalaciones pasaron a poder del Departamento del Distrito Federal y éste dispuso que ahí se instalaran una Escuela Hogar para Varones, donde se readaptan socialmente los jóvenes delincuentes, y una casa dedicada a la difusión de las bellas artes. Ésta ocupa un anexo de la antigua capilla de la fábrica, notable porque ahí vivió de 1888 a 1891 el compositor Juventino Rosas. En la cabecera de la Delegación hay otras dos iglesias: la parroquia de la Sagrada Familia y la parroquia de Santa María Magdalena. Ésta data del siglo XVII y en 1966 se le añadió una capilla donde se venera al Señor de la Cañada.

El 17 de agosto de 1847, tras una penosa marcha que se inició el 9 de julio anterior en San Luis Potosí, llegó a San Ángel el resto de la División del Norte, al mando del general Gabriel Valencia. Los invasores norteamericanos, mientras tanto, habían entrado a Tlalpan y marchaban con dirección a Peña Pobre. El día 18 las fuerzas mexicanas se situaron en el rancho de Padierna y en los puntos próximos de importancia estratégica. Al suroeste de San Ángel salía el camino a la fábrica de la Magdalena y al pueblo de Contreras; a la izquierda se hallaba el sendero a Tizapán, bordeado por el manto de lava; a la derecha, varias veredas conducían al rancho de El Olivar; hacia el oeste quedaba Anzaldo, rancho desde el cual se divisaba la aldehuela de San Jerónimo, y muy próxima estaba la altura de Peñón Cuauhtitla, que dominaba de una parte el acceso a La Magdalena y de la otra la ruta a Peña Pobre a través del pedregal. El presidente Antonio López de Santa Anna, quien tenía el mando supremo del ejército, ordenó a Valencia que se retirara a Coyoacán, pero éste, receloso de las intenciones del general en jefe, se mantuvo en sus posiciones, pues había previsto que si el enemigo atacaba por el rumbo de El Olivar, él y sus fuerzas concurrirían en apoyo de Santa Anna; y si acometía por Padierna, el presidente acudiría a reforzarlo, de modo que en ambos casos lo tomarían a dos fuegos y obtendrían así la victoria. A las 12:30 del día 19 los norteamericanos aparecieron en las faldas del cerro Zacatépetl, avanzaron de frente sobre Padierna y a las 2:30 de la tarde se empeñó el combate. Pronto cayó la principal posición de los mexicanos y los invasores llegaron hasta San Jerónimo. La caballería que comandaba el general Frontera logró cortar en dos la fuerza agresora y cuando se esperaba que intervinieran las tropas de auxilio, Santa Anna mantuvo inmóvil a su gente y en la noche mandó tocar retirada. Todavía se pudo recobrar Padierna, pero al amanecer del día 20 los norteamericanos avanzaron en tres columnas: una sobre Peñón Cuauhtitla, otra sobre San Jerónimo y la tercera sobre Padierna. Los soldados, oficiales y jefes al mando de Valencia se batieron heroicamente, muchos quedaron en el campo, y el resto, en su mayoría heridos, se dispersaron. Esta derrota abrió prácticamente las puertas de la ciudad de México al ejército del general Scott. El historiador Francisco Fernández del Castillo, en su *Historia de San Ángel*, proporciona una lista de voluntarios, vecinos de la zona, que detuvieron fugazmente a los invasores en las inmediaciones del cerro Mazatépetl (hoy del Judío). En ella aparecen apellidos que abundan en la Delegación: Gutiérrez, Pineda, Barrera, Correa, Celaya, Cortés, Gómez, Torres, Del Olmo, Pérez y De la Rosa.

En la octava década del siglo XIX, los trabajadores de las fábricas de La Magdalena y la Fama Montañesa, herederas de obrajes coloniales, se solidarizaron con el movimiento obrero contra el presidente Díaz.

El músico guanajuatense Juventino Rosas compuso en Contreras su vals "Sobre las olas", cuando vivía en casa de su amigo José Reyna por haber desertado de un batallón, de cuya banda militar formaba parte. Según testimonios recogidos por un comité creado exprofeso, la obra se tituló originalmente "Junto al Manantial" y fue escrita al borde de una poza que se hallaba donde hoy está la Casa de Bellas Artes, en el costado poniente del templo de la Concepción, cerca de la confluencia de los ríos Magdalena y Eslava. La partitura, dedicada a Calixta Gutiérrez de Alfaro, fue vendida a los editores de música Wagner y Levin en 17 pesos, cuando en 1890 Rosas tocaba en el café La Concordia y a la vez era primer violín en la orquesta de la ópera.

La colonia de la Cruz empezó a formarse en 1919 en los terrenos que pusieron a la venta Francisco del Olmo y Bernardo Velasco; y las de Guadalupe, la Concepción, Santa Teresa y Padierna, en los lotes que se adquirieron de los dueños de las fábricas. Las tierras de la hacienda de la Cañada fueron expropiadas en 1923 y repartidas a los ejidatarios. Por esa época se originó el mote de "brujos" aplicado a los vecinos de San Jerónimo. Dedicados a la fruticultura, para vender sus productos tenían que salir de madrugada para tomar en Tizapán el Ferrocarril del Valle. A la espalda llevaban los bultos y en la mano un farol para alumbrarse, pues por la espesura del bosque había una profunda oscuridad. Vistas a distancia, las luces daban la apariencia de un aquelarre.

El Partido Socialista de La Magdalena, que aspiraba a la autonomía municipal, denunció hacia 1926 la situación que prevalecía: no obstante la riqueza acuífera de la zona, el 95% de los habitantes recibía el agua rodada por canales descubiertos; aun cuando se disponía de cinco plantas hidroeléctricas, la energía se destinaba únicamente a las fábricas y a las casas de los empleados de confianza, mientras la comunidad se alumbraba con quinqués de petróleo, trozos de estearina o sebo, o astillas de ocote; 9 mil de los 10 mil habitantes eran analfabetos; el consumo de pulque, cerveza y aguardiente era muy elevado y también el índice de hechos antisociales; la cohesión popular se había roto a causa de la constante discusión por los linderos; y si alguien necesitaba ir a San Ángel, tenía que hacerlo a caballo, y si a la ciudad de México, sólo una vez cada 24 horas por el Ferrocarril del Balsas. El 10 de diciembre de 1927 se publicó en el *Diario Oficial* el decreto que creó el municipio de La Magdalena. Se desbordó el entusiasmo popular y la solidaridad entre los vecinos se manifestó vigorosamente. Unos cedieron terrenos para que se abrieran calles; otros prestaron bestias para transportar materiales de construcción; quienes ejercían un arte u oficio lo enseñaron de modo gratuito; ameritadas maestras organizaron escuelas y otras introdujeron la práctica de los deportes y crearon clubes culturales y salas de lectura.

Coincidiendo con estos hechos, la zona empezó a ser visitada los fines de semana por familias y excursionistas. Sus principales atractivos eran las huertas de peras, manzanas y membrillos, las corrientes de agua y el recorrido de los dinamos, cuesta arriba de la montaña. Es éste un sistema de plantas hidroeléctricas escalonadas sobre el cauce del río de la Barranca, afluente del Magdalena, construidas por Ángel Sánchez y Compañía a partir de 1897.

El 17 de junio de 1933 se trasladó a San Jerónimo la Escuela Superior de Guerra que había sido creada el 15 de abril del año anterior. Nueve años después, en la escalinata de ese plantel, el secretario de Gobernación, Miguel Alemán, impuso al pueblo el nombre de San Jerónimo Lídice, para perpetuar en México la memoria de la pequeña aldea checoslovaca borrada del mapa por los nazis el 10 de junio anterior. Al cabo de la ceremonia, celebrada el 30 de agosto de ese año, se escuchó la voz del vicepresidente de Estados Unidos, Henry A. Wallace, que se solidarizaba con el homenaje, a control remoto, desde Washington. Para ese tiempo ya varias familias acomodadas habían instalado sus grandes residencias en la zona, en medio de huertas y jardines.

En 1961, el IMSS edificó en la loma del Batán, al sureste de San Jerónimo Lídice, la Unidad Independencia, con 2 500 viviendas para 12 500 personas. En septiembre de 1963 quedó abierto el segundo tramo del Anillo Periférico, entre Barranca del Muerto y San Jerónimo, con una

extensión de 4.5 km. El 14 de septiembre de 1976 se inauguró en La Magdalena Contreras el Centro de Estudios Económicos y Sociales del Tercer Mundo, cuyas instalaciones fueron donadas a la Secretaría de Educación Pública en 1985. Estas obras señalaron la incorporación definitiva de la actual Delegación al tejido urbano de la gran metrópoli.

Los accesos a La Magdalena Contreras son cuatro, todos a partir del Anillo Periférico, enunciados por orden de antigüedad: el Camino a Contreras, por Puente de Sierra, Anzaldo, Padierna y Santa Teresa; la avenida San Jerónimo, por Lídice y El Rosal; la avenida San Bernabé y el Camino a Santa Teresa.

Acervo cultural. 1. *Parroquia de Santa María Magdalena.* Se acabó de construir en abril de 1769. Es de una sola nave y tiene techumbre de bóvedas. La fachada está cubierta con finas labores de argamasa de tipo mudéjar. Sobre el acceso presenta un nicho y a sus lados sendas claraboyas que contribuyen a armonizar el conjunto. La torre es de tres cuerpos. En el interior se conservan una representación del Padre Eterno en el ábside y un altar policromado, ambos del siglo XVII. 2. *Templo de San Jerónimo.* Se acabó de construir en 1713. Es de una sola nave con techumbre de viguería. La fachada está muy ricamente decorada con motivos en argamasa de influencia indígena, de gran originalidad artística. La fachada es de tres cuerpos. La ventana del coro es octagonal y está rodeada de elementos ornamentales. El remate del tercer cuerpo es un nicho abierto. La torre, lisa, tiene tres secciones. En el atrio hay una cruz y en el interior una pila bautismal procedente del siglo XVI, con escudos e inscripciones de la Orden franciscana. 3. *Templo de San Nicolás Totolapan.* Calles de Vértiz, Juárez y Progreso. Testimonio de la primitiva labor misional de los padres dominicos, se construyó en 1535. Tiene una sola nave y con la sacristía que se desplanta a un lado del altar mayor forman una escuadra. La techumbre actual es una bóveda de medio punto. El campanario es posterior, de estilo barroco. En el templo hay elementos mudéjares y herrerianos. 4. *Unidad Independencia.* Anillo Periférico y avenida San Jerónimo. Se inauguró el 20 de septiembre de 1960. Su función es prestar servicios habitacionales, atención médica y enseñanzas especializadas a los derechohabientes del IMSS. Ocupa una superficie de 32 ha y está dividida en tres barrios: Batán Norte, Batán Sur y San Ramón (con capacidad conjunta para 12 500 habitantes) dotado cada uno de centro comercial, centro escolar y espacios para juegos infantiles. La nomenclatura de las calles se inspiró en el propósito de suscitar el interés por conocer el patrimonio histórico y cultural de México. Así, en el primer barrio, aparecen vocablos indígenas: Xipe-Totec, Chacmol, Mayahuel; en el segundo, títulos de canciones y danzas populares: Adelita, Bamba, Estrellita, Huapango; y en el tercero, nombres de obras literarias: Periquillo, Primer Sueño, Nocturno, etc. Las torres se llaman igual que las principales zonas arqueológicas: Uxmal, Tajín y Tollan. En la plaza Cívica se concentra el mayor número de elementos decorativos. La presiden las figuras de Quetzalcóatl, símbolo de la sabiduría, y Miguel Hidalgo, Padre de la Patria, colocadas frente al emblema heráldico de la nación: el águila devorando a la serpiente. En la primera terraza de este amplio espacio hay una fuente con cascada que recuerda al propio Quetzalcóatl, en su condición de dios tolteca de la vida y la sapiencia: en forma de serpiente plegada, ostenta un penacho semejante a las crestas serpentinas de Tenayuca; y de sus fauces emerge una cabeza humana evocadora de Chicomecóatl, deidad de la agricultura. Completan el conjunto águilas y jaguares estilizados a la manera de los de Tula. En otra fuente, al fondo de esta plaza, están los atributos del dios Tláloc. El diseño arquitectónico y las ornamentaciones del teatro al aire libre que ahí se localiza sugieren el perfil de los templos mayas y el peristilo de los escenarios griegos. El autor de estas notables obras es el escultor Luis Ortiz Monasterio.

En la fachada del auditorio, Federico Cantú esculpió una alegoría de la cultura tolteca. En relieve, sobre piedra rojiza de Tlalpujahua, aparecen Xilonen, diosa del maíz tierno, símbolo de la abundancia; Xochipilli, diosa de las flores y de la danza; Coyolxauhqui, hermana de Huitzilopochtli, con una Luna en los brazos; y un chac-mool, mensajero entre el hombre y los dioses. En la cúspide de una pirámide se colocaron atlantes como los de Tula; y en sus cercanías, Francisco Elguero Eppens representó en mosaicos de cristal algunos jeroglíficos indígenas de animales y flores. En el vestíbulo de Centro Interamericano de Estudios de Seguridad Social, que forma parte de la Universidad, Juan O'Gorman pintó un mural dedicado a Miguel Hidalgo.

MAGDALENO, MAURICIO. Nació en Tabasco, Zac., en 1906; murió en México, D.F., el 30 de junio de 1986. Estudió en Escuela Nacional Preparatoria (1920-1923), en la Facultad de Altos Estudios (1924-1925) y en la Universidad Central de Madrid (1932-1933). En 1929 figuró como uno de los líderes del vasconcelismo. Enseñó historia y español en 1934 y 1935. Fue presidente de la Junta Revisora del Impuesto sobre la Renta y jefe del Departamento de Bibliotecas y Archivos Económicos de la Secretaría de Hacienda. Jefe de los departamentos de Bellas Artes y de Bibliotecas de la Secretaría de Educación Pública, diputado al Congreso de la Unión, director general de Acción Social del Departamento del Distrito Federal, senador de la República y subsecretario de Educación, encargado de Asuntos Culturales (1964-1970). De 1943 a 1950 coordinó *La hora nacional*, programa oficial de radio del gobierno de México. Colaboró en *El Sol* y *Estampa* de Madrid, en *La Nación* de Buenos Aires; y en México, en *El Nacional* y durante 20 años en *El Universal*. En 1932 fundó, con Juan Bustillo Oro, el Teatro de Ahora, un experimento político, en el que estrenó *Pánuco 1937*, *Emiliano Zapata*, y *Trópico*. Las tres piezas figuran en el libro *Teatro revolucionario mexicano* (Madrid, 1933). Publicó las novelas: *El compadre Mendoza* (1934), *Campo Celis* (1935), *Concha Bretón* (1936), *El resplandor* (1937; traducida al inglés, italiano, checo, alemán y hebreo), *Sonata* (1941), *La tierra grande* (1949), *Cabello de elote* (1966), *Mapimí 37* (1972); los ensayos: *Fulgor de Martí* (1940), *Rango* (1941), *Ritual del año* (1955) y *Agua sobre el puente* (1968), y el libro de cuentos *El ardiente verano*. Participó como autor y adaptador en más de 50 películas nacionales, entre ellas *El compadre Mendoza*, *Flor silvestre*, *María Candelaria*, *Las abandonadas*, *Bugambilia*, *Pueblerina*, *La malquerida*, *Río Escondido*, *Maclovia*, *Un día de vida* y *La rosa blanca*. Fue miembro de la Academia Mexicana de la Lengua y del Seminario de Cultura Mexicana.

MAGDALENO, VICENTE. Nació en Villa del Refugio, Zac., en 1910. Inició sus estudios en Aguascalientes y los concluyó en la ciudad de México. Fue jefe de clases de español y literatura de la Escuela Nacional Preparatoria y director de la Biblioteca Miguel de Cervantes. En 1952 asistió a la Primera Bienal de Poesía celebrada en Bélgica. Publicó poesía: *La soledad de piedra* (1934), *Atardecer sin lirios* (1938), *Sueños como obsidiana* (1952), *Ascención a la Tierra* (1956), *Árboles juntos* (antología personal, 1963) y *Polvo lunar* (1973); ensayo: *Perspectivas del Nuevo Mundo* (1946), *Paisaje y celaje de México* (1952), *La semana ociosa* (caricaturas líricas, 1954), *Hombres como antorchas* (1968) y *La flecha de cactus* (1969); antologías: *Rubén Darío* (1967) y *Juárez en la poesía* (1972); y teatro: *Ramaje negro* (1976), *El mandatario, Segundo piso y Sacramento* (1980). Murió en 1995.

MAGIA. "Sistema espurio de leyes naturales", según Frazer, pretende conocer los fenómenos naturales, entenderlos y manejarlos a conveniencia. La palabra deriva del antiguo término mesopotámico "mago", que significa sabio. La magia es un sistema de pensamiento contrario a la ciencia experimental, porque es desordenada y caprichosa, se basa en supuestos y maneja ideas apriorísticas; pero ha existido desde siempre en la mente humana, como una alternativa. No antecede a la lógica; se fundamenta en la idea de que existen fuerzas sobrenaturales conscientes, exigentes y ciegas, pero que pueden ser manejables con ciertos conocimientos o poderes. No exige pruebas, sino eficacia. El cuerpo de sus conceptos es el misterio, el cual únicamente develan los iniciados. Se proyecta a la sociedad a través de mitos, ritos, cultos y supersticiones; pero en contraste con la religión, no origina santorales ni martirologios, ni es aceptada en forma generalizada. Frazer considera que tiene un fuerte sentido simpático, o sea que tiende a manejar ontológicamente los fenómenos de que se ocupa, y la divide en homeopática (la que representa lo que se quiere que suceda) y contaminante (la que utiliza partes de las cosas que una vez fueron un todo). Suele llamarse *blanca* a la taumaturgia, inocua o bien intencionada; y *negra* o goecia, a la negativa y de mal designio. La magia se parece a la ciencia en que es eminentemente práctica, y en que se usa como técnica para solucionar problemas.

Los términos que suelen utilizarse como sinónimos de magia, entrañan diferencias que conviene precisar: A) Chamanismo, según Mircea Eliade, es la magia que utiliza técnicas de éxtasis para comunicarse con espíritus o deidades en planos diferentes a los que ocupa el hombre. Tal éxtasis se alcanza por el uso de drogas o la práctica de actividades extenuantes que provocan reacciones cerebrales epileptoides o hipnóticas. B) Hechicería es el conjunto de técnicas mágicas que procura fines malignos; sinónimo de magia negra, es universal en grupos atrasados, y se relaciona con la idea de que por el "ojo" o la envidia se pueden causar los mayores males. C) Brujería es el ejercicio de poderes sobrenaturales generalmente con fines perversos. Los brujos se suponen allegados a fuerzas malignas y tienden a formar sociedades iniciáticas. Durante la Edad Media europea se llamaron brujeriles a las religiones reminiscentes del paganismo romano y a los movimientos de reacción contra el poder eclesiástico y el monárquico. D) Hermetismo es el conjunto de conocimientos secretos que sólo son accesibles a un grupo de iniciados, también se entiende con ese nombre el contexto mágico-filosófico relacionado con las enseñanzas de Hermes Trismegisto. E) Oscurantismo es el cuerpo teórico que se desprende de los misterios, por lo que en cierto sentido es sinónimo de sagrado. F) Esoterismo alude a la verdad subyacente en los símbolos, ritos y ceremonias, que conocen sólo los iniciados. Las verdades al alcance de los profanos son llamadas exotéricas. De hecho, todas las magias y religiones tienen un campo conceptual esotérico y otro exotérico. G) Ocultismo connota los logros de las ciencias ocultas, las cuales son magias con una gran carga de ciencia experimental; por ejemplo, en Europa serían la alquimia y la astrología; en el México prehispánico, el cómputo calendárico; y en todo el mundo, la curandería. El ocultismo se practica en sociedades secretas, cuyos conocimientos son iniciáticos. Ha tenido expresiones a lo largo de toda la historia, pero fundamentalmente en los grupos tribales y en los primeros Estados teocráticos. La ciencia experimental, con el sentido democrático que ha desarrollado desde el siglo XVIII, lo ha constreñido a unos cuantos centros. En este artículo se tratan las manifestaciones de la magia en Mesoamérica, en la Nueva España y en México.

Mesoamérica. *La prehistoria.* Paleolítico (20000 a 7000 a.C.). Familias, hordas y clanes asiáticos pasaron al continente americano durante la última glaciación; su economía se basaba en

MAGIA

la caza, la pesca y la recolección; su utillaje era lítico y sus costumbres eran nómadas. Creían en el *alter ego* o nahual del chamán, en los gigantes –inspirados por la megafauna–, y en que la naturaleza estaba organizada y en equilibrio por contrastes duales: mitos de creación y destrucción por luchas de deidades opuestas, sugeridas por los deshielos y las erupciones volcánicas. La integración social se realizaba por reconocimiento al tótem. La curandería mágica, de tipo siberiano, probablemente se combinó con el conocimiento de nuevas plantas medicinales americanas. Los ritos más importantes deben haber sido las iniciaciones por edad y los cultos a la cacería y al fuego; y las principales preocupaciones, el conocimiento del medio físico y el ajuste de sus actividades al calendario marcado por la Luna y por la reproducción de las especies animales de que dependían. Los únicos indicios arqueológicos de este pensamiento en Mesoamérica son algunos huesos sacros fósiles de llama, encontrados en diversas partes de México y en el sur de Estados Unidos, tallados en forma de cabeza de coyote, cánido que es la forma más frecuente en que se transforma el brujo indígena, o sea su nahual.

Mesolítico (7000 a 2500 a.C.). Se replegaron los hielos, subió la temperatura y se acabó la megafauna pleistocénica; el hombre se vio obligado a depender de la caza menor y de la recolección especializada, lo que al fin lo condujo a la agricultura; el hombre se volvió semisedentario y las especies vegetales se domesticaron. Continuó creyéndose en el equilibrio de la naturaleza por contrastes duales, y surgieron variadas concepciones de la vida más allá de la muerte que se manifestaron en dos principales costumbres funerarias: entierros primarios e incineración. En ambas se ofrendó al muerto lo que supuestamente iba a necesitar en el camino ultraterrestre: compañía y utensilios, y desde entonces se puso cinabrio sobre el cadáver para impartirle vida y salud. La decapitación, el canibalismo y la quema parcial del cuerpo, cuyas evidencias se han encontrado en cuevas del área de Puebla, revelan las formas iniciales de los sacrificios humanos. Puede también deducirse, con base en la arqueología, el culto al cráneo y la adoración a los antepasados.

Neolítico o Preclásico. (2500 a 200 a.C.). Caracterizan esta etapa la sedentarización y el desarrollo de las aldeas agrícolas. Se divide, a su vez, en:

A. Preclásico Inferior (2500 a 1300 a.C.). Los clanes se asentaron en parajes y aldeas agrícolas. La magia tuvo las siguientes manifestaciones: santificación de los espacios sagrados; rituales para el control del agua y la lluvia; mitos sobre la creación que reflejan tiempos geológicos anteriores; un calendario lunar desarrollado y uno solar incipiente, fundados en explicaciones esotéricas; aparición de la cerámica y de abundantes figurillas antropomorfas asociadas a la compañía funeraria, la propiciación de la tierra y el control del "mal de ojo"; ofrendas funerarias abundantes y sacrificios humanos. Las funciones de adivinación, curandería, numerología, conocimiento de calendarios, elaboración de amuletos, interpretación de sueños, nahualismo y dirección de las iniciaciones, iban quedando en manos de un incipiente sacerdocio y de hechiceros reconocidos, que probablemente ya practicaban el autosacrificio. Por las figurillas de barro (ornamentos, peinados, vestidos mutilaciones y deformaciones intencionales) se sabe que la gente señalaba su pertenencia al clan y la posición que en él guardaba.

B. Preclásico Medio (1300 a 800 a.C.). Estados primarios de Centro y Suramérica aportaron un esoterismo elaborado, que en el Altiplano se sincretizó con la magia chamanística, pero en la costa del Golfo y el sur de Mesoamérica impulsó, junto con otras influencias, la organización de los primeros Estados teocráticos. En éstos aparecieron las castas –principalmente de sacerdotes, sabios y artífices– y los pequeños centros ceremoniales, iniciándose así una forma de vida diferente a la que privaba en las aldeas. El pensamiento mágico se fue dividiendo en exotérico (el generalizado) y en esotérico (el conocido sólo por iniciados). Este último creó formas singulares y de gran vitalidad histórica, como el juego de pelota, que funcionó como ordalía, administrado por sociedades secretas de guerreros. Por fuentes tardías (el *Popol Vuh*, entre ellas), se sabe que desde épocas muy tempranas se decapitaba al vencido. Además, se representaban en esculturas monumentales las cabezas de los contendientes muertos y probablemente se formaron academias de jugadores de pelota, uno de cuyos maestros acaso haya sido el *Luchador olmeca* de Uxpanapa. También por las figurillas se sabe que estos personajes, para darse vigor artificial aspiraban o masticaban polvos de plantas estimulantes que colgaban al cuello en pequeñas

MAGIA

vasijas de cerámica, en forma de tlacuache o ave y más tarde de anciano. Conforme a la organización totémica, la imagen del tigre o jaguar representó a la casta teocrática gobernante; la del murciélago, a los sacerdotes sacrificadores; y la de la serpiente, a los oficiantes del culto a la lluvia. Entre los sacerdotes surgió un nuevo tipo de sacrificio propiciatorio, la emasculación, forma de garantizar una purificación permanente. Los bajorrelieves de Chalcatzingo sugieren que se practicaba especialmente a quienes debían propiciar la lluvia. Este traumatismo se representa, además, en los "danzantes" de Monte Albán I, en figurillas olmecas de jade y serpentina, y en las huecas de barro de Tlatilco, llamadas *baby face*. Otros sacrificios fueron la decapitación, el corte de manos y la inmolación de compañeros de viaje funerario (hombres, perros o aves). A juzgar por la abundancia de finos punzones de hueso y piedras semipreciosas, el autosacrificio ya se había generalizado. El culto a los gobernantes y a los antepasados originó suntuosas tumbas por vez primera en Mesoamérica (v. LA VENTA). En el Altiplano proliferaron las figurillas de acompañamiento funerario: plañideras, bailarinas, jugadores de pelota, jueces, chamanes, hombres y mujeres cuyo peinado o atuendo indican los diferentes estratos sociales; y grandes niños asexuados que acaso indiquen líneas hereditarias de cargos o linajes. Aumentó el uso de talismanes y amuletos: a las cuentas verdes se les atribuyó el poder de conferir salud y vida, y se pusieron en la boca de los cadáveres; y se hicieron máscaras de barro para los personajes muertos que tenían nahual o *alter ego* (entre ellos los chamanes y curanderos), representando aves, seres fabulosos, hombres contrahechos, caras yertas y rostros duales (vida y muerte, juventud y vejez, salud y enfermedad). Aparecieron los espejos de hematita, ilmenita y magnetita, bien pulidos y con perforaciones para colgarse, quizás en el pecho de los adivinos, o como indicadores de rango. Hacia finales de esta época se fue perfilando la personalidad de las futuras deidades, según se advierte en el cuerpo del *Señor de las limas*, en las vasijas de Tlatilco y en otras esculturillas de piedra y barro todavía no identificadas.

C. Preclásico Superior o Protoclásico (800 a 100 a.C.). En esta etapa se formaron los primeros Estados del Altiplano; los del Golfo, la zona maya y Oaxaca ya se habían desarrollado. En los pequeños centros ceremoniales, donde vivía la casta que ejercía el control de la sociedad, se homenajeaba a los dioses y a las fuerzas de la naturaleza, se realizaban las iniciaciones y se educaba a los futuros sacerdotes y guerreros. Se extendió la costumbre de incinerar los cadáveres, con lo cual se perdieron los datos que aportaban los entierros a la arqueología. Los mitos de los cuatro soles o eras se fueron haciendo generales; el agua, la tierra, el fuego y el viento presidieron cada era, en un orden que varía según la fuente a que se acuda; se perdieron el tiempo y el espacio; los seres se transformaron; y hubo gigantes, inundaciones, ventiscas, y lluvias de fuego y fieras que devoraban hombres. Este caudal mitológico validaba ecologías pasadas, organizaciones sociales superadas, peligros y accidentes soportados, y preparaba la aceptación de un nuevo sol, el que empezaría en Teotihuacan.

Teocracia. Régimen de las sociedades prehispánicas mesoamericanas organizadas en centros ceremoniales bajo la dirección de una élite sacerdotal que acaparó los conocimientos científicos, la producción artística y los conceptos mágico-religiosos, dirigió la economía y distribuyó la producción. Para ello impuso una educación conveniente, dictó la moral y dispuso de un cuerpo militar para controlar una vasta región. La teocracia empezó en el año 200 a.C. en el sur y la costa del Golfo, y en el siglo III d.C. en el centro de Mesoamérica, y terminó en el siglo IX debido a la lucha de la casta militar por el poder. Los Estados teocráticos se caracterizaron por tener una estructura celular: un núcleo o centro ceremonial que gobernaba un área tributaria donde vivían dispersos los campesinos, que no tenían fácil acceso a él. Las castas se dividieron en estamentos especializados; entre los sacerdotes, por ejemplo, había sacrificadores, adivinos, astrólogos, propiciadores, cantores, poetas, historiadores y escribanos. Las deidades se sincretizaron con los viejos númenes, y se inventaron rituales, cultos masivos y nuevas manipulaciones mágicas de propiciación. Teóricamente, los dioses mantenían el poder cósmico, acondicionaban las fuerzas de la naturaleza para la producción, sancionaban la moral, desalentaban a los enemigos, aliviaban las enfermedades y burlaban a la muerte. El secreto esotérico se profundizó y solamente la casta sacerdotal poseyó los conocimientos del arte, la ciencia, la filosofía y los misterios de

MAGIA

la curandería, la magia y la religión. A su vez, las viejas tradiciones prehispánicas y protohistóricas constituían las creencias y prácticas de las masas campesinas y de las castas más bajas; se trataba de los ritos del culto a las fuerzas naturales, los animales totémicos y las plantas medicinales o alucinógenas. Los sacrificios humanos cobraron mayor prestigio en el Altiplano por la leyenda del Quinto Sol, según la cual Nanahuatzin se convirtió en el Sol y Tecueiztécatl en la Luna, después de una autoinmolación por fuego, acompañados por un águila y un tigre, animales patronos de las sociedades de guerreros. El águila fue, además, quien llevaba los corazones de los sacrificados al cielo para que se alimentara el Sol. El panteón teotihuacano era de origen nahua; en él se ha identificado a Tláloc, Quetzalcóatl, Chalchiuhtlicue, Huehuetéotl, Xipe Tótec, Quetzalpapálotl, Macuilxóchitl, Xiuhtecuhtli, Xólotl, Tlaltecuhtli y Tlahuizcalpantecuhtli; otras representaciones (el tigre-pájaro-serpiente y las culebras entrelazadas, por ejemplo) parecen entrañar misterios y no dioses. El juego de pelota mantuvo el sentido de ordalía hasta bien entrada la época clásica. También el juego *patolli* se suponía protegido por deidades específicas. El calendario ya existía en su doble cómputo (el ritual y el solar), de modo que debieron conocerse la numerología, la adivinación y los horóscopos, y el concepto de los días buenos y malos. La tradición señalaba a los grandes árboles como ductos de origen, o sea que de sus troncos salieron los viejos dioses creadores y los hombres; tardíamente se pintaron uno en cada punto cardinal y otro en el centro de la Tierra. En toda Mesoamérica los cultos al maíz y al agua fueron determinantes en la magia y en la religión. En Teotihuacan la oportunidad de la lluvia se volvió una obsesión. La Luna y el Sol tuvieron sendos templos y a la serpiente emplumada se le dedicó un culto temprano.

Los tocados de las figurillas denotan la condición social de los personajes representados. Las ceremonias de iniciación para cada momento de la vida civil, religiosa y militar debieron acentuar la complejidad de la liturgia. En este horizonte apareció la costumbre de incinerar a los muertos con su ofrenda; los restos se guardaban en urnas cinerarias muy elaboradas, con representaciones de flores, mariposas, aves, sacerdotes o deidades, lo cual sugiere la creencia

de que los seres volvían al mundo convertidos en insectos o pájaros de plumas finas. Esta tradición llegó hasta el momento de la Conquista, referida a los hombres que morían en la guerra y a las mujeres que fallecían durante el parto (v. CIHUATETEO o CIHUAPIPILTIN). Máscaras de ónix o de jade se colocaban como rostro de los bultos mortuorios, tal vez en el caso de personajes que por su relación con el agua (hidrópicos, ahogados, fulminados por un rayo o sacrificados a Tláloc) no podían quemarse e iban al Tlalocan. El totemismo se debilitó, pero los animales se identificaron con los dioses y se hicieron patrones de castas y profesiones: el tigre, de los gobernantes costeños; el murciélago-vampiro, de los sacerdotes sacrificadores, en el sur; la serpiente emplumada, del sacerdocio sabio en el Altiplano. "El camino" para llegar a ellos eran los hongos y otras plantas alucinógenas o medicinales, el tañer de los tambores y el sonido de los caracoles, las cabezas y las extremidades de los sacrificados, y la ofrenda de joyas y chalchihuites. En el sur y sureste de Mesoamérica el pensamiento mágico era semejante, pero el desarrollo de la ciencia era mayor: el calendario fue más preciso y la escritura, la astronomía y las matemáticas alcanzaron mejores logros. La arquitectura, la escultura y la pintura, al igual que la ciencia, no fueron superadas después. Al declinar la teocracia, el ocultismo perdió profundidad. La arqueoastronomía tiende a demostrar que las construcciones de los centros ceremoniales, sobre todo del periodo Clásico, tenían el carácter de observatorios: los equinoccios, los solsticios, las lunas nuevas, los recorridos de Venus y las principales estrellas tenían como referencia alguna puerta, ventana, esquina o escalera. Este sistema mnemotécnico de astronomía se destruyó con el tiempo.

Militarismo. Temprano (siglos IX a XIII). La casta sacerdotal fue desplazada del poder por los militares. También contribuyó a ese fenómeno el asedio de grupos nómadas a las ciudades. La destrucción de los centros ceremoniales clásicos ocurrió lentamente y terminó en el siglo IX en toda Mesoamérica. Sin embargo, en algunos sitios, como en Teotihuacan, continuó la vida ceremonial entre las ruinas, aun hasta el momento de la Conquista española. Surgieron nuevas concentraciones urbanas, entre ellas Tula, Xicocotitlan, Chichén-Itzá y Teotenango, y en Oaxaca los mixtecas remodelaron los viejos centros zapotecas y construyeron Mitla. El grupo que edificó Tula (Hidalgo) destruyó todo rastro de la historia anterior, de modo que se borró la memoria de la alta cultura de los viejos centros ceremoniales. Los mitos de la creación fueron revisados para aparentar que surgían de Tula, una pobre ciudad que nacía de los escombros de Tula Teotihuacan y Tula Cholollan. Quetzalcóatl, numen creador y señor del agua, patrono de la sabiduría y las artes, fue convertido en el dios del viento e identificado con un sacerdote de alto rango, quien estimuló la cultura, embelleció la ciudad, enseñó la mística casi perdida de la adoración a las deidades en estado de pureza y castidad, y le dio nueva fuerza a los conocimientos esotéricos y científicos, tal vez por haber sido educado en Xochicalco, sitio donde se mantenían las tradiciones clásicas. También formaron parte del panteón tolteca Tlahuizcalpantecuhtli, Itzpapálotl, Xochiquétzal, Tláloc y Tezcatlipoca. Se exaltaron la idea del ave de rapiña como elemento sicopompo, y el misterio de los movimientos de Venus, al que se identificó con Quetzalcóatl. El sacerdocio, subordinado a los militares, siguió ordenando el pensamiento, cuidando la moral y monopolizando los conocimientos mágicos y religiosos. El doble calendario, aunque perdió precisión, continuó siendo la base de la adivinación y la formulación de los horóscopos. En el siglo XVI, la figura de Quetzalcóatl era ya un sincretismo de héroes culturales, astros, fuerzas naturales, sacerdotes famosos y númenes de varias culturas, común a todas las regiones mesoamericanas. Su perdurabilidad se manifiesta en los mitos de creación, alimentación, cultura, reyes, héroes y dioses. También se convirtió en un astro, cuya fecha de aparición determinaba el comportamiento de las lluvias. De la numerología se conocen pocos ejemplos: el dos era el uno y su nahual, la dualidad de toda la filosofía empírica; el cuatro, de contenido místico, se aplicaba a los sacrificios y a las prohibiciones religiosas; y el cinco resumía la cosmovisión: los puntos cardinales y el centro de la Tierra. La significación de los demás números variaba en cada lugar; por ejemplo, en la zona maya el ocho era presagio de desastre.

Dice Sahagún que la curandería herbolaria la aprendieron los toltecas de Oxomoco, Cipactónal, Tlaltetecuin y Xochicahuaca (de los cuales no se conocen representaciones en Tula), quienes según las leyendas mexicanas inventaron la astrología judiciaria, el arte de interpretar los sueños y el arreglo del calendario. Tula desapareció a fines del siglo XIII, mientras otros pueblos, en especial el mixteco, florecían y se expandían a costa de los grupos vecinos. Hubo nuevas migraciones chichimecas que revivieron la cultura y poco a poco se suscitó un renacimiento de las ciudades militares, surgiendo más poderosamente que nunca el Altiplano, proceso que culminó con la fundación de Tenochtitlan en 1325.

Tardío (siglo XIII a 1521). En el norte de México, grupos cazadores, recolectores y pescadores mantenían sus creencias ancestrales, aunque ya matizadas por algunas expresiones de cultura, como el juego de pelota. En el centro, sur y sureste volvían a surgir grandes ciudades, gracias a los avances de la producción agrícola, la división del trabajo y la extensión de las rutas comerciales. El occidente estaba inmerso en un neolítico tardío, pero su estética y sus costumbres funerarias emparentaban su magia con la zona andina y el altiplano de Mesoamérica. El militarismo tendía a expandirse, fundado en la tributación de los pueblos sometidos, y organizaba las superestructuras sociales de modo de justificar su régimen. La arqueología revela la influencia de la milicia en la magia y la religión: cerámica para ritos sacrificiales decorada con motivos macabros; esculturas de dioses de la guerra, de hombres muertos y de caballeros iniciados; escenas de dominación de pueblos; enaltecimiento de los valientes, sacralización de los muertos en combate y detalles bélicos no usuales antes en el arte. La arquitectura puso énfasis en los motivos necrofílicos (*tzompantlis*, vasos de sangre, patios para sacrificios gladiatorios) y aportó la novedad de los templos duales: uno para los dioses de la agricultura (la producción) y otro para los de la guerra (la tributación). Y la música y la danza se especializaron en temas de homenaje a los númenes que propiciaban las victorias. En el Templo Mayor de la gran Tenochtitlan hubo secciones dedicadas a la educación de los caballeros tigres y águilas, hermandades iniciáticas de militares con fuertes bases esotéricas. La religión abundó en dioses ajenos, adoptados para amparar las conquistas. Las honras primordiales eran los sacrificios humanos, pues la sangre era el alimento de los dioses creadores.